Presentado a

De

Fecha

DecodeMyDream.com

El diario de los sueños GRATUITO en
DecodeMyDream.com
te da la oportunidad de grabar y conservar tus sueños.
Envíelos a continuación a nuestros especialistas en análisis de
sueños para que los analicen bíblicamente en profundidad y de forma objetiva.

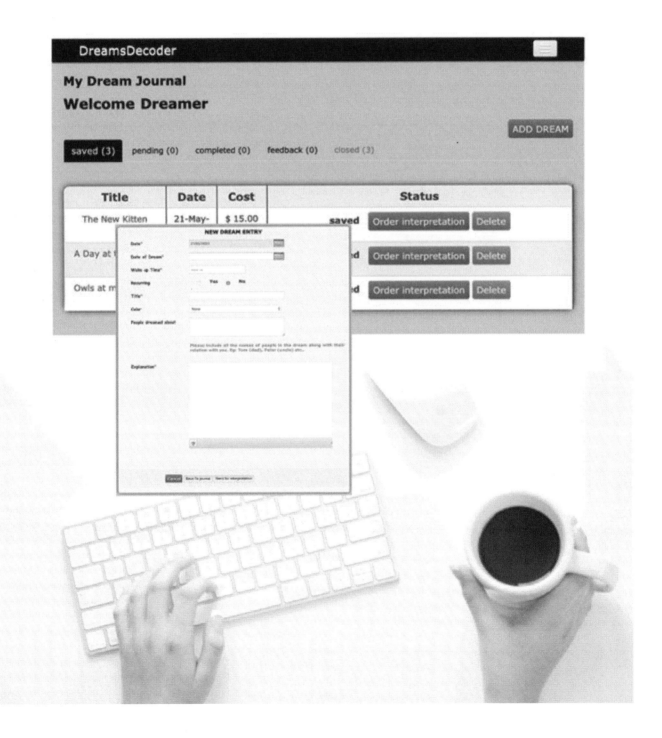

La NUEVA aplicación DreamDecoder ya está disponible para teléfonos Apple y Android.

DICCIONARIO

de la

Simbología

de los

sueños

de la A a la Z

Dra. Barbie L. Breathitt

Breath of the Spirit Ministries, Inc.
P.O. Box 1356
Lake Dallas, Texas 75065-1356
www.BarbieBreathitt.com
www.BarbieBreathittEnterprises.com
www.DreamsDecoder.com
www.DecodeMyDream.com

ISBN: 9781942551188

Versión a lengua española: The Bridges Project

Publicado por: Barbie Breathitt Enterprises, Inc.

Libros de la autora

Diccionario de la simbología de los sueños de la A a la Z

Imagine Vol 1: Revealing the Mysteries of God

Imagine Vol 2: Transforming Into Your New Identity

Imagine Vol 3: Emerging Beyond the Limitations

Imagine Vol 4: Releasing God's Creative Power

Imagine Vol 5: Believe, See and Achieve Your Destiny

Angels in God's Kingdom

Dream Encounters: Seeing Your Destiny from God's Perspective

Gateway to the Seer Realm: Look Again to See Beyond the Natural

So You Want to Change the World?

Hearing and Understanding the Voice of God

Dream Seer: Searching for the Face of the Invisible Dream Interpreter

Action Dream Symbols When Will My Dreams Come True?

Dream Sexology

Sports & Recreation Dream Symbols

Sr. Stephen Schimmel
noviembre 11, 1940-agosto 18, 2017

Quiero expresar mi más sincera gratitud y aprecio a mis queridos amigos, el Sr. Stephen y Rosalba Schimmel, por ser socios generosos del ministerio, por su dedicado servicio y ejercer sus dones espirituales respecto a las donaciones financieras, palabras de sabiduría, consejos y, sobre todo, por cubrir con sus constantes oraciones a los Ministerios Breath of the Spirit (Aliento del Espíritu).

-Dr. Barbie L. Breathitt

Dedicación

El diccionario de la simbología de los Sueños, de la A a la Z, es una compilación con más de 10.200 definiciones únicas acerca de los símbolos de los sueños que hemos recogido de nuestro sitio de interpretación y formación de los sueños, www.DreamsDecoder.com. Este ingente trabajo está dedicado a mis amigos, a mi familia, a mi cariñosa madre Nan Breathitt y a mi hermano, Steven A. Breathitt, y a colaboradores como Amey Claxton, quien fue la que formateó todo el diccionario. Extiendo, además, un agradecimiento especial a mi fiel equipo de interventores profesionales de sueños de www.DecodeMyDream.com como lo son la administradora principal, Joy Biggers, mi equipo de expertos, Betty Bradley, Charlie Stewart, Shawn Martin, Sandra González, Ruth Lum, Kelly Williams, Deborah Welch, y Nikola Schlueter, así como a todos mis demás compañeros de ministerio.

Un agradecimiento especial a mis más cercanos amigos y compañeros de ministerio por hacer posible esta titánica empresa. De igual forma agradezco a Charlie y Ella Stewart por las extensas jornadas que dedicaron a investigar, editar y por ayudarme a compilar los símbolos en Excel. Charlie Stewart, nació el 25 de febrero de 1951 en Boulder, Colorado, pero creció en Chicago. Al culminar sus estudios primarios se trasladó a Alemania para estudiar cardiología y física en el Rethel Gymnasium de Dusseldorf. Al volver a EE.UU. fue presidente del Club de Alemania, se graduó en el Rockford College, Illinois, con una licenciatura en economía empresarial y habilidades de negociación. Posteriormente, trabajó en el servicio de atención al cliente y en una división del área de ventas de Black and Decker en diez estados. Con los años, se trasladó a Texas y Oklahoma donde trabajó por cuenta propia durante catorce años. A Charlie le gusta estudiar la Biblia y escuchar música. Tiene dos hijos casados, William Stewart y Gregory Stewart, y una nieta, Alice Stewart. Los Ministerios Breath of the Spirit ordenaron a Charlie en 2012 como parte de nuestros equipos de sanidades, profecía y ministerio de sueños. Actualmente, Charlie trabaja a tiempo completo interpretando sueños en **www.Deco-deMyDream.com** como intérprete profesional de sueños y dirige el ministerio de oración.

Ella Stewart nació el 31 de mayo de 1943 en Mineral Wells, Texas. Se graduó en el Mineral Wells High School, y posteriormente se tituló como técnica en informática en el Oklahoma City Community College. Ella tiene tres hijos: Tim Wells, Gary Wells y Cindy Wells, nueve nietos y siete bisnietos. Como profesional, trabajó en contabilidad y computación. Ella vivió en Mineral Wells hasta 1972. Luego se mudó a Tomball, Texas, donde vivió siete años; después pasó a Mustang, Oklahoma, durante siete años más, antes de radicarse definitivamente en la bienamada Texas. Ella se casó con Charlie Stewart el 24 de enero de 1992. Ambos tienen una hija canina llamada Kari, a la que le gusta los paseos cortos con correa y las frecuentes palmaditas en la cabeza.

Prólogo

La Dra. Barbie L. Breathitt es una brillante mujer de Dios altamente capacitada. Además, es una mujer íntegra y honorable, que ha crecido en estatura en la interpretación profética y de los sueños. También ha equipado a miles de personas en todo el mundo en las diversas formas en que Dios habla, pues le apasiona enormemente impartir el amor y la presencia de Dios.

Barbie ha pasado muchos años con su mejor amigo, el Espíritu Santo, aprendiendo y recibiendo revelación en el mundo de los sueños y los símbolos. Su diligente investigación y estudio de los misterios de la vida onírica la han llevado a comprender como pocas personas las diversas formas en que Dios se comunica. Ciertamente, a Abba Dios le encanta hablar a su pueblo y la Dra. Barbie Breathitt está idóneamente capacitada para proporcionarle las herramientas indispensables para ayudarle a interpretar sus sueños. Su comprensión de cómo el reino espiritual impacta el mundo de los sueños es un don que vale la pena aprovechar. En ese sentido, ella proporciona una visión detallada e invaluable de tus sueños y de cómo estos suelen ser el instrumento que Dios usa para dirigir tus pasos, o para revelar cualquier cosa en su vida que necesite ser refinado, o incluso revelarle aquello de lo que Él quiere liberarle.

En la Biblia, vemos que una de las formas más comunes como Dios se comunica con las personas es justamente a través de los sueños. Por medio de estos Él da instrucciones, directrices, advertencias, promesas, estrategias, sabiduría, etc. Por ejemplo, el Faraón soñó con siete vacas que se comían a otras siete vacas. Luego soñó con siete espigas que se comían otras siete espigas. Y aunque estos sueños parecían extraños, su interpretación acabó salvando a todo Egipto de una hambruna terrible (véase Génesis 41:15-84). Daniel 7:1 afirma que: «En el primer año de Belsasar rey de Babilonia tuvo Daniel un sueño, y visiones de su cabeza mientras estaba en su lecho; luego escribió el sueño, y relató lo principal del asunto.»

Hoy en día, Dios sigue hablándonos en sueños, ya que se trata de una de las muchas maneras en que Él se comunica con las personas, tanto con los pecadores como con los santos. No en vano el libro de los Hechos 2:17 dice lo siguiente: «Y en los postreros días, dice Dios, Derramaré de mi Espíritu sobre toda carne, Y vuestros hijos y vuestras hijas profetizarán; Vuestros jóvenes verán visiones, Y vuestros ancianos soñarán sueños».

Los sueños pueden expresar bellamente el amor de Dios mientras Él se comunica con usted y le encamina a buscarle íntimamente a Él, atrayéndole de tal forma que llegue a estar íntimamente entrelazado con Él.

La Dra. Barbie Breathitt es una profesora muy respetada y una consumada autora que ha escrito muchos libros poderosos y que ahora añade a su repertorio el imponente DICCIONARIO DE LA SIMBOLOGÍA DE SUEÑOS DE LA A A LA Z. Creo firmemente que este es uno de los mejores y más detallados libros sobre los sueños con base bíblica en el mercado, ya que está lleno de innumerables perlas de sabiduría en lo referente a los sueños, visiones, trances y demás. Sin lugar a dudas, esta completa herramienta de interpretación de los sueños le permitirá comprender de manera más expedita y prolija el lenguaje simbólico de los sueños, descifrar los ciclos de la vida onírica, así como encontrar un marco de referencia para las diversas formas de visiones, de modo que usted aprenda a interpretar y aplicar correctamente la dirección que Dios desea darle a través de los sueños.

La revelación que Barbie imparte sobre quién es Dios y cómo habla a su pueblo es un regalo para la Iglesia actual. Por todo lo anterior, es un enorme placer y privilegio recomendar a la Dra. Barbie L. Breathitt y este trabajo que refleja sus años de dedicación y compromiso en el mundo de los sueños. Mi oración es que usted gane comprensión, conocimiento y sabiduría por el Espíritu Santo mientras lee esta cantera llena de revelación del cielo.

Dr. Ché Ahn
Pastor fundador, HRock Church, Pasadena, CA
Presidente, Harvest International Ministry

Reconocimientos

La Dra. Barbie Breathitt ha impactado a creyentes de todo el mundo durante décadas, ya que enseña y capacita sobre cómo discernir la voz del Señor a través de los sueños. Si bien muchas personas tienen sueños significativos, no saben cómo interpretarlos debido a los elementos simbólicos a veces confusos o nebulosos presentes en sus encuentros oníricos. El Diccionario de Simbología de los Sueños de la A a la Z es una herramienta que todo «soñador» querrá tener en su biblioteca. Sin lugar a dudas, se trata de un recurso que mejorará y acelerará el proceso de interpretación de los sueños.

Patricia King
Fundadora de XP Ministries
www.xpministries.com

Siempre me han fascinado los sueños. Luego descubrí que Dios a menudo está tratando de hablarme por medio de estos. ¿Qué está tratando de decir? Aunque a veces Él habla en maneras muy clara, otras veces lo hace de formas más abstractas. Sin embargo, cuando se aprende a descifrar el verdadero significado de algunos sueños, tu diario caminar se ilumina increíblemente por meses enteros. Si bien en sus anteriores libros Barbie Breathitt hace que sea muy sencillo para todos nosotros entender nuestros sueños, el Diccionario de Simbología de los Sueños de la A a la Z es el mejor material disponible hasta la fecha para ayudarnos a cada uno de nosotros a conseguir una mayor comprensión de nuestros sueños. Personalmente tengo uno en mi casa y otro en mi oficina, ya que se trata de una gran herramienta, no solo para nuestro beneficio sino también para ser compartido con amigos y conocidos.

Joan Hunter
Autora/Evangelista
joanhunter.org

Se trata, sin duda, de la obra más completa sobre la simbología de los sueños que jamás haya visto. Indudablemente usted obtendrá una visión más profunda de los significados de sus sueños con el Diccionario de Simbología de los Sueños de la A a la Z escrito por la doctora Barbie.

Doug Addison
Autor de Understand Your Dreams Now
Dougaddison.com

Cada pueblo o grupo étnico tiene una lengua; un alfabeto simbólico distintivo que se utiliza para formular sonidos y palabras. Esto también ocurre en el Cuerpo de Cristo, a pesar de que estamos formados por muchos miembros, tribus y lenguas diferentes. Ahora bien, lo anterior es especialmente cierto cuando se trata del lenguaje profético del Espíritu Santo. Gracias al Señor que está levantando traductores e intérpretes lingüísticos en nuestros días para ayudarnos a discernir el «lenguaje del Espíritu». La Dra. Barbie Breathitt, es una de estas selectas vasijas, ya que es la autora de este invaluable recurso didáctico agrupado en el Diccionario de Simbología de los Sueños de la A a la Z, el cual le ayudará a descifrar de manera profunda y clara el lenguaje del Espíritu. Es por eso que con gran alegría recomiendo ampliamente los escritos de esta moderna e increíble intérprete.

Dr. James W Goll
Fundador de Encounters Network
Autor de The Seer, Dream Language, Prayer Storm,
Passionate Pursuit y muchos otros.

Quiero recomendarles este nuevo libro de recursos de Barbie Breathitt, Diccionario de la simbología de los sueños de la A a la Z. En este libro encontrarás las más asombrosas claves para entender y obtener una mayor comprensión y revelación del significado oculto detrás de tus sueños, en virtud de que el lenguaje de los sueños casi siempre está codificado con señales, símbolos e información que necesita ser decodificada y asimilada. El Señor esconde cosas en los sueños como un medio para que lo busquemos a Él y lo escudriñemos. En ese sentido, el diccionario de simbología de Barbie Breathitt es una gran herramienta para todos los buscadores y soñadores, ya que está excelentemente compuesto y desglosado en un formato fácil de entender. Este libro está diseñado tanto para jóvenes como para mayores, para el principiante y para el creyente experimentado. Sin duda, es un gran recurso para todas las escuelas de ministerio sobrenaturales y es una necesidad para todas las iglesias y bibliotecas escolares y librerías. No me cabe duda de que usted necesita este diccionario ahora mismo.

Jeff Jansen
Global Fire Ministries International
Líder principal de Global Fire Church
Global Connect

Desde que era un niño, he valorado enormemente, no sólo la información contenida en los diccionarios, sino el cuidado y la dedicación que se necesitó para crear estos ingentes compendios de conocimiento e información. El Diccionario de Simbología de los Sueños de la A a la Z, de Barbie Breathitt, es un recurso maravilloso que le ayudará a descifrar los símbolos que el Señor puede utilizar cuando se comunica con su pueblo. Este detallado glosario contiene más de 10.000 símbolos de sueños diferentes y definiciones que ella ha recogido a lo largo de sus muchos años de estudio bíblico y experiencia en la interpretación de sueños y visiones. Estoy convencido de que esta valiosa herramienta le ayudará a entender la exquisita voz de Dios a través de los sueños.

Dr. Chuck D. Pierce
Presidente de, Global Spheres, Inc.
Presidente de Glory of Zion International
Ministries

Si llevas años pidiendo una herramienta completa que te ayude a interpretar los símbolismos de tus sueños, este diccionario es para ti, pues, por fin, se ha recopilado y puesto en un recurso fácil y al alcance de todos. Mi deseo es que lo disfrutes cuando lo abras, ya sea para entender aquellas definiciones individuales de difícil comprensión, o para el estudio de múltiples palabras. Este diccionario le ayudará a descifrar el código de sus sueños, ya que ha sido compilado por la Dra. Barbie L. Breathitt, quien es, sin lugar a dudas, una de las más prminentes expertas en el campo de los sueños. En este ingenioso diccionario, la Dra. Breathitt comparte su gran don para la interpretación de los sueños con todos aquellos que están interesados en aprender acerca de los ámbitos más profundos del Espíritu, expresado por medio del lenguaje de tus parábolas nocturnas.

Steven Breathitt
Breath of the Spirit
PO Box 1356
Lake Dallas, TX 75065
972-253-6653
www.DreamsDecoder.com

Habiendo trabajado con Barbie y observando la profundidad del entendimiento que ella trae al Cuerpo de Cristo, creemos que ella es una precursora en el área de los sueños y su interpretación. Este diccionario es un recurso imprescindible para aquellos que están a la vanguardia de lo que Dios está haciendo en esta época.

Adrian Beale y Adam F, Thompson
Autor de The Divinity Code to Understanding
Your Dreams and Visions
www.thedivinitycode.org
adrian@thedivinitycode.org
www.thedivinitycode.org

En los tiempos bíblicos, Dios a menudo hablaba a su pueblo a través de los sueños, ¡y todavía lo hace! A veces el significado de un sueño es obvio, y Dios te habla con gran claridad, pero otras veces, Dios se comunica a través de símbolos que pueden ser difíciles de interpretar. Aprender a entender tus sueños puede ser una importante fuente de revelación mientras buscas la guía del Señor. Aunque la interpretación de los sueños requiere una gran sensibilidad al Espíritu Santo, es algo que cualquier creyente puede aprender. Creo que el *Diccionario de la simbología de los sueños de la A a la Z*, de Barbie Breathitt, puede ser un excelente punto de partida para que commiences el proceso de aprender a interpretar tus sueños.

Dr. Robert Heidler, Maestro Apostólico
Glory of Zion International Ministries

Tabla de contenido

A

A flote: ver que flotas indica una falta de dirección y un tiempo de vagar sin rumbo en la confusión. Por su parte, ver un barco, indica que la ayuda está en camino.

A la deriva: flotar por la vida sin una dirección clara, controlado por elementos externos, indica la necesidad de orar a Dios y buscar consejo piadoso; también es señal de duda, doble mentalidad, o ser inestable en todos los sentidos. Flotar en la vida sin estar anclado a Dios, sin direcciones o propósitos específicos es peligroso e improductivo, nunca alcanzarás tu destino si no buscas la sabiduría y planes de Dios. Aprende a resolver los problemas, elimina los obstáculos uno a uno, enfrenta la realidad, estudia para mostrarte aprobado.

A pecho descubierto: comunicación abierta, venerable transparente con el propio amor o afecto, tu corazón está abierto para una relación amorosa. Dispuesto a desnudar su corazón o sus emociones a los demás; ser crudo o vulgar, falta de modales, relajado.

Aarón: significa iluminado, portador de luz, que irradia la luz de Dios; Is. 60:1; es una tipología de Cristo como Sumo Sacerdote; Ex. 28:1-8; He. 5:4-6; Lev. 21:10; Heb. 3:1; 5:1-2; 9:7, 24-25; hermano mayor y portavoz de Moisés, quien ayudó a liberar a Israel de la esclavitud egipcia; montañés, elevado.

Ábaco: utilizar un ábaco en un sueño para contar o llevar la cuenta de sus facturas indica que necesitas tener una nueva perspectiva sobre sus finanzas y métodos de pago de sus facturas. Tal vez quiera considerar la posibilidad de pagar sus facturas en línea para ahorrar tiempo y trámites burocráticos. Un ábaco en su sueño puede estar indicándole que deje de sumar las cosas negativas de su vida del pasado y que mire lo que Dios ha planeado para usted ahora mismo. *«He aquí que yo haré una cosa nueva, ahora brotará; ¿no la conoceréis?»* Is. 43:19.

Abad: es un título que significa padre, el cual se le da al jefe de un monasterio. El cargo también puede darse como título honorífico a un clérigo que no es realmente el jefe de un monasterio. Ver a un abad en su sueño indica que una pacífica seguridad está llegando a su vida a través de la sabiduría y los consejos de Dios.

Abadesa: encontrar a esta superiora en un convento indica que experimentarás una alegría indecible y llena de gloria.

Abadía: Entrar en un convento, monasterio o abadía indica que se ha iniciado un camino espiritual; se está rodeado de personas piadosas que oran y buscan el rostro de Dios, operando en paz y caridad.

Abajo: terrenal, mundano, sensual, infierno, pies, debajo de una situación, deprimido, derrotado.

Abandonado: soñar que te abandonan indica que tienes temor de que te abandonen. Temes que tu amor o amigo te abandone por completo o que mueras solo. Jesús dijo: *«No te desampararé, ni te dejaré; de manera que podemos decir confiadamente: El Señor es mi ayudador; no temeré lo que me pueda hacer el hombre»*, Heb. 13:5-6.

Abandonar: tirar o descartar algo o evitar o escapar de alguien en lugar de cumplir con sus obligaciones; las acciones de uno conducen a un escollo o a una trampa; desviarse, cometer un error de juicio, trampa, mujer u hombre inmoral, depresión y pena, Is 22:11; Lc 6:39.

Abandono, amigos: si abandonas a tus amigos, familiares o conocidos en sueños es señal de que te sientes abrumado por los problemas, las dificultades o la toma de decisiones.

Abandonar, barco: tu negocio o ministerio fracasará; si llegas a tierra, entonces tendrás un nuevo comienzo exitoso.

Abandono: es hora de dejar atrás el miedo a la pérdida o a perder a los seres queridos por el abandono, la traición y el rechazo. Estos sentimientos tóxicos sólo obstaculizan las relaciones y el avance positivo. Procesar los sentimientos de abandono, negligencia o de ser pasado por alto, conduce a la curación emocional. Su enfoque de la vida puede ser de «abandono imprudente». Soñar que no cuidas o das a alguien algo o la atención adecuada, indica una falta de planificación o cuidado. No estás tomando en serio tus responsabilidades en la vida.

Abanico: símbolo de separación; el viento fuerte y concentrado del Espíritu aleja la confusión y las influencias negativas; trae bendiciones y aumento; oculta el rostro de una mujer.

Abastecer: ver un suministro abundante en un sueño indica que la bendición y la mano de Dios está sobre ti para que aumentes y te multipliques, de modo que tengas suficiente para dar en toda buena obra. *«Y mi Dios suplirá todas vuestras necesidades según sus riquezas en gloria en Cristo Jesús»*, Fil. 4:19; 2 Co. 8:14; Cl 1:10-12; 2 Ts. 2:17.

Abba: palabra del Nuevo Testamento que designa a Dios Padre; Abba también se utiliza como título honorífico para los obispos y patriarcas en las iglesias cristianas de Egipto, Siria y Etiopía.

Oír o utilizar este término en un sueño significa que estás pidiendo una relación íntima con Dios o con tu Padre.

Abdías: significa siervo de Dios con discernimiento, Rom. 12:2.

Abdicar: la abdicación es el acto de renunciar formalmente a la autoridad monárquica, ver a un presidente, monarca, rey u otro gobernante abdicando de su autoridad indica una época de caos nacional, malestar y anarquía.

Abdomen apretado: salud, prosperidad.

Abdomen blando: carencia que presagia pobreza, enfermedad o disminución.

Abdomen, expuesto: protéjase contra la traición y la decepción, sea cauteloso en las asociaciones o acuerdos.

Abdomen: siga sus sentimientos o corazonadas y mantenga abiertas las cartas sobre la mesa.

Abducción: significa manipulación por parte de otros que intentan controlarle a usted o a sus circunstancias. Observar un secuestro indica sentimientos de impotencia y desesperación.

Abedul: belleza y gracia; suele crecer hasta 40 pies (lo que representa las pruebas y tribulaciones con un resultado deseable) y hasta 80 pies de altura (representa la boca y el habla o a los llamados a enseñar o predicar la Palabra). La corteza blanca representa la piel que refleja su santidad y pureza.

Abeja reina: abeja femenina solitaria a la que sirven y protegen el resto de la colmena y sus obreras; la líder reproductora. Una mujer muy productiva que tiene muchos frutos que mostrar por sus labores, Pr 31. Una mujer dominante o un cuerpo ocupado en la búsqueda de chismes. Indica que te gusta tener todo en orden y que todos los que te rodean hagan su trabajo para que puedas producir lo máximo posible. Dominas a los demás y exiges que todo el mundo gire en torno a tus deseos y anhelos. Eres egocéntrica, egoísta y te sirves a ti misma.

Abeja: amigo que brinda palabras dulces y alentadoras como la miel del corazón; «tan ocupado como una abeja»; fertilización o polinización cruzada con los pensamientos, creencias o ideas de otros; un chisme muy social con palabras que pican y hieren; enemigos enjambres o multitud de personas que se agolpan para afligir con dolor; Asiria, Is 7:18. Simboliza la superación de lo imposible, la falta de claridad, la angustia y los obstáculos o problemas futuros. Aunque científicamente es imposible que las abejas vuelen, estas lo hacen.

Abejas: simbolizan el orden y la diligencia, el trabajo duro y la industria, la prosperidad comercial; el trabajo cooperativo en equipo; el sentido del orden; «laboriosos como abejas»; personas ocupadas; una hueste de gente trabajadora, chismes; buena suerte; valentía; pureza; abstinencia; abeja reina de la realeza; Jue 14:8; el hartazgo y el placer en los niños, las ganancias y la dicha al producir miel o dulzura en la oración. Las abejas también son conocidas por su inesperada y airadas picaduras las cuales produce dolorosas heridas, desgracia y problemas de un amigo; un enjambre de abejas indica una situación abrumadoramente positiva (se envían obreras para ayudar) o negativa; cuestiones demoníacas u ocultas. Sal. 118:12, Is. 7:18. Las palabras pueden producir miel dulce o heridas urticantes de aflicción; enemigos que se agolpan a nuestro alrededor; poder para picar; una hueste de personas; aflicción. 1 Tm. 5:13. Salvaje y domesticado: De. 1:44; Mt 3:4. Las abejas que vuelan alrededor de su colmena indican gran éxito y prosperidad, Ez. 3; Apo.10.

Abejorro: puede que te molesten compañeros ruidosos y bulliciosos o invitados enfadados con corazones oscuros; respuestas malhumoradas y negatividad inesperada.

Abel: significa aliento; vapor, vida de Dios; Ef 5:2; transitorio, luto; tipo de Cristo como Pastor; el primer mártir asesinado por su hermano Caín, Gén. 4:2; Mt. 23:25; Heb. 12:24; 1 Jn. 3:12-13.

Abías: la voluntad eterna de Dios, 1 Jn. 2:17.

Abigail: Significa que mi Padre se alegra y yo me alegro de Dios, Sf. 3:17.

Abismo: la falta de espiritualidad está creando una barrera de miedo, el trabajo a través de las complejidades de la vida para superar todos los impedimentos, el miedo a «dar el salto» o a vivir por fe. Caer en un abismo: representa las profundidades del autodescubrimiento; un miedo reprimido, o sentimientos negativos subconscientes de depresión y desaliento. Miedo al fracaso, a caer o a perder el control; pérdida de la identidad personal; infierno; muerte; sin miedo; superación de las limitaciones; enorme potencial de crecimiento y expansión. *Abismo:* miedo al sexo, a la muerte o a lo desconocido, ansiedad, miedo al fracaso o a la caída.

Abogado: acudir a un abogado, especializado en la defensa de los tribunales y en el asesoramiento jurídico de los expertos, representa la necesidad de un sabio consejo y dirección en relación con los asuntos legales o domésticos. No tome ninguna decisión comercial sin consultar primero a un abogado. Consejero; fiscal o acusador; defensor; Cristo Jesús; legalismo; justo defensor; mediador.

Mt. 22:35. Jesucristo el justo, 1 Jn. 2:1, Jb 16:19, abogado, alguien que representa o solicita a otros en tu nombre, que habla a favor de ti o te recomienda para que se te haga justicia, aboga por tu caso en tu nombre, apoya o defiende tu causa, sé leal con tus amigos y familiares, no comprometas tus propios intereses, la honestidad y la integridad son de suma importancia. Un defensor, Jb 16:19, Jesús, Padre, 1 Jn. 2:1, un abogado, un procurador; representación profesional, Rom. 8:34, se necesita consejo y sabiduría; pleito, disputas o conflictos mundanos necesitan resolución, la justicia prevalecerá; un mediador intercesor o de oración.

Abogar, uno mismo: recibirás buenas noticias y serás un triunfador.

Abolladuras: ver una abolladura en un sueño significa que dudas de tus pensamientos. Posiblemente estás dudando de tus decisiones. También representa una mancha en tu personalidad.

Abominable hombre de las nieves: este ser es también conocido como Yeti. Ver uno en un sueño es un indicador de que puedes tener una imaginación hiperactiva que se centra en posibilidades irreales más que de la realidad. Así que reenfoque o canalice su imaginación en lo divinamente sobrenatural y real de Dios. Un Yeti es también un término que se utiliza para describir a un joven emprendedor, normalmente de veinte años, con inclinaciones técnicas. El término «Yeti» surgió durante la «burbuja de las punto.com»; alguien con gran perspicacia que prosperó rápidamente; perdió mucho; pero increíblemente se levantará de nuevo con mayor sabiduría obtenida de su experiencia.

Abominación: ver surgir una fuerte oposición que despierta en ti el asco y la repugnancia extrema indica que tu carácter piadoso superará la injusticia moral y que saldrá victorioso sobre las personas y los asuntos que intentan detener tu progreso y avance.

Abono: ver abono en tus sueños puede ser una advertencia para que vigiles o consideres qué es lo que tienes o necesitas sembrar. El abono se compone de materiales naturales, sintéticos o estiércol. Asegúrate de que nadie está vertiendo sus residuos sobre ti. Se necesita más Palabra para aumentar el conocimiento. Os. 4:6 nos dice: «*Mi pueblo es destruido por falta de conocimiento*». Evalúa tu entorno actual y la compañía que tienes

Aborigen: sentimientos sexuales no aceptados, las respuestas intuitivas conscientes, el lado menos racional o lógico, movido por instintos o motivaciones naturales, sentimientos emocionales impulsivos o reacciones comunes, los sentidos sobrenaturales aportan equilibrio y conexión, revelan restricciones consuetudinarias o antiguas tradiciones religiosas.

Abortar: entrega prematura de una promesa antes de que se completara el proceso de preparación para sostener la vida; la muerte de algo nuevo; maldición de esterilidad; abortar el propio fruto o potencial, Is. 66:9. La muerte prematura de un nuevo comienzo; el aborto o la pérdida de una idea; el fracaso de un proyecto, el paso de un ascenso o el fin de una relación. La pérdida literal de la vida de un bebé antes de que pudiera nacer a tiempo. No dar el paso o el cuidado necesario para que una cosa nueva nazca en su momento.

Aborto: inducción voluntaria de la terminación de la vida de un bebé antes de que este sea capaz de sobrevivir de forma independiente, un aborto espontáneo, una expulsión prematura o un cese forzado que impide el crecimiento, el desarrollo o la maduración normal antes del completo desarrollo. Se te ha otorgado el honor y la responsabilidad sobre una nueva vida, idea, negocio, amigo o relación para que la administres, la alimentes, la desarrolles y la mantengas hasta que sea madura y capaz de cuidarse a sí misma. Ver un aborto significa que no has dado a este regalo el tiempo o la atención que necesita para estar sano. Tu negligencia intencional ha limitado tus posibilidades de éxito, el fracaso en el logro de un objetivo o meta; fútil; corte de una bendición; eliminación del propio destino.

Abraham: Padre de multitudes; Gén. 17:4-5; tipo de Dios Padre, Gén. 22:1-10; Heb. 11:17-19; J. 3:16; Abram, patriarca hebreo llamado «Padre de los fieles». Abandonó su idólatra parentela y emigró a Canaán. Vivió en tiendas. Murió a los 175 años. Padre de todos los que creen.

Abrazar: abrazarse a sí mismo indica autoestima, aprecio y amor propio. Si abrazas a otros, indica que necesitas más calor y expresiones amistosas de afecto, o que necesitas demostrar más amor. Estás dispuesto a recibir y tomar en serio a las personas que te rodean. Aceptar a Jesús como Señor, la salvación, estar de acuerdo o aceptar; tomar algo a pecho, unirse en completa unidad.

Abrazo: abrazar algo; un compromiso afectuoso con alguien; una impartición espiritual. Un abrazo estrecho es una señal de que eres capaz de dar y recibir amor, tienes un corazón tierno que se preocupa por los demás, tanto como lo haces por ti mismo; eres alguien dispuesto a bajar la guardia y permitir que tus emociones sean afectadas por las necesidades y los deseos de los demás; mantienes una comunicación abierta y sincera con los demás; estás necesitando de un toque tierno y prolongado ofrecido por otros hasta que se produzca una sanidad completa; simboliza que tienes una naturaleza afectuosa y cariñosa que sostiene a las personas que te importan con sentimientos cálidos; si estás siendo abrazado es el momento de abrirte, de ser sanado o sanada emocionalmente.

Abrelatas: un abrelatas en un sueño sugiere que «puedo» hacer todas las cosas a través de Cristo. Nuevas puertas de oportunidades, ideas creativas o conceptos innovadores están ahora disponibles para la participación. También puede indicar que alguien ha abierto una «lata de gusanos» que se requerirá de mucha energía para lograr «salir de los problemas que se crearán». Ideas afiladas con capacidad para abrir dones y contenedores de talentos, llamadas y habilidades; arma oculta; palabras que «cortan como un cuchillo».

Abrigo de piel: cubierto de elegancia, sabiduría y estilo; bien cuidado; prosperidad; cultura; estatus; seguridad; el honor, la riqueza y la influencia de una persona, una gran herencia.

Abrigo, ponerse: aumento.

Abrigo, quitarse o perderse: disminución.

Abrigo: cobertura pesada; protección añadida; fortuita.

Abril: Abril/Mayo Alfabeto de *Iyar*: Conexión *Vav*, enlace. Tribu: es el mes de Isacar para entender los secretos y misterios. Constelación: Tauro, el toro. Color: Azul real. Piedra: Lapislázuli. Iyar es un mes en el que la sanidad natural se manifiesta cuando los procesos de pensamiento se renuevan a través del arrepentimiento y la aplicación de la Palabra de Dios. Limpia tu conciencia y recibe orientación espiritual a un nuevo nivel. Este es el mes para contemplar los números que aparecen en cada área de tu vida, los sueños, las visiones y la revelación sobrenaturales. Iyar está vinculado a la luz. Dios es el Padre de la Luz, así que espera un aumento en el conocimiento y la comprensión de la revelación. Este mes, la luz se desvanecerá y disipará la oscuridad en su vida. Soñar con abril, el cuarto mes del año en el calendario romano, denota que entrarás en una época de placer, crecimiento y aumento. El mes de abril denota deleite, satisfacción y nuevas fuentes de ingresos que producirán un beneficio. Soñar con el día de los Santos Inocentes indica que se está actuando como un tonto, que se está siendo insensato o que se puede ser víctima de un truco de alguien o el objeto de una broma pesada, Abril, como nombre de mujer, significa una nueva fe despertada Ez. 37:14.

Abrojo: representa una maldición sobre tu tierra y a tu capacidad de producir; inutilidad, Gén. 3:18; 2 Apo. 14:9; 2 Cr. 25:18; Os. 10:8.

Abrojos: símbolo de maldición, infructuosidad; enredos; maldad; iniquidad; enfermedad; trampas; persecución; molestias; lucha; cargas; disgustos. Jue. 9:14-15; Is 34:13; Lc. 6:44.

Abrumado: sobrecogerse emocionalmente; inundar, trastornar, dominar o estar envuelto en problemas o dificultades.

Abs: sistema de frenado antibloqueo, seguridad respaldada por activos; término informal para los músculos abdominales.

Absceso: un dolor oculto o una enfermedad física que sale a la superficie; un trauma emocional que sale a la luz para procurar ser sanado.

Absorto: la concentración es algo bueno si no te hace descuidar otras cosas o alejar a la gente de tu alrededor. Asegúrate de no permitir que el trabajo o las atmósferas negativas te consuman. La vida irreflexiva es menos fructífera.

Abstinencia: contenerse, abstenerse de toda forma de maldad, de cosas malditas o negativas, de la idolatría, de la inmoralidad sexual; 1Ts. 4:3; 5:22; negar las tentaciones sensuales, la bebida, el sexo y cualquier otro exceso de indulgencia o apetito carnal; no poner ninguna confianza en la carne haciéndose demasiado confiado; moverse lentamente; huir de la lujuria juvenil; 1Pe. 2:11-12, conducta honorable. La abstinencia del pecado es buena, pero no pongas tu confianza en tus propias habilidades para resistir la tentación, ya que el orgullo podría entrar en tu vida. Es posible que Dios te llame a ayunar de tus actividades favoritas o de tus caprichos.

Absuelve: el arrepentimiento llevará al perdón, la experiencia es un excelente maestro, los errores del pasado no serán remediados, no serás responsable de un resultado negativo. No se le considerará culpable.

Abucheos: significa que estás buscando la aprobación de los demás; los fracasos personales pueden dar lugar a la vergüenza o el bochorno.

Abuela ciega: las abuelas o ancianas en sueños representan la gracia de la sabiduría que otorga la edad y las experiencias de la vida, la bondad amorosa, la madurez o la iglesia. Si la abuela es ciega en el sueño, significa que necesitas guiarte por tus sentidos espirituales, confiar en sus instintos y en la intuición dada por Dios.

Abuela: herencia de la generación justa o injusta; pasado; sabiduría de las edades; Espíritu Santo. Pr. 13:22; 2 Tm. 1:5.

Abuelita: anciana sabia, alguien que ha vivido lo suficiente como para ver cambiar los tiempos para bien o para mal. Una cuidadora gentil que ha desarrollado los Frutos del Espíritu a través de muchos años de pruebas y desafíos. Seguridad y protección. *Nona/yaya*: una persona quisquillosa; la generación más vieja o la herencia pasada; los dones espirituales que se transmiten a la siguiente generación; *The Beverly Hillbillies*; la historia pasada, la sabiduría y la madurez.

Abuelo: herencia generacional justa o injusta; el pasado, la sabiduría de los siglos, el Espíritu Santo, Pr. 13:22; 2 Tm. 1:5.

Abuelos: protección y seguridad; amor especial; recuerdos afectuosos; bondad y tierna sabiduría; los padres reales de la madre o el padre, el antepasado o la madre, los ancestros de uno. Si está hablando con sus abuelos en un sueño, estás recibiendo una herencia piadosa, dones espirituales o palabras de sabiduría de la gran nube de testigos.

Abulón (oreja de mar): considera un juego de palabras «Siento que quiero estar solo», o «voy a estar solo». Usted está en un lugar o período temporal de su vida. Ver una abulón en tus sueños revela tu naturaleza tal y como te ven los demás. Tu exterior puede parecer monótono y rígido, pero una vez que te abres a la gente tu caparazón interior o tu ser, están llenos de color. Tu hombre o alma interior está llena de la bondad del Señor que atrae a otros para que disfruten y se alimenten de las palabras de su sabiduría y gloria que son tu testimonio.

Abundancia: el plan y la voluntad de Dios para tu vida es que tengas lo suficiente para sembrar en toda obra buena. «Porque al que tiene, se le dará más, y tendrás en abundancia; pero al que no tiene, hasta lo que tiene se le quitará». Mat. 13:12 «*Y les dijo: Mirad, y guardaos de toda avaricia; porque la vida del hombre no consiste en la abundancia de los bienes que posee.*» Luc. 12:15. Las riquezas y los bienes pueden ser efímeros, da con un corazón alegre, guarda los bienes, los talentos y la vivacidad. Todos los dones perfectos vienen del Padre de las Luces.

Abuso: cosechamos lo que sembramos, los pecados del pasado te descubrirán si no te arrepientes; las acciones negativas encienden respuestas negativas en los demás. Observar el abuso físico, emocional o verbal sugiere una mentalidad de víctima por dar a alguien demasiado poder en tu vida cotidiana. Dios es nuestro defensor.

Abyecto: verse a sí mismo o a otros en una condición abyecta indica que se avecinan tiempos difíciles; evita las acciones vergonzosas que te llevarán a la pobreza.

Acacia: ver esta flor floreciendo indica que descubrirás un amor platónico; amor oculto; descubrir la belleza que hay en la jubilación, o un amor casto.

Academia: nuevas relaciones, amistades y una nueva oportunidad en la vida.

Acampada: visitar o pasar temporalmente por una zona o estación de la vida Heb. 11:8-10.

Acampar: necesitas un tiempo para alejarte; dar un paso atrás, simplificar; relajarte y disfrutar de la naturaleza; puedes estar acampando en una vieja situación que necesita ser resuelta; es tiempo de levantar tu tienda de campaña, seguir adelante y dejar atrás los fracasos o las heridas; buscar tu tribu o el lugar al que perteneces; desarrollar una naturaleza autónoma o independiente. Una temporada o situación temporal que puede ofrecer algunas dificultades inesperadas; en movimiento; revelación de la verdad de tus socios con los que estás acampado; una necesidad de simplificar la vida, relajarse y ser natural, escapar de los negocios; vivir en modo de supervivencia; separarte de las rutinas de la vida; buscar tu Tierra Prometida; experiencia con la naturaleza a largo plazo; ser autónomo.

Acantilado: necesidad de tomar una decisión; riesgo; cambio; desconocimiento; peligro; sensación de haber llegado al final de la cuerda, alguien te ha empujado al límite, al borde del desastre, dispuesto a abandonar y acabar con todo, caminar en un lugar muy peligroso, dar un salto de fe sin ver medios de apoyo, caminar por el Espíritu.

Acaparamiento: temor al futuro, espíritu egoísta o tacaño. Aprende a dar de ti mismo y a compartir lo que tienes con los demás.

Acceso: soñar que se le da acceso a algo es un permiso concedido para entrar o participar en un asunto controlado por otros. «Porque por medio de él ambos tenemos acceso por un solo Espíritu al Padre». Ef. 2:18.

Accesorios (detalles): partes de una máquina o equipo, es indicativo de las acciones que se necesitan para evitar que una relación se desmorone o abandone. Soñar con accesorios en un sueño indica que usted tiene un buen ojo para la moda, la creatividad y los detalles. Te gustan las cosas sencillas que hacen que uno se sienta apreciado y completo. Características adicionales añadidas a un vehículo u otro dispositivo que añaden comodidad, rendimiento o estilo. Usted desea o busca las cosas más finas o exquisitas de la vida.

Accidente: un sueño de advertencia o llamada de atención, representa la culpa subconsciente o el autocastigo, como por ejemplo que los errores ocultos están saliendo a la superficie o un accidente de coche: simboliza su estado emocional, el miedo a la muerte o al daño físico, el procesamiento de un trauma anterior o de un accidente automovilístico, una advertencia de accidente, «volverse loco», albergar profundas ansiedades, frenar antes de encontrarse con el desastre, reconsiderar sus acciones en el camino que está recorriendo, redirigir su curso, las acciones imprudentes están afectando a los que le rodean de forma devastadora, ver a alguien morir en un accidente indica la muerte de una relación o de un aspecto de uno mismo.

Acción de gracias: llamado a la alabanza y a recordar todas las bendiciones y provisiones que Dios ha suministrado en la vida; la acción de gracias trae multiplicación y aumento, un corazón alegre hace bien como una medicina. Cuenta tus bendiciones, nómbralas una por una y luego da gracias por todas ellas.

Acción estable: juego de palabras: sobre para «estabilidad» emocional, financiera, espiritual o mental de uno; la capacidad de uno para controlar o dominar los deseos sexuales, o el arrebato emocional; lento y constante gana la carrera. Es seguro de sí mismo; se resiste a los cambios bruscos de posición o de condiciones; tiene una vida indefinida; es inmutable y permanente; no se deja disuadir ni influir fácilmente; es «estable» en mente, cuerpo y espíritu; es seguro económicamente y estable mental y emocionalmente.

Acciones, comprar: inversiones reunidas para un uso futuro; mercancía; economía comercial en aumento; participación en los dividendos; beneficios y prosperidad; recaudación de fondos de capital; derecho; se dan derechos a los propietarios; castigar en los stocks; estar en un lugar común u ordinario;

Acciones, vender: pérdida de ingresos o inversiones; ganado vivo; originador de la línea familiar, ascendencia o linaje; «tomar existencias».

Acciones: verse a sí mismo o a otros actuando o siendo activo en un sueño indica una acción, un acto, o que su voluntad consciente necesita comprometerse de forma física, no sólo en el pensamiento a través del proceso mental. Es el momento de ejercer algún tipo de fuerza positiva, de actuar, de esforzarse y de ejercer tu influencia.

Acebo (arbusto): si está en plena floración indica prosperidad y nuevas amistades. Si te pinchan las hojas ten cuidado con tus palabras para que no arruinen tus cambios con alguien nuevo; paz, Fil. 4:7. Son un símbolo de previsión; felicidad doméstica; defensa; «fiestas»; celebración del nacimiento de Jesús; paz, Fil. 4:7 «*la paz de Dios supera todo entendimiento y guarda nuestro corazón y nuestra mente*»; Navidad; diciembre.

Acechar: si está siendo acosado indica la necesidad de enfrentarse a un asunto difícil de la personalidad, ignorar el problema no resolverá el dilema; ser acosado en la vida real: el miedo se ha trasladado al ámbito de sus sueños.

Aceite bronceador: descansar o empaparse del Espíritu; tumbarse; vacaciones.

Aceite de masaje: ver o usar aceite en un sueño india que tu cuerpo (amasado) necesita ser expuesto a más de la unción para relajarse, con el fin de atenuar un problema de circulación o muscular. Tu cuerpo necesita ser alineado para que funcione correctamente.

Aceite de oliva: representa la unción del Espíritu Santo que nos da una unción para ministrar en los dones del Espíritu; los ungidos, los cristianos y Jesucristo. Ex. 25:6; Jn. 1:32-33; Hch. 11:26.

Aceite de ricino: ver o usar aceite de ricino en un sueño indica que necesita soltarse y aprender a fluir. También puede indicar que las tensiones de la vida te hacen doler el estómago y te causan un dolor indeseado.

Aceite sucio: es señal de que necesitas que el Espíritu Santo limpie los contaminantes y aditivos usados de la unción en tu vida para que la suciedad «pecado» que se encuentra en tu aceite sea removida a través del arrepentimiento. «*Las moscas muertas apestan y echan a perder el perfume. Así mismo, pesa más una pequeña necedad que la sabiduría y la honra juntas. El corazón del sabio busca el bien, pero el del necio busca el mal*», Ec. 10:1-2.

Aceite y vino: ver aceite y vino juntos en un sueño representa la cosecha de los Tabernáculos, Os. 2:8,22; Apo. 6:6. El aceite y el vino son una buena guarnición para la ensalada, por lo que también puede representar la necesidad de llevar una buena dieta nutritiva.

Aceite, caliente: fricción; lubricante para disminuir la fricción; funcionamiento en lo natural; no hay unción.

Aceite, de la unción: representa el poder del Espíritu Santo, los dones y el ungimiento; ungido para ser apartado como profeta, sacerdote o rey; la fragancia del Señor, un odre flexible de vino nuevo; ayuno, sanidad, capacidad de romper yugos de esclavitud, libera del pecado, alabanza; alegría; gozo; incienso. Poder espiritual para ayudar a que tu vida funcione sin problemas.

Aceite, rancio: unción que se ha estropeado; adulación insincera; un soborno para salirse con la suya o con un deseo; dar una propina a alguien.

Aceitunas: aceite de unción; luz; salud; medicina; gratificación y amigos de la vida; negocios prósperos.

Aceleración: la prisa solo hace que te desperdicies, así que no te apresure en las tareas, el comportamiento compulsivo te hará pasar por delante de las personas o las oportunidades sin pena ni gloria. Desacelera, huele las rosas y disfruta de la vida; relájate, tómate la vida con calma y explora otras opciones.

Acelerador, pedal, disfuncional: ora contra los obstáculos que intentan bloquear tu avance y progreso.

Acelerador, pedal: pisar el acelerador, es el momento de ir por todas, espíritu de aceleración y multiplicación increíble, esforzarse más para tener éxito.

Acelerador: pisar el pedal del acelerador indica que el tiempo podría estar agotándose y que necesitas completar tus objetivos rápidamente, ser expeditivo; eres un aprendiz acucioso y experimentarás un ascenso en breve.

Acelerar: sólo se puede correr a la máxima velocidad durante una distancia corta; reducir la velocidad y el ritmo para lograr el éxito; evitar el agotamiento; una forma rápida de comunicación.

Acento: tener o escuchar un acento en su sueño indica que viajará a un país extranjero en un viaje misionero, o que tendrá un cambio de entorno por negocios o por placer. Preste atención a las cosas que se destacan o amplían en sus sueños. Un acento llama la atención o le ilumina para que reciba conocimientos en su vida cotidiana. Si se acentúa una advertencia o un objeto negativo, ore contra él, anule su poder y apártese de él, Stg. 4:7.

Aceptación: deseo de formar parte de un grupo específico, de un organismo o de la vida de una persona en especial, advierte de que hay que no hay que medirse a las expectativas de los demás.

Aceptar: recibir algo que se ofrece de buena manera, ser admitido en un grupo o consejo, asumir dudas y responsabilidades, consentir en pagar, aceptar una propuesta de matrimonio.

Acera: el camino de la vida, el avance, la dirección correcta; si se agrieta: los pequeños contratiempos pueden obstaculizar o retrasar temporalmente el destino si no se hacen pequeños ajustes.

Aceras: caminar a lo largo de la vía principal de la vida, sin estar todavía en la corriente principal, estás preparándote y acumulando fuerzas para avanzar. ¿Con quién caminas? Jesús está más cerca de ti que un hermano.

Acercamiento a un extraño: puede ser un nuevo amigo o un amigo, discierne su rostro.

Acercamiento, parientes: discierne el contenido de sus peticiones antes de que te comprometas, a menudo representan rencillas y discusiones familiares.

Acercamiento, persona de carácter: si una persona de carácter e integridad se acerca y su propuesta es rechazada se perderá una gran oportunidad de avanzar; si se recibe: obtendrá una gran ganancia y serás exitoso.

Acercarse, persona de negocios: Si un hombre o mujer de negocios se acerca, es un indicador de que una oportunidad de oro está a la orden del día, si tiene las finanzas para invertir.

Acercarse: acercarse o arrimarse, aparecer en un espacio o tiempo; pedir rebaja o hacer una oferta; tratar o trabajar en algo a lo que se quiere tener acceso; ser amistoso y no distante.

Acero: carácter fuerte e integridad; forjado en los fuegos y pruebas de la vida para construir fuerza, determinación y resistencia.

Achispado: tienes un temperamento alegre y un carácter de buen humor, pero los demás pueden no tomarte en serio. Elige bien a tus amigos.

Acidez: demasiado de cualquier cosa es algo malo; usa la moderación, deja de vivir a lo grande y de comer cosas que no están de acuerdo con tu sistema digestivo.

Ácido: fuerza destructiva y corrosiva a través de las palabras habladas que provoca decaimiento, amargura que contamina, la persona puede tener problemas digestivos o estomacales como el reflujo gástrico. Este es un sueño de advertencia, así que tenga cuidado con las personas sarcásticas, mordaces o despreciativas cuyas palabras le dejarán un sabor amargo en la boca, y se sentirá quemado por sus acciones.

Aclamar: gritar, saludar, aclamar o aplaudir a alguien con entusiasmo indica que un gran favor está llegando a tu vida.

Aclarar: traer luz y comprensión; ser liberado. «*El ojo es la lámpara del cuerpo; así que si tu ojo está limpio, todo tu cuerpo estará lleno de luz*», Mt. 6:22.

Acné: soñar con acné indica que puede sentirse inadecuado o incómodo en una nueva relación, que algo ha herido su autoestima y que tiene una imagen baja de sí mismo. Si se está medicando un grano, está tratando de lidiar con una situación negativa de una manera favorable para traer sanidad. Si se está reventando un grano, se están ventilando emociones negativas y los sentimientos están a punto de estallar. Tenga paciencia y avance con precaución.

Acogedor: verse acurrucado, cómodo y cálido en un entorno amistoso o íntimo con amistades cercanas indica que te harás buen amigo de tu jefe y de aquellos que tienen gran influencia. Espera que se forme una nueva relación que traerá a tu vida una sensación hogareña y acogedora.

Acompañar: ir al lado de, complementar o acompañar a alguien como compañero indica que tienes valores y creencias similares que te permitirán caminar juntos en la unidad. Escuchar un acompañamiento musical indica que vas a vivir en armonía.

Aloncharse: callar, mantener la boca cerrada, mantener un secreto, una persona con la boca cerrada, apretar como en un tornillo de banco, permanecer en silencio sobre ciertos asuntos superficiales de la vida.

Acopiar: ver un acopio que está siendo almacenado y mantenido cuidadosamente para su uso futuro indica que tendrás una buena jubilación; reunión y mantenimiento cuidadoso o almacenamiento de riqueza para su uso próximo.

Acorazado: gran buque de guerra moderno que lleva el mayor número de cañones, revestido con pesadísimas armaduras; carro de combate; grupo organizado llevado o apoyado por el movimiento del Espíritu Santo; capaz de disparar misiles de largo alcance a través de la intercesión; guerra con la Palabra; involucrado en «alabanza y adoración» «buque de guerra y alabanza»; rescata y protege a otros a través de la guerra espiritual. Dan. 11:40; Is. 54:17.

Acorde: acuerdo; armonía; hacer las cosas según la ley o lo que se espera; acuerdo; conformidad; constante; concesión de los propios deseos o propuesta.

Acosar: la insistencia y el acoso constantes son ofensivos y alejan a las personas de tu alcance, deja de meter las narices en los negocios o las relaciones de los demás, si quieren tu consejo te lo pedirán, a nadie le gusta un fisgón, ni que te acosen por errores o relaciones pasadas; implica que te sientas acosado o demasiado perseguido, afronta los problemas personales y vence los miedos y los conflictos del pasado.

Acoso: Alguien va a acercarse y dirigirse a ti para pedirte favores sexuales; huye de la lujuria juvenil, no eres rival para esta trampa; es un ladrón y falso amigo que te desacreditará y deshonrará tu honor.

Acoso: intentar acosar, molestar o avergonzar con preguntas indica que necesitas aprender a alejar

la ira con una respuesta suave pero firme, no permitas que la gente te arrincone, establece límites y hazlos respetar.

Acre: el acre es una unidad de superficie de tierra utilizada en los sistemas imperiales y consuetudinario de EE.UU. que se define como la superficie de 1 cadena (22.000 yd; 20.117 m) por 1 furlong (220.000 yd; 201.168 m) que equivale a 4.840 yardas cuadradas (43.560.000 pies cuadrados; 4.046.856 m2), 1/640 de una milla cuadrada o aproximadamente el 40% de una hectárea. Un acre equivale a 0,0015625 millas cuadradas, 4.840 yardas cuadradas, 43.560 pies cuadrados [21] o unos 4.047 metros cuadrados (0,405 hectáreas). Las variantes modernas del acre contienen 4.840 yardas cuadradas, entendidas como una aproximación a la cantidad de tierra que una yunta de bueyes podía arar en un día. Un cuadrado que encierra un acre es aproximadamente 69,57 yardas, o 208 pies y 9 pulgadas (63,63 metros) de lado. Como unidad de medida, un acre no tiene una forma prescrita; cualquier área de 43.560 pies cuadrados es un acre.

Acróbata: recuperar el control o el equilibrio en la vida de uno, el miedo a salir a lo desconocido obstaculizará su éxito; una vida sexual aburrida necesita algunas acciones nuevas.

Acróstico: no es momento de especular, piensa con sensatez antes de tomar cualquier decisión. Completar un poema o una serie de líneas en las que faltan ciertas letras en la primera línea de un nombre, lema o mensaje, indica que necesitas rellenar algunos espacios en blanco en tu vida con pequeños trozos de información necesaria para completar el cuadro antes de seguir adelante.

Actividad en el retrete: deshacerse del pecado, de la falsa enseñanza, de los efectos de cuestiones negativas del pasado; curación interior, purificación, eliminación de toxinas y limpieza; liberación.

Acto sexual: intimidad con Dios o con el hombre; o satisfacción lujuriosa que depende de la persona y del contexto de su sueño.

Actor/actriz: representa su búsqueda de placer o una necesidad percibida de asumir ese papel en la vida. Su admiración por una determinada celebridad puede llevarle a desear tener algunos de sus rasgos físicos o de personalidad. Considere también quién es ese actor o actriz y qué características asocia con él o ella. Pueden ser las mismas características que necesitas reconocer o incorporar en ti mismo. El sueño también puede ser un juego de palabras con su nombre. Para ver a un actor o actriz en particular en su sueño, fíjese en el papel que está interpretando. Aunque no los conozcas a nivel personal, la forma en que los percibes o los personajes que interpretan pueden proporcionarte la comprensión de cómo se relacionan contigo. Una llamada a la intercesión en su favor; un juego de palabras con su nombre; la televisión: «cuenta-una-visión, por su parecido al inglés, *tell-e-vision*»; lo que representa su personaje. 1 Re. 14:6; 2 Sam.14:2; Pr. 13:7.

Actores: ver a un actor en su sueño puede indicar que está ocurriendo algún tipo de drama en una relación. ¿Es un actor de acción, romántico, de comedia, presentador de un programa de entrevistas o algún otro tipo de actor? ¿En qué programas o películas ha aparecido? ¿Admira, desprecia o quiere imitar sus acciones? Los actos de misericordia, amabilidad, reflexión, valentía y franqueza son siempre actos nobles a seguir.

Actuar: no ser uno mismo, darse aires de grandeza o de fachada, pretender ser alguien que no es, un comportamiento fuera de lo normal.

Acuario: tienes un llamado evangelístico para ser un pescador de hombres, un ganador de almas Mt. 4: 19 sal de la iglesia y sal a las calles a ganar almas. Por el contrario, has aceptado tus emociones reprimidas o subconscientes pero no las has manejado de manera adecuada; tienes sentimientos de estar atrapado o de ir en un círculo vicioso; encuentra un lugar tranquilo, para pasar un tiempo de oración calmado y relajante para dejar ir toda emoción dañina, luego comienza un nuevo ciclo de frescura para ganar plenitud.

Acueducto: si el agua fluye, tu hombre espiritual está floreciendo; si está seco, tu hombre espiritual está sediento de justicia y de la Palabra de Dios.

Acuerdo: ver que se llega a un acuerdo con la gente indica una época de armonía, moviéndose en un acuerdo, en un pacto; correspondiendo entre géneros, números, casos o personas.

Acupuntura: soñar que le hacen una acupuntura sugiere que necesita sanarse. Es posible que tenga que desviar sus energías hacia otras actividades. Por otra parte, el sueño puede ser una metáfora de un problema o una cuestión que necesita precisar.

Acurrucado: verse acurrucado en posición fetal indica que te sientes derrotado o desamparado. Si te ves acurrucado en un sofá cerca del fuego relajándote bebiendo o leyendo un libro, es un símbolo positivo que representa un momento de refresco y rejuvenecimiento.

Acusación de otros: acusar a otros significa un mecanismo de autodefensa, rebeldía o incapacidad para escuchar las dos partes de un argumento, fuertes desacuerdos, conflicto y disensión con los demás.

Acusación de un hombre: si es un hombre, habrá problemas en los negocios.

Acusación de una mujer: si es una mujer la que acusa, habrá conflictos relacionales.

Acusación a uno mismo: soñar que le acusan de algo malo indica sentimientos abrumadores de vergüenza y culpa; quiere decir que está experimentando miedo a lo desconocido y dudas sobre las elecciones que hizo.

Acusación: Satanás está a la derecha de Dios para acusar a las personas que han hecho lo malo; el acusado en un caso criminal, esto es un sueño de advertencia de personas sin escrúpulos que lanzan una campaña de calumnia contra su carácter para difamarle.

Acusado: soñar que ha acusado a alguien indica que necesita tener un encuentro cara a cara para permitir que esa persona tenga la oportunidad de defenderse de sus acusaciones. Esto puede ser una advertencia; los hombres que acusaron maliciosamente a Daniel falsamente fueron arrojados al foso de los leones junto con toda su familia. No toques al ungido de Dios. Dn. 6:24; Hch. 25:16-17.

Adamante o diamante: te desengañarás de alguna aspiración o meta que tenías en alta estima. Compromete tus valores, no tus principios. Adamita: ver una gema de adamita en su sueño indica que tu fuerza aumentará con la alegría del Señor en tu corazón liberando un nuevo entusiasmo para crear una nueva etapa en la vida llena de bienestar emocional y físico. Ábrete a esperar una visita angelical con un mensaje sublime que despertará de nuevo tu fe infantil en Dios. Renueva tu mente con la Palabra del Señor; desecha todo pensamiento negativo que pese sobre tu mente.

Adán y Eva: primer hombre y mujer creados perfectamente; cubiertos de gloria para caminar con Dios hasta que cayeron, desnudos y avergonzados; progenitor de la especie humana; naturaleza humana; nuevo comienzo; inocencia robada; tentación. Serás capaz de superar la gran tentación y aprenderás a caminar con Dios en el Espíritu, una gran autoridad viene a ti para superar los planes del maligno.

Adán: formado de la tierra; caminar con Dios; primer hombre hecho a imagen y semejanza de Dios; Cabeza de la Creación; tipo de la jefatura de Cristo, el Último Adán; Tierra roja, terrosa;

Gén. 2:19-20; 1 Cor. 15:45-47; Rom. 5:11-21; inocente; armonía; el padre o el marido de uno; ir de acuerdo con; experiencias personales, desarrollo o crecimiento; fuerzas formativas en la naturaleza, sin vergüenza ni culpa; sin sentido del tiempo.

Adaptador: soñar con un dispositivo que se utiliza para conectar dos piezas de equipo que no fueron diseñadas para ser conectadas puede indicar que tienes una gran capacidad para llegar y conectar a las personas u organizaciones que quizás no encajan o no pueden unirse sin una adecuada red de relaciones. Eres muy adaptable a situaciones nuevas o difíciles.

Adaptarse: eres capaz de levantarte a cualquier ocasión y manejar cualquier situación con la sabiduría de Dios recibida a través de las oraciones.

Addison: significa Hijo de Adán creado a imagen de Dios, Ez. 36:27.

Adelfa: belleza y gracia; precaución. Arbusto venenoso de hoja perenne en los climas cálidos que da flores fragantes de color blanco, púrpura o rosa; simboliza la intimidad matrimonial y la felicidad entre un hombre y una mujer.

Adenoides: este tipo de crecimiento en la nariz, por encima de la garganta, al hincharse, puede obstruir la respiración nasal forzándole a respirar por la boca, inducir la descarga post-nasal y dificultar el habla. Este es un sueño de advertencia que indica que debe buscar atención médica y oración de sanidad.

Adherirse: permanecer fiel; Gén. 2:24; Rom. 12:9.

Adición: la solución de los problemas será clara y evidente. No complique las cosas, la solución es muy sencilla. Si las cosas no cuadran, ora para que desaparezca la confusión y el caos; es necesario un enfoque más directo.

Adicto: soñar que se es un adicto indica que ya no tiene el control de su vida o de una situación. Usted ha cedido su poder de decisión a otra fuente, se ha vuelto insano, se ha demonizado y ha negado la responsabilidad de sus acciones. El sueño también representa una situación emocional o física que conlleva al estrés o al miedo, problemas de baja autoestima, inseguridades y falta de confianza en sí mismo.

Adiós, amigo: oír decir adiós a un amigo indica que no lo verá durante un largo período de tiempo. Adiós, enemigo: Indica que el éxito y un inesperado giro financiero que conduce al progreso finalmente ha surgido.

Adivinación: Ez. 13:7; rebelión; sistema falso o ajeno para averiguar la guía o dirección; idolatría; necromancia; 1 Sa 28:8; Ez 21:21 pronósti-

co por flechas y entrañas; tomar consejo de un espíritu familiar; voces que pían o murmuran; horóscopos; adivinación; bolas de cristal; lectura de la palma de la mano; cartas del tarot; mago, hechicero o bruja.

Adivinación: quien afirma que puede predecir el futuro mediante el uso de espíritus demoníacos familiares u oscuros, una práctica oculta utilizada para atrapar, manipular, robar, controlar y engañar a la gente en el reino de las tinieblas. Dios es el único que conoce el futuro.

Adivinar: no hacer un juicio, conjeturar o suponer una situación sin la información adecuada, evaluar a los que están en su círculo de influencia, uno puede ser un Judas.

Adivino: el que se dedica a la ilusión oculta de predecir el futuro, Dn. 2:27; un ocultista y prestidigitador que predice acontecimientos futuros utilizando espíritus familiares y encantamientos.

Administrar: administrar o gestionar cualquier situación o asunto mediante el ejercicio de tus responsabilidades y deberes ejecutivos te capacitará para avanzar en la gestión de las ramas de supervisión en institutos públicos o privados.

Admirador secreto: tienes cualidades de liderazgo que otros están observando con interés de ser guiados o consolados; una faceta o característica no identificada de tu personalidad está saliendo a la luz; un nuevo interés se vislumbra en el horizonte; permanece atento y pendiente de la gente; un pretendiente insospechado.

Admirar: integrar en tu vida las cualidades y características positivas de quien admiras, buscar la sabiduría de los consejeros mayores, alguna área específica en tu vida necesita ser reenfocada o afirmada, a menos que se admire a sí mismo con total orgullo.

Admitir: admitir la culpa en lo concerniente a una mala acción en un sueño indica una necesidad de arrepentimiento, restauración y reconciliación.

Adolescente muerto: rechazado en el amor, devaluado, baja autoestima, problemas de vergüenza.

Adolescente, mujer: deseos emocionales, sexuales, actitudes o sentimientos competitivos hacia las chicas.

Adolescente, si aún no es un adolescente: Miedos a la adolescencia, o al futuro; establecer la propia identidad, y las relaciones con el sexo opuesto; tomar decisiones en la vida; iniciar cambios, si no se resuelven se repetirán hasta que se enfrenten y se resuelvan más adelante en la vida.

Adolescente, si es adulto: expresiones emocionales inciertas sobre uno mismo durante la juventud.

Adolescente, si es varón: deseos sexuales, incertidumbre, agresión o competencia con otros adolescentes.

Adolescente: grandes cambios; el mayor crecimiento sexual de uno; desarrollo de un nuevo rango de emociones, intelecto, independencia de los padres; transición de la juventud hacia la edad adulta; señala las cosas que se afrontan a esa edad. Persona inmadura que despliega sus alas tratando de ser un adulto sin la madurez ni las experiencias de la vida, pero que cree que ya lo sabe todo, ineducable, rebelde, egoísta. Alguien que carece de mucha sabiduría o conocimiento en sus años de formación; el adolescente de 13 a 19 años, todavía no es un adulto.

Adonaí: amo, dueño, Señor, significa propietario.

Adonis: ver esta hermosa flor en el sueño representa un recuerdo de lo placentero de la vida.

Adopción: has sido particularmente elegido y adoptado como hijo de Dios, Ef. 1:5, redimido de la ley, Gal. 4:5, bendecido para siempre por Dios, Ro. 9:4, las primicias del Espíritu, Rom. 8:23, has recibido el Espíritu de adopción Rom. 8:15; Ef. 1:5.

Adoptado: un niño tomado en adopción legalmente por una familia, criar como hijo propio, tomar para uno mismo, seguir por libre albedrío, asentimiento o elección, abrazar un pensamiento o idea, aceptar libremente, nacer en la familia de Dios, no adoptarás otra opinión, Gál. 5:10, adopción como hijos, Gál. 4:5, Rom. 8:15. El espíritu de adopción como hijos, Rom. 8:23, Rom. 9:4, israelitas, Él nos predestinó como hijos, Ef. 1:5.

Adoptar: si sueña que adopta un nuevo comportamiento o una nueva respuesta a una situación, indica que debe realizar algunos cambios en su forma de reaccionar ante los demás o ante las situaciones laborales. Un cambio positivo le hará mejorar.

Adoquines: camino hecho por el hombre desde épocas remotas; cada piedra está encajada para hacer el transito suave.

Adoración: acto de devoción ardiente y humilde para honrar y amar a Dios a través de la devoción pura, la adoración.

Adorar: rendir culto a Dios como Ser Supremo, orar, amar o reverenciar profundamente es el camino a la vida eterna y a la abundancia del gozo y prosperidad.

Adormecer: el adormecimiento indica la pérdida de una oportunidad si no se actúa rápidamente, llamada de atención para examinar el entorno, adquirir conocimientos y habilidades para superar la insuficiencia, puede ser necesario descansar más si se asume más de lo que se puede manejar.

Adormecimiento: el miedo y la ansiedad te han paralizado, el temor al fracaso, lo que temes que te sobrevenga, la incapacidad de experimentar tus emociones de forma saludable, Sal. 38:8.

Adornar: gracia, unción, decorar o realzar con belleza, aumento, favor, regalos, gran valor dado. Adornar una casa o realzar la belleza o la distinción de uno mismo con gracia, favor y elegancia, predice la llegada de gran riqueza, bendiciones y ensanchamiento en su vida.

Adorno floral: llevar o regalar un solo capullo o adorno floral como el que suelen llevar los hombres en el ojal de la solapa de la chaqueta representa una ocasión especial como un baile de graduación, un regreso a casa, un funeral o una boda. Indica que eres una persona de comportamiento y carácter excepcional que destaca entre la multitud.

Adrián: significa rico y próspero, Dt. 8:18.

Adulación: Buscar el aplauso y el favor del hombre, complacer a las personas, pensar más en uno mismo de lo que se debería, arrogancia, buscar exaltarse, autopromoción. Si Jesús es exaltado, atraerá a todos los hombres hacia sí mismo.

Adulación: es una advertencia para que no se aprovechen de los amigos o de las mentiras de los desconocidos. «No hay nada fiable en lo que dicen; su interior es la propia destrucción. Su garganta es una tumba abierta; halagan con su lengua», Sal. 5:9. «*No haré ahora acepción de personas, Ni usaré con nadie de títulos lisonjeros. Porque no sé hablar lisonjas; De otra manera, en breve mi Hacedor me consumiría*», Jb. 32:21-22.

Adular: la amistad de los jóvenes crecerá en la verdad y en la plenitud de la fe. Mostrar un afecto poco sincero a alguien.

Adulterio: sueña con cometer adulterio o tener una aventura; está expresando sus impulsos sexuales voluntarios de forma equivocada; inmoralidad sexual; el último rechazo, la muerte, la traición a sí mismo; enredo impúdico en una situación inconveniente; usted, su pareja, cónyuge o pareja le está engañando; cometiendo adulterio; temores de abandono; sensación de abandono; falta de confianza; lujuria; falta de atención en las relaciones; no cumplir con las expectativas de los demás Dt. 5: 18; Pr. 6:32, falta de comprensión; destrucción del alma, Snt 2:11; Rom. 2:22; Lc. 18:20; Mt. 19:18-19. Querer dañar o pecar contra uno mismo, los impulsos sexuales ilícitos le traicionarán a uno mismo a nivel subconsciente o consciente. Soñar que su marido, esposa o pareja le engaña hace aflorar su miedo al abandono, al rechazo o a sus inseguridades. Un deseo de más atención, tiempo de calidad y afecto; puede indicar sentimientos de abandono o abuso, Snt. 4:4a. Mt. 5:8; Éx. 20:14; idolatría espiritual, Snt. 4:4; violación de los votos matrimoniales, Ez. 23:45.

Adulto: una persona joven que sueña que es adulta indica que necesita retomar más responsabilidad, desarrollar más madurez, actuar con más madurez, asumir con respecto las situaciones de la vida actual o a las relaciones; es hora de crecer y dejar de lado las cosas infantiles.

Adversario: Satanás, fuerzas demoníacas, enemigos, el mundo, las pruebas, los juicios y las tentaciones debidas a la falta de carácter y a los malos hábitos.

Adversidad: un impedimento, una dificultad o una obstrucción en su diario caminar le produce sentimientos pesimistas o de fracaso. Recuerde que la adversidad le hará fortalecerse y superarse. La adversidad es un signo seguro de éxito. Deja que las condiciones adversas te impulsen al siguiente nivel de grandeza.

Advertencia: la oración es necesaria para discernir correctamente los próximos pasos a dar; espera, no avances ni tomes decisiones a la ligera.

Aerobic: cambia tu forma de hacer las cosas, arriésgate, deja de jugar a lo seguro, extiéndete hasta el siguiente nivel, alarga la mano y aférrate a algo nuevo hasta que seas más flexible en la vida.

Aerodeslizador: significa que uno es versátil y se adapta fácilmente para superar cualquier eventual obstáculo que pueda surgir en la vida; aptitud espiritual que te permite ver las cosas desde un punto de vista superior.

Aero-jóquey (deporte de EE. UU.): actúa y responde rápidamente a las advertencias de la vida o alguien se aprovechará impúdicamente de ti.

Aerolíneas: soñar con las distintas compañías aéreas disponibles para viajar a determinados destinos indica que tienes una vocación para incidir en una amplia zona geográfica. No en vano el nombre de compañías como: American, Delta, United, etc., junto con su lema o eslogan que las identifica o distingue.

Aeronaves, elevadas: que se mueven en los reinos celestiales, totalmente impulsadas en el Espíritu.

Aeronaves: ministerio que se eleva a lugares espirituales o celestiales; ministerio activo; de gran potencia, iglesia; vocación o negocio.

Aeropuerto, activo: se desea la libertad, se posee un alto nivel de exigencia, se tienen esperanzas ambiciosas.

Aeropuerto, salida: partir simboliza el final, la muerte, la finalización de una temporada, la llegada de una nueva fase de la vida.

Aeropuerto, vacío: un aeropuerto vacío: indica que tu estrategia o tus objetivos serán cambiados, abortados, puestos en espera o retrasados. Is. 40:31.

Aeropuerto: preparación para tener éxito en situaciones naturales o en el Espíritu; moverse más alto en el Espíritu o prepararse para volar en el Espíritu; ejercitar el poder de las fuerzas demoníacas; nuevas salidas; viajes; cambios; o moverse hacia nuevas oportunidades; lanzarse hacia el destino; la duda de uno mismo o el miedo causarán retrasos y pérdida de tiempo; provisión; poder para conquistar la oposición desde un nuevo punto de vista; representa un nacimiento, nuevos comienzos, una nueva empresa se está lanzando, una nueva carrera, aventura o relación está en el aire, una idea está despegando, entrega o llegadas.

Afecto: Si se hace con decoro y no como una exhibición pública atrevida, indica una relación armoniosa destinada a prosperar. Si te sientes avergonzado y tratas de resistir el afecto, indica que esta persona tiene motivaciones ocultas. Tener una interacción adúltera, infidelidad emocional o sexual, engaño, o poner el trabajo o los demás o delante de su cónyuge; espíritu de seducción, amor al mundo más que a Dios.

Afeitarse la cabeza: afeitarse la cabeza significa que estás necesitado de sabiduría, por lo que te estás humillando. Viene un aspecto nuevo y limpio, limpiar, refrescar, acicalar; un recorte o caída financiera, no pidas prestado, ni inviertas. Afeitarse: sugiere que te estás limpiando, modificando un hábito, una actitud, castigándote a ti mismo o tomando una pequeña decisión tendiente a cambiar la vida. Si ves a otros afeitarse puede indicar que quieres librarte de algún tipo de conflicto, Jue. 16:19; Is. 7:20; Jb. 1:20; 1 Cor. 11:5-6.

Aferrarse: seguridad asegurada, aferrarse a nuevas ideas, aferrarse a las relaciones y a las oportunidades a medida que se presentan; si se rompe: desacuerdos, invasión de la intimidad.

Affenpinscher (raza de perro): Affenpinscher significa realmente tener «parecido con la raza de perro monkey terrier» ya que su aspecto es similar a la de un mono, llamado «perro cabeza de mono» por su estructura facial y expresión similares a las de un mono. Es principalmente un perro de compañía, descrito como un canino de «pelaje pulcro pero desgreñado», esta aguerrida mascota es originario de Alemania. Al principio era un perro de granja y un ratonero, probablemente de mayor tamaño, pero el Affenpinscher se miniaturizó y se convirtió en una mascota doméstica durante los siglos XVIII y XIX.

Afición: verse dedicado a una actividad de interés que realiza fuera de su trabajo habitual, le aportará mucho placer y relajación.

Aficionado: el que se dedica a un arte, deporte, estudio o actividad atlética como afición o pasatiempo y no como profesión; el hecho de no haber participado nunca en una competencia por dinero o por el sustento indica que está a punto de ser elegido por sus habilidades en una actividad, aunque se sienta inexperto o poco cualificado.

Afilar, cuchillos o herramientas: esta es una temporada para cortar todas las limitaciones y buscar el corazón del asunto.

Afilar, espada: vengarse de los enemigos, Dt. 32:41.

Afilar, rastrillo: azadón, hacha o azada, 1 Sa m.13:20; si el hombre no se arrepiente, Sal. 7:12.

Afilar: hacer que algo esté afilado en un sueño suele referirse a tener una mente aguda y brillante, afilada y alerta; lengua afilada, Sal. 140:3; los instrumentos opacos requieren la extrusión de más fuerza, Ec 10:10; flechas afiladas de destrucción, Jer. 51:11.

Afiliación: aceptar a un asociado subordinado, acercar un hijo ilegítimo a su padre, hacer un inventario de los que te rodean para discernir sus intenciones, puede ser el momento de entablar nuevas amistades y vínculos, se te conoce por la compañía que mantienes *«No os engañéis: las malas compañías corrompen las buenas costumbres»*, 1 Cor. 15:33.

Aflicción: mientras más grandes sean los obstáculos o las injusticias, mayor será la recompensa y el poder de Dios se manifestará si mantienes tu integridad piadosa y respondes con sabias decisiones de carácter. *«Porque esta momentánea y leve tribulación nuestra nos produce un cada vez más y eterno peso de gloria»* 2 Cor. 4:17.

Afluencia: se le otorgará un gran favor por parte de personas prominentes en el ámbito de los negocios; el honor y el prestigio vendrán al estrechar vínculos con los ricos; los negocios y emprendimientos prosperarán; permanezca manso, humilde, generoso y contrito. Las bendiciones de Dios te sobrepasan, la riqueza, la prosperidad, la salud y la influencia aumentarán con el favor de Dios y de los hombres.

Afrenta: un encuentro o confrontación cara a cara resultará en un insulto deliberado, no asumas una ofensa sino responde con una respuesta blanda que aleje la ira.

África: el continente oscuro, conocido por su vida salvaje y sus tierras indómitas, la brujería, la liberación, la plaga del sida, la pobreza, las minas ricas en diamantes y oro, las ganancias económicas y la riqueza abundante. Tienes llamado para visitar algún pueblo, lengua o cultura africana.

Africano: si es blanco: puede indicar que los sentimientos de uno hacia las personas negras o de color oscuro; los prejuicios raciales. Si es negro: puede indicar algún aspecto de la propia personalidad, el origen personal o la experiencia; la vida interior natural, el sentimiento, los impulsos o las intuiciones que nos guían o nos abruman; las percepciones o la sabiduría aprendidas a través de un sentido de conexión con la vida o la experiencia humana; una expresión más libre de la sexualidad.

Afroamericano: grupo étnico de estadounidenses (ciudadanos o residentes en Estados Unidos) con ascendencia total o parcial de cualquiera de las poblaciones nativas del África subsahariana. El término afroamericano también puede utilizarse para incluir sólo a los individuos que descienden de africanos esclavizados. Si este grupo étnico aparece en tu sueño, puede que estés luchando por liberarte de algún tipo de trato injusto, prejuicio, esclavitud o servidumbre. Por otro lado, es posible que hayas superado grandes obstáculos para llegar a un lugar de igualdad, gran éxito y honor.

Agacharse: inclinarse hacia delante y hacia abajo desde la cintura indica una postura humilde, el rebajamiento de uno mismo y el deseo de adquirir un nuevo talento o la ayuda de otros.

Agar: errante, la sierva egipcia de Sarai, la esposa de Abram; la madre de Ismael, Gál. 4:24-25; Gén. 16:21; 25:12.

Agarrar: capturar, sujetar o arrestar a alguien en un sueño indica que tienes poco tiempo y que te estás volviendo desesperado, inapropiado o sin escrúpulos en tus acciones; está mostrando motivos egocéntricos sin pensar en los demás.

Ágata negra: representa la afluencia, el impulso contundente, la valiente audacia.

Ágata roja: simboliza la tranquilidad, la larga vida y el bienestar.

Ágata: felicidad, ventanas, transparencia, brillar, segunda piedra de la tercera fila en el pectoral del efod del sacerdote, Éx. 28:19, 39:10, Ez. 27:16, feliz, ser recto, nivelado, correcto, ir hacia adelante, ser honesto, prosperar, bendecir, guía a través de buenos sueños, guiar, aliviar, el gozo del Señor es tu fortaleza, dador, Hch. 20:25; olivo grande y fructífero; buen suministro, humilde, común, no costoso ni difícil de encontrar, capas sucesivas, calor intenso, formado a partir de la tribulación, fuego del Espíritu Santo en el interior, Pentecostés, adaptable a diversas situaciones, ternura, bendecido con hijos, alimento, grano, nutrición, grasa, pan, Palabra de Dios, revelación, amigo leal, don de hospitalidad y ayudas, 1 Co. 12: 28; complaciente con la gente, llevarse bien con los demás, nuevo caminar, santo ungido, fuerza para ir a lugares difíciles; protección mental, física y fuerza espiritual de adentro hacia afuera. Ver un ágata en tu sueño puede indicar que tienes problemas de encías o un malestar estomacal debido al estrés que produce tu hiperactividad. Decida concentrarse en el poder sanador de Cristo y pasa a una nueva etapa de salud.

Agente ganadero: asiste a subastas y reuniones, en nombre de los propietarios, para la compra y venta de animales valiosos. Puede participar en la preparación de las ventas, en la valoración de los animales para los seguros, en el asesoramiento para la cría y en la comercialización de sementales o toros. Sus servicios se utilizan para comprar caballos jóvenes con buen pedigrí para entrenarlos y venderlos con beneficio. Esta práctica se denomina «pinhooking».

Agente de viajes: ver o ser un agente de viajes en un sueño indica que necesitas ir a algún lugar para descansar y relajarse con la familia, los amigos o solo para reagruparse y refrescarse.

Agente inmobiliario: un agente inmobiliario representa el éxito si negocia en tu nombre. Los bienes inmuebles son una buena inversión y representan una herencia o un legado que se deja a tus seres queridos y a los hijos de tus hijos.

Agente: éxito si negocia en su nombre; retrasos si representa a otra parte.

Agilidad: poseer la ágil flexibilidad física con el poder de avanzar rápida y fácilmente debido a una concluyente agudeza mental o intelectual que puede sacar rápidas conclusiones en los procesos de toma de decisiones indica que estás dotado, tanto de conocimientos naturales, como de sabiduría espiritual. Eres un líder nato capaz de cambiar cualquier posición que sea necesaria para avanzar.

Agonía: el incrédulo que rechaza la vida eterna y la salvación que Jesús ofrece a través de su muerte en la cruz, sufrirá la agonía en el infierno para siempre sin ningún alivio. «*Pero Abraham le contestó: "Hijo, recuerda que durante tu vida te fue muy bien, mientras que a Lázaro le fue muy mal; pero ahora a él le toca recibir consuelo aquí,*

y a ti, sufrir terriblemente"», Lc. 16:25; «*al cual Dios levantó, sueltos los dolores de la muerte, por cuanto era imposible que fuese retenido por ella*», Hch. 2:24.

Agorafobia: la agorafobia en sueños es cuando alguien sufre una fobia o miedo a estar en un entorno público abierto. No les gusta ser removidos de su entorno personal porque les proporciona una falsa paz y una sensación de seguridad. Esta maldición de la fobia no es de Dios. Busque la liberación para librarse del temor. Cuando usted vence algo negativo a través del poder del Espíritu Santo usted gana la autoridad para ministrar liberación a personas con la misma condición. «*Porque no nos ha dado Dios un espíritu de temor, sino de poder, de amor y de dominio propio*», 2 Tm. 2:7.

Agosto: agosto/septiembre, Alfabeto Elul: Yud ap- señaló la misericordia de la mano de Dios. Tribu: Gad. Constelación: Virgo, la Virgen María. Color: Gris. Piedra: Jaspe o Hematita. Elul es el mes en que el «Rey está en el campo». Acércate a Él con seguridad y con el honor que le corresponde. Permite que Su rostro brille sobre ti con favor. Este mes arregla las relaciones y las cosas rotas. Encuentra tu lugar en Dios en compañía de guerreros, intercesores, adoradores o profetas. Corre hacia la torre fuerte de Dios para obtener seguridad, nuevas fuerzas y poder. Cuida y ama a los que te rodean y recibe también sus cuidados y sentimientos de afecto. Ponga su fe en acción a través del servicio espiritual, alineándose con organizaciones y gestionando su tiempo de forma más apta. Soñar con agosto, el octavo mes del calendario romano, puede representar una época donde los errores están más activos, contratiempos y confusión, tanto en las relaciones personales como en las situaciones de negocios. El espíritu del basilisco es más frecuente durante agosto, causando más muertes prematuras que cualquier otro mes. Conocido como el «Pequeño Rey», es un reptil legendario que tiene fama de ser el rey de las serpientes, y se dice que tiene el poder de causar la muerte con una sola mirada.

Agotado: agotar todas tus energías, perder o quedarse sin fuerzas; soñar que se está completamente agotado, indica que estás haciendo las cosas desde tu carne y tu propio intelecto en lugar de ser guiado por el Espíritu. «*Porque todos los que son guiados por el Espíritu de Dios, éstos son hijos de Dios*», Rom. 8:14-15; «*El Espíritu es el que da la vida; la carne para nada aprovecha*», Jn. 6,63.

Agresión sexual: humillación extrema; vergüenza; culpabilidad; abuso; desesperanza; víctima de un trauma.

Agricultor: trabajador; ministro; evangelista; pastor; predicador; agricultor; siembra y cosecha; diligencia; recursos; cosecha.

Agricultura: ver los campos maduros para la cosecha indica gran riqueza, bendiciones y prosperidad en las almas y en las ganancias financieras.

Agridulce: descubrir la verdad será un proceso doloroso pero liberador.

Agrio: algo que es desagradable, corrupto, inmaduro o falso. Iniquidad de las uvas agrias Je. 31:29-30; vino agrio, terminación de una tarea terrible, Jn. 19:29-30, «¡Está terminado!», Is. 18:5; Je 31:29-30; Ez. 18:2; Os. 4:18.

Agripa: Significa dolor de parto, promesa Gén. 17:16.

Agua azul: representa el mar de la humanidad, evangelismo de las naciones para hacer discípulos para Jesús, una unción reveladora o sanadora muy grande; olas de avivamiento.

Agua clara: claridad del Espíritu Santo que da vida y limpieza a través de su Palabra.

Agua de colonia: líquido perfumado fabricado en Alemania que contiene alcohol y aceites aromáticos. La oración, la alabanza y la adoración son como una fragancia de olor fragante para el Señor.

Agua de los celos: una prueba que tomaban las mujeres cuando sus maridos las acusaban de adulterio, Nm. 5:11-31.

Agua de vida: ver o beber el agua de vida representa la vida eterna a través de la salvación en el Espíritu Santo, Apo. 21: 6; 22:17; Jn. 4: 13-14; Jn. 7: 37-39.

Agua helada: refrescante Pr. 25:25; escalofrío; alivio procedente de una experiencia desértica.

Agua tibia: dormirse; ser cocinado vivo lentamente; trampa de muerte espiritual; compromiso; pereza; ser pasivo o agresivo, Apo. 3:15.

Agua tranquila: ver aguas tranquilas en un sueño puede indicar que buscas tranquilidad en tu vida para reflexionar o buscar las cosas profundas de Dios. Es posible que necesites entrar en el mover actual de Dios para mejorar tu realización espiritual.

Agua turbia: confusión, no ver con claridad las situaciones actuales; miedo a lo desconocido; las acciones inapropiadas han provocado una reacción violenta en los demás; hay un obstáculo en las ruedas del progreso; las cosas se han detenido.

Agua, batallas: batalla cósmica entre la masa de agua de Dios, Mt. 14:22-33 por la Palabra divina, Lc. 8:22-25; control soberano Leviatán, Rahab, serpiente y dragón, Sal. 74:13-14, 89:10; Is. 27:1; Jb. 38:11.

Agua congelada: ver o encontrarse en una ola congelada indica un tiempo de aislamiento, soledad, sintiendo que te han dejado fuera en el frío; alguien te ha rechazado o ha permitido que sus emociones se conviertan en hielo, están endurecidos hacia ti, no hay favor.

Agua, falta de: tu cuerpo puede estar deshidratado y necesitar agua y otros fluidos para rehidratarse; tierra seca, Mar Rojo; sequía; roca salvaje; inundación; plaga del Nilo; aflicción.

Agua, limpia: Espíritu Santo, Jn. 7:37-38; revelación; conocimiento; lavado, limpieza y enseñanza de la Palabra de Dios; conocimiento de Dios; lluvia; nieve; bautismo, el paso de la muerte a la vida, Cl. 2:12; bendiciones, depósito profundo o caos, Gén. 49: 25; Dt. 33:13; refresco; fuentes; manantiales Is 58:11; río Ez. 47:1-12 río de agua de vida, brillante como el cristal, la verdad fluye desde el trono de Dios y del Cordero, Apo 22:1; es esencial para la vida; alma cansada, Pr. 25:25; mar: el perdón de Dios.

Agua, oscura: agua oscura, sucia, turbia o problemática: representa el pecado, la confusión y las dificultades; espíritu impuro; necesidad de la Palabra; confusión; las cosas están turbias o poco claras en tu vida; enseñanzas o doctrinas erróneas o antiguas; humanidad, naciones, mundo, escépticos; ejércitos.

Agua, por la nariz: limpieza de la mente, necesidad de reactivar el propio espíritu de discernimiento.

Agua, turbia: soñar con agua turbia indica que no se tiene toda la información o los datos necesarios para tomar una decisión buena, sólida y clara.

Agua: limpieza; refresco; palabra; lavado; enseñanza; unción; Espíritu Santo; o agua para beber; puede estar deshidratado. El tamaño de la masa de agua determinará la cantidad de unción y el nivel de profundidad que una persona ha recibido. ¿Es el agua fresca, clara; turbia o está estancada? ¿Está fluyendo, está turbia, salada, tranquila o turbulenta? Ez. 16:4; Jn. 3:5; Nm. 19:21. Cisternas y depósitos, Ec. 2:6; Is. 22:9-11; purificación, regeneración del bautismo, Jn. 1:26; 3:5; Gén. 21:25; 26:14-21.

Aguacate: buena salud; sanidad; prosperidad; crecimiento; unción; tropical; celos; envidia.

Aguamarina: ver una aguamarina de color verde claro en su sueño simboliza la vitalidad creativa de la juventud, la revelación divina y la inspiración que proviene de la esperanza renovada. Esté abierto a nuevas formas de comunicación. Si es del color del agua fría puede representar una temporada de crecimiento espiritual muy refrescante. Zebulón, habitar, encerrar, residir, habitar con, un regalo, una dote, hospitalario, muy sensible, Débora, ungido para escribir, escriba, transparente, agua, mar, barco, «agua del mar» es una variedad azul o cian del berilo, misionero, llamado a costas lejanas, viajar a lugares lejanos, lanzar un salvavidas, verdadero y leal amigo, guerreros de la oración, ministerio de intercesión, carga por las almas, encuentra las almas náufragas, pescar, marinero, un juez, perfecto unísono, evitar aceptar la paz a cualquier precio no comprometas el buen carácter o la integridad, alegría, luz, bendito, Gén. 49: 13. Deje que la presencia sanadora del Espíritu Santo ministre la restauración de su hígado, garganta, estómago y sistema nervioso.

Aguanieve: ver una precipitación congelada, transparente, una mezcla de lluvia, nieve y granizo que forma una fina capa de hielo en los árboles o en las calles indica que su entorno es hostil o peligroso; es una advertencia a tener cuidado con los enemigos; debes tener paciencia con los amigos y los miembros de la familia.

Aguas residuales: contaminación del clima espiritual con palabras negativas o maldiciones; arrojar por la boca desechos que ensucian la carne; recuerda tirar de la cadena cuando alguien se deshace de ti para completar el proceso que arrastra los desechos. Ser avergonzado o humillado, Mal. 2:3; sin valor Lc. 14:35; una muerte terrible, Jer. 16:4.

Aguas, amargas: simboliza la falta de perdón, la amargura, el sufrimiento de Jesús en el Calvario, Éx. 17:1-6; 15:23-27.

Aguas: ver aguas en un sueño representa personas, naciones y sus lenguas, Apo. 17:15.

Aguijón: se utiliza para guiar o impulsar a un buey en su camino, Gén. 3:31; Ec. 12:11; Hch. 26:14, pinchar.

Águila encadenada: un águila encadenada, enjaulada o encerrada en un corral indica una situación desesperada que implica estar controlado, retenido, es una expresión de limitación o de confinamiento mortal. La mayoría de las águilas mueren en cautividad debido a su continua lucha por ser libres.

Águila mensajera: son los santos y creyentes de Dios, Is. 40:31; Apo. 8:13.

Águila pescadora: evangelismo; excelentes pescadores; cazan arrebatando peces del agua; transportan peces a grandes distancias; orientan los peces para facilitar la resistencia al viento; se confunden con las águilas calvas, que frecuentan hábitats similares y luchan por la comida; obligan al águila pescadora a soltar los peces que han capturado y los roban en el aire.

Águila que ataca: ser atacado por un águila indica que has creído una mentira y que la verdad viene a liberarte.

Águila voladora: persona capaz de elevarse en el Espíritu por encima de la línea de la serpiente; un vencedor con una visión espiritual aguda o sorprendente, Pr. 30:19. Una persona hábil para moverse por encima de los problemas y las dificultades porque tiene una perspectiva y un punto de vista celestial, que le permite alcanzar lugares elevados; alturas y altitudes espirituales; una claridad de visión, alguien que es rápido en los negocios traerá prosperidad y fortuna, Dt. 32:11.

Águila capturada: si un águila es capturada, significa que lucharás ferozmente y con valor para obtener tu libertad y desarrollar un mayor potencial. Capturar un águila representa una gran vergüenza y manipulación para controlar a una persona o situación en beneficio propio.

Águila herida: una persona profética que ha sido abatida por un espíritu religioso por entregar la Palabra del Señor.

Águila matada: soñar que se mata un águila representa la ambición carnal y despiadada que hiere voluntariamente a otros para lograr sus objetivos a cualquier precio.

Águila de montaña: ver un águila posada en la cima de un monte representa la capacidad de ser exitoso y elevarse a la cima de cada circunstancia.

Águila, propiedad: reconocer y asumir la propiedad y el desarrollo de tus dones y vocación profética.

Águila volando: representa la exploración de los reinos desconocidos del conocimiento y la revelación; la renovación de uno mismo; la restauración de la juventud, la fuerza espiritual y física, Is. 40:31; esperar las indicaciones de Dios.

Águila: persona con cualidades proféticas; los poco comunes ojos que ven en el reino del Espíritu; la unción de los profetas; un profeta de Dios, nobleza; acceso; dones reveladores; ya no estás en peligro; ave de rapiña: «ora» por el aumento y el avance; poderosa capacidad intelectual, la luz prevalece sobre la oscuridad, 2 Sam. 1:23. Un ave impura, Lev. 11:13; Dt. 14:12.

Águilas cazando: significa comer la carne fresca de la Palabra de Dios; devorar serpientes que están vivas indica que las mentiras y falsedades que se dicen serán descubiertas y detenidas.

Águilas dando vueltas: ver una o más águilas dando vueltas en el cielo indica una llamada a subir más alto en el reino del Espíritu; tu nombre está circulando para producir reconocimiento e influencia.

Águilas: Estados Unidos; se eleva en el Espíritu;

nobleza; alcanzar lugares altos; profeta de Dios; visión espiritual aguda; esperar en Dios para la dirección; restauración de la fuerza espiritual y física, Is. 40:31. Establecer metas y ambiciones elevadas, orgullo; gran influencia, Estados Unidos; Os. 12:13, Éx. 19:4; fuerza; poder; independencia; valentía; nobleza; consejo sabio, infancia, superación de grandes obstáculos, obtención de sabiduría y riqueza.

Aguilegia: ver esta flor de varios colores con cinco pétalos llamativos hace referencia a los oficios ministeriales de cinco pliegues que se transforman para vivir sus vidas de forma similar a la paloma o a Cristo.

Aguilón o hastial: la sección triangular y ornamental de la pared en los extremos de un tejado a dos aguas. Esperar tener visiones desde un nuevo nivel espiritual, ver las cosas desde una perspectiva celestial en lugar de terrenal.

Aguja azul: persona valiente que explora nuevos territorios y experiencias; de naturaleza evangelizadora.

Aguja de Adán: Ver esta planta en un sueño indica que tienes un amigo que está necesitado.

Aguja: buscar algo que fortifique tu vida o te dé esperanza; intento de adoctrinarte en los pensamientos; el control o las creencias de alguien; el dopaje; injerencia en una nueva situación, profesión, alguien que es ruidoso está metiendo sus narices en los asuntos de alguien más; el ojo de la aguja: difícil de lograr sin la ayuda de Dios, Mt. 19:24.

Agujero: situación difícil y oscura en la vida; un pozo, Sal. 7:15; un escondite para protegerse Mt. 25:18; «lleno de agujeros»; faltas; debilidades; enfermedad; vacío; bajeza; soledad, estar desgarrado, Mc. 2:21.

Agujeros en la ropa: alta costura, vaqueros de diseño, juventud; o necesidad de refrescarse, descansar y cubrirse de nuevo.

Ahab: significa hermano de mi padre, aprendido Pr. 2:10.

Ahogado, por alguien: indica que está reprimiendo u ocultando tus emociones de temores, ira o de amor. Considere la frase «tengo el agua al cuello". También puede sentir que se le impide o se le restringe expresarse libremente.

Ahogado: tus emociones o asuntos inconscientes te están abrumando. Estar inundado o sobrepasado, estar «con el agua hasta el cuello», en las actividades diarias, relación de pareja, trabajo o en una situación de inversión. Sumergirse en una situación o en una falsa doctrina. Hundirse, introvertirse, rendirse, sentirse enterrado o fuera de control. Es un llamado a desacelerar y dedicar un tiempo a la sanidad interior y a la renovación de los procesos de pensamiento destructivos. Si te ves ahogado, puede que la relación llegue a su fin o que llegue un nuevo comienzo. Si se reanima, las abrumadoras circunstancias de la vida te aportarán más fuerza y determinación para lograr sus objetivos. Si otra persona se está ahogando, aléjate; la estás asfixiando con tu atención y presencia. Tu identidad está siendo absorbida por alguien que tiene una personalidad mucho más fuerte. Rescatar a una víctima que se está ahogando indica que tienes o reconoces algunos de los mismos defectos de carácter o atributos de personalidad que ellos exhiben. Is. 43:2.

Ahogar a alguien: significa sentimientos de violencia y hostilidad. Puede estar intentando evitar que hablen en contra de tus propósitos.

Ahora: hay una urgencia de actuar ahora para obtener una oportunidad que está al alcance de la mano. La fe es ahora.

Ahorrar: estás planeando y preparando cuidadosamente tus futuros éxitos. Estás presupuestándote a ti mismo y asegurándote de tener lo suficiente para toda buena obra. Si no hay dinero en la cuenta de ahorros, tienes que dejar de gastar en exceso, ser más austero y cuidar tus recursos.

Ahorro: sientes la necesidad de ser rescatado del peligro, liberado del daño o de la pérdida o de salvaguardar tus posesiones; alude a las preocupaciones por los asuntos de dinero o las cargas financieras. Es el momento de ser frugal, de ahorrar, de evitar el despilfarro y de reservar para el futuro. Evita que un adversario te gane la partida; mantener la victoria protegiendo la ventaja de un equipo. Salvar un alma de la muerte y llevarla a la vida eterna; salvación; simpatía.

Airdrop (artefacto que entrega por paracaídas o electrónicamente): recibir algo por el Espíritu, una revelación o un sueño. El airdrop es un método de transferencia de archivos de forma inalámbrica de un dispositivo a otro. Un lanzamiento aéreo es también un tipo de transporte aéreo, desarrollado durante la Segunda Guerra Mundial para reabastecer a las tropas que de otro modo serían inaccesibles, dejando caer paquetes acolchados, pequeñas cajas con paracaídas por las puertas de carga; puede referirse al propio asalto aéreo. Si el lanzamiento aéreo tiene lugar desde un gran avión de carga, indica una gran descarga de información, revelación o provisión.

Aire acondicionado: viento refrescante de la presencia del Espíritu; aliento del Espíritu; atmósfera celestial.

Aire: aliento espiritual; una atmósfera positiva o negativa que entra en una situación; pensamientos; reconocimiento de la actitud o la influencia de una persona; transmisión de noticias; sensación de emoción al caminar por el aire; tender ropa al aire fresco.

Airedale Terrier (raza de perros): Hoy en día el Airedale Terrier es principalmente un perro de compañía. «El rey de los terriers», el Airedale recibió su nombre del río Aire en Inglaterra, donde florecía muchas cazas menores. Se utilizaba como cazador inferior. Conocido originalmente como Terrier de agua y utilizado como cazador de alimañas, la raza se cruzó posteriormente con el Otterhound para convertirlo en un mejor nadador. El Airedale se ha utilizado para la cazar de mayor rango en África, India y Canadá, y como perro policía y perro centinela del ejército en la Segunda Guerra Mundial.

Aislamiento: es posible que hayas puesto en cuarentena tus sentimientos mediante un proceso de alejamiento de los demás. Te has apartado o aislado del grupo para estar libre de influencias externas. Si mantienes una actitud positiva y saludable, los momentos de aislamiento pueden fomentar una visita de Dios, si es que te has centrado totalmente en Él y sólo en Él.

Ajedrez: tómate el tiempo necesario para planificar y elaborar una estrategia antes de realizar un movimiento o tomar una decisión; los colores blanco y negro del tablero de juego indican la necesidad de tener claridad en lo referente a los pros y los contras de las posibilidades positivas y negativas en un escenario próximo; la sabiduría y los movimientos estratégicos son importantes en una relación amorosa o de negocios; un «jaque mate» indica que necesitas analizar cómo está tu relación actual con tu compañero de vida.

Ajenjo: planta extremadamente amarga, «hiel»; una ofensa o destrucción, Jer. 23:15; Lm. 3:15, 19; Dt. 29:18; Apo. 8:10-11; 12: 7-9; Is. 14:12; Lc. 10:18; Pr. 5:4-6.

Ajo: enseñanzas mundanas; un antibiótico natural; curativo; el sentido común en asuntos de comercio traerá salud y prosperidad; busca la protección y las medidas de seguridad por encima de la respuesta emocional en asuntos del corazón o del amor; reduce el estrés bajando la presión arterial.

Ajuste: tienes la habilidad de hacer que los demás se sientan cómodos en su presencia, significa liquidar, modificar una factura o corregir una reclamación de deuda, para hacer que uno esté en forma y prospere.

Akita: el Akita es un perro poderoso y sólido, fuerte y musculoso, con una cabeza plana y pesada, y un hocico fuerte y ligeramente corto. El Akita tiene pies palmeados, parecidos a los de un gato, y es un buen nadador. Su doble pelaje está compuesto por una capa exterior dura y aislada con una capa interna gruesa y suave. El Akita se considera el perro nacional de Japón y está declarado monumento natural. La raza ha tenido muchos usos: primero como perro de guardia imperial; y luego como perro de pelea; con agudas habilidades de caza, puede incluso cazar ciervos y osos en la nieve profunda que se utiliza para los trineos; y para el trabajo policíaco, del ejército y de guardia. Tiene una boca blanda, por lo que es adecuado para recuperar aves acuáticas. En Japón, se suelen enviar pequeñas estatuas del Akita a los enfermos para desear su pronta recuperación y a los padres de un recién nacido para simbolizar la salud. El primer akita fue llevado a Estados Unidos por Helen Keller. Los militares estadounidenses también trajeron Akitas a los Estados Unidos después de la Segunda Guerra Mundial.

Al revés: estar volcado o en deuda, deber dinero o estar como al revés en un préstamo. Sentir que las cosas están al revés en un sueño sugiere que tu mundo está en una masiva confusión debido a que estás siendo retorcido, escurrido y dejado a secar. Si tu ropa está al revés indica que te gusta hacer las cosas de forma poco convencional. Eres un creador de tendencias y nunca sigues a la manada. Te gusta destacar, pero no te gusta que te dejen solo.

Ala delta: confiar en el mover del Espíritu Santo, liberarse del pecado y de la opresión; una llamada a un destino más alto; estrellarse: necesidad de desarrollar una mayor medida de fe, poner tu confianza en Dios y no en tus propias habilidades.

Alabama: «Nos atrevemos a defender nuestros derechos»; Tierra de maravillas; El corazón del sur; Estado de las camelias; Estado de los pechiamarillos; El estado del algodón; La flor de la camelias; Zarzamora; Cuarzo azul estrella

Alabanzas: Dios habita en las alabanzas de su pueblo; exhortar, confortar, motivar o edificar a otros o a uno mismo por un trabajo bien hecho; enorgullecerse del trabajo o de las habilidades.

Alabar: hablar bien de; expresar cálida aprobación; adoración de Dios; dar mérito; aplaudir; encomendar; alabar; estimar; animar.

Alabastro: sustancia mineral de color blanco; especie de yeso de grano fino; carbonato de cal cristalino que se utiliza comúnmente en cajas o frascos para contener perfumes. Mt. 26:7; Mc. 14:3; Lc. 14:3.

Aladino: soñar con este personaje romántico que se casa con la princesa y se pasea en carros voladores con un genio mágico, indica que se vive en un mundo de fantasía en lugar de esforzarse por lograr los objetivos personales de la vida con un trabajo duro y diligente.

Alambre de púas: ver una valla de alambre de espino en tu sueño indica que alguien te ha acorralado o ha limitado tu rango de movimiento con sus afiladas y cortantes palabras de acusación. Le resulta difícil liberarse de su control e intimidación.

Alambres: hilos metálicos que se usan para la transferencia de electricidad; representa la corriente o el flujo del Espíritu.

Álamo: ver este árbol puede indicar un juego de palabras: «popular»; popularidad; mayor influencia y favor.

Alan: significa en armonía con la creación o armonioso, 2 Cor. 13:11.

Alardear: presumir o mostrar los logros de uno a los de menor estatus o grado en la sociedad, jactarse, mostrar los frutos de su duro trabajo, estar orgulloso de haber alcanzado sus metas en la vida. Considera el juego de palabras que estás presumiendo o dándote aires de grandeza para que la gente sepa lo que has conseguido en la vida.

Alarma de coche: se instalan para disuadir a los ladrones de que roben el propio coche o el equipamiento, las pertenencias o su contenido. Los coches suelen representar tu ego, tu ministio, tu vocación o tu negocio. Oír la alarma de un coche en tu sueño puede indicar que alguien está intentando robarte o que estás en un camino peligroso o te diriges por una vía equivocada.

Alarma: un arrebato emocional, miedo, advertencia de un peligro inminente, hora de despertar, los ladrones están entrando a robar, tu conciencia te está llevando a hacer los cambios necesarios. Nm. 10:5.

Alas de águila: volar con alas de águila representa ser transportado por el Espíritu Santo, Hch. 8:39; Is. 40:31; Apo. 12:14.

Alas de ángel: indican la presencia de serafines de fuego de seis alas que le cubren y protegen. Son mensajeros celestiales que ministran alabanza, trabajo y guardia en el altar de fuego del cielo. Cantan sobre el trono de Dios noche y día. Son criaturas nobles que traen la reconciliación; claman continuamente al Señor; preparan y lim-

pian nuestra boca con fuego para hablar las palabras de Dios. Is. 6:1-3, 6. Rt. 2:12; Éx. 25:20.

Alas: refugio; presencia de Dios; protección y seguridad angélica, Sal. 91; capacidad de volar y escapar del peligro; transporte sobrenatural divino, Apo. 12:6, 14; Éx. 19:4; Hch 8:39; Ma 4:2; 2 Sa. 22:11; Sal. 6:37, 36:7, 61:4, 91:4; Mt. 23:37.

Alaska: «Norte hacia el futuro»; Más allá de tus sueños; A tu alcance; Gran tierra; Última frontera; Estado principal; Tierra del sol de medianoche; Flor del olvido.

Alba: la primera aparición de la luz del día; el nombre de mujer Alba significa empezar de nuevo, alegría y alabanza, Sal. 113:2-3, percibir «amaneció en mí», una nueva oportunidad está en el horizonte, si está tempestuoso o nublado indica un día gris, presiona hasta el éxito.

Albañil: ver o ser un albañil, es decir, uno que trabaja o construye con ladrillos indica que lo que estás haciendo durará mucho tiempo, eres una persona de carácter fuerte que construye sobre una base firme.

Albaricoque: Amor tímido; punto de vista engañoso y agradable, o una posición futura prometedora puede estar llena de agria infelicidad, las pequeñas cosas que parecen dulces producen amargas desgracias y condiciones desafortunadas.

Albatros: son unas de las aves voladoras más grandes y eficientes en el aire, ya que utilizan el vuelo dinámico en pendiente para cubrir grandes distancias alrededor del globo terráqueo con poco esfuerzo. Los extraños que vienen de lejos pronto les traerán buenas noticias de gran alegría.

Albino: ver a una persona albina sin pigmentación de la piel en su sueño indica que está intentando ser invisible, ser blanqueado o mezclarse con su entorno. No quiere destacar, no ser notado o ser destacado en una multitud.

Albornoz: ver o llevar un albornoz en su sueño indica que ha pasado por una limpieza espiritual. Para mantener este fresco y nuevo sentimiento de pureza, ore diariamente y pida que sus pecados sean perdonados y eliminados. Mantenga la renovación de su mente a través de la lectura de la Palabra de Dios. Satisface tus necesidades personales. Una temporada de aislamiento, descanso y centrarse en su relación espiritual con Dios traerá grandes beneficios.

Alboroto: espíritu de anarquía; exceso de indulgencia; vida desenfrenada; extravagancia. Rom. 13:13; Lc. 15:13; derroche extravagante; juerga o tensiones raciales. Oír un fuerte alboroto en un sueño indica que el tiempo es esencial. Utiliza la sabiduría para tomar las decisiones necesarias para desactivar cualquier problema que haya surgido y avanzar hasta que se haya las cosas se han resuelto tranquilamente.

Álbum de recortes: método para conservar la historia personal y familiar por medio de un collage de imágenes recortadas. Los recuerdos incluyen fotografías, medios impresos y obras de arte. Los álbumes de recortes suelen estar decorados y a menudo contienen un extenso diario.

Alcachofa: es necesario llegar al corazón de un asunto con muchas capas, tu potencial creativo necesita ser expresado desde el corazón.

Alcalde: busca orientación espiritual.

Alcantarilla: juego de palabras: «desecharlo»; una situación hedionda, podrida o relaciones en descomposición que necesitan ser sacadas del interior de uno, limpiadas o inmediatamente desechadas, pensamientos sucios, la mente de uno es un pozo negro, dejar de escuchar chismes; orar y arrepentirse, cambiar la forma de pensar, renovar la mente con la palabra de Dios, Snt. 1:21.

Alcanzar: soñar que alcanza algo indica que tienes un fuerte deseo de adquirir el objeto, la persona o la meta para la que ha extendido su brazo. También indica que tus ambiciones te empujarán a esforzarte para tener éxito. tu autoridad o influencia tendrá un impacto de gran alcance en aquellos que te conocen. Es el momento de tender la mano a los demás y permitir que te ayuden.

Alce macho: es la especie más grande de la familia de los cérvidos. Son animales lentos, sedentarios, solitarios y no forman manadas. Es importante no aislarse de los demás. Sus depredadores habituales son los lobos, los osos y los humanos. Las personas que no socializan con los demás a menudo sufren depresión y son personas fáciles de ser abusadas en su confianza o manipuladas. Un alce macho puede volverse muy agresivo y moverse rápidamente si se enfada o se asusta. Su temporada de apareamiento es en otoño. El *Bull Moose Party* representa el partido político progresista de Estados Unidos.

Alce: peligro si es acorralado o sorprendido; cambio; poder y gran estatura. Ver un gran alce noble indica que los demás te ven como una persona de gran influencia, belleza y elegancia.

Alcoba: uno valora el conocimiento y la educación, siempre aprendiendo en el aula de la vida. Ver una alcoba en su sueño indica un pasaje hacia una zona de jardín de tranquilidad o una zona cómoda en una habitación que brinda aislamiento de los demás; una zona de protección. Una habitación es una abertura arqueada que le concederá la entrada a una posición más elevada de favor o estatus.

Alcohol, si está borracho: la persona es insensata, está totalmente fuera de control y traerá angustia, vergüenza y decepción a los que le rodean. Pr. 23:19-35; Rom. 14:21.

Alcohol, si se abusa de él: puede necesitarse sanación o liberación; los espíritus extraños están en control; comportamientos adictivos.

Alcohol: se consume en ambientes sociales y celebraciones; relajación; medicación del dolor;

Aldea: ver una aldea en un sueño indica que disfrutas de una comunidad sencilla y bien equilibrada, una familia tradicional; recursos limitados; sentimiento hogareño; valores del pasado; orientación familiar; rural; hogar de la infancia, Ef .2:19; Lc. 9:56.

Alegando: mostrando o probando algo, Hch 17:3.

Alegar: verse u oírse a sí mismo ofreciendo razones persuasivas o argumentando a favor o en contra de algo en un sueño indica que eres un hábil comunicador llamado a algún tipo de medio de comunicación o como abogado para defender a los menos afortunados.

Alegoría: historia en la que el significado literal o directo no es el principal, pero da una verdad importante por la que vivir la vida, Gál. 4:24.

Alegre: verse a sí mismo disfrutando de la vida en un sueño con un buen espíritu, disfrutando de la diversión, expresando o provocando alegría, significa que usted disfruta trayendo placer a los demás con tu agradable y placentera personalidad. Tu emotividad festiva y tu satisfacción surgen de tu gozosa relación con Jesús.

Alegría: la buena fortuna, el favor y un resultado positivo le traerán mucha alegría y plenitud. El gozo del Señor es tu fortaleza.

Alejado: lejos, Sal. 38:11.

Alelí: ver esta planta en flor indica lazos de afecto; prontitud; siempre serás hermosa para mí.

Alemán: soñar con un nativo o habitante de Alemania puede indicar que viajarás a Alemania o entrarás en contacto con esa persona para influir en su vida.

Alemania: pueblo, raza y nación extranjera; es conocida por su gran habilidad en la construcción de vehículos de excelencia.

Alergia: tener una reacción alérgica o una alergia en su sueño indica que está tratando con una condición emocional sensible. Su cuerpo físico ha desencadenado una respuesta a una sustancia extraña. Usted tiene conocimientos limitados, por lo que su estado mental actual es inadecuado para hacer frente a un sitio estresante.

Alérgico: soñar que usted es alérgico o tiene una fuerte aversión o apatía a alguien en su sueño puede indicar que usted está discerniendo algún tipo de problema negativo, oculto que no ha aflorado en su relación todavía. Sus motivos para establecer contacto o acercarse pueden ser perjudiciales.

Alerta: una señal de alerta roja advierte de un peligro o de fuerzas extremas que se movilizan en su área de influencia; estar en estado de preparación para tomar las medidas adecuadas. *Air Land Emergency Resource Team*, (ALERT por sus siglas en inglés) es un ministerio de servicio cristiano y una organización de entrenamiento ubicada en Big Sandy, Texas. Mt. 25:13; Mc. 13:34; Lc. 21:36.

Alexandra: significa defensora de la humanidad; una valiente protectora, Jer. 7:7.

Alfabeto: Algo será tan fácil como el ABC., alfa: estás en el comienzo o en las primeras fases de un proceso A que se irá completando a lo largo de un tiempo y de experiencias que terminarán o madurarán en la Z, Jesucristo, Apo. 1:8, 11; 21:6; 22:13. Las buenas noticias llegarán pronto.

Alfarería rota: el proceso de ser roto ante o por Dios; juicio; en necesidad de restauración; ser derramado para el beneficio de otros.

Alfarería: arrojar o crear una vasija de barro Is .64:8 «*Nosotros somos el barro y Dios es el alfarero*» que nos moldea a Su imagen. Convertirse en una vasija nueva o útil.

Alfarero: Jesús, el Maestro Alfarero, te está convirtiendo en un hermoso y útil recipiente de honor, moldeándote o convirtiéndote en alguien especial. La obra creativa de Dios te está formando a la imagen del Maestro, Jer. 18:2-4; 32:14; Is. 29:16; 64:8; Apo. 2:27.

Alféizar o cornisa: verse en un precipicio o en una cornisa indica que has llegado al límite de tus propias capacidades. No tienes muchas opciones. Mira hacia arriba porque tu redención, salvación y liberación vienen de Dios. Es el momento de orar, de recibir instrucciones y de dar un salto de fe. Si ves a alguien más parado en una cornisa, indica que esa persona está desesperada por ayuda y puede estar planeando lastimarse a sí misma, Ez. 43:14, 17, 20; 45:19.

Alfiler: usar un alfiler de pelo en su sueño indica que necesita asegurar la sabiduría; puede haber un giro brusco no previsto en su futuro cercano, así que esté preparado para lo inesperado y no perder la compostura. Ver, sentir o utilizar alfileres en un sueño indica que tienes el deseo de herir a los demás con sus afiladas y punzantes palabras al golpear o pinchar a los que te rodean.

Alfombra: ¿intentas barrer algo bajo la alfombra o tapar algo? Las alfombras se utilizan para cubrir o proteger el suelo de un tráfico excesivo. ¿Sientes que te pisan o que te pisotean? ¿Intentas protegerte o esconderte de las exigencias de los demás? ¿Qué tipo de alfombra es? Si se trata de un tapete, ¿alguien está tratando de confundirte? ¿Es una valiosa y elegante alfombra persa o india? ¿Qué diseño o qué estado tiene la alfombra? No te dejes martirizar, nadie debe pisarte. Revestimiento pesado y decorativo para los suelos o las escaleras que se encuentra en las casas, los negocios y diversos edificios. Las alfombras aportan comodidad y belleza al caminar por la vida, por lo que indican un tipo de sistema de apoyo, represión o estructura que añade una nueva dimensión a los pasos que se dan.

Algarrobas: el fruto del algarrobo se utilizaba normalmente para alimentar al ganado y a los cerdos para engordarlos para la carnicería o la venta. Este alimento lo comía el hijo del pródigo cuando estaba en las condiciones más pobres, también conocido como pan de San Juan o «langosta».

Algas: ver cosas en tu vida o en la vida de un grupo de personas o de una nacionalidad que hay que eliminar; confiar en el Espíritu Santo para obtener sabiduría y discernimiento espiritual.

Algodón de azúcar: aprender a tener las respuestas correctas a las pruebas ardientes; la prueba resultará en un veredicto dulce y justo a tu favor; las palabras negativas están llenas de aire caliente.

Algodón: volverse amigable; llevarse bien; tela que respira; textil; nivel de confort y cobertura espiritual; Alabama.

Alguacil o agente policial: ser responsabilizado por ciertas acciones o por violar los límites de seguridad; ser arrestado: mejorar el carácter, la integridad o las prácticas comerciales cuestionables; confrontación o discusiones desagradables. Surgirán conflictos o discusiones, se requiere la ley y el orden, se hace justicia y se desean cambios para mejorar; escapar de ser detenido: se te ha quitado la gracia; los hábitos pecaminosos causarán gran dolor y pena, Gál. 3:21; Mt. 5:17.

Algum: es un símbolo de la humanidad de Jesucristo; sándalo rojo, la madera para el templo. 1 Rey. 10:11-12; 2 Cr. 2:8; 9:10-11.

Alhelí: la amistad y la adversidad; una presencia discreta; visto como una decoración; no se toma en serio.

Alicates: juego de palabras: «flexible»; requieres fuerza para volver a mover el agarre de alguien; atar o soltar cosas en el Espíritu; girar; cambiar de dirección; apretar cabos sueltos; quitar tuercas.

Alicia en el país de las maravillas: estar viviendo a lo grande, fe equivocada, imagen distorsionada de sí mismo, necesidad de excitación, deseo de escapar del aburrimiento de la vida, búsqueda de aventuras en los lugares equivocados, es hora de hacer cambios en la vida.

Aliento: vida, Gén. 2:7, aliento del Espíritu, aliento; dulce aliento: hablar palabras de vida y paz, satisfacción y éxito, ánimo, intimidad, refrescar, cercanía, resultado positivo en las relaciones, revive, inspira, un ángel; viento, creación, el Espíritu Santo; bautismo del Espíritu Santo, el espíritu del hombre, profecía; un sonido suave hablado o susurro, inspirar y exhalar respiraciones, respiración lenta y constante indica salud y felicidad, angustia o falta de aliento indica algún tipo de problemas respiratorios y la necesidad de consultar a un médico o conseguir una oración de curación.

Alimentar: verte alimentando a alguien o algo significa que te has responsabilizado de tu bienestar. Estás alimentando una nueva relación, una idea o un trabajo. Si te alimentas a ti mismo, entonces estás creciendo en tu apetito espiritual y en la comprensión del conocimiento de Dios y de los asuntos físicos. Tú eres lo que comes. Dar apoyo espiritual, ayuda, amor o felicidad a alguien que lo necesita.

Alistarse: comprometerse para el servicio en las fuerzas armadas voluntariamente; participar en la empresa activa indica que has decidido abrazar la disciplina y el entrenamiento que son necesarios para tener éxito en la vida.

Alivio: que tu dolor o malestar disminuya en un sueño indica que las respuestas a tus problemas están en camino.

Alma: la mente, la voluntad, las emociones, la memoria, el intelecto, la persona real, el patio interior, salvados si creen en Jesús como su salvador o no salvados o perdidos si rechazan a Jesús, 1 Tm. 5:23; Hch. 4:12; vida animal, sede de los sentimientos, apetencias y pasiones; el lado espiritual interno de la constitución del hombre, el cuerpo mortal y un alma inmortal, Gén. 2:7; Mt. 10:28; una persona, Rom. 13:1.

Almacén: ver un almacén que está lleno de suministros indica que usted será próspero si continúa utilizando sus dones, talentos y habilidades para hacer avanzar el reino de Dios.

Almacenamiento: es posible que necesites recargar tus baterías personales en una temporada de descanso y relajación. Has sido bendecido con una abundancia o exceso de bienes, talentos y activos que necesitan ser administrados adecuadamente para asegurar que permanezcan útiles y protegidos. Usa lo que Dios te ha dado para el avance del Reino y no lo escondas en la tierra. «*Porque al que tiene, le será dado, y tendrá más; y al que no tiene, aun lo que tiene le será quitado. Y al siervo inútil echadle en las tinieblas de afuera; allí será el lloro y el crujir de dientes*», Mt. 25:29-30; «*No os hagáis tesoros en la tierra, donde la polilla y el orín corrompen, y donde ladrones minan y hurtan; 20 sino haceos tesoros en el cielo, donde ni la polilla ni el orín corrompen, y donde ladrones no minan ni hurtan. Porque donde esté vuestro tesoro, allí estará también vuestro corazón*», Mt. 6:19-21.

Almanaque: ver o consultar un almanaque, la publicación anual de un calendario con la previsión del tiempo, información astronómica, mareas, listas, fiestas de la iglesia y cartas indica que te encontrarás con mucha información útil que te ayudará a tomar decisiones útiles en la vida.

Almas: los diferentes colores de los siete espíritus de Dios, que se encuentran en los colores del arco iris, ministran curación a diferentes emociones y condiciones corporales. El resentimiento, la ira, el odio, la lujuria, el asesinato, el trauma, la muerte: (rojo); la rebeldía: (naranja); el miedo, la cobardía, la timidez, el orgullo intelectual, el engaño: (amarillo); la crítica, el chisme, la envidia, la codicia, el orgullo, la arrogancia, los celos, la falta de perdón, la mordacidad, la venganza: (verde); rechazo, soledad, aislamiento, desesperación, desesperanza, tristeza, pena, depresión: (azul); estrés, trastornos mentales: (índigo); trastornos emocionales: (violeta).

Almeja: persona muy callada, testaruda o de mente cerrada; «almeja»; almejas al horno: oportunidades de prosperar; tiempo social de diversión.

Almendras: salud; dones; autoridad; felicidad; ofrecer lo mejor de uno mismo; Gén. 43:11; la diligencia y el trabajo duro darán lugar a un aumento de la producción, de la cosecha y de los beneficios que se traducen en riqueza, elección de Dios; éxito y ganancia financiera; Nm. 17:8; fidelidad de Dios, despertar, Jer. 1:11-12.

Almendro: símbolo de la resurrección de Cristo; virginidad; esperanza; vigilancia y fecundidad; triunfarás sobre tus enemigos y vivirás una larga y feliz vida.

Almidón: advierte que estás siendo demasiado rígido o almidonado en una relación; necesitas aflojar y divertirte.

Almirante: se refiere a la capacidad de dirigir situaciones difíciles respecto a la toma de decisiones a través del ancho y encrespado mar de las distintas experiencias de la vida; un padre o una figura de autoridad.

Almizcle: concepción; atracción poderosa; perfume.

Almohada: Cristo es nuestro lugar de descanso y confort y quien promete a sus amados un dulce sueño. Proporciona un descanso reconfortante para la mente; cojín que mejora la intimidad, alivia el impacto de la entrega de malas noticias, Mc. 4:38; cojín.

Almohadilla térmica: ver o utilizar una almohadilla térmica en un sueño implica que tus emociones se están calentando o inflamando con ira, falta de perdón o rencor. Es necesario descubrir la raíz del problema para poder afrontarlo antes de que aumente de tamaño.

Almohadillas: soñar con almohadillas en tus pies o en los de un perro u otro animal indica que tienes que viajar a pie por lo que tu progreso será lento. Soñar con almohadillas en los hombros o en otras partes del cuerpo, como el pecho, indica que está tratando de aumentar o ampliar tu aspecto o presencia.

Almuerzo: indica que tienes hambre de enriquecimiento espiritual, de iluminación y que quieres más de la vida. También considere el término «fuera del almuerzo», puede ser el momento de hacer una autoevaluación para determinar si tu vida personal, física, mental y social están funcionando de manera equilibrada y cohesionada.

Aloes: símbolo de fragancia, Sal. 45:8; Pr. 7:17; Cnt. 4:14; Jn. 19:39.

Alondra, pájaro cantor: predice el éxito en los negocios; simboliza las altas aspiraciones; la caída durante el vuelo: indica que estás siendo vencido por la desesperación en medio del placer y la alegría, pero que encontrará la verdadera felicidad en medio de un gran cambio. Dañar o matar una alondra indica una mala elección y falta de sabiduría en la toma de decisiones.

Alpaca: bendiciones, prosperidad y aumento; regalos inusuales y hechos a mano vendrán a ti desde muchas direcciones; no fueron criados para ser bestias de carga, sino que fueron criados específicamente por su fibra usada para hacer artículos de punto y tejidos, similares a la lana.

Alquiler: una cantidad específica pagada o recibida a intervalos específicos de un inquilino bajo contrato que alquila un inmueble para po-der ocuparlo. Soñar con una propiedad alquilada puede indicar que te encuentras en un período de transición hacia la propiedad, establezca un presupuesto y cúmplalo para salir adelante.

Alquimia: es una filosofía química medieval que tenía como objetivo el proceso de transmutación de los metales básicos en oro mediante algún poder mágico o elixir. Soñar que algo básico se convierte en oro sugiere que estás pasando por el proceso de salvación, siendo transferido del reino de las tinieblas y el pecado al siempre creciente Reino de la Luz y la gloria eterna. Tu mente está siendo renovada por la Palabra de Dios y tu hombre interior está creciendo de gloria en gloria a la imagen de Dios. 2 Cor. 3:18.

Alquitrán: Gén. 6:14; Éx. 2:3; betún o asfalto; limo, Gén. 11:3; se seca con dureza como la argamasa.

Alrededor, ir: recibirás buenas noticias en varios lugares de diferentes personas; alrededor de personas con poca moral o ética: te encontrarás con pobreza y problemas.

Alrededor, moverse: lidiar o hacer frente al éxito plenamente

Alrededor, para llegar a: para finalmente dar su atención a las cosas que son necesarias;

Alta burguesía: asociarse con personas de la burguesía, de buena crianza o de alta posición social en un sueño indica que serás honrado por tus elevadas posturas morales y tu excelente carácter e integridad en las decisiones de negocios.

Alta moda: vanguardia; creativo; que marca tendencia; que rompe el molde; que llama la atención.

Altar de bronce: un altar de bronce representa un lugar de sacrificio donde se derrama la vida en servicio de Dios. Éx. 27:1-8; Apo. 6:9.

Altar de la ofrenda quemada: representa el sacrificio del Antiguo Testamento Éx. 40:10

Altar de oro: representa el ministerio de la intercesión y la oración, Éx. 30:1-10; Apo. 8:3.

Altar: se necesita la disciplina de la oración; lugar de sacrificio: dar, adorar y entregar la vida; incienso; memorial de los acontecimientos de la vida; acceso al corazón de Dios; alto y elevado. Éx. 20:24. Gén. 8:20; Lev. 6:12; 9:24.

Altarero: servir como una forma de piedad, a la tradición del hombre o a un sistema religioso, a la pura inocencia.

Alteración: modificar o alterar la condición actual para provocar ascenso o un gran progreso; una nueva estrategia dará lugar a una nueva asociación; usted fue hecho a medida para encajar en una nueva situación.

Alterar: soñar que cambias, modificas o ajustas

tu posición, aspecto o sistemas de creencias en un sueño indica que estás tratando de encontrar el enfoque correcto o revisando tu postura actual con la intención de alterar significativamente tu existencia.

Altercado: una disputa vehemente o una discusión con un amigo íntimo o con un compañero alterará definitivamente su relación si no se arrepiente y se humilla rápidamente.

Altitud: por encima del nivel del mar, una zona alta o un lugar por encima del horizonte, el cielo es el límite, no te rebajes a estar en compañía de gente de mal carácter o te avergonzarás de su comportamiento, no permitas que la gente corrupta te rebaje a su nivel. Serás elevado a un lugar más alto de exposición para tener una mayor influencia.

Alto: verse muy alto en un sueño significa que tu influencia y tu presencia van a aumentar y ser vista por más personas. Aboga por el derecho y la justicia. Aprenda a defender todo lo que es verdadero y a ser un líder. Cuanto más alto seas, más difícil será tu caída.

Altoparlante: escuchar o ver un dispositivo de audio que convierte las señales eléctricas en sonidos audibles, tiene un mensaje importante que debe llegar a un gran número de personas; o indica que no has estado escuchando lo que tus amigos y vecinos han tratado de decirte. Este sistema de sonidos no te hará saber lo que no has querido oír, pero, al mismo tiempo, otros si se enterarán de tu obstinación.

Alucinación: percepción falsa o distorsionada de objetos o acontecimientos con un sentido abrumador de su realidad puede producir un trastorno mental o un delirio, ya que la manifestación subconsciente del trauma, los recuerdos y el miedo inundan o persiguen el ser consciente de alguien.

Alumbre: ver un sulfato doble de un metal trivalente muy utilizado en la industria que aclara y endurece rápidamente; purificar con astringentes y estípticos tópicos medicinales indica que encontrarás las respuestas necesarias para resolver un enigma o problema complicado en tu vida aportando sanidad a una situación difícil.

Aluminio: ver aluminio en su sueño significa su capacidad para retener lo que valora ganando alegría y satisfacción en las cosas simples de la vida. Elemento metálico dúctil anticorrosivo de color blanco plateado que se utiliza para formar la luz, número atómico 13 peso atómico 26,98.

Alyssum: ver esta planta en tu sueño indica que eres dulce; con un valor que trasciende la belleza.

Ama de casa: la falta de autoestima provoca una sensación de estar encerrada en un pequeño mundo repetitivo con un aprecio limitado por un trabajo que nunca termina.

Ama de llaves: indica que la vida de uno necesita ser puesta en orden, hay algunos talentos que necesitan ser desempolvados, áreas mayores que necesitan ser limpiadas para que uno pueda brillar, estar al tanto de alguien que tiene acceso a tu vida personal que está tratando de maniobrar, manipular o reorganizar tu vida para su beneficio.

Amabilidad: verse a sí mismo como una persona de buen carácter, cordial y con una disposición agradable indica que ayudará a los menos afortunados en el futuro próximo, ver a otros actuando amablemente hacia usted significa que necesita discernir las intenciones de su corazón.

Amado: Cristo, Ef. 1:6.

Amamantamiento: verse dando pecho o amamantando simboliza un amor tierno, que da consuelo y consejo, un amor maternal que nutre, anímese que las cosas que están cerca de su corazón pronto estarán al alcance de la mano. Por otro lado, el sueño puede sugerir que usted es demasiado dependiente de otro, debe tener más cuidado con quién comparte sus secretos o en quién confía, no te apresures a poner tus cartas sobre la mesa. Ver a alguien amamantando indica que estás alimentando un aspecto oculto de ti mismo.

Amán: significa bien dispuesto y bendecido, Dt. 30:5.

Amanecer: amanece un nuevo día, he aquí que todas las cosas se vuelven nuevas, llega la alegría, la bondad y la misericordia, tiempo para la oración y la reflexión tranquila, esperanza de un futuro, Ec. 1,5. Si el sol está saliendo: tendrás un gran éxito al comenzar un nuevo día; sentado al sol: desarrollarás nuevas amistades que traerán buenas noticias y oportunidades, gloria y honor. Si es una mujer, posiblemente está embarazada de un hijo virtuoso.

Amante: el amante de uno, esposo o esposa; Jesús es el Amado de tu alma; los sentimientos, esperanzas o temores seguros de uno sobre su relación; una conexión intuitiva con su amante. Un amigo íntimo, 1 Re. 5:1; Sal. 38:11.

Amapola amarilla: idealismo, optimismo, riqueza y éxito.

Amapola, blanca: paz; pureza; inocencia; consuelo.

Amapola, roja: placer; pasión; fuerza o energía emocional.

Amapola: imaginación; ensoñación; consuelo; belleza engañosa que conduce a un comportamiento destructivo; adulación; inestabilidad; seducción; persuasiones malignas; olvido; el jugo se convierte en opio; sueño falsamente inducido, sueño eterno; California; agosto.

Amargo: una advertencia para que elijas tus palabras con cuidado, ya que puede que tengas que comértelas luego, las palabras dulces son como la miel, mientras que una actitud agria o de maldición trae enemistad y ofensa.

Amarillo - Clave musical de E: la luz amarilla de la unción de Dios cura el hígado; la vesícula biliar; el páncreas; el estómago; los intestinos; la parte inferior del intestino; el acné; la anorexia; los forúnculos; problemas estomacales; la cistitis; la sordera; la depresión; la diabetes; la dislexia; los problemas de oído; los trastornos nerviosos; las erupciones; la rigidez de cuello; la retención de líquidos; las muelas del juicio.

Amarillo: espíritu de entendimiento, Is.11:2; alma; esperanza; don de Dios; luz; matrimonio; maestro; familia; celebración; alegría; felicidad; mente renovada; optimismo; idealismo; riqueza; verano; aire; coraje; bienvenido a casa; honor; luz del sol; miedo; cobardía; mariquita; enfermedad; peligros; deshonestidad; avaricia; orgullo intelectual; engaño; timidez; debilidad, Js. 1:7.

Amasadura: es posible que esté actuando de forma muy «necesitada», siempre empujando o tirando de los demás para que le ayuden, es hora de desarrollar una fuente de ingresos propia; no deje que los demás le empujen hacia abajo; es hora de levantarse y defenderse por sí mismo.

Amatista: esta piedra preciosa de color púrpura representa a Isacar, para hacer soñar con una influencia curativa, para traer una reprimenda, para elevar, para avanzar, para surgir, para hacer surgir, para llevar, para exaltar, para estar en lo alto, para elevar, para la NASA, para el pago de un contrato, para el salario, para el alquiler, para el precio, para el salario, para la cosecha de mayo y junio, para el siervo nacido, para la humildad, para la compasión, para el tercer judío de la tercera fila del pectoral del sacerdote; Éx. 28:19; 12ª piedra preciosa de la fundación Éx. 39:12, Apo. 21: 20; discretamente presente, contento con la vida, ministerio de ayudas, pilotos naturales, cuidadoso, deliberado, cauteloso, no se excita ni se molesta fácilmente, mantiene la calma bajo presión, asno, sol y estrellas brillantes, protege contra la intoxicación, realeza, el sacerdocio; equilibrio y aplomo en la vida, fuerte física y espiritualmente, dolores de cabeza, sangre, respiración, fuerza de carácter, doble porción, trabaja duro para superar, creativo, introvertido, padre espiritual, pastor, guardián del pueblo de Dios, corazón generoso, belleza y ternura, discierne los tiempos y las estaciones, comprensión del futuro; Gén. 30: 14-18. La

perspicacia e intuición espirituales de Dios a través de los sueños y las oraciones de inspiración harán aflorar el buen juicio, la honestidad, la tranquilidad, la paz interior y la mente pacífica en momentos de dolor o pérdida.

Amazonas: negocio o tienda en línea Amazon. com; ver una nación de mujeres guerreras sugiere que tendrá una lucha por delante para obtener o mantener su libertad en algún área de su vida; puede tener una llamada de su vida para visitar el río, la selva o la cuenca del Amazonas en Sudamérica; o el arroyo del Amazonas, en Oregón, Estados Unidos.

Amazonita: ver una gema de amazonita en su sueño indica que ha estado pasando por una prueba, pero se ha mantenido en pie mostrando su poder de resistencia y su capacidad de recuperación. Dt. 32:27; el Señor ha hecho todo esto en tu favor. «*Por tanto, tomad toda la armadura de Dios, para que podáis resistir en el día malo, y habiendo acabado todo, estar firmes*». Ef. 6:13.

Ámbar: simboliza la presencia y la gloria de Dios en el juicio. Ez. 1:4, 27; 8:2. El ámbar se fabrica a partir de resina de árbol fosilizada y se utiliza como ingrediente en perfumes, como agente curativo en la medicina popular y como joya. Un ornamento; como una joya; apreciado, Sal. 143:8, hazme llevar tu misericordia en el tiempo de la mañana y conoce el camino por el que debo andar. El ámbar es una advertencia contra el orgullo que traerá una separación entre los seres queridos.

Ambición: estás ansioso con un fuerte deseo de éxito y logros, continúa siendo humilde, presionando hacia la marca del alto llamado en tu vida y tendrás éxito.

Ambiente, romántico: indica que estás interesado en ser romántico con alguien cercano.

Ambiente: te sientes como si estuvieras envuelto o rodeado por un cuerpo celestial o una presencia espiritual; un clima espiritual; tu entorno influye física o psicológicamente en tu estado de ánimo actual en casa o en el trabajo.

Ambrosía: la humildad te llevará lejos, pero el orgullo viene antes de la caída.

Ambulancia: advertencia: se necesitan cambios para mantener tu salud o fuerza, se necesita una intervención de emergencia para traer la integridad; ejerce la paciencia, ora por sanidad y la liberación de la enfermedad, la lesión o las malas noticias; guárdate de las impudicias sexuales. Sal. 71:12.

Amenaza: recibir una indicación de peligro o daño inminente por parte de una fuerza amenazante predice la necesidad de orar para obtener sabiduría y evitar los planes de un enemigo. «*Un millar huirá a la amenaza de uno; a la amenaza de cinco huiréis vosotros todos*», Is. 30:17.

América Central: parte de América del Norte; istmo tropical que conecta América del Norte con América del Sur. Se considera un subcontinente. Consta de siete países: Belice, Costa Rica, El Salvador, Guatemala, Honduras, Nicaragua y Panamá.

América del Norte: en América del Norte las áreas terrestres están dominadas por los Estados Unidos, Canadá, Groenlandia y México. Los estados más pequeños se encuentran en las regiones de América Central y el Caribe. América del Norte es el tercer continente más grande por superficie después de Asia y África. América del Norte es el cuarto por población después de Asia, África y Europa. Soñar con uno o todos estos países o estados indica que tienes una llamada para orar, visitar como misionero o hacer negocios allí entre sus gentes.

América del Sur: es el cuarto continente más grande, limita con el Caribe en el norte, el Pacífico en el oeste y el Atlántico en el este y está unido a América Central por el istmo de Panamá. Está dominada por la cordillera de los Andes, que se extiende a lo largo de 7.250 km e incluye numerosos volcanes; abarca desde densas selvas tropicales hasta desiertos. Ver América del Sur en un mapa indica que harás un próspero viaje de negocios con cambios favorables en el comercio y en las relaciones amorosas; si eres deportado espera ser traicionado por amigos de confianza, se avecinan problemas y los negocios se tambalean; si estás de gira: surgirán nuevas oportunidades, mantén los ojos abiertos para nuevas conexiones; si eres ciudadano estadounidense: prosperarás en diferentes áreas.

América: una nación bajo Dios indivisible con libertad y justicia para todos; una nación cristiana, libertad religiosa, tierra de oportunidades. La tierra prometida donde todo es posible con una buena planificación y trabajo duro; la nación del águila, los profetas/el beneficio, Dios bendice a América, la libertad, la industria, la prosperidad, la innovación, el espíritu pionero, el idealismo, y el mejor país del mundo, la paz mental; el hogar de los libres y los valientes, Estados Unidos, la libertad, vivir el sueño americano.

Ametralladora: centrar tu atención o perspectiva en una cantidad muy grande de problemas o dificultades; disparar a la boca; no tener autocontrol.

Ametrina: soñar con una ametrina, una variedad natural de cuarzo que es una mezcla de ametrina y citrina con zonas de color púrpura, amarillo o naranja, indica que puede haber estado pasando por un momento emocionalmente difícil o experimentando alguna depresión. Se extrae en Brasil, Bolivia y la India. «*...a ordenar que a los afligidos de Sion se les dé gloria en lugar de ceniza, óleo de gozo en lugar de luto, manto de alegría en lugar del espíritu angustiado; y serán llamados árboles de justicia, plantío de Jehová, para gloria suya*», Is. 61:3.

Amigo de la infancia: representa el deseo de explorar el mundo con una imaginación infantil para descubrir nuevas aventuras con un amigo o compañero de confianza con el que pueda compartir sus emociones y sueños a diario.

Amigo conocido: si se conoce: representa los sentimientos o preocupaciones de uno por ese amigo en particular.

Amigo desconocido: si no se conoce: representa los sentimientos intuitivos internos que le animan y aconsejan; se refiere a tu contacto o comunicación con los amigos.

Amigo: Jesús; fidelidad, sacrificio, similar a la posición en la sociedad, rasgos de personalidad o carácter, tanto en sus fortalezas como en sus debilidades; compañero; atractivo; podría representar la tentación si te está guiando en una dirección equivocada o dando un mal consejo; el significado y la connotación espiritual de su nombre es estratégico, escritura de vida, posición, nivel de autoridad o relación, características o dones; el Espíritu Santo; ángel; un hermano, Snt. 2:23; Mt. 11:19; 22:12; 26:50.

Amish: simplifica tu vida, reordena tus pensamientos, prioriza tus objetivos, esfuérzate por cumplir los requisitos básicos, concéntrate en las cosas importantes de la vida y aprecia a la familia y a los amigos.

Amnesia: olvidar quién está llamado a ser, rechazar una parte de su personalidad, descuidar una habilidad o talento, rechazar o bloquear el cambio necesario.

Amoníaco: limpiar el espíritu para estimular el crecimiento; abonar para aumentar.

Amontonar: ruina, Dt. 13:16; Jer. 49:2; piedras utilizadas para marcar un límite de territorio, Jos. 4:4-7.

Amor, amigos: ver a los amigos enamorados indica que tienes sentimientos por ellos que se están desarrollando o cambiando; aceptando o incorporando ciertos rasgos o atributos de carácter.

Amor, expresado: indica que tienes buenas habilidades de comunicación que te ayudarán a continuar una relación exitosa.

Amor, público: verse haciendo el amor en público: indica un deseo sexual o una necesidad de expresarse abiertamente, la vergüenza, la culpa o los problemas ocultos deben ser descubiertos; romper el molde, o la norma social.

Amor: intenso sentimiento de afecto o pasión por otro, basado en experiencias personales compartidas, intereses o lazos familiares; atracción basada en una profunda ternura, preocupación e intensa atracción o deseo sexual; la misericordia, benevolencia y gracia de Dios hacia el hombre; devoción, adoración, 1 Co. 13; amado; bondad; hermandad; caricia; abrazo; expresado a través de relaciones matrimoniales o sexuales integradas; enamorar; apreciar; adorar; «aventura amorosa»; una puntuación de tenis cero; 1 Jn. 4: 8, 18 Dios es amor; el amor perfecto echa fuera el temor; Nm. 14:18, 19, el Señor abunda en amor, despertar con un sentimiento de estar enamorado: indica que esos sentimientos están, o no, en tu relación personal; pero desarrollas felicidad, y satisfacción en la vida; con un sentido de pertenencia y aceptación incondicional.

Amordazar: puede que no sea el momento de expresarte, elije tus palabras con cuidado, puede que no sean recibidas favorablemente, guárdate tu opinión.

Amorosa: los placeres y deseos personales traen tentaciones negativas e ilícitas que terminarán en humillación. Establezca una norma moral elevada para salvaguardar su corazón.

Ampolla: hinchazón causada por la irritación que al ser frotada de forma incorrecta o ser extirpada de forma violenta produce ardor y escozor.

Amputación: algunos activos, dones, talentos o habilidades muy importantes están siendo cortados, dejándole con una sensación de total impotencia o sin capacidad para cambiar una situación negativa. La falta de brazos o manos indica que se siente impotente para pedir ayuda o conseguir la asistencia necesaria o que le falta inspiración o incentivo. Las circunstancias de la vida se han vuelto críticas y muy limitadas.

Amueblado: suministrar lo necesario para equipar y dar lo requerido para hacer la vida más cómoda.

Amuletos: pequeños objetos de diversas formas que se llevan como amuletos y que se supone que protegen al portador contra espíritus malignos reales o imaginarios. Un amuleto es un objeto con propiedades mágicas naturales que se cree que protege a una persona de los problemas. Un amuleto puede ser incluso palabras en forma de hechizo o conjuro mágico para repeler el mal o la mala suerte. Se utilizan con fines genéricos, como evitar el mal o atraer la buena suerte. Los amuletos potenciales incluyen gemas, especialmente grabadas, estatuas, monedas, dibujos, colgantes, anillos.

Anaconda: una de las serpientes acuáticas más grandes del mundo que se encuentra en Sudamérica, en los Andes de Colombia, Venezuela, las Guayanas de Ecuador, Perú, Bolivia y Brasil y Trinidad y Tobago. Estos reptiles de sangre fría constriñen a sus presas asfixiándolas hasta que les aplastan las costillas y luego consumen a su víctima entera. Si vas a viajar a estas zonas ora contra este espíritu territorial que opera como el espíritu de la culebra pitón.

Analfabetismo: si en tu sueño ve a alguien que comete un error de juicio o que no sabe leer ni escribir, puedes esperar recibir tu parte de responsabilidad y obtener un ascenso.

Analista o psicólogo: visitar a un psicólogo o a un psiquiatra en tu sueño indica que estás pasando por una temporada de autoexploración, transformación espiritual y expansión y evaluación mental. Es un buen momento para que un profesional interprete tus sueños.

Ananías: significa que Dios es misericordioso y bendito, Nm. 6:24.

Anarquía: indica que la rebelión, los pensamientos anárquicos, el enfoque y el desorden intentan invadir la vida de una persona. La disciplina y el control son necesarios. Establecer límites seguros.

Ancestros: herencia física, influencias culturales y psicológicas de la familia, que formaron la personalidad de uno; si se trata de un ancestro en particular: explore las asociaciones personales y los rasgos de carácter o las tendencias de ese individuo.

Anchoas: ver un banco de este pequeño pez graso marino parecido al arenque, muy utilizado como alimento, indica que estarás rodeado de buenas noticias y fortuna; te inundarán preciosos recuerdos de amigos, amantes y familiares.

Anciana: sabiduría, la Iglesia, la Matriarca, el Espíritu Santo, el pasado, la persona de carne y hueso.

Anciano de Días: Daniel nombró al Juez supremo que vio en su visión, Dn. 7:9, 22.

Anciano: sabiduría; patriarca, sabiduría de un abuelo, un incrédulo o persona que camina en la carne, historia pasada, fortaleza mental, carnalidad; débil; pecador, un tonto. Ver a una persona mayor en un sueño simboliza la necesidad de paciencia y sabiduría. Si se trata de un presbítero, un oficial de gobierno en la iglesia, podría indicar que el pastor le invitará a ayudarle a llevar a cabo algunas de sus rutinas ministeriales diarias. También es posible que tengas que prepararte para una translación celestial para visitar a los veinticuatro ancianos en el cielo.

Ancianos: Cristo supervisor, 1 Pe. 2:25; Heb. 13:20; hombres entre los judíos investidos de autoridad, consejeros o jueces; Mt. 5:12; Mc. 7:3; maestros que supervisan, un obispo Hch. 11:30; 1 Tm. 5:1; Apo. 4:4. Fuente espiritual de sabiduría, guía y poder; escucha su mensaje o consejo; proporciona respuestas o soluciones a los problemas de la vida. Ricos en historia y recuerdos, generaciones o periodos de tiempo pasados, un recurso rico en sabiduría, paciencia y bondad, largo sufrimiento, gentileza.

Ancla: estar arraigado y enraizado, seguro y protegido en la esperanza; para alcanzar tu propósito, anclaje; pesando para limitar el movimiento, miedo a encallar, Hch. 27:13, 17, 29-30, 40; nuestra esperanza en Jesús ancla el alma He 6:18-19a; separación, se necesitan cambios, mantener obstinadamente la posición de uno. Mantenerlo en el lugar apropiado; proporciona estabilidad; seguridad; obstaculiza su movimiento; carga o peso; narra o coordina mensajes.

Andamio: ver esta plataforma temporal que ayuda a los trabajadores a levantar un edificio o una forma de arte predice una oportunidad para mejorar tu posición social.

Andar a tientas: verse a tientas en la oscuridad indica que no se tiene una dirección clara en la vida, que aún se busca conocer el propósito para el que se ha nacido y que el destino no está claro. Busca a Dios por su sabiduría y comprensión y deja que su luz brille en tu camino.

Andar: movimiento hacia adelante o avance en la vida espiritual o natural de uno; el proceso de trasegar algo; crecer en una relación; una cita, dos caminando juntos de acuerdo, Am. 3:3; Gál. 5:16; Gén. 5:22-24; 1 Jn. 6-7; 2 Co 5:7; Rom. 8:1-4; 2 Pe. 2:10.

Andrógino: soñar que eres andrógino significa que tienes un equilibrio de características y puntos de vista tanto masculinos como femeninos. Por lo tanto, no eres ni claramente masculino ni femenino, sino que eres capaz de reunir los dos lados opuestos en una integración equilibrada de la armonía para lograr la máxima eficacia y resolución de problemas.

Androides: pérdida de todo sentido de dirección espiritual, ser controlado o actuar en piloto automático, preprogramado para seguir las indicaciones de otros, la monotonía gobierna su vida, no hay previsión ni planificación para el futuro.

Anécdota: escuchar o contar un relato breve, a menudo oral, interesante o humorístico de un incidente real o ficticio, una fábula, un cuento o una historia entretenida indica que serás el centro de atención en una reunión o evento social, tus habilidades verbales te permiten comunicar una buena lección moral mientras resuelves acertijos difíciles con facilidad.

Anémona: significa «hija del viento». Ovidio cuenta que la planta fue creada por la diosa Venus cuando roció con néctar de la sangre de su amante muerto Adonis. Ver esta planta en flor representa la transición motivada por la traición, la desconfianza o la muerte.

Anestesia: supresión emocional, no confrontación, evasión a toda costa, rechazo de la responsabilidad, enterrar la cabeza en la arena, dormir la vida.

Anestesista: sentirse dominado, médico altamente capacitado que puede provocar la pérdida total o parcial del sentido, la sensibilidad táctil, inducir artificialmente la inconsciencia, no sentir dolor, falta de emoción, estar insensible, dormido.

Aneurismas: si es en la cabeza: las tensiones mentales le hacen sentir que pierde la cabeza, o que se le revienta; en el corazón: las presiones emocionales de la vida están a punto de reventar una vena.

Anfiteatro: le refiere a la realización de milagros, señales y prodigios, a la difusión de la sabiduría divina o del conocimiento espiritual a las masas. Algo se amplifica; foco de atención; su ámbito o áreas de influencia; las creencias se disputan; conflicto entre dos ideas o declaraciones opuestas.

Anfitrión, trabajando: indica que se encuentra en un movimiento que está siendo resguardado, reparado, descansando o siendo cuidado de alguna manera.

Anfitrión: hueste angelical, celestial; posadero; persona con gran hospitalidad; recibe abiertamente a todos los que vienen; un entretenedor, Ro 16:23; un posadero, Lc. 10:35.

Ángel del Señor: Éx. 23:21-23; Éx. 14:24; Cristo como mensajero de Dios; Jue. 13:15-22; Jn. 1:1-3; 14-18; Dios puso su nombre YHWH en este ángel; enviado ante Israel para llevarlos a la Tierra Prometida; si se le provoca, no perdonará; ángel en la columna de fuego de noche y en la nube de día. Luchó con Jacob, cambió su nombre, su carácter y su destino.

Ángel poderoso: un ángel poderoso descendió del cielo, vestido con una nube; y un arco iris estaba sobre su cabeza, y su rostro era como el sol, y sus pies como columnas de fuego; y tenía en su mano un pequeño libro abierto; y puso su pie derecho sobre el mar, y su pie izquierdo sobre la tierra, representando al cielo tomando su legítima y formal posesión de la tierra. Jue. 1:2-5; Apo. 10:2.

Ángeles: mensajeros celestiales; aliento; fuego; luz; espíritu guardián; sueño o visitación; protección; vigilancia; influencia orientadora; autoridad y rango espiritual; respaldo financiero de un proyecto; nave enemiga; advertencias de peligro o escándalo; arrepentimiento; consuelo o consolación; oraciones respondidas; llamada a manifestar la bondad, la pureza y el desinterés; vínculo entre Dios y el hombre; asistente de Dios; percepciones dadas para los cambios necesarios. Job. 33:23; Heb. 1:14; Is. 42:19; Ec. 5:6; 2 Cor. 12:7.

Anguila: las cosas que están ocultas necesitan ser reveladas; cuida tu buena reputación para que no se te escape.

Ángulo: ángulo estructural exterior de un muro de mampostería; elevación segura; piedra angular.

Angustia: el temor y la ansiedad te llevarán a la depresión y la desesperación, no permitas que las preocupaciones de la vida te roben la alegría y la esperanza, la felicidad es una decisión, las cosas no son como parecen, busca el lado bueno.

Anhelar: si alguien anhela tu compañía en un sueño, es posible que te encuentre con un prospecto de matrimonio en un futuro próximo; si te ves anhelando a otros y lo encuentras, te ofrecerá una relación gratificante.

Anhelar: tener un anhelo o deseo persistente que no se ha cumplido en tu sueño indica que la oración sigue siendo necesaria. Cuando la plenitud del tiempo haya llegado, el deseo de tu corazón se hará realidad.

Anidar: las aves construyen nidos para sus crías. La anidación es un ritual que realizan las mujeres embarazadas para limpiar la casa, el «nido», de todo lo que pueda ser perjudicial para el niño que va a nacer. La anidación es una fase previa a la menstruación en la que la mujer disfruta más de lo habitual de los mimos y los arrunches. Es posible que estés llamada a asegurar un refugio seguro para nutrir a los jóvenes y hambrientos espirituales. En programación, las instrucciones alternativas y repetitivas pueden escribirse una dentro de otra. A este hecho se le conoce como anidamiento. El software de anidamiento permite obtener el mayor rendimiento de una hoja de material. Aplique este concepto a su vocación o ministerio. Honra lo que Dios te ha dado.

Anillo de compromiso: recibir o llevar un anillo de diamantes o de piedras preciosas indica que se ha aceptado una propuesta formal para un futuro compromiso de por vida de alianza matrimonial entre un hombre y una mujer. Espera una noticia emocionante. Es un símbolo de amor y de un compromiso a largo plazo que conduce a un importante cambio de vida en el matrimonio. Si eres un hombre: estás pensando en pedir matrimonio, así que tu subconsciente está practicando cómo hacer la propuesta mientras duermes.

Anillos nupciales: ver una alianza de boda en un sueño habla de tu relación de alianza entre usted y su cónyuge. Es posible que necesite renovar tus votos matrimoniales. ¿Estás satisfecho con su matrimonio? ¿Deseas divorciarse? El anillo representa un vínculo eterno y duradero o una promesa hecha entre dos personas para bien o para mal. El deseo o la necesidad de encontrar un cónyuge con el que estar en alianza en tu viaje o camino espiritual en la vida. Recuerda tu primer amor y tu alianza con tu Señor y Salvador Cristo Jesús. La pérdida de un anillo de bodas puede representar un desafío para tu alianza.

Anillos: autoridad, pacto, influencia de Gén. 41:42, sello de aprobación Lc. 15:22, poder y autoridad en nombre de otro, sello, tienes un anillo «verdadero o falso»; el color y el tipo de piedra son significativos; una eternidad sin fin. Un compromiso, un precioso regalo, una valiosa herencia o legado, un adorno de favor, un sello, Jer. 22:24; Hg. 2:23; Lc. 15:2, sellos; Esd. 3:10; adornos de los dedos, las orejas, la nariz, la muñeca y los tobillos, Is. 3:20-21.

Animación: ver personajes animados en tu sueño puede indicar cómo ves varios aspectos mundanos de la vida. ¿Coinciden estas representaciones cómicas con el deseo de Dios para la interacción de la humanidad con los demás? Aunque parezcan graciosas, pueden estar expresando actividades antinaturales que no son de tu interés; reflejando la perversión y o las ideas engañosas del reino de las tinieblas. Pon tu visión en cosas más elevadas.

Animador: tienes el don de la hospitalidad con la capacidad de captar, divertir y mantener la atención de alguien.

Animal disecado: considera el tipo de animal disecado. ¿Qué características tendría si fuera un animal vivo? ¿Aporta consuelo o conflicto? ¿Es manso o salvaje? ¿Cuál es su reputación?

Animales, hablar con: hablar con los animales representa entrar en contacto con tu intelecto, conocimiento y sabiduría liberando todo tu potencial. Los animales reflejan su propia característica física incivilizada, sus deseos primarios y su naturaleza sexual indómita, dependiendo de las cualidades o atributos del animal en particular en su sueño.

Animales, laboratorio: ver animales de laboratorio indica un aspecto reprimido o restringido, una incapacidad para exhortarse a sí mismo o liberar sus pensamientos, deseos y sentimientos. Alguien está experimentando con tus emociones y poniendo a prueba tus sistemas de creencias para determinar las elecciones que harás en la vida; es necesario salir de tu estrecha esfera de pensamiento; deja de estar enjaulado y disfruta de la vida.

Animales, liberar: liberar a un animal de una trampa o jaula indica una liberación de tus emociones o pensamientos reprimidos para que tus verdaderos deseos se den a conocer a los demás.
Animales, luchando: Pelear contra un animal significa que estás decidido a superar los impulsos subconscientes o a resistir las características ocultas del animal que se manifiestan en tu vida.

Animales, rescatar: rescatar la vida de un animal significa que has reconocido con éxito los sentimientos emocionales similares, las carencias o las insuficiencias que están categóricamente representadas por ese animal.

Animales: a menudo representan características, rasgos personales, cosas que tememos o intentamos evitar en nuestra vida personal, así como cosas que deseamos imitar.

Animar: inspirar a alguien con esperanza, valor, apoyo y confianza fomentará y estimulará la amistad.

Ánimo: tomarse bien las noticias engorrosas.

Animosidad: necesitas reexaminar un estado de cosas y hacer cambios positivos para fortalecer las fibras morales.

Aniversario: indica la celebración de un compromiso, la longevidad, la dedicación y la resistencia.

Ankh: ver o llevar esta cruz ansada también conocida como el aliento de la vida, la llave del Nilo o en latín, crux ansata que significa «vida» o una «cruz con asa», representa el concepto de vida eterna y la tolerancia de la diversidad en el pluralismo religioso por lo que ha sido adoptada por el misticismo de la Nueva Era. El ankh aparecía en cada mano de los dioses egipcios y los faraones con los brazos cruzados sobre el pecho.

Ano: limpieza de los sentimientos heridos de rechazo o de ser expulsado, la voluntad expresada o retenida; tensión, retención de emociones.

Anorexia: querer controlar, perder el apetito, el agotamiento espiritual y físico lleva al deterioro del cuerpo y de la carne, de la piel y de los hue-

sos, al desorden fisiológico debido al odio a sí mismo, al rechazo y al abuso.

Anormal: usted fue creado para ser un ganador y exitoso en la vida; ver algo anormal indica que el mal está tratando de robar su autoridad espiritual o sus habilidades naturales, sométase a Dios, resista al diablo y él huirá de usted.

Ansias: un deseo que consume hará que una persona vague sin rumbo en el desierto estéril sin mostrar nada por sus esfuerzos.

Ansiedad: los sentimientos de preocupación, miedo y aprehensión están aumentando en tu vida diaria. Reprimir las emociones negativas de resentimiento o ira desencadenará una respuesta hostil. Procure eliminar la presión, las sobrecargas de estrés y las responsabilidades innecesarias.

Antártida: grandes probabilidades vienen en su contra, se atrinchera tenazmente para enfrentar los desafíos y soportar las dificultades de la vida, sintiéndose congelado en una relación.

Antena parabólica: comunicación con seres celestiales, conexiones de canales, audición de fuerzas invisibles.

Antena: individuo espiritualmente dotado que es capaz de recibir la revelación del Espíritu Santo. Capacidad de escuchar la pequeña y tranquila voz del Señor y de percibir o discernir la presencia de seres espirituales. Un par de apéndices sensoriales articulados u órganos en la cabeza de un insecto o crustáceo, o un vicio metálico para transmitir y recibir ondas electromagnéticas. Pr. 1:8-9.

Antibióticos: combatir una infección o alguna influencia negativa.

Anticonceptivo: algo está impidiendo la concepción de ideas o el nacimiento de un bebé; la creatividad, la reproducción no puede fraguarse; contener o actuar de forma contraria a tu verdadero yo; «sexo seguro»; temor al embarazo, o a las enfermedades de transmisión sexual; protegerse de daños emocionales o heridas.

Anticongelante: si estás echando anticongelante en el motor de tu coche puede indicar que tienes tendencia a enfriarte o a congelarte emocionalmente cuando se trata de relacionarte con las personas de tu círculo cercano. Necesitas una buena dosis de la Palabra y el fuego del Espíritu Santo para volver a encender tu llama de amor y pasión. Deja que tu frío corazón se derrita con un nuevo fuego de amor por salvar al mundo.

Anticuado: indica que todavía te adhieres a los principios piadosos de rectitud y santidad. Eres una persona de carácter e integridad que está dispuesta a ayudar a una persona necesitada. Todavía formas parte de los buenos tiempos en los que la gente se preocupaba por alguien más que por sí misma.

Antídoto: es el momento de compensar o inclinar las probabilidades a su favor, encontrando una respuesta a los problemas o la resolución de las dificultades pasadas.

Antifaz: deseo de realzar la belleza de los ojos; representa la visión o la unción profeta; un espíritu seductor o atrayente.

Antigüedades: el bien o el mal heredado de nuestros antepasados; recordar o rememorar el pasado.

Antiguo pozo: que se extrae de una antigua fuente de sabiduría que se inició en la antigüedad, caminos y fronteras, ruinas, reyes, Anciano de Días. Enseñanza o tradiciones que han sido transmitidas por generaciones o linajes anteriores. Fuente de agua (revelación) de la que se nutre el alma.

Antiguo: herencia valiosa de la historia, obsoleta, recuerdos preciosos; muy costoso, objetos de colección, artefacto antiguo, pero de incalculable valor. Is. 42:9.

Antílope: se producirán grandes avances a través del poder de la exhortación.

Antiséptico: la limpieza espiritual es necesaria para que se produzca la sanidad, rechazar el negativismo, tener pensamientos positivos, aplicar acciones constructivas.

Antorcha: es una luz portátil o una llama que alumbra. Ilumina o guía para llamar a los perdidos al camino de Jesús. Verte a ti mismo llevando una antorcha puede representar tu llamada a la evangelización. Llevas el reino de la luz a los perdidos que están en la oscuridad. *«Ustedes son la luz del mundo. Una ciudad en lo alto de una colina no puede esconderse. Ni se enciende una lámpara para cubrirla con un cajón. Por el contrario, se pone en la repisa para que alumbre a todos los que están en la casa. Hagan brillar su luz delante de todos, para que ellos puedan ver las buenas obras de ustedes y alaben al Padre que está en el cielo».* Mt. 5:14-16. Amar a alguien que no corresponde. El fuego, que hace que dos objetos se fundan, es un vínculo fuerte que sirve para construir, reconstruir y edificar.

Anuario: libro documental conmemorativo o histórico que se publica cada año y que contiene datos sobre el año anterior. Representa a los viejos amigos del colegio o a los antiguos romances con los que has perdido el contacto a lo largo de los años. El sueño también puede servir para devolverte a una época en la que tenías menos responsabilidades y menos preocupaciones. ¿Eras popular? ¿Alguien firmó tu anuario? Tus mensajes

escritos pueden proporcionarle algunos consejos importantes a seguir. Para tener amigos hay que mostrarse amable.

Anubis: es un dios con cabeza de chacal asociado a las momificaciones y a la conducción de las almas al más allá en la religión egipcia. Anubis era un embalsamador y se simboliza como el protector de las tumbas de las personas que estaban en el inframundo. Se le representaba de negro para representar el renacimiento y la decoloración del cadáver tras el embalsamamiento. También se le asocia con Anput, su hija, la diosa serpiente, y con Kebechet, «Upuaut», otro dios egipcio con cabeza de perro, de forma canina y pelaje gris o blanco. Si esta figura oscura de la muerte aparece en tu sueño es una fuerte advertencia de que el espíritu de la muerte está cerca y está acechando tu vida. Ahora es el momento de buscar a Jesús con todo tu corazón para que te guíe espiritualmente y te salve. Arrepiéntete de tu pecado y pide ser salvado y liberado de la muerte. El nombre y la sangre de Jesús son el único camino para la salvación y la vida eterna.

Anulación: es tiempo de lidiar con la decepción, deja de negar un error, toma acciones para liberarte, un nuevo comienzo está en el horizonte. Las cosas que fueron ocultadas con cuidado para engañarte en una unión fraudulenta saldrán a la luz anulando una relación de pacto.

Anular: soñar que se cancela una cita, un compromiso o planes de negocios, sugiere que no te gusta enfrentarte a los hechos y tienes miedo a las confrontaciones.

Anunciador: escuchar un anunciador en tus sueños indica que no has estado escuchando la voz tranquila y susurrante del Espíritu Santo, por lo que Él se está preparando para subir el volumen para que no te pierdas la línea de demarcación, la encrucijada o la transición importante en tu vida.

Anuncio, colocando: colocar un anuncio representa el aumento y la prosperidad que se avecina.

Anuncio, de persona destacada: si una persona está resaltada en el anuncio, sus habilidades serán útiles, así que pida su ayuda.

Anuncio, mirar: representa un mensaje subconsciente que le anima a prestar atención, a reconocer la necesidad de actuar sobre alguna oportunidad de oro, a resolver un problema o a tomar una decisión.

Anuncio: un anuncio diseñado para atraer la atención del público o el patrocinio para darle a uno una ventaja sobre su competencia; para darlo a conocer.

Anzuelo: estar enganchado o atrapado por algo brillante o seductor.

Anzuelos: llamado a la evangelización o a la ganancia de almas, anzuelo en la mandíbula, Dios te está apartando de la destrucción, malos hábitos o relaciones, tienes la habilidad de atraer a otros hacia ti con tu personalidad ganadora y tu carisma, cebando a la gente con engaños sin intención de cumplir las cosas prometidas, atrapado en una mentira, enamorándose de alguien con anzuelo, anzuelo y plomada, atrapado por las propias palabras, enganchado a la pornografía u otras trampas inmorales debilitantes, buscando ganancias materiales en lugares equivocados, pescando cumplidos, atrapado en un asunto adúltero.

Añada: añada de un vino es el que se elabora con uvas que se han cultivado y cosechado en su totalidad, o principalmente, en un solo año, viñedo y distrito determinados. Denota la calidad y la edad particularmente altas de un vino. Fíjese en el año que figura en la etiqueta para investigar qué ocurrió en la historia. Poseer añada de un vino popular indica éxito, riqueza, felicidad, alegría y una riqueza considerable que se obtiene de la cosecha y del trabajo duro.

Año bisiesto: en Irlanda y Gran Bretaña, es una tradición que la mujer pueda proponer matrimonio durante los años bisiestos. Más tarde esta tradición fue endurecida y esta clase de propuestas fueron restringidas al 29 de febrero o 24 de febrero que es el día bisiesto medieval. Margarita de Escocia exigía que se impusieran multas si el hombre rechazaba una propuesta de matrimonio. Las mujeres debían llevar una enagua escarlata como advertencia justa si planeaban «lanzar el cortejo». Soñar con el año bisiesto, especialmente el 29 de febrero, indica que has elegido a alguien con quien deseas casarte y que te gustaría proponerle un compromiso.

Año nuevo: asistir a una celebración de año nuevo indica que se está pasando página en cuanto a la forma de llevar las relaciones y el empleo. Es el momento de empezar la vida de nuevo con una nueva ética de trabajo para conseguir el éxito y la felicidad en el próximo año, 2 Cor. 5:17; Éx. 40:2.

Año: periodo de tiempo medido por el calendario gregoriano en el que la tierra completa una sola rotación alrededor del sol que consta de 365 días, 5 horas, 49 minutos y 12 segundos. Se divide en 12 meses, 52 semanas y 365 o 366 días que comienzan el 1 de enero y terminan el 31 de diciembre. Un año significa el paso de una cierta cantidad de tiempo. Representa un ciclo de creci-miento, aprendizaje y madurez. Un año simboliza una rotación del tiempo, un segmento de bendición, un tiempo de crecimiento, declive o juicio.

Añojo: cría recién nacida de una oveja: cordero o de una cabra: cabrito, representa a un cristiano recién nacido que lleva menos de un año de salvación.

Apagado: soñar que estás apagado puede indicar que has leído mal algunas señales o acciones que indican tu discernimiento languidecido. Se siente fuera de lugar, incómodo, alejado de su entorno, camino y espacio habitual o rutina. Puede que necesites tomarte un tiempo libre del trabajo para irte de vacaciones a visitar a tus amigos y familiares para reorientarte o simplemente salir a comer. Salir de las drogas o el alcohol.

Apagón: se carece de visiones, de percepción; faltan percepciones espirituales o naturales; necesidad de iluminación; envuelto en la oscuridad, temor, falta de conocimiento, maldad, muerte, amenaza o riesgo.

Aparca autos: falta de dirección en la vida de uno; un corazón de servidor que ayuda a asegurar que otros obtengan sus objetivos.

Aparcamiento: reducir la velocidad, descansar, tomarse un tiempo para desconectar, relajarse; no encontrar una plaza de aparcamiento: buscar el propio lugar para encajar en la vida; intentar descubrir la propia vocación, los dones o el destino; falta de tiempo para cumplir con las exigencias de la vida.

Aparcar: poner, dejar o colocar en una posición temporal para descansar, reagruparse o repostar para una nueva tarea y empezar a buscar un nuevo interés amoroso.

Aparecer: cuando las cosas aparecen misteriosamente de la nada en sus sueños, busque una nueva idea creativa que le traiga riqueza y prosperidad. La productividad intelectual aumentará al considerar los diversos usos o funciones del objeto.

Aparición: aparición o avistamiento inesperado de un espectro o figura fantasmal; tenga un particular cuidado de su propiedad y de su vida; ore por protección; cierre todas las puertas impías en su vida. Su subconsciente está recibiendo en lo profundo de su espíritu mensajes de que alguien cercano a usted no le está apoyando emocional o físicamente; una situación fantasmal del pasado está tratando de resucitar.

Apartamento: una habitación o conjunto de habitaciones en las que se vive o un grupo de habitaciones situadas en un edificio, representan un lugar de transición o un entorno temporal hasta que se pueda comprar una residencia u hogar más permanente. Una vivienda temporal mientras se ponen en orden las finanzas, se evitan las peleas familiares y las disputas relacionales, si el apartamento es espacioso se disfruta de una vida de ocio con los amigos y la familia. También puede indicar un tiempo para escuchar la sabiduría de Dios para valerse por sí mismo y crecer espiritualmente. *«El SEÑOR le dijo a Abram: Deja tu tierra, tus parientes y la casa de tu padre, y vete a la tierra que te mostraré»*, Gén. 12:1.

Apego: usted está emocional o físicamente atado a alguien en su vida. Se siente ligado, atado o apegado a esa persona. Disfruta de su compañía y se siente afectuoso o leal a ella.

Apena o buceo libre: (buceo sin tanques de aire) es un deporte extraordinario de apnea competitiva en el que la gente intenta bucear bajo el agua dependiendo solo de la capacidad del buceador para aguantar la respiración hasta salir a la superficie en lugar de respirar a través de un aparato; nadan a grandes profundidades en un corto período de tiempo con una sola respiración de aire. Eres capaz de llegar lejos en la medida del Espíritu, la unción y la Palabra que poseas en tu vida.

Apertura: conocimiento de revelación, aumento de la bendición, una puerta o ventana de oportunidad o una poderosa inspiración que se acerca.

Apetito escaso: si tiene poco o ningún apetito: está enfermo o experimenta mala salud; o sufrirá pérdidas en algún ámbito de su vida.

Apetito: esforzarse por conseguir algo con una fuerte determinación, impulso físico o deseo de recibir sus beneficios en su sueño indica que tiene una gran apetencia que necesita ser satisfecha.

Apio: florecimiento y protagonismo; riqueza y opulencia; salud, amor y afecto. Si ve un solo tallo de apio tenga cuidado con un acosador.

Aplanadora: sentirse abrumado, extremadamente agobiado o deprimido; ser presionado o arrollado.

Aplastamiento de espíritus: fenómeno espiritual que tiene lugar cuando un espíritu maligno está presente para traer un miedo o terror inmovilizante y paralizante e intimidar a una víctima impidiéndole moverse o hablar. Pensar que el nombre de Jesús y su sangre quebrará su dominio.

Aplastar, un coche u objeto: estás enfadado y desea causar daño y destrucción.

Aplastar: aplastar algo denota que estás bajo una increíble presión y trauma por una situación o decisión actual. Si tu cuerpo está siendo aplastado, fíjate qué parte del cuerpo está siendo más afectada o que función está siendo limitada o detenida. Tener un «flechazo» indica

una atracción, fascinación o encaprichamiento con esa persona o con parte de su carácter o dones. Cuando nos concentramos o pensamos en alguien durante el día, o esa persona a menudo aparece en nuestros sueños. El deseo de nuestra alma puede hacer que los sueños aparezcan. Sentir que tu vida ha sido destrozada, que todo en tu mundo ha sido sacudido, ser exprimido, golpeado o aplastado, magullado, macerado con comentarios duros para acallar las opiniones de uno; juego deportivo jugado en una cancha amurallada con una raqueta y una pelota de goma dura, sentirse enjaulado o rodeado, sin forma de escapar, encerrado en una situación que sigue golpeándote con rápidos desplantes desde diferentes direcciones.

Aplaudir: significa querer el aplauso de los hombres, buscar la aprobación de alguien, recibir el reconocimiento que se merece por un trabajo bien realizado, ser celebrado; es un aviso de una enfermedad de transmisión sexual.

Aplausos: buscas aprobación, aprecio y reconocimiento. Necesitas admitir los atributos buenos y malos en alguna situación de la vida, motivar y apreciar a los demás, coronarlos con elogios.

Aplicación o dedicación: en busca de la plenitud en la vida; debes aprender a «esforzarte» al máximo de tu capacidad para alcanzar tu mayor potencial.

Apnea: nadar, explorar o pescar bajo el agua en las emociones subconscientes de uno para revelar una nueva profundidad o tener un mejor desarrollo espiritual y una comprensión más amplia de la Palabra.

Apocalipsis: soñar con el Apocalipsis es un indicador de que debes poner tu vida en orden, ya que Jesús viene pronto por su novia, la iglesia. *«Para presentársela a sí mismo como una iglesia radiante, sin mancha ni arruga ni ninguna otra imperfección, sino santa e intachable»*, Ef. 5:27.

Apolo: un nuevo camino más elevado en la vida te conducirá al crecimiento espiritual, a la iluminación y a la visión divina.

Apostar: apostar una determinada cantidad a otras personas en función del resultado de un asunto no resuelto, es un indicio de que eres una persona arriesgada que está dispuesta a jugársela por los elementos desconocidos de la vida. Es un llamado a evitar los juegos de azar, pues las probabilidades siempre están en contra de uno; si parece demasiado bueno para ser verdad, es porque no es verdad; la gente intenta quitarte la fortuna y robarte las ganancias con artilugioss y artimañas. *Alternativamente:* verse apostando dinero al resultado de un juego de azar significa que te la estás jugando toda por a una pequeña posibilidad. No estás usando el buen juicio o la sabiduría. Te estás colocando en una posición peligrosa o exponiendo a una empresa dudosa, y eso te llevará a la ruina.

Apóstol: primero de los cinco ministerios, 1 Cor. 12:28; mensajero; enviado; Cristo el enviado, Hch. 3:1; Jn. 5:23; los doce Mt. 10:2; Jesús; comisionado por Cristo; embajador o delegado del Evangelio; poderosas señales, maravillas y milagros; administración; precursor; constructor de fundamentos.

Apoyar: apuntalar a alguien, sostenerlos cuando lo requieran, apoyarlos en sus problemas o dificultades, ayudarlos en su situación, suplir sus deseos y poner tus fuerzas a su disipación y apoyarlos en las buenas y en las malas.

Apoyarse: necesitar apoyo emocional o financiero, estar en una situación agotadora; Nah. 2:8; dependencia total o parcial de otros, no sentirse fuerte o capaz, aprender a valerse por sí mismo, cuidar de los hijos o de las personas dependientes, soportar las cargas o pesos de otra persona.

Apoyo atlético: capacidad de ganar apoyo y protección reproduciendo ideas o influyendo en los demás en momentos extenuantes y competitivos; trabajo en equipo.

Aprehensión: si tiene temor o inquietud hacia el futuro o el miedo aparece en su sueño, significa que sus pasos están siendo frenados o paralizados debido a una falta de sabiduría o incomprensión. Es el momento de cambiar la forma en que ha hecho las cosas en el pasado; orar y realinearte con otros que tienen más conocimientos que usted es fundamental para avanzar.

Aprendiz: aprender una nueva habilidad asociándose con aquellos que están espiritualmente dotados o físicamente talentosos, viene un tiempo de prueba para probarte ante tus compañeros o colegas. Ser entrenado o discípulo para el éxito, un mentor hábil dará buenos consejos, el éxito y la promoción vendrán si se siguen.

Aprendizaje: conocimiento e iluminación, escolarización o formación, una nueva comprensión de sí mismo o de los demás, aumento y sabiduría, se acerca un momento de prestigio, honor y reconocimiento; aprender de los errores.

Apretar las manos: llegar a un acuerdo o convenio, se concede un nuevo favor.

Aprobación de los demás: representa un ascenso en su nivel de autoridad, influencia o poder.

Aprobación: el miedo al hombre o la necesidad de la aprobación del hombre debido a un área de insuficiencia o dependencia puede ser un problema. No seas una persona complaciente con los demás. Ser aprobado indica una elección correcta.

Apuñalar por la espalda: apuñalar a alguien por la espalda representa tus palabras despiadadas y brutales calumniando a otros; esto pone en duda tu carácter. Que alguien te apuñale por la espalda representa la falta de confianza y la inseguridad.

Apuñalar, observar: observar una puñalada indica abuso sexual o dominación.

Apuñalar, ser apuñalado: representa una lucha con el poder de las palabras cortantes en tu vida, experimentar sentimientos de carencia, una escasez y defensa, una traición, «ser apuñalado por la espalda».

Apuñalar: falta de confianza, actitud defensiva y desconfiada.

Árabe: masculinidad, hombría apasionada, posesividad; si es árabe o de etnia islámica: representa un aspecto de uno mismo; si no lo es: define los sentimientos y asociaciones con los árabes.

Arabia: península desértica del oeste de Asia, nación rica en petróleo y gas, gran riqueza, tejido de alfombras, criadores de caballos árabes. El profeta islámico Mahoma nació en La Meca. La Meca y Medina siguieron siendo los lugares espiritualmente más importantes del mundo musulmán.

Arado: abrirse, prepararse para un trabajo profundo, sembrar o plantar cosas nuevas; separarse; ponerse a tono, 1 Cor. 9:10; Jer. 4:3; Jb. 4:8; Pr. 20:4; 21:4; Sal. 129:3; Am. 9:13.

Arándano rojo: limpieza emocional; sensación de estar atrapado o enterrado; Massachusetts; Wisconsin; los antioxidantes previenen y tratan las infecciones del tracto urinario y los cálculos renales; protegen contra numerosos problemas de salud, como el cáncer y las enfermedades cardíacas; previenen las bacterias en el tracto gastrointestinal, reducen las caries; aumentan el colesterol HDL (bueno) y reducen el colesterol LDL (malo); reducen los coágulos de sangre.

Arándanos: revelación del Espíritu Santo trae una mente renovada y sanación; centrado en el pasado; no quiere crecer y asumir responsabilidades; disposición triste, deprimida y estado de ánimo angustiado; Maine; Nueva Jersey. Este tipo de baya comestible brillante y negruzca suele tener muchas semillas por lo que es una advertencia   a no descuidar los asuntos de tu vida personal y de negocios.

Araña reclusa parda: advierte sobre un ser que se mantiene «recluido», que se aísla o se aparta del ámbito social y de interactuar con los demás; se la conoce como «araña violín» o «espalda de violín»; tiene un patrón brillante de color marrón oscuro o negro en forma de violín en la región de la cabeza; no es peluda; se encuentra principalmente en el Medio Oeste como Texas, Kansas, Missouri y Oklahoma. Esta araña suele vivir en los sótanos y garajes de las casas y a menudo se esconde detrás de tablas y cajas. Las picaduras suelen producirse cuando las arañas se esconden en toallas o ropa vieja que se deja en esas zonas. Es necesario mantener la casa barrida y en orden; es hora de limpiar el hogar.

Araña, hilando: significa manos hábiles y astutas, Pr. 30:28; recompensa por el trabajo diligente; una promoción laboral o reconocimiento por los logros en una empresa complicada; palacios de reyes; amistad y seguridad como en «*Las telarañas de Carlota*».

Araña, matar: una araña grande simboliza la victoria en una pelea o discusión, lo que conduce a la libertad, el éxito, un impulso, la fortuna y las bendiciones.

Araña, si te pica: serás presa o preso de la infidelidad en los negocios; o de una mujer dominante que te atrapa; de una fuerza amenazante e intrigante; o entrar en conflictos con el poder absorbente de tu madre; estarás entrelazado o atrapado en una relación pegajosa que te succiona la vida; te sentirás como un náufrago o un extraño; necesitarás protección contra comportamientos autodestructivos: drogas, ocultismo; brujería; advertencia sobre problemas de salud.

Araña, ver: ver una araña trepando por una pared, un árbol o un objeto denota el éxito al superar los obstáculos; las arañas representan a las personas confabuladoras que albergan pensamientos sospechosos, que son hábiles tejiendo redes para engañar y con una imaginación siniestra y celos; enredan a las personas por medio de trampas. Simboliza estar atrapados en una situación; crean confusión, así que mantente alejado de cualquier tentación por más seductora que sea.

Araña: personas que albergan pensamientos de ira, sospecha o celos; patrones de pensamiento que capturan, enredan y atrapan a otros; tejen una red de engaño para crear confusión; un deseo de atrapar a la gente; crean confusión; drogas; puerta a lo oculto; brujería; advertencia sobre problemas de salud. Las esperanzas y los planes de los hombres malvados son tan frágiles como una tela de araña, Jb. 8:14; Is. 59:5; Pr. 39:8.

Arañas: se ha abierto la puerta a lo oculto; se está influido por las drogas; alguien está tejiendo una red para atraparte; engaño; el tipo, el color y las características de la araña son importantes para tener una mejor comprensión del sueño.

Arar: el trabajo duro preparará la vida de uno para un nuevo comienzo, una nueva temporada de crecimiento, cambio y prosperidad.

Arbitrar: buscar una resolución de conflicto interior sobre los ideales personales, el carácter, el mediador, el defensor, la integridad y los valores morales y la falta de valores de la sociedad actual, Jn. 15:26. Juzgar, someter o decidir un acuerdo o disputa, un gran favor y una restauración por una situación injusta en el pasado.

Árbitro que te corrige: conciencia culpable; confusión interior; engaño en una relación o en el trabajo; comportamiento poco ético, Jb 16:19.

Árbitro: ser injusto, traspasar las fronteras o los límites, no respetar las reglas o saltárselas.

Árbol de almendro: gran riqueza, alegría y satisfacción en el hogar, vigilante, para velar y apresurarse; el primer árbol que despierta del sueño invernal; la vara de Aarón era de un almendro, Éx. 25:33-34; Nm. 17:8, florece en enero, da fruto en marzo. Ec. 12:5; Jer. 1:11.

Árbol de flores frangipani: Leis hawaiano; bienvenida; hola; saludo a un nuevo amigo; hospitalidad; «Árbol de la Vida»; perfume fragante; pastelería cremosa con sabor a almendra.

Árbol de fuego: tiempo; evaluación; grandeza; elegancia; y firmeza; líderes de corazón frío o enfadados; «¿Quién te ha puesto los pelos de punto?»

Árbol de la Vida: un árbol en el Jardín del Edén, si Adán y Eva hubieran comido el fruto de este árbol en su estado pecaminoso caído, habría dado a la humanidad la inmortalidad en su estado pecaminoso, El Árbol de la Vida representa la vida eterna, Gén. 3:22; Apo. 2:7.

Árbol de Navidad: símbolo de las reuniones familiares con amigos y parientes para recordar el nacimiento de Jesucristo, el Salvador del mundo.

Árbol del Conocimiento: representa la atracción del reino del alma del conocimiento carnal o de la información oculta; extraída de fuentes naturales o demoníacas. El árbol del Jardín del Edén, cuyo fruto Dios prohibió comer a Adán y Eva; les hizo perder su inocencia sin pecado cuando cayeron de las alturas de la dimensión de la gloria espiritual a esta dimensión terrenal de la existencia humana.

Árbol roto: ver o ser un árbol roto en un sueño indica que ha habido grandes tormentas de oposición y que el peso o la severidad de la estresante embestida ha roto el espíritu de la persona, haciéndola sentir vulnerable, insegura y que dude de su capacidad de liderazgo.

Árbol, trepar: los árboles suelen representar a los líderes o a los robles de la justicia; una temporada de formación y equipamiento de liderazgo le llevará a un lugar de mayor exposición y le proporcionará un gran punto de vista en el que se le dará una visión espiritual; trepar a la estatura de alguien.

Árbol: representa a alguien con capacidad de liderazgo y fuerza de largo alcance, Dn. 4:14, 20, 22, 23; el Árbol de la Vida es Jesús (Espíritu) Apo 22:2; el Árbol del Conocimiento del Bien y del Mal (alma) Gén. 2:9; la fecundidad; el Olivo representa una unción. Las hojas representan la curación de las naciones. Ez. 31:14 naciones; pueblo, Mt. 13:31.

Arboleda: lugar en el que crece un pequeño grupo de árboles rodeado de un denso sotobosque de diversas plantas, hierbas y arbustos. Considera que tal vez tengas que hacer algún tipo de intervención para remover el crecimiento no deseado que te impedirá desarrollar tus habilidades de liderazgo. Gén. 21:33.

Árboles de hojas perenne: ver árboles de hoja perenne representa la cima de la vida dada a la prosperidad, la satisfacción, la inmortalidad, la gran ambición y la comprensión representada por el optimismo en medio de la desesperanza. Por otra parte, el sueño puede ser una metáfora de ser «siempre verde», ya que uno sigue creciendo a lo largo de la vida. El árbol de hoja perenne en una bandera representa «un llamamiento celestial» para que continúe la guía y la dirección espiritual a lo largo de la vida.

Árboles: líder; liderazgo; fecundidad; la altura muestra el nivel de influencia e importancia; plantío del Señor; creyente fuerte; majestuoso, verde vibrante; fruto; Gén. 2:9, Árbol del Conocimiento y Árbol del Bien y del Mal; Gén. 12:6, aparición del Señor; Gén. 18:4, descanso; Gén. 40:19, juicio; Dt. 12:2, lugares altos; Dt. 21 22-23, ofensa capital, maldición de Dios, sepultura, refugio; 2 Sam.18:14, muerte de Absalón; Jb 19:10, esperanza; Sal. 1:3, hombre justo; Sal. 37:35, hombre malvado despiadado; florecimiento; crecimiento; Pr. 3: 18, sabiduría; Pr. 11:30, justicia, ganador del alma; Pr. 13:12, anhelo cumplido; Pr. 15:4, curación; Hch. 13:29, cruz, salvación, resurrección; Apo. 2:7 Jesús, el Árbol de la Vida.

Arbusto: permanecer cubierto o ser cubierto u ocultado de los demás; necesitar protección; hu-

millación; aflicción o castigo. Is. 7:19; Jue 9:15; Dt. 4:20; Jb. 30:1-7.

Arbustos: ver una planta baja y leñosa en el jardín alude a la fachada de una casa tranquila y llena de satisfacción.

Arca de la Alianza o del Testimonio: representa la presencia de Dios y su deseo de comunicarse con el hombre. El cofre contenía la vara de Aarón, una jarra de maná y el primer rollo de la Torá escrito por Moisés. Las Tablas de la Ley y la piedra en los que se inscribieron los Diez Mandamientos. Dt. 5:6. Éx. 37:1-8.

Arca del Testamento: representa el trono glorioso de Dios. Sal. 80:1; 99:1; Apo. 11:19.

Arca, de Moisés: Esconde al pequeño Moisés en el Nilo, Éx. 2:3-5.

Arca, la de Noé: Un recipiente hecho para preservar la vida; Gén. 7:1-24. Representa tres estructuras Gén. 6:14-16; 8:1-13.

Arca: la presencia de Dios, Cristo en la humanidad y en la deidad; el Mediador; la salvación de las tormentas de la vida; el propiciatorio, la presencia angélica, el pacto, las señales, las victorias y el poder de los milagros; un cofre, caja o ataúd.

Arcadia o galería: observa el personaje que interpretas. ¿Eres una persona con carácter o valor, o un superhéroe que llega a extremos de proteger a un desvalido perro? Arcade: videojuegos, una forma de entretenimiento sin propósito; evita una situación intrigante o una tentación llamativa que se te presente en un entorno público.

Arcángel Lucifer: «Hijo de la mañana», rebelión, Satanás, «el adversario», cayó como un rayo del cielo.

Arcángel Gabriel: «Dios es poderoso», «Dios es mi fuerza», sobre los poderes gentiles, rescató a los tres hebreos del horno y a Daniel del foso de los leones, mensajero de Dios. 1 Tes. 4:16; Jd. 9.

Arcángel Miguel: «¿Quién es como Dios?» «jefe de los Ángeles protectores», príncipe principal, Príncipe de la Luz, Protector de Israel, guerras contra todo lo que no sea como Dios, Jd. 9

Arcángeles: Ser celestial; el más grande de todos los ángeles; líder de la hueste del cielo; trae entendimiento y revelación.

Arce: árbol de madera dura y alta que se utiliza para producir suelos, muebles y azúcar o jarabe de arce; este árbol de hojas lobuladas y semillas aladas del norte que nace en parejas indica una vida hogareña feliz y cálida.

Archivador: lugar de almacenamiento ordenado para guardar documentos importantes, información, negocios y hechos familiares.

Archivo: desenterrar un depósito de información, de cordones o de algo del pasado que puede haber sido olvidado hace mucho tiempo, en relación con uno mismo o con una organización, indica que puede haber algunos problemas legales o de relaciones.

Arcilla: representa la creatividad, la flexibilidad y la capacidad de remodelar tu proceso de pensamiento, para convertirte en un recipiente más útil. Ver arcilla puede indicar que necesitas remodelarte para conseguir un mejor trabajo, encajar en una nueva relación o situación. Dios creó a Adán de la arcilla de la tierra. Evita manipular las cosas en tu propio beneficio, trata a los demás con justicia. Establece metas y objetivos firmes y claros para poder crecer y alcanzarlos en el futuro. Freud pensaba que la arcilla simboliza las heces. El apellido Arcila significa tierra maleable o adaptable, 2 Co. 4:7, Pero tenemos este tesoro en vasos de barro, para que la excelencia del poder sea de Dios y no de nosotros. Rom. 9:21; Jb 38:14.

Arco compuesto: combinación de madera y cuerno de animal que proporcionaba flexibilidad y fuerza para un combate eficaz; difícil de usar, requería un entrenamiento especial.

Arco iris: «los siete espíritus de Dios» Is. 11:2, Apo. 4:3, 5; 10:1; promesa o sello del pacto de Dios de no volver a destruir la tierra con un diluvio, Gén. 9:12-17; perfección; esperanza; alegría; prosperidad; bendiciones. Representa a Dios mismo, un signo del pacto de Dios con el hombre, un signo de la promesa de Dios al hombre, un símbolo del diluvio y de la mano protectora de Dios.

Arco y flecha: significa apuntar a los más nobles objetivos; la perfección y la sinergia harán posible la consecución de tus propósitos. Sal. 64:2-4; Is. 5:28.

Arco: arma defensiva; poderío de una nación; reconocimiento de un poder mayor; un ataque verbal; elemento decisivo en una batalla; se utiliza para cazar; es fácil de fabricar; la fuerza individual de uno determina la potencia o el alcance; es la primera arma que se dispara en una batalla en campo abierto, cubre largas distancias; arqueros: persecución o consecución de los objetivos, dar en el blanco, arrancar defensas del muro, mantener al enemigo a distancia, romper las defensas de la ciudad; Ismael, Gén. 21:20; arquero experto; arco de batalla, Zc. 9:10; símbolo de juicio, Sal. 7:12; 38:2; Jb. 6:4; De 32:23; Heb. 3:11; 2 Re. 13:14-16. Un estado elevado de favor, prestigio o popularidad; la gente buscará su compañía; si cae: fracaso, decepción o devastación.

Arder: verte a ti mismo o a otros arder en un sueño indica que hay una poderosa unción en tu vida. Estar en llamas significa ser apasionado o un fogoso ministro evangélico que se enciende con las llamas del Espíritu; también puede significar que ardes con pasión o lujuria. Ejecutar o matar con fuego. Impartir una intensa sensación de calor. Enfurecer o endurecer. Derrotar en una contienda por un estrecho margen, engañar o estafar, hacer trampa. Sufrir o causar conflagración, destruir o dañar mediante el fuego, el calor o la fisión o fusión nuclear. Carga financiera, Snt. 5:3.

Ardiendo, malo: quemado; ira, resentimiento, rabia; enemigo que conduce en la dirección equivocada. El esfuerzo excesivo puede haber causado el «agotamiento» o el cansancio ha «consumido» tus energías y estás funcionando con humo. Ser quemado en la hoguera representa un complejo de mártir.

Ardilla: comodidad mediante la acumulación; prudencia y diligencia; tratar con una plaga o una persona que es un hueso duro de roer.

Ardilla: pequeño roedor parecido a una ardilla en el este u oeste de América del Norte y el norte de Asia; simpático, adorable, con el lomo rayado; hiberna, recolecta; horda; roba.

Área de reposo: ver tu vehículo en un área de descanso indica que necesitas bajar el ritmo, relajarte, refrescarte, repostar y recibir lo que necesitas, dejar de presionar tanto, desacelerar y oler las rosas.

Arena: indica la necesidad de valentía o de tener «agallas» en una relación o situación. El dicho «Las arenas del tiempo» prefigura que las cosas pueden pasar de largo o alejarse de ti. La arena puede representar a una persona que puede sacar la abundancia de los mares, y los tesoros ocultos de la arena, De 33:19. Tantas personas como la arena que hay en la orilla del mar, Js. 11:4. «*Pesada es la piedra, pesada es la arena, pero más pesada es la ira del necio*», Pr. 27:3. Un hombre insensato que construyó su casa sobre la arena nos habla de un cimiento inseguro que se desplaza bajo presión o se desvanece cuando la arena cae por entre los dedos de las personas, Mt. 7:26. La arena puede representar a la gente que necesita salvación, Judá, Israel 1 Re. 4:20, o a los enemigos que vienen contra ti, Apo. 20:8. Las «arenas del tiempo»; un momento o una duración asignada; los días que componen la vida; la edad de la corte; la resistencia; la perseverancia; tener más «agallas» o determinación; la arena movediza o que se hunde representa una base pobre para construir; la humanidad; los descendientes, Gén. 32:12; los israelitas. La «arena verdadera» indica una dureza que puede abrirse camino a través de las dificultades que se resisten al cambio.Lugar en el que se reúnen personas con intereses e ideas similares, eventos deportivos o religiosos, conciertos, eventos escenificados. Verse en una arena puede indicar que está en una carrera de ratas con mucha gente prepotente y conflictiva que busca su propio beneficio o hacer un espectáculo, sería mejor no tomar ninguna decisión importante de negocios en este momento.

Arenas del mar: representa las almas del hombre, la semilla carnal física de la humanidad.

Arenas movedizas: sensación de inestabilidad, inseguridad, descontrol, hundimiento. Soñar que te hundes en arenas movedizas indica que te sientes abrumado por problemas que te están enterrando vivo, Sal. 69:2, Es posible que se haya adentrado o haya juzgado mal los cimientos de una nueva empresa o relación y no estés experimentando ningún éxito, por lo que te siente rodeado de fracaso e inseguridad. Puede que sientas que te estás hundiendo o que estás escondido. Es el momento de centrarse en obtener sabiduría y soluciones a los problemas actuales antes de que te hundas más. Presta mucha atención a las cosas que ocurren a tu alrededor para que puedas adquirir un mejor dominio o el equilibrio necesario para afrontar las circunstancias actuales, Hch. 27:17.

Arenque: este pescado aceitoso y forrajero es un importante alimento que se mueve en grandes bancos alrededor de los bancos de pesca y cerca de la costa. A menudo se salan, se ahúman o se recogen. Soñar con este pez indica que estas almas, cuando se salven, llevarán una poderosa unción sanadora y predicarán la Palabra de Dios con poder.

Argucia: un acto o truco para engañar; alguien intenta engañarte para que te comprometas a hacer algo con lo que no estás de acuerdo.

Argyle (patrón de tejido): Ver un patrón o patrones en forma de diamante en su sueño se relaciona con el proceso de pensamiento establecido en el soñador. Los diamantes pueden representar a los que luchan por conquistar y ganar la victoria; o a un intercesor con corazón para los perdidos. Los colores específicos que se muestren indicarán las fortalezas y los dones de unción que Dios le ha dado para caminar e impartir a otros.

Ariete: derriba fortalezas, obstáculos y muros de oposición; máquina de guerra utilizada para destruir las murallas de las ciudades Ez. 26:9; motor de guerra; palo largo y puntiagudo que se clava contra los muros de piedra; es necesario el trabajo en equipo con amplia protección para la tripulación; montado sobre ruedas para la navegación; Ez. 4:2; 21:22; 2 Sam. 20:15.

Aristócrata: Alguien que tiene el carácter, el gusto y las opiniones de la aristocracia que tiende a despreciar a las personas que no están en su círculo íntimo de influencia y prestigio, codearse con ellos indica que sus finanzas aumentarán si no se ofende por sus respuestas cortantes, también espera ganar una herencia inesperada.

Arizona: «Dios enriquece»; «El estado del Gran Cañón». Estado Apache; Flor del Cactus Saguaro; Azul y Oro Viejo; Turquesa.

Arkansas: «El pueblo gobierna»; El estado natural; Estado del oso; Tierra de las oportunidades; Estado de las maravillas; Estado natural; Flor de manzana; tomate rosa maduro del sur de Arkansas; Diamante.

Arma de faja: arma defensiva de la verdad que se lleva alrededor de la cintura para dar soporte y protección.

Arma de fuego: arma capaz de disparar un proyectil, una pistola o un rifle que utiliza una carga explosiva como propulsor. Palabras fuertes o violentas que se pronuncian o dirigen para causar daño.

Arma de mano: palabras poderosas y contundentes que se pronuncian a gran distancia; recorrido para causar un impacto grande o mortal.

Arma: liberar la palabra o el poder de Dios en una situación mediante la intercesión. Enérgico: palabras dolorosamente hirientes que se pronuncian desde una gran distancia pero que viajan rápidamente hasta su objetivo para hacer daño. Apuntar alto o centrar la atención en ciertos objetivos o personas; asesinato o muerte; el peligro está delante de ti; sufrirás una injusticia o victimización; las armas tienen el poder de impactar mucho más allá del alcance físico de uno, habrá cosas difíciles de superar, Sal. 10:7; Is. 54:17.

Armadillo: vaga por la noche desenterrando y devorando selectos bocados; se esconde detrás de los chismes; molesta.

Armado: considera el dicho «armado hasta los dientes», armas espirituales o físicas, «Porque las armas de nuestra milicia no son carnales, sino poderosas en dios para la destrucción de fortalezas». 2 Cor. 10:4.

Armadura de clave: llaves de la revelación que vienen a desvelar misterios ocultos; dan soluciones y resuelven problemas.

Armadura incompleta: revela áreas de vulnerabilidad y debilidades carnales.

Armadura: capacidad de resistir el mal; protección contra las armas; defensiva; salvaguarda; indiferencia; especial para el combate. Dones espirituales, Ef. 6:10-18; armadura divina o armas de guerra, protección, escudo de la fe, coraza de la justicia, casco de la salvación, espada del Espíritu, calzado del evangelio de la paz, cinturón de la verdad, seguro, santidad, peso pesado, Ro 13:12. Completamente cubierto de pies a cabeza, totalmente equipado y preparado para la batalla; anticuado, pesado y que restringe el movimiento de la visión significa estar atado por las enseñanzas tradicionales, especialmente en lo que se refiere a la guerra y a la vida victoriosa.

Armagedón: miedo al fin del mundo; estás experimentando una gran batalla emocional en la que las probabilidades están abrumadoramente en tu contra; te sientes desesperadamente abandonado; tu vida está fuera de control. Apo. 16:16; Megido una ciudad al pie del Monte Carmelo, un lugar de gran matanza. Dios reunirá a sus enemigos para destruirlos.

Armar jaleo: verse envuelto en un plan engañoso o en un jaleo significa que uno debe tomar medidas para protegerse de otros que quieren hacerle daño.

Armario chino: lugar donde se exponen los tesoros valiosos, las reliquias familiares y los dones espirituales heredados para el servicio.

Armario, cerrar: si se cierra el armario o se guarda algo dentro del mismo, sugiere que hay algo que se intenta ocultar, enmascarar o encubrir para que los demás no se enfrenten a él.

Armario: representa la vocación, el talento o la imagen de uno mismo a través de una variedad de dones, mantos y unciones a los que puedes acceder. Tienes muchas opciones a tu alcance. Estás en un momento de transición de la vida en el que vas a brillar. El estilo, el color y el tipo de ropa que lleva una persona comunican mucho de su personalidad a los demás.

Armarios vacíos: representan una carencia y una pobreza.

Armarios, llenos: representa una reserva, una abundancia o un desbordamiento de recursos.

Armarios: abrir las puertas de un armario indica la revelación o el descubrimiento de alguna verdad oculta, un talento o un secreto escondido. Lugar de almacenamiento para la comida y la vajilla, pensamientos de la mente. Lugar donde se guardan los recipientes de comida; recursos; servicio que se hace en secreto o se oculta tras puertas cerradas.

Armas: no confíes en tu propio poder, potencia y fuerza, sino en la ayuda de nuestro Salvador y Libertador Jesús. Arma: el poder eterno, victorioso, protector, gobernante de Dios; santo; glorioso; redentor; el poder destructor de Dios; Éx. 6:6; Dt. 4:34; 33:27; 7:19. La capacidad de amar, dar,

tender la mano para ayudar, sostener o defender a los amigos y familiares cercanos, ofrecer fuerza y protección, así como tomar o crear; la luz verde de la unción de Dios ministra sanidad a los brazos.

Armenia: Asia entre Media al este, Capadocia al oeste, Cólquida e Iberia al norte, Mesopotamia al sur, Éufrates y Siria al suroeste. 2 Re. 19:37; Is. 37:38.

Armería: Arsenal almacenado de armas militares para vencer al enemigo.

Armisticio: la concesión de un cese o suspensión temporal de las hostilidades de mutuo acuerdo mediante una tregua indica una temporada de paz y prosperidad en la que se ganarán nuevos amigos. Si el armisticio termina mal, un nuevo enemigo aparecerá con mayor hostilidad.

Armonía: en un sueño representa una temporada de unidad, bendición y favor divino en la que una atmósfera dichosa rodeará tus relaciones y negocios.

Armónica: es un instrumento de viento de lengüeta libre conocida como arpa francesa o arpa de blues utilizada en la música folclórica americana, el jazz o el country y el rock and roll; órgano bucal que se toca con los labios y la lengua. Soñar con una armónica sugiere que las palabras de tu boca deben ser melodiosas y dulces para que produzcan armonía y no división.

Arnés: ver un arnés de perro o de caballo indica que la presentación de un nuevo conocido conducirá a una amistad leal y a un nuevo amor.

Aroma de alimentos: oler el aroma de diferentes tipos de alimentos indica que el Espíritu está tratando de transmitirte un mensaje sobre el disfrute de Su presencia a través de la leche, el vino y la carne de Su Palabra.

Aros: verse saltando a través de aros indica que sientes que alguien te está engañando o se está aprovechando de ti. Te piden demasiado o utilizan demasiado tu tiempo libre. También puede representar una gran alegría y felicidad que te rodea con un anillo cercano o un círculo de amigos.

Arpa judía, tocar: verse tocando un arpa judía indica que vas a viajar a Israel o a los países vecinos; escuchar un arpa judía predice la llegada de buenas noticias y de prósperos negocios.

Arpa judía: pequeño instrumento musical en forma de lira que se sostiene contra los dientes y se toca punteando una lengüeta metálica flexible que sobresale.

Arpa: se toca con la mano o con una pluma; ocio; expresa alegría, alabanza o tristeza; instrumento musical más antiguo; escuela de los profetas; David; postura erguida; arpa sobre o en; detenerse excesivamente y tediosamente; final triste si se confía demasiado; salmista. Instrumento musical que tiene un marco triangular abierto y vertical con 46 cuerdas de longitudes graduadas que se tocan punteando con los dedos; indica que se tiene el don de un salmista o poeta. Gén. 4:21 Se utiliza en ocasiones de alegría. Espíritu profético de alabanza y adoración; Apo.14:2; 15:2; 1 Cr. 25:1.

Arpillera: tela de tejido grueso fabricada con fibras de yute, lino o cáñamo para embolsar o envolver cosas. Se trata de un tejido ligero que se utiliza para confeccionar prendas humildes y duraderas. Este símbolo puede representar la necesidad de revestirse de humildad, dejar de compararse con los demás y seguir siendo enseñable.Vestirse de humildad; arrepentimiento; oración y ayuno para un movimiento de Dios, Sal 35:13. Tejido grueso y oscuro hecho de pelo de cabra y otros materiales que se usaba en tiempos de luto y arrepentimiento, dolor y juicio, Jn. 3:5-8; Apo. 11:3; Gén. 37:34; Jer. 4:8; Mt. 11: 21.

Arpón: apuntar con cuidado y concentrarse en alcanzar su objetivo para «clavarlo»; investigar y descubrir las profundidades de su ser emocional y luego abordar cualquier área excesiva que necesite ser cambiada.

Arqueólogo: descubrir o redescubrir el pasado enterrado o los recuerdos olvidados de antaño; encontrar características de antepasados lejanos, o tomar conciencia gradualmente de los aspectos estratificados de las preocupaciones actuales, las experiencias pasadas o los rasgos de personalidad, los hábitos o los intereses; ganar sabiduría para desenterrar la causa de los problemas o dificultades pasadas que uno ha enterrado.

Arquero: comunicador experto cuyas palabras dan en el blanco; símbolo mitológico: Sagitario; hábil guerrero; aquel que sus palabras hieren con acusaciones, críticas, maldiciones o calumnias; caza con arco y flecha. Una persona soltera en busca de una pareja adecuada que sueña con un arquero pronto encontrará a esa persona especial que dará en el blanco, si una persona casada ve a un arquero, es una advertencia para que no busque consuelo en los brazos de alguien que no sea su cónyuge, si sigue en una relación extramatrimonial se atravesará con penosas consecuencias. «*Muchos dolores tendrá el impío; pero el que confía en el Señor, la misericordia lo rodeará*», Sal. 32:10.

Arquitecto: Jesús; planes creativos para construir o ampliar los diseños de relaciones exitosas en la vida y en los negocios. Calcule el costo antes de comenzar cualquier proyecto, separe el dinero, los recursos y el tiempo para asegurar el éxito, los planes y las estrategias deben ser establecidos, construya sobre la Roca, Jesús, que es el fundamento firme. «*Porque buscaba la ciudad que tiene fundamentos, cuyo arquitecto y constructor es Dios*», Heb. 11:10.

Arrastrar los pies: caminar de forma torpe o arrastrar los pies por el suelo indica que tu vida está desordenada y que vives de forma desordenada. Las actitudes rebeldes y el comportamiento obstinado y desafiante no te llevarán a ninguna parte. Necesitas reordenar tus prioridades para tener éxito en la vida.

Arrastrar: tirar con fuerza o en contra de la propia voluntad, moverse en algo con gran desgana, cansancio o dificultad, arrastrar los pies, moverse lentamente, buscar o dragar el fondo del agua.

Arrastrarse: aprendemos a gatear antes de caminar; aprender a moverse en una nueva dirección; humildad para rebajarse; depresión; falta de fuerza; incapacidad para defenderse; animales impuros, reptiles o insectos. Alude a tomarse las cosas con mucha calma, ser precavido, ser humilde, presentarse de forma poco convincente o arrastrarse, ser un felpudo o tener una mentalidad de víctima, rebajar tu autoestima o tu nivel de exigencia para adaptarse a los demás, salir a rastras de un edificio o de un coche derrumbado, representa la fuerza de voluntad para superar una gran adversidad. Verse erguido mientras alguien se arrastra hacia uno puede indicar un espíritu orgulloso y altanero de superioridad que busca menospreciar o humillar a otros, vengarse o dominar y controlar a una persona. Is. 2:21; Mi. 7:17.

Arrebatar: «*Mis ovejas oyen mi voz, y yo las conozco, y me siguen, y yo les doy vida eterna; y no perecerán jamás, ni nadie las arrebatará de mi mano*», Jn. 10:27-28.

Arrecife de coral: es una elevación marina resistente a la erosión o un montículo de material compactado de carbonatos de calcio y magnesio. Es posible que necesites ingerir más calcio y magnesio en tu dieta diaria para ayudar a la salud de tus huesos y sistema óseo.

Arrecife: barrera de roca, arena o coral que se eleva cerca de la superficie impidiendo a los que buscan diligentemente las cosas profundas de Dios. También puede proporcionar una fuente de alimento para aquellos que disciernen las trampas o estratagemas del enemigo. Una parte de la vela que se enrolla y se ata para evitar que se exponga al viento. Puede que necesites abrirte más y dejar que el viento del Espíritu Santo dirija tus velas cuando estés en las tormentas de la vida. Haz un nudo de rizo y agárrate, la ayuda está en camino.

Arreglar: arreglar un rasgado en la ropa o sanar un corazón roto; remendar es señal de que se necesita tiempo antes de pasar a una nueva relación o empeño. Déjate llevar por todo el proceso y siente el dolor para emerger como una nueva persona inspirada.

Arreglo: una variedad de cosas entre las que elegir. Pide sabiduría para poder elegir correctamente.

Arrendamiento: si sueñas que tienes un contrato de arrendamiento, un acuerdo contractual o un contrato de alquiler de una propiedad, indica que desea tener o poseer tu propia propiedad. Es el momento de ahorrar dinero para asegurar tu futuro.

Arrepentimiento: Mt. 3:2, 8; culpa que necesita ser eliminada por la gran gracia y misericordia de Dios; un arrepentimiento y un alejamiento del pecado; cambiar de opinión y convertirse a Cristo para la salvación.

Arrepentimiento: tener sentimientos de pena, aflicción y decepción por la pérdida de una amistad o pareja indica que hay un nuevo amigo en el horizonte que le traerá de nuevo alegría y plenitud.

Arrestado por Dios: se le ha echado mano para el propósito y el destino; se le ha rescatado del peligro o del pecado;

Arrestado por el impío: representa estar atrapado en el pecado; estar fuera del tiempo de Dios; consecuencias de las propias acciones; restricciones, esclavitud, control y resistencia en las situaciones de la vida, opciones limitadas, sin libertad de expresión o movimiento, sin verbalizar los sentimientos o la emoción, embotellado. Arriba, mirando: Verse mirando hacia arriba significa que hay que orar para pedir la ayuda de Dios. Nuestra ayuda viene de lo alto o del cielo. Pon la vista en las cosas de arriba y establece objetivos dignos de ser alcanzados. Elimina los sentimientos de inferioridad o insuficiencia.

Arriba: viene un aumento o una promoción, un favor, alcanzar una meta o una aspiración, Gén.13:1; Is. 2:2-4; 14:12; Lc. 19:29; Pr. 16:18; ascensión espiritual; orgullo; autoexaltación; superación de circunstancias negativas, derrota de sentimientos de depresión o pena. Mirar hacia Dios en busca de liberación, restauración, consuelo y curación. «Por la mañana, SEÑOR, escuchas mi clamor; por la mañana te presento mis

ruegos, y quedo a la espera de tu respuesta». Sal. 5:3; «*Entonces le puso de nuevo las manos sobre los ojos, y el ciego fue curado: recobró la vista y comenzó a ver todo con claridad*», Mc. 8:25; «*Cuando comiencen a suceder estas cosas, cobren ánimo y levanten la cabeza, porque se acerca su redención*», Lc. 21:28.

Arrodillarse, doloroso: espíritu de pobreza; fe atacada; necesidad de fortalecimiento y estímulo espiritual; idolatría; cumplimiento o conformidad; sometimiento a palabras crueles o equivocadas.

Arrodillarse: verse arrodillado en la oración representa un corazón humilde que depende de Dios para obtener dirección, sabiduría y respuestas divinas. Una posición de sumisión en la oración, la rendición o el descanso; doblar la rodilla ante la voluntad o el deseo de otra persona.

Arrojar: verse a sí mismo arrojando un objeto indica enfado o la necesidad de librarse de determinados objetos, personas o hábitos. Lanzarse a una cita o potencial pareja; hacer trampas, apostar, «lanzar» un juego, «echar» o arreglar un juego o situación a su conveniencia. Arrojársele a a alguien, desperdiciar su potencial.

Arroyo: lugar pacífico de reposo y reflexión; las bendiciones fluyen; tranquilidad; frescura; sentarse y observar el paso del tiempo. Ver un flujo constante de agua indica que estás conectado con Dios, la fuente de la vida; una buena fuente de ingresos, prosperidad y aumento. Si el arroyo está unido a otros arroyos, representa una corporación o cooperación con otros de mentalidad y objetivos similares. «*Pero corra el juicio como las aguas, y la justicia como impetuoso arroyo*», Am. 5:24.

Arroz: muchas pequeñas empresas darán lugar a logros, afluencia y fructificación con las familias y los amigos; felicidad y alegría; los campos inundados traerán una cosecha de fuerza; ampliación.

Arruga: una innovación ingeniosa; un ángulo, artilugio, un giro inesperado, una cuchilla, se avecina un nuevo truco, invención o método inesperado; un pequeño cumplimiento, hacer una arruga en los planes de alguien; una línea o pliegue en la piel por la maduración o el proceso de envejecimiento; un pliegue causado por el arrugamiento, la contracción o el plegado.

Arrugado: sabiduría, signo de una vida difícil, estrés, preocupación o inquietud, las dificultades de la vejez, el pecado, «*a fin de presentársela a sí mismo, una iglesia gloriosa, que no tuviese mancha ni arruga ni cosa semejante, sino que fuese santa y sin mancha*», Ef. 5:27; Jb. 16:8.

Arsenal: un almacén de armas o equipos explosivos, un edificio o una instalación; todo lo que necesitas para tener éxito contra los ataques de los enemigos se te suministra, la oración, la alabanza, la adoración, el Nombre y la sangre de Jesús, tu testimonio.

Arte: los dones creativos están en uso, un estudio moderno, aprender cómo el Espíritu está hablando metafóricamente a través de tipos, símbolos y sombras. Discernir si se trata de una forma o expresión moderna, clásica o contemporánea, etc., el color, las formas y las texturas variarán los significados.

Artefacto: objeto formado por el ser humano, especialmente herramientas, armas u ornamentos de interés arqueológico o histórico. Eres capaz de desarrollar una estructura o una sustancia que, por lo general, no está presente y sacarla como de un tesoro oculto. Traes lo viejo a lo nuevo; la restauración de los tesoros del pasado para honrarlos en el presente. Eres hábil en el arte de sacar a la luz hechos históricos para obtener sabiduría y comprensión.

Artemisa: lugar desértico; lugar llano y desértico; Nevada; arrastrada por el viento; inestable; dudosa Snt 1:8; planta rodadora. Las hojas de color verde plateado y los grandes racimos de pequeñas flores blancas indican que saldrás de esta estación desértica purificado y redimirás las cosas que se habían perdido.

Arteria: conducto que lo lleva a uno a la principal red de fluidez; se están haciendo las conexiones necesarias; transporte o ruta local, una carretera o calle de paso; convierte la sangre venosa en arterial mediante la absorción de oxígeno en los pulmones; la obstrucción puede indicar problemas para hacer conexiones; advertencia: ver el engrosamiento de las paredes arteriales, arteriosclerosis: indica que algo está interfiriendo en la circulación de la sangre.

Artes marciales: representa el aprendizaje en el arte de la guerra, el entrenarse como guerrero, el arte de la autodefensa, la guerra o el combate; necesitas centrarte y dedicar tu tiempo y energías en lograr un solo objetivo a la vez.

Artes y oficios: eres hábil, un obrero o una mujer con un toque imaginativo y creativo, eres capaz de ver la belleza en las cosas simples de la vida; así que expresa, colorea y decora tu mundo con diversas formas de arte. Hábil en la astrología y en las artes mágicas, Hch. 19:19.

Artesanía: soñar que está haciendo artesanías se refiere a tu habilidad, capacidad artística, ingenio, destreza o enfoque práctico de la vida. Por otra parte, las artesanías en un sueño puede ser una metáfora de que estás siendo evasivo, engañoso, astuto o manipulador o incluso usando de la brujería en contra de los demás. Las artesanías también pueden representar barcos, botes o aviones, lo que indica que el viaje está en el horizonte.

Ártico: el suelo blanco que cubre la nieve indica un nuevo comienzo, un borrón y cuenta nueva o la consecución de tus mayores objetivos o aspiraciones. También puede representar un exterior frío que trata de congelar a todo el mundo en su vida y sus planes.

Articulación, artrítica: cosas que no avanzan con suavidad, causa gran dolor.

Articulación, fuera de: dislocado, desarticulado, fuera de lugar, hacer pucheros, inconsistente, de mal humor o espíritu, desarmonizado.

Articular, juntar: reunir, repartir o unir dos o más opiniones, grupos o posiciones; punto de contacto o conexión; articulación; un gran corte de carne de la Palabra; un establecimiento barato o lugar de reunión discutible; cigarrillo de marihuana; parejas que presentan una declaración de impuestos conjunta; sesión conjunta en la legislatura; que implica dos o más variables; combinar o unir a algo o a alguien más.

Artículo: ver una cosa pequeña en una clase propia o algún artículo, una serie de documentos o material escrito indica que necesitas prestar mucha atención a la letra pequeña; es hora de renovarte o reeducarte en algunos asuntos.

Artillería: deja de tratar de asombrar o de hacer amigos a todo el mundo; armas para descargar misiles, catapulta o ballesta, o armas de fuego de gran calibre como cañones u obuses, operados por tripulación o por equipo; cañones montados utilizados para fortificar una zona; tropas de combate utilizadas en la artillería. 1 Sam. 20:40.

Artista: capacidad creativa, la gestión del tiempo y la estructura son necesarias para recibir reconocimiento; placeres infructuosos. El predominio del hemisferio derecho del cerebro indica una mayor capacidad creativa e intuitiva. Fíjese en los símbolos, los colores y el escenario del cuadro que está pintando, porque le dará una visión adicional para encontrar soluciones a las situaciones de tu vida actual.

Artritis: pecado por la falta de perdón, amargura, inflamación de las articulaciones, restringe la libertad de movimiento, se mantiene prisionero del dolor y el sufrimiento, un espíritu de debilidad heredado, se necesita el perdón para la liberación y la sanidad.

Arzobispo: el obispo de más alto rango que tiene gran influencia y autoridad sobre los demás obispos, la provincia y la archidiócesis; posee, necesita o carece de autoridad espiritual en su vida.

As: considera la frase «un as en la manga», eres alguien experto en tu campo; tienes gran talento y dones y mucho que ofrecer; has dado o servido en el campo de tu oponente pero él no ha devuelto la pelota, así que eres el ganador, has superado a tu oposición y te has encumbrado a la cima. Significa unidad o uno con el Padre, Jn. 6:44.

Asado, bien hecho: alegría, riqueza y felicidad.

Asado, crudo: burla y crítica severa.

Asado: madurez.

Asalto: ver o experimentar un ataque físico, sexual o verbal violento en un sueño indica que se siente como una víctima indefensa. Te sientes vulnerable o como si tu vida estuviera expuesta a ser violada. Algún área de su vida está fuera de control. Esa puerta de acceso necesita ser cerrada para protegerte de más abusos.

Asalto: ver un ataque sorpresivo a alguien por parte de una fuerza de comando o una repentina entrada forzada a un establecimiento ilegal es una severa advertencia para que dejes de ser deshonesto, pues tus mentiras y falsedades serán descubiertas y pagarás un alto precio con la pérdida de tu buena reputación.

Asamblea: conectar con personas de mente y propósitos similares que te llevarán al siguiente nivel de promoción, reunir a aquellos que tienen habilidades y talentos variados, integrar pensamientos e ideas a fin de progresar, la unidad produce bendiciones y armonía, planificar y crear estrategias para el éxito, dos cabezas piensan más que una.

Ascendido: espera un tiempo de favor, aumento de la unción, nuevas relaciones y menos estrés, honrado con un ascenso, para pasar de un lugar menor a un mayor nivel de primera clase de influencia y prestigio.

Ascenso: aumento de la riqueza, la salud y la provisión; el éxito y la capacidad de superación serán tuyos; con trabajo duro y dedicación te elevarás a una posición elevada en la vida.

Ascensor roto: si está roto, no eres capaz de avanzar en tu día a día.

Ascensor, ascendiendo: subir más alto; promoción; aumento de favor, unción y visibilidad si se sube. Soñar que asciende en un ascensor representa una promoción, un aumento o un ascenso de estatus y riqueza. Un nivel de conciencia más elevado le permitirá captar nuevos conceptos del mundo desde una perspectiva más elevada. Si el ascensor asciende a una velocidad de vértigo y se estrella contra el techo, indica que no te sientes capacitado para manejar la nueva demanda que este mover está poniendo en tu conjunto de habilidades. Está funcionando con temor y adrenalina.

Ascensor, de lado: los ascensores pueden reflejar acciones contraproducentes si se está moviendo hacia los lados.

Ascensor, descendente: degradación; si va hacia abajo significa disminución del favor, la unción y la visibilidad. Si el ascensor está descendiendo, entonces podría haber una degradación, una mala fortuna o un revés, en un futuro próximo. Estás siendo humillado o bajado a una perspectiva realista de la vida. Es hora de poner los pies en la tierra y ver los hechos de la vida con realismo.

Ascensor, espera: si está esperando un ascensor indica que el momento de tu ascenso está muy cerca, las cosas se están ultimando para llevarle a la cima si está subiendo; por el contrario, si el ascensor está bajando serás degradado o perderás tu trabajo.

Ascensor: los ascensores suben y bajan en línea recta, por lo que representan los altibajos de la vida, las relaciones y la profesión. Tus emociones pueden estar fuera de control o ser maníacas subiendo y bajando dependiendo de la entrada o información que estés recibiendo. Mantente centrado en la sabiduría de Dios. Él te conducirá y guiará a toda la verdad. Sal de la montaña rusa emocional y toma el control de tus fugitivas emociones.

Asciende: Se necesita un aumento, una promoción o una perspectiva celestial para tener una visión más elevada de la vida, fíjate una meta elevada, aspira a alcanzar un objetivo deseado o una ambición vital; tendrás éxito si sigues persiguiendo con espíritu de excelencia. Mantenga su corazón puro y sus manos limpias; capacidad de estar a la altura de cualquier ocasión, grandes expectativas, éxito, prosperidad, favor, amplíe sus horizontes, aspire a la grandeza.

Ascot: capacidad de influir en los líderes y la realeza; decisiones diplomáticas.

Asedio: asediar, rodear o quedar bloqueado durante un tiempo prolongado en una casa, ciudad, pueblo o fortaleza por un ejército decidido a capturarla, indica que debes ajustar tus gastos y cuidar tus finanzas; falsos amigos que quieren desviar tus bienes hasta agotar tus recursos.

Aserrín: ver aserrín en un sueño sugiere que tu corazón ha estado suspirando profundamente por algún asunto romántico o emocional.

Asesinar: querer llevar algo a un final abrupto deliberado; angustia emocional severa; intento de controlar la ira; presenciar un asesinato: cambios negativos; matar animales: superarás obstáculos según el tipo o la característica del animal; ira u odio ocultos, intento de eliminar o evitar un aspecto no deseado de ti mismo o de los demás, desconectar o negar emociones o sentimientos, cambios drásticos en la vida, morir a los deseos propios, romper un hábito o mal comportamiento y que pone en peligro la vida; gran decepción, rechazos o traiciones, rendirse.

Asesino: la negación fuerte o la represión consistente de las emociones negativas, la amargura, la falta de perdón o la cólera; estos sentimientos cierran aspectos enteros de la propia vida; matar o destruir las relaciones porque las personas no satisfacen la aprobación de los demás; carnicería de los propios sentimientos debido a la vergüenza o la culpabilidad; exterminar una idea creativa debido a los sentimientos de inadecuación, incapacidad o indignidad. El asesino representa el miedo o la ansiedad que amenaza o mata los sentimientos de bienestar o el flujo de energía creativa. Los traumas de la infancia a menudo conducen a una furia asesina que está encapsulada en nuestro subconsciente. Persona con espíritu de asesinato, rabia o ira, influencia celosa; un espíritu maligno, 1 Cor. 15:55. Es una advertencia de que alguien tiene la intención de desplazar tu influencia a través del asesinato de tu carácter; se refiere a un sicario que habla palabras dañinas; un tirador afilado; el espíritu de muerte y asesinato; un espíritu político; alguien que es contratado para matar por el gobierno, celos, envidia, el espíritu de Caín. Espíritu de destrucción que busca matar, robar y destruirte, Jn. 10:10; Sal 38:12.

Asfixia: algunos comentarios u orientaciones sobre una situación son difíciles de tragar o no son fáciles de aceptar. Estar preocupado por las finanzas o los asuntos de dinero. Mt 13:22. Ausencia de latidos del corazón debido a una grave deficiencia en el suministro de oxígeno al cuerpo que provoca una respiración dificultosa o anormal. La asfixia que causa la hipoxia afectará a los órganos del cuerpo impidiendo la obtención de oxígeno durante un largo periodo de tiempo, causando el coma o la muerte. Se siente atrapado, encerrado, asfixiado o sofocado en su profesión o en una relación. Necesitas espacio para respirar y ser libre para expresarte en diferentes áreas de la vida. Estar asfixiado en tu sueño indica que necesitas un soplo fresco del Espíritu Santo para traer nueva vida a tu cuerpo. Sufrir de asfixia puede indicar que un espíritu pitón de brujería o adivinación está operando en su vida personal, de negocios o de la iglesia. Este gran y poderoso constrictor está tratando de exprimir la vida espiritual tuya para que te alejes de Dios. Ora por sabiduría para que seas liberado de este ataque demoníaco. «*Por lo tanto, sométanse a Dios. Resistid al diablo y huirá de vosotros*», Snt. 4:7.

Asfixiar con humo: indica una cortina de humo a la que no está dispuesto a enfrentarte.

Asfixiar: sentirse atrapado, enjaulado, enterrado bajo demasiadas responsabilidades, sentir que se le controla o se le obstaculiza para que no desarrolle su potencial; asfixiar a alguien indica una personalidad dominante.

Ashram: ver un ashram, una ermita espiritual, locus hindú o monasterio, que significa «dar o hacer un esfuerzo en pos de la liberación», es un lugar localizado lejos del hábitat humana donde uno recibe instrucción, meditación y ejercicios físicos de yoga por medio de un gurú. Soñar con un ashram indica que no has encontrado el único camino verdadero y correcto para tu bienestar e iluminación espiritual. Necesita buscar a Jesús, a través del Espíritu Santo y renunciar a su fe hindú o a cualquier otra que no le produzca la vida eterna y, entonces, obtendrás la paz que sobrepasa todo entendimiento en Cristo.

Asia: una aventura misionera para influir a otro grupo de personas, adaptarse a alguna situación extranjera en la vida, descubrir un aspecto nuevo u oculto de uno mismo, una persona asiática de edad avanzada representa antiguas tradiciones, ganar sabiduría y conocimiento. El mayor continente, casi un tercio de la masa terrestre del planeta. Ver el continente asiático representa el avance, las ganancias financieras y la industria.

Asiático, anciano: representa la familia, la gracia, la tradición, la disciplina, el honor, la sabiduría y el conocimiento.

Asiático: ver a una persona asiática en su sueño representa un aspecto de usted mismo que aún está por descubrir.

Asiento de Satanás: ver el asiento o trono de Satanás en tu sueño indica que se te está mostrando el lugar de su gobierno o dominio de poder, Apo. 2:13; 13:1-2.

Asiento del conductor: estar sentado en el asiento del conductor indica que uno está a cargo o controla la toma de decisiones o determina la dirección que tomará la vida, la carrera empresarial o el emprendimiento de uno mismo.

Asiento delantero: el asiento delantero se considera el asiento del poder y del honor. Aquí es donde tiene lugar toda la toma de decisiones que determinará la dirección y el camino que se elija en el viaje o jornada de la vida.

Asiento eyectable: expulsa al ocupante de un vehículo o nave aérea en un vuelo de emergencia, despojo; expulsar por la fuerza o expulsar.

Asiento trasero, pasajero: Si alguien está en tu asiento trasero tienes la posición de control y capacidad de decisión en el destino o dirección que tomará tu vida; por favor, usa la sabiduría.

Asiento trasero, sentado: Soñar que se está sentado en el asiento trasero de un coche sugiere que ha cedido el control y la capacidad de decisión en su vida a otra persona; intercambiar el asiento trasero con alguien que usted considera más cualificado, inteligente o hábil; necesita recuperar una mayor posición de liderazgo en su propia vida; tome las riendas y póngase en el asiento del conductor. Ya no tienes el control de tu vida. Puede que te sientas dominado, dominante y temeroso de que te digan lo que tienes que hacer. Tienes que empezar a recuperar el control de tu vida.

Asiento: representa la autoridad; toma nota de donde estás sentado, si no es un lugar de honor no te empujes hacia adelante; si es en lugares celestiales obtendrás una perspectiva de Dios en tu vida; si ves que es mejor dejar tu asiento por otro, entonces estás próximo a ser promovido; humíllate a su debido tiempo y serás exaltado, Apo. 4:4; 2:13; 13:2; 16:10; 11:16; Lc. 11:43; 20:46.

Asignación: ganar una posición o un puesto en un sueño indica una habilidad para reclamar un interés o derecho a alguna propiedad.

Asilo: busque una oración de apoyo y ayuda para superar el ataque de la angustia mental, apréstate a ir contra el espíritu de locura.

Asistencia: es un estímulo para brindar libremente apoyo emocional y físico. Si alguien le asiste, usted se siente vulnerable y débil, necesitado de ayuda.

Asistente: fortalezas, habilidades y destrezas de una persona para resolver problemas, o traer una resolución positiva a las confrontaciones; relaciones amorosas pasadas que le permiten a alguien enfrentar distintas situaciones o dificultades con un sentimiento de seguridad; un ayudante, el Paráclito, el Espíritu Santo, un amigo, un secretario, un trabajador hábil, un compañero de vida, un ángel.

Asistir: estar presente o acompañar a alguien en determinada circunstancia, observar y estar pendiente de las necesidades de alguien, escucharle y atender sus deseos; indica que tienes un corazón de servicio que se preocupa por el bienestar de los demás.

Asma: necesidad del Espíritu Santo, soplo de vida, viento del Espíritu, no se puede acoger el Espíritu como se necesita, restringido por fuerzas externas o internas. Puede haber un movimiento geográfico involucrado para obtener la curación.

Asno, cargado: con paquetes indica una temporada de éxito en un negocio próspero.

Asno, niños montados: representa la diversión y una infancia feliz y sana.

Asno, patada: hay que prestar atención a los alrededores; se está en el camino equivocado.

Asno, salvaje: representa la naturaleza humana indómita, depravada, sin disciplina, terca, con una fuerte voluntad propia no dominada, muy tímida y veloz, Jb. 39:5; Jer. 2:24; Sal. 32:9; 104:11.

Asno: cabeza dura; terco; obstinado; si se libra: victoria sobre la voluntad propia y la humildad; Mt. 21:5; Jb. 11:12.

Asno: naturaleza humana indómita; terco; obstinado; depravado; insumiso; odioso; fanfarrón. Pr. 26:3 se opone a los caminos imprudentes; hacer que se aparten del daño; Nm. 22:32-33. La humildad, la fuerza, la resistencia, el servicio paciente. El animal más común que se menciona en la Biblia, una bestia de carga; los reyes, sacerdotes y profetas montaban en un gran asno babilónico que era muy animado Jue. 12:14; la variedad blanca era la más apreciada, Jue. 5:10; Jesús entró en Jerusalén a lomos de un asno, Zac. 9:9; Mt. 21:5.

Asociado: conectarse, unirse en un vínculo en una relación indica algún tipo de pensamiento común de la mente o la imaginación; disfrutará de la compañía de esta persona para la empresa, las acciones de negocios o como socio o compañero.

Asolar: soñar que está siendo asolado en un sueño indica que alguien quiere destruir completamente (algo, como un edificio) en su vida o en su posición. Su intención es demoler la autoestima de alguien mediante un ataque verbal abusivo y crítico.

Asombrar: sentirse divertido, lleno de repentina sorpresa, maravilla o asombro en su sueño indica que usted será gratamente sorprendido con una promoción, aumento financiero o la plenitud del tiempo ha llegado para una gran bendición a través de alguna noticia realmente grande.

Aspen (lugar en Colorado): una temporada de frío en la vida te ha dejado con la sensación de abandono y soledad.

Asperjar: lluvia de bendiciones, purificación y limpieza que llega a tu vida desde el reino celestial; espera alegría, felicidad, placeres para siempre y gran satisfacción en la vida. Verse asperjado en un sueño significa que comerás del bien de la tierra. Es como tener un cherri sobre todas las cosas buenas que ya posees. Disfrutarás de la vida en su totalidad. Comparte un poco de las cosas dulces que has recibido con los demás. Espolvoréalo por ahí, Heb. 9:13; Éx. 29:16-21; Is. 52:15; 1 Pe. 1:2.

Aspersión: un nuevo comienzo, bautismo o bautizo, refrescar.

Áspid: representa a un falso maestro, Ro 13:3; Jb 20:1-16; Deut 32:33; pérdida de honor y respeto debido a una desgracia imprevista, resentimiento entre amigos y agresividad hacia los seres queridos, una víbora con cuernos tanto en África como en Asia Menor. Veneno mortal, operación muy repentina, emblema real; signo de la divinidad protectora.

Aspillera: ver una pequeña hendidura en un muro fortificado o un agujero en un sueño indica que estás buscando una forma de escapar de una relación, un contrato o una situación difícil. Necesitas una omisión o ambigüedad en la redacción de una promesa o contrato como medio de evasión.

Aspiradora: el polvo, los escombros y la suciedad son movidos por el viento del Espíritu, Lev. 22:5.

Aspirina: ver una aspirina en tu sueño indica que estás pensando o preocupándote demasiado Mt. 6:27; echa tus ansiedades sobre Jesús, Él cuida de ti.

Asqueroso: deseos carnales o naturales que rigen en la vida de uno.

Asta: punto de encuentro, donde se promete lealtad y fidelidad; aporta una sensación de estabilidad unificada en la fuerza de un grupo. Los que te rodean están dispuestos y son capaces de apoyar tu causa.

Aster: ver la flor del aster en un sueño significa ganancia, prosperidad y abundancia; delicadeza; símbolo de amor, satisfacción y felicidad.

Asteroide: cuerpo celeste, signos en el firmamento o en los cielos, presagia juicio o destrucción. Un mensajero celestial, una señal del regreso de Cristo.

Astillas: pequeños trozos de un objeto que han sido extraídos o arrancados por otro objeto, una piedra o un cristal. Consideremos el término «de tal palo, tal astilla», que se refiere a rasgos o atributos similares heredados de una generación anterior. También considere el dicho «tengo una astillita (espinita) clavada en el corazón», que indica que alguien guarda un rencor u ofensa del pasado.

Astillero: si sueñas con que tu barco está atracado en un astillero significa que estás pasando por una temporada de reparación y mantenimiento, estás siendo reconstruido y fortalecido para el próximo viaje o misión. Ver una zona con instalaciones para construir, reparar o poner en dique seco de barcos, «un astillero de la marina», sugiere que estás en una temporada de preparación para las batallas espirituales, la recopilación de finanzas para la reconstrucción y el reagrupamiento para que estés listo para hacer un gran impacto y tener una mayor influencia en el mundo.

Astrólogo: percepción o visión inconsciente de uno mismo o de los demás; sentido de destino o dirección. Pretendía profetizar los acontecimientos futuros por medio de las estrellas, Is. 47:13; Dn. 2:2, 27.

Astronauta, temeroso: intenta evitar, apartarse o huir de los problemas.

Astronauta: aquel que tiene una alta vocación para entrenar o pilotar, navegar o participar en los límites exteriores de la frontera final, ir a nuevos lugares en el Espíritu, libertad de movimiento, un ángel o demonio según el contexto y sus acciones, encapsulado en la seguridad, bien adaptado a entornos duros, visiones doradas; habilidades, talentos, actitudes o sentimientos junto con ideas fuera de lo común que lanzan a un individuo a lo extraordinario o lo sobrenatural más allá de una vida normal; valor para explorar los reinos desconocidos de la fe o experiencias que uno no puede definir.

Astrónomo: los caldeos eran expertos en seguir los movimientos y apariciones de los cuerpos celestes y sus constituciones. Is. 42:12; Apo. 2:28; Jb 9:9; 38:31.

Astrónomo: tiene grandes aspiraciones y objetivos.

Asustado: pon tu confianza en Dios y no en ti mismo ni en tu propia capacidad; entrégale a Jesús el control de tu vida. Él tiene un plan para prosperarte. Dios no te ha dado un espíritu de temor, pide sabiduría divina, amor, paz y una mente sana para disipar la confusión; ordena que la ira, la duda y la incredulidad se vayan, deja de creer en un informe negativo.

Aswang: es un ghoul brujo parecido a un vampiro mezclado con un hombre lobo en el folclor y mitología filipina. Era la criatura mítica más temida de Filipinas. Se creía que sustituía a los cadáveres con un camión de plátanos después de consumirlos. Los aswangs son seres rápidos y silenciosos que cambian de forma y viven entre la gente de la comunidad. Por las noches se transforman en criaturas como gatos, pájaros, jabalíes y, con mayor frecuencia, en perros. Se alimentan de fetos no nacidos, causando deformidades y abortos al succionar a los niños del vientre de sus madres dormidas con sus largas probóscides, y se alimentan del hígado y el corazón de los niños pequeños. Soñar con esta criatura demoníaca del inframundo indica que no sabes en quién confiar y necesitas discernimiento espiritual. Busca a un creyente en Jesucristo que sepa cómo ejercer la guerra espiritual y la liberación. Es vital que aprendas a protegerte de este nivel de oscuridad maligna.

Atalía: ver a esta malvada mujer aparecer en un sueño es una fuerte advertencia de la ambición asesina que no se detendrá ante nada para salirse con la suya. Su nombre significa que Jehová es fuerte y exaltado. Era la hija de Jezabel y del rey Acab. Atalía se convirtió en la esposa de Joram para sellar un tratado entre Israel y Judá. Gobernó seis años después de la muerte de su hijo Ocozías. Joram mató a sus seis hermanos para asegurar su posición como rey de Judá. Gobernó ocho años y promovió el culto a Dios, pero toleró el culto de Atalía a Baal. Jehú asesinó a toda la familia de Atalía en nombre de Yahvé y se convirtió en rey de Israel.

Ataque aéreo: siente que la vida le bombardea desde todas las direcciones sin esperanza de escapar, se siente sobrepasado, desesperadamente fuera de control. Hay muchos conflictos en tu vida; el ambiente del hogar o del trabajo está cargado de energías emocionales que han nublado tus perspectivas y te están arruinando la fiesta; te sientes bombardeado o bombardeada por las presiones de la vida.

Ataque al corazón: es causado por una maldición, ira, miedo y ansiedad, amargura, desesperanza y el rechazo de un corazón roto. La oración es necesaria para superar estos sentimientos para recibir la liberación y la curación. (Ver la Tarjeta de Sanación para las causas de raíz de las enfermedades y las dolencias *www.DecodeMydream.com*)

Ataque, a uno mismo: ser atacado pone en tela de juicio el carácter de uno mismo, por ende, presta atención e implementa un plan de autodefensa cuando estos surjan. Se dará sabiduría para resolver el conflicto de una manera asertiva y productiva.

Ataque, animal: si un animal le está atacando, tenga cuidado con la hostilidad de aquellos individuos que muestran esos mismos rasgos primitivos negativos, que se lanzan al ataque a su alrededor.

Ataque: las emociones negativas han sido reprimidas, usted ha sufrido una injusticia, y su subconsciente está expresando su ira y frustración cuando se ve atacando a alguien.

Atar: encarcelar, confinar; Jb. 26:8; Hch. 9:14

Atardecer: el día ha terminado; amanece un nuevo día, tiempo para soñar, descansar en el Señor y ofrecer oraciones de agradecimiento. El cierre del día, tiempo para reflexionar sobre el progreso del día y dar gloria a Dios, relajarse con la familia y los amigos, ver los últimos días de la vida, la vejez. Ver caer el crepúsculo en un sueño indica que tienes sentimientos oscuros de pesadumbre o depresión debido a una decepción. tu visión negativa de la vida obstaculizará tus esfuerzos. Significa ser consciente de que un día está terminando; aleja tus lágrimas porque el gozo llega por la mañana con la salida del sol y un nuevo día amanecerá ofreciendo una nueva oportunidad de éxito y realización.

Atascado: aburrimiento de la rutina mundana, la vida está en una inercia continua; sentimientos de desesperanza o desaliento, una relación sin salida, sentirse atrapado o encerrado y sin escape; estar sobresaturado, con estrés y con baja autoestima; debes establecer o revaluar tus metas para recuperar tus propósitos y tener una perspectiva renovada de la vida.

Ataúd: mortalidad; necesidad de decidir el destino eterno; cielo o infierno; muerte de una relación o de un mal hábito; fin de un capítulo de la vida; entierro o pérdida de sentimientos; muerte. Estar contenido o poseído por un espíritu de pena o muerte, puede haber cometido un grave error o dejar de vivir por ello, morir a uno mismo. Gén. 50:26 un cofre momia tallado en piedra o madera de sicomoro.

Atenas: Atenas es la capital y la ciudad más grande de Grecia. Atenas domina la región del Ática y es una de las ciudades más antiguas del mundo, la cuna de la civilización occidental y el lugar de nacimiento de la democracia, en gran parte debido al impacto de sus logros culturales y políticos. La Atenas moderna es el centro de la vida económica, financiera, industrial, política y cultural de Grecia. En 2012, Atenas era la 39ª ciudad más rica del mundo por poder adquisitivo y la 77ª más costosa. La diosa Atenea está relacionada con Atenas y los mitos le atribuyen la creación del olivo que simboliza la paz y la prosperidad. El apóstol Pablo predicó allí Hch. 17:22. Contenía el Areópago; buen puerto; Hch. 17:15, 16, 22; 18:1, 1 Tm. 3:1.

Aterrizaje: un capítulo de la vida o una parte de un viaje está llegando a su fin; estás llegando; estás siendo arraigado en el amor.

Ático: recuerdos y artefactos almacenados; estado de ánimo positivo o negativo; aprendizaje o pensamientos superiores; búsqueda del conocimiento; mente renovada. Subir a esta habitación del último piso indica un ascenso, un aumento generalizado o una mejora de tu estatus social o de tu condición económica.

Atizadores: herramientas necesarias para dirigir la efusión de los fuegos de la pasión; apaga los incendios forestales.

Atlas: indica que sientes que llevas el peso del mundo sobre tus hombros.

Atleta: deportista es conocido como un hombre muy comprometido y orgulloso de sus habilidades en el deporte.

Atleta: el que participa en deportes de competición, para luchar por la meta o el premio, que tiene una aptitud natural para la destreza física, el ejercicio y los deportes, la fuerza, la agilidad y la resistencia, el corazón de un campeón, despojado de obstáculos, tonificado, ejercitado, centrado; la dedicación diaria, la fuerza o el impulso para tener éxito en la vida; los desafíos personales para cambiar la salud y el estado del propio cuerpo a través del ejercicio continuado, la buena nutrición y las opciones de vida; el uso de la propia fuerza física para presumir, intimidar, presionar o dañar a otros. 1 Cor. 9:24-26.

Atletismo de vanguardia: en el campo del atletismo, la pista delantera significa la primera mitad de una carrera o la zona de juego más cercana a la red o a la pared, como en el tenis o el balonmano. Ver esta estructura indica que hay que poner el mejor pie adelante, mantener las cartas cerca del pecho, presionar un asunto para avanzar, asegúrate de estar en la vanguardia posicionado para cerrar un trato.

Atletismo: entrenamiento para correr la carrera de la vida con perseverancia y resistencia; seguir de cerca las reglas le ayudará a tener éxito.

ATM: acumulación de riqueza; si un cajero automático aparece en sus sueños, puede estar pidiendo o exigiendo frecuentemente a alguien dinero o apoyo financiero. También puede sentir que los ahorros y los recursos vitales de los que dispone se están agotando rápidamente. Considere la posibilidad de obtener asesoramiento financiero profesional, establezca un presupuesto estricto, y cúmplalo. Se le están acabando los ahorros como si fueran caramelos. Deja de vivir por encima de tus reales posibilidades, Fil. 4:19.

Atormentar: ver a los atormentadores de la noche indica que tienes algunas cuestiones no resueltas de amargura y falta de perdón hacia las personas. Los atormentadores te roban el sueño y son portadores de enfermedades, dolencias y pobreza. Es importante que te libres de cualquie-

ra de sus puertas de acceso para que puedas vivir en paz, con salud y prosperidad.

Atractivo: tu encanto, ingenio y personalidad genuina atraerán a la gente a tu área de influencia encendiendo la llama de la popularidad.

Atragantarse con la comida: puede indicar una incapacidad para expresarse con claridad.

Atrapado: sentirse atrapado es una advertencia de que se aproxima un peligro, atrapado en una red de engaño o decepción que puede llevar a la destrucción total o parcial, al pecado, a la perversión o a una adicción. Ten cuidado con alguien que intente atraparte.

Atrapar: ¿qué intentas atrapar? Una pelota representa una oportunidad deportiva o una necesidad de estar bien redondeado o equilibrado. Jugar a la pelota representa el toma y dame de la vida. Tienes una personalidad magnética. Atrapar un pez representa ganar un nuevo amigo o convertir a una persona.

Atrás: pasado; situación que ha quedado atrás o terminada; ir hacia atrás; retroceder; colocar, ocultar o mantener fuera de la vista; las espaldas de Dios, la bondad, la gloria; dejar el pecado atrás, 1 Re 14:9; Éx. 33:23; Gén. 22:13; Js. 8:4; Mc. 8:32-33.

Atreverse: soñar que estás haciendo un acto atrevido indica que tiene un espíritu audaz y valiente que no estás limitado por el miedo, la duda o la incredulidad. Si eres atrevido con otros, indica que eres un animador que disfruta viendo a los demás alcanzar su mayor potencial. Si otros te desafían a ti, sugiere que no has aprovechado todos tus dones y habilidades, por lo que tienes más que ofrecer de lo que parece.

Atrio: clima controlado; tranquilidad; prosperidad; crecimiento centrado; tragaluz; belleza; indica cuestiones del corazón.

Atropellado por otros: verse atropellado por otros indica que alguien se está aprovechando de ti.

Atropellar a otros: si te ves atropellando a otros, es una advertencia para que cambies tu forma de relacionarte con los demás y trates a la gente con respeto.

Atún: «Charlie tuna», «el pollo del mar», comida fresca o enlatada, un atún representa un alma o persona muy grande con gran influencia o presencia que necesita ser salvada. Las experiencias de la vida construirán la fuerza del carácter, la agilidad y una fuerte resistencia.

Audacia: creyentes sometidos a la autoridad de Dios, una confianza recién encontrada, una capacidad de controlar los acontecimientos; su confianza está puesta en Dios para saber que nada es imposible; presumido que se jacta de los propios logros.

Audición: tratar de desempeñar un nuevo papel en la vida, un nuevo territorio provoca sentimientos de inseguridad y vulnerabilidad; el foco de atención puede limitar su expresión, poniendo a prueba la propia capacidad o los talentos al compararse con los demás. Permitir que otros juzguen o determinen tu valor o autoestima.

Audiencia, negativa: respuesta negativa: incertidumbre; sentado en: estarás rodeado de amigos; sentirte solo en una multitud; presenciar alguna emoción o proceso en uno mismo; considerar algún aspecto de tu vida.

Audiencia: frente a la multitud: honor y distinción, serás señalado; tratar temas importantes de la vida; revela el deseo de atención; desnudar el alma.

Audiólogo o fonoaudiólogo: persona experta en escuchar los defectos del oído para formular un tratamiento que corrija los patrones del habla de alguien. Este símbolo indica que necesitas escuchar la pequeña y tranquila voz de Dios y luego decir sus palabras de sabiduría. Soñar con ser un audiólogo indica que estás aprendiendo a escuchar la pequeña y tranquila voz del Señor para que puedas ganar equilibrio y orden en tu vida diaria.

Auditor: el que escucha y examina las cuentas y los registros para comprobar y verificar su exactitud, para hacer los ajustes o correcciones necesarios, un buen oyente en un curso académico.

Auditorio: estar en un gran auditorio representa tomar parte activa en el juego de la vida. Hay que prestar atención y aprender de las personas que te rodean.

Aula: centro de formación para el aprendizaje, el equipamiento o la instrucción; ministerio de grupos pequeños o de la iglesia; llamada a la escuela; don de enseñanza; estudio; relación con la autoridad.

Aulaga: ver este arbusto de hoja perenne cubierto de flores amarillas en un sueño indica que experimentará prosperidad; la buena fortuna brilla en tu camino.

Aulas: un aula al aire libre sugiere la necesidad de menos restricciones y la capacidad de adaptarse a las nuevas circunstancias que se presentan en la vida para poder expresarse más abiertamente y con mayor libertad. Si te encuentras perdido o buscando tu clase y no la encuentras hay una necesidad de adquirir más conocimientos y desarrollar un nuevo aprendizaje. Encontrarte sentado en un aula sugiere crecimiento personal. Ya estás en el proceso de aprender lecciones vitales que cambian la vida.

Aullido, animales salvajes: indica que un enemigo celebrará.

Aullido, perro: malas noticias.

Aullido: gran alegría y celebración, aullar de risa. Dolor emocional o heridas, sentimientos de aislamiento, grito de muerte; «el lobo solitario», «llanero solitario», desesperación y gran soledad, espíritu o voz demoníaca, Mc. 5:2.

Aumentar: verse a sí mismo aumentando o multiplicándose en un sueño indica que estás preñado de ideas para el éxito. Es una señal de que tienes la capacidad de reproducir las cosas para hacer la riqueza y prosperar financieramente.

Aumento de pecho: belleza; ampliación de la capacidad de amar y consolar.

Aura: experimentar una brisa suave, un soplo o emanación invisible, un aire distintivo o una sensación que precede a la aparición de ciertos trastornos nerviosos, migrañas o convulsiones indica la presencia de un espíritu maligno de enfermedad. Repréndelo en el Nombre de Jesús y aplica su poderosa sangre sobre ti para que este espíritu no pueda posarse. También puedes sentir un mover espiritual en la atmósfera cuando el reino angélico está cerca o presente para entregar un mensaje, impartir un don espiritual o darte poder para hacer milagros, señales y prodigios. Ver una hermosa aura de color brillante en tu sueño está revelando la naturaleza espiritual de Cristo en ti que está emanando de tu ser espiritual. La luz de Cristo brillando en y a través de ti atraerá a los perdidos y a los hambrientos espirituales a Su presencia.

Auriculares: capacidad para escuchar un sonido claro, sintonizar los ruidos que distraen, buen oyente. Escuchar atentamente la voz del Espíritu Santo, bloquear los sonidos del mundo.

Ausencia: si estás buscando algo o a alguien y no puedes encontrarlo, indica que esa relación, trabajo u objeto ha sido eliminado de tu alcance. Dios llenará ese espacio vacío en tu vida.

Ausente: soñar que alguien que debería estar ahí está ausente indica que echas de menos a alguien con el que solías mantener una relación de cercanía. Puede ser que esta persona se haya casado, mudado o ya no se comunique con usted. La ausencia también puede sugerir que usted está olvidando a alguien o algo; por lo tanto, necesitas un amable recordatorio para poder hacer memoria. No seas «distraído».

Australia: pueblo aborigen, autoexploración para

descubrir aptitudes y dones ocultos, ser arrastrado en una dirección opuesta, isla remota, bajar sin las presiones de la vida, pensamientos subyacentes, Aussie (gentilicio de australiano), tener un «¡buen día amigo!»

Auto de carreras: tu naturaleza competitiva y acelerada ha tomado la delantera y tu estilo de vida te está llevando demasiado lejos; baja la velocidad y cambia de carril; el comportamiento imprudente puede hacer que tu salud se estrelle; considera la palabra «raza», ¿tienes prejuicios sobre la raza, etnia, género o nacionalidad de los demás? Actitudes duras y testarudas; naturaleza competitiva; necesidad de ganar; juego de palabras: problemas con la raza o el origen étnico; actuar de forma «picante»; conducir: el estilo de vida acelerado o el comportamiento imprudente están poniendo en peligro la salud; pista de carreras: vida en el carril rápido; dar vueltas a las ruedas para intentar avanzar en la vida; ir en círculos; patrón de pensamiento establecido, no estar dispuesto a desviarse de la ruta elegida.

Auto deportivo: personalidad deportiva; apariencia juvenil; amor por vivir la vida en el carril rápido; maniático del ego; fanfarrón; permites que tus emociones se muevan demasiado rápido en las relaciones; rápido para la ira; riqueza, afluencia, prestigio; poder, una vida de lujo. Tienes un centro de gravedad bien equipado para correr la carrera aerodinámicamente en el Espíritu y ganar; las decisiones de tu vida están dirigidas por la precisión y la sabiduría de un poder superior que te permite superar a los demás y acelerar para alcanzar metas y un destino prodigioso.

Auto, 4 ruedas motrices: un ministerio innovador y poderoso; cree en el evangelio integral (salvación, santificación, sanidad, y segunda venida de Cristo) poder; misioneros (cuatro evangelios).

Auto arruinado: confrontación; conflicto; descalificación; descontento; ofensa que se toma; descarrilamiento; desacuerdo.

Auto, averiado: debilidad, oposición, dificultad, obstáculos, estorbos que bloquean el exitoso desarrollo del ministerio o de la empresa.

Auto, depósito de chatarra: ministerios destruidos que estaban destinados a ser, necesitan reparación y sanación para comenzar de nuevo, almas perdidas, arruinadas, desperdiciadas, desviadas, corrompidas, vida llena de desorden, sin organización, Is. 5:14.

Auto descapotable: un ministerio revelador dirigido por el Espíritu Santo que opera bajo un cielo abierto.

Auto, frenos: esperar; reducir la velocidad; el cambio se acerca; obstáculo; algo que estás haciendo te está deteniendo.

Auto nuevo: nuevo ministerio; nuevo trabajo; nueva cosa que viene.

Autobús escolar: proceso de ser entrenado en el ministerio; llevar a un lugar de aprendizaje para la futura temporada de pruebas, equipar a los jóvenes o enseñar el ministerio.

Autobús, accidente: significa algún tipo de lío embarazoso con las personas; frustración financiera; Iglesia, ministerio de grupo o negocio con gran influencia.

Autobús equivocado: es necesario el arrepentimiento para dar la vuelta, dirigirse en la dirección opuesta para tener éxito.

Autobús, ciudad: transporte de varios grupos de negocios o ministerio para la iglesia o la Ciudad de Dios.

Autobús, de pie: listo para caminar firmemente en tu propósito y en el momento adecuado.

Autobús, en la parte de atrás: necesidad de encontrar tu vocación o propósito, dejar de ver la vida pasar, involucrarse.

Autobús, en movimiento: una iglesia que se mueve en Dios; Is. 66:20.

Autobús, escolar: proceso de ser capacitado en el ministerio; temporada de pruebas; equipamiento; ministerio de jóvenes y enseñanza.

Autobús, espera: breve retroceso en la consecución de los objetivos personales.

Autobús, iglesia: ministerio de evangelización o alcance en la iglesia están en movimiento.

Autobús, montar: seguir a la multitud, falta de imaginación; necesidad de determinar la dirección de la propia vida. Considere la expresión «para dónde va Vicente...»

Autobús, perdido: tomar tiempo para desarrollar un plan claro para el futuro; ganar control de la propia vida.

Autobús, tour: los turistas cristianos; los exploradores; los pioneros; los peregrinos; los viajeros; los que se divierten; los que observan, no los que hacen.

Autobús: una experiencia o empresa de relación con un grupo de individuos o una empresa, que avanza lentamente con muchas paradas sistemáticas, impedir el avance. 1 Re. 12:18; 2 Re. 2:11-12, 10:16; Sal. 104:3; Hch. 8:28-38; 1 Ts. 2:18.

Autobús: ver un autobús en su sueño puede indicar los planes que Dios tiene para que usted aumente el tamaño y el poder de su negocio o ministerio actual (el auto, el vehículo, el autobús o el auto) en un ministerio más grande (el autobús) donde usted alcanzará a más personas y las nutrirá con la Palabra de Dios.

Autocaravana: puede representar a un grupo base que está teniendo un impacto en una determinada ciudad o región. Permite a un misionero o evangelista itinerante un entorno más cómodo desde el que ministrar. Capacidad de transportar a otros con usted. A menudo son utilizadas por los jubilados para viajar con todas sus comodidades personales satisfechas.

Autodefensa: indica que estás a la defensiva sobre algún asunto en particular. Sientes que te están molestando o criticando.

Autoerotismo: auto gratificación de los deseos sexuales propios; la vida de pensamientos de uno necesita ser controlada; advierte de la fantasía o de no estar en contacto con la realidad; la excitación de los impulsos sexuales sin estimulación externa; la masturbación; la estimulación de uno mismo para lograr un objetivo incluso cuando otros no lo aprueben; juego de palabras: engañar o besuquearse en un automóvil.

Autografía: buscar la aprobación o las adulaciones de otros a los que se tiene en alta estima, admiración de aquel del que deseamos recibir un autógrafo, firmar su autógrafo es poner su sello de aprobación en el buscador. Las oraciones tienen la capacidad de influir en personas famosas o prominentes; tomar características o rasgos similares; fama o fortuna; unción del escriba; «la escritura está en la pared».

Autolesionarse: víctima de abuso; no es hábil en la comunicación; está desvinculado; táctica de búsqueda de atención; grito desesperado por ayuda; corazón roto; dolor traumático; ira reprimida debido al rechazo; busca a Dios en oración para obtener liberación y sanidad por medio del asesoramiento profético.

Automóvil averiado: los planes actuales no tendrán éxito se necesita más planificación.

Automóvil, colisión: se producirán enfrentamientos en las relaciones.

Automóvil, marcha atrás: vas en dirección contraria, da la vuelta, se avecinan cambios en tu travesía, negocio o vocación.

Automóvil: representa una iglesia, un ministerio personal o la vida misma. 1 Re. 12:18; 2 Re. 2:11-12; 10:16; Sal. 104:3; tu destino y propósito se cumplirán.

Autónomo: verse a sí mismo o a otros actuando u operando de una manera independiente de las influencias o el control externos significa que usted o esa persona es alguien que se regula a sí mismo o es un autodidacta que no necesita que

otros le digan lo que tiene que hacer para conducir su vida. Hace lo correcto de forma autónoma y es capaz de rendir continuamente al más alto nivel. Tenga cuidado de no ser demasiado impersonal en sus relaciones.

Autopista: carretera interestatal de varios carriles señalizada para viajes rápidos de alta velocidad. Espera una aceleración en tu vida. Es hora de aprender a expresarse abiertamente ante los demás. Tu opinión es importante. Verse viajando por una autopista significa que es el momento de calcular el costo de tu viaje. Determina si estás en el camino correcto. Tu camino actual te está costando mucho. ¿Llegar más rápido es el mejor camino? Puede que tengas que dar la vuelta y elegir el camino menos transitado.

Autopsia: has dejado morir algún área de tu vida espiritual, emocional o física. Pregúntate: ¿estoy vivo espiritualmente? ¿He nacido de nuevo? ¿Cuál es la causa de esta muerte? ¿Cuál es la razón primaria que causó el trauma? Las autopsias sugieren que estás buscando o sondeando la razón o la causa de por qué algo en tu vida llegó a su fin. Algo importante se ha separado de tus sentimientos o se ha roto una relación importante. Estás reprimiendo tus emociones para no sentir el dolor. Es el momento de examinar a conciencia tu forma de pensar y tus hábitos para llegar a las causas fundamentales. Estás analizando las cosas mucho, es exagerado; sentimientos de estar desconectado, herido o emociones nocivas; tus acciones negativas pueden llevar a la destrucción de una relación; la desconfianza te hará cortar una amistad significativa.

Autor: parte creativa apasionada de la historia de la vida de alguien o sueños referentes al éxito. Autoridades: persona, espíritu, ángel o grupo revestido de legalidad y poder; autoridad dada por Dios para gobernar y reinar sobre una ciudad, región o nación; experto o especialista en un campo determinado.

Avalancha: estar atrapado en emociones incontroladas y poderosamente reprimidas que se liberan o se expresan en un chaparrón repentino y negativo. Las exigencias de la vida son devastadoras para tu capacidad de funcionar adecuadamente; se produce una sensación de estar enterrado en vida.

Avance: el favor, la prosperidad, las bendiciones, incremento de la multiplicidad, el éxito y el honor llegarán rápidamente. Observar que otros avanzan antes que tú significa que ascenderán por encima de ti.

Avanzar: avanzar mentalmente, físicamente, socialmente para continuar en tu camino espiritual, estás en el camino y no miras hacia atrás en tu pasado. Avanzar, progresar con audacia y tomar una posición hacia el frente o volverse prominente. Puede indicar falta de moderación o modestia.

Avaro: advertencia: falta de siembra, no dar de sí mismo, egoísta, tacaño; el banco de favores está vacío, no puede hacer retiros de amigos o familiares; el dinero simboliza el favor, el poder, la autoridad, ser sexualmente deseable, la seguridad material o la riqueza; un avaro representaría lo contrario: la mentalidad de pobreza; el miedo a perder tus capacidades para mantenerse seguro; Scrooge, retener o dar avaramente de sí mismo o de las posesiones mundanas, el afecto o la simpatía; alguien que necesita constante seguridad debido a su inseguridad.

Avellana: el afecto leal, el amor puro y la amistad te esperan, disipa las reservas del pasado y los problemas de desconfianza.

Avena, harina: siga presionando, se cocinan aumentos financieros y relacionales; a medida que persevere en situaciones difíciles, frías y calientes, las cosas saldrán bien. Ricitos de oro y los tres osos.

Avena: indica aumento; avance; planes visionarios; armonía y unidad. Los deseos sexuales se han desbocado. En la cultura popular estadounidense la avena se asocia con el vigor sexual o la ausencia de este.

Aventura: experiencia inusual y llena de suspenso o una empresa peligrosa, una búsqueda física o una especulación financiera o un nuevo negocio o un emprendimiento; tendrán éxito si se busca la sabiduría divina antes de firmar los contratos. Presta mucha atención a tus sentimientos: excitado, avergonzado, temeroso, reacio, angustiado o divertido. ¿Su vida se ha vuelto bastante común y corriente? Soñar con aventuras indica que está aburrido de la vida y que necesita añadir algunos retos emocionantes, variedad o algo nuevo a su estilo de vida. Sus días se han vuelto demasiado predecibles y rutinarios. Extienda la mano para agradecer a los que le han ayudado en su peregrinaje por la vida.

Aventurero: alguien que prospera en un desafío o aventura en un nuevo territorio; inclinado a emprender nuevos y atrevidos desafíos que están llenos de peligros o riesgos; el progreso se acerca; el éxito financiero y la riqueza acompañarán a quien busca sin escrúpulos posiciones sociales; buscador de oro.

Aventurina (relativo al cuarzo verde): también llamada la «piedra del bienestar y la prosperidad», ver una aventurina en tus sueños significa que necesitas orar y buscar las indicaciones de Dios, que has sido miope en tu visión y que sólo ves las cosas desde una perspectiva terrenal natural, corriendo riesgos innecesarios. Mira de nuevo para que veas más allá de lo natural hacia el reino sublime de lo sobrenatural y prosperes de una manera nueva.

Avergonzado: tener sentimientos de vergüenza o una actitud de culpabilidad indica que hay pecado o iniquidad en tu vida. Ora y arrepiéntete para que tu espíritu sea limpiado y renovado en un espíritu correcto.

Avergonzar: hacer sentir a uno mismo como un fracaso, desconcertar, obstaculizar las capacidades financieras, ser controlado por las opiniones del hombre, tener temor del hombre.

Avería: sobrepasar los propios límites físicos o emocionales; esforzarse demasiado; dificultades; reevaluar la propia agenda; es necesario cuidarse y descansar; tomarse unas vacaciones.

Aves carroñeras: Las aves carroñeras, como el cuervo o los gallinazos, suelen aparecer cerca de animales muertos, por lo que pueden indicar la muerte, un ladrón o el miedo a las malas noticias.

Aves de corral: perseguir cosas sin valor, que son viles (asquerosas) o improductivas; los malos hábitos o la falta de diligencia darán lugar a la pobreza; «mísera» existencia.

Aves: disfrutarás de los altibajos de la vida, y del favor; juego de palabras: «juego sucio», estar involucrado, maquinar, ir más allá de los límites, preocupación temporal, enfermedad o desacuerdo con los conocidos, Gén. 15:11; Jb. 28:7; Is. 18:6.

Avestruz: persona sin corazón; no se preocupa por el bienestar de las crías; no se compromete; se esconde del conocimiento; Jb. 39:13-16. Un pájaro que no vuela; sugiere que puede estar enterrando la cabeza en la arena, Lam. 4:3; hipocresía religiosa; no se enfrenta a la realidad y vive en un mundo propio; se niega o no está dispuesto a aceptar una situación. Por otro lado, el avestruz puede simbolizar los viajes, la diversión deportiva, la riqueza, la verdad, la justicia y el conocimiento.

Aviador: Aumentará o volará alto en los ámbitos social y espiritual, da una perspectiva celestial.

Avión de carga: transporta o deja caer grandes cantidades de provisiones, carga y recursos en lugares de difícil acceso.

Avión de combate: guerra espiritual hábil con visión celestial; indica que estás involucrado en algunos proyectos que van a ritmo acelerado, pero que tienes que luchar para ganar terreno.

Avión de guerra: guerra espiritual.

Avión estrellándose: fracaso; bancarrota; devastación total; destrucción rápida; división de la iglesia; desastre personal, familiar o eclesiástico.

Avión que vuela cerca de las líneas eléctricas: necesitas más oración, planificación y apoyo para lograr la unidad y estrategias divinas; la elevación es importante para las esferas espirituales superiores. 1 Re. 9:26-28; Ez. 30:9; Hch. 27:1-2.

Avión que vuela: iglesia, empresa o corporación dirigida por el Espíritu.

Avión, accidente: El fin de una fase de la vida; cambiar de dirección; un fracaso moral; una bancarrota; la devastación total; la destrucción rápida; una división de la iglesia; un desastre personal, empresarial, familiar o eclesiástico, un ataque terrorista.

Avión, bajo: parcialmente operativo.

Avión, estrellar: estás perdiendo altitud, visibilidad o prestigio; necesidad de repostar, oración y tiempos de intimidad con Dios, su relación, iglesia, negocio o corporación está a punto de estrellarse, fracasar o entrar en quiebra.

Avión, grande: ministerio grande o cuerpo entero de Cristo; corporación grande y poderosa con gran influencia.

Avión, grande: ministerio grande, todo el cuerpo de Cristo; gran conglomerado de negocios poderoso o corporación con gran influencia.

Avión, guerra: guerra espiritual contra los principios y las potencias del aire; un ministerio de intercesión que está acostumbrado a ir a lugares celestiales.

Avión, jet: ministerio poderoso y de rápido crecimiento; iglesia o corporación; (jumbo jet) cualquier grupo grande de personas movilizadas o que se mueven en la misma dirección.

Avión, lanzando bombas: se avecinan noticias impactantes.

Avión, pequeño: ministerio personal, iglesia, vocación o corporación.

Avión, pilotaje: grandes logros con nuevos emprendimientos.

Avión, privado: se busca seguir las instrucciones de Dios.

Avión, volando alto: ministerio revelador en los cielos.

Avión, volando bajo: insuficiente preparación, oración o poder; no es totalmente guiado por el Espíritu; apenas está despegando.

Avión, volando en formación: prosperidad y aumento financiero; Is. 60:8-10.

Avión, volar: moverse en las cosas profundas de Dios.

Avión: capaz de volar; agencia, organización capaz de influenciar lugares espirituales o celestiales; iglesia, vocación o negocio de alta potencia; moviéndose en una posición espiritual más elevada; una iglesia, negocio, corporación, vocación o ministerio que está despegando o volando; manteniendo su altitud hasta llegar o cumplir su destino. La aeronáutica ha definido un avión como un vehículo volador más pesado que el aire con alas fijas. Ver o sentir que vuelas en alguno de estos aviones o naves indica que estás desafiando las leyes de la gravedad y que accedes a lugares que en el ámbito natural serían imposibles. Los aviones pueden representar iglesias o corporaciones. Fíjese si el avión está estacionado en la pista, despegando, ganando altura, dando vueltas, estrellándose o aterrizando. Esto le permitirá saber cómo está encauzando sus esfuerzos.

Aviones acrobáticos: se refiere a poderosos dones proféticos que te capacitan para pasar por encima de cualquier obstáculo; facilidad para obtener el conocimiento de la gloriosa revelación de los reinos celestiales; el cielo es el límite; capacidad de maniobrar mejor que el enemigo.

Aviones: situación repentina o inesperada que surge muy rápidamente de la nada.

Avispa, matar: significa tu intrepidez para rechazar los dolorosos ataques de tus enemigos manteniendo tu ingenio, carácter, integridad, ética y derechos.

Avispa, picadura: simboliza la maldición de un enemigo, el desprecio, la difamación; los celos crecientes y el odio envidioso hacia ti; las relaciones difíciles.

Avispa: simbolizan a las palabras, pensamientos y sentimientos de enojo; un acontecimiento que pica en la vida.

Avispón: simboliza comentarios calumniosos; problemas y peligros que se avecinan; la ira y el mal genio sacan lo mejor de ti; soñar que te pica un avispón es un indicio de palabras celosas que pican, de actitudes vengativas y despiadadas; guárdate de las palabras divisorias de los chismes en las relaciones; acoso demoníaco u oculto; Éx. 23:28; Dt. 7:20; Js. 24:12. Cuernos: palabras poderosas que pican y hieren; rompe con los enemigos que se agolpan retrasando tu progreso; brujería; enviado por Dios para expulsar al enemigo; aflicción, Is. 7:18.

Ayer: indica que debes dejar de revivir el pasado, lidiar con tus arrepentimientos y aprender a dejar ir. Céntrate en el hoy, el ahora es lo único que se nos promete. El futuro es un regalo que aún no se ha recibido.

Ayuda: representa la combinación de tus esfuerzos, talentos o energías para lograr un objetivo común; la voluntad de unir tus creencias para un bien mayor, servir a los propios enemigos y amigos cuando se presenta la necesidad. Si estás luchando o pidiendo ayuda, entonces te sientes perdido, desesperado, insuficiente o agobiado.

Ayudante: soñar que se es un asistente profesional indica que se tiene la capacidad de estar al lado, cerca, al lado de o con otros para ayudarlos a avanzar; similar a, complementar a alguien, o ser un asistente de una persona principal. Ver en tus sueños a un oficial administrativo que asiste a su superior, indica que tendrás la claridad y autoridad necesaria para crecer, ya que te complementas adecuadamente con los que están al mando de una situación.

Ayudar: llamado a prestar ayuda, socorro o asistencia para favorecer el progreso o el avance de alguien, para cambiar, rectificar o evitar una mala situación.

Ayuno: un tiempo de negación o limpieza de los deseos carnales y de procurar aspiraciones espirituales más altas.

Azabache, piedra: piedra de color negro brillante; verla en tu sueño puede indicar que arrastras muchos pecados no perdonados, envidias, celos y traumas emocionales. El buen funcionamiento de tu hígado y riñones, que son la sede de tus emociones, será afectado si no aseguras el perdón a través de la oración.

Azadón: significa desenterrar la tierra en barbecho; preparar la siembra, el aumento, el crecimiento y la cosecha abundante; volcar; desbrozar.

Azafata: siervo, mensajero, ángel, autoría, dones de ayuda, prepararse para viajar. Sugiere que tienes un nuevo proyecto que estás tratando de sacar adelante; también considera que puedes necesitar viajar para visitar a amigos y familiares.

Azafrán: amor tortuoso o amigo artificial que juega con la mente; la perseverancia traerá una resolución diplomática a los problemas y peleas. Planta con flores púrpuras o blancas con estigmas anaranjados que se utiliza para colorear los alimentos y cocinar como especia o tinturar.

Azahar: fertilidad; California, Florida «Hijo» brilla sobre ti; tu pureza es igual a tu belleza; inocencia; amor eterno; matrimonio; fecundidad.

Azalea: color: la felicidad y la plenitud de la alegría te seguirán. «*Les he dicho esto para que tengan mi alegría y así su alegría sea completa*», Jn.15:11; abundancia, bendiciones, dones y aumento; pasión frágil y fugaz; cuídate por mí; templanza; feminidad.

Azote: Mt. 27:26; un látigo utilizado para castigar, Hch. 22:25-26; Dt. 25:1-3.

Azotes: la autodisciplina es fundamental para mantener a raya el comportamiento inapropiado, no actúes ni reacciones de forma infantil o inmadura, Pr. 13:24.

Azúcar: puede que necesites hacerte un examen para comprobar cómo están tus volares químicos sanguíneos; las palabras dulces, reconfortantes y agradables traerán la alabanza de los amigos, Ro. 14:7.

Azufre: presencia demoníaca. Ver fuego y azufre en un sueño es una expresión de la ira de Dios derramada en forma de juicio para producir arrepentimiento y salvación. El azufre también representa la destrucción, la devastación y la tragedia. Significa que debes enderezarte y hacer las paces con Dios.

Azul - la clave musical de G: el color azul ministra sanación a la garganta; base del cráneo; parte superior de los pulmones; de la mitad del vientre hacia arriba; ayudas; fiebre; eczema; incontinencia.

Azul celeste: las revelaciones del cielo te permitirán ascender por encima de los demás.

Azul claro: desarrollo inmaduro del don espiritual de una persona; espíritu del hombre; espíritu maligno; corrupción.

Azul marino: un don espiritual maduro; autodisciplina, seguir una estructura u orden específico, vestirse de azul, un gran aspecto profesional hecho a la medida, un traje de poder femenino, la prosperidad te llegará a través de muchas personas diferentes.

Azul oscuro: los ricos matices azules oscuros en un sueño indican un crecimiento o madurez espiritual, una nueva profundidad en una tranquilidad pacífica que le permite recibir más conocimientos de revelación y dones de sanidad. Alternativamente, puede ser una advertencia de que una profunda y oscura depresión se avecina en el horizonte.

Azul real: un don revelador muy maduro, unción curativa o manto del cielo. «*Pero ustedes son linaje escogido, real sacerdocio, nación santa, pueblo que pertenece a Dios, para que proclamen las obras maravillosas de aquel que los llamó de las tinieblas a su luz admirable*», 1 Pe. 2:9. Estás desarrollando tu gracia espiritual, autoridad y poder, fuerza, como embajador de Cristo. Por otro lado, puedes estar actuando como un rey o de manera dominante, desordenando u ordenándole a otros que hagan tu voluntad. Jesús dijo: «*mas no así vosotros, sino sea el mayor entre vosotros como el más joven, y el que dirige, como el que sirve*», Lc. 22:26. Investiga a la persona de la realeza en tu sueño.

Azul: el color representa a un niño; el Espíritu del

Poder, Is. 11: 2; la fe; la comunión espiritual con Dios; el profeta; la Palabra de Dios; la gracia; la revelación divina; el cielo; lo espiritual; la visitación; el Espíritu Santo; las bendiciones; la sanidad; la buena voluntad; la vida; lo mortal; los mares; los cielos; la paz; la unidad; la armonía; la tranquilidad; la calma; la frialdad; la confianza; el agua; el hielo; la lealtad; el «azul verdadero»; la dependencia; el invierno; la depresión; la tristeza; la ansiedad; el aislamiento; el sentimiento de tristeza; la desesperanza; la frialdad; el idealismo. Éx. 25: 4; 26:1,4; 39:22; 1 Cor. 15:47; Nm. 15:38; Jn. 14:26; Ez. 1:26; 10:1.

B

Baal: principal ídolo o deidad masculina de los fenicios y cananeos; Astarot era su principal deidad femenina. A él se ofrecían sacrificios humanos. Jer. 19:5; 1 Cr. 4:33, 5:5;1 Cr. 8:30, 9:36.

Babear: sentirse tonto, poco inteligente o avergonzado por alguna situación o intentar encubrir lo que realmente eres actuando como un tonto.

Babel: torre de Babel, Gén. 11:45; parte del dominio de Nimrod en Sinar, Gén. 10:10, 11:9.

Babilonia, caída: Ver una Babilonia caída representa la confusión religiosa y un espíritu político en funcionamiento que destruye y derriba. Gén. 11: 1-10; Apo. 18:2.

Babilonia: antigua ciudad conocida por sus lujos mundanos, origen de las naciones; cautiverio hacia un sistema mundano, pecado, depravación, búsqueda de placer, forma de vida inmoral; confusión de lenguas. Gén. 11:1-9; Apo. 17 y 18; la ira de Dios se derrama sobre la falsa iglesia, el pecado, la rebeldía, la seducción y la prostitución. Is. 36:19; 2 Re. 17:24; Apo. 14:8; 16:19; Roma pagana, 1 Pe. 5:13.

Babirusa: cerdo salvaje de las Indias Orientales con un colmillo grande, largo, afilado y curvado hacia arriba; persona prepotente y odiosa que utiliza las palabras para devorar a cualquiera que se encuentre en su camino.

Babosa: una persona perezosa que permite que la carne o la naturaleza carnal la gobierne. Una advertencia de que alguien te va a babear o constreñir con gran fuerza haciéndote resbalar y perder el equilibrio; aplica la sal de la palabra de Dios y la luz hará que se sequen y los carcoma.

Baca: llanto; un valle cerca de Jerusalén, Sal 84:6.

Bache: considere el término «los baches de la vida»; al toparse con un bache en el camino, uno puede experimentar un ligero retroceso o un pequeño obstáculo que trata de impedir o frenar

el avance; siga avanzando y tu camino, eventualmente, se allanará. Un obstáculo, una trampa de carácter o una trampa puesta por el enemigo para impedir tu progreso o tu llamado. Ora para que te confirmen que tu vida está en el camino correcto, Pr. 10:9.

Backgammon (relativo al juego de mesa): Una visita, una llamada o un pretendiente molestos y no solicitados harán acto de presencia; definir los movimientos de la vida de uno por el lanzamiento de los dados o el azar resultará en apostar por una mala cita respecto a una relación amorosa; comprometerse con el tipo de personas equivocadas resultará en mala suerte, infortunio, adversidad o dificultades. Da un paso atrás. Ora para obtener sabiduría y discernimiento antes de seguir adelante con tus actuales y poco sólidas relaciones.

Baco: soñar con Baco, el dios griego de la viticultura, el vino y la juerga, indica que necesita más disciplina en su vida. El espíritu de fiesta no conduce al éxito ni a la prosperidad, sino a la carencia y a la decepción.

Báculo: consuelo, apoyo, vara de medir, carga, autoridad para ayudar en el camino espiritual; bastón de combate (también lo llevaban los pastores); se utiliza para disciplinar o poner a uno a salvo; la madera representa la compasión y la obra de la cruz, y se utiliza para ahuyentar dardos, flechas y golpes, serpientes o al opresor, Sal 23:4; Heb. 11:21; Is. 9:4; 14:5; Éx 12:11.

Bádminton: batear una decisión de un lado a otro; cabeza hueca; librepensador; las emociones suben y bajan; se presentan oportunidades fugaces, se requieren acciones rápidas para tener éxito; mantente alerta, las cosas cambian rápidamente.

Bagatela: ver en un sueño un pequeño adorno vistoso, como una joya o un anillo, o algo que es una mera bagatela, puede indicar que se siente poco valorado por un ser querido, como si sólo se le apreciara como brazo de lata o un adorno para ser visto pero no tomado en serio.

Bagels (relativo a una clase de pan muy común en Norteamérica): Soñar que come bagels indica que le está costando arrancar en una nueva empresa por falta de pericia, que falta una pieza en el engranaje de su vida. Puede que te sientas vuelto trizas o asfixiado en algunas áreas. Es hora de fortificarse y edificarse a través de la oración.

Bahía: se define como una masa de agua parcialmente encerrada por tierra, pero que tiene una amplia boca que le permite acceder al mar. El mar simboliza el vasto océano de la humanidad, las masas, un cuerpo de creyentes parcialmente separado, hinchazón, tiempo agitado o turbulento, confuso, perplejo. Estás siendo llamado a prepararte como evangelista para liberar el poder del Evangelio que el Espíritu Santo te revela.

Bailando, liderando: usted es el que toma el papel asertivo o dominante en la relación.

Bailar con el ex (amigo, amante o cónyuge): estás en paz con la ruptura; estás listo para seguir adelante; es hora de salir de los ritmos pasados y tomar un nuevo camino.

Bailar, claqué: evitar o evadir, es decir, «bailar claqué alrededor de un asunto». Seguir golpeando rítmica o rutinariamente las cosas que la vida te está lanzando; es el momento de pasar a la acción; dar un paso al frente; mover los pies o recibir el ritmo; ritmo del latido de la vida.

Bailar, liderar a la pareja: adoptas el papel de sirviente al seguir su liderazgo en lugar de desarrollar tu propia identidad.

Bailar: libertad de movimiento elegante.

Bailarín, líder: el que lidera tiene el control de la relación; si la mujer lidera, retrocedes, estás siendo demasiado agresivo y asertivo.

Bailarín, niños: los niños que bailan significan un hogar feliz y alegre.

Bailarín: soñar que se es un bailarín o bailarina indica que tus manos y pies han sido entrenados para la guerra. te regocijarás mucho al avanzar hacia un nuevo ritmo de vida.

Bailarina: una mujer llena de gracia, inocencia, fuerza y belleza, el poder de bailar a través de los problemas de la vida sin esfuerzo, altamente entrenado y habilitado para saltar sobre las dificultades en armonía con los demás, para dar en el punto.

Bailarines: pasos ordenados; alabanza, adoración, danza de la alegría, nuevo nivel de libertad de expresión, nueva liberación; luz, corazón alegre, liberación, libertad, equilibrio y armonía, representa el juego, la alegría, el placer, la gracia y la sensualidad. Una pareja de baile indica una estrecha unión o intimidad.

Baile de cuadrilla: un baile cuadrilla es una tradición americana en la que cuatro parejas (ocho bailarines - es el momento de empezar de nuevo), se disponen en un cuadrado, con una pareja en cada lado, mirando al centro del cuadrado. Es un llamado a evitar ser rígido, inflexible y moverse siempre en el mismo patrón, dirección o hábito.

Baile de graduación: un baile semiformal de corbata negra o una reunión de estudiantes de último año de secundaria al final del año indica que has llegado al final de una temporada en tu vida. Estás a punto de graduarte en algo nuevo y emocionante. Este símbolo representa el paso del tiempo.

Baile flamenco: es una forma de música y baile folclórico español de la región de Andalucía, en el sur de España. Incluye cante, toque, baile y palmas.

Baile, asistir: asistir a un baile significa una celebración con otros en el mismo movimiento. Una danza ceremonial o cultural puede indicar la necesidad de adorar físicamente o de expresar agradecimiento por la bendición dada en el «baile de la vida».

Baile, clase: aprender a expresar libremente tu creatividad; aprender a comunicarte o a moverte de una forma nueva; entrar en un nuevo escenario o etapa de la vida.

Baile con la pareja: libertad de expresión en lo que respecta a la intimidad, la sensualidad o los deseos; la relación traerá una nueva emoción y felicidad; movimiento rítmico; frivolidad; la situación le pide que se esfuerce o sea creativo; necesitas desarrollar el arte de la gesticulación; perfecciona tu habilidad para equilibrar los próximos pasos que des para que conduzcan a la armonía.

Baile, mezcla: conmemorar una época feliz de la vida, celebrar a los amigos y a la familia; los pasos que te ha dado la vida han creado un hogar armonioso.

Baile, pista: soltar las inhibiciones de la timidez; expresarse sin restricciones; es hora de liberarse del temor al hombre y de lo que los demás piensen de uno; ser uno mismo.

Baile, recital: has desarrollado las habilidades necesarias para pasar a la siguiente fase de tu vida; da un paso al frente y explora tu individualidad; al ir solo aprendes a expresar tu nuevo yo en público.

Baile: movimiento con pasos rítmicos; expresa alegría, luto o celebración; triunfo; acción de gracias; salida; entusiasmo; soltura; movimientos graciosos; festividad; y actuación. Sal. 30:11; Ec. 3:4.

Bailes de salón: tus ágiles pasos te asegurarán el éxito en cualquier empresa, una mirada optimista resultará productiva si te mantienes al ritmo de los demás, recuerda bailar con tu propia música.

Bajo el agua: ¿estás diezmando? Hay una necesidad de resolver una situación financiera perjudicial. Puede que te sientas perdido, abrumado o que te estés ahogando en un mar de desesperanza; sin recibir la bendición del Señor. ¿Cuáles son tus prioridades en la vida? «*Buscad primero el reino de Dios y su justicia, y todas estas cosas os serán añadidas*», Mt. 6:33. Necesitas sumergirte en la Palabra de Dios para ser cobijado bajo su unción.

Bajo/debajo/subterráneo: sentirse por debajo de las normas sociales; algo que ocultamos; reprimido; deprimido; preocupado; «el desvalido»; «mirar a los demás por encima del hombro»; «venirse abajo»; «bajo la influencia»; «bajo la nariz»; «bajo una nube»; «bajo el mostrador»; «bajo el pulgar»; «bajo el sombrero»; «bajo el ala»; «bajo el tiempo»; viaje para descubrir nuestras profundidades inconscientes.

Bajo: venir con un espíritu humilde o contrito, bajo, humillación, humildad, alguien está por debajo o sometido a ti o a otros, sentimientos de orgullo o superioridad.

Bajón: las cosas están decayendo o se mueven en la dirección equivocada, humillación, abatimiento, restricción, sensación de «abatimiento» o depresión, «ir a la baja». Retroceder; alejarse; Gén. 12:10; 13:1; Is. 14: 12-13; Js. 1:3,5; Lc. 10: 15, 30; Apo. 5:8.

Bala: agresión, palabras violentas que desean herir, matar o destruir a una persona, esperma de un pene que produce fecundidad, algo que da en la diana o en el blanco. Is. 54:17.

Balaam: significa Señor del pueblo y vaso de Dios, Nm. 23:8.

Balada: oír una balada leída o cantada en un sueño indica un nuevo romance.

Balance: En contabilidad financiera, un balance es una «fotografía de la situación financiera de una empresa» que muestra un balance resumido en el que se enumeran los fondos propios, los activos (cuentas por cobrar, propiedades, plantas y equipos) y los pasivos (cuentas por pagar y bonos a largo plazo) de una empresa unipersonal, una sociedad comercial, una corporación u otra organización empresarial. El balance se aplica a un único momento del año natural de una empresa. Soñar con un balance indica que se está mostrando un registro de lo que tiene una empresa y cómo ha llegado a tenerlo.

Balanceo: representa los altibajos de la vida; alude al estar fluyendo en paz; si te columpias en lo alto significa que estás tomando riesgos innecesarios. «*Lejos de la gente se balancea en el aire*», Jb. 28:4. Verse balanceándose de un lado a otro en un sueño puede indicar falta de decisión, vacilación o indecisión. Actuar con doble ánimo o cambiar de opinión una y otra vez, indica in-

madurez o una necesidad de ser reconfortado y asegurado.

Balancín: ver el movimiento de vaivén en un sueño indica confusión, doblez e incapacidad para tomar decisiones acertadas; si estás saliendo con alguien con estas características, la relación no durará.

Balandros: disfrutas de las cosas más finas de la vida; estás llamado a tocar e impactar en las altas esferas de los que mueven los hilos navegando y navegando entre la élite, los ricos y los famosos; utiliza tu presencia, tu nivel actual de influencia y tu posición actual sabiamente.

Balanza: sopesar una decisión para determinar el camino justo y adecuado. Pesar en la balanza de la justicia, juzgar, discernir entre lo correcto de lo incorrecto, inclinar las cosas a favor de uno, que las falsedades queden expuestas por la verdad, sopesar lo que se debe; juego limpio o tratar de encontrar el equilibrio.

Balanzas: ver una balanza o báscula en su sueño representa la escasez o la justicia honesta que se mide o pesa. Jb. 31:6; Apo. 6:5; Pr. 11:1; 16:11.

Balas: palabras odiosas llenas de enojo y agresividad; por lo general, provienen de una fuente poderosa y viajan a grandes distancias a una velocidad asombrosa; su objetivo es eliminarte. Soñar con balas indica que debes cuidar tus palabras y tus acciones; persevera, se avecinan grandes dificultades si te disparan.

Balaustrada: ver una barandilla y la hilera de postes que la sostienen, a lo largo del borde de una escalera indica que estás subiendo la escalera del éxito. La promoción está al alcance de la mano, da un paso a la vez y llegarás con seguridad.

Balcón: ser llevado al límite, el éxito o el fracaso depende de la obtención de sabiduría y de la toma de decisiones correctas.

Balde: algo que carece de valor o significado para ti cuando se compara con algo que aprecias; palideces al compararte. Las cosas necesarias para la vida [el agua] se llevan en un balde a través de largas distancias; es posible que tengas dificultades para satisfacer las necesidades básicas de la vida. Busca la sabiduría para tomar una nueva dirección.

Baldosas: ver cómo se coloca un nuevo suelo indica que tu camino actual se allanará con un poco más de esfuerzo; si la baldosa está rota, protégete contra la caída en pedazos cuando las relaciones choquen con un lugar rocoso.

Ballena: se sumerge en las cosas profundas de Dios; gran cazador; influencia protectora a su alrededor; consume grandes cantidades de alimento espiritual; juicio; priva a los demás, pero nunca se contenta; se suicida socialmente encallando, Gén. 1:21; grandes monstruos marinos; Jonás fue tragado por un gran pez, probablemente un tiburón ballena que alcanzaba un tamaño enorme; Jon. 1:17; Mt. 12:40.

Ballet: gracia; procesión de movimientos; técnica forense elaborada; teatral; transmisión de una historia, tema o atmósfera; composición musical; compañía de teatro. Espera que la gracia entre en las situaciones de tu vida; aprende a ensanchar tus límites; un mayor nivel de aplomo, postura y una fuerte estatura te permitirán una nueva etapa de equilibrio mientras aprendes a llevarte bien con los demás; a inclinarte, fluir y cooperar con los demás en armonía.

Balón de playa: diversión en tierra y mar, expresiones coloridas del Espíritu, fácil de maniobrar o llevar, lleno de aire caliente, el ego colorido de uno puede necesitar desinflarse.

Balón red: el *netball* o balón red es un deporte de pelota (versión del baloncesto) que dura 60 minutos, jugado por dos equipos de siete jugadores (normalmente mujeres) que intentan marcar goles pasando el balón a un miembro del equipo o tirando a puerta cada tres segundos en una pista rectangular. A los jugadores se les asignan posiciones específicas, que definen sus funciones dentro del equipo y restringen su movimiento a determinadas zonas de la cancha. Soñar que juegas al netball (balón red) indica que tendrás un corto espacio de tiempo para avanzar y prosperar. El trabajo en equipo con especialistas en su área de especialización y la confianza son importantes para lograr tus objetivos en la vida.

Balón desinflado: necesitas descanso y oración para recargarte.

Balón, juego: jugar un partido de pelota indica una noticia feliz o una ocasión social con interacción amistosa.

Baloncesto, tiro de falta: Estar atento a las personas que te rodean.

Baloncesto: trabajo cooperativo en equipo; pedir ayuda a fin de llevar un objetivo común a buen término. Planifica estratégicamente tu enfoque; céntrate en conseguir el apoyo de los demás; estás en medio de la cancha en el proceso. Un hoyo en uno, dar en el blanco, anotar un tiro largo, hacer lanzamiento a canasta, tirar al aro, hacer tu mejor tiro, una oportunidad deportiva, ganar contra todo pronóstico.

Balonmano: una volea o temporada de negociaciones de ida y vuelta terminará contigo como vencedor si tiene éxito en el saque de la pelota hacia el campo.

Balsa: a la deriva; sin dirección; sin rumbo; sin poder, 1 Re. 9:26-28; Ez. 30:9; Hch. 27:1-2; Mt. 8:23-27; la vida no está construida sobre una base firme; se necesitan muchos cambios; mucho trabajo por delante; flotando en una balsa: a la deriva por la vida, sin dirección ni planes para el futuro; confundido sobre tu propósito, destino o dirección en la vida; balsa de aguas bravas: tiempos turbulentos, Sal. 65:7. Flotar a lo largo del río de la vida siguiendo la corriente; entrar en el movimiento de Dios y seguir su dirección; una estructura flotante nivelada o una embarcación de agua típicamente hecha de troncos, tablones o barriles, utilizada para el transporte o como una plataforma para los nadadores, una balsa de vida; transportar o viajar en una balsa, una gran cantidad o colección, una balsa de problemas.

Bálsamo: aplicar un ungüento o un bálsamo curativo indica que se necesita un alivio de los dolores, tensiones o agonías de la vida, Jer. 8:22; 46:1.

Bambú: crecimiento espiritual rápido o acelerado, vara de disciplina correctiva, caña utilizada para pescar, llamada a la evangelización, filosofía hueca, utilizada para torturar a las víctimas.

Banana Split (postre): mantener una disposición suave y dulce en el trato con los demás para construir y mantener las amistades para que no se separen de su compañía.

Banca: estar al margen, sin tomar parte activa en la vida; parte de un equipo, pero sin participar; en reposo.

Bancarrota: advertencia de que es necesario reunir más información antes de tomar decisiones; la falta de estrategia y de planificación adecuada acabará en pérdida o fracaso. Gál. 4:9; Sal. 94:11.

Banco de parque: sentarse solo en un banco de parque indica que te sientes aislado y solo. Necesitas levantarte y hacer algo positivo o productivo; deja de sentarte a esperar que ocurra algo maravilloso. Si estás sentado con otra persona representa que quieres pertenecer o encajar. Tienes el deseo de ser amado de una manera romántica o estás buscando una relación de compañerismo.

Banco, depósitos: largas colas haciendo depósitos: representa aumento, prosperidad y negocios rentables con mucho favor.

Banco vacío: nadie hace depósitos: temporada de negocios lenta; falta de favor; representa pérdidas.

Banco: acumular dinero o cupo crediticio: aumento de la fortuna y del honor. Recursos espirituales, financieros, emocionales y mentales; poder o confianza social; favor acumulado; capacidad de hacer depósitos y retiros; salvaguardado; seguro; protegido.

Banda de música: eres disciplinado, trabajas en equipo y puedes trabajar en armonía con los demás por una causa común; marchar a un ritmo diferente te hará destacar de forma disfuncional, metales tradicionales, maderas y percusión, músicos instrumentales que actúan al aire libre con el propósito de entretener, ejercitarse y a veces en competición; las bandas de música se clasifican generalmente por función, tamaño, edad, género y por el estilo de espectáculo de campo que realizan.

Bandana: los franceses la llaman couvre-chef, que significa cubrir la cabeza. Este trozo de tela triangular o cuadrado se ata alrededor de la cabeza o el cuello para que sirva de protección contra los elementos meteorológicos o con fines decorativos. El cubrecabeza es muy popular en los círculos religiosos entre los cristianos ortodoxos y las mujeres judías, amish y musulmanas. Puede representar el legalismo y la esclavitud religiosa.

Bandeja de hielo: una transformación que tiene lugar, los sentimientos de excesiva flexibilidad se están volviendo fríos y duros, indiferentes.

Bandeja: llevar una bandeja para servir en un sueño indica que tienes los dones de la ayuda y la hospitalidad, eres un anfitrión nato; disfrutas atendiendo a tus invitados, familiares y amigos. Servido durante un festín o banquete abundante con amigos o enemigos. El don de la hospitalidad ayuda o servidumbre; bendiciones y aumento más que suficiente, ver una cabeza en una bandeja indica que alguien está afuera para decapitarte y servirte como cena. El símbolo de la hipocresía, secundaria o marginal, Lc. 11:39; Mt. 23:25-26.

Bandera blanca: significa que te estás rindiendo a la voluntad o los deseos de otra persona. Si otra persona agita una bandera blanca: usted tendrá éxito al hacerse cargo de una nueva empresa.

Bandera o anuncio: amor, Cnt. 2:4; protección, celebración, identificación de individuos, ejércitos o naciones, rendición; regocijo en Dios, Sal. 20:5; Is. 13:2.

Banderilla a cuadros: indica un ganador, la finalización de una meta, el éxito y la culminación. Bandera, a media asta: luto, honrar a alguien que has perdido, no poder dejar atrás el pasado.

Bandera, despliegue: ver un despliegue de banderas: representa una aventura o viajar a muchas tierras diferentes; harás muchos nuevos amigos y triunfarás sobre tus enemigos.

Bandera, llevar: verte a ti o a otra persona llevando una bandera: indica que serás honrado por tomar la delantera en una empresa o causa significativa.

Bandera nacional: significa lealtad, lealtad, paz, prosperidad, sentimientos de patriotismo, deber a la patria o propósito o causa unida, cuestión política; una bandera de otra nación: cuestiones mundanas.

Bandera ondeando: es una señal de socorro o advertencia para evitar una situación, hay una preocupación que pesa en tu mente.

Bandera roja: sugiere una advertencia, depravación o peligro, deja de hacer lo que estás haciendo.

Bandera: es un símbolo de protección; un estandarte o una bandera que se levanta en alto, Is. 11:12; 5:26; 18:3; Zc. 9:16; Sal. 74:4. 74:4. Bandera: símbolo que une a las personas bajo un mismo propósito. Bandera sobre un ejército, un club, una nación, una tribu o un estado; si es blanca, la bandera de Dios sobre nosotros es el amor, la cobertura, la insignia, Is. 62:10.

Bandido: alguien pretende robarte alguna de tus ideas creativas y atribuirse el mérito de tu trabajo.

Banjo o banyo (relativo al instrumento musical): se disfrutará de agradables diversiones; se celebrará con la familia y los amigos.

Banquero: un funcionario o dueño de un banco, usted está en un lugar seguro, Dios es su fuente o provisión, maneja grandes sumas de dinero para intercambiar o ahorrar, el favor abrirá muchas puertas de oportunidades o avances; paga intereses sobre depósitos e inversiones, propósitos comerciales o residenciales, suministra préstamos o notas, usted está apostando por algo, el favor está sumando, dando cuenta del favor; usura o soborno; experimentando un revés financiero o dificultades; los problemas de dinero están afectando las relaciones, Lc. 19:23

Banquete: el amor de Jesús, Cnt. 2:4; los grandes preparativos y la planificación traerán éxito y felicidad; Esd. 2:18 para celebrar a los amigos y socios leales; la invitación a una boda se acerca; Mt. 22:1 el Reino de los Cielos es como un banquete; Lc. 14:13 para ser bendecidos; invitó a los pobres, lisiados, cojos y ciegos. Rebosante de bendiciones; riqueza abundante; afluencia; elegancia; lugar de honor; banquete de la Palabra. Preparado o aderezado en presencia de los enemigos Sal. 23:5.

Bañador: eres capaz de moverte muy rápidamente a través de circunstancias de aguas profundas sin obstáculos o canales con gran facilidad y libertad. Tienes la habilidad de sumergirte en las profundidades espirituales; destreza; moverse con rapidez; sin obstáculos.

Bañarse, otros: ver a otros bañándose indica que estás ayudando a otros a perdonar, a liberar la amargura, a experimentar la liberación y la sanación. Arrepentimiento; purificación; limpieza de la propia vida mediante la aplicación de la oración y la Palabra de Dios. Éx. 30:19-21; Sal. 51:2-3.

Bañarse: verse a sí mismo bañándose indica que se está pasando por un proceso de purificación, de limpieza, de desprendimiento de emociones o dolores malsanos; Ef. 5:26; Tt. 3:5; Jn. 3:3-5; se está trabajando en el perdón a sí mismo o a otros, en la sanación y en la liberación.

Bañera de hidromasaje: necesidad de aliviar el estrés o la tensión, escapar, tiempo para relajarse y recuperarse, disfrutar de un contacto estrecho con los demás, evaluar cómo se ha metido en problemas «tener el agua hasta el cuello» y salir de ellos de la mejor manera posible.

Bañera: lavarse o bañarse en una bañera indica que está amaneciendo una nueva temporada en tu vida; vendrá un tiempo refrescante y relajante de renovación con una nueva perspectiva de la vida. Lugar de limpieza, de inmersión en aceites y de relajación para prepararse para el embellecimiento; las cosas sucias negativas se escurren.

Baño de burbujas: tomar un baño de burbujas representa un momento de limpieza, de refresco y máxima relajación para liberar cualquier preocupación o dificultad. También significa liberar cualquier emoción negativa que tengas reprimida en tu interior.

Baño público: no puede ser limpiado o liberado del pecado, necesita localizar un ministerio para liberación y limpieza espiritual, toxinas espirituales por chismes, calumnias o maldiciones.

Baño: verte entrar en un baño público, privado o portátil indica que estás buscando algún tipo de liberación y limpieza espiritual. Necesitas perdonarte a ti mismo y a los demás. Elimina las toxinas a través de la confesión que hace bien al alma y perdona para que las cosas que están contaminando tu espíritu y tu cuerpo puedan ser tiradas por el desagüe. Es hora de limpiar.

Baphomet: el nombre Baphomet es un término que describe un ídolo u otra deidad que los Caballeros Templarios incorporaron a diversas tradiciones ocultas y místicas de las que se les acusaba de adorar. Se ha asociado con una imagen de la «Cabra Sabática» que representa la «suma total del universo», masculino, femenino,

el bien, el mal, la oscuridad y la luz, etc.

Baquetas: ver baquetas en su sueño indica que ha estado marchando a la vida a tu propio ritmo, también considere que alguien puede estar ganándole en tu propio juego.

Bar deportivo: lugar donde la gente va a ver, disfrutar o repasar los deportes con los amigos y la familia. Un bar deportivo puede representar una iglesia activa en la que se adopta el concepto de ministerio de equipo, un negocio o un lugar en el que la gente se reúne para confraternizar.

Bar Mitzvah: soñar que está en una ceremonia de bar mitzvah representa una fase de transición en la que se deja la infancia y se entra en las responsabilidades espirituales, morales, mentales y sociales. Es el momento de crecer y tomarse la vida en serio.

Bar: una forma mundana de entretenimiento; una antigua forma de relacionarse con la sociedad; luchar contra la soledad; la ansiedad; evitar los problemas; la embriaguez, considere la expresión «es hora de subir de nivel», o pasar el «examen», Rom. 13:13; Lc. 21:34; 1 Cor. 6:9-10.

Barandilla: las hábiles instrucciones de la sabiduría de alguien con autoridad producirán un límite protector que te mantendrá seguro y en el camino correcto.

Barba: cortada: si te cortan la barba: el bochorno, la humillación y la vergüenza seguirán, 2 Sa 10:4-5, Jer. 48:37; horrorizado, Esd. 9:3. Despeinada: desaliñada: enfermedad emocional o mental, depresión. Representa la llegada a la madurez, la fuerza, el honor, la autoridad, la sabiduría de la vejez, la madurez, la autoridad y la perspicacia espiritual. Si sueña que tiene barba, pero no la tiene en la vida real, el sueño significa que estás tratando de ocultar tus verdaderos sentimientos, tu fuerza masculina o que está siendo engañoso. La barba representa una actitud o unción individualista que no se preocupa de lo que los demás piensen o digan. Sal. 133:2; Esd. 9:3; Lev. 19:27.

Barbacoa: la comida de barbacoa puede indicar la necesidad de quemar la paja o cualquier otro factor limitante que pueda estar impidiendo que consumas la Palabra que Dios ha preparado específicamente para ti. La necesidad de volver a relajarse y socializar o estar en comunión con otros para compartir el alimento espiritual en un ambiente cómodo y fácil. Una nueva y picante palabra rhema recién salida de la parrilla.

Bárbaros: luchar sin miedo para vencerlos significa un gran éxito; si son capturados: prepárate para algunos contratiempos en los negocios o las relaciones; poco civilizados, Hch. 28:2,4; Rom. 1:14. Soñar que se es un bárbaro indica que necesita usar más gracia y paciencia en lugar de ser tan salvajemente crudo, grosero, cruel e irreflexivo con los demás.

Barbecho: Jer. 4:3; Os. 10:12; apto para cultivar y sembrar.

Barbería: cortar la sabiduría, la fuerza o el poder; cambiar los hábitos, las costumbres o las tradiciones; renovar o limpiar su mente de falsas creencias y opiniones fuertes; vanidad.

Barbero: para los hombres: representa el éxito; para las mujeres menos afluencia de la deseada; quien se gana la vida cortando y acicalando el pelo y la barba, tener cuidado de que la sabiduría no sea eliminada o recortada, limpieza, bien arreglado y con estilo, preparación para los cambios necesarios, alterar el sistema de creencias o la percepción, prestar mucha atención a los pequeños detalles para encontrar la raíz del problema.

Barbijo: los cubrebocas o barbijos son dispositivos de protección o cobertura que puede disfrazar lo real o intenta convertirte en otra persona. Puede que sientas que no eres adecuado tal y como eres. O puede que intentes ocultar algún aspecto de ti que no te gusta. Lo mejor es quitarse la máscara y dejar que la gente disfrute de tu verdadero yo. No hay que esconderse más.

Barca, remo: ministerio de oración ferviente; progreso lento y laborioso; ministerio que hace las obras de los hombres en su carne o en sus propias fuerzas; Mt. 13:2, una plataforma para el ministerio; Mt. 14:13-14, 22, 29 Pedro caminó sobre el agua, 32 el viento se detuvo, 33 los discípulos adoraron a Jesús; Jn. 21:6, 8 una gran cosecha de almas tan grande que requerirá que otros ayuden en su discipulado.

Barcaza moviéndose río arriba: necesitas reabastecer tu barcaza y a ti mismo espiritualmente.

Barcaza: la iglesia en el movimiento de Dios impacta lentamente a la gente. Si está totalmente cargada tendrá las fuentes necesarias para tener éxito en los negocios, si está vacía no se endeude ni tome decisiones precipitadas, no es el momento adecuado para avanzar.

Barco de aire: necesita un viento espiritual de re-enfriamiento; ver un barco de aire en su sueño indica que se siente empantanado.

Barco de crucero: tiempo de exploración, celebración, diversión y relajación con la familia y los amigos, el viaje a través de la vida y cómo nos encontramos con las experiencias accidentadas y suaves; juego de palabras: «cruzar» a través de las situaciones en tu vida con facilidad

y poco esfuerzo o estar «atravesar una dificultad»; iglesia, negocios, entretenimiento familiar, actividades bien planificadas, luna de miel, buena comida y entornos agradables para llegar a diferentes puertos de escala.

Barco naval: guerra espiritual, moviéndose en el Espíritu Santo para tocar a las masas a través de la adoración, la oración, el ministerio y las declaraciones ungidas.

Barco que se hunde: quiebra de una gran iglesia, organización o corporación; fracaso moral de un líder nacional; 1 Tm. 1:19.

Barco de batalla: construido para una guerra espiritual efectiva, llamado a impactar las naciones y las islas del mar; una iglesia involucrada en la «adoración» (juego de palabras barco de guerra) y la alabanza; una capacidad para defender a los débiles y rescata a las personas en necesidad.

Barco carguero: representa a una iglesia grande con mentalidad misionera; por su longitud puede indicar que se está preparando para afrontar o abordar sus emociones volátiles y sentimientos de ira que ha reprimido o ignorado durante mucho tiempo.

Barco de carrera: estás tratando de salir adelante; tómate el tiempo para lidiar con tus altibajos emocionales; no dejes que las olas de la vida te hagan hundirte en la depresión; cabalga sobre la cresta de las olas; corta cualquier dificultad con velocidad y precisión; no digas ni hagas nada imprudente.

Barco tipo goleta: persona de gran influencia por su equilibrio y rapidez en la toma de decisiones sabias.

Barco pirata: Satanás; el ladrón no viene sino a matar, robar y destruir, Jn. 10:10; una advertencia para revisar los libros de sus compañías alguien dentro de la empresa está robando.

Barco poderoso: moverse increíblemente rápido, persona que progresa rápidamente; un ministerio pequeño y poderoso; dones de poder.

Barco remolcador: ministerio de ayuda que está llamado a asistir a organizaciones más grandes; una persona poderosa que da dirección y apoyo.

Barco en el río: una iglesia que fluye en el mover de Dios impactando lentamente a la gente manteniendo un perfil bajo; cubre un largo camino. El río de la vida: *«Luego el ángel me mostró un río de agua de vida, claro como el cristal, que salía del trono de Dios y del Cordero»*, Apo. 22:1-2.

Barco transatlántico: una iglesia muy grande con mentalidad misionera que impacta en una gran corporación o en un grupo de personas que se alinean para iniciar un gran movimiento.

Barco, vela: libertad para ir donde sople el viento; un ministerio o corporación totalmente dependiente del viento del Espíritu.

Barco, velocidad: persona que se lanza a la estela o a la vanguardia de algo nuevo; su capacidad para tomar decisiones rápidas arrastra a los demás en un viaje estimulante; opera con una gran potencia emotiva que suele durar poco.

Barco, yate: persona prestigiosa y elegante que tiene gran influencia y viaja con estilo; su mayor placer es seguir el viento del Espíritu Santo mientras ayuda a otros a obtener sabiduría.

Barco: ministerio individual. 1 Re. 9:26-28; Ez. 30:9; Hch. 27:1-2; Sal. 48:7; Mt. 8:23-27, 14:29; 24:38; Lc. 5:4; Sal. 74:13-14; Pr. 31:14; Sal.18:10, 48:7; proyecto o resultado favorable si se está en aguas tranquilas, si se trata de aguas turbulentas se necesitan cambios inmediatos para salir bien; uno equilibra bien sus emociones y expresiones; fíjese en el estado de las aguas: tranquilas: navegación suave, o confrontación violenta; claras, buena visión o claridad, o turbias, confusión; saltar de la barca: uno está rescatando o saltando a una situación con ambos pies. Ver un barco indica gran influencia espiritual, aumento de los beneficios o mejoras en los negocios o las empresas mineras; ver una flota de barcos: éxito y prosperidad asegurados; considera siempre lo que te dicen las condiciones meteorológicas a través de los vientos y el agua. Surgen expectativas emocionales; sentimientos de conexión; las grandes ideas flotan en la cabeza; éxito, «tu barco está llegando». Las situaciones complicadas se resolverán para tu beneficio, un minisitio, un negocio, una corporación o una iglesia que fluye, 1 Re. 9:26-28; Ez 30:9; Hch. 27:1-2, 17, 37; Sal. 48:7; 18:10; Sal 74:13-14; Mt. 8:23-27, 24:38; Lc 5:4; Pr. 31:14; Mc. 6:48; Lc. 8:23.

Barman: depende de la relación con el alcohol o de las creencias sobre el mismo; una forma frecuente, social o de abstenerse de beber; soledad o deseo de tener amigos y compañerismo; querer escapar de la vida diaria o de las responsabilidades; «excluirse» de una relación necesaria.

Barnizar: tratar de disimular o encubrir un error o una imperfección, rascar apenas la superficie.

Barómetro: indica la cantidad de presión a la que está sometida una persona; determina la elevación o predice el nivel de autoridad y promoción que alcanzará esa persona.

Barón: ver a un inquilino feudal con su derecho y título otorgado directamente por un monarca o por un señor o noble indica una oportunidad de asociarse con una persona de gran riqueza, poder e influencia, o de convertirse en un barón de la industria por derecho propio.

Barra de caramelo: busca una recompensa por un trabajo o una ayuda que has ofrecido; el caramelo representa el exceso de indulgencia, la búsqueda de placeres y la falta de disciplina.

Barra de chocolate: grandes bateadores de jonrones que cambian y revolucionan el juego; saben cómo cascar o abrir las nueces para obtener el dulce azúcar de la bondad y extraer la exquisita carnosidad que llevan dentro.

Barra de pesas: una pieza pesada de equipo de ejercicio que se utiliza en el entrenamiento con pesas, el levantamiento de pesas y el levantamiento de potencia. Disciplínate para la piedad; porque la disciplina corporal es de poco provecho, pero la piedad es provechosa para todas las cosas, ya que es prometedora para la vida presente y también para la venidera 1 Tm. 4:7-9. Despojémonos de todo peso y del pecado que nos asedia, y corramos con paciencia la carrera que tenemos por delante. Heb. 12:1.

Barracuda: persona voraz, que muerde la espalda; utiliza palabras afiladas y punzantes para infligir dolor y devorar a sus víctimas.

Barranco: ver en un sueño un valle o barranco profundo y estrecho, formado por agua corriente, indica que la presencia de Dios cobijará tus emociones. Su Palabra que lava, sana, protege y hace nuevo está en el proceso de llevarte a un lugar profundo de conocimiento de revelación de entendimiento. Jesús es la Roca y un cimiento firme para que puedas esconderte en Él de las tormentas de la vida.

Barras de hierro: verse a sí mismo entre barras de hierro indica que has caído preso en tus propias palabras, así como en tus acciones o la falta de acciones apropiadas; estar atrapado o enredado por medio de argumentos.

Barras de refuerzo: soñar con barras de refuerzo (abreviatura de barra de alambres de malla de acero de refuerzo), utilizadas como dispositivo de tensión en estructuras de hormigón y mampostería reforzadas para mantener el hormigón en compresión. La superficie de las barras de refuerzo suele tener un patrón para formar una mejor unión con el hormigón. Soñar con una barra de refuerzo indica que necesita cambiar algunos rasgos de carácter o hábitos para mantenerse firme, o sentar una base más sólida sobre la que construir un futuro próspero.

Barrena: pequeña herramienta de mano utilizada para hacer agujeros con un vástago en espiral o punta de tornillo y un mango en forma de cruz. Penetrarás en algunas personas de cascarón duro ganando el favor en los entornos sociales.

Barrer: poner en orden tu casa y tu vida, eliminar el desorden emocional o físico, renovar tu mente y tu actitud con la palabra de Dios; renuncia al negativismo así como al espíritu crítico y centrarte en las cosas más importantes de la vida como Dios, la familia y los amigos; nunca las barras bajo la alfombra ni las ignores.

Barrera de seguridad: barandillas que durante las tormentas impide que los objetos se deslicen.

Barrera: cualquier obstáculo que impida su progreso o su éxito debe ser tratado y eliminado lo antes posible. No descanses hasta que tengas el camino despejado, el pecado, los celos y la falta de perdón son grandes barreras.

Barril, lleno: indica una abundancia de bendiciones financieras, considere el término, «rebozar de alegría» «estar hasta el copete».

Barril, vacío: necesitas encontrar un lugar donde esconderte de las oficinas y agencias de cobro, es hora de pagar lo que se debe, has llegado al fondo del barril y tus recursos se han agotado. Sal. 10:12; 2 Cr. 14:11. Cántaro: 1 Re. 17:12; 18:33.

Barril: si está lleno indica que vas a agasajar a tus amigos en una ocasión social, si está vacío: embriaguez, pecado, tienes que vigilar tus finanzas y vivir con un presupuesto para tener lo suficiente y para compartir con los demás, 1 Pe 4:3.

Barrios bajos: espíritu de pobreza; una mirada poco constructiva; pensamientos deteriorados; ideales que se desmoronan, falta de autoestima, autocompasión, pensamiento pesimista; una pobre imagen de sí mismo; una pobre ética de trabajo.

Barro: sugiere que estás involucrado en un conflicto sucio, manchado de pecado, involucrado en una situación desordenada o atascado en un estado de vida reincidente donde se necesita limpieza espiritual y arrepentimiento, Is. 57:20; Sal. 1:18. Si usted está tratando de caminar a través del lodo indica una relación difícil o lenta con muchos problemas desconsoladores. Si tu ropa está cubierta de lodo, tu reputación ha sido ensuciada o atacada por muchas acusaciones. Tus cimientos se hunden sin una plataforma firme. El hombre fue creado del barro, por lo que podría representar la creatividad dependiendo del contexto del sueño.

Baruc: bendito; judío que reconstruyó parte de la muralla de Jerusalén; Neh. 3:20; 10:6; empleado del profeta, Jer. 32:12; 43:6,7.

Base: humilde y de poca monta; 1 Cor. 1:28.

Basilisco: un antiguo espíritu demoníaco letal de una serpiente; dragón, Satanás o terrorista que está en contra de los propósitos de Dios en la tierra, ojos hipnóticos que ciegan a su víctima; los egipcios adoraban a la serpiente basilisco disponiéndolas en las cabezas de sus dioses; 3-24 de julio, 9 de Av, eventos catastróficos; oración elevada y precaución en la guerra espiritual; Is. 59: 5; Pr. 23:32; Jer. 8:17; Sal. 91:13 el arrepentimiento vence al espíritu, estamos llamados a caminar sobre él.

Bastardo: sentir que uno no pertenece; problemas de rechazo o abandono; dar amor para recibir amor.

Bastón de caramelo: un caramelo en forma de bastón con rayas rojas y blancas o con sabor a menta y que se asocia a menudo con la época navideña, así como con el día de San Nicolás. Soñar que recibes esta golosina puede indicar que necesitas darle sabor a tus celebraciones navideñas, reafirmando que la sangre de Jesús nos limpia del pecado, salva, sana y libera.

Bastoncillo: aprende a mantenerte unido para salir de una situación «engorrosa»; únete a otros para que tanto tú como tus creencias puedan ser «defendidas»; un instrumento de escritura primitivo; los palos y las piedras pueden romper mis huesos.

Bastones: ayudan a facilitar el equilibrio mientras se camina o se atraviesan arroyos, pantanos u otros terrenos accidentados, un arma ofensiva o defensiva que se utiliza para ocultar un cuchillo o una espada como en un bastón de espadas, puede ser una muleta si el soñador es discapacitado, viene en muchas formas y tamaños, y puede ser buscado por los coleccionistas, también se conoce como bastones de trekking, bastón de peregrino, bastones de senderismo o bastones de excursionismo, son utilizados por los excursionistas para una amplia variedad de propósitos: para quitar las telas de araña, o parte de los arbustos espesos o la hierba que ensombrece los caminos; se usa como apoyo cuando se sube una cuesta o como freno cuando se baja; para tantear los obstáculos en el camino; para comprobar la profundidad del barro y los charcos; y como defensa contra los animales salvajes. Moisés utilizó su vara de autoridad para tragar serpientes, guiar a Israel, dividir el Mar Rojo y obtener agua de una roca.

Basura: considera el dicho, «basura entra, basura sale»; eres lo que comes y alimentas tu espíritu; pecado, aflicción, acciones carnales, obras de la carne y perversión, 1 Cor. 4:13; Lam 3:45. Ver basura en un sueño indica que alguien está tratando de llenar tu vida con cosas de poco valor; basura, sandeces que están llena de tonterías. No les des ni siquiera la hora. Guarda tu corazón porque de su abundancia habla la boca. «*¡Generación de víboras! ¿Cómo podéis hablar lo bueno, siendo malos? Porque de la abundancia del corazón habla la boca*», Mt. 12:34. Ver basura tirada en el suelo o productos de desecho tirados indebidamente en tus sueños puede representar pensamientos e ideas que has desechado. Puede que te moleste que alguien esté demandando todo tu tiempo útil y desees desecharlo. Necesitas poner algunos límites, organizarte y eliminar el desorden para priorizar tu vida.

Basurero: elimina la acumulación de falsas doctrinas, errores, imaginaciones vanas, pecados, hechos, pensamientos o enseñanzas odiosas. Hay personas, malos hábitos o sucesos peligrosos de los que tienes que deshacerte antes de que destrocen tu reputación. Mantener viejos temores, frustraciones, amargura y enojo; también puede significar los viejos hábitos, actitudes y creencias pasadas de uno mismo; ministerios, negocios o relaciones destruidas que debían ser, pero que necesitan ser reparada y restauradas a fin de poder comenzar de nuevo; almas perdidas, destrozadas, desperdiciadas, desviadas, corrompidas, vida llena de desorden, sin organización.

Bata de laboratorio: ver o llevar una bata de laboratorio en un sueño simboliza que estás experimentando con nuevas opciones en tu vida. Deseas que las cosas estén limpias y ordenadas. Tu naturaleza defensiva desea sanear o controlar una situación.

Bata, camisón: una temporada de descanso, paz y sueños están sobre ti para producir una temporada fructífera. Estás durmiendo cuando deberías estar orando. Estás lidiando con un espíritu de sueño y rodeado de oscuridad.

Batalla campal: una pelea, discusión o competición en la que todos participan para ganar según sus propias reglas de enfrentamiento.

Batalla naval: ver una batalla naval en un sueño indica que estás luchando por encontrar o establecer orden, disciplina y estructura en tu vida. Si tiene éxito, serás promovido y avanzarás con gran favor hacia una posición más elevada. Estás luchando con sus emociones.

Batalla: oposición abrumadora, odio, rechazo, pecado o prejuicio que viene contra ti; un conflicto importante en la vida real; demasiado comprometido, necesita unas vacaciones, los lados racionales e irracionales de tu vida están en conflicto. 1 Sam. 17:47; Ef. 6:12-13.

Batallar: verse envuelto en una batalla indica que desea dejar atrás lo viejo, recrearse y emerger en algo completamente diferente y nuevo. Estás luchando con algún aspecto de tu personalidad; verte avanzando por una colina, empujando o cargando un gran peso indica que tu fuerza y resistencia están aumentando para asegurar tu éxito. «*Porque nuestra lucha no es contra la carne y la sangre, sino contra los poderes, contra las fuerzas de este mundo de tinieblas, contra las fuerzas espirituales de la maldad en los lugares celestiales*», Ef. 6:12.

Bate de béisbol: tener un bate en la mano indica la capacidad de dar un golpe certero en la vida, un gran estímulo o un impulso masculino; un dicho popular para una mujer mayor «bate viejo»; un símbolo fálico para el pene o el deseo sexual de marcar un jonrón.

Bate: el bate representa una oportunidad que se ofrece, hacer un jonrón, poner la marca, la vara de la corrección, golpear o abusar de alguien con palabras hirientes, golpear.

Bateador: eres un bateador duro cuando te permites estar a la altura de la ocasión, ser responsable, hacer un swing en la vida para anotar un jonrón.

Bateo de base: una combinación de concentración y habilidad te pondrá en base si mantienes la vista en la bola. No hagas un swing a cada oportunidad o prospecto que se te presente. Sea selectivo; sólo ponga su energía en las pelotas u oportunidades que se le presenten. Juega a lo seguro, no permitas que te obliguen a entrar en una situación en la que no se puede ganar. No te columpies cuando la gente te eche para atrás; evita las bolas curvas que te lleguen desde un ángulo equivocado o que intenten darles un giro injusto a las cosas. Cubre tus bases antes de intentar hacer un jonrón.

Batería, pila: si sueñas con una pila de batería entonces necesitas mucha energía y persistencia para realizar todas tus variadas tareas durante el día.

Batería: potencia, fortalece o motiva el negocio o ministerio a través de la oración; si es débil, no hay poder espiritual, Sal. 21:1.

Batido, beber: sugiere que necesitas un tiempo para relajarte y disfrutar de las cosas dulces de la vida.

Batidora: ver una batidora en un sueño indica que te mezclas bien o que te gusta entremezclarte en ambientes públicos; si estás enfadado, significa que puedes volver trizas a la gente con tus palabras y que cortan como las afiladas hojas de una cuchilla giratoria.

Bato (unidad de medida): medida hebrea para líquidos que contenía unos siete galones 1 Re. 7:26; Is. 5:10.

Baúl: lugar para llevar el equipaje, provisiones necesarias o comestibles, transportar el equipaje o el desorden, la basura en su baúl, el pecado oculto, el lugar secreto; cerrado y escondido; el pecado o la alegría secreta; lugar seguro para llevar recursos y provisiones.

Bautismo: agua, fuego, sangre y lenguas; eliminación del viejo hombre; fortalecimiento del carácter; lavado de lo viejo; eliminación del pecado; purificación; concesión de un nombre; recepción de poder. Revestirse de Cristo; cambiar de la naturaleza natural o carnal a la espiritual; recibir poder; experimentar una progresión en los bautismos de agua-fuego-sangre-lenguas; una muerte al yo; una expresión del nuevo hombre.

Bautizar: notificación de la necesidad de arrepentimiento para eliminar el pecado original o ser purificado; recibir un nuevo nombre o un nuevo comienzo, estar totalmente inmerso en una nueva empresa o relación; eliminar las cargas del pasado o la muerte, la sepultura y la resurrección; enterrar al viejo hombre del pecado, la vergüenza y la culpa; significa la conversión o el comienzo de la vida cristiana.

Bautizo: se produce una revitalización y un nuevo comienzo para limpiarte de las viejas formas de pensar y así poder adoptar un nuevo enfoque o comienzo. El bautismo es una ceremonia asociada con el renacer espiritual; bautismo infantil; acción de nombrar; botadura de los barcos; unción de alguien para el encargo del ministerio. Soñar que te bautizan habla de un nuevo comienzo tras una temporada de transformación y mejora personal. Te estás lanzando a un nuevo territorio, apartado como siervo de Dios.

Bayas de saúco: tus labores de siembre y cosecha están llegando a la madurez; sabiduría y consejo; fecundidad; prosperidad; bendiciones; favor; aumento; multiplicación; viajes y placeres.

Bayas: verse creciendo en la vid o siendo cosechado son un signo positivo de una gran cosecha o el aumento de las bendiciones y la prosperidad, sus finanzas se incrementarán a través del esfuerzo, la diligencia y el trabajo duro, soñar que comes bayas indica que serás fructífero y encontrará la comodidad en la vida.

Bayón: mantener a raya los problemas; vacaciones; descanso y relajación.

Bayoneta: ataque frontal con palabras punzantes que cortan y hieren; una espada corta en el extremo de un arma.

Bazar: advertencia de que no hay que malvender o subestimar la propia valía ni logros.

Bazo: órgano visceral compuesto por una pulpa blanca de nódulos linfáticos, y un tejido y una pulpa roja de tejido venoso, funciona como filtro de la sangre y almacena la sangre; sede de las emociones o pasiones; capricho; capricho; melancolía; mal humor.

Bebé que baila: soñar con un bebé que baila indica que los pasos que estás dando hacia el éxito son tan fáciles que incluso un bebé podría seguir tus pasos.

Bebé que crece rápidamente: un nuevo creyente en Cristo madurará y crecerá espiritualmente en un periodo de tiempo muy corto.

Bebé, aliento de (Clase de flor): Ver esta delicada flor blanca representa festividad; felicidad, un espíritu dulce.

Bebé, brazo: no espere mucha fuerza o habilidad en una situación; una sensación de impotencia o inmadurez; inocencia infantil; o actuar de forma infantil. Puede que estés acostumbrado a que te cuiden; así que deja de ser totalmente dependiente de los demás. Ha llegado el momento de salir y desarrollar tus propias fuerzas y habilidades.

Bebé, búho: estás entrando en una temporada nueva de ganar sabiduría, conocimiento y comprensión en la temporada nocturna a través de un don de vidente inmaduro a través de sueños, visiones y trances. Mira para ver más allá de lo natural.

Bebé, camita: fíjate en los colores de las sábanas de la cama del bebé: ¿son rosadas (niña), azules (niño), amarillas o verdes (desconocido o indeciso)? Las camas de bebé indican un deseo de tener hijos o de formar una familia. ¿La cama está vacía? Entonces indica dolor o tristeza por una pérdida o una esperanza o meta no cumplida. Si tú eres el bebé de la cama, tu niño interior necesita atención. Se siente descuidado.

Bebé, cochecito: Sorpresas agradables que serán celebradas por amigos y familiares. Representa el deseo de tener un bebé y una familia cariñosa. Si el cochecito está vacío, puede que necesites romper un espíritu de esterilidad para quedar embarazada. Si estás empujando un cochecito de bebé en tu sueño, Dios puede estar llamándote a respaldar un ministerio para apoyar el crecimiento espiritual y la crianza de niños pequeños o cristianos espiritualmente inmaduros.

Bebé, comida: una incapacidad para digerir la enseñanza fuerte o madura de la Palabra de Dios; un creyente recién nacido que está en la leche de la Palabra o comenzando las enseñanzas fundacionales, 1 Co. 3:2; He 5:14.

Bebé, diente: conocido como diente de leche, necesita crecer y desarrollar más madurez; alimentarse de la leche de la Palabra en lugar de la carne; enseñanzas inmaduras, elementales o infantiles.

Bebé, imagen de: ver la foto de un bebé en su sueño indica la importancia del nacimiento de esta persona. Si el nombre del bebé es conocido, discierne el significado y la escritura asignada a este. Luego ora por el destino y la impartición como lo indica el Espíritu Santo. El bebé podría ser una imagen de un nuevo ministerio, talento, amigo o vocación que Dios está trayendo a tu vida.

Bebé, muñeca: persona joven con un comportamiento tierno, dulce y agradable, que le gusta halagar el aspecto o la inteligencia de alguien.

Bebé, niña: se trata de un don espiritual inmaduro; una niña; una obra o ministerio nuevo que recién comienza.

Bebé, niño: una promesa o un regalo de Dios. El azul bebé es un de tono pálido, y suele ser uno de los colores pastel que usan los bebés varones. El azul bebé representa el nacimiento de un nuevo don curativo, profético o revelador que todavía está en su fase inicial o infantil.

Bebé, pasos: ver a un bebé dando sus primeros pasos: indica que estás dando un paso hacia una nueva aventura empresarial o comenzando una nueva relación, por lo que estás avanzando con cuidado y lentamente.

Bebé, polvo: consuelo calmante y refrescante.

Bebé, ratones: indica que has sido invadido por pequeños pensamientos negativos que te carcomen constantemente royendo tu fibra moral, tu confianza en ti mismo y causándote temor al fracaso y al rechazo.

Bebé, ropita: la ropa de bebé indica que te encuentras en un período de transición en el que rápidamente dejará de ser un niño, con una forma de pensar inmadura y un comportamiento egoísta. Ha llegado el momento de expresarte de una manera más sutil y adulta, en lugar de exigir toda la atención.

Bebé, serpiente: se está formando un mal hábito, una mentira pequeña o blanca, una falsedad, el comienzo de un cuento chino, el inicio de una debilidad generacional, una enfermedad o un malestar.

Bebé: algo nuevo y delicado que se está desarrollando y necesita cuidados, la etapa más temprana de la vida, un menor, un nuevo comienzo o idea que requerirá mucha atención para prosperar y crecer, sorpresas agradables. Recibir la responsabilidad de algo nuevo y delicado que depende totalmente de que lo cuides supliendo todas sus necesidades; nuevo nacimiento; ministerio o negocio en etapa de formación, incipiente; fecundidad; reproducción. Las cosas nuevas requerirán mucha atención; dependiente; sanación milagrosa de la esterilidad; reproducción; ministerio o empresa en su etapa inicial; indefenso; inocente; nuevo; bebé cristiano; nuevo mover de Dios, trabajo o relación; inmadurez; recreación; fecundidad; nuevo pacto, 1 Cor. 3:1; Gén. 21:6. Una mujer casada que sueña con tener un bebé indica felicidad o que está embarazada. Una mujer soltera que sueña que está teniendo un bebé indica que algo nuevo está llegando a su vida que le traerá gran alegría y plenitud.

Bebedor de vino: bebedor inmoderado de vino. Puede ser acusado falsamente, Mt. 11:19.

Beber: el agua, el vino o la leche representan una impartición o refresco espiritual. También es posible que estés deshidratado y necesites beber más agua durante el día para rehidratarse. Beber alcohol indica un dolor oculto, el deseo de escapar de la realidad, el enmascaramiento de los verdaderos sentimientos, la adicción o la fuerte influencia de algo perjudicial o dañino, lo que lleva a un comportamiento destructivo. Beber vino indica una búsqueda de placer, una nueva o antigua enseñanza espiritual que infunde poder divino en el creyente. Estar bajo la influencia del Espíritu Santo; beber profundamente de las cosas de Dios; liberarse de las inhibiciones y del miedo del hombre para acoger y exhibir el movimiento del Espíritu Santo.

Bebés: algo nuevo (trabajo, ministerio, persona inmadura, etc.) está entrando en una etapa de tu vida que requerirá mucho de tu enfoque, tiempo, dinero y atención. La promesa de Dios, una bendición, aumento, fructificación, provisión, respuesta a tu oración dando a luz una cosa nueva, Is. 42:9. Tú o alguien que conoces está en embarazo de un bebé. Nuevas ideas o revelaciones te están siendo añadidas. Persona inmadura (infante) 1 Cor. 3:1; 1 Pe. 2:2.

Bebida: son líquidos preparados específicamente para el consumo humano. El consumo de bebidas, que incluye zumos, refrescos y bebidas gaseosas, forma parte de la cultura de la sociedad humana. Aunque la mayoría de las bebidas contienen algún tipo de agua, esta en sí misma no suele clasificarse como bebida. Una bebida alcohólica es una bebida que contiene alcohol. Las bebidas alcohólicas, como el vino, la cerveza y el licor, han formado parte de la cultura y el desarrollo de la humanidad durante miles de años. Verse bebiendo alguna bebida indica que tu cuerpo está deshidratado o espiritualmente seco y que necesitas la leche de la Palabra.

Bebidas: las bebidas son líquidos específicamente preparados para el consumo humano. El consumo de bebidas, que incluye zumos, refrescos y bebidas cargadas, forma parte de la cultura de la sociedad humana. Aunque la mayoría de las bebidas contienen algún tipo de agua, el agua en sí misma no suele clasificarse como una bebida. Las bebidas alcohólicas, como el vino, la cerveza y los licores, han formado parte de la cultura y el desarrollo humano durante miles de años.

Becerro de oro: puede representar la rebelión y la idolatría, un sacrificio u ofrenda que se da en una celebración pagana. Os. 14:2; Heb. 13:5; Os. 13:2; Gén. 18:7; Éx. 32:4. Las vacas también pueden representar ídolos como el caso del «becerro de oro»; gran pecado, hombres malvados, de cuello duro; actitud rebelde, «vaca sagrada», sacrificio. Algunas culturas adoran a las vacas como algo sagrado, considerándolas un pariente fallecido, una representación de la fertilidad, la maternidad o el sustento.

Bed and Breakfast (servicio de hotel con cama y desayuno): soñar con unas vacaciones o una estancia en un B & B indica que echas de menos los sentimientos cálidos y la estabilidad del hogar. Eres feliz con los simples placeres de la vida cuando tus necesidades básicas están cubiertas.

Begonia: pensamientos profundos; «¡Cuidado! Soy incrédulo, imaginario e impredecible».

Behemot: ver esta gran bestia, Jb. 40:15; soñar con este hipopótamo indica una fuerte advertencia de que el peligro acecha bajo la superficie. Debes estar atento a los sorpresivos ataques de un enemigo que quiere derribarte y devorarte.

Beige: los elementos esenciales de la vida, expresión de estar desnudo o en los «puros huesos», tener una perspectiva imparcial o una posición neutral sobre el asunto en particular.

Béisbol, asistencia: asistir a un partido de béisbol: representa la gratificación, la satisfacción y la tranquilidad. El pasatiempo favorito de Estados Unidos, los perritos calientes y la tarta de manzana; el ocio, la salida con la familia y los amigos.

Béisbol, jugar: ser objetivo cuando se establecen los objetivos para asegurarse de que se pueden alcanzar; utilizar hábilmente el tiempo que se tiene a mano para maximizar el presente, y los futuros objetivos a largo plazo. ¿En qué posición juegas?

Béisbol: potencial para hacer un jonrón, placer y satisfacción, comodidad con una compañía alegre, hacer un strike o fracasar, la vida lanza una bola curva, estás al bate, haz tu mejor tiro, no hagas un swing a cada bola u oportunidad que te lancen, elige con cuidado, no hagas un strike, saca la bola del parque, grand slam, anota, haz un jonrón; analogía sexual para impresionar en una primera cita, segunda, tercera base o anotar un jonrón.

Belcebú: espíritu maligno conocido como el príncipe de los demonios; Mt. 10:25; Mc 3:22; Lc. 11:15.

Belén: «Casa de pan», lugar de nacimiento de Cristo, el pan de la vida. Gén. 35:19; Mi 5:2.

Belleza: el profeta Zacarías nombró uno de los dos pentagramas que simbolizaban la alianza del Señor con la casa de Jacob y la hermandad de Israel y Judá, Zc. 11:7, 10.

Bellota, sostenida: el éxito llega a través de un largo periodo de diligencia y planificación, su vida hará sombra a los demás.

Bellota: una fuerte plantación del Señor, fuerza duradera, no desprecies los pequeños comienzos, gran potencial en un espíritu humilde, no subestimes el poder de Dios, una poderosa fase de la vida, árbol de la justicia; Este es un buen símbolo onírico que indica una gran provisión y éxito en los esfuerzos siempre que se exhiba el carácter y se trate con honestidad a los socios. Considera el término «recto como un roble», debes permanecer en buena posición y crecer en carácter e integridad. «*Serán llamados robles de justicia, plantación del Señor, para que Él sea glorificado*». Is. 61:3; Tardan entre 6 y 24 meses en madurar, son ricos en nutrientes, grandes cantidades de proteínas, minerales, carbohidratos y grasas, calcio, fósforo y potasio, niacina una fuente de energía alimenticia total para una gran variedad de animales del bosque.

Bendición: esta llega cuando escuchas y sigues obedientemente los mandamientos del Señor, Dt. 11:26; todo lo que tu mano toque prosperará. Mc. 14:61.

Benefactor: título de honor otorgado a los reyes, Lc. 22:25.

Benjamín: hijo de la mano derecha; segundo hijo de Raquel, que murió al nacer, lo llamó Benoni: hijo de mi dolor; Jacob cambió su nombre por el de Benjamín, Gén. 35:19; Mi. 5:2; era muy querido. Gén. 42 y 43.

Benny Hinn: famoso ministerio de sanación, programa de televisión, ministro que llena estadios y realiza cruzadas alrededor del mundo, hace milagros entre las multitudes, maestro bíblico ungido, Pastor Benny; si Benny aparece en tus sueños indica que estás procurando un aumento de sanidad en tu vida.

Berenjena: soñar con una cosecha de berenjenas indica que tienes un montón de ideas creativas muy grandes que están creciendo en tu cabeza y en tu espíritu.

Berilo: Zebulón, 1ª piedra de la 4ª fila del pectoral del sacerdote, Éx. 28:20, 39:13, Cnt. 5:14, Ez. 1:16 10:9, color de las ruedas de los querubines, Hombre en Daniel 10:6; Visión, Apo. 21:19-20 ciudades 8º fundamento.

Besar a una persona importante: besar a la persona importante de otra persona: indica que se desea el mismo tipo de relación; los celos, la envidia o la lujuria pueden estar haciendo mella; despierta una pasión malsana; falta de confianza o integridad.

Besar, amigo: Mt. 26:48; Lc. 22:48, traición de Judas; amor; aprecio; adoración; honor; deseo de intimidad o cercanía para compartir abiertamente. Besar, enemigo: traición, venganza; hostilidad o reconciliación y perdón. Besar, extraños: algo nuevo y desconocido está a punto de ser descubierto.

Besar, mano: representa una relación respetuosa; aprecia los servicios prestados.

Besarenttre el mismo género: indica una aceptación o amistad; llegar a un acuerdo; reconocer su valor como persona; sentimientos homosexuales.

Besar, observar: se está desarrollando un vínculo anímico poco saludable; hay demasiada implicación personal; se necesita una relación e identidades separadas.

Beso: expresión de amor y afecto, acuerdo de pacto, saludo respetuoso entre amigos, amantes y familiares; acariciar con los labios; deshacerse o despedir, «besar»; besar para despedirse es resignarse a una pérdida. Ponerse de acuerdo; amigo; consuelo; amor; intimidad; traición de un amigo de confianza, Gén. 27:26.

Besos: denota amor o pasión sexual; afecto, saludo; respeto; tranquilidad, armonía y satisfacción; si estás a punto de besar a alguien y no lo haces: tienes miedo al rechazo; no están seguros de lo que sienten por ti; no estás seguro de ti mismo; «el beso de la muerte»; Jb. 31:27, homenaje; Sal. 85:10, justicia, paz; Pr. 24:26, respuesta sincera; adiós, Gén. 31:28, 1 Re. 19:20; el beso de amor, 1 Pe. 5:14, Cnt. 1:1-2, Sal. 2:12.

Bestia salvaje: soñar con una bestia salvaje puede hacer referencia a la forma en que crees que te tratan las personas si su comportamiento es impropio, grosero o inapropiado. También

puede referirse a la Bella y la Bestia, no juzgues a las personas por su apariencia externa sino por el funcionamiento interno de su corazón.

Bestia: actuar como un animal, llevar una gran carga como una bestia de carga, cabeza de mula, comportamiento desagradable, asno obstinado, naturaleza animalista o bruta, Anticristo. Debes estar al tanto de los problemas que se avecinan, evade la trampa o las personas animalistas lo atraparán con la guardia baja, ahuyentar a la bestia asegura su victoria en una situación desafiante, también considere la historia, «*La Bella y la Bestia*», no juzgues a las personas por sus apariencias externas, más bien mira el corazón. Hombres brutales; cuatro bestias representan los cuatro reinos en Daniel; monarquía egoísta y tiránica; poder mundano; insensato e ignorante ante Dios. Apo. 4:6; 11:7; 13:11; 6:1.

Bestialidad: persona que tiene los modales o las cualidades de un animal bruto, un salvaje, carente de inteligencia, mente reprobada, individuo maldito lleno de rebeldía y pecado sexual grave.

Besuqueo: demostrar un deseo de intimidad; permitir que otros se acerquen; el acto o la práctica de besar o acariciar; experimentar con los propios sentimientos hacia otra persona; volverse accesible; entrar en contacto o acuerdo cercano con un amigo; estar decidido a salirse con la suya en una relación; cuello rígido.

Betel: casa de Dios, visitada por Abraham Gén. 12:8; 13:3; visión de la escalera de Jacob de la tierra al cielo, Gén. 28:11-19; casa de los profetas: 2 Re. 2:2-3.

Bi.Bi.: Apodo de Benjamin Netanyahu; un pequeño objeto redondo parecido a una bala para disparar a objetivos deportivos o matar pequeñas alimañas.

Biblia: libro; las Escrituras; Sagrada Escritura; la santa Palabra de Dios, fuente del conocimiento de la revelación, sabiduría piadosa, renovación de la mente, salvación, sanidad y liberación, alto nivel moral, construcción del carácter, respuestas a los problemas de la vida, el libro de texto de la vida. Habla de la Palabra Viva que es Jesús, la Palabra de Dios está siendo escrita en las tablas de tu corazón. Palabra autoridad, escrita; dirección divina; verdad que se ofrece; pacto; promesas. Heb. 4:12.

Biblioteca: lugar de preparación y estudio, Ec. 12:12; colección de referencias para el aprendizaje y la investigación; conocimiento almacenado para la mente; habilidad en el aprendizaje, escuela, sabiduría terrenal o espiritual, y habilidades reunidas; presenta hechos históricos de las experiencias de la vida de uno.

Bibliotecario: especialista en mantener el orden y en operar sistemas, ayuda a encontrar la información, la sabiduría o la literatura necesarias, estudia para mostrarse aprobado; una institución para la investigación; una facultad de la memoria o el proceso creativo, pensante e intelectual de la mente.

Bíceps: representa confianza o la capacidad de uno para alcanzar sus objetivos trazados.

Bicho asesino: espíritu depredador que asesina a su víctima infligiendo una dolorosa herida a través de la murmuración, la charla maliciosa y la succión de sangre.

Bicho: sugiere que se está molesto, fastidiado, destruido o arruinado; plaga; preocupado, ansioso o temeroso por algo o alguien; ¿qué te está fastidiando?; las frases «no dejes que te piquen los bichos», «picado por el bicho», implican fuertes lazos emocionales o estar implicado en alguna actividad, interés o afición. Sal. 105:31; Dt. 28:42.

Bichos e insectos: representan una pequeña irritación, complicaciones o molestias; una influencia espiritual maligna que te acosa; una atmósfera o ambiente impuro; enfermedad, dolencia; erupciones cutáneas e infecciones; se necesita sanidad o liberación. Una persona desagradable, aborrecible o repugnante que con palabras urticantes te roban la paz y la tranquilidad. Fíjate en su tamaño, color (consulta la carta de colores), acciones, huida o arrastre, ubicación y características.

Bicicleta construida para dos: más de una persona o familia involucrada; aceptas las aportaciones o sugerencias de otros; trabajo en equipo, un jugador de equipo. «*¿Andarán dos juntos, si no estuvieren de acuerdo?*», Am. 3:3.

Bicicleta de carreras: las bicicletas de carretera, por su peso y rigidez, están diseñados para el ciclismo de carretera de competición, un deporte que determina la eficiencia con la que la potencia de los golpes de pedal del ciclista puede ser transferida al tren de transmisión y posteriormente a sus ruedas, las bicicletas de carreras sacrifican la comodidad por la velocidad. Las ruedas delanteras y traseras están muy juntas para que la bicicleta tenga un mejor desempeño. Las relaciones de transmisión están muy espaciadas para que el ciclista pueda pedalear a su cadencia óptima. Las bicicletas de carreras, especialmente las que se utilizan en las contrarrelojes, dan prioridad a la aerodinámica sobre la comodidad.

Bicicleta de empujar: verse pedaleando en esta bicicleta significa que está trabajando muy duro para salir adelante en la vida, pero que no siente que esté avanzando mucho. También es muy difícil llevar a otros contigo en un vehículo tan pequeño que está hecho para sostener a una persona a la vez. Te sientes empujado y solo.

Bicicleta de montaña: el deporte de la bicicleta de montaña requiere bicicletas que incorporen características diseñadas para mejorar la durabilidad y el rendimiento en este deporte fuera de la carretera y en terrenos difíciles que requieren resistencia, fuerza y equilibrio del núcleo, habilidades de manejo de la bicicleta y autosuficiencia. Los ciclistas avanzados practican descensos técnicos pronunciados y, en el caso del estilo libre, el down-hilling (cuesta abajo) y el dirt jumping (saltar de un montículo a otro), maniobras aéreas tanto en elementos naturales como en saltos y rampas especialmente construidos. Son aptas para terrenos escarpados, solucionadoras de problemas, polifacéticas, guerreras, debes estar en forma para montarla; identidad intrépida, domina el terreno, te lleva a lugares a los que no puedes acceder con tu auto; utiliza tu propia fuerza para superarla; es una bicicleta robusta con neumáticos anchos y manillar horizontal, utilizada para montar fuera de la carretera.

Bicicleta de playa: bicicletas elegantes y sencillas, perfectas para pasear por la ciudad o por la playa con la comodidad de la moda; se necesitan unas vacaciones para relajarse y disfrutar del paisaje; las bicicletas de playa están disponibles en todo el mundo.

Bicicleta estática: desgastarse con la actividad, pero sin llegar a ninguna parte, trabajar en vano, el ejercicio corporal de poco aprovecha.

Bicicleta estática: la bicicleta de ejercicio, la bicicleta o la bicicleta estática es un aparato de ejercicio especial con sillín, pedales y algún tipo de manillar dispuestos como en una bicicleta, pero que se utiliza como equipo de ejercicio en lugar de transporte. Es una máquina que se parece a una bicicleta sin ruedas verdaderas, pero también es posible adaptar una bicicleta ordinaria para el ejercicio estacionario colocándola sobre rodillos de bicicleta o un entrenador. Los rodillos y los entrenadores son utilizados a menudo por los ciclistas de competición para calentar antes de las carreras, o para entrenar en sus propias máquinas en lugares interiores.

Bicicleta, caerse: temor al futuro, no querer avanzar.

Bicicleta, difícil: miedo a estar solo; ver una bicicleta significa que debes dedicar tiempo al ocio y a la recreación.

Bicicleta, montar a caballo: vida equilibrada de trabajo, espiritualidad y placer; esforzarse por alcanzar un equilibrio equilibrado en todos los ámbitos, religioso, social y doméstico; tratar de obtener el equilibrio correcto entre el dar y el recibir, obligaciones, responsabilidades y tiempo de ocio; carga ligera y fácil Mt. 11:30.

Bicicleta, montar en tándem (movida por dos personas): ponerse de acuerdo o alinearse con los demás, aceptarse más a sí mismo o a los demás, trabajar en equipo, el esfuerzo conjunto hará que se consiga más en menos tiempo.

Bicicleta: trabajar solo en un ministerio o negocio; impulsado por su propia energía, fuerza y lucha en la carne; tratando de ir sólo con la mano de obra; sin poder llevar a otros con usted todavía. Hch. 17:28 a.

Bidón de gasolina: es un recipiente destinado a transportar gasolina de forma segura a su vehículo. La gasolina representa la energía que alimenta y lubrica el motor cuando se produce la combustión para provocar la aceleración. La gasolina representa al Espíritu Santo y la cantidad de tiempo de oración y compañerismo que pasas con Él. Si no tienes intimidad con Dios, no tendrás combustible o poder para avanzar en la vida. te estancarás y permanecerás en un punto muerto.

Bifocales: mirar dos cosas a la vez, necesidad de estar centrado en una sola cosa para lograr el objetivo deseado, doble mente, ver las cosas desde diferentes perspectivas, vista natural y espiritual.

Bifurcación: llegar a un lugar de decisión como en una «bifurcación del camino»; tomar siempre el camino alto o el camino menos transitado; un utensilio utilizado para alimentarse con buena comida Mt. 25:37; «bifurcarse», ceder al deseo de alguien o pagar una deuda contraída; hablar palabras mentirosas como en «lengua bifurcada».

Bigamia, casado con: cuidado con la deshonestidad, el fraude o el engaño de los más allegados.

Bigamia: el que sueña que comete bigamia representa un proceso de decisión especialmente complicado entre dos opciones.

Bígaro: azul: amistad temprana; desarrollo de dones espirituales; blanco: placeres de la memoria; mirar en otra dirección o guiñar un ojo a una situación.

Bigote bien recortado: representa palabras de sabiduría, conocimiento y comprensión que salen de la boca.

Bigote desaliñado: si está desaliñado, descuidado o sin recortar: podría representar un discurso indisciplinado, grosero o profano; no permitas que crezcan las pequeñas irritaciones.

Bigote falso: un bigote falso indica que no te sientes con suficiente poder como para llevar a cabo la tarea que tienes entre manos, o que temes dar la cara.

Bigote, afeitado: afeitarse el bigote indica que usted o quien se afeita se está sincerando o revelando su verdadera identidad. Estás saliendo a la luz, siendo transparente y vulnerable al comunicar abiertamente tus sentimientos para restablecer una buena reputación.

Bigote de mujer: indica que es hora de depilarse o de visitar a una esteticista para que te practique una electrólisis; tienes el mismo poder y la misma unción que un hombre; o puedes estar actuando de forma verbal agresiva con los que te rodean.

Bigote nuevo: ver crecer nuevos bigotes indica una relación construida con nueva sabiduría.

Bigote: si sueñas que tienes un bigote cuando en realidad no lo tienes, indica que estás tratando de disimular tus palabras; estás ocultando algo o una parte masculina de tu personalidad. Si estás rodeado de personas con bigotes, indica que te siente dominado y no confías en sus palabras.

Bigotes: representan la madurez espiritual o física o la llegada a la edad adulta; «*¡Mirad cuán bueno y cuán delicioso es Habitar los hermanos juntos en armonía! Es como el buen óleo sobre la cabeza, El cual desciende sobre la barba, La barba de Aarón, Y baja hasta el borde de sus vestiduras*», Sal. 133:1-2.

Bikini: cobertura ligera, permite una libertad total, sobreexposición de la carne, posibilidad de exponerse totalmente al Hijo y al sol, revela defectos ocultos, tentación sexy.

Bill Gates: empresario, creó la industria informática de Microsoft, multimillonario, una puerta abierta al reino creativo, inventos, riqueza, fama y fortuna.

Billabong: canal sin salida que se extiende desde la corriente principal de un río, remanso, charco estancado, que sólo se llena durante las estaciones lluviosas.

Billar: riesgo calculado al competir con las habilidades de otros, arriesgarse, alinear las cosas para tener éxito, tener todas fichas alineadas; una acción causará una reacción igual, causa y efecto.

Bisexual: tener órganos sexuales, tanto masculinos como femeninos; sentirse atraído por miembros de ambos sexos; puede indicar frustración sexual, confusión o desorientación; ver ambos géneros como iguales o lo mismo; tener dones, talentos o debilidades que suelen asociarse con el sexo opuesto.

Bitácora: es posible que necesites llevar un registro de tu tiempo o ser un mejor administrador de donde pasas tu tiempo. Entra en tu ordenador o en las conexiones de Internet para obtener información, revelación o comprensión, Lev. 14:10.

Blanco y negro: no hay zonas grises ni medias tintas en ti, un tirador directo, muy decisivo, punto de vista profético, usted está a favor o en contra de mí, no hay línea media.

Blanco: amor; Espíritu del Señor; poder santo; pureza; sin mezcla; luz; rectitud; irreprochable; inocencia; reverencia; nieve; paz; santidad de Dios; Cristo; ángeles; santos; caballo blanco; victoria; limpieza; redimido; sencillez; seguridad; matrimonio; pacto; esterilidad; invierno; frialdad; clínica; entrega; cobardía; temor; falta de imaginación; espíritu religioso; brujería; falsa justicia; luto por budista o hindú. Mc. 9:3; Apo. 3:4-5; 6:2; 7:9; 15:6; 19:8; 20:11.

Blanquear: tapar los pecados, las faltas o los defectos para ocultarlos de la vista de los demás; tratar de engañar o vender bajo falsos pretextos; ayudar a un amigo que lo necesita, pero sin dejarse arrastrar a una situación desagradable.

Blasfemia: reproche irreverente, insultar a Dios.

Blindado: ayudante que llevaba las armas de guerra de sus maestros, Jue. 9:54; 1 Sa. 14:7.

Bloqueo del camino: algo o alguien está tratando de impedirte avanzar; Lam. 3:9; Is. 40:4; tu resistencia sólo servirá para fortalecerte y perfeccionarte para crecer en el futuro; vencerás. Dios te está reorientando hacia un camino más alto que te traerá mayor éxito, Is. 35.

Bloqueo: cerrar el paso a fuerzas hostiles perjudiciales; prever la comunicación abierta; hay que superar grandes obstáculos; alguien que necesita abrirse paso.

Bluebird: representa la revelación y la llegada de noticias de sanación; alegría espiritual; vida feliz; satisfacción; despresurización; Missouri, Nevada; Nueva York; Idaho.

Bluebonnet (lupín): ver la hermosa flor azul de Texas indica que la revelación, la perspicacia, la protección o la sanidad están cubriendo tu mente; primavera en Texas; gorro azul de lana en Escocia.

Blueprint (tipo de producción en papel): ver o recibir orientación y estrategias divinas, instrucciones completas, planes o sabiduría para construir algo nuevo; prestar mucha atención a los pequeños detalles; contar el costo antes de proceder con los planes; crecimiento físico, espiritual o relacional; recibir pensamientos reveladores o curativos, Jer. 29:11-13.

Blusa: ver una capa o túnica de servicio usada por el ejército estadounidense indica que eres un guerrero experto; plenitud; cobertura holgada que aporta protección o admiración.

BMW: conducir este vehículo de alto rendimiento en su sueño indica puro placer de conducir, eficiencia, dinámica deportiva y éxito.

Boa constrictor: espíritu de pitón, adivinación, víctimas de asma u otras afecciones respiratorias, neumonía, bronquitis; adivinación.

Boberías: alguien está haciendo un gran problema por una tontería, cuando es un asunto insignificante. Tienes una vida sencilla con buena salud, amigos sinceros y un negocio modesto.

Boca abajo: eres una persona humilde de espíritu manso o contrito; verte boca abajo en la tierra o en el suelo indica que has tocado fondo; una severa falta de autoestima; complejo de mártir; moralmente tímido o tímida; miedo al hombre; espíritu de rechazo. Deja de permitir que los demás te pisoteen, levanta la cabeza, pon tu esperanza en Cristo.

Boca cerrada: ser de labios apretados puede representar guardar los secretos confidenciales de alguien manteniendo la boca cerrada. Los labios apretados evitan que se hable o se revele demasiado si se trata de guardar secretos u ocultar algo de uno mismo.

Boca de dragón: esta flor representa la presunción; el engaño; la dama graciosa.

Boca de la serpiente: ver un diluvio saliendo de la boca de la serpiente representa la mentira, la propaganda diabólica y los ejércitos de inspiración demoníaca que inundan la tierra, Is 59:19; Apo. 12:15-16.

Boca abierta: si la boca está abierta: capaz de recibir alimento espiritual y físico; masticar palabras de sabiduría o consejo; escuchar más y hablar menos, hambre, maldiciones malignas; palabras airadas; chismes; mordeduras de espalda; calumnias; acusaciones; espíritu homosexual; mandíbula: rebelión; obstinados en sus caminos; tradiciones religiosas; oraciones repetitivas; o maldad, maldiciones; chismes; calumnias, acusaciones; placer sexual para besar, Pr. 2:6; 8:7; Sal. 62:4; 63:5-11; Apo. 19:15.

Boca, fuego: ver salir fuego de la boca representa un juicio ardiente de Dios o la ley que consume. 2 Re. 1:5-12; Dt. 33:2; Apo. 11:5.

Boca: palabras de sabiduría y consejo, conocimiento y entendimiento que construyen tu testimonio y tu mundo; hablar como testigo o testificar, hablar la verdad; palabras ungidas de liberación y salvación; cantar alabanzas; beso sagrado; bendición (Palabra de Dios) presta atención a la condición de la boca; ATM: necesita sanación. La luz violeta de la unción de Dios sana la boca. Cl. 3:8; Ro. 3:14,19; Pr. 2:6; Mt. 4:4; Sal 62:4; 63:5,11; 71:8; 51:5; Ef. 6:19; Apo. 1:16; 19:15-21.

Bocio: ver un agrandamiento crónico y no canceroso de la glándula tiroides en la parte frontal del cuello indica que tu cuerpo tiene una deficiencia de yodo; busca ayuda médica y oración espiritual para eliminar el miedo y la ansiedad en tu vida. Confía en Dios.

Boda: ver o ser parte de una ceremonia o la celebración de matrimonio entre un hombre y una mujer indica que estás formando una relación de pacto amoroso con un compañero de vida especialmente elegido, Hch. 7:12; Sal 100:5.

Bodas del Cordero: ver las bodas del Cordero representa la unión de Jesucristo con una Iglesia santa, sin mancha ni arruga, Apo. 19:7; Ef. 5:23-32.

Body surfing (surfear con el cuerpo): ejercer mucha energía y fuerza interior para perseguir y montar las olas del Espíritu sin ningún medio de apoyo visible como «tabla de surf» o consejo del entrenador; libertad de las necesidades del mundo, sólo tú y el Espíritu.

Bofetada: necesidad de poner la otra mejilla cuando se le ofende. El sonido de una mano abierta que golpea repentinamente una superficie produce una onda de choque para detener a alguien de una acción inapropiada. «*Pero yo os digo: No resistáis al que es malo; antes, a cualquiera que te hiera en la mejilla derecha, vuélvele también la otra*», Mt. 5:39; «*No os venguéis vosotros mismos, amados míos, sino dejad lugar a la ira de Dios; porque escrito está: Mía es la venganza, yo pagaré, dice el Señor*», Ro. 12:19; Una bofetada en un sueño puede ser una llamada de atención para que te detengas y cambies rápidamente tu accionar. Puede que estés actuando de forma histérica.

Boina: ver o llevar una boina en un sueño simboliza a los guardianes de la paz o los tiempos de guerra en la milicia. En particular, si la boina es azul, verde o roja, significa estrategias exitosas en la guerra espiritual. Ver o llevar una boina o sombrero suave, redondo y de copa plana en su sueño simboliza la participación de la policía o de los militares en algunas estrategias. Fíjese en el color de su boina y consulte la Carta de Símbolos de Colores del Sueño para conocer el significado específico de ese color en los sueños.

Bola de boliche: lanzar el peso o la influencia de uno para marcar en el juego de la vida; apuntar con cuidado; la bola es como una flecha, pero con mucho más peso; la capacidad de derribar a los enemigos del suelo en lugar de los del aire; derribar a alguien o a algo: ejercer presión para hacer que otros tropiecen o caigan; eliminar obstáculos, estorbos, fortalezas y bloqueos.

Bola de cristal: adivinación; hechicería; Zc. 10:2; Hch. 16:16.

Bola de cristal: se cree que ayuda al buen desempeño de las brujas, clarividentes y adivinos que practican las artes oscuras y ocultas para adivinar a través del Árbol del Conocimiento del Bien y del Mal contactando con espíritus demoníacos y destructivos que espían, mienten y murmuran para obtener información.

Bola de pintura: ves la vida como un juego competitivo lleno de diversión que te ofrece la oportunidad de colorear tu mundo y lograr cosas de una manera rápida y fácil; pide sabiduría para discernir correctamente los escenarios y las situaciones, de modo que no te veas atrapado, enfrascado, emboscado, disparado o eliminado prematuramente por un peligro oculto o por un compañero de trabajo, amigo, desalmado o sutil adversario inesperado. Estás preparado para un reto. Considera el color de tu bola de pintura y el color con el que te dispara tu enemigo para aclarar cualquier impacto emocional que puedas estar experimentando o encontrando.

Bola de queso: alguien habla tontamente con palabras cursis.

Bolera: habilidad para maniobrar y dar en el blanco; una posición adecuada con precisión de punta de alfiler causará un efecto dominó una vez que consigas que la bola (tu vida) ruede en la dirección correcta. Las cosas se nivelarán o suavizarán una vez que seas capaz de contactar con una superficie nivelada.

Boleto: eres el ganador si tu boleto es seleccionado, muchos son los llamados, pero pocos los escogidos; el ministerio, la salvación, el acceso ha sido concedido; has pagado el precio para recibir la recompensa. Jesús es nuestro boleto al cielo. Él pagó el precio completo por todos nuestros pecados para que podamos tener vida eterna, Éx. 33:10.

Boliche: primer deporte registrado, un rendimiento notable en la vida; los éxitos y los fracasos en la vida, ajustarse y centrarse en Cristo. Él te conducirá al éxito en el arduo camino de la existencia; a dar en el blanco y sacar del juego a los enemigos. Pista de bolos: acercarse demasiado al borde o a la franja de la verdad, vigilar para no quedarse atascado en un bache, atrapado o descarrilado, se necesitan grandes cambios de dirección para alcanzar tus objetivos; anotar: golpe tras golpe indica un futuro muy exitoso. La presentación de la excelencia en los bolos, el éxito y la destreza de los demás, los golpes representan el éxito, las bolas de boliche representan los fracasos o el estancamiento.

Bollos: cualquiera de una amplia variedad de panecillos de formas variadas, normalmente llevan levadura y son ligeramente azucarados o simples, a veces contienen especias, frutos secos, natillas, gelatina, etc. Ver panecillos en un sueño significa que se va a dar un festín con algunas oportunidades dulces en las que los demás te tratarán de forma grandiosa; asegúrese de utilizar el autocontrol para evitar salir perdiendo o parecer ensimismado.

Bolo alimenticio: estar masticando bolo alimenticio representa la meditación en la Palabra de Dios. Dt. 14:6-8.

Bolonia (tipo de mortadela): comer bolonia en un sueño indica que alguien te alimentando con falsas expectativas y espera que usted se crea sus tonterías; considere la frase 'falsas promesas'. Como la mortadela suele ser barata, también puede indicar dificultades en sus finanzas.

Bolos: soñar que juegas a los bolos indica que podrías aprovechar mejor tu tiempo; alguien está compitiendo por la atención de tu novia, pon tu vida en orden para evitar futuras decepciones. El juego de bolos consiste en hacer rodar una bola de plástico por un callejón hacia nueve bolos o conos colocados en forma de diamante. Los bolos tienen una cuerda en la parte superior, para recoger los bolos y volver a colocarlos en la forma de diamante para la siguiente tirada. Esas cuerdas pueden ser un factor positivo para el jugador de bolos, ya que pueden derribar otros bolos, o un factor negativo, ya que pueden enredarse, por lo que un árbitro tiene que ir a desenredarlas. En la década de 1830, un pánico moral sobre la ética del trabajo, el juego y la delincuencia organizada acabó con este juego.

Bolsa de la compra: recipiente flexible que contiene y transporta las provisiones espirituales, la nutrición, la leche, la carne y el vino nuevo de la Palabra.

Bolsa de valores: soñar que estás en un mercado de valores o en la Bolsa, indica que tus transacciones comerciales prosperarán y aumentarán si es que las acciones estaban subiendo y usted compró a la baja, o que perderás dinero si

compró cuando estaban a la alta y está vendiendo a la baja. No pongas en juego tu dinero, sino que confía en Dios para que suplas todas tus necesidades de acuerdo a Sus riquezas en gloria. Estar dispuesto a correr riesgos en los altibajos de la vida; las caídas de la bolsa: indica una gran pérdida de esperanzas y sueños, los objetivos financieros están siendo devastados por la economía o las malas decisiones de inversión; se están haciendo intercambios; transacciones comerciales.

Bolsa encontrada: una nueva identidad y dirección, un nuevo sentido de sí mismo.

Bolsa para cadáveres: ver una bolsa para cadáveres en tu sueño indica que te sientes aislado, en la oscuridad, aislado y desvinculado o muerto del mundo y de los que te rodean.

Bolsa, llena: si la bolsa está llena de basura, quiere decir que te sientes sancochado por muchos miedos, incertidumbres emocionales que preocupan.

Bolsa, regalo: un nuevo comienzo; reinventa tu imagen con una nueva perspectiva; las bendiciones y el favor de Dios y de los hombres están en camino.

Bolsa, vacía: representa sentimientos de soledad, falta de confianza o susceptibilidad.

Bolsas de basura: llevas a cuestas un montón de viejos remordimientos, vergüenza y basura inútil. Es hora de tirar esta basura y limpiarte a través de la oración de arrepentimiento.

Bolsas, rasgadas: si la bolsa está desgarrada, hecha jirones, raída o rota, entonces indica que llevas mucha carga.

Bolsas: ver una bolsa en su sueño representa las grandes responsabilidades, las cargas, los problemas y las preocupaciones que se llevan por uno mismo y por los demás; necesitas traer tus preocupaciones a Jesús y aligerar tu carga. El símbolo puede ser una metáfora de «estar asfixiado»; también una «bolsa vieja» puede referirse a alguien que es viejo o que usted ha estado llevando estas cargas durante mucho tiempo.

Bolsillo: una bolsa de mano, una pequeña bolsa que se lleva en el bolsillo para llevar pequeños artículos, puede indicar la identidad, los dones, los talentos o los ingresos financieros.

Bolsillos: un bolsillo es un soporte cóncavo, por lo que puede representar el corazón o el vientre, los talentos ocultos, los puntos fuertes o los dones o habilidades no maduradas que no se han desarrollado hasta su máximo potencial. ¿Qué hay en el bolsillo? ¿Está lleno o vacío? Si está vacío, te encuentras en un estado de carencia o aislamiento. Si está lleno, puede que necesites hacer un inventario de tu vida para determinar tus prioridades. Si hay un agujero en tu bolsillo, es posible que otros te estén utilizando a ti o a tus dones para financiarse, o que consideres la posibilidad de robar. ¿Estás pagando tus diezmos? Si no lo haces, tu dinero seguirá desapareciendo como agua entre las manos.

Bolso robado: ¿alguien está intentando robarte o apropiarse de tu identidad? El robo de identidad es una amenaza real. Puede que te encuentres en una época de transición en la que estás saliendo de una época, pero aún no has entrado en la nueva. Sé tú mismo. No actúes de una manera cuando estés con ciertas personas y de otra cuando estés en casa.

Bolso: la correa indica que se está restringido o atado, que se tiene que cargar con más peso del apropiado, un bolso que generalmente llevan los hombres de fe indica riqueza, éxito y felicidad.

Bomba atómica: liberación rápida de energía, poder del Espíritu Santo, explosión de milagros, señales y maravillas, cambio poderoso en la atmósfera, un arma explosiva de gran poder destructivo capaz de destruir todo lo que has construido; el fin del mundo conocido, nube de fuego en forma de hongo, juicio.

Bomba, en vivo: si no pudo desarmar la bomba indica que alguien está fuera de control, o tiene un temperamento violento y explosivo o un problema de ira. Son una bomba de tiempo a punto de estallar.

Bomba: arma explosiva; explosión repentina de revelación que produce un gran impacto; explosión de fuerza mental; libera material destructivo: amargura, resentimiento o ira; lo libera a uno para participar en la guerra espiritual con la verdad; difunde rápidamente el mensaje de la verdad; efectúa cambios regionales; destrucción por falta de preparación estratégica; desacuerdos importantes, una relación que estalla; ira o temperamento explosivo; un impuso hacia adelante para ganar mucho metraje; soportar una alta presión interna; un fracaso funesto y miserable; una gran cantidad de dinero; un auto viejo. Sal. 76:7. Ver este aparato en un sueño advierte de que alguien intenta sonsacarle información privada para utilizarla contra otros o para autopromocionarse.

Bombarderos: son aviones militares usados para entregar bombas; mensajeros, ángeles guerreros; un ministerio que entrega verdades que rompen las ataduras a los creyentes que luego efectuarán un cambio generalizado en su área y región.

Bombero: alguien que tiene la sabiduría y la habilidad de apagar los fuegos salvajes y de soplar el fuego del Espíritu Santo para que se propague, Is 43:17. Recibirás buenas noticias de una fuente inesperada. Ángeles, Espíritu Santo, ministro apasionado; cualidades capaces de lidiar con las decisiones álgidas, efervescentes o emergencias emocionales de uno; purificación, limpieza, héroe, esperanza. Lidiar con las pasiones ardientes en el calor del momento; o arrebato emocional de ira; uno necesita enfriarse antes de que las cosas se salgan de control, mantener el equilibrio; fuego salvaje.

Bombilla: una bombilla en un sueño se refiere a un crecimiento sustancial en una relación, nuevas ideas que surgen como una bombilla que se enciende; representa el brote de su potencial espiritual, físico e intelectual. También puede representar tu patrimonio genético, la familia, la fertilidad o el plantío del Señor; significa que estás es una temporada propicia prosperar.

Bombilla: una idea creativa; conocimiento de la revelación; percepción y sabiduría de Dios, Lc. 2:32.

Bondad: la amabilidad es un comportamiento marcado por características éticas, una disposición agradable y la preocupación genuina por los demás. Se conoce como una virtud y un valor en muchas culturas y religiones. Ser servicial con alguien que lo necesita, a cambio de nada ni en beneficio del propio ayudante, sino de la persona ayudada. La bondad y el amor son las «hierbas y agentes más curativos en las relaciones humanas». Se trata de una de las Virtudes Capitales. «La bondad es el «Amor Puro» expresado, experimentado y realizado. La bondad humana define el destino de la humanidad.

Bonete: prenda de seguridad femenina; coquetería; bonete de guerra; válvula protectora; mayor capacidad para soportar vientos de adversidad por chismes o calumnias.

Bongo o antílope: el bongó es un herbívoro, mayoritariamente nocturno, que se encuentra entre las mayores especies de antílopes africanos, caracterizado por un llamativo pelaje marrón rojizo, marcas blancas y negras, rayas blancas y amarillas y largos cuernos ligeramente en espiral. Los bongos son los únicos antílopes que tienen cuernos en ambos sexos. Tienen una compleja interacción social y se encuentran en la densa selva africana.

Bonito: soñar con algo bonito en un sueño indica que estás en una época favorable en la que las bendiciones del Señor te perseguirán y te sobrepasarán.

Bonsái: la cultura japonesa utiliza estos hermosos árboles en miniatura en maceta como una forma de arte. Su propósito principal es la contemplación de la chispa de la mente consciente para el espectador y es un agradable ejercicio de expresión creativa, esfuerzo e ingenio para el cultivador.

Boomerang: misil de madera que vuelve o regresa al lanzador cuando es arrojado, un estado o acciones en curso que se vuelven en contra de quien las inicia. *«Y David dice: Que sus banquetes se les conviertan en red y en trampa, en tropezadero y en castigo»* [rebotando como un boomerang sobre ellos] Rom. 11:9. Jer. 29:10; 1 Cor. 15:34.

Booz: veloz, portador de la Alianza; Is. 16:5; ligereza, fuerza; pariente-redentor; esposo de Rut la moabita, un antepasado de David; Rt. 2:3:4; 1 Cr. 2:11; Mt. 1:5; Lc. 3:32; Salomón nombró la columna de bronce, 1 Re. 7:21; 2 Cr. 3:17.

Bordar: ver un trabajo decorativo de agujas en un paño o tela indica que prestas gran atención a los detalles más pequeños y admiras las cosas bellas.

Borde: llegar al final del camino, amanece un nuevo día, se necesitan cambios, se requiere un salto de fe para avanzar, presionar los límites de la franja.

Borgoña: es un color rojo oscuro que se asocia con el vino de Borgoña del mismo nombre, fino y de gran cuerpo, que a su vez lleva el nombre de la región de Borgoña en Francia. Representa un amor rico y pleno que ha madurado plenamente con el tiempo. Simboliza el éxito, la riqueza, la profusión y la prosperidad de tu poder personal y tus perspectivas.

Borlas: ver un manojo de cabos sueltos, cordones o hilos atados por un extremo colgando libremente como un ornamento indica que aún queda trabajo por hacer para completar una tarea y obtener los frutos de tu trabajo; ver una borla o *tzitzit* en un sueño en la esquina del vestido de alguien nos recuerda que debemos cumplir todos los mandamientos del Señor, Nm.15:37-40. Si sólo puedes tocar a Jesús en tu sueño serás sanado. *«...y le rogaban que les dejase tocar solamente el borde de su manto; y todos los que lo tocaron, quedaron sanos»*, Mt. 14:36.

Borracho: bajo la influencia de un espíritu, ya sea santo o demoníaco; controlado; rebelión; completamente sobrepasado; autocomplaciente; un tonto; destrucción de uno mismo y de los demás; mares turbulentos; mareado; gran error; espiritualmente ciego; una conmoción violenta; confusión; persecución; mente degradada; pobreza; un individuo corrupto que está en confusión; lujuria desenfrenada; comportamiento desordenado; sueño.

Borrador: volver a empezar después de un error, necesidad de prestar atención a los detalles; la sangre de Jesús borra el pecado, la enfermedad y toda cosa impura.

Borrar: eliminar todo rastro de un error o de algo que ya no se desea, frotando, raspando o borrando el material grabado. Si te sientes culpable o avergonzado de tus comportamientos, es normal que quieras borrarlo y empezar de nuevo con una pizarra limpia. Borrar o eliminar la propia identidad.

Borrar: ver a alguien eliminando o tachando material escrito o un pasaje de palabras puede indicar que te arrepientes de algo que comunicaste a otros por escrito. Te gustaría retirar esas palabras, pero temes que sea demasiado tarde.

Borrasca: un movimiento violento, repentino y breve del Espíritu Santo, acompañado de una fuerte enseñanza de la Palabra; una conmoción o perturbación.

Bosque: significa estar rodeado de mucha gente o líderes; una nación; una espesura; sentirse perdido como «Hansel y Gretel»; reclama vidas 2 Sam. 18:18; belleza majestuosa y tranquilidad; palacio; cantar de alegría; prosperidad; influencia; viaje; obstáculos; refugio para animales; combustible. Sal. 104:20; Ez. 15:1-6; 20:46-49; Os. 2:12; Is. 44:23; Jer. 12:8; 21:4.

Bosques: llamado a estar entre los líderes, una plantación de justicia como un roble fuerte, no puede ver el bosque por estar mirando los árboles; enfocarse en algo que es temporal o que se convertirá en llamas y humo cuando vengan las pruebas ardientes; tu visión está siendo bloqueada. Puede que te sientas programado como un trozo de madera muerto o con menos emociones.

Bostezar: aburrimiento emocional o falta de interés, quedarse dormido en la guardia.

Bostezo: muestra involuntaria de cansancio por aburrimiento, al abrir la boca ampliamente, has expuesto tus sentimientos internos a los que te rodean.

Bota: poder en tu movimiento y uso audaz de tu posición para aplastar o torturar al enemigo; entrenamiento básico; órdenes de marcha; tronco; tomar una postura firme, para patear, despedir o desterrar de tu presencia. Protección; utilizada para aplastar o torturar al enemigo; arranque o carga. Pies calzados con los aprestos del Evangelio de la paz; estar de pie en la palabra;

aplicar la palabra en nuestras situaciones cotidianas, pisar al enemigo; avance poderoso y audaz; tomar una postura firme.

Botas de vaquero: Texas, Oklahoma, calzado caro, estilo y comodidad, listo y preparado para una cabalgata dura, resistente y rudo.

Bote de pintura: ver botes de pintura en un sueño indica que es hora de refrescar o hacer algunas renovaciones en tu vida para cubrir algunas de las cosas viejas o sucias que han sucedido en el pasado.

Bote de remo: adoptas un enfoque equilibrado al navegar por el mover de Dios. El fuego del Espíritu Santo te impulsará y te llevará lejos.

Bote de remos: tener que esforzarse mucho para encontrar la mejor manera de impulsarte; la perseverancia lenta pero constante dará sus frutos; ir a tu propio ritmo. Obras ministeriales que hacen los hombres en sus propias fuerzas; carne; trabajo lento y laborioso; ministerio de oración en el oído, 1 Re. 9:26-28; Ez. 30:9; Hch. 27:1-2; Sal. 48:7; Mt. 8:23-27, 24:38; Lc. 5:4 el trabajo metódico y constante y el uso de sus fuerzas provocarán un avance, un progreso constante o un ascenso; los demás en la barca podrían representar a los socios, amigos o compañeros; zozobrar: el negocio, la relación o la empresa fracasarán o se hundirán.

Bote salvavidas: ayuda que llega, rescate de una situación dañina o peligrosa, necesidad de escapar o alejarse de una relación o empresa destructiva y perjudicial.

Botella vacía: una botella vacía indica que tus recursos internos han menguado o se han agotado; aprovecha la unción del Espíritu Santo para llenarte y refrescarte y superar los sentimientos de vacío.

Botella: simboliza una fuente de suministro o sustento; Gén. 21: 14-19; Jue. 4:19; 2 Sa 16:1; Sal. 56:8; Js. 9:4, 13; Mt. 9:17; Mc. 2:22; Lc. 5:37-38. Has tapado o empujado (reprimido) tus sentimientos hacia dentro, en lugar de expresar libremente tus emociones. El contenido de la botella representa la naturaleza de las emociones, el champán indica la necesidad de socializar, una botella de Coca-Cola indica que estás a punto de estallar de emoción, una botella de veneno significa los malos pensamientos, una botella de vino simboliza el Espíritu Santo, la alegría y la celebración, la fiesta con los amigos, la buena mesa, el amor, la pasión o la sexualidad (véase el vino).

Botón del soltero: es una flor azul que indica anticipación; bendición de soltero.

Botones: indican que es importante mantener la boca cerrada o «abotonarse», no exponer el corazón ni los verdaderos sentimientos, Pr 30:32; es provechoso frenar las apetencias y los gastos en este momento.

Bóveda, enterrada: duelo, dolor, pérdida, separación, pena, infortunio; puertas abiertas: robo, traición, o traición; acceso al propio inconsciente, a los recursos personales y al potencial enterrado, aprovechar, desbloquear y liberar activos, habilidades e ideas internas.

Bóveda, llena: ver una bóveda llena de tesoros u objetos de valor: bendiciones, aumento, riqueza, y abundancia.

Boxeo de sombras: lucha contra los demonios, conflictos internos y cuestiones morales.

Boxeo: conflictos internos o externos que intentan derribarlo a uno dentro del cuadrilátero; se imponen límites; se da vueltas y vueltas; no se avanza mucho, pero se exige un gran esfuerzo físico; las emociones de uno están en constante tensión; se lucha contra una situación violenta; se reciben algunos golpes duros en las relaciones o en los negocios, las luchas internas se manifiestan como conflictos externos.

Boxers: restricciones holgadas; reproductoras completas; breves: extensión, duración o marco de tiempo condensado; declaración abrupta de los hechos; argumentos próximos; disciplina; consejo; preparación consciente, instrucciones, resumen o consejo.

Bozal: prohibición de comer, morder o hablar; colocación de una protección en la boca, Sal 39:1.

Bragas: sueles ser una persona muy moral y privada. Las bragas son la ropa interior, por lo que rara vez son vistas por los demás. Puede que intentes llegar al fondo de las cosas mostrando tus gracias femeninas, artimañas, actitudes o sentimientos. Si te quitas las bragas, tiene el deseo de dar a luz nuevas ideas, aumentar su influencia, pero tenga cuidado de no utilizar un espíritu de seducción para manipular una situación.

Braille: leer Braille en un sueño indica que usted se está sintiendo como usted estuviera dando golpes al aire en la oscuridad en relación a una determinada situación. Necesita que le abran los ojos en relación con algunos individuos que intentan engañarle manteniéndole en la oscuridad.

Brandy: comprar y compartir una costosa botella de brandy con los amigos indica un corazón generoso que desea compartir sus cálidos sentimientos o su amor con los demás. El nombre femenino Brandy significa vino destilado, lleno de alegría, Sal. 4:7.

Brasa: arder con un corazón de pasión y amor ardiente, dejar que tu luz brille en la oscuridad, has estado en contacto con el Hombre de Fuego.

Brasil: Brasil significa «rojo como una brasa», por lo que es un lecho caliente para el avivamiento espiritual y la pasión por Dios. El nombre oficial de esta tierra, en los registros originales portugueses, era la «Tierra de la Santa Cruz». Los primeros navegantes también la llamaban a veces «Tierra de los loros». Limitada por el océano Atlántico al este, es el país más grande de Sudamérica y de la región latinoamericana. Es el quinto país del mundo, tanto por superficie como por población. Es el mayor país de habla portuguesa del mundo, y el único de América. La economía brasileña es la séptima del mundo. Brasil es miembro fundador de las Naciones Unidas. Brasil es una potencia regional en América Latina y una potencia media en los asuntos internacionales, y algunos analistas lo identifican como una potencia global emergente. Brasil es el mayor productor mundial de café desde hace 150 años.

Braza: medida equivalente a unos seis pies y tres cuartos, Hch. 27:28. Captar o entender un concepto.

Brazalete o pulseras: símbolo de esponsales, prenda, pacto de amistad, riqueza, favor, servidumbre o debilidad en la muñeca. Gén. 24:22, 30, 37; 38:18; Is. 3:19; 2 Sa. 1:10.

Brazo, bebé: No esperar mucha fuerza o habilidad en una situación; un sentimiento de impotencia o inmadurez; inocencia infantil; o actuar de forma infantil. Puede que estés acostumbrado a que te cuiden; así que deja de ser totalmente dependiente de los demás. Ha llegado el momento de salir al exterior y desarrollar sus propias fuerzas y capacidades.

Brazo: símbolo de poder y fuerza, Jb. 38:15; ayuda y apoyo; poder de abrazar o proteger; poder de Dios y poder salvador, Sal. 89:10, 13; Is 62:8.

Brazos atados: Ser restringidos, atados o impedidos; ayudan a mantener el equilibrio del cuerpo.

Brazos heridos: pérdida de habilidades o confianza.

Brazos malvados: los brazos malvados serán rotos.

Brea: ver esta mezcla oscura, aceitosa y viscosa cubriéndote a ti o a otra persona predice la vergüenza pública o el castigo de ser «alquitranado y emplumado» por una actividad socialmente inapropiada. Considera también que puede ser el momento de liberarte de relaciones en las que te sientes limitado o atascado. No te dejes atrapar en conversaciones pegajosas ni repitas chismes calumniosos o te convertirás en su próximo «objetivo».

Brecha: se avecina una brecha, un punto débil, un resquicio o una abertura, debes estar atento para poder llenar la brecha y hacer conexiones cuando sea necesario. Necesitas formular un mejor argumento para unir dos lados opuestos o contrarios.

Brezal o páramo: indica que has pasado por una temporada de cultivo donde tu vida ha sido arada y preparada como una tierra nueva. Puedes esperar tener «más» de todo lo bueno en esta temporada de cosecha y abundancia.

Brezo blanco: protección del peligro; cobertura de la belleza; los deseos se harán realidad; victoria; seguridad.

Brezo púrpura: admiración, belleza noble o majestuosa.

Brezo rosa: buena suerte o fe.

Brezo: flor; representa la soledad.

Bribón: alguien astuto, obstinado; que se resiste a su llamado de cosechar almas; infantil o infantil; bribonzuelo se usa como término cariñoso. Ver a alguien sin escrúpulos y deshonesto; un sinvergüenza; o un individuo juguetón que está lleno de acciones traviesas en un sueño advierte de los cambios que deben tener lugar en tu vida. Necesitas valorar el carácter y la integridad piadosa para prosperar y avanzar.

Brida o frenillo: necesidad de refrenar las emociones o las reacciones físicas; comportamiento descontrolado; intento de alguien de controlar o manipular una situación o las propias respuestas.

Brillante: significa la gloria del Señor, la inteligencia que resplandece por encima de los demás, la unción, resplandor, el color vivo, resplandeciente, alegre, feliz y mentalmente ágil.

Brillar: ver una luz que brilla sobre ti o en tu camino indica la presencia del Señor y que el éxito te sonríe. *«el SEÑOR te mire con agrado[a] y te extienda su amor; el SEÑOR te muestre su favor y te conceda la paz»,* Nu 6:25-26; *«Hagan brillar su luz delante de todos, para que ellos puedan ver las buenas obras de ustedes y alaben al Padre que está en el cielo»,* Mt. 5:16; *«Tendrás éxito en todo lo que emprendas, y en tus caminos brillará la luz»,* Jb. 22:28

Brillo: cuando pasas tiempo en la presencia de Dios tu semblante brilla con una luz profunda que atraerá el favor, la influencia y la prosperidad. Tu personalidad brillante y cálida hará que tu luz brille en los lugares más oscuros donde la gente necesita esperanza y ánimo.

Brillantez: es un reflejo de la presencia de Dios; la gloria que se encuentra en la revelación; encontrar una solución; el final de un período difícil.

Brisa: una suave brisa o movimiento de viento o aire, una conmoción o perturbación, una discusión o una tarea fácil de realizar. Eres un soplo de aire fresco cuando estás en escena. Tus palabras son suaves y amables trayendo curación y restauración. Eres muy hábil y haces que las cosas difíciles parezcan fáciles; desafías las habilidades ajenas y las haces ver como algo fácil. Una gran gracia ha coronado tu mundo y los ángeles te acompañan como vientos ministradores para que el éxito llegue fácilmente.

Brisas: representan el movimiento o el fluir del Espíritu Santo o el movimiento del aire generado por los ángeles a nuestro alrededor. Las cosas serán fáciles de lograr «será una suave brisa».

Británicos: también conocidos arcaicamente como bretones, son los nacionales o nativos del Reino Unido.

Brittney Spears: es una famosa artista y animadora estadounidense que aparece a menudo en la prensa sensacionalista debido a dificultades y problemas personales. Cuando aparezcan actores o personas famosas en tu sueño, ore por su bienestar.

Broche: herramienta puntiaguda, un broche o alfiler decorativo que suele representar un regalo de un amigo cariñoso o una reliquia familiar o una herencia que se transmite.

Brócoli: al ser considerada una verdura que florece, ver esta verdura en sueños significa que necesitas un alimento espiritual que le permita florecer. Es importante tener una dieta bien equilibrada que le suministre a tu cuerpo los nutrientes que puedan faltar. Considere también la posibilidad de que se esté volviendo inmune a una determinada situación o que haya respondido de forma defensiva.

Broma: la risa hace bien al corazón como una medicina y la alegría da fuerza interior a una persona, pero nadie se alegra de ser el blanco de una broma pesada. Este símbolo puede advertir que no te estás tomando la vida en serio y que te están tomando el pelo. Si no tienes cuidado, la broma recaerá sobre ti. Debemos trabajar seis días y descansar el séptimo. La diligencia será la maestra del éxito. Espíritu de gozo y alegría, bromear, disfrutar de la vida; alguien inmaduro que no se toma las cosas en serio.

Bronce: perdón; expiación; orgullo; juicio.

Bronceado: lucir un bronceado en un sueño indica que has pasado tiempo en presencia del Sol de Justicia, o que has estado en un salón de bronceado y has salido con el brillo saludable de Su unción. Usted brillará más que los demás con tu radiante personalidad.

Bronceador: protección contra la exposición excesiva a los elementos naturales, unción para prepararse a recibir el Sol de Justicia, puede necesitar vitamina D.

Bronquitis: tener una inflamación aguda o crónica de la mucosa de los bronquios indica obstáculos que debes superar para poder seguir transitando por la vida con la mayor facilidad. Es posible que necesites un tiempo de descanso y refresco para recuperar las fuerzas.

Brote: algo nuevo que empieza a surgir, un ser subdesarrollado que florecerá en algo hermoso, una rama, brote, hoja o flor sin desarrollar.

Brownie, hornear: representa que tienes una naturaleza dulce y dadivosa; posees gran habilidad para expresar tu amor y consideración hacia otras personas.

Brownies, comer: ver o comer brownies en un sueño simboliza la autocomplacencia o el mimo, la sensación de que merece ser recompensado con un regalo.

Bruja: anciana sabia, por lo que puede representar la sabiduría; o una especie de diosa de las hadas o un ser parecido a una bruja, con la apariencia que se encuentra a menudo en el folclore y los cuentos infantiles como Hansel y Gretel. Si eres observado por una bruja, debes cuidar tu corazón, tu mente y tu boca, ya que hay un instigador que busca algo para usarlo como calumnia en tu contra. Rebeldía; calumnia; esposa no sumisa; deseo de poder y autoridad; espíritu manipulador y controlador; tipo de Jezabel, mujer; seducción; anticristo; iglesia satánica; prohibida, 1 Sam. 15:23; 2 Re. 9:22

Brujería: magia negra, hechicería o influencia irresistible, atracción o encanto. Es un sueño de advertencia de que un fuerte espíritu demoníaco o una Jezabel desea tomar el control de su vida o manipular la vida de otros. Una práctica oculta nacida en un espíritu de rebelión, que utiliza la manipulación, el control mental, los espíritus familiares, las maldiciones y los hechizos para manipular a las personas para que hagan su voluntad, la magia negra mezclada con drogas y rituales ceremoniales, 1 Cr. 10:13; Pr. 26:2. 2 Cr. 33:6; comunicación con demonios y espíritus de los muertos; los hombres eran llamados magos mientras que las mujeres eran llamadas brujas, Lev. 20:6; Dt. 18:10-12; Gál. 5:19-21.

Brujo: ver un brujo, hechicero, mago o a los demonios que han sido enviados en tu sueño indica que estás tratando con una puerta abierta de pecado, iniquidades generacionales o miedo que han permitido que vengan maldiciones, maleficios o vejaciones. Llama a Jesús. Arrepiéntete de todos los pecados conocidos y desconocidos; utiliza el nombre y la sangre de Jesús para romper las maldiciones y cerrar la puerta de acceso.

Brújula: encontrar la propia dirección, buscar la voluntad perfecta de Dios; hazte a un lado, tómate el tiempo necesario para buscar la dirección de Dios en tu vida, la promoción viene del norte, mira hacia arriba porque tu redención se acerca, se producirán nuevas alineaciones a medida que encuentres el camino correcto, sigue siempre tu brújula moral, haz lo correcto y toma el camino menos transitado. Sal. 119:59.

Brumbies (relativo a una raza de caballo): son caballos salvajes, incapaces de sujetar, domesticar o acorralar; en Australia se usan en las carreras de Mustang. Soñar con estos animales significa que es tiempo de competir y sobrepasar obstáculos, Jer. 12:5.

Brutalidad: necesidad de enfrentarse a tus opresores o malos tratos; vencer el temor al hombre o a la intimidad; respuestas groseras o brutas que hieren emocionalmente; enfrentarse abiertamente a los miedos para dar un paso adelante; un amigo de confianza puede traicionarte.

Buceador: la unción de la Palabra permite permanecer sumergido en la presencia de Dios como si estuviera bajo su influencia o bajo el agua durante largos periodos de tiempo con aire suministrado desde la superficie o por medio de tanques de oxígeno. El buceo es el deporte que consiste en realizar acrobacias saltando o cayendo al agua. Buceo subacuático o con escafandra autónoma, un buceador utiliza un equipo de buceo para respirar bajo el agua. Buceo con suministro en superficie, en el que un buceador utiliza un umbilical para respirar. Los colimbos, o buzos, son un grupo de aves acuáticas que se encuentran en algunas partes de América del Norte y el norte de Eurasia. Y dos peces de Nueva Zelanda: El buceador de arena de Nueva Zelanda y el buceador de arena de aleta larga. Una bomba volante V-1 denominada en clave «buzo» por las fuerzas armadas británicas de la Segunda Guerra Mundial.

Bucear en una cueva: es señal de que estás realizando una inmersión emocionalmente peligrosa; te sientes deslumbrado por la profundidad y el peso de la presión que te rodea en este momento; te sientes atrapado y agobiado en una época de completa oscuridad.

Bucear, animales: ver animales que se sumergen en el agua significa que hay que examinar su naturaleza y sus características para determinar si quieren hacer daño o ayudar, Sal. 37:24.

Buceo, agua clara: es indicador de que se te ha dado una visión clara para superar los obstáculos y los contratiempos; la confianza en ti mismo te dará el poder de sentirse optimista; es el momento de explorar otro nivel de tu subconsciente; confianza para triunfar sobre tus impedimento o dificultades; descubrirás algunas causas de raíz; la claridad de la vista permite llegar al fondo de los problemas o de la agitación emocional inconsciente.

Buceo, trampolín: llegar al borde o al final de algo; se acerca una nueva temporada; es el momento de tomar una decisión; tómate tiempo para evaluar las situaciones que se presentan; mira las cosas desde una perspectiva diferente; considera tus opciones antes de dar el gran salto; cuanto más alto sea el trampolín, más precario será el siguiente paso en la vida; ejerce habilidad y precaución.

Buceo: la profundidad de Dios está llamando a lo más profundo de tu ser; las cosas de tu subconsciente están tratando de salir a la superficie, la exploración y la nueva profundidad personal. Lanzarse al agua, así como a una situación o relación desconocida indica la voluntad de arriesgarse.

Buen ánimo: estar animado o no tener temor.

Buey: espíritu rompedor; arado; fuerza de aumento, Pr. 14:4; portador de carga; cambio; cosecha; sacrificio, Heb. 11; bestia de carga; gracia sobrenatural del mártir; prosperidad; crucifixión; tropezado. Un buey o un toro joven es un símbolo de fuerza en el trabajo o la servidumbre. Pr. 14:14; Sal. 144:4; 22:12.

Bueyes: líderes en la comunidad; influencia que se eleva más allá de sus expectativas; igualmente unido en matrimonio, Dt. 25:4.

Búfalo: intimidar; desconcertar; confundir; pronostica grandes beneficios y prosperidad. El Búfalo blanco se considera sagrado o espiritualmente significativo en varias religiones nativas americanas; por ello, estos búfalos se visitan a menudo para elevarles plegarias y realizar otros rituales religiosos.

Bufanda: adorno, cobertura de autoridad o rango militar; una unión.

Bufón: el que se burla o pone en ridículo a sí mismo o a otros, ser el centro de una mofa, una broma barata, se dice o se hace algo para provocar la diversión y la risa de los demás, burlarse, mofarse o bromear tontamente.

Buganvilias: ver buganvilias en un sueño indica protección porque es un tipo de arbusto de hoja perenne en climas lluviosos, sus flores de color rosa, magenta, púrpura, rojo, naranja, blanco o amarillo son conocidas comúnmente como «flores de papel» porque son de apariencia de tejido fino.

Bugle o corneta: instrumento que carece de llaves o válvulas; sonido profundo y prolongado; flor; llamada a las armas militares; bugle: tipo de aguja de cristal o plástico para adornar ropa; alístate para entrar en armonía con las cosas buenas; tratos afortunados.

Buhardilla: vocación elevada en la vida; el potencial creativo de uno o la elevación espiritual de uno mismo; ganar ventaja viendo la vida desde una perspectiva celestial o elevada; ocupar el apartamento del último piso o la azotea de un edificio indica que has llegado lo más alto posible con esta empresa o relación. No te apures demasiado a adquirir muchas deudas para dar una apariencia más glamurosa o experimentarás una inminente caída. Este símbolo también puede representar la ira reprimida y el reencuentro con el corazón.

Buho: la sabiduría terrenal o celestial simboliza la sabiduría divina, el consejo, la perspicacia, el conocimiento y la virtud circunspecta de lo alto que se necesita en las situaciones de la vida.

Buitre: espíritus inmundos; abandono; impureza; persona malvada que espera sacar provecho de los moribundos; carroña; abandonado; representa aquellas zonas de tus apetitos carnales que necesitan ser crucificadas o morir; se alimenta de escándalos y cosas muertas; se regodea; devora las sobras; muerte, chismes y decadencia de errores pasados, portador de chismes; temor a la muerte o al fracaso. Puede representar los celos, un aspecto degradable de tu vida; advertencia para que guardes tu lengua y tus malos pensamientos. Jb. 15:5-6; Pr. 15:2, Lev. 11:13, 18:21.

Buitres: toma lo que puede obtener sin esfuerzo de otros sin luchar o pelear; uno que no toma responsabilidad por su propio crecimiento espiritual; se alimenta de chismes, palabras vanas y otras cosas viles; intrigante egoísta; uno que espera beneficiarse de tus malas decisiones. Las áreas de tus apetitos carnales necesitan ser crucificadas o morir; una actitud de derecho; las empresas y experiencias pasadas están proporcionando una visión inestimable de una situación o problema actual; temor a la muerte o al fracaso; espíritu maligno o impuro; persona oportunista que se alimenta de carroña y cosas muertas; debilidades humanas; un solitario; pensamientos malvados; comportamiento desvergonzado, Jb. 15:5-6; 28:7; Lev. 11:14; Pr. 15:2 y 18:21; 30:17.

Bulimia: soñar con este trastorno alimentario que se caracteriza por consumir una gran cantidad de alimentos en poco tiempo, (denominado también como trastorno por atracón) y luego purgarse para deshacerse de los alimentos consumidos mediante el vómito, la toma de un laxante, diurético o estimulante, el ejercicio excesivo debido a una preocupación compulsiva por el peso corporal. Esta afección también se asocia a trastornos psiquiátricos adicionales, como cambios de humor, control de los impulsos, exceso de gastos, comportamientos sexuales y abuso de drogas y alcohol. Los largos periodos de ayuno para controlar tu peso pueden conducir a la pérdida de potasio y al deterioro de la salud, a la depresión y a un alto riesgo de suicidio. La bulimia nerviosa se da nueve veces más en las mujeres que en los hombres y es una enfermedad que pone en peligro la vida. Soñar con bulimia indica que sientes odio hacia ti mismo, falta de autoestima o aceptación y que tienes un deseo compulsivo de ser perfecto. También exiges la perfección de los demás, lo que te aleja de los amigos y las relaciones, provocando una sensación de aislamiento, rechazo o soledad. Deja de castigarte. Dios te ama y te creó como un ser único, así que ámate a ti mismo, y verás cómo los demás también te amarán.

Bull Mastiff (raza de perros): un perro doméstico de raza grande y pesada, de constitución sólida y hocico corto, desarrollado a partir del bulldog y el mastiff. El Bull Mastiff representa las características del moloso de huesos grandes y pesados, orejas colgantes, cuello corto y bien musculado, perro pastoril utilizado para la búsqueda y el rescate. Los Bull Mastiff son perros fuertes y poderosos, pero sensibles, utilizados para vigilar la caza, el ganado y las fincas. Proceden del Mastín Inglés y del Antiguo Bulldog Inglés. Son animales tranquilos y rara vez ladran. Son guardianes naturales de tu hogar y de sus dueños y reaccionan adecuadamente si sus amos están en peligro. Un bull mastiff requiere un enfoque especial durante el adiestramiento formal, porque a estos perros no les gusta repetir las mismas acciones una y otra vez.

Bulldog (raza de perros): agarrar la situación por los cuernos; determinación obstinada; cabeza de toro; tenaz; palabras poderosas destinadas a ayudar o perjudicar. Una persona o un amigo muy decidido que se aferra y no se suelta Is. 46:12; 66:3-4. Conocido como un luchador resuelto suele ser utilizado como perro deportivo en el cruel juego de las peleas de perros; suelen ser destacados por las sociedades protectoras de animales sólo para ser sacrificados por miles.

Bulldogging (deporte esencialmente norteamericano): se necesita una gran destreza y agilidad para redirigir tu vida en la dirección correcta y superar cualquier idea extraviada que intente huir o esfumarse; una prueba cronometrada en la que un vaquero monta a su caballo junto a un buey, el propósito es lanzar al buey al piso agarrando sus cuernos y retorciendo su cuello hasta que el animal pierde el equilibrio y cae. A continuación, el vaquero ata tres pezuñas del buey para evitar que se levante. El mejor tiempo y técnica gana la prueba.

Bulldozer: grandes obstáculos o sentimientos negativos que te alejan; sentimientos de rechazo; grandes desviaciones que te alejan de tus objetivos; intimidado por personas de influencia o fuerza social; despejar el calendario, el desorden y los escombros de la propia vida.

Burbuja: una ilusión que se rompe o se pierde fácilmente, sueños diurnos, las cosas desparecen en un abrir y cerrar de ojos. Necesidad de vivir aislado para huir de la gente o de los contaminantes o del pecado en el mundo. Un ser espiritual, un vapor que puede representar la fragilidad de la vida, una forma de protección «estás en una burbuja», escudo de la fe.

Burdel: las indulgencias financieras desenfrenadas traerán vergüenza y humillación abiertas; la planificación secreta, las malas decisiones y la falta de sabiduría causarán destrucción; frustración sexual o inmoralidad; gobernado por la corrupción física y los impulsos carnales.

Burj Khalifa: la construcción del Burj Khalifa, el rascacielos más alto del mundo, se basó en la decisión del gobierno de Dubai de diversificar su economía, que era rica en petróleo, a una más basada en los servicios y el turismo, para que de ese modo la ciudad de Dubai pudiera obtener más reconocimiento internacional y, por tanto, inversiones. Soñar con el Burj Khalifa representa los niveles más altos de éxito y estatus social. Usted tiene los máximos objetivos en la vida y se ha fijado como meta los más altos niveles de excelencia.

Burla: las opiniones negativas de los demás te causan vergüenza, preocupación, baja autoestima o duda.

Burlarse: advertencia de no decir cosas hirientes o hacer falsas promesas, hablar de forma inapropiada, incitar a alguien sin intención de cumplir con las obligaciones, un coqueteo o una «burla».

Burocracia: tener que pasar por un montón de aros, procedimientos, poner los puntos sobre las íes, prestar mucha atención a los detalles para tener éxito y obtener el premio. Fil. 4:3.

Burrito: una tortilla de harina que envuelve un relleno de carne, pollo, frijoles o queso. Este símbolo indica un momento sencillo en tu vida donde las cosas son fáciles y sin complicaciones.

Burro: asno masculino o burro; hace referencia a una persona que está haciendo el ridículo o actuando de forma estúpida, indica que alguien comenzará a mostrarte su verdadero color, nadie puede enmascarar su verdadero carácter para siempre. Indica que debes evitar cargar con los problemas y las preocupaciones de todo el mundo en tu espalda, no te conviertas en una bestia de carga.

Buscar: explorar, examinar o mirar cuidadosamente para descubrir algo nuevo y emocionante; investigar; sondear; escudriñar para llegar a conocer completamente; buscar en oración un asunto para obtener sabiduría, revelación y comprensión espiritual. Se trata de buscar, encontrar, descubrir, obtener o alcanzar una meta, un objeto o una persona específica. Se esfuerza por preguntar, explorar una carrera o las posibilidades de relación. Un buscador de la verdad está siempre buscando a Dios. *«Mas buscad primeramente el reino de Dios y su justicia, y todas estas cosas os serán añadidas. Así que, no os afanéis por el día de mañana, porque el día de mañana traerá su afán. Basta a cada día su propio mal»*, Mt. 6:33-34.

Búsqueda: intentas encontrar algún elemento perdido o buscas algo que necesitas en la vida; el destino te llama; buscar a Dios, el amor, la iluminación espiritual, la paz, la alegría, o buscar la sabiduría para resolver problemas.

Buzón: representa el conocimiento de la revelación, un mensaje celestial o información importante está llegando. Prepárate para una visita. Si la puerta del buzón está abierta y está llena de cartas y paquetes, eso indica que no has recibido o aplicado los mensajes a tu vida. Es hora de abrir las cartas de amor de Dios y recibir sus bendiciones. De donde se recibe el conocimiento; la sabiduría; o las instrucciones que se necesitan o que esperas del Señor, Mc. 6:11.

C

Caballa (pez): es un pez alimenticio y de caza que se encuentra en las aguas del Atlántico; puede representar a una persona poderosa de gran autoridad o a un destacado líder político. Ver este pequeño pez forrajero comido por ballenas, delfines, tiburones y bancos de peces más grandes den un sueño, indica que puedes tener una deficiencia de aceite omega-3. Es necesario que te ocupes rápidamente de cualquier problema de salud. Es hora de aprender a expresar tus emociones con más tino. También considere el término «Santa Caballa» cuando la gente responda con sorpresa a algunas de las cosas groseras que salen de su boca.

Caballero: seguridad, protección, Jesús nos rescata y entrega, Sal. 144:2; romance, fantasía, guerrero, valor, integridad.

Caballete: marco vertical para sostener o exhibir algo indica que ha estado utilizando tu don creativo o empresarial para multiplicar su riqueza.

Caballito de mar: persona que no puede manejar o afrontar el entorno desconocido de la agitación, las presiones de la vida; es tímido, indefenso y solitario.

Caballitos del diablo (insecto): representa a una persona extremadamente observadora, territorial, que se aprovecha o caza a las personas para «cortejarlas», «atraparlas» o «atraparlas» con las palabras de su boca; repitiendo ciclos negativos; controla a su pareja volando de un lado a otro; cambiando de dirección en pleno vuelo; evita las respuestas directas, se centra en los problemas, los esquiva o los elude; se detendrá, retrocederá o acelerará instantáneamente sin previo aviso.

Caballo balancín: ver un caballo de juguete con un niño montado en él indica una vida familiar feliz; si el caballo está vacío, es hora de tender la mano e invitar a los amigos a visitarlo. Un caballo que se balancea también puede indicar que estás cansado de estar en constante movimiento o de trabajar, pero sin progresar nunca, de quedarte siempre en el mismo sitio, de estar atascado entre dos decisiones, de tener una doble mentalidad, de ir de un lado a otro.

Caballo blanco: representa el bien, así como el caballo negro representa el mal. Jesús regresa en un caballo blanco para liberar la Palabra y el Espíritu de Avivamiento, Apo. 6:2; 19:11-21. Ver un caballo blanco indica la alegría de saber que el poder de Dios está de tu lado, la rectitud, la santidad y el avance y la guerra espiritual. El segundo regreso de Cristo: *«Y miré, y he aquí un caballo blanco; y el que lo montaba tenía un arco; y le fue dada una corona, y salió venciendo, y para vencer»*, Apo. 6:2; *«Entonces vi el cielo abierto; y he aquí un caballo blanco, y el que lo montaba se llamaba Fiel y Verdadero, y con justicia juzga y pelea»*, Apo. 19:11; Zac. 1:8, patrulla la tierra.

Caballo de carreras: estás llamado a ser un campeón, considérate un «Secretariat». Correr la carrera para ganar. Dar prioridad a la velocidad sobre la precaución y el tiempo.

Caballo de remolque: si sueñas con un remolque de caballo, es que no has aprovechado la fuerza y el poder innato que tienes a tu disposición.

Caballo pálido: ver a un jinete sobre un caballo pálido representa el espíritu de la peste y la muerte, Apo. 6:8; Mt. 24:7.

Caballo rojo: ver un caballo rojo cabalgando representa el espíritu de la guerra, la sangre de la muerte y el asesinato, Apo. 6:4; Apo. 12:3.

Caballo alazán: ver un caballo alazán indica que estás confundido sobre algunos asuntos, Dios envía al caballo alazán para patrullar la tierra y observar las acciones de la gente, Zc. 1:8-10.

Caballo amarillento: *«Miré, ¡y apareció un caballo amarillento! El jinete se llamaba Muerte, y el Infierno[a] lo seguía de cerca. Y se les otorgó poder sobre la cuarta parte de la tierra, para matar por medio de la espada, el hambre, las epidemias y las fieras de la tierra»*, Apo. 6:8.

Caballo, aseo: si estás limpiando, lavando, aseando o cepillando a un caballo estás creando lazos de confianza con amigos y relaciones.

Caballo, cabalgando: indica que se conquistarán los problemas, se ganará poder para llegar a la cima y se aumentará el estatus para obtener riqueza y vivir una vida saludable.

Caballo, carrera: el deporte de los reyes, utilizar el poderoso impulso competitivo y la autoridad que se te ha dado para triunfar; correr en círculos, apostar contra las probabilidades, apostar por el éxito, sólo un ganador.

Caballo colorado: ver un caballo rojo significa que Dios los manda a patrullar la tierra, Zac. 1:8, *«Una noche tuve una visión, en la que vi a un hombre montado en un caballo alazán. Ese hombre se detuvo entre los arrayanes que había en una hondonada. Detrás de él había jinetes en caballos alazanes, bayos y blancos»*, Apo. 6:4.

Caballo, corcovea o lanza: si un caballo corcovea o lanza un competidor o rival le destrona de su posición, puede esperar una resistencia antes de una caída.

Caballo de sangre: pura sangre, cualquier caballo de raza pura, especialmente con análisis de pedigrí, ver agente de sangre.

Caballo desechado: proceder con cautela en las relaciones y en los negocios.

Caballo, galopar o correr: si estás galopando o corriendo un caballo estás en el camino del destino y el éxito está asegurado.

Caballo gris: ver un caballo gris indica indecisión, o dificultades, no estás viendo las cosas con claridad.

Caballo, herraje: si el herrero está herrando un caballo puedes esperar viajar a una zona nueva en la que nunca has estado, es el momento de prepararte, de tener listo tu equipaje y tu pasaporte. Ver la herradura del caballo o encontrar una indica gran riqueza y prosperidad.

Caballo marrón: ver un caballo marrón indica alegría y felicidad. Si te preocupa la humanidad, puedes adoptar uno de los dos enfoques para ayudarla: el humilde camino piadoso o el humanista enfoque terrenal.

Caballo, miedo: si temes a los caballos no eres capaz de controlar tus deseos carnales y puedes entregarte libremente a los demás en lugar de guardar tus virtudes.

Caballo negro: indica un tiempo de problemas o retrasos, enfermedad, muerte y hambre. «*Cuando el Cordero rompió el tercer sello, oí al tercero de los seres vivientes, que gritaba: "¡Ven!" Miré, ¡y apareció un caballo negro! El jinete tenía una balanza en la mano*», Apo. 6:5.

Caballo, olor: carne; hacerlo con tus propias fuerzas.

Caballo pálido: muerte, Apo. 6:8.

Caballo, palomino: ver un palomino se relaciona con relaciones de amor.

Caballo, patadas: si un caballo te da una patada, indica que necesitas una patada, que te has quedado demasiado quieto, que es hora de moverte, de pasar a la acción y de hacer algo con tu vida.

Caballo, potro con yegua: si ves un potro con una yegua puedes esperar que se forme y desarrolle una nueva relación de crianza que traiga muchas buenas noticias.

Caballo, salto: es una actividad biomecánica muy extenuante que supone una gran exigencia física para el caballo en la que influye el jinete. El salto desempeña un papel importante en muchos deportes ecuestres, como el salto de obstáculos, la cacería de zorros y la persecución del campanario. Los caballos representan el poder de la carne que es capaz de llevarle por encima de los obstáculos o correr a través de una tropa de opositores.

Caballo: poderoso ministerio individual. Ver caballos en un sueño es un símbolo positivo que presagia grandes conquistas con compañeros leales, aventuras y diversión. Gran fuerza, rapidez, poder de la carne, apoyo espiritual que puede llevarle. Sal. 32: 9; Jer. 8:6; Sal. 66:12; Jb. 39:19; Zac. 10:3; Apo. 19:19.

Caballos y jinetes blancos: ver un ejército de creyentes montados en caballos blancos representa el regreso vicario de Jesucristo con sus santos y ángeles, Apo. 19:11- 14, 16.

Caballos de comercio: si alguien está comerciando con caballos es que se está preparando para abandonar una relación y buscar una pareja más joven; el engaño estará implicado en esta traición.

Caballos enzarzados en una pelea: si se ven caballos enzarzados en una pelea, presagia que los socios están en desacuerdo sobre cómo se debe dirigir la empresa o la familia.

Caballos/ponis: ministerio de poder; autoridad; (el color es importante) fuerza; rapidez; éxito; apoyo espiritual; poder de la carne; guerra espiritual; «la fuente de los hechos» o «sentido común».

Caballos: ministerio de poder y autoridad; fuerza; rapidez; apoyo, poder de la carne. El color, el tipo y las características son importantes.

Cabaña: significa la necesidad que tienes de una escapada de vacaciones para relajarse y descansar. El libro «*La cabaña*» quizás tenga un significado especial para ti; simboliza que uno tiene una pobre autoimagen de sí mismo; expandir y explorar la propia vida; espíritu de pobreza o carencia. Ver en un sueño una cabaña, un albergue o un alojamiento utilizado como residencia temporal, a menudo estacional, para la caza o la vacación, sugiere que es el momento de bajar el ritmo y pasar algún tiempo reflexionando sobre Dios rodeado por la naturaleza.

Cabaret: alguien que se divierte mirando a los demás; no reconoce su lado sensual.

Cabello blanco: gracia, sabiduría y dignidad de los ancianos; el establecimiento de grandes esperanzas y la felicidad que se encuentra en el logro de los objetivos de la vida. El cabello blanco como la lana simboliza la sabiduría del Anciano de Días, Dn. 7:9; Apo. 1:14.

Cabello negro: una persona asiática hermosa, un objeto de belleza, alguien que tiene malas intenciones. Es importante discernir el contexto del sueño y saber sobre quién recae dicha cabellera.

Cabello rojo: ver cabello rojo en un sueño puede indicar que la persona está ungida con el poder del Espíritu del Señor, sabiduría, una unción profética o tiene el llamado de un evangelista sobre su vida. Por otro lado, puede estar enfadado, con la cabeza caliente, con ira, un luchador, o muy apasionado en sus creencias.

Cabello, caída: si en tu sueño se te cae el pelo puede indicar que tienes falta de sabiduría o de unción en un área determinada de la vida. También puede indicar que tienes temor de perder tu buen aspecto o que simplemente te está quedando calvos.

Cabello, calvicie: la sabiduría madura y la reflexión de un asunto le ayudarán a ganar una fortuna. Si una mujer se queda calva: indica que tu desprotección y vulnerabilidad emocional puede llevarla a la ruina financiera.

Cabello, cuerpo: Sabiduría o cobertura para la actividad denotada por la parte del cuerpo; pelo en las piernas: una cobertura que le permitirá caminar de forma masculina y fuerte.

Cabello largo en el hombre: sabiduría digna; conducta sugestiva, picante y desafiante; deshonra; 1 Cor. 11:14; león rebelde; gran fuerza; Jue. 16:19.

Cabello largo en la mujer: gloria y cobertura; iglesia; belleza; sumisión, 1 Cor. 11:15. Sexy y seductor; recibirá una noticia importante.

Cabello largo: días felices y prósperos a través del crecimiento de la sabiduría.

Cabello, lavado: verse lavando el cabello indica que te estás librando de penas y problemas, dudas y confusión. Quieres olvidar una vieja relación.

Cabello, peluca: peluca, pensamientos y actitudes falsas o negativas.

Cabello: cobertura de sabiduría; entendimiento maduro; autoridad; testamento, atención prestada a los puntos finos y a los hechos; prosperidad continuada, buena autoestima, admiración; pena, desesperación; atractivo; aflicción; ruina; caída; humanidad; numerada; demuestra la preocupación amorosa de Dios; naturaleza pecaminosa; tradición del hombre, doctrina; miedo - al levantarse; pensamientos, imagen propia, gloria o cobertura del hombre. 1 Co. 11:14-15; Éx 25:4; Heb. 9:12; Lev. 4:22-29; 16: 15-16.

Cabestro: un cabestro o collar para la cabeza es un accesorio que se utiliza para conducir o atar al ganado. Se ajusta detrás de las orejas y alrededor del hocico con una cuerda de plomo o vara atada. En el caso de los animales más pequeños, se coloca una correa en el ronzal. Si ves un cabestro en un sueño significa que Dios te está guiando por el camino estrecho o correcto para que puedas prosperar. Te está impidiendo tomar decisiones equivocadas al limitar tus opciones.

Cabeza de chorlito: persona tonta o difícil y que es testarudo; se te conoce por la compañía que tienes, así que elige sabiamente.

Cabeza de la muerte: un cráneo humano como símbolo de la mortalidad o de la muerte. Es mejor dejar enterrados los viejos secretos familiares, no desenterrar las ofensas del pasado. *«Y como está establecido que los hombres mueran una vez, pero después de esto el juicio»*, Heb. 9:27a.

Cabeza hueca: ver un cabeza hueca en su sueño representa una inclinación a estar de acuerdo con la opinión popular sin tomar una decisión o pensar por sí mismo.

Cabeza cubierta de polvo: sin dirección clara; desmayo; confusión; antigua forma de pensar; cabeza oscilante: doble mentalidad, inestable.

Cabeza cubierta: sometida; cubierta; pena; sometimiento; tradición; protección; cabeza descubierta: naturaleza pecaminosa que gobierna; venerable al ataque.

Cabeza, de otro: te encontrarás o conectarás con una persona de influencia o estatus; si ves tu cabeza cortada: advertencia de usar la cabeza, no perder la cabeza por la ira, la preocupación o el temor, ser guiado por el espíritu y no por el intelecto.

Cabeza en las manos: pensamiento, *«El pensador»* de Rodin, pena, arrepentimiento o dolor; recuerdos dolorosos.

Cabeza herida: cabeza hinchada o herida: orgullo, preocupación, duda, miedo, ansiedad, frustración mental o falta de conocimiento.

Cabeza hinchada: arrogancia, orgullo, opinión inusualmente alta de sí mismo; engreído; posible condición médica con el cerebro.

Cabeza, lavar la espuma de la cabeza: se te buscará por tu sabiduría, consejo y discernimiento.

Cabeza rascada: perplejidad, indecisión, confusión, estupefacción.

Cabeza ungida: bendición y unción espiritual de la cabeza hacia abajo; dedicada al servicio; llamada, apartada para el servicio piadoso.

Cabeza: Jesús, Dios, señorío, Cristo; pensamientos de la mente, opiniones, intelecto, decisiones, intenciones, imagen de sí mismo, autoridad, marido, amo, jefe, el que manda, administrador, director general; proceso de pensamiento; contemplación; pensamientos; jefe de organización; inteligencia de la mente; gobierno; pastor; presidente; empleado; poder; protección; prosperidad; exaltación; promoción; juicio; orgullo; confianza, 1 Cor. 11:3; Ef. 1:22; Mt. 6:17; 22:37; 27:39; Is. 9;15; 15:2; Éx. 29:10; Lev. 1:4; 3:2.

Cabezas: dos o más cabezas en un mismo cuerpo: doble ánimo, vacilación, caminos inestables, confusión, un monstruo; ser infiel.

Cabina o barraca: significa que tendrás éxito con trabajo duro y diligencia; la vida de uno se construye con material de liderazgo, autosuficiente e independiente, pero con humildad y sencillez de corazón; significa que uno desea las cosas sencillas de la vida a fin de conseguir su felicidad y realización; cabina de barco: puerto emocional o lugar de seguridad.

Cabina telefónica: si respondes a la llamada indica que estás abierto a recibir la llamada de Dios en tu vida, abrazando el mensaje de la cruz, la sabiduría y el conocimiento.

Cable telefónico: si el cable está levantado entonces la oración y la comunicación están abiertas, si el cable está cortado o caído la conversación o las discusiones se han interrumpido, no hay capacidad de comunicación; corazón duro o rebelde.

Cableado eléctrico: ver un cableado en un sueño puede indicar que estás enredado o demasiado «cableado». Alternativamente, puedes tener una personalidad eléctrica que energiza a todos los que te rodean. Está «cableado» (diseñado) para el éxito. El cableado de los edificios es un sistema de cableado eléctrico y otros dispositivos asociados, como interruptores, contadores y accesorios de iluminación, que se utilizan en los edificios u otras estructuras. El cableado eléctrico utiliza conductores aislados que se conectan a los circuitos.

Cables de refuerzo: soñar con que se está conectado un cable de refuerzo indica que necesita cargarse de energía para empezar con pie derecho. Tómese un tiempo para recargarse y llenarse de energía para completar las tareas que tiene entre manos. Necesitas un pequeño impulso amistoso de tus amigos y familiares.

Cabra de Angora: Sabiduría mundana.

Cabra: carnalidad, cristiano carnal o persona perdida sin salvación, un incrédulo que camina en el pecado; incredulidad; de voluntad muy recia; sin entrenamiento; indisciplinado; de dura cerviz; sin domar; terco; pecador; discutidor; culpado por el mal de otros «chivo expiatorio»; escalador social. Mt. 25:33. Gén. 27:9; Lev. 16:5-28.

Cabrestante: observar o utilizar un cabrestante en un sueño sugiere que necesita quitarse una pesada carga de los hombros. Está cargando con el peso del mundo al asumir demasiadas responsabilidades.

Cabrito: ver un cabrito en un sueño representa un pequeño error en la toma de decisiones. Es una advertencia para que no dediques mucho tiempo a la búsqueda de placeres y la vagancia, pues tus actividades profesionales o educativas pueden verse afectadas. También puede ser una advertencia de que estás actuando como un «niño» inmaduro al eludir tus responsabilidades. Sé tú mismo: «¿A quién quieres engañar?», Gén. 38:17; 1 Sam. 16:20.

Caca: cansarse o abandonar en el último momento.

Cacahuetes: múltiples usos; versátil; Georgia; George Washington Carver inventó muchos usos a partir de un sueño; insignificante; pequeño de estatura; cómico, sentirse como un loco.

Cacao: bebida caliente preparada combinando cacao en polvo con agua, leche y azúcar; indica un momento de compañerismo con amigos cercanos en los que puedes confiar.

Cacatúa de Molucas: la cresta se eleva cuando se siente amenazada, asustada, excitada u otras manifestaciones «emocionales»; llamadas ruidosas; capaz de imitar; especie en peligro de extinción, el comercio es ilegal; belleza popular, capacidad de adiestramiento; la mascota de loro más exigente, alta inteligencia, necesita masticar; muy social, extremadamente mimoso, cariñoso, pájaro gentil; requiere mucha atención y actividad para mantenerse sano y bien adaptado. Repite como un loro lo que oye en las conversaciones.

Cacatúa: loros de Australia e islas adyacentes; tienen una larga cresta de plumas eréctiles; capacidad de imitar las palabras que se pronuncian; voz no clara; chismoso que repite lo que se oye; falso amigo que cuenta mentiras e indiscreciones.

Cacería: búsqueda de una solución para algún deseo emocional interno o físico, intento de encontrar algo o alguien que puede ser inalcanzable en el momento actual; aprende a perseguir tu objetivo, ya sea una presa, a través de la «oración» o del conocimiento. Relaciona lo que estás cazando con las siguientes preguntas «¿Dónde debería encontrarla?» «¿Qué come?» «¿Dónde vive?» Observa lo que estás cazando. ¿Por qué lo buscas? ¿Cómo te afectará cuando lo encuentres o no lo encuentres? ¿Cuáles son las armas que utilizas? El viaje revela la paciencia, la perseverancia, el valor, la confianza y el carácter, o la falta de él. La caza es un 99% de preparación y un 1% de ejecución. Debes pensar de una manera renovada para lograr la victoria. Averigua cosas sobre tu verdadera identidad. Las cosas son ocultadas para nosotros, no de nosotros. La revelación produce un cambio en ti que te acerca a tu identidad a través del acecho de tu objetivo. La caza es un viaje que Dios quiere que realices para obtener conocimiento de Él, de ti mismo y para que ganes o te liberes de algo. Significa estar en busca de uno mismo, de los deseos internos del corazón, del futuro, de la prosperidad o de algunas respuestas; Nimrod era un «poderoso cazador», Gén. 10:9; Gén. 25:27; Gén. 27:3-4.

Cachemira: soñar que llevas ropa de cachemira en tus sueños indica que tiene gustos ostentosos y desea las cosas más finas que aportan calidez y comodidad en la vida.

Cachorro: perro joven; un joven engreído o insolente; inmaduro; indisciplinado; que necesita ser entrenado; camino; naturaleza juguetona y despreocupada, un amigo prometedor; cuidar: indica fiabilidad y honestidad, los demás pueden depender de ti, en los momentos difíciles. El número de cachorros o la edad de la camada de recién nacidos indica la cantidad de tiempo para madurar, entrenar o desarrollar una idea. Si se rescata un cachorro, se busca devolverle un lado más alegre o feliz de tu personalidad.

Cachorros de león: tienen que superar muchos obstáculos para sobrevivir, además de la inanición, los cachorros se enfrentan a otros muchos peligros, como la depredación por parte de chacales, hienas, leopardos, águilas marciales y serpientes. Incluso los búfalos, si perciben el olor de los cachorros de león, a menudo salen en estampida y los pisotean hasta la muerte. Además, cuando uno o varios machos nuevos desalojan al macho o los machos anteriores asociados a una manada, los conquistadores suelen matar a los cachorros existentes. *«¿Qué es de la guarida de los leones, y de la majada de los cachorros de los leones, donde se recogía el león y la leona, y los cachorros del león, y no había quien los espantase? El león arrebataba en abundancia para sus cachorros, y ahogaba para sus leonas, y llenaba de presa sus cavernas, y de robo sus guaridas»*, Nah. 2:11-12.

Cachorros: ver a las crías de un animal carnívoro como el oso, el lobo o el león, indica que tú o un hermano están en una situación incómoda debido a tu inexperiencia. Tienes mucho que aprender de la vida. Sueles ser demasiado ingenuo, inocente y con ganas de meterte en líos.

Cactus: valentía; resistencia; exterior espinoso; alguien a quien es difícil acercarse.

Cadalso: indica que serás colgado por tus propias palabras de amargura; arrepiéntete antes de que sea demasiado tarde para salvarte de las opiniones públicas negativas.

Cadáver: significa que el hombre viejo y los malos hábitos han muerto y el hombre nuevo va a surgir; muerte, remordimiento, sin esperanza, relación decadente; negar o amortiguar los sentimientos de simpatía, el perdón o las acciones; matar el amor por alguien si te ha rechazado, herido o traicionado; un cadáver puede representar el temor a la muerte; desear la muerte de alguien, o su eliminación de nuestra vida; enfermedad, mortalidad, debilidad humana.

Cadena: es el momento de ser liberado del pecado, de los malos hábitos y de las fortalezas mentales que te han mantenido atado a una vieja mentalidad y a rutinas anquilosadas; rompe con la esclavitud de las relaciones dañinas que han limitado tu crecimiento espiritual y emocional; no permitas que otros controlen o restrinjan tu flujo creativo o te mantengan encerrado en tu forma limitada de pensar. Esclavitud al pecado, esclavitud, opresión como un prisionero que se mantiene cautivo en contra de la propia voluntad; una atadura del alma o un fuerte compromiso; castigo, grilletes, opresión; Hch. 12:6; 28:20; Ez. 7:23; Sal. 73:6; Apo. 20:1.

Caderas: la luz anaranjada de la unción de Dios trae la curación a la zona de las caderas. Reproducción; fertilidad; fructífero; lomos de la verdad; mente; apoyo; articulación; caminar en las cosas profundas; derecha: falso evangelio o luz; izquierda: falso mesías o Jesús. 1 Pe. 1:13; Ez 47:4. Para más información vaya a *www.decodeMydream.com* Tarjeta del Ministerio «Palabra de Conocimiento de los Videntes o profetas».

Cadete: verse a sí mismo como un joven estudiante en una escuela militar indica que estás pasando por una temporada de entrenamiento y guerra espiritual. Aprender a trabajar como un equipo o unidad de criterio es fundamental para que logres el éxito.

Cadillac: significa eres un líder fuerte que marca la pauta con excelencia y un alto nivel moral. Tu ambición te llevará lejos en la vida porque estás destinado a tener éxito. Estás diseñado para operar dentro de los más altos estándares de calidad. En un ámbito personal, significa que tienes una impronta única de liderazgo. Es un llamado a superar tus expectativas. Representa el credo del artesano y el apego a la ley. Es un llamado apropiarte de todo lo que implica honorabilidad, excelencia y grandeza. Un Cadillac es el lugar donde todos los demás coches finos aprenden sobre el lujo. Dentro de la industria automotriz estadounidense es un paradigma ejemplarizante por su elegancia, eficiencia y robustez.

Caduceo: es el símbolo del comercio, y consiste en un bastón de heráldico corto entrelazado por dos serpientes y coronado por las dos alas que llevaba Hermes en la mitología griega y que, a su vez, Mercurio mensajero romano de los dioses llevaba en la mano izquierda. Representa la guía de los muertos y protector de comerciantes, pastores, jugadores mentirosos y ladrones. El caduceo representa el símbolo astrológico del planeta Mercurio y los metales elementales. La superstición dice que la varita despertaba a los dormidos y enviaba a los despiertos a dormir. Si se aplicaba a los moribundos, su muerte era suave; si se aplicaba a los muertos, volvían a la vida. Debido a la escritura y la elocuencia de Mercurio, este símbolo representa la imprenta. Este símbolo representa la capacidad de negociación necesaria para que el comercio aporte un equilibrio entre la oferta y la demanda. El caduceo se utiliza a menudo de forma incorrecta como símbolo de las organizaciones sanitarias y de la medicina porque se confunde con el símbolo médico tradicional, conocida como la vara de Esculapio, que sólo tiene una serpiente y no tiene alas.

Caer: caer sin miedo indica éxito en las dificultades; estar ansioso de caer indica miedo al fracaso o falta de autoconfianza o control. Los sentimientos de aislamiento o soledad te abruman. Pecado, destitución; ser removido de una posición; Dios te está dando a conocer su nivel de confianza en Él; prueba y ensayo; «caer en» una mentira o engaño; inestabilidad; tomar una decisión imprudente; inmadurez; una decisión de abrazar o involucrarse en una nueva relación; pérdida de confianza, seguridad, dinero, relación, favor, gracia social, imagen o estatus; orgullo que viene antes de una caída; fracaso moral; tensión o estrés; exceso de trabajo; peligro o colapso emocional o físico, Pr. 24:16

Café con leche: ver o beber un café con leche en un sueño indica un momento de compromiso e interacción social.

Café: «Llamada de atención»; conversaciones estimulantes o aleccionadoras; cálida comunión con los amigos. Ro. 13:11. Un café representa un lugar pintoresco para ponerse al día con los amigos y parientes cercanos y mejorar tu vida social. Un gran lugar para alimentarse del amor y nutrir las amistades de los demás.

Cafeína: soñar con este alcaloide amargo C8H-10N4O2 que se encuentra especialmente en el café, el té, el cacao y las nueces de cola, puede indicar que necesitas algún tipo de estimulante que te haga avanzar para tomar algunas acciones necesarias que te ayuden despertar las oportunidades que actualmente están a tu disposición. La cafeína se utiliza medicinalmente como estimulante y diurético.

Cafetera eléctrica: activarse y animarse cuando se ha meditado sobre una idea o concepto durante un periodo de tiempo indica que ha llegado el momento de prosperar poniendo en práctica tus pensamientos.

Cafetera: es hora de despertarse y oler el café. Ocúpate y llena tu día de amigos, familia y trabajo. Permanece atento, mantén los ojos abiertos en busca de nuevas oportunidades que te hagan rebosar de entusiasmo. Algo nuevo se está gestando en el horizonte que satisfará un profundo deseo de tu yo más profundo.

Cafetería: muchas cosas pequeñas pueden estar carcomiendo las entrañas de uno; por ende, debes elegir mejor tus batallas. Representa el servicio sistemático a la comunidad; a la Iglesia; a la Palabra de Dios; elegir el alimento espiritual necesario. Haz un inventario de tu vida y de tu salud. Puede que haya muchos problemas que te «carcoman» por dentro o que necesites ser más selectivo y hacer mejores elecciones de vida. Escoge y elige tus batallas con cuidado.

Caguetas: representa a un cobarde o a un temeroso.

Caída del follaje: sequía, enfermedad, apuro o dolencia, tu empresa no irá bien. Una corona: gran honor público. Follaje verde: la prosperidad, el aumento y la fecundidad traerán felicidad y muchos placeres.

Caído: soñar que has bajado repentinamente o ha caído rápidamente de un lugar o posición elevada a una situación o disposición inferior indica que tu reputación u honor se está agotando; alguien pretende hundirlo o derrotarlo; ser muerto en batalla con gloria como un héroe caído.

Caifás: depresión; el sumo sacerdote de los judíos que aconsejó la muerte de Jesús y presidió su juicio, Jn. 11:49-52; 18:14.

Caimán: enorme y poderosa boca de un envidioso con alguna autoridad al que le gusta andar con «cuentos» que se propagan fácilmente entre las personas; un enemigo que se mueve por debajo de la superficie para acabar la vida de una persona, para devorar con palabras punzantes y arrastrar a su víctima a sus volteretas mortales con el fin de destrozar la carne de su presa y luego enterrarla luego con calumnias, chismes o abusos verbales; demonio o espíritu maligno que influye en un enemigo para hablar palabras de acusación; Leviatán - sólo el Señor tiene poder sobre él; Jb. 41: 1-10; Sal. 74:14; 104:26; 9:13; Lev. 11:29. También ver cocodrilo. La mascota de la Universidad de Florida en Gainesville es un Caimán. Los caimanes suelen representar a Leviatán. *«En aquel día el SEÑOR castigará a Leviatán, la serpiente huidiza, a Leviatán, la serpiente tortuosa. Con su espada violenta, grande y poderosa, matará al Dragón que está en el mar»*, Is. 27:1. Un caimán representa a alguien que es imparable. Tienen mucho poder para devorar, destrozar y hundirte totalmente con su boca devoradora llena de mentiras y cuentos devastadores.

Caín: primer hijo de Adán y Eva, Gén. 4:1-8; 1 Jn. 3:12; representa al hombre natural no regenerado, la voluntad propia; una lanza, Jd. 11; Heb. 11:4.

Caja bancaria o carpeta de banco: soñar con una caja bancaria indica que ha heredado bienes, dinero, riqueza o una nueva forma de ingresos. Está buscando un lugar seguro que pueda proteger y asegurar su última herencia o colección de ideas creativas e innovadoras.

Caja de alabastro: esta piedra blanca, frasco para perfumes, simboliza la fragancia de la fraternidad sacrificial de Cristo, Mc. 14:3; Mt. 26:7; Lc. 7:37.

Caja de herramientas: lleva los recursos necesarios para arreglar los problemas de la vida, cosas que la gente puede usar para enmarcarte; asegúrate de que estás construyendo la vida en lugar de sólo existir o sobrevivir.

Caja de música: oír o ver una caja de música sonando en tus sueños significa recuerdos preciosos de tus seres queridos que guardas en tu corazón. Si la caja de música se rompe, significa que estás sufriendo un dolor de corazón y una decepción amorosa.

Caja de zapatos vacía: caminar en una nueva vocación o caminar hacia propósito.

Caja de zapatos: llevar zapatos nuevos, caminar por un nuevo sendero en la vida; adquirir una nueva habilidad; dirigirse a una dirección diferente en la vida; un nuevo conocimiento.

Caja fuerte: seguridad o protección de los sentimientos o de los negocios de uno; abrir: el dinero empezará a desaparecer; caja fuerte vacía: problemas y carencias; ladrones que entran y roban, Pr. 18:10.

Caja: el dinero «en la caja» significa prosperidad y abundancia para nuevos negocios, familia y relaciones; «una mano en la caja» significa que un ladrón está robando o desviando fondos.

Cajas, apertura: abrir una caja cerrada representa la entrega de un nuevo regalo, el descubrimiento por parte de uno mismo de algo previamente oculto o escondido. ¿Cómo te sientes al abrir la caja? ¿Emocionado, aprensivo o temeroso?

Cajas: las cajas son recipientes con cuatro paredes y espacio limitado, por lo que pueden indicar que están «encajonadas» limitadas o restringidas por ciertas paredes o barreras. Las cajas se utilizan para guardar cosas, por lo que tus impulsos o tu naturaleza carnal pueden intentar escapar o estás protegiendo, aislando o preservando ciertos aspectos de ti mismo.

Cajero de banco: Los cajeros son considerados una «primera línea» en el negocio bancario. Esto se debe a que son las primeras personas que ven un cliente en el banco y también son las personas con más probabilidades de detectar y detener las transacciones fraudulentas para evitar las pérdidas en un banco. El puesto también requiere que los cajeros sean amables e interactúen con los clientes, proporcionándoles información sobre sus cuentas y servicios bancarios. Ver un cajero en su sueño indica que se le anunciará públicamente un gran favor.

Cajero: significa que estás en el proceso de reevaluar tus logros obtenidos hasta ahora; retirarte a ti mismo de algo; te has «retirado». Ver a un cajero de un banco indica que se van a recibir fondos inesperados, dinero o una herencia. Por otro lado, puede ser una advertencia para que te asegures de que tus finanzas están en orden. También considera las palabras que significan que un cajero es un contador de historias o cuentos. ¿Qué se dice de tu reputación? ¿Qué dice la gente de ti? Vive tu vida de tal manera que sólo tengan cosas buenas que decir de ti.

Cajones llenos: si el cajón está lleno: entonces simboliza tus muchos recursos.

Cajones vacíos: si el cajón está vacío, significa que necesitas cumplir tus objetivos.

Cajún: soñar con un cajún, grupo de criollos franceses católico o su tradición cultural, o con los antepasados que establecieron comunidades permanentes en Luisiana y Maine después de ser expulsados de Acadia a finales del siglo XVIII, indica que te encontrarás con algunas personas interesantes a las que vas influir o evangelizar.

Cal: angustia pasajera; la adversidad provocará un aumento del éxito; refrescar; mejorar.

Calabacín: ver, comer, plantar o cocinar calabacines es una buena señal de que tendrás una vida familiar feliz y amorosa, especialmente si frecuentas la iglesia.

Calabaza: cosecha; acción de gracias, pastel de calabaza, amigos y compañerismo; truco o trato de Halloween; brujería, jack-o-lantern. Es una planta emparentada con el zapallo, el calabacín y el pepino que da frutos con una corteza dura de forma inusual. La calabaza cubría a Jonás y le ofrecía un compañerismo que le liberaba de su dolor, Js. 4:6-10. Producto temporal de la tierra; fruto venenoso.

Calabozo: sentimiento de monotonía, estar atrapado o desprestigiado; uno superará los obstáculos o limitaciones en su vida aguantando, perseverando y utilizando la sabiduría de Dios; Daniel en el foso de los leones.

Calamar, comer: te has saciado de lo que los demás piensan o perciben de ti, devorando la opinión pública, superando el miedo al hombre.

Calamar, ver: tu subconsciente se ve amenazado por la falta de claridad y un juicio nublado.

Calamar: un molusco alargado con un cuerpo alargado que tiene diez brazos agarrados y codiciosos que van detrás de lo que quieren, rodeando una boca que dice palabras manipuladoras y persuasivas y un par de aletas triangulares o redondeadas. Ver uno de estos diez animales armados, con chorros de tinta y conchas internas, o comer una sepia o calamar, que no es un pez sino un molusco, en un sueño indica que te gusta ser abierto y directo con la gente. Te alejas de las personas que tienen problemas ocultos que tienden a enturbiar el agua con vanos amiguismos. Tienes una gran capacidad para aclarar cualquier tipo de confusión, de modo que los demás tengan muy claros tus pensamientos y opiniones. Te gustaría «apapacharte o abrazarte» con alguien especial.

Calamares: ver calamares en un sueño indica que has estado probando en una gran cantidad de direcciones diferentes, pero, por más que lo intentas sientes como si siguieras siendo cortado, golpeado y frito.

Calambres: una contracción muscular que provoca un dolor intenso debido a un esfuerzo, un escalofrío o un uso excesivo, comprimirse o «acalambrarse», espera una liberación de un nuevo favor encontrado, un aumento de la autoridad y una recompensa.

Calamidad: acontecimiento o decisión tomada fuera de la voluntad de Dios que provoca un juicio, una pérdida sustancial, una angustia duradera, una aflicción severa, una carga espiritual y una sequía; un desastre.

Calamidades: experimentar una calamidad tras otra indica que hay una maldición en tu vida que debe romperse.

Calavera y huesos cruzados: símbolo de muerte utilizado por los piratas, que indicaba que eran ladrones y asesinos a quienes entraban en contacto con ellos. Actualmente se utiliza en las etiquetas de advertencia de los venenos, Lc. 23:33; Pr. 8:36.

Calcetería: apoyo formal y profesional; recibir preferencia.

Calcetines sucios: el «olor a calcetines sucios» o «síndrome de los calcetines sucios» proviene de las personas que siguen usando el mismo par de calcetines una y otra vez sin lavarlos. Ver calcetines sucios en tu sueño indica que no te estás limpiando o refrescando con el agua de la Palabra, la oración, la adoración o el estudio de la Biblia para dar a tus pies la sabiduría necesaria para moverte por el día a día. *«¿Por qué no había nadie cuando vine? Cuando llamé, ¿por qué no hubo nadie que respondiera? ¿Es mi mano tan corta que no puede rescatar? ¿O no tengo poder para liberar? He aquí que yo seco el mar con mi represión, hago de los ríos un desierto; sus peces apestan por falta de agua y mueren de sed»,* Is. 50:2.

Calcetines: cobertura que brinda comodidad y sosiego; significa caminar con facilidad en una nueva temporada de entrenamiento.

Calculadora: significa cuantificar el costo; sentir que las cuentas no dan; un tiempo de multiplicación, considera el dicho de Esopo «divididos caeremos, unidos venceremos»; restar lo negativo, significa que alguien está actuando de manera calculadora. Lc. 14:28.

Caldera: ver una caldera en su sueño indica que está lidiando con mucha ira y rabia que se acumula en tu interior.

Caldo: líquido sustancioso, salsa o salsas. Los amigos fieles y sinceros estarán presentes para apoyarte en tus empresas.

Caleb: Significa gran potencial espiritual y fiel, Nm. 13:30.

Caleidoscopio: instrumento óptico que hace girar una sucesión de diseños simétricos por medio de espejos y reflejos que cambian continuamente los patrones de cristal de colores brillantes. Soñar con este instrumento quiere decir que patrón continuo de eventos cambiantes llegará a tu vida.

Calendario: una fecha importante, el tiempo es esencial, una buena planificación es fundamental, una visita programada, un encuentro con alguien, un acontecimiento trascendental, un aniversario, un cumpleaños, la necesidad de recordar, usar el tiempo sabiamente; el advenimiento de una promesa. Jb. 14:13.

Caléndula: considera el juego de palabras: «calendario»; el tiempo es importante; flor naranja-amarilla; representa el nacimiento del mes de octubre.

Caléndulas: afecto sagrado; crueldad; pena; celos; deseo de riquezas; los pétalos previenen la infección; el color amarillo indica esperanza; sanidad física, mental o emocional; bendición; ahorra o invierte tu dinero; 1 Tm. 6:6 la piedad con contentamiento es una gran ganancia; octubre.

Calentador de piernas: indica que estás en un camino cómodo o correcto donde podrás acelerar y recuperar las cosas que se perdieron en el camino. Correrás con éxito la carrera y obtendrás la victoria.

Calentador: el fuego de Dios, las cosas se están calentando en la vida personal o espiritual de uno, avance o cambio.

Calesa o carruaje (tipo de carro): una calesa solía ser un símbolo de estatus o poder antes de que se inventara el automóvil; sólo los ricos tenían calesas. Ver un carruaje antiguo en tus sueños indica que tu modo de transporte puede necesitar ser actualizado. No estás progresando ni estás al día con los tiempos. Es posible que necesite una evaluación espiritual. ¿Estás atascado en tradiciones religiosas de generaciones pasadas que limitan el uso de los dones y talentos espirituales que Dios te ha dado?

Calidad: es más importante que la cantidad, da siempre tu mejor esfuerzo y pon tu mejor pie adelante para asegurar el éxito.

Cálido: sentir una satisfacción cálida y amistosa en un sueño indica que estás entusiasmado y feliz de estar vivo. Está calentándote o preparándote para un gran acontecimiento en la vida. También es posible que estés buscando una relación romántica con una persona importante, ya que está «calentando motores» o te estás encariñando con ella.

Caliente: ser pasional o tener la sangre caliente, impulso sexual, perder los estribos, ser impertinente, sentirse fuertemente atraído por alguien, ser hablantinoso.

California: «Lo he encontrado»; Encuéntrate aquí; Estado dorado, Oeste dorado, Estado de El Dorado; Tierra de leche y miel; Amapola de California; Azul y oro; Benitoíta.

Caligrafía: eres un escritor dotado que ve belleza en las conversaciones habladas y arte en la palabra escrita.

Calle principal: es el nombre oficial genérico de la calle principal de la ciudad, pueblo o ciudad donde se encuentra el distrito comercial y cuenta con lugares para socializar. La calle principal también puede sugerir que necesitas mantenerte enfocado y mantener lo principal en primer plano.

Calle del costado: explorar otras avenidas o posibilidades, recorrer un camino más tradicional o una forma de vida no convencional, 2 Sam. 22:43; Jb 29:7.

Calle señalizada: ¿estás leyendo correctamente las señales espirituales que te rodean? Las señalización de las calles o los postes son indicadores que te ayudan a encontrar tu camino y tu dirección en la vida. Es posible que necesites reducir la velocidad para poder navegar por los cambios que se avecinan. Cambiar de carril, salir a tiempo, girar a la izquierda o a la derecha, todo depende de tu habilidad para leer las señales de la calle con precisión. Fíjate en el significado del nombre de la calle.

Calle: el destino o el camino de uno en la vida; condiciones de la calle: muestra la medida o la falta de control que uno tiene sobre su dirección; los nombres de las calles ofrecen un significado importante; las devociones públicas Mt 6:5; 1 Re. 20:34 obtienen ventajas comerciales.

Callejón oscuro: caminar, correr o esconderse en un callejón oscuro indica que estás tratando de escapar de una amenaza. Necesitas obtener una visión espiritual para exponer y eliminar cualquier esquema dañino imprevisto, trampas, obstáculos o distracciones. Tomar este atajo es peligroso y debe evitarse a toda costa.

Callejón: lugar de transición oscuro que tiene el potencial de convertirse en un peligroso acecho, en el camino de la destrucción, fuera del camino, problemas ocultos o imprevistos.

Callos: soñar que tus manos tienen callos simboliza el trabajo duro y la diligencia en tu ética laboral, la cual dará sus frutos. Después de haber puesto las manos en el arado, no hay que retroceder hasta que la tarea esté terminada.

Callos: ver callos en tus pies indica que estás siendo limitado y que no estás caminando por la vida con todo tu potencial. Los zapatos que llevas actualmente no son lo suficientemente grandes para soportar todos los dones y talentos que posees. Busca un aumento o una promoción y empieza a vivir a la altura de todo lo que estás llamado a hacer.

Calma: serenidad; entrar en el descanso espiritual; menos movimiento; paz; confianza serena; emociones no perturbadas; no se sacude fácilmente ni física ni emocionalmente. Tener una sensación de bienestar y confianza en un poder superior.

Calor: intensidad de las emociones; sentimientos inflamados; excitación intelectual; competencia; presión; estrés; sequedad; esterilidad; ejercicio de la autoridad espiritual mediante la persecución activa de los enemigos; manifestación del Espíritu Santo; sanación. Ez. 3:4; Dn. 3:19; Snt. 1:11; Mt 13:6; 20:12; Jb. 30:30.

Calumnia: alguien hace declaraciones difamatorias, perjudiciales y maliciosas que dañan tu reputación o tu bienestar.

Calva: Algo te está molestando; estrés o pérdida prematura del cabello; falta de sabiduría en un área de tu vida; necesitas orar más, 1 Cor. 11:15.

Calvario: el lugar de la calavera; Lc. 23:33; Gólgota, Mt. 27:33; Mc. 15:22; Jn. 19:17; el lugar donde Jesucristo fue crucificado; cerca de Jerusalén, fuera de las murallas, Jn. 19:20.

Calvicie: Si te quedas calvo en tu sueño sugiere que estás preocupado por envejecer, por perder tu apariencia atractiva o porque tu autoestima ha sufrido un golpe recientemente. Por otra parte, la calvicie puede simbolizar una audaz confianza para exponer tus verdaderos sentimientos de humildad, mansedumbre, modestia, transparencia y limpieza y sacrificio personal.

Calvo: Madurez, debilidad, humildad o falta de sabiduría o conocimiento, a menos que sea un hombre asiático, dolor, enfermedad o dolencia, vejez, pena, luto, vergüenza, juicio, águila o buitre, limpio, Lev. 13:40; impuro, Lev. 13:42; según el contexto del sueño, Is. 3:24; Jer. 47:4-5; 48:27.

Calzoncillos: llevar calzoncillos habla de pureza, inocencia y de conservar tus virtudes, de guardar tu corazón, de miedo a la intimidad, de no poder reproducirte.

Cam: Cam o CAM significa fabricación asistida por ordenador. El hombre necesita que sus pasos sean ordenados por el Señor: *«Los pasos del hombre bueno son ordenados por el Señor, y se deleita en su camino»*, Sal. 37:23. Una máquina necesita instrucciones de un programador informático que la programe para trazar las coordenadas que debe seguir o alcanzar. En tu sueño, Dios puede estar preguntando: «¿A quién sigues?» o «¿Quién lleva la batuta en tu vida?».

Cama de día: soñar con una cama que se utiliza como un asiento o un sofá durante el día es señal de te encuentras en un mar de calma y relajación.

Cama: lugar de intimidad, lecho matrimonial, de sanación, de descanso, de confort y de seguridad; un refugio de recuperación; de escape. Adulterio, Snt. 4:4; Apo. 2:22; Éx. 8:3; Jn. 5:11; Pr 7:17; Sal. 41:3; Heb. 13:4; Dt. 3:11; cama de hierro de Og, rey de Basán.

Camada de animales: ver una camada de animales desarrollándose indica el momento aproximado en el que has dado a luz una idea.

Camaleón: es un cazador distintivo y altamente especializado. Los ojos de los camaleones son móviles de forma independiente, pero al apuntar a una presa, se enfocan hacia delante de forma coordinada, lo que proporciona al animal una visión estereoscópica. Los camaleones están adaptados para trepar y cazar visualmente. Su nombre significa león del suelo. Los cambios de color señalan el estado fisiológico o el estado de ánimo del camaleón (los colores más oscuros indican enfado o la intención de intimidar a otros) y las intenciones de otros camaleones, los patrones multicolores más claros del macho indican que quiere cortejar a una hembra. Ver un camaleón en un sueño puede indicar que estás dispuesto a cambiar tus verdaderos colores para conseguir lo que te has propuesto. Se trata de un lagarto o de una persona incoherente que cambia constantemente sus normas u opiniones. Lev. 11:30; cosas inmundas que se arrastran.

Cámara: es el momento de centrarse en los deseos de tu corazón; sintonizar con las cosas que son importantes; hacer algunos recuerdos duraderos con las personas que amas; poner tu mejor cara; conectarte con los medios de comunicación; «congelar la imagen», en procura de la fama o el reconocimiento; capturar el momento 1 Tes. 3:6.

Camarero/a: deseo de ser atendido, no te gusta servir o atender a otros, estás esperando a otro; alguien tendrá que atenderte o tú tendrás que atender a otro; servidumbre; proveer y atender los deseos, carencias o necesidades de otras personas; uno puede estar descuidando sus propias necesidades o convirtiéndose en un mártir; trabajar por un salario bajo o por propinas sin cumplidos ni agradecimientos, Hch. 6:2-6.

Camarón: sentirse abrumado, irrelevante e intrascendente.

Camarotes: soñar con que se duerme en una litera o camarote representa la inocencia de los recuerdos de la infancia, campamentos o de compartir habitación con hermanos o amigos. Estas camas dobles apiladas una sobre la otra comparte un mismo marco que puede representar ideas comunes o contradictorias que se alojan en el mismo espacio.

Cambio de sexo: la naturaleza básica de uno está cambiando; transformarse en otra persona para buscar aprobación; asumir o aceptar un rol diferente; confusión sobre su rol o responsabilidades en la vida; ser dominado o controlado; si es un hombre: su lado emocional compasivo o sensible de crianza está saliendo a la luz; si es una mujer: está siendo más protectora de sus sentimientos, ejerciendo su autoridad; o puede necesitar ser menos emocional y más lógica en su acercamiento a ciertas situaciones o personas.

Cambio: eres un agente de cambio que crea atmósferas, transforma ambientes y hace cambios dondequiera que vayas, recuerda ser flexible, el crecimiento viene a través de la diversidad.

Cambistas de dinero: cambiaban dinero extranjero por dinero judío; se utilizaban para pagar los impuestos o cuotas del Templo; Jesús los expulsó del Templo, Mt. 21:12; Mc. 11:15.

Camboya: oficialmente es conocido como el Reino de Camboya, aunque anteriormente se le llamaba como el Imperio Khmer, es un país situado en la parte sur de la Península Indochina en el Sudeste Asiático. Su superficie total es de 181.035 kilómetros cuadrados y limita con Tailandia al noroeste, Laos al noreste, Vietnam al este y el Golfo de Tailandia al suroeste. Ver Camboya en un sueño puede indicar que tendrás algún tipo de negocio, oración o misión en el futuro.

Camelia blanca: eres pura, inocente, intachable y adorable

Camelia roja: eres una llama que tiene poder sobre mi corazón

Camelia: gracia; excelencia; constancia. Significa perenne o persistente 1 Tim. 2:8.

Camello: portador; corazón de siervo; solidario, trabajador; cargado; portador de cargas; gran riqueza y provisión; resistencia; largo viaje por el desierto; sin gracia; autosuficiente; independiente; Heb. 6:15; Mc 10:25; es imposible que un camello pase por el ojo de una aguja, Lc. 18:25. Animal impuro, Gén. 12:16; Éx. 9:3; Gén. 37:25 posesión de los adinerados.

Cameo: ver un cameo en un sueño representa diferentes capas de personalidad femenina y de varios colores o el aspecto de tu ser que estás tratando de expresar o mostrar a los demás. Alternativamente, el sueño puede ser un juego de palabras sobre una única, breve pero dramática aparición «cameo» que estás haciendo en alguna reunión social.

Camilla: ver una camilla en un sueño es una advertencia de mala salud o de un accidente inminente. Necesitas que alguien te rescate o te ayude a salir de una situación o relación peligrosa. Es necesario que hagas los cambios necesarios para evitar estos problemas futuros. Es posible que Dios te ponga a prueba a través de las circunstancias durante un tiempo de descanso. Verse en una camilla indica que se ha llegado al final de uno mismo y se necesita sanar una debilidad o un trauma en el cuerpo o en las emociones.

Caminante: persona que corre o camina por la pista durante un evento. Estás haciendo un buen trabajo al caminar por las cosas que la vida ha puesto en tu camino.

Caminar sobre el agua: dotado para hacer lo imposible; una llamada a la oración; Jesús aprendió a caminar sobre el agua durante la cuarta vigilia de la noche en la oración, llamado a calmar las tormentas en las vidas de los demás, caminando por la fe; mantener los ojos centrados en Jesús.

Caminar sobre el aire: libertad espiritual, despreocupación por seguir al Espíritu Santo.

Caminar con dificultad: falta de entusiasmo, arrastrar los pies en la toma de decisiones; poner algo de distancia entre uno y una situación negativa; desahogarse; pasar por encima de los pasos; volver a caminar por la montaña indica una necesidad de sabiduría para resolver situaciones difíciles o superar un obstáculo constante.

Caminar: tu camino espiritual; caminar las cosas en la vida con confianza y facilidad; progreso lento y constante hacia una meta o destino específico; sobre el agua: una perspectiva espiritual clara permitirá un camino milagroso; caminar paso a paso en tu vocación; esfuerzo humano; Adán, Enoc, Moisés y Abraham Gén. 17:1, 24:40, caminaron con Dios; progresando lentamente; caminar al lado de alguien: relación.

Camino de la guerra: verse en el camino de la guerra indica que estás en un estado de mal humor, hostil o de mal genio lo que, sin lugar a dudas, te llevará a discusiones, peleas, guerras o batallas con los que se crucen en tu camino.

Camino del país: ¿cómo te sientes en este país? Si tiene miedo o está perdido, entonces no estás preparado para el cambio; si está entusiasmado o lleno de alegría en un nuevo lugar, estás preparado para aceptar el cambio; ir a un país diferente indica un gran cambio, una transición o un nuevo capítulo en la vida.

Camino estrecho: un camino angosto representa una restricción de opciones, o caminar la vida en el camino recto y angosto. «—*Esfuércense por entrar por la puerta angosta del reino de Dios, porque muchos tratarán de entrar pero fracasarán*», Lc. 13:24 NTV; «*Entren por la puerta estrecha. Porque es ancha la puerta y espacioso el camino que conduce a la destrucción, y muchos entran por ella. Pero estrecha es la puerta y angosto el camino que conduce a la vida, y son pocos los que la encuentran*», Mt. 7:13-14.

Camino: la dirección o el enfoque de la vida que prevalece; las decisiones que conducen a las acciones; una nueva actitud; las actividades públicas, una vía de paso para las personas, los animales y los vehículos; viajar; recorrer; vagar; «en el camino».

Camión de correo: vienen buenas noticias, provisión, mensajes, sabiduría, conocimientos o provisión, respuestas a la oración, palabra profética, «leer tu correo».

Camión de correos: los paquetes, las respuestas necesarias o los suministros le serán entregados rápidamente.

Camión de helados: una oportunidad favorable está en tu vecindario; el tiempo es esencial; actúa rápidamente o la buena fortuna pasará de largo.

Camión de la basura: ministerio de liberación que viene a limpiar el pecado, la suciedad y los desórdenes que la gente ha hecho en tu vida; eliminar los excesos de la vida; necesidad de perdonar y dejar de cargar con ofensas y traumas dolorosos del pasado.

Camión de UPS: (*United Parcel Service*), llegan suministros, sorpresas y bendiciones; regalos, recursos, aumento o promoción están en la puerta. Puede haber una necesidad de «entregar» el orgullo y acepar la humildad.

Camión volcado: grandes bendiciones que vienen hacia ti; alguien ha estado volcando todos sus problemas, chismes o calumnias sobre ti; libérate de las cargas que has estado llevando; cambio importante.

Camión, camioneta: tienes el don de las ayudas; el trabajo duro traerá una carga de riqueza; nuevos suministros y recursos están en camino; es el momento de acelerar la marcha; aplícate para que logres grandes ganancias.

Camión: ministerio o vocación personal o individual; capaz de abastecer a otros con materiales, agobiado o cargado de tareas o necesidades ajenas, sobrecargado de trabajo; embarazado, 1 Re. 12:18; 2 Re. 2:11-12, 10:16; Sal 104:3; Hch. 8:28-38; 1 Ts. 2:18.

Camión: ver un camión indica que estás agobiado por tus objetivos y tu agenda de trabajo demasiado ambiciosos; asumiendo demasiadas responsabilidades a la vez.

Camionero: el que se dedica a transportar mercancías y suministros.

Camioneta: asuntos familiares que giran en torno a la producción de los hijos.

Camisa de fuerza: sientes que pierdes la cabeza o que te vuelves loco, controles y limitaciones severas atan tu capacidad de avanzar o expresarte, víctima indefensa, Is. 26; 3; 2 Cor. 3:11.

Camisa de vestir: ver o llevar una camisa de vestir abotonada en su sueño indica una invitación a una ocasión formal en la que se te premiará por tu duro trabajo y diligencia.

Camisa hawaiana: ver o llevar una camisa hawaiana en un sueño sugiere que necesita unas vacaciones para relajarse y refrescar tu naturaleza cálida y brillante, así como tus dones creativos.

Camisa, abotonada: de cuello duro y convencional; un conservador almidonado; un político pulido; poco imaginativo; «mantener la camisa puesta»: mantener la calma; «perder la camisa»: desgracia, vergüenza o pérdida en los negocios, las relaciones personales o financieras, Mt. 5:40.

Camiseta sin mangas: ver esta camiseta informal sin mangas, con tirantes anchos y sin abertura frontal en un sueño indica que le vendría bien algo de diversión y sol; es hora de vestirse y relajarse con los amigos y la familia.

Camiseta: fíjate en el color. Condición y ajuste; una camiseta de manga corta o sin cuello para ayudar a cubrir la ropa interior de la exposición mientras se usa ropa transparente; un escudo que absorbe los aceites corporales y la transpiración cuando se hace un esfuerzo físico.

Camisola: ver esta clase de ropa interior femenina indica modestia si la llevas debajo de una blusa o chaqueta; si se lleva como negligé corto advierte de inmoralidad y espíritu seductor.

Camisón: entrada en una temporada de descanso, intimidad y refresco; recuperación de una aflicción o contratiempo.

Camote: humildad; unidad; alimento básico; trae equilibrio y armonía.

Campamento, para las mujeres: acampar significa que el matrimonio está por llegar si son solteras. Heb. 11:8-10

Campamento, para vivir: seguir adelante, perdonar y liberar los arrepentimientos o fracasos y decepciones del pasado; un desarrollo para ser más independiente y autosuficiente.

Campamento: consejo de Dios; sabiduría; pasar tiempos a solas con Dios; disfrutar del compañerismo; se necesitan vacaciones y relajación.Es señal de que requieres de un tiempo temporal de relajación o contemplación; se está en un momento difícil, se avecinan cambios; hay un nuevo viaje en el horizonte; un asentamiento; los amigos se mudan o se trasladan.

Campana de Canterbury: constancia y sonido de advertencia.

Campana: un anuncio; libertad, un día festivo; una llamada de atención, una nueva oportunidad está a la mano, ven a cenar, advertencia de peligro o destrucción si la campana está tocando, descalificación, el final o el punto de partida de un evento; el tintineo de las campanas representa una falta de amor, Éx 28:33-36; Zac. 14:20.

Campanario: elevar los ojos a Dios en la oración; centrarse en las respuestas y soluciones, no en los problemas que te persiguen; aspirar a la grandeza. Ver un campanario en sueños indica que es hora de que suenen las campanas del éxito y la felicidad. También podría ser una advertencia de que el tiempo se acorta. Es el momento de actuar y de alertar a la gente para que despierte de su sueño.

Campanas: escuchar el sonido de hermosas campanas indica que una visita se acerca.

Campanero: pregonero, el que anuncia buenas o malas noticias, abre puertas y lleva cargas pesadas.

Campanero: soñar que es un campanero indica que está cargado con las cargas de los demás. Sientes que tienes el peso del mundo sobre tus hombros. Acepta una propina y echa todas tus preocupaciones sobre Jesús. Él cuida de ti. Sus cargas son ligeras.

Campanilla de invierno (flor): esperanza y consuelo; árbol: Campanilla de plata: solitaria; asentimiento; flores blancas; enero.

Campanillas azules (flores): ver una campanilla, una planta de floración perenne conocida como bluebell en Escocia, o el bluebell de Virginia en Norteamérica, indica que es el momento de actuar sobre el conocimiento de la revelación que has recibido para recibir la alegría y el honor que te corresponde.

Campeón: defensor de la justicia, defensor del desvalido, defensor del huérfano o de la viuda, experto que sobresale en grandes hazañas, que reta o desafía probabilidades imposibles y, aun así, gana, alguien que lucha, un guerrero.

Campiña: silencio; tranquilidad; estado relajado; lugar pacífico para meditar y escuchar la voz de Dios; sensaciones naturales. Una zona rural es un área geográfica que se encuentra fuera de las ciudades y pueblos, con una baja densidad de población y pequeños asentamientos con zonas forestales y agrícolas. El 84% de los habitantes de Estados Unidos vive en zonas suburbanas y urbanas, pero las ciudades sólo ocupan el 10% del país. Considere el componente agrícola como una invitación a entrar en un tiempo de cosecha o replegarse de sus duras labores. Recogemos lo que sembramos. También puede ser una invitación a frenar y oler las rosas, a tomarse la vida con más calma.

Campo de batalla: relacionado con la confrontación en la vida diaria; nuevos obstáculos, conflictos o problemas que necesitan ser resueltos.

Campo de béisbol: jugar en el campo: indica que se avecinan oportunidades; campo de béisbol en construcción: se refiere a un problema no resuelto. 1 Cor. 9:25.

Campo de béisbol: soñar con un terreno en el que se juegan partidos de béisbol o con un diamante de béisbol indica que estás participando activamente en el juego de la vida, aunque esté sentado en el banquillo. Está bateando, arriesgándose y bateando líneas de béisbol, llegando a la base y listo para anotar un jonrón. Estás perfeccionando tus habilidades físicas y espirituales para mantenerte dentro de los límites realistas, satisfactorios o proyectados, «Estás a la expectativa» y preparándote para batear «la sacaste del estadio».

Campo de cebada: cosecha; enfrentarse a los propios temores para vencer; se obtendrá un gran éxito mediante el trabajo duro y la diligencia; alimento de los caballos; primera cosecha de la Pascua de abril; el Señor alimentó a cinco mil con cinco panes de cebada Jn. 6:9.

Campo de sangre: campo del alfarero; lugar de enterramiento de extraños, Mt. 27:7.

Campo de trigo: ver un campo de trigo representa un gran número de almas que están listas para ser cosechadas para el reino de Dios. El trigo es un símbolo de prosperidad y ricas bendiciones en abundancia. Tiene una puerta abierta de par en par y sin restricciones. El trigo representa el aumento de la fertilidad y la resurrección de los muertos cuando un alma nace de nuevo a la vida eterna.

Campo magnético: escudo de fe que repele los dardos ardientes, las flechas y las maldiciones del enemigo, una fuerza sobrenatural que protege a los creyentes, permite estar protegido por la gracia y la protección de Dios, oculto en Cristo.

Campo minado: caminar sobre cáscaras de huevo

para evitar un estallido en una relación; evitar los botones calientes de alguien; un enemigo está tratando de socavar tus esfuerzos al destruir tu trabajo o reputación.

Campo: necesitas simplificar tu vida y relajarte, disfrutar de la belleza de un estilo de vida tranquilo; respirar el aire fresco; abrir y despejar tu mente para obtener una nueva sensación de libertad. Soñar con un campo verde en un sueño simboliza prosperidad, tu vida personal es floreciente, gran abundancia, libertad, amor a la naturaleza y felicidad. Ver campos recién arados en tu sueño significa crecimiento espiritual, la sabiduría divina te hará ascender a un lugar de honor, riqueza y afortunados avances. Ver campos muertos o estériles significa un espíritu de pobreza y carencia, cinismo y duda que provoca una visión negativa del futuro, del mundo; sembrar y cosechar; cosecha; experto en una habilidad particular.

Campos arados: nuevas oportunidades; honor de la riqueza; prosperidad; cambios; el trabajo duro lleva al éxito; arrepentimiento.

Campos, compra: riqueza, prosperidad, hospitalidad; *«El reino de los cielos es como un tesoro escondido en un campo. Cuando un hombre lo descubrió, lo volvió a esconder, y lleno de alegría fue y vendió todo lo que tenía y compró ese campo»*, Mt. 13:44.

Campos, maduros: cosecha; llamada a la evangelización; trabajo duro; abundancia; un buen matrimonio lleno de felicidad; incremento; pericia; trabajadores cualificados. Tú eres el campo de Dios, el edificio de Dios, 1Cor. 3:9.

Campus universitarios: el nivel de pensamiento, conocimiento o comprensión intelectual de uno se está expandiendo; una nueva forma de aprender o aprehender la sabiduría está llegando.

Camuflaje: tratar de mezclarse con el entorno, querer pasar desapercibido; ocultar el verdadero ser o los sentimientos; no poder revelar la verdadera personalidad o los sentimientos; encubrir el pasado; ocultar a un enemigo o a una presa; aparecer como un entorno natural; disfrazarse; esconderse en Cristo, Col. 3:3.

Canaán: es el nombre del cuarto hijo de Cam, Ge 10:6 el padre de los cananeos. Abraham habitó en esta tierra que fue prometida a sus descendientes. Jacob se marchó debido al hambre y se fue con su familia a Egipto. Canaán significa guerra espiritual y natural para heredar tus promesas.

Canadá: determina tu relación personal, encuentros, visitas y sentimientos hacia este país. País de América del Norte formado por diez provincias y tres territorios. Canadá es el segundo país más grande del mundo por superficie total y el cuarto por superficie terrestre. Canadá es una democracia parlamentaria federal y una monarquía constitucional, siendo la Reina Isabel II la actual jefa de Estado. Canadá es miembro de la Mancomunidad de Naciones. El país es oficialmente bilingüe a nivel federal. Es una de las naciones étnicamente más diversas y multiculturales del mundo, producto de la inmigración a gran escala de muchos países, con una población de aproximadamente 35 millones de habitantes. Su avanzada economía es una de las mayores del mundo, y se basa principalmente en sus abundantes recursos naturales y en sus bien desarrolladas redes comerciales. La larga y compleja relación de Canadá con Estados Unidos ha tenido un impacto significativo en su economía y cultura. Canadá es un país desarrollado y uno de los más ricos del mundo, con la octava renta per cápita más alta del mundo.

Canal: disposición e intervención hecha por el hombre que se crea en situaciones; mejoras para permitir que fluya el progreso. Parte más profunda del río; estrecho amplio; vías de comunicación oficiales o banda de frecuencias específica para transmitir y recibir mensajes; salida para dirigir o guiar a través de un proceso de tiempo; período de estrechez que conduce a la siguiente etapa.

Canalón: limpiar los canalones de la lluvia indica que un nuevo flujo de ideas productivas o creativas cubrirá tu corazón y tu mente, caer en un canalón sucio indica una época en la que te sientes desapercibido, distanciado o lavado, renueva tu mente con el lavado de la Palabra para obtener una nueva perspectiva de la vida.

Canario: felicidad; consuelo de un amigo; mensajeros; pájaros cantores; representa el conocimiento, los placeres, los honores escolares, el éxito, los lujos y la armonía; cotilleo de un chisme.

Canas: representan el honor, la dignidad y el respeto. La sabiduría adquirida a través de la vejez y las experiencias de la vida, Dios la sabiduría de las edades, da honor y respeto a los que son mayores o más maduros. Considere el hecho de que puede estar permitiendo que tu apariencia se desvanezca en lugar de mantener tu buen aspecto. Sabiduría; edad; elegancia; respeto; honor; reverencia; estabilidad; atemporalidad; gran experiencia; madurez; consejo sabio; debilidad; poco claro; no definido; nebuloso; engañado; oculto; indefinido; compromiso; vago; no específico; vacilación; engaño; astucia; falsa doctrina.

Canasta: representa la provisión diaria; ver una pelota pasar por un aro o canasta indica que has logrado tu objetivo. Mt. 16:9-10; 15:37; Jer. 24:16; Dt. 26:2; Am. 8:1; Gén. 40:16; Col. 11:33.

Cáncer: soñar que te diagnostican un cáncer denota miedo, desesperación, pena, autocompasión y falta de perdón. Es un indicador de que sientes desesperanza y depresión, ya que tu vida se está consumiendo. Algunas áreas importantes de tu ser te están preocupando, angustiando, destruyendo y lastimando de alguna manera emocional. Un problema emocional profundo te está carcomiendo desde adentro hacia afuera. (Vea la tarjeta de sanidad para las causas de raíz). 2 Tm. 2:17.

Canción nueva: una canción de redención, Éx. 15:1; Apo. 5:9.

Canción: oír que se canta una canción en un sueño indica que un alegre mensaje viene hacia ti, lo que causará una gran celebración. Una canción es una forma de arte que se expresa a través de un sonido específico y puede contener palabras o carecer de ellas.

Canciones cómicas: la falta de concentración le hará perder oportunidades.

Cancro o antracnosis: llaga ulcerosa en la boca o en los labios, cáncer causado por la ingesta de alimentos demasiado ácidos o amargos; que propaga chismes, calumnias, corrupciones y caries.

Candado: ver un candado en una puerta o cofre del tesoro indica que se te está impidiendo obtener algo que realmente deseas. Tal vez no estés en un nivel espiritual en el que puedas poseer ese don todavía. Un candado también puede representar que estás guardando un secreto encerrado en tu corazón. Si la cerradura está abierta, estás listo para compartir tus secretos y regalos con amigos de confianza.

Candelero: representa a las personas que llevan la luz de Dios; la luz de Dios en el alma de uno; la Iglesia; una menorá, un soporte de lámpara celestial; los siete Espíritus de Dios. El candelabro de oro o candelero del Tabernáculo estaba a la mano izquierda de la persona que entraba en el Lugar Santo.

Candeleros de oro: las siete iglesias locales en Apo. 1: 12-13; 20.

Candidato: si te seleccionan o nominan para presentarte a un cargo, te califican como miembro o te premian con una candidatura indica que tienes habilidades de liderazgo que están siendo destacadas para que los demás se fijen y aprecien lo que tienes que ofrecer.

Cane Corso o mastín italiano: el Cane Corso es una raza medianamente grande de la familia de los mastines. Su cuerpo es rectangular y la longitud debe ser ligeramente mayor que la altura de sus lomos. En general, el perro debe ser bien musculoso y ágil. Esta raza de cabeza grande tiende a ser más ligera y atlética que sus primos, el Mastín Napolitano y el Mastín Inglés. Los Cane Corsos son muy inteligentes y fáciles de entrenar. Además de su papel como guardián del hogar, los corsos se han utilizado en labores policiales, de búsqueda y rescate, y como perros de terapia, y han obtenido títulos en obediencia, rastreo, Schutzhund (tipo de entrenamiento) y agilidad.

Los romanos los utilizaban en la guerra y para luchar contra los leones en las arenas. Allí conducían el ganado hacia el mar y protegían las propiedades de sus amos, servían como protectores de los rebaños en las granjas y fincas, y como cazadores de caza mayor, ya que eran lo suficientemente audaces y valientes como para enfrentarse a animales peligrosos como el jabalí y el oso. Al final de la Segunda Guerra Mundial, la población de Cane Corso se había reducido peligrosamente hasta casi su extinción.

Canela: curación; salud; amor y belleza; fragancia de la creación; hecha de la corteza del árbol de la casia; fragancia de Jesús; el mundo; Éx. 30:23; Pr. 7:17; Apo. 18:13.

Cangrejo de río: engañoso; maniobra hacia atrás por medio de chismes y suciedad; cobarde; rompe el pacto. Debes estar atento a las personas que evitan los problemas; tratan de arrastrarlo por el lodo con calumnias y chismes; se echarán atrás cuando se les confronte.

Cangrejo real de Alaska: Alguien en una posición de poder con un exterior duro, que se aparta de los problemas reales y tiene una personalidad malhumorada. Este crustáceo agarra a sus víctimas con sus 5-6 patas y pinzas para devorarlas. Este animal vive en las aguas costeras de Alaska, Japón, Siberia; y es muy apreciado por su carne comestible.

Cangrejo: denota una persona con un exterior duro; pellizca a los que intentan acercarse; personalidad difícil de abrazar; utiliza el discernimiento y el juicio divino cuando trate con personas de corazón duro, centradas en sí mismas, difíciles, con relaciones complicadas o «malhumoradas»; difícil de abordar; no es receptivo; ataca con palabras de acusación que pellizcan; «Cangreburger», persona que mentirá, controlará y engañará para salir adelante.

Cangrejos: ver cangrejos en un sueño o estar cazando cangrejos significa que has adoptado un enfoque pendenciero para la resolución de problemas; está mostrando una disposición malhumorada; te escabulles y abordas las cosas sin atreverte a dar la cara en lugar de presentarse frontalmente y con honestidad, y abordar las cosas con total integridad.

Canguro: sacar conclusiones precipitadas, «tribunal canguro», prejuicio, patas traseras fuertes; alimentador, dar saltos de fe necesarios para burlar a un enemigo; alimentador; veredicto judicial adverso.

Caníbal: deseo u obsesión despectiva e ilícita que consume un aspecto de la vida (profesión, relación, hijos); advertencia a no dejarse comer vivo o aprovechar en negocios arriesgados o especulativos; por el trabajo, una relación o una situación en la vida diaria.

Canicas: ver canicas en un sueño puede indicar que está a punto de «perder la cabeza», la pérdida de la razón y la claridad. Fíjese en los colores y diseños de las canicas, algunas aparecen como ojos, lo que indica que se necesita percepción, perspicacia u observación. Limpiar o pulir las canicas indica que un esfuerzo colectivo beneficiará a tu equipo si sigues perseverando.

Caniche: persona remilgada, fácilmente influenciable, controlable o dirigida por otros, un pelele.

Canilleras o espinilleras: protegen nuestra capacidad de estar de pie, de caminar, de luchar y de correr la carrera que se nos ha encomendado; las espinilleras formaban parte del equipo de la armadura romana y protegían los pies y las espinillas; la parte superior de las piernas está protegida por el escudo de la fe.

Canoa: un reflejo del equilibrio emocional de alguien; independencia; avanzar, avanzar por el propio poder y determinación.

Cansado: marcado por el cansancio, la fatiga y la impaciencia, falta de frescura. Uno necesita encontrar su lugar de descanso en la paz del Señor para reconstruir su fuerza interior. Necesidad de relajación o de vacaciones, una situación estresante está causando un desgaste emocional o físico en la persona.

Cantalupo: significa amor, paz y prosperidad, una gran cosecha de frutos o aumento, ver este fruto al considerar el matrimonio predice que uno «no puede una lupa» por lo que tendrá que hacer otros planes.

Cantar de los Cantares: libro del A.T; la Canción de Salomón; cánticos, un poema dramático de diálogo y monólogo que expresan la pureza del amor nupcial; una representación alegórica de una relación de amor entre el Señor e Israel; Cristo y la Iglesia.

Cantar: va primero; adorar; vocalizar en tonos melodiosos; melodía; proclamar o ensalzar algo; en tono; canto; una reunión de gente; gritar en voz alta; espíritu alegre y compañeros felices. Un corazón lleno de alegría y felicidad, una actitud positiva te llevará lejos, celebración de la vida y armonía, felicidad emocional. Sal. 7:17; Éx. 15:1; Jb. 29:13; Sal. 9:2; 13:6; 18:49; 21:13; Pr. 29:6; Is 12:5; 23:16-19.

Cantera: ver una excavación abierta o un pozo del que se extrae piedra indica que se le ha dado una rica fuente de la que producir gran riqueza; el trabajo duro dará sus frutos y la prosperidad llegará con mucho trabajo intenso.

Cantidad: has sido bendecido con abundancia de riqueza y bienes; asegúrate de sembrar en la humanidad y ayudar a los menos afortunados; sé un dador, no un tomador.

Cantina: antigua forma de relacionarse con la sociedad; soledad; ansiedad; embriaguez; forma de evitar los problemas. Lugar temporal para obtener alimentos espirituales, supletorios y entrenamiento para salir de un lío; hay que tomar medidas de emergencia.

Canto: consagración; un sacerdote que canta; una melodía corta y sencilla con palabras o un salmo cantado en la misma nota; llamada o grito rítmico monótono; celebrar con cánticos.

Caña de azúcar: energía en el bienestar y estatus en los asuntos públicos.

Caña de pescar: herramientas de evangelización para ganar almas; cebo y cambio, pescar cumplidos; caer con anzuelo, sedal y plomada, buscar en tu subconsciente o emociones reprimidas.

Caña o bastón: crecer con fuerza indica prosperidad y aumento; ser cortada indica un corte del bienestar, de los planes o de las finanzas; flexible; ayuda para caminar o dar apoyo; vara de corrección o de flagelación para golpear o vencer; 2 Re. 18:21; Is. 36:6; Ez. 29:6-7; débil; de naturaleza frágil.

Caña: ver cañas doblándose o soplando al viento predice que los amigos infieles doblan o estiran la verdad sobre ti en una situación. *«No quebrará la caña cascada, ni apagará el pábilo que humeare; por medio de la verdad traerá justicia»*, Is. 42:3. Una planta que se utiliza para hacer papel, plumas e instrumentos musicales; una vara de medir; débil y frágil, 2 Re. 18:21. Medir o juzgar, Ez. 42:15-20; Apo. 11:1.

Cáñamo: término que designa a una variedad de alto crecimiento de la planta de cannabis que produce fibra, cera, resina, cuerda, tela, pulpa, papel, combustible y aceite de semilla de cáñamo. Otras variantes de la hierba se utilizan ampliamente como droga que contiene (THC), conocida comúnmente como marihuana. Comprar, vender o usar cáñamo indica un éxito tardío y advierte de problemas o enfermedades dolorosas. Fibra vegetal asiática utilizada en cordajes; narcótico que altera la mente, como el hachís; fin fatal de las relaciones; brujería; ilusiones; confusión.

Cañería: ver que se extrae agua de una cañería indica que estás muy seco y sediento de agua refrescante de justicia, has estado en un desierto estéril y necesitas ser lavado en la Palabra. El agua representa que la unción está fluyendo para traer prosperidad y bendiciones en tu camino.

Cañón: alguien está a punto de estallar con una fuerza explosiva de gran alcance, lanzando insultos y abusos verbales como proyectiles o armas de autodefensa.

Cañón: una obstrucción que debe ser superada.

Caoba: ver esta rica madera oscura indica prosapia y refinamiento elegante.

Capa: manto; ropa para protección; seguridad; unción; cubrir algo; el color es significativo. 2 Re. 9:13; Gén. 37:23.

Capa: una cubierta o manto de autoridad que se aplica fácilmente.

Caparazón hermosa y limpia: tendrás una vida hogareña feliz y próspera.

Caparazón: representa la protección móvil.

Capas: representan grandes oportunidades financieras, la voluntad de influir en una gran población, las ideas centrales y las diferentes culturas religiosas.

Capaz: soñar que tienes la libertad, la cualidad o la condición, que ha surgido la oportunidad y que eres capaz de hacer algo indica que tienes o vas a obtener el poder, la habilidad o el dinero necesarios para lograr tus objetivos o deseos.

Capilla: lugar más íntimo, privado, familia de la iglesia; piensas que eres demasiado pequeño o pequeña, necesidad de ampliar la visión, esperar más de uno mismo y de los demás; servicios especiales; lugar de culto. Am. 7:13.

Capital del estado: un juego de palabras sobre algunos «asuntos de dinero», evalúe detenidamente su situación financiera personal, ahorros, inversiones o ingresos, ¿cuál es el significado personal de ese estado?

Capitán de barcaza: si eres el capitán de la barcaza y te mueves por un río, entonces estás en un mover de Dios llevando suministros a los necesitados.

Capitán masculino: ascenso de estatus.

Capitán mujer: los amigos estarán celosos.

Capitán: el lado positivo, valiente y emprendedor de uno mismo, cómo nos relacionamos o nos sometemos al dominio de las figuras de autoridad; refleja el espíritu audaz y positivo de una persona, la responsabilidad; es un llamado a estar en contacto con los asuntos más amplios de tu vida y a tomar decisiones integrales. Tomar las riendas de las propias emociones o de las situaciones de la vida; utilizar la propia influencia de forma positiva; hay que tomar la dirección o el mando de la propia vida. Nm. 31:48; Mc. 6:31; Hch. 21:31; Cristo, Heb. 2:10.

Capó: ver a alguien sentado en el capó del coche indica que la gente quiere entrar en contacto con tus sentimientos emocionales. Un capó abollado muestra un estado de ánimo protector de las heridas pasadas de las relaciones perturbadoras.

Capsicum o pimiento: soñar con esta planta tropical americana o con arbustos muy cultivados que contienen muchas semillas o bayas de paredes carnosas, llamada pimiento, es originaria de la familia de las solanáceas, y puede indicar que necesitas añadir un poco de picante a tu vida.

Cápsula: serás capaz de contener una pequeña noticia que puede resultarle difícil de digerir al principio.

Captura: tomar a un prisionero por la fuerza o mediante una artimaña para obtener el control o ejercer su influencia sobre él tomando posesión de su persona o de sus bienes en un sueño indica que hay algún tipo de lucha de poder en el trabajo o en otra relación personal. Si tiene que ver con ordenadores: indica que debe estar preparado para introducir, representar o registrar datos para introducirlos en una computadora para procesarlos o almacenarlos durante mucho tiempo.

Capturado: verse en el acto de tomar o conseguir el control de algo o tener a alguien como prisionero o verse tomado como prisionero indica que es eminente un conflicto o una lucha de poder. El acto de poner la información en una forma que una computadora la pueda usar o leer indica que necesitas tener los hechos claros para que tú y los demás puedan rendir cuentas.

Capucha: tratar de encubrir para poder robar, usada por gánsteres y ladrones, matar o destruir a alguien o algo que no les pertenece, ocultar un aspecto de la personalidad de uno, engañar al público para que piense que uno es otra persona o tratar de mantener la verdadera identidad en secreto, «tener la capucha puesta sobre los ojos», estorbos para la unción profética, algo está tratando de cegar o embotar tus percepciones espirituales.

Capuchina: patriotismo; conquista; victoria en la batalla.

Caqui o marrón: ver un color o ropa de color marrón oliva o amarillento claro indica estabilidad o uniformidad.

Caqui: el caqui es, en realidad, una baya que crece en árboles tropicales de madera dura. El fruto es de color amarillo o naranja oscuro que sólo es comestible cuando está completamente maduro. El cáliz suele permanecer unido a la fruta después de la cosecha, pero es fácil de retirar una vez que la fruta está madura. El caqui maduro tiene un alto contenido en glucosa y un bajo contenido en proteínas, pero tiene un perfil proteico equilibrado. Los frutos del caqui tienen varios usos medicinales y químicos. Ver o comer un caqui en un sueño puede indicar que los agentes bioquímicos de su cuerpo están desequilibrados, por lo que necesita curarse.

Cara a cara: intimidad con un amigo o confrontación con un enemigo, gloria que se desvanece o aumenta. «Así hablaba el Señor a Moisés cara a cara, como un hombre habla con su amigo», Éx. 33:11.

Cara y sello: se le da una oportunidad equitativa para decidir un asunto, el lanzamiento de la moneda caerá en la cara o en la cola.

Cara, lavarse: lavarse la cara indica el deseo de un nuevo comienzo o que uno se está arrepintiendo del pecado; y quiere un comienzo limpio.

Cara, oscura o sombría: una cara oscura indica depresión, semblante abatido, maligno o demoníaco.

Cara quemada: ver tu cara quemada en un sueño puede indicar que has pasado un tiempo de calidad cara a cara en presencia del 'Hijo'. Por otro lado, puede ser que te sientas avergonzado por haber sido quemado por un amigo o compañero.

Cara sonriente: sonrisas: felicidad, éxito y alegría; la belleza de la tierra; Dios te sonríe; ganancias financieras y prosperidad.

Cara triste: una cara triste indica dificultades, abatimiento o pena, fracaso; tener que enfrentar, encontrar o afrontar situaciones difíciles o deseables.

Caracol: movimiento lento; persona que lleva una carga pesada. Comer caracoles, lo cual es un manjar, significa que se espera que haya suerte y prosperidad. Aunque un caracol habla de refugio o cobertura, también simboliza a una persona que lleva una carga pesada sobre sus hombros, 2 Cor. 5:17.

Carámbano: persona fría o distante; ver muchos carámbanos en el sueño representa estar congelado, enfermedad o pobreza. Carámbanos, goteo: un giro para bien, una nueva temporada está amaneciendo o el tiempo se está acabando.

Caramelo de chocolate: caramelo hecho con granos tostados de la nuez de cacao significa la autorrecompensa o la excesiva indulgencia. Es necesario practicar la moderación. El chocolate es un analgésico natural, por lo que es posible que necesites un consuelo para afrontar algunos traumas emocionales o limitaciones físicas. El chocolate es un lujo, por lo que representa la prosperidad y la abundancia, el deseo de amor y afecto, el romance durante el cortejo, un espíritu dulce, un regalo o una ofrenda de paz.

Caramelo: palabras suaves como el aceite; discurso asquerosamente dulce que revuelve los problemas y corta como una espada para producir la guerra, Sal. 55:21, Pr .30:33.

Caramelos de maíz: soñar con este pequeño caramelo tricolor con forma de grano de maíz puede indicar que necesitas hablar o escuchar unas dulces palabras de sabiduría o consejo para recoger una buena cosecha positiva.

Carbón: representa la capacidad de calentar o caldear su entorno. El carbón se extrae de las profundidades de la tierra y, si se aplica suficiente calor y presión, un trozo de carbón se transforma en un diamante, por lo que representa el potencial de gran riqueza y prosperidad. Si te has portado mal, tu calcetín de Navidad estará lleno de carbón. El nombre Cole o Kole significa victoria del pueblo, o éxito concedido. 1Ts. 4:16; Is. 6:6-7; Is. 54:16.

Carbones, caminar sobre ellos: si tú o alguien más está caminando sobre carbones encendidos, sugiere

que van a entrar en la presencia de la Montaña Sagrada de Dios o adversamente que tienen un camino difícil por delante. Ora para obtener sabiduría y poder superar la adversidad. Recuerda que nada es imposible para Dios.

Carbunclo: Leví, unido, apegado, sujetado o devoto a, unido, anudado, unidad, granada, capucha sacerdotal, semilla, fecundidad, arder, destellar, transparente, tercera piedra en la primera fila del pectoral sacerdotal, Éx. 28:17, 39:10, Ez. 28:13, justicia, transformación, poder de la sangre de Jesús, protección de las malas obras; pectoral de oro puro de juicio, cuatro cuadrado, cuidado amoroso. Is. 54:12 una especie de rubí.

Carburador: representa el equilibrio emocional, espiritual y físico; el encendido.

Carcaj: el vientre que ha producido muchos hijos que están representados por flechas, Sal. 127:3-5; Gén. 27:3. Protección y cobertura, un lugar para guardar sus armas. Is 49:2; Jer. 5:16; Jb. 29:23; Gén. 27:3.

Carcajearse: regocijo; alegría; sarcasmo; (risa) estallido de excitación o alegría; ríete de tus enemigos y no dejes que te depriman; el gozo del Señor es tu fortaleza; la alegría viene por la mañana, la risa es buena como una medicina, la pena y el corazón roto secan los huesos, no te tomes tan en serio, aprende a reírte de ti mismo, aprende de tus errores; alguien se burla, se ríe de ti o te menosprecia o se burla de ti, Pr. 1: 26; 2:4; 17:22; 29:9; Jb. 8:21; Jb. 38:18,22; Neh. 8:20. Dios se ríe, Sal. 2:4; 37:13.

Carcasa: el cuerpo de carne de un animal colgado en una carnicería predice gran prosperidad y abundancia; ver el cuerpo de un animal pudriéndose a un lado de la carretera indica que tu camino estará plagado de muchos obstáculos procedentes de pensamientos dañinos.

Cárcel: sentirse controlado o reprimido en la profesión, las relaciones o las situaciones propias de la vida; encorsetado y asfixiado; castigo autoinfligido, vergüenza o culpa por el pecado o los fracasos personales, Gén. 39:20.Ver una cárcel en tu sueño indica que te sientes como si estuvieras aprisionado por un trabajo o una relación que te constriñe demasiado.

Carcelero: actitudes de culpa, vergüenza, pecado, malos hábitos, fracasos, autocrítica, sensación de alienación, restricción o represión, sentirse encarcelado; opresión espiritual, Mt 18:34.

Carcoma: al excavar, causa daños estructurales en las casas de madera; permanece oculto durante unos cinco años. Los sonidos audibles de masticación producidos por la alimentación de las larvas de la carcoma de las casas viejas pueden oírse en la madera durante los meses de primavera y verano después de una presencia de cuatro años.

Cardenal: pájaro con un plumaje rojo crestado en la cabeza, de color rojo intenso y vivo; representa la sabiduría pivotante que conducirá al poder; numera tus días; vitalidad y felicidad; puede significar un nuevo orden o que estás siendo posicionado al frente; Illinois; Ohio; Indiana. 1 Co 15:3.

Cardenales: pivote; bisagra; importancia primordial; Colegio de Cardenales con rango inferior al Papa; manto de sabiduría; número cardinal.

Cardos: símbolo de maldición, infructuosidad; enredos; maldad; perversidad; enfermedad; trampas; persecución; molestias; lucha; cargas; disgustos. Jue. 9:14-15; Is. 34:13; Lc. 6:44.

Careta: ver una cubierta que oculta el rostro de alguien indica que no está siendo abierto sincero contigo; tiene intenciones negativas o dañinas para engañar y aprovecharse de tu generoso corazón, 2 Cor. 11:14.

Carga: cada ascenso conlleva más responsabilidades. Soñar que llevas una carga pesada significa que eres una persona generosa y muy solidaria. Te gusta cuidar y llevar las cargas de los demás. Eres es un líder con muchas responsabilidades. Carga también puede ser un juego de palabras para conocer a alguien «cargado» o rico.

Cargador: ver o montar un caballo de caballería que se entrena para la batalla en un sueño indica que se te ha dado los dones de poder para ganar una guerra espiritual en tu vida. Ver un cargador eléctrico indica que eres capaz de conectarte a ti y a los demás con Dios para ser recargado y repuesto. Significa que salvarás, energizarás, animarás y refrescarás a otros.

Caribe: miles de islas organizadas por la entidad política a la que pertenece cada isla. Existen en la región que está al sureste del Golfo de México y en el continente norteamericano en relación con el Caribe.

Caricatura: simboliza a alguien que es infantil, inmaduro o fantasioso, un engañador o un embaucador. Significa que No te tomas la vida con seriedad.

Caridad: expresión de amor, provisión o ayuda que se ofrece para ayudar a los menos afortunados. Es un indicador de que puede haber algunos contratiempos en tus finanzas, sin embargo, si tú eres el que está siendo caritativo, entonces espera una abundancia de bendiciones y un aumento financiero para que tengas suficiente para sembrar en cada buena obra.

Caries: soñar que tiene una caries en uno de tus dientes indica que no te has cuidado. Es señal de que te estás alimentado con cosas que no son saludables para ti. Indica que las palabras que has pronunciado están trayendo podredumbre a tus huesos. Tu salud continuará decayendo si no aprendes a poner una guardia en tu boca. Tus palabras crean tu mundo.

Carjacking: es un acto criminal que consiste en quitarte del asiento del conductor para robarte el coche. Si esta injusticia y violación de su identidad y sus derechos tiene lugar en un sueño, indica que te han quitado a la fuerza una posición de autoridad en la que puede tomar decisiones. Sugiere que estás en un camino muy peligroso en la vida y es necesario tomar medidas drásticas para erradicar las traiciones y sus consecuencias. Soñar que le roban el coche indica que sientes que alguien te está «robando» o se está aprovechando de ti.

Carmelo: lugar fructífero 1 Sam. 15:12; 25:2, 5, 7, 40. Uzías, 2 Cro. 26:10.

Carmesí: sangre expiatoria; perdón; Jesús; pasión; emoción fuerte; lavado blanco como la nieve; vino; sacrificio; muerte; pecado. 2 Cro. 2:7, 14; 3:14; Is. 1:18; Lev. 14:52; Js. 2:18, 21.

Carnal: lo contrario de santo; acciones carnales; no actuar de manera espiritual. Rom. 7:14; 1 Co. 3:3.

Carnaval: representa la deshonestidad, la farsa y el engaño; tiempos de tristeza y dolor.

Carne cruda: has escuchado una palabra fuerte pero no la has aplicado a tu vida, Pr. 12:27; no participas de lo que se te ha dado para fortalecerte. Posible rebelión, 1 Sa. 2:15, el hijo de Samuel; impaciencia: no dar tiempo a que se complete.

Carne de caballo: comer en una cultura donde los caballos son amados y protegidos: tus ojos se cierran a una situación de alerta; en culturas donde los caballos son vendidos para carne: diversidad y carne fuerte o enseñanzas que sostendrán.

Carne jugosa: la carne indica que tienes ganas de vivir, de darle sabor a las cosas, de salirte de lo común, de prepararte para la madurez.

Carne molida: alguien ha pasado por mucha preparación para permitirle comer la carne de la Palabra.

Carne de ave: indica que tienes tendencia a ser huidizo o a «acobardarte», después de dar tu palabra. Si el ave está frita: representa un aspecto malsano, excesivo o impaciente de tu personalidad. Esto también puede representar que usted o alguien cercano a usted ha estado demostrando un comportamiento «gallináceo».

Carne de buey: un cuerpo sano y fuerte, «pastel de carne», una vida próspera.

Carne de cabra: representa la falta de buen juicio o el ser indiscriminado. Eres propenso a entrometerte en situaciones en las que no has sido invitado, a entrometerte o a «hacer la puñeta» a alguien. tu apetito sexual está fuera de control. Ser el «chivo expiatorio» de los pecados de los demás, de sus carencias, de sus pecados, de sus mentiras y de sus engaños.

Carne de cerdo: la enfermedad y la dolencia llevarán a la mala sintonía; debes abstenerte de la apariencia del mal, Lev. 11:4.

Carne de ciervo: tienes hambre y sed de Dios; eres muy querido y amado por muchos.

Carne de cordero: representa la participación de la Palabra de Dios, de Jesucristo, para obtener riqueza, salud y felicidad en una familia unida. La muerte se evitará y pasará por encima de tu casa.

Carne sin cocinar: representa un gran hambre o afán. Pero, también puede representar impaciencia, barreras y complicaciones a superar.

Carne, ofrenda: símbolo que representa a Jesucristo ofreciendo su cuerpo como sacrificio a Dios y alimento para la humanidad.

Carne, podrida: distorsión de la verdad; error, problemas de salud mental, emocional o física; privación y humillación, Hch. 15:20; 21:25; 1 Ts. 5:22; 2 Tm 2:19.

Carne salvaje: su naturaleza salvaje disfruta jugando con las emociones de la gente.

Carne: actuar con una naturaleza anímica, «carnal» o mundana; las tradiciones de los hombres que anulan el poder de Dios; las filosofías de esta época, un espíritu religioso; la falsa trinidad. Mt. 26:41; 1 Cl. 2:5. La carne de los animales.

Carne: un trozo de carne cruda o sangrante indica que si eres demasiado abierto con las personas éstas te usarán y abusarán de ti hasta que te sientas como un trozo de carne ensangrentado y macerado, comer un buen trozo de carne predice prosperidad y salud. Negarse a comer la carne que te ofrecen indica falta de apetito o espíritu de carencia. Ver o comer carne en un sueño representa una enseñanza fuerte y reveladora; una Palabra de Dios madura y sazonada, 1 Cor. 3:2; Gén. 1:29; Lev. 2:1. Comer carne hervida, horneada, frita, asada o a la parrilla en un sueño representa una forma de vida establecida con éxito. Eres alguien hábil para encontrar el corazón del asunto y lograr tus objetivos. Tu vida será sana, próspera y feliz.

Carnero: amigos poderosos; usan su influencia para beneficiar a otros; provisión; sacrificio; ofrenda; asociado con el color rojo; ordenación, Éx. 29:22; su tiempo para pasar una prueba difícil, Gén. 22:13. Carnero significa exaltado, Mt. 1:3-4; Lc. 3:33; 1 Cr. 2:25, 27. Un sustituto de algo, Gén. 22:13, Dios suministró un carnero en lugar del hijo de Abraham, Isaac.

Carnicero: el que prepara carne o enseñanzas fuertes para los demás; advertencia: no firmar un contrato ni llegar a ningún acuerdo durante una temporada específica; miedo a la ira de otra persona; agresividad propia; devaluar la filosofía de vida personal, las actitudes mundanas, darse cuenta de la falta de aceptación o amor propio; emociones crudas o comportamientos inmorales; poner a prueba los límites de la propia fuerza física; dicho popular: «encarnizado» irse lanza en ristre contra relación para arruinarla, un proyecto o una situación; la propia ira u

hostilidad no expresada. Ser demasiado dependiente de la ayuda de los demás; ser más autosuficiente y menos dependiente; deseo de riqueza, vida fácil o posesiones materiales; sentirse servil o sumiso.

Carol: Nombre femenino que significa canto de alegría o alegría de Dios; Jn. 15:11.

Carolina del Norte: «Ser más que parecer»; Un lugar mejor para estar; Levantarse; Estado del Talón de Alquitrán, Estado del Viejo Norte, Estado de la Trementina; Cornejo americano; Rojo y azul; Uva Scuppernong; Granito; Esmeralda.

Carolina del Sur: «Mientras respiro, espero»; rostros sonrientes. Lugares hermosos; Estado del Palmito; Jazmín amarillo; Melocotón; Granito azul, Amatista.

Carpa de circo: si ves una carpa de circo en un sueño significa que tu vida se ha convertido en un circo de tres pistas. Considera, por lo tanto, dejar de lado el exceso de entretenimiento y sé más responsable en lo que respecta a una buena ética de trabajo. Estás haciendo malabarismos con demasiadas cosas, relaciones y proyectos diferentes. Escoge uno para centrarte en él en lugar de ir de un lado a otro.

Carpa: el pez dorado y la carpa koi son los peces de acuario y estanque más populares porque son tolerantes al frío. En Japón se les trata con cariño y se les considera de buena suerte.

Carpeta: considera el contenido dentro de la carpeta y lo que contiene, las cosas emocionales y los asuntos de los que necesitas estar al tanto, las responsabilidades u obligaciones de las que debes estar pendiente. Hay que integrar, incorporar o ligar con otros, tiempo para unificar. Una carpeta que contiene tus ideas pasadas y presentes que necesitan ser compiladas; es una llamada a ponerte en orden y a planear de manera más estratégica. Dios te está llamando a poner en orden tu carpeta o tus múltiples pensamientos para que puedan materializarse.

Carpintero: Jesús; el que está construyendo tu vida; un predicador; evangelista del evangelio; obrero; constructor; enfrentar y superar obstáculos; cambiar la forma de pensar y reajustar su enfoque para construir una vida o relación exitosa. Is. 44:13; Mt. 13:55; José y la ocupación de Jesús; Mt. 13:55.

Carrera de arrastre: las cosas se mueven demasiado rápido como para detenerlas; llegar a un final rápido; presión intensa para adelantarse a los demás rápidamente; competencia dura; ser arrastrado a algo con lo que no se está cómodo; saltar fuera de la línea; mantener la meta a la vista y mantener un camino firme y enfocado; un movimiento equivocado te pondrá en peligro.

Carrera de atletismo: una competición de atletismo. Te has estado preparando para correr la carrera, así que ahora es el momento de ganar la maratón de tu vida. Eres un experto en tu campo, por lo que la competición se superará fácilmente.

Carrera de motos: carreras duras, que se ensucian, temerarias, con trucos, con varios jugadores o atletas en una carrera de ritmo rápido y con desafíos físicos.

Carrera de obstáculos: una carrera atlética a pie o con obstáculos a caballo que deriva su nombre de la carrera de obstáculos de 2000 o 3000 metros en las carreras de caballos. Los caballos y los jinetes corrían desde el campanario de una ciudad hasta el siguiente. Los campanarios se utilizaban como marcadores debido a su visibilidad en largas distancias. Por el camino, los corredores tenían que saltar inevitablemente arroyos y muros de piedra bajos que separaban las fincas. Se han fijado metas altas, pero con trabajo y práctica superarán cualquier obstáculo que se interponga en su camino.

Carrera de relevos: una generación pasa el testigo a la siguiente, para correr la carrera y ganarla; trabajo en equipo; tutoría o discipulado de otros, Ef. 4:16.

Carrera en círculos: dar vueltas en una situación muy azarosa, pero sin progresar, continuamente estás dando vueltas en círculos o cometiendo los mismos errores en la vida; salir del carrusel e iniciar algunos cambios muy necesarios en la vida.

Carrera, perder: indica una falta de planificación o estrategia. Detente y reagrúpate; calcula el costo antes de empezar un nuevo proyecto. Asegúrate de que tu presupuesto se ajuste a tus planes y objetivos.

Carrera: correr la carrera para ganar; poner la meta por delante y no mirar hacia atrás; establecer un rumbo ganador, naturaleza competitiva que mide el éxito frente a los demás; frenar y dejar de correr como un pollo con la cabeza cortada; ganar: alcanzar tu máximo potencial y el mayor éxito en la vida; superar todo obstáculo o impedimento; perder: centrarse, eliminar el exceso de equipaje, racionalizar para tener éxito, estás tratando de hacer demasiado sin la suficiente planificación. Todos formamos parte de la raza humana y cada uno tiene su propia carrera que correr y ganar. Recuerda que eres único y singular; nadie puede ser o hacer lo que tú haces. No te compares con los demás. Las temporadas de entrenamiento y descanso son igualmente importantes para alcanzar tu meta o línea de meta con tu mayor potencial. Un enfoque agresivo te llevará más allá de cualquier obstáculo. No atropelles a los demás, más bien dales la posibilidad de formar parte de tu equipo de éxito, 1 Cor. 9:24.

Carreras de barriles: aprender a maniobrar obstáculos y tomar decisiones sobre la marcha; apóyese en la tarea que tiene entre manos y la superará muy rápidamente; es un evento de rodeo cronometrado, que combina la habilidad atlética del caballo, corriendo lo más rápido posible, y las habilidades de equitación del jinete; el propósito es maniobrar con seguridad y éxito un caballo a través de un patrón de hojas de trébol alrededor de tres barriles colocados en un triángulo en el centro de una arena, compiten tanto niños como niñas.

Carreras de autos (NASCAR): elevar el nivel para obtener una ventaja para ganar modificando lo que se tiene entre manos; hacer un balance o inventario de tus dones, talentos y habilidades. El líder de la manada, permanecer en la pista, capacidad de perseverar o empujar a través de pruebas tediosas; con propósito; apóstol, ministerio quíntuple (equipo de boxes) se necesita un equipo para alcanzar una meta final; finalización; esforzarse; mamón, hacer cualquier cosa para ganar; machismo; ir en círculos; hacer girar las ruedas; inmadurez espiritual.

Carreras de Derby: carrera por las rosas; las fichas están abajo; lucha por una corona; medidas mundanas de la espiritualidad; ir en círculos muy rápido; una carrera anual de caballos campeones de tres años. Triunfar sobre el adversario representará prestigio y una nueva fortuna.

Carreta de heno: ver o estar tirando de una carreta de heno llena indica que las obras de tu vida se esfumarán. Es un indicio de que no estás construyendo sobre los fundamentos correctos de Dios.

Carrete de fácil uso: si el hilo sale del carrete con facilidad no habrá interferencias ni dificultades.

Carrete, desenrollado: el hilo indica una ventaja inicial en el tema de los negocios.

Carrete lleno: serás muy trabajador, creativo y próspero.

Carrete rebobinado: el carrete indica que estás temeroso y retrocedes, posiblemente estás tratando de deshacer algo que se dijo o se hizo.

Carrete vacío: considera las palabras que has estado hilando o tejiendo, las palabras crean nuestro mundo o las situaciones de la vida, no más charlas negativas, empieza a bendecir, profetiza cosas buenas para que se abran las puertas de las oportunidades.

Carrete: considera la posibilidad de que alguien no esté «siendo genuino» contigo, sino presentando una imagen falsa para hacerte caer en una trampa. Titubear, vacilar o caer en una situación negativa o estar enganchado a un mal hábito.

Carreteras de alta velocidad: sentirse liberado, iluminado y de pensamiento libre; movimiento lento o bloqueado: un naufragio emocional; frustrado por los obstáculos y las trabas externas que bloquean las propias metas.

Carreteras elevadas: juego de palabras: «camino alto» o caminar en la santidad; camino santo; camino de la vida, Is. 35: la carretera de la santidad; es señal de que estás ganando acceso a la carretera principal o pública que te conectará de modo que expandas tu influencia a otras ciudades, pueblos o estados. Estás siendo conducido a tomar los caminos altos de la vida; a menudo hay un costo para ganar acceso a esta ruta estrecha y directa de promoción; caminar por encima de todo reproche.

Carretilla: utilizada para transportar suministros para aumentar la cosecha. Trabajar para llegar a fin de mes, llevar cargas pesadas para otros o para ti mismo, trabajar para construir algo nuevo en tu vida trasladando los desechos del pasado.

Carril o camino: significa camino eterno, Mt. 7:14. Ver un estrecho camino de tierra aislado en el campo indica que necesitas usar más sabiduría en los asuntos relacionales para aumentar tu influencia.

Carrito de supermercado: haga ciertos planes, cuente los gastos, no ponga el carro delante de los bueyes y prepárese para un período prolongado de trabajo duro o laborioso antes de ver los frutos de su trabajo.

Carro de bomberos: acude al rescate, libera a la gente de los edificios en llamas, apaga los incendios forestales y extingue los incendios de reanimación.

Carro de carreras: capaz de crecer en el Espíritu muy rápidamente, alguien hace gala de sus propias habilidades, temperamento corto que pasa de cero a estar sobrecargado de rabia o ira, mecha corta.

Carro de fuego: representa una intervención angelical o celestial en tu favor, un favor que viene a equilibrar las probabilidades en tu contra.

Carro de golf: ver o montar en un carro de golf en un campo de este juego indica que estás a gusto sin sentido de la urgencia; tomando un enfoque desenfadado de la vida y la búsqueda de tus objetivos. Ir en un carro de golf en casa o en una granja indica que tienes muchas tareas que realizar y mucho terreno que cubrir en poco tiempo.

Carro de perritos calientes: se necesita tiempo de calidad para sentir el propio bienestar espiritual y físico, prestar atención al contador emocional, correr de un lado a otro sin tiempo de descanso para reponer fuerzas. Uno es lo que come.

Carro nuevo: obtener un coche nuevo en un sueño indica un nuevo trabajo, ministerio, promoción, aceleración, aumento o un nuevo don o talento que se avecina.

Carro tirado por un caballo: pionero; explorador de caminos; explorador de nuevas fronteras.

Carro, caer de: caer de un carro indica que serás despedido o expulsado de una alta posición de liderazgo debido a un fracaso.

Carro, conducción: tu trabajo duro dará sus frutos y suplirá tus necesidades, el éxito está a la vuelta de la esquina.

Carro montado: indica que has ejercido el control en tu vida.

Carro tirado por un caballo: indica que estás siendo conducido por el poder de la carne o que confías en tus propias fuerzas.

Carro: encuentro celestial de los que tuvo el profeta Elías con Dios; viaje salvaje y emocionante en el Espíritu; una translación celestial. Naciones ricas 2800 a.C. Carro: carro de combate móvil; lleva gran poder de fuego rápidamente a puntos estratégicos; dos o cuatro ruedas tiradas por caballos, llevando de uno a cuatro guerreros con arco, jabalina y lanzas; conductor, portador de escudo y guerreros; José montó en un carro detrás del Faraón, Gén. 41: 43; el Faraón persiguió a Moisés y a los israelitas, Éx. 14:6-9; Israel rechazó los carros como herramienta de guerra, Js. 11:4-9 presumiendo de su propio poder en lugar del de Dios; Salomón desarrolló su ejército, 1 Re. 4:26, 9:19; vehículo de guerra, 1 Re. 20:25.

Carroñero: persona con problemas anímicos que roba y se aprovecha de las debilidades de los demás, a menudo es representado por un cuervo o un buitre.

Carros de compras: búsqueda de provisión, alimento espiritual, suministros, tratar de satisfacer sus necesidades naturales, agenda personal.

Carroza: montar en una carroza durante un desfile sugiere que se está siguiendo la corriente de la opinión popular, dejándose llevar por lo que todo el mundo piensa, desear o querer en lugar de centrarse en alcanzar los objetivos personales de la vida. Por otro lado, puede representar que ya has planificado tu travesía en la vida. Sabes a dónde vas y cómo llegar. Te gusta estar en una multitud de personas felices que celebran la vida.

Carruaje anticuado: representan las formas de pensar que pueden ser demasiado anticuadas o pasadas de moda; un símbolo de poder y estatus.

Carruaje: el progreso y el éxito serán laboriosamente lentos; estás yendo a lugares pero eres lento para hacer los cambios necesarios, confiando más en la carne o tus fuerzas naturales que el Espíritu; tu dirección está determinada por los impulsos biológicos o el envejecimiento.

Carrusel: atracción de feria que consiste en una plataforma giratoria sobre la que hay animales y vehículos de juguete para montarse y girar en ellos. Espectáculo en el que un grupo de jinetes realiza con sus caballos una serie de ejercicios. Te encuentras atrapado en la misma rutina, desesperado y dando vueltas en círculos sin salida; altibajos de una vida rutinaria o aburrida.

Carta, reina de bastos: debes dedicar más tiempo a las personas que amas.

Carta, reina de corazones: el amor romántico y una aventura amorosa están presentes.

Carta, reina de diamantes: serás el destinatario de una alegre proclamación con respecto a los bienes materiales y patrimoniales.

Carta, reina de picas: necesitas hacer una evaluación crítica de las personas de tu círculo íntimo; pon tu confianza en Dios y no en los hombres.

Carta, rey de bastos: eres un amigo leal que está siempre dispuesto a ayudar a los demás.

Carta, rey de corazones: ver la carta del corazón indica que el verdadero amor está en camino o muy cerca.

Carta, rey de diamantes: ver una carta de diamantes en un sueño advierte de un hombre mayor y poderoso que busca obtener algo de ti, es importante que guardes tu corazón porque de él brotan las fuentes de la vida.

Carta, rey de picas: permanece en guardia porque un adversario se opondrá a tus objetivos y propósitos en la vida.

Carta, sota de bastos: indica que debes ser muy perspicaz en los negocios; no permitas que la gente te engañe en lo referente a una mala inversión o en un contrato unilateral o sufrirá grandes pérdidas.

Carta, sota de corazones: una relación romántica largamente esperada se acerca.

Carta, sota de diamantes: recibirás un regalo o una pequeña herencia en un futuro próximo.

Carta, sota de picas: no creas a todas las personas, alguien de tu círculo íntimo está planeando despojarte de parte de tu dinero o posesiones. Sé muy perspicaz.

Carta: representa los pensamientos, esperanzas, expresiones, sentimientos e intuiciones que alguien pretende hacerte llegar. Si la carta está sellada, las cosas siguen siendo un misterio; cuando se abre, comienza la comunicación clara, 2 Cor. 10:9; Rom. 2:27-29; 7:6; 2 Cor. 3:6-7.

Cartas del tarot: engaño del enemigo que intenta darte un mal trato, oscuridad del plan del enemigo que se revela, destrucción y búsqueda de información de lo oculto o influencias demoníacas, Hch. 16:16.

Cartas: deseo de escuchar a alguien hablar de su pasado. Puedes estar buscando una confirmación por escrito sobre algo que está pendiente o esperando la confirmación del Señor. Tomar medidas sobre algo que te cuesta recibir o creer. La letra de la Ley mata, pero el Espíritu da vida.La mano que te ha repartido la vida, arriesgarse o jugarse la vida, las emociones o las relaciones, echarse un farol, jugar o guardar secretos, mantener tus cartas cerca para que nadie sepa lo que tienes en la mano o en el corazón.

Cartel: mostrar un tipo específico de cartel en tu sueño indica que quieres ser abierto y transparente sobre un aspecto particular de ti mismo. Estás dando a conocer tus deseos y anhelos de forma pasiva y tranquila. Fíjate en el texto y la imagen del cartel. ¿Qué comunica? ¿Qué aspecto personal muestra al espectador? Si estás en el póster, eres la representación perfecta o el «niño del póster» de las acciones demostradas en la imagen.

Cartera: su identidad; crédito; influencia; favor, Pr. 7:20.

Carterista: evitar pérdidas innecesarias, hacer inventario de los bienes.

Cartero: hacer correr la voz, comunicar, un mensaje o secreto está llegando; juego de palabras: «no hay correo», no hay hombre en la vida de uno, decepción. Un profeta, 2 Re. 19:14; una persona con la capacidad de «leer tu correo», ángel, entrega y recibe paquetes, regalos y cartas, trabajador del gobierno de confianza que lleva documentos e información importantes. Ver a un cartero entregando el correo simboliza una habilidad especial o un don para comunicarse con la gente a nivel personal o profesional. Se te ha dado un mensaje que urge ser difundido porque tiene la buena noticia del evangelio u otras ideas espirituales que compartir. Si no recibes una carta por correo representa una temporada de decepciones en la que no se realizan las cosas que esperabas. Mensajero, el que reparte el correo, los regalos y los paquetes; alguna parte de uno mismo, la realización o una experiencia que pone de manifiesto algo; el deseo de conectar con alguien o la esperanza de entrar en contacto con alguien o recibir noticias de una persona en particular.

Cartilla: usted está en las etapas elementales o básicas de preparación para que una nueva unción, don espiritual o cobertura primaria llegue a su vida. Estás siendo condicionado para poder hacer una obra mayor y más avanzada.

Cartografía: creación y diseño de varios tipos de mapas con representaciones gráficas simbólicas de ciudades, estados y regiones globales que contienen características y lugares significativos de la tierra.

Cartón: un cartón delgado y rígido que se forma fácilmente para hacer contenedores portátiles como cajas y otros productos para el envío o el almacenamiento de mercancías. Si tu casa está construida de cartón, presagia grandes pérdidas, pobreza y fracaso. Cuando lleguen los vientos de la adversidad, tu casa caerá.

Casa de cristal: la vida de uno es transparente y está abierta al escrutinio público; vivir en una casa de cristal: cuidarse de las adulaciones o de las palabras suaves que amenazan la buena reputación de uno.

Casa de Dios: Betel, Jue. 20:18; 21:2.

Casa de empeño: se están agotando las posesiones, los ingresos físicos, la riqueza espiritual o el bienestar emocional; tenga cuidado con las inversiones financieras arriesgadas, las acciones o las asignaciones; busca la sabiduría de Dios, Sal. 109:11.

Casa de fieras: soñar con una colección de animales salvajes vivos en exhibición en una casa de fieras, indica que tu hogar está desordenado y lleno de confusión.

Casa de huéspedes: soñar que está en un internado significa que ha caído en tiempos difíciles.

Casa de remolque: sentirse irrelevante, sin importancia o infravalorado; flexible; dispuesto a cambiar o adaptarse a nuevos escenarios o circunstancias.

Casa de reposo: una iglesia legalista que está establecida pero que no crece evangelísticamente; aquellos que dejaron morir sus sueños, pero que todavía lo están cuidando al final de su vida.

Casa de veraneo: disfrutarás de una época próspera con los amigos y la familia; tus esperanzas de un futuro exitoso se verán recompensadas con la obtención de una pequeña fortuna y con el honor que se te demostrará.

Casa del árbol: el trabajo duro le permitirá a uno desarrollar una vida entre líderes y maximizar su potencial cumpliendo sus esperanzas y sueños; establecer metas altas; un estándar de excelencia le permitirá elevarse por encima de los demás; unas vacaciones o un retiro pueden ser convenientes.

Casa del terror: lugar de alegría para superar o reírse de uno mismo, de los miedos, de las carencias o de los fracasos.

Casa embrujada: las emociones reprimidas están alborotadas, consumidas por el miedo a lo desconocido, o atormentadas por lo que pueda deparar el futuro. Es el momento de ocuparse de los errores del pasado para hacer borrón y cuenta nueva. Elimina todas las influencias oscuras y demoníacas de tu vida mediante la liberación personal y la limpieza espiritual de tu propiedad.

Casa flotante: vivir en la unción o por la comprensión espiritual, residir en la presencia de Dios, permanecer en el Espíritu.

Casa nueva: ver una casa nueva en un sueño indica que estás pasando por un proceso de renovación, reconstrucción y ampliación. Te has convertido en una nueva criatura, pues todo es nuevo, Ec. 11:5 No conoces los caminos de Dios, que hace todas las cosas. He aquí que yo hago nuevas todas las cosas, Apo. 21:5. En algunos sueños puede representar que te vas a trasladar a una nueva casa, negocio o iglesia.

Casa pública: has caído en tiempos difíciles y necesitas rehabilitarte de la adicción a las drogas o la dependencia del alcohol, un espíritu de pobreza.

Casa remolque: situación temporal; lugar de transición; movilidad.

Casa rodante: casa remolque que sirve de hogar permanente y que suele estar conectado a los servicios públicos. Es el momento de ser autosuficiente, de moverse hacia adelante y de superar las limitaciones del pasado durante esta época de transición en tu vida.

Casa sin ventanas: ver una casa sin ventanas en un sueño indica que la persona se ha cerrado a cualquier interacción o compromiso emocional con los demás.

Casa vieja: una persona, una iglesia, un trabajo o un hogar anclados en las viejas costumbres y tradiciones, una necesidad de ser más actuales y con mejoras actualizadas; vivir en el pasado; una herencia espiritual o natural; madurez. Ver una casa vieja y destartalada en un sueño representa tus viejas creencias, actitudes y cómo solías pensar o sentir como una persona incrédula que tomaba decisiones en la carne. Una casa vieja también puede indicar el pasado, un anciano o abuelo, o incluso Dios que está lleno de sabiduría. Considera la posibilidad de que estés funcionando con una vieja mentalidad, actitudes y sentimientos que necesitan ser actualizados o renovados por la Palabra. ¿Qué áreas de tu vida están en caos o en desorden? Construye o reconstruye nuevos límites y muros para protegerte de los pensamientos dañinos o negativos, 1 Capítulo 17:27.

Casa allanada: considera la posibilidad de que necesites estar más abierto a un ascenso, a un mayor nivel de responsabilidad o a una oportunidad que has negado en el pasado. Sientes que alguien o una situación en tu vida cotidiana está siendo demasiado exigente o violando tus límites.

Casa atrancada por fuera: soñar que te quedas atrancada por fuera de una casa indica que aún no estás preparado para dar un paso en una nueva área de tu vida. Por el contrario, puede que esté dejando atrás el pasado y avanzando hacia un futuro más provechoso. Es posible que te sientas rechazado o abandonado en un entorno social, o que te hayas desvinculado de algo que te ha provocado sentimientos de incompetencia.

Casa atrapado en: estar atrapado en una casa indica que sientes que tienes capacidades limitadas que están impidiendo tu avance.

Casa, cambiar de: si los cimientos de la casa están desnivelados o cambian, implica que estás pasando por alguna transformación personal revolucionando tu sistema de creencias espirituales.

Casa, comprar: normalmente, una casa te representa. Por lo tanto, si te ves comprando una nueva casa en un sueño significa que puede haber un cambio geográfico para ti en un futuro próximo. Los bienes inmuebles son una buena inversión, por lo que puede indicar que necesita invertir más tiempo y energía en ti mismo. Si se trata de una casa más grande, es de suponer que serás más reconocida y prominente. Se está expandiendo y creciendo en los ámbitos físico y espiritual. Está comprando un nuevo y mejorado yo.

Casa dañada: ver que tu casa sufre daños indica que te sientes herido, estresado o con algún tipo de alarma o aprensión por algunas acciones equivocadas y temes varios tipos de repercusiones negativas en una situación de tu vida cotidiana.

Casa, debajo de: encontrarse debajo de una casa indica que hay algunos asuntos fundamentales que deben ser tratados y que actualmente están ocultos a la vista. Asegúrate de revisar las tuberías y el cableado para descartar cualquier otro problema oculto que pueda surgir más adelante.

Casa, desván: el ático de una casa representa tu vida de pensamiento o tus ascensos o capacidades intelectuales. Puede ser una advertencia de que estás tratando de conocer a Dios a través del estudio y que no estás desarrollando una relación emocional con Él.

Casa, edificio: estás trabajando en el desarrollo y la maduración de ti mismo en muchas áreas nuevas; mejorando tu bienestar social, laboral, físico, mental y espiritual.

Casa, escondite: si te escondes en la casa indica que tienes algún miedo o aprensión a entrar en lo que realmente eres en Cristo para alcanzar tu máximo potencial en la vida.

Casa, extraños: encontrarse en la casa de un extraño indica que hay una nueva temporada de crecimiento y de autodescubrimiento en la que los atributos y las formas que actualmente son extrañas o bizarras para ti se convertirán en normales a medida que adoptes una nueva y mejor forma de procesar las cosas.

Casa, fuego: el juicio viene a probar y probar tus obras, la unción, los fuegos de avivamiento, los fundamentos necesitan ser apuntalados, y los asuntos estructurales necesitan ser fortalecidos, la presencia angélica.

Casa grande: ver una casa en tu sueño te representa a ti o a algo que aún no has descubierto de ti mismo. Una casa grande con muchas habitaciones representa el crecimiento de tu potencial en la unción, nuevas habilidades, talentos y dones que están disponibles para ti pero que no has descubierto o no has aprovechado todavía. Tú eres la mansión que Jesús está preparando en el cielo. *«En la casa de mi Padre muchas moradas hay; si así no fuera, yo os lo hubiera dicho; voy, pues, a preparar lugar para vosotros». «Si voy y os preparo un lugar, vendré otra vez y os recibiré a mí mismo, para que donde yo esté, vosotros también estéis». «Y sabéis a dónde voy, y sabéis el camino»*, Jn. 14:2-4.

Casa, limpieza: verse limpiando o poniendo en orden la casa significa que tienes un espíritu diligente de excelencia. Esta es una temporada de afinamiento y alineación para que puedas pasar al siguiente nivel de superación en múltiples áreas de tu vida.

Casa llena de agua: el Espíritu Santo y la Palabra de Dios están simbolizados por el agua. ¿Estás experimentando un nuevo y fresco derramamiento del Espíritu de Dios en tu vida? Si no es así, el agua que se eleva en tu casa puede indicar que tus emociones están sobrecargadas y que te sientes abrumado en una situación en particular. Si el agua está inundando tu casa puede ser una advertencia de que hay un problema con las tuberías de la casa o que estás atrasado en tus cuentas o pagos de la hipoteca.

Casa nueva: una persona, iglesia, trabajo u hogar que necesita limpieza, organización o atención.

Casa sin paredes: eres una persona transparente e íntegra que vive la vida abiertamente ante la opinión pública sin ninguna restricción. Si la casa que sueñas no tiene paredes, tu vida carece de una estructura de apoyo en un momento difícil o de prueba. Te sientes expuesto y a la intemperie, sin privacidad ni lugar donde esconderte, sin poder escapar de los ojos vigilantes o críticos.

Casa, sótano: el sótano de una casa representa tus pensamientos y acciones subconscientes, las cosas que haces de forma automática. También puede representar asuntos fundacionales que están en desorden. ¿Está el sótano limpio, ordenado y utilizable o desordenado y lleno de trastos?

Casa sucia: representa a una persona, iglesia, trabajo o casa que necesita limpieza, organización o atención.

Casa vacía: si la casa está vacía, te has desecho de todas las distracciones. Estás preparado para que la gloria del Señor te llene de su presencia. Por el contrario, puede que te sientas inseguro, solo o excluido.

Casa, vivir solo: si vives con compañeros de habitación, pero sueñas que vives solo, indica que necesitas hacer planes para mudarte a tu propio lugar, ser más responsable, autónomo y autorregulador.

Casa: uno mismo; su personalidad, carácter o representación; el cuerpo humano; la iglesia o comunidad religiosa; un lugar de oración, Mt. 21:13; un hogar, Mt. 7:26; seguridad financiera; una vivienda familiar o estudiantil; un refugio, Pr. 14:1; una logia; un lugar de reunión o asamblea; una morada para espíritus santos o impíos. Si la casa es propia puede representar una familia feliz.

Casas: representa tu condición espiritual actual; asuntos pasados, presentes o futuros que tienen que ver con la vida de una persona, su iglesia o su negocio; ¿estás en construcción, necesitas reparación,

123 *Diccionario de la simbología de los sueños de la A a la Z*

remodelación, actualización o tu vida está desactualizada?

Cascabel: escuchar a alguien hablar ininterrumpidamente y de forma extensa sobre un tema trivial indica que hay que elegir mejor a los amigos, la charla constante es como un molesto grifo que se sumerge.

Cascabeleo, campanas de trineo: predice un feliz mar de invierno con amigos que vienen a visitarte.

Cascabeleo, placas de identificación: sugiere que tienes un amigo leal que se mantendrá cerca de ti durante toda la vida.

Cascabeleo: oír un sonido pegadizo o un tintineo poético en un sueño predice gran prosperidad y promoción; se le anunciará con bombos y platillos generando un aumento de su popularidad.

Cascada, base: si te encuentras en la base de una cascada que está cayendo sobre ti puede sugerir que hay dificultades en tu vida que te están abrumando emocionalmente. Necesitas liberar toda la ira, la frustración reprimida, así como las emociones y los sentimientos negativos. Sal. 42:7; Apo. 14:2.

Cascada, escalada: un tiempo de refresco y limpieza vendrá mientras continúas orando y moviéndote más alto en el entendimiento espiritual de la Palabra de Dios; mientras ganas una perspectiva celestial lluvias de bendición se derramarán sobre ti.

Cascada limpia: si el agua es limpia y clara, usted se ha fijado unas metas muy altas, y deseas alcanzar tu destino. La poderosa Palabra de Dios te está bañando.

Cascada: las cosas en tu vida se están moviendo a lo largo de una progresión suave que fluye muy bien; eres capaz de superar o pasar los baches en la vida para ir al compás de la corriente. Tu vaso (cuerpo) es sagrado, claro y limpio, de honor y distinción. Alude a un poderoso y escarpado descenso del Espíritu desde los cielos que es capaz de alcanzar a los que se mueven en un nivel inferior. Soñar con una cascada indica que el bautismo del Espíritu Santo o el derramamiento de sus bendiciones y dones están llegando a tu vida de una manera grandiosa. Estás en una renovación o en el comienzo de un movimiento de Dios que te revitalizará, regenerará y refrescará.

Cascadas: nivel más alto de unción y enseñanza que desciende para traer una mayor impartición.

Cascanueces: la sabiduría que necesitas para resolver una situación difícil o superar la dureza exterior de alguien es algo que está en tus manos.

Cáscaras de huevo: temor a desagradar a alguien, exceso de cautela, esfuerzo excesivo, «caminar sobre cáscaras de huevo».

Cáscaras de nuez: has desarrollado una gran técnica para extraer lo valioso de lo vil; las personas difíciles de cáscara dura son capaces de abrirse a tu comportamiento amistoso y seguro.

Casco: trabajador de la construcción o de la industria; muy patriótico; ultraconservador; muy protector.

Casia: esta especia simboliza una fragancia que aflora por medio del aplastamiento y el sufrimiento, Sal. 45:8; Éx. 30:24; Ez. 27:19.

Casillero: es un pequeño y estrecho compartimento de almacenamiento, que varía en tamaño, propósito, construcción y seguridad. Suelen encontrarse en un gran número de casilleros dedicados a ello en diversos lugares públicos, como vestuarios, lugares de trabajo, escuelas secundarias y preparatorias, centros de transporte y similares. Soñar con un casillero indica que le han dado un tesoro, una revelación o una información que necesita ser guardada temporalmente para su uso posterior.

Casino: una advertencia para no jugar con la dirección de tu vida, tus finanzas o relaciones. Is. 36:8.

Caso: conjunto de circunstancias o condiciones en las que hay que determinar si son ciertas las afirmaciones que presenta la parte contraria. Considera los puntos fuertes y débiles de los que se han levantado contra ti. Céntrate, ora y confía en que Dios te dará las palabras que debes decir. Escucha mucho y habla poco.

Caspa: si estas molestas escamas aparecen en tu sueño puede indicar que estás escamando o que alguien de tu entorno ha estado actuando de forma escamada. Encuentre una manera de aliviar el estrés y la tensión en tu vida. Obtén sabiduría y conocimiento divino para resolver tus problemas actuales.

Castañas: inicio de algo nuevo; «castañas asadas en un fuego abierto», inspira recuerdos de relación; romance y amor; independencia e injusticia.

Castañuelas: son instrumentos rítmicos de concha cóncava, hechos de madera dura y que caben en la palma de la mano. Pueden reflejar el ritmo de la vida o tu capacidad para marchar al ritmo de tu propio tambor.

Castigar: si castigas a los demás puedes sentirte superior a ellos por lo que advierte de orgullo y arrogancia. Puede que tengas una personalidad controladora. Si se le castiga a usted, esto indica que puede haber hecho algo malo o haber pecado. Te sientes culpable por tus acciones.

Castigar: soñar que te castigan o critican te llevará a la pureza de carácter y a una gran integridad. *«Bienaventurado el hombre a quien tú, JAH, corriges, Y en tu ley lo instruyes, Para hacerle descansar en los días de aflicción, En tanto que para el impío se cava el hoyo»*, Sal. 94:12-13.

Castillo de arena: delirios de grandeza que uno necesita para planificar, contar el costo, sin Jesús la «roca»; el sólido fundamento de la vida o el trabajo de uno no durará o no se mantendrá en pie.

Castillo inflable: verse jugando en un castillo inflable en un sueño indica que está siendo sacudido de un lado a otro por toda clase vientos y olas doctrinas humanas. Es el momento de arraigarse y echar raíces en el amor. Deja de creer en todo lo que oyes. Céntrate, concéntrate y estabilízate asegurando tu fe en Dios.

Castillo: el hogar de un hombre es su castillo; ser honrado por los logros, recompensas o realizaciones de uno; el destino personal tiene la promesa de seguridad debido al poder, la riqueza y el prestigio; uno se aísla de los demás para protegerse; una fortaleza o torre a la que se huye para escapar del mundo. Defenderse de los ataques; fortificación; invencible; fortalezas mentales o hábitos; sentimientos de seguridad o inseguridad; cuentos de hadas o imaginaciones vanas; lugar donde reside la realeza.

Castor: laborioso; «ocupado como un castor»; estudioso; diligente; constructor astuto; sabiduría ingeniosa; ocupado; paciente; esforzado; hábil; se hace rico; detiene el flujo. Pr. 24:3; Pr 10:4.

Castración: castrar, esterilizar o emascular; miedo abrumador a perder la masculinidad, la virilidad o la hombría; eliminar la vitalidad o la fuerza mediante la purga, la eliminación o el borrado; sentir presión sexual para rendir; falta de reproducción, productividad o creatividad; las mujeres o las personas dominantes están controlando tu vida; cortar los recursos o la influencia; negar tus deseos sexuales o sufrir un trauma sexual.

Castrar: eliminar o negar el impulso sexual o la capacidad de reproducción, temor a las responsabilidades de la edad adulta, tratar de evitar el rechazo del sexo opuesto, competencia, falta de apoyo de los padres, miedo a tomar decisiones o a avanzar en una carrera, trauma, ira o conflicto de roles o aspiraciones de género.

Catalina: significa inocente ejemplo de piedad, Fil. 2:15.

Catálogo: ver o utilizar una lista sistematizada con descripciones de elementos indica que es consciente de lo que necesita para obtener el éxito deseado.

Catamarán, dos cascos: vida equilibrada, se navega sin problemas, se corre la carrera para ganar.

Catamarán: inclinarse o ser impulsado por el viento del Espíritu.

Catapulta: si es enviada por Dios, su Palabra derribará fortalezas para renovar la mente; el enemigo produce ataques destinados a propinar golpes aplastantes para romper las líneas de defensas y la seguridad en Dios; se usa para lanzar rocas y lanzar ataques de palabras para aplastar y ofender.

Catarata: estás enfocado en un pequeño obstáculo que está bloqueando tu visión para que no se produzca; Dios quiere enviar una enorme bendición o aguacero de visión a tu vida para eliminar este tiempo de ceguera temporal o visión estrecha.

Catástrofe: representa la inestabilidad repentina y la perturbación y agitación en tu vida. Sentimientos de ansiedad con respecto a lo desconocido. Soñar con una catástrofe es una advertencia para que te prepares para un ataque del enemigo que busca traer destrucción generalizada, angustia y fracaso total a través de una grave desgracia. Tu actual elección de dirección en tu vida necesita un cambio; arrepiéntete y busca la sabiduría de Dios.

Catecismo: libro de preguntas y respuestas sobre los principios religiosos básicos; preparación para un examen, promoción o avance espiritual.

Catedral: lugar de gran belleza, de tranquilos alrededores; lugar de adoración, de autoridad y canto, pide en gran medida que la sabiduría divina le permita alcanzar nuevos horizontes; representa el pensamiento religioso tradicional. Lc. 21:5-6.

Católica: universal; nombre dado a la Iglesia cristiana en general.

Catolicismo: tradiciones religiosas de hombre; simbolismo religioso. Mc 7:8.

Catorce: Pascua; liberación; salvación; doble unción o medida de perfección espiritual; «el temor del Señor» en Proverbios; tiempo de prueba; fiesta y regocijo, Es 9:17.

Cautivo: estrés, tensión y ansiedad por exceso de gastos, endeudamiento; temor a estar atado o sujeto a otras personas, o atrapado por las circunstancias, el matrimonio o el trabajo; culpa por hechos o deseos vergonzosos; prisionero de creencias morales, ideas, opiniones o emociones; atrapado emocionalmente; sentirse asfixiado por el propio jefe, por una relación o determinada responsabilidad; se le está impidiendo avanzar a otro nivel; ignorancia o negarse a reconocer una mala situación. Estar cautivo sugiere que te sientes atrapado en una relación nociva y controladora, en un trabajo sin salida o en algún aspecto o circunstancia que has estado ignorando o negando a nivel personal.

Cava: colección de experiencias pasadas, positivas y negativas; riqueza almacenada; nuevos y viejos amigos.

Cavar: seguir buscando un tesoro escondido; descubrir; investigar; comprender o apreciar; disfrutar; romper; volcar; hurgar, atrincherarse; o aguantar durante tiempos difíciles permitirá giros favorables de los acontecimientos.

Caverna: representa un gran obstáculo, un cortocircuito financiero o un espacio de tiempo que está tratando de generar descontento o detener tus movimientos hacia adelante; significa que debes tener cuidado con las personas que están celosas de tu éxito, pues, al igual que ocurrió con José, quieren arrojarte al pozo del olvido o venderte como esclavo.

Cayendo: verse cayendo desde un acantilado, un puente o un edificio alto es señal de sucicidio; se pierde el control o se está fuera de control; se cae en la desesperanza o en la depresión; temor al fracaso; se sufre una caída; se comete un error de juicio; no estás recibiendo apoyo en una situación. Pérdida de confianza, de seguridad, de dinero, de relaciones; de gracia social, de imagen o de estatus; *«el orgullo viene antes de la caída»*; fracaso moral; tensión; estrés; exceso de trabajo; peligro de una emoción o de un colapso físico. Pr. 24:16. Caer y levantarse de nuevo indica que eres un vencedor y serás honrado.

Caza con arco: cumplir con el objetivo; ejercer una gran habilidad y equilibrio en la búsqueda de un objetivo; lograr el propósito trazado, debe acercarse a su objetivo y la puntería debe ser verdadera para obtener el objetivo; precisión para dar en el blanco; lograr la grandeza; abatir un animal de trofeo. Ser sigiloso es la clave, utilizar una aproximación a favor del viento para ser camuflado por la naturaleza, fundirse en su entorno, ser auténtico, cuestión de identidad ya que se está renunciando a un armamento mucho mejor y más fácil para sentir la emoción de la cacería, deseo de ser elevado para evaluar su objetivo.

Caza furtiva: verse a sí mismo cazando furtivamente o entrando ilegalmente en la propiedad de otro, para robar su pesca o su caza: indica que no quiere trabajar para ganar tus propias almas o construir su congregación o negocio a través del evangelismo o el marketing, sino que prefiere tomar las personas que otro ya ha cosechado o entrenado.

Cazado, huyendo: si estás huyendo del cazador, el miedo está tratando de hacer que huyas de una oportunidad o te sientes abrumado.

Cazado: ser cazado significa que eres muy deseable, los demás necesitan lo que ofreces.

Cazador/cazadora: el aspecto de uno mismo que está matando la naturaleza pecaminosa carnal u obteniendo provisión y éxito de ella.

Cazarrecompensas: los cazarrecompensas eran contratados para capturar o matar fugitivos a cambio de una recompensa monetaria bastante «generosa». Ser un cazarrecompensas indica que estás en busca de una persona específica o tienes el deseo de lograr un objetivo en la vida. tu principal motivación para el éxito es la recompensa económica o la ganancia.

Cazo roto: la relación puede estar dañada sin remedio.

Cazuela hirviendo: olla utilizada para hacer guisos, si está llena indica una vida hogareña feliz y prosperidad; los esclavos oraban bajo un caldero levantado para captar los fuertes sonidos de sus oraciones y alabanzas mientras pedían a Dios ayuda y libertad. Recipiente utilizado para enfriar y con fines de sacrificio, 1 Sam. 2:14. Cesta, Jer. 24:2.

Cazuela: cocinar algo bueno; juego de palabras: «habilidad»; «salir de la sartén al fuego».

Cebada: cosecha de la Pascua; enfrentarse a los propios miedos; baja reputación y pobreza; superar; un libertador. Jue. 7:12; Os 3:2; Ez. 13:19; Rt. 1:22; Nm. 5:15.

Cebo: Ver un cebo en un sueño sugiere que puedes estar pescando un trato o un cumplido. También puede indicar tu deseo de atraer o seducir a alguien. Cuídese de las trampas y los engaños que pueden resultar terriblemente dañinos. La carnada se usa para atrapar peces que es una metáfora de las almas, así que la carnada puede indicar señales, maravillas o milagros que se usan con la Palabra de Dios para ganar almas. Herramientas que son usadas para atrapar peces, personas o animales, una tentación de la que debes tener cuidado para no caer en ella; ser seducido por una relación peligrosa que podría dañar tu reputación; la carnada de Satanás, que conlleva destrucción, Am. 3:5

Cebollas: causan lágrimas: perseverar a través de los celos, desacuerdos y palabras hirientes de los demás; las respuestas a los problemas resolverán los conflictos; beneficios de Egipto; autodescubrimiento; revelación progresiva; asuntos de varios niveles que llegan a nuevos conocimientos y percepciones, Apo. 21:4.

Cebra: ve las cosas en blanco y negro; los esfuerzos se emplean en áreas equivocadas; juegan a dos bandas; persiguen una empresa fugaz; se apresuran a evitar el peligro; tienen un poderoso ministerio profético; ven las cosas en blanco o en negro, 1 Re 3:9.

Ceder: sometimiento a la voluntad o deseo de otro, ceder o apoyar a un amigo o relación personal, cooperar o ceder a otros, ser flexible con tus deseos o anhelos.

Cedro: poder, belleza majestuosa, realeza; Ez. 17:1-23; 31:2-18; Is. 2:13; Sal. 92:12; 104:16; Cnt. 5:15; incorruptible; realeza; gloria; madera dura; siempre noble; éxito; prosperidad; Salón de la Justicia; palacio, 1 Re. 7:7-8; espléndido; abundante.

Céfiro: el viento del oeste; una suave brisa o movimiento del Espíritu, Éx. 10:19; un viento suave del oeste enviado por el Señor para eliminar a los devoradores, la pobreza y la destrucción; viene a nutrir, agilizar y potenciar el ministerio; pioneros o peregrinos en un viaje; negocios reencaminados, empresas innovadoras que generan prosperidad rápidamente; un avión ultraligero, impulsado por energía solar, no tripulado, capaz de transportar gran peso, un motor principal; da vista o visibilidad; esperanza para los tiempos de depresión; rayo de plata, carrera del amanecer al atardecer; bien articulado.

Cegarse a sí mismo: si estás ciego en un sueño es porque has perdido una gran oportunidad o has negado la verdad al «hacerse el de la vista gorda» en relación a una persona o situación, tu falta de conciencia causará graves obstáculos que afectarán tu vida. Mira de nuevo y considera cuidadosamente los puntos de vista de los demás, pues al amplificar tu ámbito de influencia encontrarás un mayor nivel de ventajas. Es hora de caminar la milla extra en los zapatos de los demás. No hagas oídos sordos a los que te piden ayuda. Está siempre dispuesto a servir a los menos afortunados. Pide a Dios que abra tus ojos espirituales (los verdaderos) y tus ojos físicos para que puedas ver en el reino del Espíritu y encontrar las verdaderas riquezas.

Ceja, ninguna: si no hay cejas en la cara de un hijo, las emociones están ausentes. Necesitan expresarse sus sentimientos más abiertamente.

Ceja, piercing: si usted u otra persona se hace un piercing en la ceja, considere la expresión de tienes unos hermosos «ojos penetrantes».

Ceja, uniceja: una uniceja indica que debes preocuparte más por tu aseo físico o por tu apariencia pública. Una mayor atención a los pequeños detalles te permitirá sentirse más seguro de ti mismo y menos inseguro al expresar tus sentimientos.

Cejas altas: sorpresa.

Cejas finas: significa decepción, debilidad o envejecimiento.

Cejas pesadas: distinción y triunfo, juventud.

Cejas: ayudan a proteger la visión, su posición demuestra las emociones. Centrarse en las cejas de alguien en un sueño indica que debes prestar atención a sus expresiones de admiración, escepticismo, sorpresa o incertidumbre. También puede indicar aprecio o insatisfacción.

Celebración: soñar que se asiste a una reunión social, una fiesta comunitaria, un día de fiesta o un día festivo, es un indicador de que se ha alcanzado un objetivo.

Celebridad: conocer o ser una celebridad demuestra el deseo de ser reconocido y aclamado; puede representar el propio potencial no reconocido; si se defiere o sientes que el personaje tiene poder sobre ti, el sueño puede estar mostrándote cómo es tu relación con tu padre; quizás estés luchando por aceptar o respetar sus deseos; representa las ambiciones y esfuerzos requeridos para tener éxito; tu vida o rol representa un rasgo de carácter específico, valor, amor, belleza, prosperidad, etc.

Celibato: miedo a la intimidad, negación o renuncia a los deseos sexuales; promesa o voto de celibato para dedicar toda la vida a actividades espirituales.

Celo: una persona con celos suele tirar la cautela al viento para aumentar la agenda de su reino o su estrategia empresarial. Son intrépidos, propensos a participar en enfrentamientos, conflictos y guerras; pueden avecinarse tiempos peligrosos.

Celos: fuiste creado de manera formidable y maravillosa, por lo que no tienes necesidad de envidiar a los demás. Concéntrese en tus dones y habilidades positivas. La falta de amor propio o de importancia te llevarán a temer al rechazo y a intimar con otros. «¿quién podrá sostenerse delante de la envidia?», Pr. 27:4.

Celosía: ventana o balcón enrejado, 2 Re. 1:2.

Celoso: Éx. 34:14, el nombre del Señor. Pon tu esperanza en Dios. Estar celoso en un sueño trae un mal informe, división y peleas.

Células: vida, reproducción, bloques de construcción para la multiplicidad, ADN, la unidad estructural más pequeña capaz de funcionar de forma independiente; una habitación o cámara; un pequeño grupo religioso o social que depende de otro más grande.

Cementerio: los aspectos enterrados de uno mismo; el miedo a lo desconocido o los recuerdos del pasado que vienen a atormentar; una pérdida física, enterrar el dolor emocional o las relaciones pasadas, o un período de luto por un error grave o un amor perdido.

Cementerio: pena o tristeza no resuelta; desenterrar recuerdos o penas del pasado; fin de comportamientos negativos o malos hábitos; muerte; muerte de un sueño o deseo o renacimiento; morir a uno mismo; enterrar lo «viejo»; pensamientos o hábitos; fin de una relación o capítulo de la vida. Jb. 21:33.

Cemento: el cemento húmedo es señal de dificultad; un atributo o asunto de carácter en tu vida sigue sin resolverse; las ideas, los patrones de pensamiento, los planes o las estrategias están empezando a consolidarse o transformándose en algo «concreto» o «escrito en piedra». Necesidad de sabiduría y claridad para obtener una comprensión sólida de un lugar; advertencia de no volverse demasiado rígido, inflexible y no poder cumplir.

Cena de las Bodas: ver la Cena de las Bodas del Cordero en el cielo representa el momento en que los santos de Dios entran en el cielo a la comunión con Dios, Mt. 26: 26-29; Apo. 19:9.

Cenar con otros: naturaleza generosa, no juzgar, aceptar a los demás como iguales o compañeros, invitado: los amigos cercanos disfrutan del placer de tu compañía y quieren presentarte a sus otros amigos.

Cenar solo: independencia; necesidad de desarrollar gracias sociales; abrirse y compartirse con los demás; aprender a confiar; incluir a los demás en los objetivos y agendas de la vida;

Cena: comida formal o banquete en honor a una persona u ocasión, compañerismo con amigos y familiares. Tendrás un tiempo de fiesta, compañerismo y estrecha comunión con amigos y miembros de la familia traerá dulce satisfacción y favor a tu vida. La Cena del Señor. Este símbolo es una alusión a la Cena de la Pascua y a la Cena de las Bodas del Cordero, Lc. 22:14-20; 1 Cor. 11:23-33; Mt. 26:26-28; Mc. 12:22-26; Apo. 19:7-9.

Cenadero: restaurante pequeño, informal y normalmente barato con un mostrador largo en forma de vagón de tren. El alimento espiritual que has estado comiendo te hará seguir los planes de Dios para tu vida.

Cenicero: sucio, fumar es un hábito desagradable y dañino, la vida y la salud se convierten en humo, tristeza y dolor, tu boca sabe como si estuvieras lamiendo un cenicero; el aliento de los fumadores es ofensivo, aleja a otros de la intimidad.

Cenit: es un punto en la esfera celeste directamente por encima del observador; la región superior del cielo el punto más alto del horizonte de una persona, estás alcanzando tu cima culminante o el cenit de tu carrera.

Cenizas de la vaca roja: Purificación, Nm.19:17-18; Heb. 9:13.

Cenizas: quemadas; ahora limpias; hombre; «Abraham» Gén. 18:27; ofrenda en el altar; Aser: bendito, fortuito Sal. 16:11. La presencia de Dios ha consumido las obras de la carne, cambia la vergüenza por la belleza, en un lugar de devastación y destrucción. Arrepentimiento Lc 10:13; luto Esd. 4:1. Sal. 102:9 penitencia y dolor.

Centauro: ver esta criatura mitológica con cabeza, brazos y torso de humano y cuerpo y piernas de caballo representa la naturaleza animal de la persona no regenerada. Es indicador que te dejas guiar por tu carne y que frecuentas lugares donde no debes ir. No está pensando de manera racional o sabia.

Centeno, campo: cosecha y éxito en su futuro.

Centeno, pan: morada positiva, feliz y relajante.

Centeno: hombre gitano; hierba de cereal ampliamente cultivada; grano; utilizado para hacer whisky, harina; alimentar al ganado; juego de palabras: «las cosas no van por buen camino»; resultado negativo; un hombre gitano.

Centinela: ver a un centinela custodiando a personas, una propiedad e impidiendo el acceso a zonas restringidas, prefigura el llamado a vigilar e interceder en el muro.

Centro comercial: «variedad de cosas para elegir»; la iglesia; capacidad de llegar al mercado; ego en nuestros corazones; visión de la atmósfera espiritual, anímica o política en una iglesia, corporación, comunidad o nación. Indica que estás intentando dar una impresión favorable; ego o materialismo; maldades; seguir la moda principal, las tendencias, las modas o la última tecnología, Mt. 10:1

Centro de convenciones: significa asumir la resolución de problemas utilizando métodos convencionales, medicina o psicología en lugar de buscar la sabiduría divina o la guía espiritual. Un lugar en el que personas de ideas afines, centradas en el mismo tipo de trabajo, se reúnen para intercambiar ideas o productos como resultado de los conocimientos o la comprensión convencionales. Una convención médica es el intercambio de formas tradicionales de pensar para llegar a un método de sanidad. Jesús sigue siendo nuestra última fuente de sanidad; los sanó a todos repetidamente durante su estancia en la tierra y sigue sanando en respuesta a nuestras oraciones de fe a través del Espíritu Santo.

Centro: el ajetreo, el bullicio de la vida o de las circunstancias provoca la preocupación por las ganancias materiales o las posesiones. Tener la voluntad divina de Dios en el centro de tu vida; ser una persona bien equilibrada.

Cepillo de dientes: ver o utilizar un cepillo de dientes en un sueño simboliza una postura sospechosa de auto-protección que se toma contra cualquier desaprobación dirigida a usted. Usted está guardando su propio interés construyendo una pared protectora para guardarle de cualquier daño. Está preocupado por su apariencia física y por cómo le perciben los demás. Es posible que haya mordido más de lo que puede masticar, por lo que está reflexionando o masticando las distintas situaciones de su vida. Es posible que quieras retractarte de algunas palabras hirientes, por lo que intentas quitártelas de la boca o «barrerlas bajo la alfombra», por así decirlo. Pedir perdón por algo que has dicho y que desearías retirar, comer la Palabra de Dios, limpiarte para predicar el evangelio o dar un mensaje profundo, una profecía, una revelación o una información estratégica.

Cepillo de pelo: el pelo suele representar la sabiduría, la unción o la cobertura. Si se cepilla el cabello en un sueño, podría indicar que estás tratando de que tu vida se alinee en el orden adecuado.

Cepillo: estimular el pensamiento y la sabiduría, cuidar de uno mismo o de los demás, nutrir. Mt. 6:17; 1 Cor. 11:15.

Cera en los oídos: significa negarse a escuchar las opiniones, los consejos o la sabiduría de los demás; la terquedad está bloqueando tu capacidad de tener un canal de comunicación abierto.

Cera de abejas: son producidas en los panales de las abejas; significa crecer o convertirse.

Cera, elocuente: construir y edificar.

Cera goteando: representa la pasión oculta.

Cera moldeada: advierte de alguien que es falso o artificial y que intenta causar una impresión en ti; frena y presta atención antes de cometer un error. Hay demasiada actividad caótica en tu vida.

Cera de piso: indica que estás listo para avanzar a través de la limpieza espiritual que trae mayor claridad y reflexión en tu camino espiritual.

Cerca: ver cercas en un sueño simboliza limitaciones, estar «cercado», restricciones y obstáculos, restringiendo tu progreso; protección; seguridad; fortaleza; bendiciones Jb. 1:10; 3:23; una cerca removida o con aberturas significa destrucción y calamidad, Is. 5:5; Ez. 13:5; Mc. 12:1. Considera la posibilidad de que alguien está abriendo un fondo de cobertura o de libre inversión.

Cercado: zona vallada cerca de un establo donde se reúnen y ensillan los caballos antes de una carrera; también se utiliza para ejercitar a los caballos y pastar. Usted está en las etapas de entrenamiento para correr la carrera; espera se puesto en el «círculo de los ganadores». «*...despojémonos de todo peso y del pecado que nos asedia, y corramos con paciencia la carrera que tenemos por delante*», Heb. 12:1. Se te están dando las llaves o la combinación para abrir los misterios, la riqueza o los secretos antiguos; tus tesoros están a salvo; se te bloquea el acceso; se te niega la entrada.

Cerdo hormiguero: mamífero africano excavador de grandes orejas para espiar las conversaciones; poderosas garras para desenterrar chismes; largo hocico tubular que mete la nariz en espacios pequeños para olfatear información.

Cerdo: ganar peso innecesariamente por comer mal; «porquerías»; «barril de cerdo». simboliza a la gente impura; viciosa, codiciosa; sucia, 2 Pe 2:22; Mt 7:6; desordenada; cristianos legalistas; falsos maestros; cosas detestables; ignorancia; hipocresía; religiosos; incrédulos; apetitos glotones; devoradores viciosos; revolcarse sobre sí mismo.

Cereal: el cultivo de granos, semillas, frutos o hierbas representan la llegada de una cosecha; el alimento del desayuno significa el fin de un tiempo de ayuno o carencia; se aproxima una época de abundancia.

Cerebro: piensa antes de actuar, pensamientos, consideración, reflexiona sobre tu amor por los demás, inteligencia, perspicacia, creatividad, recuerda las lecciones del pasado, necesidad de aprender nuevas habilidades; renueva tu mente con la Palabra, derriba fortalezas negativas y patrones de pensamiento, buenas noticias; recuerdo de memorias pasadas.

Ceremonia: ¿qué se celebra? Un conjunto de actos formales realizados en un ritual prescrito, costumbre o etiqueta sin propósito intrínseco cuando no es ordenado por Dios. Puede que sientas la necesidad

de ser aceptado o recompensado por tu familia o compañeros de trabajo. Mt. 6:14 nos recuerda (específicamente con respecto al ayuno), «*Mas tú, cuando ores, entra en tu aposento, y cerrada la puerta, ora a tu Padre que está en secreto; y tu Padre que ve en lo secreto te recompensará en público...*», Mt. 6:6.

Cereza: honestidad «Abe el Honesto»; George Washington no diría una mentira; Washington DC; verdad o encanto; riqueza; «los huesos»; «la vida es sólo un tazón de cerezas»; considera el dicho la «cereza en el pastel» bendición; bálsamo; Utah.

Cero: simboliza la nada y l vacuidad de vacío. Tu vida puede estar vacía de ciertos deseos. Es importante que te centres en las bendiciones que posees actualmente. El número cero tiene forma de círculo, por lo que puede representar el infinito, la eternidad, la intemporalidad y la plenitud, la santidad o la libertad. Sin embargo, es posible que estés dando vueltas y vueltas en el mismo circulo vicioso sin llegar a ninguna parte rápidamente. ¿Has utilizado tu tiempo de forma contraproducente? ¿Te consideras a ti mismo o a los demás como un «cero a la izquierda»?

Cerradura de combinación: usar una cerradura de combinación en un sueño significa que estás tratando de mantener a la gente al margen de tu vida personal, negocio u otras posesiones. Eres una persona celosa de tu privacidad que solo permites que ciertas personas tengan acceso a tus pensamientos y sentimientos más íntimos. Si recuerda los números de la combinación, busca su significado para comprender mejor lo que este sueño te está comunicando.

Cerradura: capacidad de acceder a nuevas oportunidades; se necesita sabiduría para dar la vuelta a las condiciones actuales; éxito si se puede abrir; fracaso si se bloquea; espiar a los demás, espiar, revelar la confianza. Encerrar: mantener en una relación limitada, restringida, retener; encerrar: mantener a uno fuera de una relación o empresa, mente cerrada; inmóvil, proporciona protección y seguridad; la sabiduría es necesaria para descifrar un misterio o resolver una situación difícil, Mt. 16:9; Neh. 7:3.

Cerrajero: tienes un don espiritual o la capacidad de descerrajar o liberar a las personas de las ataduras o los miedos que las han mantenido cautivas como prisioneras. Llevas las llaves del reino para desbloquear el potencial oculto.

Cerrar: encerrar; callar; cercar o amurallar para impedir que alguien entre o dar acceso para que no puedan ver lo que estás haciendo en privado. «*Pero tú, cuando ores, entra en tu aposento, cierra la puerta y ora a tu Padre que está en secreto, y tu Padre, que ve lo que se hace en secreto, te recompensará*». Mt 6:6.

Cerrojo: mecanismo de cierre para mantener a alguien dentro o afuera, un relámpago o un acontecimiento inesperado y repentino; un gran rollo de tela puede usarse como manto, ropa o cubierta.

Certificación: indica el honor por haber completado una tarea específica y un trabajo bien hecho. Se le reconoce, validación y celebración por tus esfuerzos meritorios y tu despliegue de la verdad.

Cervecería: estar en un establecimiento donde se venda y sirva cerveza, indica que se producirá una riña o pelea en su vida con extraños con los que se relaciona, considere cambiar sus asociaciones y lugares donde se reúne socialmente o se encontrará enfermo muy pronto.

Cerveza: algo se está gestando a partir de algunos temas fundamentales; relajación; si se emborracha: hasta estar totalmente descontrolado; producirá vergüenza, dolor, tristeza y decepción.

César: el emperador romano al que los judíos pagaban tributo; Pablo, Hch. 25:11.

Cesárea: algo está tratando de limitar tu reproducción y fecundidad, necesitas ayuda para avanzar en tu crecimiento y expansión. Un bebé que se extrae prematuramente o a la fuerza, que nace mediante una operación manual; incisión quirúrgica a través del abdomen hasta el útero.

Césped: ver un patio bien regado, segado y cuidado, con la hierba verde recortada, presagia una vida hogareña feliz. Si el jardín está muy crecido, sin cortar y con falta de color, entonces se avecinan problemas y dificultades.

Cesta de la compra: si está llena: el trabajo duro y la planificación diligente darán sus frutos cosechando abundantes beneficios y recompensas; si está vacía: carencia financiera o pobreza espiritual, Jn. 6:27.

Cesta punta: soñar con este juego de cancha similar al balonmano en el que los jugadores utilizan una cesta larga en forma de mano atada a la muñeca para atrapar e impulsar la pelota, indica que tienes un corazón muy grande; a menudo te hayas atrapado en la compasión por las personas que lo necesitan. Tu mayor alegría es ayudar a las personas a pasar de un nivel a otro.

Cestas: bendiciones abundantes, provisiones de un día, recipiente decorativo, cuerno de la abundancia, primicias, cornucopia, alcanzar la meta; si están llenas tus necesidades diarias serán satisfechas en abundancia, si están vacías experimentarás dificultades, carencias y pobreza. Escapar Hch. 9:25.

Cesto: gran canasto o receptáculo para la ropa sucia y otros artículos que está cubierto por una tapa indica que necesita hacer una limpieza de primavera, ordenar y limpiar las cosas que están desordenando sus pensamientos.

Cestos de basura: ver un cubo de basura lleno o vacío en tu sueño es una llamada a limpiar tu vida. Es el momento de tirar las cosas viejas y negativas para hacer espacio a las nuevas cosas positivas que Dios está trayendo.

Cetro: báculo o vara decorativa que se lleva y que simboliza la autoridad imperial. Se te da acceso a entrar en la presencia del Rey para dar a conocer tu petición. Pide hasta la mitad de su reino, Gén. 49:10; Nm. 24:17; Apo. 11:1-2.

Chacal: advertencia para protegerse de las personas ambiciosas y prepotentes que te acechan.

Chal: palabras de adulación o favor; perder: falta de favor, cobertura despechada.

Chaleco salvavidas: verse con un chaleco salvavidas en un barco indica que estás preparado, planificado y listo para el futuro. Si llevas un chaleco salvavidas en el agua, significa que se te está dando todo el apoyo y la comodidad que requieres en una situación en particular. Si no puedes alcanzar un chaleco salvavidas, indica que estás en un problema profundo que te supera.

Chaleco: un doble manto o unción con la que se es bendecido. Tienes un interés definido en alguien o algo que te corresponde con su tiempo o sus finanzas.

Chalet: necesidad de paz; deseo de una vida tranquila, serena y sencilla; vacaciones de las responsabilidades del trabajo o de las cargas del hogar; resolver los problemas de uno en uno.

Champán: celebración de un acontecimiento especial u ocasión de victoria, creación de recuerdos, burbujeo de ideas y creatividad; fabricado en Francia, el país del romanticismo.

Champú: tratar de borrar a alguien o algo de tus pensamientos. Preparación de limpieza para recibir nueva sabiduría, Sal. 51:2.

Chanclos: te permiten caminar en pureza y rectitud en entornos difíciles y fríos.

Chándal: prenda holgada que consiste en una chaqueta a juego y un pantalón largo y elástico para mantener los músculos calientes y flexibles antes y después de correr. Mantén la cobertura adecuada en todo momento. Lo que haces te sienta muy bien.

Chantaje: cuida tus modales, las acciones hablan más que las palabras, actúa como una dama o un caballero en todo momento, que tu sí sea sí y tu no sea no, que tus palabras sean pocas porque darás cuenta de ellas, este símbolo advierte del engaño, la indiscreción y la difamación que podrían arruinar tu reputación.

Chapa: ver esta delgada cubierta puede indicar que alguien está tratando de engañarte; están actuando de manera superficial con un espectáculo externo o una pretensión que no es de su verdadero carácter.

Chapitel: ver este campanario que se estrecha a medida que asciende hacia arriba indica que tu vida de amor por Dios o por el hombre está aumentando y girando hacia el cielo; comunica tu amor durante esta temporada para recibir el deseo de tu corazón.

Chaqueta: ver o llevar una chaqueta en un sueño representa la imagen o persona defensiva que quiere aparentar y proyectar al mundo exterior. Las chaquetas te protegen de los elementos que le rodean. Si te siente distante de los demás, es posible que te estés aislando de otro o sí mismo. Considera también el color, el estilo, la aptitud, el tamaño y el tipo de chaqueta para obtener más información. Un manto o cobertura que mantiene a uno caliente y seguro.

Charadas: es un juego de adivinación de palabras en el que el jugador representa una palabra o frase, a menudo utilizando la mímica y empleando el lenguaje físico en lugar palabras para transmitir el significado a los demás jugadores. Ver la representación de una charada en tu sueño indica que estás «actuando» para hacer llegar tu mensaje a los demás porque no eres capaz de verbalizar tus preocupaciones.

Charco: que tu unción o influencia se reduzca a un charco sucio indica que has sido ignorado o pasado por alto para una promoción. Tu bienestar emocional se ha reducido y tu autoestima se ha resentido.

Chat: soñar que está en una sala de chat representa tu necesidad de conectarse con la gente a nivel social o psicológico. El sueño indica que estás pasando demasiado tiempo delante de una computadora en lugar de relacionarse con la gente en la vida real. Necesitas salir a la ciudad, socializar y conocer a gente auténtica en vivo y en directo, no a través de una realidad virtual sino en el mundo real. Prepárate para tener una comunicación abierta cara a cara con gente nueva.

Chef: es señal de que uno ha desarrollado sus habilidades, capacidades o talentos selectivos para elegir el mejor curso de la vida; productividad; excelencia; algo bueno se está «cocinando» o «elaborando» en la vida de uno.

Chelín: soñar con un chelín, una virgulilla, o esta unidad de moneda, utilizada antiguamente en el Reino Unido, y que se remonta a los tiempos anglosajones, se consideraba el valor de una vaca o de una oveja. Significa sonar o resonar.

Cheque: favor que se le otorga para que escriba su propio billete, por así decirlo; transferencia de riqueza a tu cuenta; una advertencia o una comprobación en tu espíritu para que espere; para que complete una lista.

Chequera: has acumulado un gran favor, dignidad y distinción durante un largo período de tiempo. Ahora puedes hacer algunos retiros o pedir que la gente te devuelva los favores que les has hecho.

Cheques: recibir significa aumento; pagar significa pérdida; escribir un «cheque sin fondos» significa

engaño y pobreza; capacidad de escribir tu propio «billete»; cheques y balances; necesidad de chequear tu negocio, un amigo o miembro de la familia. Nm. 3:47.

Chica: Juventud regenerada, Sal. 103:5.

Chicharra: advierte del peligro de perder las relaciones cercanas por expresarles tus emociones; una actitud indiferente significa tu excesiva dependencia de los demás, Lev. 11:22.

Chicle: masticar cosas infantiles sin ningún beneficio. Tienes un amigo que se pegará a ti más que un hermano en los momentos difíciles; actuar o hablar de forma infantil o inmadura, conducta grosera, sin valor físico, espiritual o nutricional.

Chigüiro: herbívoro tropical americano nocturno, el tercer o cuarto roedor más grande, con puntos y rayas en los costados, orejas cortas y cola apenas visible. El Smithsonian estudió las posibilidades de desarrollar la paca como alimento viable de alto precio para los trópicos. Son grandes nadadores y prefieren vivir en madrigueras cerca del agua. Se sumergen cuando se ven amenazados y pueden permanecer sumergidos hasta 15 minutos. Normalmente se mueven por caminos bien establecidos y crean otros nuevos cuando se alteran los antiguos.

Chile picante: la vida o las relaciones personales de uno carecen de picante o pasión; un temperamento caliente o explosivo que quema a los demás, las discusiones acaloradas quemarán los vínculos relacionales.

Chiles: es el momento de dar sabor a tu vida si se ha vuelto demasiado sosa u ordinaria, una llamada a visitar Chile, México o la India. Es posible que hayas dejado que tus sentimientos o emociones hacia alguien se enfríen siendo distante o frío con ellos.

Chillido de búho: un mal informe o una noticia negativa pronto se hará manifiesta.

Chimenea: es un gran tubo vertical por el que se descargan los vapores de la combustión, los gases y el humo. Significa que puedes estar viendo las oraciones de los santos que suben al cielo. También puede indicar que esa molestia maligna y dolorosa que había llegado a tu vida para causar daño, confusión o destrucción está siendo removida rápidamente y que tu atmósfera alrededor se está despegando para que puedas relajarte nuevamente y respirar mejor. Cuando el peligro se acerque, Dios proveerá una vía de escape. Las cortinas de humo de la decepción están siendo removidas. Es posible que estés agitando el fuego de tu chimenea con con ira. Por otra parte, significa que debes aprender a manejar una situación peligrosa, confusa o alarmante que ha surgido; una cortina de humo; el trabajo duro y laborioso te llevará al éxito. Simboliza la felicidad y alegría en las relaciones; calor y compañía; paso a nuevas alturas, se utiliza para quitar las cortinas de humo de la habitación; la vida de uno se está haciendo humo.Lugar cálido donde reunirse para la iluminación; quema lo falso; trae limpieza, consuelo y purificación. Compañerismo junto al fuego: los buenos amigos traerán buenas noticias.

China: la República Popular China (RPC), es un estado soberano situado en el este de Asia con un estado monopartidista gobernado por el Partido Comunista. Es el país más poblado del mundo, con más de 1.350 millones de habitantes. Pekín es la capital. China es el segundo país más grande del mundo por superficie. La historia de China se remonta a una de las primeras civilizaciones antiguas del mundo. La segunda economía del mundo. Una cultura diligente que avanza rápidamente, potencia mundial, admira o venera al Dragón, gran población, cultura industriosa que produce productos por menos, gran mano de obra.

Chinche del algodoncillo: el comportamiento gregario e inmaduro de alguien desafiará tu capacidad de tolerar palabras tóxicas (venenosas).

Chinche hediondo: persona que chupa o mina tus fuerza y vitalidad; los rumores, los celos y las mentiras provocan un verdadero hedor por los chismes.

Chinche: insecto asesino que inflige una picadura dolorosa en los labios de una persona dormida; cuida tu discurso o tus palabras volverán a morderte.

Chinches: problemas con sus posturas para dormir o sus patrones de sueño están siendo interrumpidos; «¡No permitas que las chinches te piquen!»

Chinchilla: pequeño roedor parecido a una ardilla; originario de las montañas de Sudamérica; alguien que se mantiene en cautiverio; se comercializa por sus dones y habilidades; tela gruesa de lana y algodón, utilizada para abrigos; manto gris; representa riqueza y prestigio, y una suave presencia reconfortante.

Chino: grupo étnico dominante en China, Taiwán, Singapur y Malasia. El chino es el sistema de escritura, la lengua y el estilo de cocina de China.

Chin-ups (ejercicios): fuerza o capacidad para superar obstáculos.

Chipre: Chipre, miembro de la Unión Europea, alberga algunos de los pozos de agua más antiguos del mundo. Soñar con Chipre, el tercer país insular más grande y más poblado del Mediterráneo de Pascua, un mar situado al sur de Turquía, suele indicar una llamada a la oración por los que viven en esa región del mundo. Es posible que esté planeando una misión o un viaje de negocios en un futuro próximo para prosperar con lo que ofrece esta tierra.

Chirivía: el amor florecerá y crecerá a medida que sus empresas aumenten y prosperen.

Chismes: nadie confía ni quiere asociarse con alguien que cuenta todo lo que sabe. *«El que anda como calumniador revela secretos, por lo tanto, no te asocies con un chismoso»*, Pr. 20:19.

Chismoso: representa a un infamante calumniador que suscita disputas; un sinvergüenza que difunde mentiras y cuentos, Pr. 11:13; 18:8; 20:19; 26:20-22.

Chispa: quizás estás siendo cortejado o cortejada por un amante o pretendiente; estás siendo impelido a actuar de cierta manera por alguien que te persigue; una atracción física está comenzando entre dos personas.

Chocar de refilón con alguien: si alguien se te enfrenta o te ataca por un lado, indica que es astuto y engañoso. Quieren evitar un enfrentamiento cara a cara.

Chocar las manos: dar la palabra; llegar a un acuerdo de alianza; un contrato; un nuevo conocimiento, Jb. 17:3.

Chocarse: si te chocas con alguien en un sueño puede indicar que quieres conocerlo o estar cerca de él, aunque te de vergüenza entablar la conexión.

Chocolate caliente: se está contento con el amor y el calor afectuoso que está experimentando en ese momento; un momento de reflexión pacífica en un entorno relajado, sentirse cómodo con alguien especial.

Chocolate negro: el alto contenido de cacao con bajo contenido de azúcar es nutritivo, un antioxidante, fibra soluble, hierro, magnesio, cobre, manganeso y minerales, mejora el flujo sanguíneo para la presión arterial baja, ayuda a prevenir enfermedades cardiacas al aumentar el HDL, protege la piel contra el sol, mejora la función cerebral. Soñar con chocolate negro podría indicar que necesita hacer un ajuste positivo pero saludable en su ingesta nutricional y en tu salud.

Chocolate: significa recompensarse uno mismo o excederse en algo; necesidad de practicar cierta moderación; analgésico; provisión abundante; romance; espíritu dulce; cortejo; regalos; ofrenda de paz; necesitas consuelo; anhelo de afecto o amor.

Chófer, ser conducido por: es una expresión de que se desea la extravagancia y el lujo, un alto sentido de autoestima; tu confianza en los demás; no te estás haciendo cargo de tu vida.

Chófer: alguien que tiene un talento especial y es contratado para conducir el automóvil de otra persona; alguien que es conducido; una persona de confianza que puede maniobrar a través de un territorio desafiante; ir a recibir una posición de confianza o de lujo en la que se puede trabajar mientras se confía en la habilidad de otra persona para alcanzar un objetivo o destino deseado; permitir que el Espíritu Santo guíe y dirija el viaje de la vida. Ayudar a otros a establecer objetivos y a elegir la dirección correcta en la vida.

Choque cultural: desorientación que se siente cuando una persona experimenta algo que es nuevo o desconocido para su modo de vida cuando visita otro país, viaja o inmigra a un entorno extranjero. Pasarás por las cuatro fases distintas de Luna de miel, Frustraciones, Adaptación y finalmente Maestría.

Choque: choque de autos indica que tu punto de vista, nivel de vida o ambición u objetivo no concuerdan con los demás. Hay un gran conflicto o choque de opiniones o sistemas de creencias. También puede representar una situación escandalosa o el dolor causado por la ruptura de una relación. Llamado a tener más cuidado al conducir un vehículo, tome otra ruta para ir al trabajo, cambie de ruta. Accidente de avión; debes evaluar los propios objetivos, ¿son demasiado elevados o inalcanzables?; La falta de preparación, planificación, confianza o motivación está produciendo dudas y actitudes negativas. Es necesario orar más. Mirar hacia arriba para obtener la elevación necesaria para alcanzar un nivel superior.

Chorlitejo: ave amarillenta mencionada en la Vulgata del siglo IV. Se encuentran en los barrancos y cerca de los lechos de los ríos. Sus crías se parecen a sus parientes. Son capaces de desplazarse inmediatamente después de nacer. El chortilejo simula «tener las alas rotas» para atraer y distraer a los depredadores y alejarlos de las crías que anidan. Están dispuestos a sacrificarse por la seguridad de los demás.

Chow Chow (raza de perro): El Chow es también una raza específica de perro originaria del norte de China, denominada «perro león hinchado» o «perro del imperio Tang». Se cree que el Chow Chow es uno de los perros autóctonos utilizados como modelo para el perro Foo, los tradicionales guardianes de piedra que se encuentran delante de los templos y palacios budistas. Es una de las pocas razas de perros antiguas que todavía existen en el mundo.

Choza/cabaña de troncos: sencillez; vida sin complicaciones, pero dura; pobreza; carencia; ejercicio de la compasión; tiempo de reflexión y vacaciones.

Choza: pobreza, carencia o indiferencia; pequeña fuente de aprovisionamiento, creatividad de la necesidad; vivienda temporal; estructura para las tropas: guerra espiritual.

Chubasquero: estar protegido o resistir la vana enseñanza permite que los elementos naturales se desprendan.

Chucrut: necesitarás de mucha perseverancia; diversas situaciones difíciles te dejarán un sabor agrio en la boca mientras lidias con tus dificultades.

Chupete: soñar que chupa o desea que un chupete te consuele representa una necesidad o deseo de

alejarse de las presiones de la vida, las responsabilidades de los adultos y los problemas. Puede que estés intentando «aguantar» y seguir adelante con tus propias fuerzas, pero necesitas el consuelo del abrazo y el apoyo de alguien. O puede que estés «chupando» a alguien intentando apaciguarlo. Puede que respondas a situaciones adultas de forma infantil e inmadura. O puede significar que estás trabajando tan duro que necesitas mimarte.

Chupetín: indulgencia infantil; ingenuidad; negarse a crecer; eludir la responsabilidad; sorpresas; experiencias y escapadas físicas; juego de palabras: «chupón», tomar precauciones con las relaciones e inversiones.

Cian: se ocupa de los temas del alma, del ayuno y de la voluntad humana; de voluntad fuerte.

Cicatriz: trauma emocional o abuso físico, dolor infligido, un error, un pecado que deja su marca y que necesita ser sanado, Jn. 20:27.

Ciclamen (tipo de planta): usted o alguien presentará pronto su renuncia y se despedirá.

Ciclo: se ejerce un gran esfuerzo humano, se repiten los acontecimientos, un intervalo de tiempo concreto en el que las cosas vuelven a suceder de la misma manera que antes, réplica periódica o duplicación de una secuencia vital.

Ciclomotor: motocicleta ligera diseñada para proporcionar un transporte económico y relativamente seguro con unos requisitos de licencia mínimos. El término «ciclomotor» se aplica a vehículos de baja potencia (a menudo super económicos) «triciclo de pedaleo con motor y pedales», lo que significa que puede haber un gran esfuerzo físico para avanzar a baja velocidad.

Ciclón: ir a lo seguro, mantenerse en el ojo de la tormenta, no provocar a los compañeros, evitar los riesgos y buscar la paz con los que se relacionan, perturbación violenta y masiva en rotación con circulación de corrientes de aire en el sentido de las agujas del reloj en el sur y en sentido contrario en el norte con un centro de baja presión, acompañado de tormentas y tiempo destructivo.

Cíclope: visión estrecha o mente cerrada; uno necesita ampliar su ámbito de influencia o visión, demasiado centrado en una cosa.

Cicuta: planta silvestre, odiosa y amarga, «hiel», Am. 6:12; Dt. 29:18.

Ciego: sueño de advertencia sobre el engaño de los amigos o gente de confianza, incapaz de ver los peligros que tiene delante de sus ojos, sin visión espiritual, no perceptivo, no ha sido iluminado, falta de entendimiento, ignorancia, necesitado de salvación, minusválido, dependiente de los otros cuatro sentidos. Mt. 15:14; Jn. 9:39; Pr. 29:18.

Cielo, ver a la gente: normalmente, las personas que se ven en el cielo son los santos que nos han precedido para formar parte de la gran nube de testigos. Todos los que creen en Jesucristo como su salvador estarán en el cielo. Cuando muramos, los ángeles, Jesús y nuestros seres queridos y amigos se reunirán con nosotros en las puertas del cielo.

Cielo: los cielos y las atmósferas espirituales, la revelación abierta; la mente; nuestro potencial; cielo oscuro: pensamientos ansiosos o deprimentes; «fuera de lo común»; «el cielo es el límite» hablando del gran potencial de uno en Dios; «cielo alto»; «castillos en el aire», ampliar los horizontes de uno. El cielo significa recompensa; paz; prosperidad; eternidad; hogar eterno; riqueza opulenta; calles doradas; arco iris; sala del trono; Dios; Jesús; Espíritu Santo; revelación sabia; amor; prominencia; encuentro con Cristo; amigos y familia; escoltas angélicos; Mar de Cristal; Gran Nube de Testigos; placeres para siempre; satisfacción espiritual; finalización de la carrera; hueste celestial; experiencia de translación; morada de los santos; Apo. 4. Una invitación a subir a un nivel espiritual superior para recibir visiones del futuro; Apo. 11:12, experiencia de traslación con poder de resurrección; lugar de comunión eterna con Dios; adoración, felicidad y recompensas; morada de Dios, ángeles y creyentes a los que se les concede la salvación.

Cielos abiertos: recibir conocimiento de revelación, una visión mientras se está en la tierra, claridad y sabiduría de lo alto, una capacidad de escuchar y ver lo que está pasando en el cielo.

Ciempiés: sugiere que un centenar de temores y dudas te impiden progresar y alcanzar tus objetivos; tienes que dejar de pensar en cosas negativas y en palabras mordaces y venenosas; dar pasos productivos hacia adelante y dejar atrás el pasado.

Cien: kaph, elección; hijos de la promesa; Abraham tenía cien años al nacer Isaac, Gén. 21:5; madurez; cuenta completa; recompensa de cien veces 2 Sam. 24:3; Mc. 4:8; santidad y ciclos de crecimiento.

Ciencia: deseos y límites del hombre creado al intentar comprender la naturaleza o el principio y funcionamiento de todo lo creado por Dios.

Científico: mente racional y creativa, curiosidad intelectual, experto en uno o más campos de estudio, teoría o métodos utilizados para investigar y descubrir cosas nuevas por medio del análisis; sigue reglas estrictas para formar relaciones, conexiones, conceptos mediante la observación y los experimentos antes de que se produzcan mejoras; mente analítica o razonadora, racional; procura sopesar y escrutar la vida en todas sus dimensiones, para discernir su utilidad y saber cómo vivir conscientemente; actitud insensible.

Ciento cincuenta y tres: avivamiento; cosecha; ingesta; multiplicación del Reino; Jn. 21:11; evangelismo; tipos de peces salvados; rendimiento total; número de elegidos; Hijos de Dios; multiplicación del Reino 3 x 3 x 17.

Ciento cincuenta: promesa del Espíritu Santo.

Ciento cuarenta y cuatro mil: el número de Israel.

Ciento cuarenta y cuatro: lo último de Dios en la redención y la creación; vida guiada por el Espíritu.

Ciento diecinueve: perfección y victoria espiritual, día de la resurrección; el día del Señor.

Ciento once: mi Hijo Amado.

Ciento veinte: periodo de espera divino de aprobación para acabar con toda la carne y comenzar la vida en el Espíritu; miembros de «la Gran Sinagoga».

Cierre: poner fin a una relación, un trabajo, un proyecto, una muerte, un divorcio o unos cabos sueltos.

Ciervo: gracia para actuar con libertad, sexualidad y virilidad masculina, animal castrado tras alcanzar la madurez; elegancia, rapidez, rejuvenecimiento y desarrollo. Ver un ciervo indica que tu corazón jadea de ilusión por un amante, como un ciervo jadea por agua cuando tiene sed. Ver un ciervo macho en tu sueño indica la curación de los cojos, Is. 35:6; Cnt. 2:9,17. Un cazador espiritual de Dios, *«Como ciervo que brama por las corrientes de agua, así mi alma clama por ti, mi Dios».* Sal. 42:1-2.

Cifras: ver cifras ambiguas en un sueño indica que no tienes claro algo y que todavía estás tratando de «resolverlo»; ver números flotando o apareciendo indica que necesitas calcular el costo antes de avanzar en una relación o empresa.

Cigarra: emparentada con la mosca de la cosecha; vive bajo tierra entre trece y diecisiete años, desarrollando una vasta red oculta para chupar la energía vital y el jugo de las raíces de los árboles; representa el debilitamiento de la autoridad fundacional y el sistema de apoyo de los líderes; los chirridos fuertes y orgullosos revelan su presencia destructiva.

Cigarrillo: soñar que se fuma o que le ofrecen un cigarrillo indica la necesidad de un descanso. También puede haber problemas de adicción o dependencia de una sustancia extraña. Si no es fumador, entonces considere que puede estar introduciendo algo perjudicial para su salud en su vida cotidiana. Gál. 5:1.

Cigarro: significa celebración del nacimiento de una nueva empresa; una relación o un bebé; un abuelo y sus hijos; verse fumar uno en público representa una gran ofensa igualmente pública, un ego grande y tozudo que se esfuma; orgullo, una adicción costosa.

Cigüeña: esperando el nacimiento de un bebé o la fructificación de una idea, una nueva experiencia próxima, Jer. 8:7; Jn. 3:3 un pájaro impuro. Representa el alumbramiento de los bebés; la fertilidad y la creación; el amor maternal, el embarazo, la fidelidad, la creatividad y la limpieza. Soledad y falta de visión profética; no discernir el juicio del Señor; actitud blasfema. En vuelo, representa la vista noble; el cariño hacia el hombre; la tenacidad hacia los jóvenes, Sal.104:17; Zc. 5:9.

Cima: llegar a la cima de una montaña indica que se ha llegado hasta donde se puede llegar dentro del ámbito de las propias capacidades. Ahora es el momento de pedirle a Dios que te lleve más lejos en el ámbito de la fe para lograr lo imposible. Con Dios en tu vida nada es imposible. Has alcanzado tus objetivos y aspiraciones actuales. Ahora es el momento de superar todas tus limitaciones actuales y llegar más alto. Es hora de que eches un «vistazo» a lo que está más allá de tu alcance, Is. 37:24.

Címbalo: marcar los tiempos más claramente para unirse; fuerte; sonido alto; marcar el ritmo; un ornamento para los caballos; golpear uno contra otro; santidad de las cosas comunes. Una persona que está llena de un montón de aire caliente, llena de palabras ruidosas, pero sin amor, una llamada a la adoración y a la danza. Sal. 150:5; 1 Cor. 13:1.

Cincel: necesitas romper eficazmente la fachada o el obstáculo emocional para llegar al corazón de las circunstancias o una dificultad. Los bordes ásperos se están limando.

Cinco mil: Goliat estaba revestido de una balanza que pesaba cinco mil siclos de bronce. 1 Sam. 17:5-6; los hombres que comieron los panes y los peces, además de las mujeres y los niños, Mt. 14:21; Mc. 8:19; la multiplicidad debida a la acción de gracias, Jn. 6:10-11; los que escucharon el mensaje del evangelio y creyeron, Hch. 4:4

Cinco: heno, vida de gracia, Lc. 7:41-42; unción que une el cielo y la tierra, favor, libertad, acción, redención, naturaleza audaz, espontánea, atrevida y confiada, humanidad, expiación, la mano, los cinco oficios del ministerio, Ef. 4: 11; cinco sentidos naturales y espirituales necesidad de desarrollar más sensibilidad espiritual; tomar un camino más elevado para alterar tu destino; completo, nombres divinos de Dios; nuevo canto; heridas de Jesús en la cruz; milagro de la multiplicación panes de cebada alimentaron a 5000, Jn. 6:9-10; pan de vida; locura; Tabernáculo de Moisés, felicidad conyugal.

Cincuenta y cinco: doble gracia y favor, redención activa, celebración, jubileo, liberación, libertad, servicio humilde, esperanza dada para la restauración, ordenar, finalización.

Cincuenta y uno: revelación divina; 24 libros en el Antiguo Testamento; 27 libros en el Nuevo Testamento.

Cincuenta: religiosa, celebración; jubileo Lev. 25:10-11; Espíritu Santo; liberación, refugio, 1 Re. 18:4; libertad; servicio humilde; retiro, Nm. 8:25; alma; esperanza; Pentecostés ocurrió 50 días después de la resurrección, Hch. 2:1-4.

Cine, actuar en una película: Si estás interpretando un papel activo o nuevo en la película, entonces estás manifestado un deseo inconsciente en el presente o un recuerdo del pasado que está tratando de emerger en la vida real.

Cine, pantalla vacía: tienes la oportunidad de escribir un nuevo guion para tu vida. O puede sentir que aún no ha logrado nada significativo. Deja de ser melodramático y teatral, y adopta un enfoque positivo y productivo en tu vida.

Cine, público: ver una película indica que estás adoptando una posición pasiva en la vida mientras observas cómo los demás viven una vida llena de color y emoción.

Cine: observarse a sí mismo viendo una película en un cine puede sugerir que no estás involucrado en la acción de la vida y que prefiere sentarse en la oscuridad para ver cómo esta se desarrolla a través de los demás, mientras usted simplemente permanece como un observador pasivo. El cine es un conjunto de imágenes fijas que, cuando se muestran en la pantalla, dan la impresión de movimiento. Ha llegado el momento de pasar a la acción en tu vida y ponerte a trabajar. Sal de las sombras y vive la vida al máximo.

Cine: ver la historia de tu vida; un sueño o una visión en una pantalla de cine indica que estás proyectando sentimientos u ofensas personales en otra persona para no tener que asumir la responsabilidad de tus emociones o acciones. Es hora de posicionarse de una manera mejor para estar en el lugar correcto en el momento adecuado.

Cinta de correr: simboliza estar atascado en la rutina, una rutina monótona, no se va a ninguna parte a pesar de los continuos esfuerzos; aprende a pisar ligeramente.

Cinta métrica: discernimiento en las estaciones, tiempos y medidas de las unciones y los dones; distribución; dónde soltar o cortar; ir más allá; plenitud; alegría; «la medida que uses te será devuelta»; engaño.

Cinta transportadora: pregúntate si está atrapado en una rutina diaria aburrida y predecible que no te desafía a avanzar en la vida ni a mejorar en lo personal de ninguna manera. Si es así, ha llegado el momento de transmitir tus deseos y anhelos a los que están a tu cargo para que puedas ascender en la línea de mando a un puesto más adecuado. ¿Qué transmiten tus acciones y creencias a los demás?, Lc. 12:16

Cinta: el significado de las cintas depende en gran medida de su color y colocación; si en el pelo de una niña le recuerda la pureza y la inocencia; protege contra las relaciones sexuales casuales o no comprometidas, protege su virtud; atar una cinta alrededor de un árbol le recuerda a los seres queridos; atar un cordón alrededor de un dedo le recuerda que no debe olvidar, Pr. 20:5.

Cintura escuálida: presagia carencia y pobreza.

Cintura abultada: abundantes recursos financieros, favor y prosperidad; todas sus necesidades serán suplidas;

Cintura: desperdicio.

Cinturón de castidad: permanecer sexualmente puro hasta el matrimonio, mantener la promesa de pureza e inocencia; valorar la virginidad; ser demasiado protector; tienes una actitud cerrada hacia el sexo o la intimidad.

Cinturón de seguridad, ponerse: llevar un cinturón de seguridad en un sueño sugiere que debes mantener la compostura en las situaciones difíciles, dejar de volar de un lado a otro; mantén tus emociones bajo control. Pon tu esperanza y confianza en Dios para mantenerse a salvo. Es posible que tengas temor de convertirte una ruina en el futuro si no controlas todo lo que te rodea. Eres una persona respetuosa con la ley. Se necesita contención y compostura; aprender a controlar las emociones; iniciar un viaje en el que puede haber riesgo; si es difícil de abrochar significa que los obstáculos pueden dificultar las conexiones, Sal. 5:11.

Cinturón de seguridad: seguridad; prepararse para un problema; estar desabrochado: falta de oración; descuidado: falta de compromiso, Sal. 118:27.

Cinturón negro: una persona que lleva un cinturón negro es hábil en el ayuno, la oración, la liberación, la sanidad y la intercesión. Sal 35:1; Ef. 6:14; 1 Tm. 6:12. Un experto en el arte de la defensa personal.

Cinturón para herramientas: muestra el don; está listo a tiempo y fiera de tiempo; fácilmente accesible; es usado para construir; moldear; y transformar a la gente; «cinturón de la Verdad».

Cinturón: persona impresionada por el «diseño» de la gente; presionada por las finanzas; líderes cortados; un cinturón o faja para la cintura; una ropa interior elástica de mujer para sostener o moldear la cintura y las caderas; soporte; el borde de una piedra preciosa. Soporte; seguridad o protección; ceñir con la verdad; realce o decoración; transmite poder y movimiento; golpe, golpear con fuerza; material reforzado; «por debajo del cinturón»; injusto; «apretarse el cinturón»; frugal; «con el cinturón al cuello»; conocimiento añadido. Ef. 6:14. Cinturón, Is. 11:5, amistad, fortalecer, Is. 22:21; atar Hch. 21:11; 1 Sam. 18:4 una pieza ancha de metal que protegía la parte inferior del tronco y el estómago de un guerrero, 1 Sa. 18:4; 1 Re. 2:5 Sangre de guerra; ceñir,

Sal. 109:19 cinturón y grebas, dispositivos de protección para las piernas, 1 Sam. 16:5; Cinturón de Orión, Jb. 38:31.

Ciprés: árbol de hoja perenne utilizado para hacer ídolos; Is. 44:14; madera duradera.

Circo: verse a sí mismo asistiendo a un circo indica que uno desea emoción o se siente atraído por circunstancias peligrosas y arriesgadas de azar, incluso si eso hace que tu vida sea como un circo de tres pistas; uno exuda una exterioridad vistosa o falsas impresiones a los demás; la vida de uno puede estar en caos, conmoción o fuera de control.

Circón: el color natural del circón varía entre incoloro, amarillo-dorado, rojo, marrón, azul y verde. Los ejemplares incoloros que muestran calidad de gema son un sustituto popular del diamante y también se conocen como «diamante matura». Si sigues caminando con humildad, encontrarás el auténtico.

Círculo imperfecto: ver un círculo imperfecto o incompleto en un sueño indica obstáculos o contratiempos que intentan bloquear tus objetivos. Es necesario que trabajes en tu ser interior para desarrollar una personalidad más completa, llena de conocimiento y armonía divina. Las luchas que soportamos y superamos en la vida añaden fuerza de carácter y perseverancia a nuestras vidas.

Círculo y cruz: una cruz en un círculo simboliza la tierra, que también puede servir de guía hacia un enfoque más centrado en lo espiritual para la orientación de uno mismo.

Círculo dentro de otro círculo: un círculo dentro de un círculo representa la unidad, la alineación y la protección como en una rueda dentro de otra rueda *«Cuando se movían, iban en cualquiera de sus cuatro direcciones sin girar mientras iban; pero seguían en la dirección que tenían enfrente, sin girar mientras iban»*, Ez. 10:6-14.

Círculo: es un símbolo universal de los ciclos de la vida, de la perfección, de la plenitud, de la inmortalidad, de lo intemporal, de una Trinidad eterna en la forma de la Divinidad en tres partes que fluyen continuamente entre sí y de la plenitud. Una unidad de pacto en el matrimonio. Un círculo también puede significar que estás dando vueltas y vueltas en círculos monótonos de repetición interminable y que necesitas romper con los ciclos no productivos, un círculo vicioso o un círculo completo. Los círculos también pueden representar tu esfera o centro de influencia. Is. 40:22; Sal. 19:6.

Circuncisión: significa que debes cortar los excesos de actividades carnales en tu vida, eliminar el pecado o la lujuria, caminar en integridad o pacto con Dios.

Ciruela: riquezas; abundancia; llenado del Espíritu Santo.

Ciruelas: belleza y longevidad; algo deseable; una buena posición; «qué buen chico soy».

Cirugía: extirpación de la enfermedad, el pecado o la dolencia; reparación del desorden interno; un profundo proceso de curación y obra del Espíritu Santo; eliminación de los problemas de la carne o la lujuria; ser hecho a una nueva imagen, Lc. 5:31.

Cirujano: Jesús, el gran médico, especializado en cirugía, experto en cortar o quitar las cosas dañinas de la carne, la circuncisión del corazón, el perdón es necesario; esperar grandes cambios.

Cisne: un cisne es un ave acuática grande, hermosa, grácil y elegante; es un buen pronóstico, una revelación madura revindicando un futuro de estatus y estima, prosperidad, influencia y riqueza. Los cisnes simbolizan la gracia espiritual, la belleza y la unción del Señor. Los cisnes tienen una sola pareja de por vida y viven en una relación monógama de compañerismo y dignidad. Crecen y maduran a partir de un «patito feo» que, con el tiempo, se convierte en un hermoso cisne. Indica que alguien con una pobre imagen de sí mismo puede convertirse en una persona completa, hermosa y segura de sí misma cuando permite que el Espíritu Santo la transforme, Lev. 11:18; Dt. 14:16; un ave poco limpia que era muy poco frecuente en Palestina.

Cisterna llena: indicador de gran éxito.

Cisterna medio llena: éxito moderado.

Cisterna vacía: advertencia de que se está cayendo en el engaño y la carencia.

Cisterna: defenderse de la intimidación; mantenerse firme sin ser ofensivo o agresivo. Recipiente para contener agua; no anheles dejar tu relación de alianza para acostarte con la mujer de otro hombre o con una prostituta. *«Bebe el agua de tu misma cisterna, Y los raudales de tu propio pozo»*, Pr 5:15.

Cita ajena: repetir la cita de otro indica que tu subconsciente necesita prestar atención o seguir su sabiduría o consejo.

Cita mal citada: indica una temporada de vergüenza y explotación.

Cita, precio: indica que te tienes en alta estima y valoras el conocimiento, el consejo y la sabiduría que tienes para ofrecer a los demás.

Cita: establezca metas y estándares altos en su vida, desarrolla hábitos de trabajo provechosos y sé puntual cumpliendo con tu palabra u obligaciones. Preste atención a los detalles mayores y menores de la vida; planifique y estructure los compromisos que beneficien o hagan crecer sus ideales o metas. Busque un encuentro con su propósito. Ver o estar en una cita en un sueño indica una llamada a la intimidad. Es necesario que organices de antemano un encuentro entre tú y el amado de tu alma para encontrarte en un lugar específico y a una hora determinada para recibir los besos de su boca. Jesús desea mostrarse a ti de una manera nueva para amar y restaurar tu alma.

Citación: recibir un documento legal de la corte en el que se le convoca a la corte, indica que Dios se está preparando para hacerte justicia por algunos agravios que recibiste. Espera que los favores y las bendiciones superen tus pruebas, ya que la promoción está llegando.

Citar en un libro o discurso: ser citado en un libro o en un discurso indica que serás promovido y muy respetado como experto en un tema determinado.

Cítara: instrumento de caja plana procedente de Austria con 30 a 40 cuerdas que se tocan horizontalmente con las puntas de las aletas y un plectro en el pulgar derecho. Puedes tener una vocación de poeta salmista o de adorador de Dios. Eres un buscador de la verdad.

Citas: necesidad de conectar con un amigo o compañero especial de forma íntima o social; aprendizaje de aspectos ocultos o descubrimiento de nuevas áreas de talentos, dones o conciencia sobre uno mismo o sobre los demás; miedo al rechazo, sentimientos de ansiedad por dejar que los demás conozcan su verdadero yo; práctica de sueños lúcidos o reanimación para un acontecimiento próximo; ver un mes, un día y un año concretos representa una cita, un cumpleaños, un aniversario, un acontecimiento del calendario, el recuerdo de una ocasión especial, el paso del tiempo o la historia pasada que hay que celebrar; considerar los significados de cada número representado.

Citrino: las piedras naturales de citrino son muy raras, se las conoce como la «piedra del mercader». Ver un citrino en tu sueño indica que las bendiciones del Señor te alcanzarán en una temporada de gran aliento. Pon tu confianza en Dios y en su provisión, no te apoyes en tu propio entendimiento, sino reconoce a Dios en todos tus caminos. *«Porque no nos ha dado Dios espíritu de cobardía, sino de poder, de amor y de dominio propio»*, 2 Tm. 1:7. Es hora de liberar la ira que has volcado hacia ti mismo y que te ha causado depresión, trastornos nerviosos o problemas en tu sistema digestivo.

Ciudad, cuatro cuadrados: ver la Ciudad Cuadrada de Dios en tu sueño o visión representa el lugar más sagrado del cielo o de la tierra. Apo. 21: 10-11, 16.

Ciudad en ruinas: ver una ciudad en estado de devastación puede indicar que un desastre natural o un juego sucio extremo puede estar tratando de provocar una destrucción masiva y la pérdida de vidas en una región específica. Considere esto como una advertencia del tiempo del fin y un llamado a la oración para destruir los planes del maligno. Las ciudades representan las poblaciones del mundo, una metrópolis próspera y ocupada, la vida, la Nueva Jerusalén, el Reino de los Cielos.

Ciudad extraña: indica que estás descubriendo una nueva forma de vida.

Ciudad, perdido: si te pierdes en una ciudad, no tienes dirección en la vida, y estás vagando sin rumbo.

Ciudad, solo: si estás solo o sola en una gran ciudad significa que te sientes aislado, aunque estés entre mucha gente.

Ciudad: significa la relación de uno con la sociedad; su ciudad natal, o ciudad de nacimiento, una comunidad; cultura; comercio; ambiente mental o emocional; carácter o lema de la ciudad. Tu reputación, carácter y personalidad son de valor para el Señor en la difusión del Evangelio en la ciudad a la que te llama en tu sueño. Usted va a ser un instrumento para hacer de su ciudad una casa para la habitación de Dios. Las casas de las ciudades están conectadas por una pared común, así que mientras discipulas a la gente, las familias vendrán una tras otra como fichas de dominó.

Ciudadanía negada: puedes sentirte rechazado como si no pertenecieras. Hch 22:28; Hch 25:11.

Ciudadanía: Indica ganarse un estatus bajo la ley o escucha conversaciones sobre las costumbres de un estado, tener derechos, privilegios y deberes de un ciudadano para votar, trabajar y vivir en el país, poseer bienes raíces, tener una herencia y estar protegido por los servicios militares se refiere a su sentido de orgullo y pertenencia. Ser parte del cuerpo sobrenatural de Cristo.

Cizaña: crecimiento de malas hierbas en el campo; elementos malos que ponen en peligro lo beneficioso o bueno; cosas falsas que aparecen como reales; engaño; fortalezas mentales; mente no renovada; cuando se mezcla con la harina causa mareos, intoxicación y parálisis; fuerte veneno soporífero; tiene una forma de piedad; Is. 29:13; Mt. 15:8; Mc. 7:6; Ez. 23:31. La cizaña representa las falsas enseñanzas inspiradas por Satanás para llevar a la gente a apostatar de la fe; grano degenerado que se levanta cuando está maduro, Mt. 13:25-40. Eliminar los problemas, los obstáculos y la cizaña que están ahogando el buen crecimiento de su vida; superar y proceder a través de las dificultades; Mt. 13:38, Los hijos del maligno y del diablo; cosas (malos hábitos; defectos de carácter y naturaleza carnal) son sembradas por un enemigo.

Clarín: trompeta medieval con un claro toque de clarín; tono estridente.

Clarinete: hacer que se entienda y se comprenda; dignidad.

Claro: ver un espacio abierto en un bosque indica

que se está haciendo espacio para ti entre un equipo de líderes; eres libre de ofrecer tus ideas y compartir tu sabiduría.

Clase media: miembro de la sociedad que ocupa una posición socioeconómica intermedia entre los trabajadores de cuello azul y los empresarios de cuello blanco o los financiadores.

Clase: estás en una época de aprendizaje y desarrollo. Una metáfora que indica que tienes clase o que necesitas desarrollar más clase. Le falta confianza en su capacidad para asumir nuevas responsabilidades o proyectos. Olvidar asistir a clase indica ansiedad o tu miedo a fracasar.

Clasificación X: ver una película con clasificación X en un sueño indica que estás soñando con contenido sexual explícito. Este tipo de sueño indica que usted tiene una adicción sexual a la pornografía u otro material clasificado X. Necesitas vigilar la ventana tus ojos. Arrepiéntete y pide ayuda para poder liberarte antes de perder el amor de los demás y su propio respeto.

Clasificar: ¿qué estás clasificando? ¿Clasificas a las personas por sus atributos comunes, carácter o naturaleza, tipos o comportamientos? ¿Estás etiquetando a las personas o tratándolas como si fueran ganado que se compra o se descarta? Si estás clasificando las cosas viejas para descartarlas y hacer espacio para las nuevas, entonces el sueño dará grandes frutos. ¿Qué tipo de persona eres? Si estuvieras en el montón, ¿te guardarías como un tesoro o te descartarías como algo que no merece la pena ser conservado?

Clausura: soñar que se vive en una comunidad de clausura representa la necesidad de sentirse seguro y protegido. También podría sentirse aislado o separado de la familia y los amigos.

Clave, Do mayor: puede ser un juego de palabras que indica que se «verá un suceso o evento importante». Do mayor es una de las tonalidades más utilizadas en la música occidental. La mayoría de los instrumentos transpositores que tocan en su tonalidad de origen se anotan en do mayor; por ejemplo, un clarinete en si bemol que toca una escala de si bemol mayor se anota como si tocara una escala de do mayor. Las teclas blancas del piano corresponden a la escala de Do mayor. Entre los instrumentos de metal, la tuba de contrabajo está en Do. Un arpa de pedales afinada en Do mayor tiene todos sus pedales en la posición media.

Clave: una clave musical representa el tono de las notas escritas al principio del pentagrama. Hay tres tipos de clave que se utilizan en la notación musical: Fa, Do y Sol. La clave de Fa o base indica la necesidad de encontrar alivio a un dolor o a un corazón roto, libera una luz verde cuando se toca, el Do representa la armonía, la sincronización y el estar de acuerdo, libera una luz roja que sana la sangre que circula por todo el cuerpo y el Sol, la «clave del pueblo», indica una alegría de corazón ligero, libera una hermosa luz de color azul. Todas estas notas ministran sanidad al cuerpo humano de diferentes maneras. Para una explicación más completa de cómo operan las notas de la clave (véase la tarjeta de sanidad de colores y música y la tarjeta de ministerio de la palabra de los videntes en *www.decodeMydream.com*)

Clavel amarillo: esperanza; celebración; felicidad; alegría; contentamiento; honor; valor; la riqueza está llegando; regalos; optimismo; desprecio; o rechazo.

Clavel blanco: recuerdo; amor puro y dulce; inocencia; sin mezcla; victoria.

Clavel púrpura: representa un nuevo nivel de autoridad en la intercesión; espiritualidad; creatividad; curación de problemas mentales o emocionales; antipatía; capricho.

Clavel rojo: pasión; acción de gracias; entusiasmo; excitación; ostentación; admiración; me duele el corazón por ti.

Clavel rosa: castidad; inocencia; pureza infantil; gratitud, Día de la Madre, nunca te olvidaré.

Clavel: soñar con esta flor indica fascinación; amor; fragancia del Señor; enero; Ohio; despojado; rechazo; no; siento no poder estar contigo.

Clavicordio: instrumento de teclado parecido a un pequeño piano cuyas cuerdas se pulsan con plumas o púas de cuero. Si se toca música clásica se puede esperar un interludio romántico con alguien de su elección.

Clavícula derecha: espíritu homosexual; perversión; impureza; espíritu engañoso, mentiroso. La luz ungida con índigo ayuda a liberar y curar.

Clavícula izquierda: espíritu lésbico; perversión; impureza.

Clavijas de la tienda: Jael mató a Sísara con una clavija de tienda, matando el razonamiento carnal, clavando o derrotando a un enemigo, aumentando, estableciendo la propia reclamación o marcando el propio territorio, ampliando la propia influencia, expandiendo las propias fronteras, Is. 54.

Clavo: estar bien sujeto; estar clavado; memorias permanentemente impresas; palabras hirientes que dejan heridas o agujeros; construir; unir o fijar para que algo aumente y se expanda, Esd. 9:8; Cl. 2:14; Is. 22:20-25; Ec. 12:11; Jn. 20:25.

Claymore: se refiere a la más grande de todas las espadas; suele ser tan grande como una persona; se blande con las dos manos; ventaja: inutilizar al enemigo a una mayor distancia de seguridad, infligir heridas o decapitar.

Cleome spinosa: ver esta flor significa fúgate conmigo.

Cleptomanía: tener u observar a alguien con un deseo excesivo de robar cosas que no necesita es una advertencia para frenar sus indulgencias y gastar de forma despilfarradora.

Clérigo: personas ordenadas para el servicio religioso; vocación de servicio a la humanidad.

Cliente: son un grupo de personas que comparten puntos de vista, sueños y pensamientos similares a los tuyos. Si tu negocio o tienda está vacía indica que no hay apoyo en tu nueva idea o proyecto, estás solo en tu pensamiento o estrategia. Verse a sí mismo como un cliente indica que estás buscando un grupo con ideas similares que respalden tus pensamientos.

Clips: es el momento de poner en orden tu vida, reorganiza las cosas para que puedas utilizar tus dones administrativos y ayudar a los demás. Tu favor en las relaciones puede ser de papel, así que necesitas ponerlo en orden para poder mantenerlas en su sitio.

Clítoris: se estimula o excita fácilmente por otros; órgano eréctil de la mujer, situado cerca de la parte superior de la vulva que es homogéneo al pene del varón; jerga: el hombre del barco; botón del amor.

Clóset o armario: lugar de oración; almacena los dones, talentos, habilidades y mantos disponibles; asuntos ocultos del corazón. Mt. 6:6; Jl. 2,16.

Club campestre: indica el deseo de ser especial; valorado, admirado por el dinero, el prestigio y el poder; es señal de querer formar parte de una sección o estatus selecto de la sociedad.

Club nocturno: alude a los aspectos sociales de la vida pasada o el sentido de pertenencia, una interpretación del estilo de vida de uno; vivir en el lado salvaje, falta de compromiso; desastre financiero; fin de una relación amorosa, Ec 7:4.

Coartada: advertencia para que te mantengas alejado de los extraños o de las personas en las que apenas confías porque sabes que no traman nada bueno, si alguien te ofrece una coartada, sé perspicaz. No son de fiar y están acostumbrados a poner excusas.

Cobarde: advertencia para defenderse, proteger tu carácter de las acusaciones; alguien que está poseído por el temor y carente de nobleza que se retira a la primera señal de peligro o dolor; falta de valor o resolución, amarillo; miedo a enfrentarse o descubrir quién es realmente o es capaz de llegar a ser en la vida.

Cobra: brujería de alto nivel; engaño; si vuela: profeta herido o bruja que opera en el control; manipulación y poder del alma.

Cobrar: estás a punto de recibir una cosecha o «cobrar» el favor y los dones que has sembrado en los demás; ten cuidado con que alguien quiera "cobrar" parte de tu tiempo, posesiones, talentos o dones; mantén unos límites seguros.

Cobre: es un metal muy térmico con conductividad

eléctrica. El cobre es esencial para todos los organismos vivos, pues como mineral dietético fundamental porque es un constituyente clave del complejo de enzimas respiratorias. Si te falta cobre, es posible que experimente falta de aliento y que necesite conectarse con el Espíritu Santo. Las principales áreas donde se encuentra el cobre en el cuerpo humano son el hígado, los músculos y los huesos. Un déficit de este metal hace que las personas puedan desarrollar artritis reumatoidea o experimentar dolores en el tejido conectivo y en las articulaciones. Dt. 8:9, Jb. 28:2, Mt.10:9, Mc. 7:4, 12:42, Lc. 21:2.

Coca-Cola: señal de 'autenticidad', refrescante, pop, bebida fría.

Cocaína: droga narcótica utilizada médicamente como anestésico local para aliviar el dolor; si se utiliza como droga recreativa o social predice la ruina financiera y la adición física.

Coche abandonado: alguien se ha alejado de su llamado o vocación esencial; un sentimiento de rechazo o de abandono; es señal de auto descuido.

Coche aparcado: si su coche está en un garaje o en un aparcamiento, considere la posibilidad de redirigir tus energías y esfuerzos en otra dirección, porque los coches aparcados no llegan lejos. Un coche aparcado indica que estás haciendo girar las ruedas sin llegar a ninguna parte. Así que detente, tómate unas vacaciones y disfruta hasta que aparezca un vehículo que te lleve en una nueva dirección. Inactividad, tiempo de descanso.

Coche blindado: Protección importante sobre el propio favor e influencia o sobre lo que el coche transporta.

Coche con las ventanillas subidas: seguir adelante con el camino o el plan elegido, dejando fuera otras influencias o ideas.

Coche en movimiento: si tu coche se mueve libremente por sí mismo tu sueño puede sugerir que estás fuera de control y actúas de forma irresponsable. Es necesario que te pongas al volante y tomes un papel más activo en la dirección que está tomando tu vida. Por otra parte, podría representar que Dios está totalmente a cargo de tu vida y que te está guiando hacia una nueva dirección para ayudarte a determinar un mejor camino a seguir. Hch. 17:28a.

Coche fúnebre, conductor: aumento de la influencia o de la responsabilidad, sensación de estar enterrado bajo responsabilidades o cargas excesivas; se avecinan cambios drásticos, ruptura de un viejo hábito perjudicial; negocio completo sin terminar.

Coche fúnebre, ver: se avecina una nueva temporada de refresco; dejar atrás el pasado; la muerte de una relación, un trabajo o una persona, 2 Sam. 3:31.

Coche fúnebre: sentimientos sobre la muerte y lo corta que es la vida; un coche fúnebre se utiliza para transportar a una persona enferma de una iglesia a una funeraria. Ver un coche fúnebre en un sueño puede indicarle que debe abandonar una determinada iglesia que está muerta espiritualmente.

Coche o auto: un individuo, una vida personal y un ministerio, una vocación o un ministerio familiar, una pequeña iglesia, un negocio o un trabajo; nivel de unción; representa tu capacidad actual de influir y llevar a otros contigo. Fíjate en la marca, el modelo del año, el color y el estado.

Coche, accidente: llamado de atención para hacer cambios drásticos antes de que sea demasiado tarde. Los accidentes de coche simbolizan ansiedades profundas, inseguridades y miedos con un estado emocional inestable. Frena antes de tener otra colisión relacional, estás «conduciendo» demasiado rápido. Replantea tus estrategias para evitar un costoso desastre. Establece un nuevo curso de acción para obtener un mejor camino en la vida. Ver tu propia muerte en un accidente de coche y ver las reacciones de amigos y familiares indica que tus acciones imprudentes, irresponsables o descuidadas han afectado sus vidas de forma negativa. Un accidente de coche es una advertencia de peligro, debes tener más precaución al conducir, reduzca la velocidad, deja de ser descuidado, mejora tus hábitos de conducción y conduce a la defensiva para evitar una experiencia dolorosa que supondrá una gran pérdida. Si otro coche te atropella en un sueño, significa que tu sistema de creencias, tus elecciones de estilo de vida o tus aspiraciones están chocando con otra persona importante, lo que supondrá una situación molesta y chocante, que acabará hiriendo tu orgullo.

Coche aparcado en un garaje: significa que es tiempo de reparación, sanidad o restauración, de volver a estar a punto; es el momento de poner tus esfuerzos y energías en otro lugar; es un indicador de que estás gastando inútilmente el tiempo en un esfuerzo infructuoso; necesidad de parar y disfrutar de la vida.

Coche aparcado y perdido: si no puede encontrar tu coche aparcado: no hay dirección ni objetivos establecidos para la propia vida.

Coche, asiento infantil: ver un asiento de coche infantil implica que estás tratando a los que te acompañan en el largo camino de la vida como a niños inmaduros. Deja de ser tan controlador, estás volviendo locos a los que te rodean. Aprende a sentarte o a tomar el asiento trasero de vez en cuando. Aprende a escuchar y a ayudar a la gente a tomar sus propias decisiones y a enfocarse en sus propios asuntos. Si estás en el asiento infantil, acabas de empezar un nuevo camino o de tomar una nueva dirección en tu viaje. Necesitarás el apoyo y la ayuda de los demás para tomar las decisiones correctas.

Coche, asiento trasero: menosprecio de uno mismo, falta de confianza o de capacidad de decisión; permitir que otros se hagan cargo; baja autoestima; demasiado dependiente; falta de control.

Coche, batería: la batería de un coche simboliza tu nivel de energía, los factores de resistencia y el poder de permanencia. Una batería agotada significa que estás agotado, abrumado y sobrecargado de trabajo. Has asumido más de lo que puede manejar. Aprende a priorizar y a decir «¡No!». Reduce la velocidad, desconéctate, relájate, reserva un «tiempo para ti» para recargarte y refrescarte.

Coche, carrera: es un indicador de que avanzas rápidamente por un camino predeterminado; estás en franca rivalidad o competición por la supremacía; conduces tu vida con apuros y afanes; necesitas precisión y concentración; hay estrés y aceleramiento.

Coche, casi atropellado: tu estilo de vida, creencias o metas están en conflicto con los de los demás; una experiencia que sacude o hiere el orgullo o un naufragio emocional.

Coche, casi golpeado: escapar a duras penas de una colisión con otro vehículo indica que estás teniendo un conflicto personal con otra persona por tu estilo de vida, tus creencias o tus objetivos. Significa que tienes roces o conflictos con otros; tu ego ha sido sacudido de forma traumática; una mala experiencia o un orgullo herido te han llevado a experimentar una suerte de ruina emocional.

Coche, conducción: la mayoría de las veces, el coche o el vehículo que conduces en tus sueños representa tu empuje o capacidad para pasar de una fase de la vida a otra y el nivel de ambición que tienes en la vida. El vehículo que conduces puede indicar si estás tomando un papel activo en el camino de la vida. ¿Qué tan exitoso eres al transitar de un capítulo a otro? ¿Qué tipo de coche aparece en tu sueño? A menudo cambian según el nivel de velocidad, energía o inversión que estás haciendo en un futuro exitoso. ¿Es un coche de lujo y de fácil conducción en la carretera? ¿Está conduciendo una camioneta 4X4 áspera y pesada por entre caminos rurales primitivos y llenos de baches? Soñar que se está conduciendo un auto, es un indicador de que estás tomando un papel activo en el camino de tu vida.

Coche, frenar: es un llamado a reducir la velocidad, aviso de cambio de dirección, un cruce de caminos se acerca.

Coche, llave: indica que se te ha dado acceso, autoridad y propiedad. Posees la capacidad de manejar tus dones, habilidades, negocios o un poderoso vehículo que te llevará a lugares añorados en la vida. Las llaves abren y cierran puertas y encienden motores para que tengas a tu alcance nuevas oportunidades y un gran poder para alcanzar el éxito.

Coche que no arranca: si su coche no arranca, sugiere que está exhausto, agotado y te sientes impotente, incapaz de avanzar o de tomar una decisión sobre una situación difícil o de aprovechar una nueva oportunidad. Podrías estar paralizado por el miedo o falto de sabiduría o conocimiento. Ora hasta que obtengas una respuesta clara que te encienda con poder para avanzar y superar cualquier obstáculo.

Coche, olvidaste dónde habías aparcado: soñar que no encuentras dónde parqueaste el coche o que te lo han robado o lo has perdido, indica que estás descontento, triste o desamparado con alguna faceta de tu vida. Te has estancado mientras intentas determinar hacia dónde quieres reorientar tu vida. ¿Sabe lo que realmente quiere hacer con tu destino? Si te han robado el coche indica que te sientes despojado de tu identidad. Esta crisis de identidad puede estar relacionada con la entrada en un nuevo capítulo de la vida en el que te encuentras jubilado, con la pérdida de un trabajo o con el fracaso de un matrimonio o una relación. Con un poco de oración y búsqueda del alma, Dios te mostrará el camino a elegir y tu nuevo coche aparecerá.

Coche, pasajero: si eres el pasajero, entonces estás adoptando un papel pasivo. Si tu baja autoestima o falta de confianza te ha relegado al asiento trasero del coche, entonces indica que te estás rebajando y estás permitiendo que otros tomen el control. Al medir tu ubicación en el coche puedes determinar la cantidad de liderazgo, control, seguimiento, dependencia o independencia que estás adoptando en tu vida. Si eres un pasajero: estás adoptando un papel pasivo.

Coche perdido: si sueñas que has perdido tu coche o que este no arranca es que te sientes perdido e impotente en tu actual situación de transición. No sabes dónde encajar o qué hacer a continuación.

Coche, radiador: estás trabajando demasiado; deja de sobre esforzarte y estresarte, tómate un tiempo para relajarte y «toma un respiro». Has estado demasiado tenso debido a algunas situaciones muy acaloradas y sofocantes. Estás demasiado tenso. Necesitas tiempo para relajarte. Reflexiona para despejar tu cabeza o para desahogarte. Ahora es el momento de tener una mejor perspectiva de las circunstancias de tu vida. Deje que tu magnética personalidad irradie a través de estas difíciles situaciones de calor.

Coche recalentado: si tu coche se está sobrecalentando indica que te encuentras en algunos momentos de acaloramiento o enfado en los que estás gastando demasiada energía física de forma negativa. Tienes que dar un paso atrás y dejar de estresarte, bajar el ritmo y pensar bien las cosas para evitar el agotamiento. Tómate un respiro, limita tu agenda y prioriza tus proyectos hasta que tus emociones se calmen y puedas dirigir las cosas de una manera más positiva. Significa que estás gastando demasiada energía física y debes reducir la velocidad, que estás al borde del agotamiento, que has asumido más responsabilidades de las que puedes soportar; es un llamado a reducir la velocidad, a relajarse, meditar y orar.

Coche robado: carecer o ser despojado de la propia identidad; pérdida de trabajo, divorcio, amistad fallida.

Coche rojo: conducir un coche rojo en un sueño indica que tienes ganas de llegar rápido a algún sitio. Eres una persona deportiva y dinámica que tiene pasión por la vida. Te gusta llegar con estilo. El rojo puede indicar que tienes el temor del Señor en tu vida. Por el contrario, el rojo puede indicar ira y odio, así que no permitas que tus emociones dirijan tu vida.

Cochecito: ver un cochecito en un sueño es una llamada en tu vida para ayudar a los jóvenes espirituales, perdidos, o aquellos que necesitan apoyo físico o emocional para ser colocado en la presencia de un pastor u otro ministro espiritual o maestro para ser alimentado la Palabra de Dios. Pushchair: es un término inglés que puede llamarse cochecito.

Cochera: refugio abierto para automóviles que protege y resguarda a los coches de las inclemencias del tiempo para evitar el envejecimiento prematuro o los daños causados por los rayos del sol, el granizo, el rocío o la lluvia torrencial. Hay que tener en cuenta si el coche se sigue utilizando, si está cubierto, si está operativo o si sólo está resguardado. Un coche aparcado representa a una persona, una empresa o un ministerio que es visible pero que no va a ninguna parte; es necesario que tengas un tiempo de arrepentimiento, de planificación de nuevas estrategias y de reorientación, para que así pueda haber una liberación.

Cocina: es el arte culinario de cocinar en una cocina que se caracteriza por los ingredientes, las técnicas y los platos distintivos de una cultura específica (islámica o judía) o de una zona geográfica que está influenciada por las tradiciones religiosas o las leyes dietéticas. Lugar de preparación del alimento espiritual, de la enseñanza o de la predicación de la Palabra de Dios; hambre de enseñanza o de predicación; puede tratar los asuntos del corazón y revelar el meollo de la cuestión; «si no puedes soportar el calor, no te metas en la cocina»; creatividad; nutrir; alimentar; papel de madre. Lc. 10:40.

Cocinar: preparar alimento espiritual para otros; trabajar para cambiar tus respuestas naturales no comestibles transformará, nutrirá y fortalecerá tus relaciones haciéndolas crecer y aumentar. Lc. 10:40; Ez. 46:24. Tu lado cuidador te impele a bullir de amor y ternura. Deseas expresar tu creatividad influyendo en los demás para que les guste lo que haces o se vuelvan dependientes de ti. Si se quema, se te cae el plato o tiene dificultades para cocinar, indica que te estás esforzando demasiado. Considera la posibilidad de que alguien esté tratando de cocinar algún problema.

Cockatrice: serpiente mítica con el poder de matar de un solo vistazo; nacida de un huevo de gallo; príncipe de las tinieblas; víbora cornuda más peligrosa; víbora voladora; cobra; rastreadora; basilisco; estamos llamados a caminar sobre ella; Is. 11:3, 8; 14:29; 59:5; Sal. 91:13.

Coco o espantos: miedo; aspecto reprimido y rechazado de uno mismo; en los niños: acciones disciplinarias de los padres o temor al castigo.

Coco: predice que te llegarán recompensas inesperadas, pero también puede significar que estás siendo duro de cabeza, «testarudo».

Cocodrilo, matar: matar un cocodrilo indica un gran éxito, la prosperidad te llegará de todas las direcciones, un gran favor de Dios y de los hombres.

Cocodrilo: Leviatán, Jb 41, un devorador de hombres, socios poco fiables, depredador, espíritu demoníaco de la muerte, diablo, espíritu religioso, influencia adversa que busca tu destrucción, una persona de autoridad engañosa que trabaja de forma encubierta para destruir con palabras mordaces de acusación y calumnia, considera el dicho «lágrimas de cocodrilo»; un pretendiente que busca tu simpatía, un manipulador.

Cocos: recompensa por el trabajo duro o la empresa; dulces palabras de alabanza; enseñanza de la leche y la carne de la Palabra de Dios; promoción; dinero inesperado detrás de ellos.

Cocotero: el fruto de tu trabajo y diligencia tendrá un gran alcance al ser mostrado y visto por muchos.

Cóctel: una bebida alcohólica mixta que consiste en brandy, vodka, whisky o ginebra mezclado con zumo de frutas u otros licores, sobre hielo o servido frío. Cuidado con las influencias que quieren cambiar tu estado de ánimo, mental o físico para aprovecharse de ti.

Codearse: ser codificado: advertencia de ser demandado o engañado, la presencia de uno no es bienvenida.

Código de barras: ver un código de barras en un sueño simboliza un negocio, ingresos, el aumento y la capacidad de crear a través del don empresarial. También puede representar que siente que una relación está en piloto automático o que está siendo escaneada para su aprobación o compra.

Código: Dios te está hablando simbólicamente en tus sueños, «El Código de la Divinidad», pasa un tiempo tranquilo en oración y meditación para descifrar el significado de los sueños o envíalo a www.decodeMydream.com para su interpretación.

Codo roto: las conexiones de negocios pueden fallar, necesidad de trabajar en cooperación conjunta con otros, necesidad de relacionarse con la gente en una ocasión social.

Codo sucio: infelicidad, dificultades con amigos o familiares.

Codo: intercesión, humildad, intercesores postrados sobre sus rostros ante el Señor en oración, relación; el avance, los logros o el éxito de uno viene por empujar, empujar o codearse en las cosas antes de tiempo. La luz de la unción naranja trae sanación a esta área.

Codorniz: ave de caza; prosperidad; aumento; mejora; simboliza el favor; muchas codornices volando en una covacha representa el favor multiplicado. Disparar o cazar codornices representa descontento, malos sentimientos en las relaciones, o se está jugando o buscando una discusión; la provisión de Dios, Sal. 105:40, Éx.16:13; Nu 11:31; grandes cantidades sobrenaturales.

Cofre del tesoro: talentos y habilidades ocultos, tu seguridad está en la riqueza física o las pertenencias personales, la satisfacción en las relaciones, Mt. 13:52.

Cofre: caja móvil en el lateral de un carro. 1 Sam. 6:8,11, 15. Necesidad de sembrar en alguna aventura inesperada o de ponerse al día con los diezmos para prosperar.

Cohete: ministerio poderoso; alta revelación en los cielos y el Espíritu; límites exteriores; gran velocidad, Sal. 64:7 Avance, promoción, avanzar a un nivel superior con gran poder, una dirección personal ascendente, es el momento de lanzar un nuevo proyecto, relación o empresa; lo que por agua viene, por agua se va.

Coito: reproducción, aumento, fecundidad; unión física del hombre y la mujer, unión sexual que conduce al orgasmo y a la eyaculación del semen.

Coitus interruptus: retirarse de una situación antes de que la reproducción o el aumento puedan llegar; derramar la propia semilla; relación sexual interrumpida a propósito por la retirada prematura del pene del hombre antes de la eyaculación; hacer que uno permanezca estéril o estéril.

Cojear: intentar seguir adelante después de haber quedado cojo por algún tipo de dificultad, ya sea de naturaleza espiritual, física o emocional; lidiar con limitaciones o debilidades que intentan obstaculizar

tu andar Pr. 26:7; ofrecer ayuda y apoyo a los cojos o menos afortunados, Jb 29:15, Gén. 32:25.

Cojín: es importante desarrollar un sistema de ahorro para guardar algo de dinero, crear «un cojín financiero» como preparación para el futuro. Tómate un tiempo para disfrutar de la vida, descansar y relajarte. Acolcha o amortigua la oferta para cubrir imprevistos en los gastos; pon algo de espacio entre tú y algunos comentarios desagradables o condiciones hirientes.

Cojín: ver un grueso cojín utilizado como escabel para arrodillarse representa que hay una gran necesidad de humillarse en una temporada de oración para ganar el favor y la sabiduría para resolver las dificultades actuales.

Cojo: heridas, inmoralidad o deficiencias; estar muy obstaculizado por una falta de carácter; un defecto en tu camino espiritual o físico. Las dificultades en los negocios les acarrearán problemas a tus finanzas. Asegúrate de encontrar una manera de saldar tus deudas, Pr. 26:7; 2 Sam. 5:8; Lev. 21:17-23; Jb. 29:15; Is. 35:6.

Col crespa: planta vegetal de color verde oscuro de la familia de las musáceas que tiene una hoja extendida y arrugada que también se denomina berza o cole. En el argot popular de la cultura estadounidense se usa para referirse al dinero, por lo que el color verde puede representar prosperidad, favor, salud y curación.

Cola de caballo: que una chica lleve el pelo en una cola de caballo indica que es desenfadada, relajada y divertida; es una auténtica deportista.

Cola de gato: paz o prosperidad; astucia, puede ser que estés siendo objeto de algunas historias maliciosas y traicioneras provocadas por la arrogancia y el orgullo.

Cola de golondrina alas de cebra (mariposa): se encuentra en el este de Estados Unidos, noreste de México y sureste de Canadá. Su distintivo patrón de rayas blancas y negras recuerda a una cebra y nos recuerda una mezcla de asuntos anímicos. El árbol *pawpaw* es su único huésped larvario; es la mariposa oficial del estado de Tennessee.

Cola: el extremo posterior o las partes traseras de algo; una trenza de pelo; el final de la línea para una persona; la última vez; seguir a alguien; limitaciones de la herencia de un patrimonio a una persona; tailback: un back ofensivo que se alinea lo más lejos de la línea de scrimmage. Ver una cola indica que tienes que esperar tu turno para avanzar o ascender, hay otros que serán buscados antes que tú.

Colada: ver, comer o cocinar una colada indica que necesitas reestructurar tus finanzas para tener más recursos para vivir dignamente. Uno suele comer una colada por la mañana para empezar el día o cuando

Colada

143   *Diccionario de la simbología de los sueños de la A a la Z*

está superando una temporada de enfermedad. Dar una porción de colada o papilla a los perros indica que los amigos se unirán para ayudar a satisfacer tus necesidades.

Coladera/colador: ser escurrido; filtrar los problemas; lavarse con el agua de la palabra; estar tenso en recursos o limitado en las relaciones.

Colador: ver o utilizar este colador de cocina en un sueño indica que estás dejando que el exceso de emociones o cosas inservibles que han hecho perder tu tiempo y energía se vayan por el desagüe. Ahora podrás ordenar, separar y contener mejor los asuntos más importantes que tiene entre manos.

Colapso: las presiones de la vida intentan superar tu fuerza de resistencia. Deja de presionar; vuelve a centrarte en lo que es importante. Has perdido de vista tus objetivos y lo que necesitas lograr. Apuntala los muros y límites emocionales provechosos. Confía en tu intuición y en tus juicios.

Colcha: cubierta cálida y confortable hecha con manos de amor, cubre un lugar de intimidad con Dios, acurrucarse en la cama.

Colchón: representa tu capacidad para descansar a gusto en tus situaciones actuales gracias a un sistema de apoyo que te rodea. Sal. 127:2. Si el colchón es demasiado blando, has desarrollado una postura firme o tienes una falta de límites seguros; las tareas y obligaciones añadidas requerirán más tiempo y consideración. Sentir un guisante bajo el colchón significa que eres hipersensible a los problemas pequeños o insignificantes.

Coleccionar: empezar una colección de objetos como sellos o monedas indica que encontrarás muchos nuevos conocidos con los que disfrutarás pasando tiempo de calidad en un futuro cercano.

Colérico: soñar que te manifiestas de manera colérica exhibiendo un modo de comportamiento furioso, tener o expresar una opinión extrema o un interés maníaco por algo, sugiere que has perdido todo el autocontrol o que estás enloqueciendo; demente e incoherente.

Coles de Bruselas: encontrarás el éxito paso a paso, la prosperidad brotará a medida que sigas sembrando y recogiendo buenas cosechas.

Colgado: sensación de estar colgado o torturado, prendido, en transición, suspendido entre dos ideas y con doble ánimo. Una advertencia para no dejar que tus palabras o acciones te hagan tropezar o te dejen colgado, un tiempo de transición entre dos estaciones; la indecisión trae un sentimiento de inseguridad o vulnerabilidad; tomar medidas drásticas para escapar de una obligación o relación, una necesidad de atender algún asunto inconcluso que se ha dejado colgado; colgar la ropa: tienes una abundan-

cia, examinar las capacidades de uno para realizar una tarea. Heb. 6:15. En la cultura judía, los criminales eran primero estrangulados y luego colgados.

Colibrí: el éxito rápido a partir de un pequeño comienzo será tan dulce como la miel; «joyas voladoras»; pacto, músculos fuertes: el más pequeño de todos los pájaros, las pequeñas ideas o conceptos pueden poseer mucho potencial y poder; gran maniobrabilidad para planear; viaja a 65 mph y luego se detiene por completo; vuela hacia adelante, en línea recta hacia arriba y hacia abajo, hacia los lados y hacia atrás, obtiene néctar y los dulces tesoros de la vida y come insectos. Concéntrese en lo bueno, la belleza y la alegría de las personas. Pueden indicar pensamientos huidizos e ideas frívolas; una metáfora que representa la incapacidad de comprometerse con una relación.

Coliflor: dificultad para escuchar palabras de sabiduría; tiempo de conflicto; complaciente con el hombre; desprecio de las responsabilidades.

Colimbo: lo profundo está llamando a lo profundo; pide a Dios sabiduría y las respuestas que buscas; explora posibilidades; examina tus motivos y agendas para llegar al fondo de algunas situaciones inestables; haz los cambios necesarios; una metáfora para alguien que está «loco» o desquiciado; confusión mental o emocional.

Colina: representa la necesidad de eliminar un pequeño asunto en tu vida; crecer en la fe a través de las luchas de la vida, enfocarse en lograr tu galardón, metas o destino; reunir los recursos necesarios para completar la tarea que tiene entre manos; lograr una visión espiritual de tu entorno. Si estás parado en la cima de una colina, es señal de que has tenido éxito en tus esfuerzos. No hagas una montaña de un grano de arena. Desafíos de la vida, Lc. 3:5; Sal. 95:4; 98:8; 121:1; Jos. 20:7; Gén. 7:19.

Colirio: ver tus ojos ungidos con colirio indica una unción del Espíritu Santo que abrirá tus ojos para ver en la dimensión del Espíritu. Apo. 3:18; 1 Jn. 2:20, 27; Jn. 9:1-7.

Coliseo: anfiteatro de Roma, Italia, donde se juzgaba a los cristianos y se les imponía una sentencia. Sugiere que te siente como si se te juzgara públicamente ante tus acusadores sin derecho a la defensa. Un estadio deportivo donde la gente se reúne para ver competiciones entre equipos contrarios; un lugar para relajarse y disfrutar de los acontecimientos con los demás. El coliseo puede indicar que necesitas tomar un papel más activo en la vida y dejar de ser un espectador que sigue las decisiones de la multitud. Es hora de defender lo que es correcto y pasar a la acción.

Colisión: puedes esperar encontrarte en algún tipo de controversia, discusión o dificultad financiera si te ves a ti mismo o a tu vehículo colisionando con otro.

Colisionar: ver dos vehículos chocar predice ira y choques de personalidad. Ver un accidente de coche indica el fin de una relación.

Collar de oro: ver un collar de oro en un sueño indica que has pasado por una gran prueba de fuego y ha salido refinado como oro puro. Esto es también una señal de gran favor y promoción que viene para tu vida. *«Entonces Faraón quitó su anillo de su mano, y lo puso en la mano de José, y lo hizo vestir de ropas de lino finísimo, y puso un collar de oro en su cuello; y lo hizo subir en su segundo carro, y pregonaron delante de él: ¡Doblad la rodilla!;[a] y lo puso sobre toda la tierra de Egipto»*, Gén. 41:42-43.

Collar de piedras preciosas: indica riqueza y una época de gran influencia.

Collar: adorno de gracia, Gén. 41:42, realeza, exhibición de riqueza, servidumbre, Sal. 73:6; Is. 10:27. Tendrás abundancia para compartir con otros; lujo y virtud.

Colmena: comunidad de trabajadores diligentes unidos por un propósito, una empresa o corporación bien afinada que trabaja por el bien común de todos; trabajo en equipo; productores de miel o algo dulce por polinización cruzada con otros; recoger el dulce néctar de los jardines de otros, estar zumbando con fecundidad, Einstein dijo: «Si las abejas son eliminadas de la tierra, el mundo morirá en cuatro años». La dignidad, honor, gran riqueza y prosperidad llegarán rápidamente, permanecerán y durarán con muchos trabajadores para apoyar tu empresa e inversiones financieras. ¡Prueben y vean que el Señor es bueno! Un ataque unificado si se enfada, palabras hirientes que pican, paralizan o envenenan.

Colmena: una colonia de abejas que vive en una colmena representa la prosperidad y la libertad; un enjambre de personas, «abejas», indica que hay muchos trabajadores disponibles para que tu proyecto sea un gran éxito.

Colmillos: diente largo, puntiagudo, hueco y estriado que transporta las palabras venenosas o el veneno de una serpiente o araña. Debes estar atento a las palabras mordaces que son proferidas por un enemigo que quiere devorarte o a tus influencias, Sal. 58:6.

Colonia: territorio extranjero con privilegios concedidos; prosperidad de ser pionero en una nueva obra religiosa o financiera, Hch. 16:12.

Color coralino: color rosado rojizo, rosa intenso o fuerte, la sangre de la vida, la vida en comunidad, la protección de la belleza de la naturaleza, la purificación.

Color de bronceado: el bronceado representa el color de nuestros tonos de piel por lo que puede advertir de demasiadas actividades carnales; azotar o golpear el trasero, curtir la piel de alguien; convertir en cuero.

Color de pelo ombré: el cabello ombré se refiere al color del cabello que pasa de oscuro a claro, o viceversa. En lugar de que el color comience en las raíces, se va aclarando u oscureciendo gradualmente hacia las puntas. La palabra «ombré» en francés significa sombra o matiz. Piensa en Sarah Jessica Parker en Sex and the city, Rachel Bilson o Whitney Port.

Color del latón: juicio del pecado y la desobediencia, fuerza y resistencia. Éx. 25: 3; Nm. 21: 9; Dt. 28:13-23.

Color marfil: el marfil es una sutil mezcla de blanco y bronce, tiene una apariencia señorial de elegancia o antigüedad; uno puede sentirse superior o mejor que los demás.

Color oro: representa la gloria de Dios y de la divinidad, el reino angelical, el esplendor dorado, la guía espiritual, el gusto por lo celestial; la entrada en la vena; el alto nivel; las riquezas gloriosas; el recipiente de honor; el toque dorado del éxito; la iluminación o el realce, las recompensas, la realeza, el Sol y el Hijo de Dios; la santidad, la alabanza; el silencio; la prueba en el fuego; la bendición abundante; el don celestial; el hallazgo de la verdad; el primer lugar en los registros. Gloria negativa: idolatría, profanación, lentitud, sensualidad, codicia y contaminación.

Colorado: «Nada sin Providencia»; Estado de las Montañas; Estado Centenario; Montañas Rocosas; Columbina; Azul y Blanco; Aguamarina. Soñar con la belleza natural de este Estado, enclavado en las Montañas Rocosas y que lleva el nombre del río Colorado, indica que necesitas bajar el ritmo, relajarte y disfrutar de un tiempo espiritual concentrándote en Dios. Quizás quieras reservar una visita al Santuario de Buena Vista, Colorado, http://www.sanctuarybv.com/

Colorear: los colores son muy importantes en los sueños. (Consulte la carta de símbolos de los sueños de colores en www.decodeMydream.com para obtener más información). Verse coloreando en un libro puede indicar que desea mejorar y embellecer tu mundo o entorno actual. Tienes una visión infantil de la vida que es creativa, alegre y desenfadada. ¿Estás descuidando tus responsabilidades, postergando o perdiendo el tiempo con actividades no productivas?

Colores de neón: vida nocturna, ser consciente del entorno, publicidad, atracción del mundo, secular.

Colores pastel: inmadurez en dones o habilidades; bebé, debilidad, delicadeza.

Colores: de luz que se encuentran en tus sueños representan a Dios el «Padre de la Luz»; hace referencia a diferentes unciones para el poder sanador, la energía espiritual, una presencia; las vibraciones de la vida; los siete colores del arco iris representan la promesa del pacto de Dios con el hombre y los Espíritus de Dios situados en Is. 11:2 y Apo. 4:5; ¿Qué significa el color para ti personalmente? Los colores ricos, profundos y brillantes traen una conciencia; representan la madurez, la pasión y la fuerza de la intensidad; mientras que los colores pastel pálidos representan una reserva fría, la inmadurez o una sutil presencia débil. Ayudan a determinar la intensidad, la madurez y la fuerza de los dones y la unción emitidos por fuentes espirituales o anímicas, ya sean positivas (divinas) o negativas (influencias malignas); los colores adecuados de la luz y las notas musicales energizan la sanidad. (Para una información más detallada sobre los colores, pregunta por la Carta de Colores de los Símbolos del Sueño en *www. decodeMydream.com.*)

Colorete: llevar este colorete rojo o rosa en un sueño indica que estás tratando de encubrir algo. Es posible que hayas engaños o actuado con artimañas para manipular una relación.

Columna o pilar: fuente de fortaleza en una comunidad. Una estructura de apoyo en un edificio, 1 Tm. 3:15 se refiere a la iglesia del Dios vivo como columna y fundamento de la verdad. Un líder en la comunidad, la iglesia o la familia; un sistema de apoyo fuerte, la sabiduría tiene siete pilares para dirigirnos y apoyarnos en el camino de la vida. Significa fuerte en la fe Mt. 17:20.

Columna vertebral: estructura de apoyo que permite sentir, intuir y moverse; tener los bríos o el valor para hacer frente; verse sin columna vertebral indica que careces de valor o fuerza de voluntad.

Columna: pilar que se apoya en una base sólida; líderes en los que la gente deposita su confianza; control y manipulación; orden obsesivo; un sistema de apoyo; alguien a quien le gusta mucha estructura y consistencia en su vida diaria.

Columpio: cambios de humor; altibajos emocionales; libertad o despreocupación; ir de un lado a otro en la toma de decisiones; columpiar un voto en su dirección indica que viene un gran favor. Verse a sí mismo columpiándose indica que te encuentras en un estado de ánimo infantil y despreocupado o en una estación de la vida. También puede representar el hecho de que estás dividido entre dos decisiones y sigues oscilando entre las dos y no puede tomar la decisión correcta. Es el momento de afianzarse en la Palabra de Dios y buscar su sabiduría.

Colza o canola: la semilla cuyo aceite de ácido erúcico se utiliza en la fabricación de lubricantes industriales, grasas saturadas y aceite de canola. También se considera un juego de palabras de alguien que

viola a una persona o algo que viola, roba o quita la fecundidad de alguien.

Coma: espiritualmente apagado o muerto, falta de sentidos espirituales, los sentidos naturales no responden a la llamada de Dios, el trauma ha hecho que los sistemas naturales se apaguen.

Comadreja: persona que no cumple una promesa; «comadrea»; chivato; soplón; traidor; advertencia de no hacerse amigo de antiguos enemigos; buscan derrotarte y devorarte en cualquier momento.

Comandante: ver a un líder o a alguien que toma el mando en tiempos de dificultad es una invitación para que te pongas a la altura de las circunstancias. Triunfarás si ejerces tu autoridad; aunque los héroes son raros, son bastante necesarios.

Combate: lucharás enérgicamente contra alguien con valores opuestos o te resistirás a él, significa «luchar por tus derechos o por los de aquellos que no pueden defenderse».

Combustible: se queda sin combustible: significa que te esfuerza demasiado; te falta energía; tu cuerpo puede tener una carencia de vitaminas o nutrientes; coma mejor; necesitas descansar y recuperarte.

Comedia: escuchar una comedia o presencia un show humorístico divertido sugiere que tu corazón necesita algo por lo que alegrarse. *«Gran remedio es el corazón alegre, pero el ánimo decaído seca los huesos»*, Pr. 17:22. *«Recuerda las grandes cosas que Dios ha hecho por ti».* Sal. 126:2; «Aun en la risa tendrá dolor el corazón; Y el término de la alegría es congoja», Pr. 14:13. Para tener éxito en la vida hay que saber reírse de uno mismo y aprender de los errores.

Comediante: ver a un comediante o humorista en un sueño indica que tendrás un final feliz en una situación difícil o de prueba; una obra dramática que tiene un tema y un carácter humorístico. Una advertencia para no tomarse tan en serio las situaciones e la vida; aprende a reírte de ti mismo; la vida debe ser divertida.

Comedor, hospital: estás en proceso de ser tratado o curado de una enfermedad o dolencia; si estás rodeado de un equipo de apoyo de expertos en el campo de la medicina estás esperando buenas noticias o un diagnóstico positivo. Presta atención a los alimentos que comes. Puede que necesites corregir tu dieta.

Comedor: lugar de comunión; compañerismo; con los amigos y la familia; alimentarse de la Palabra preparada por Dios.

Comer dinero: has estado devorando tus bienes por medio de apetitos extravagantes que están acabando con todos tus ahorros. Ten en cuenta también el dicho «pon tu dinero donde está tu boca». Tienes que cumplir con lo que prometes.

Comer en grupo: soñar con un grupo significa un momento de interacción social, optimismo y una ocasión de alegría con amigos o socios. ¿Qué te está comiendo? Comer con amigos o miembros de la familia indica unión, un fuerte sistema de apoyo, armonía, compañerismo, intimidad, relaciones sanas y realización social.

Comer solo: representa un momento de soledad, reflexión, pérdida o una actitud melancólica; puede indicar un sentimiento de aislamiento, rechazo o soledad, sentirse aislado, abandonado o deprimido, querer ser independiente. La comida reconfortante puede ser un sustituto de la amistad.

Comer en exceso: el exceso de comida indica una falta de autocontrol o de disciplina personal, una falta de amor, de placer o de amistad.

Comer: soñar que alguien o algo te come en un sueño indica que te sientes abrumado por las circunstancias de la vida. ¿Qué o quién te está comiendo?

Comerciante: realiza negocios en caravanas o viaja por temporadas y caminos; José fue vendido a los comerciantes, Gén. 23:16; 1 Apo. 10:28.

Comercio sexual: injusticia con los niños indefensos, las mujeres maltratadas, los jóvenes y los hombres, todos los implicados son unos perdedores, explotación de una vida humana debido a un espíritu de perversión sexual y codicia que lleva al asesinato y a la corrupción total.

Comercio: comprar, vender o intercambiar productos en una transacción para posicionarse para la expansión y la prosperidad; liberar lo viejo para recibir lo nuevo; una ocupación, industria o negocio específico que requiere una mano de obra especializada, por ejemplo, fontanero; intercambiar cenizas por belleza; ocupar el lugar de otra persona. Verse comprando y vendiendo bienes a gran escala indica que tendrá un intercambio mutuo de ideas e influencia en una empresa social o de mercado.

Comestibles: provisiones abundantes a manos llenas, alimento espiritual, Mc. 14:22.

Cometa: ver un cuerpo celeste orbitando cerca del sol o un cometa surcando o atravesando el cielo indica que ha llegado el momento de dejar atrás las heridas del pasado. Deje de cargar con las heridas de una catástrofe repentina o de una relación que se ha ido al garete. Los cometas representan un cambio rápido que debe producirse para avanzar y prosperar en el futuro.

Comida chatarra: comer cualquier cosa que te den; una dieta física y espiritual pobre; sin valor nutricional, Ro. 14:17; basura dentro, basura fuera; eres lo que comes.

Comida envenenada: indica que alguien te está alimentando con mentiras o fabricando una historia que te resulta difícil de tragar, están tratando de forzar su voluntad o formas de pecado, carencia o muerte sobre ti. Puede que necesites librarte del consumo excesivo de comida y alcohol para conseguir un mejor estado de salud. Ayuna para limpiar todos los celos y purgarte de la amargura, el pensamiento negativo, las ideas y la verborrea; eres lo que comes.

Comida para perros: los perros representan a los amigos leales o a los incrédulos religiosos, así que discierne qué tipo de perro aparece en el sueño. Los perros son carnívoros que comen carne. La carne representa la fuerte palabra reveladora de Dios. Si el perro no es un creyente, entonces son devoradores que se alimentan de la carne tuya o de otra persona. ¿Comen restos de comida, comida enlatada, seca o comida fresca de buena calidad?

Comida rápida: la comida rápida no es saludable para ti. Por favor, cambia tus hábitos alimenticios. Necesitas tomar tiempo para atender tu cuerpo físico y emocional, cuida tu salud.

Comida: en los sueños suele representar nuevas ideas creativas, sistemas de creencias y contemplación o «alimento para el pensamiento», digerir mentalmente las ideas, alimentar tu hambre espiritual comulgando repetidamente con la bondad de Dios, Mc. 14:22.

Comidas de huevos: soñarse comiendo huevos indica que eres una persona muy creativa y llena de nuevas ideas innovadoras.

Comidas: se refiere a la dieta equilibrada de alimentos espirituales, carne, leche, vino, fruta y verduras, un banquete en la presencia de Dios, una mesa de banquetes puesta delante de tus enemigos. Encuentra una manera de disfrutar de los encuentros espirituales para alimentar y edificar tu espíritu; estás hambriento de un toque del Creador; renueva tu mente con la Palabra de Dios, que cambia la vida; deja de obsesionarte con cosas que no puedes cambiar; estás reflexionando sobre asuntos o sucesos del pasado; deja de reprender a la gente; centra tus energías en las cosas importantes; elige tus batallas y deja de lado las cosas pequeñas.

Comiendo, estar: participar o consumir alimentos espirituales, nuevos pensamientos e ideas, Mc. 14,22.

Comino: semillas de la verdad de la Palabra de Dios; diezmo; enfocado en lo trivial. Is. 28:25-28.

Comité: ver un comité indica que te sentirás como si hubieras perdido mucho control sobre las decisiones de tu propia vida, y que otros tienen demasiada participación sobre las decisiones de las cosas que te corresponden.

Comodoro: verse como un oficial de Armada de un gran país con un rango superior al de capitán e inferior al de contralmirante o escuadrón, indica que tienes el potencial para llegar a influir en personas de todo el mundo a través de tu intelecto, agudeza espiritual, dignidad e integridad.

Compactador de basura: presionar las enseñanzas erróneas, las malas actitudes, los problemas del pasado y los sistemas de creencias para poder eliminarlos.

Compañero de clase: ver a un miembro del mismo curso indica que un amigo o conocido de tu red social está pasando por el mismo proceso de pruebas hacia la promoción que tú.

Compañero de trabajo, preparándose para sustituirte: una promoción, un movimiento espiritual superior.

Compañero de trabajo: compañero de trabajo en la misma oficina llamado a trabajar junto a él, un jugador de equipo; llama la atención sobre las relaciones interpersonales, las dificultades, la competencia, la ambición, las luchas, el estrés psicológico; o el comportamiento de apoyo. Ver a tus compañeros de trabajo en tu sueño puede indicar que los has descuidado de alguna manera. Puede ser que los hayas dejado por fuera de un proyecto importante o que tengan las habilidades que tú necesitas para tener éxito. Cuando se trata del trabajo, dos cabezas piensan mejor que una. Es hora de hacer un esfuerzo conjunto. No tenga miedo de compartir el mérito con otras personas que merecen el reconocimiento.

Compañero: un camarada, un amigo que te acompaña en el viaje, un compañero amoroso, esposo o esposa, o alguien que ayuda, vive o está de acuerdo con, o atiende a tus necesidades conduce a una gran felicidad y éxito.

Compañero: ver a un amigo, mejor amigo o hermano «haciendo compañía» indica que tienes el poder del acuerdo Dt. 32:30 y la resistencia (Ec. 4:12) en tu vida y nada será imposible para ti si te pones de acuerdo para pedir según la voluntad de Dios.

Compañeros infieles: soñar que su pareja, cónyuge o pareja te engaña apunta a que tienes miedo a ser rechazado o abandonado por falta de confianza o falta de autoestima, miedo al abandono, no estar a la altura, baja autoestima, notar indirectas subconscientes, medias verdades, compromiso parcial. Puedes estar sintiendo una falta de consideración en tu relación afectiva; que no estás cumpliendo sus altas expectativas o puedes estar sufriendo un déficit de atención. Tu subconsciente puede estar captando pruebas y señales sutiles de que tu interlocutor no está siendo del todo sincero o no es totalmente leal en la relación.

Comparar: verse equiparándose con sus similares, iguales o análogos, comparar o examinar las similitudes y diferencias de algo indica que eres una persona bastante exigente y capaz de tomar decisiones sabias y juiciosas.

Compartir: un corazón generoso que da, acciones.

Compases de tiempo: se ocupa de los tiempos y las finalizaciones de los siclos.

Compasión: sentir simpatía o preocupación por el sufrimiento de los demás, junto con un deseo sincero de ayudar, apoyar o mostrar misericordia, indica que tienes un don de amor, sanidad y ayuda. Mt. 9:13, 9:36, 14:14, 15:32, 20:34; Fil. 2:1; Elegidos de Dios, Cl. 3:12.

Competición: entrar, competir o ganar una competición indica que tienes un deseo ardiente de sobresalir y ser un ganador en cualquier cosa que emprendas; el espíritu de excelencia te encumbrará siempre a la cima. Recuerda que lo más importante no es quién gana, sino cómo se corre la carrera. Los tramposos nunca prosperan.

Competir: esfuerzo mancomunado de dos partes por un beneficio o premio. «*Si corriste con los de a pie, y te cansaron, ¿cómo contenderás con los caballos?*», Jer. 12:5.

Complexión: la combinación de frío, calor, humedad y sequedad controla el temperamento de nuestro cuerpo. Estos cuatro aspectos también constituyen la composición de la condición en que aparece nuestra piel, ya sea que tenga un color saludable, natural y una buena textura, o una apariencia opaca y cenicienta del rostro.

Cómplice: advertencia para reevaluar a quienes están en tu esfera de influencia, ya que están teniendo un efecto «nocivo» negativo en ti, subconscientemente culpable de un pecado o crimen oculto.

Componer: calmar o aquietar la mente para conciliar o arreglar, ordenar artísticamente y crear una obra literaria o una pieza musical. «*¡También yo podría hablar del mismo modo si estuvieran ustedes en mi lugar! ¡También yo pronunciaría bellos discursos en su contra, meneando con sarcasmo la cabeza!*», Jb. 16:4. Ten cuidado con tus arreglos comerciales.

Compra: obtener a cambio de dinero o su equivalente; adquirir con esfuerzo, ganar legalmente o por herencia, adquisición mediante pago, medio para aumentar la influencia, el poder o la ventaja.

Comprar joyas: éxito; prosperidad; bendiciones; favor; aumento.

Comprar: provisión específica para los deseos personales por designio divino; Dios te muestra el costo de lo que está disponible, Dt. 30:19. Soñar que usted o alguien está comprando alguna cosa representa tu aceptación de una idea, condición o situación que está «comprando». Piense en el talento, el regalo o la mercancía o en quién se está comprando. ¿Cuáles son tus necesidades, no tus deseos? ¿Sientes una carencia en algún área de tu vida? Recuerda que las cosas no traen la felicidad ni la plenitud, es importante mantener tu vida abierta, libre y despejada. Cuanto más grande sea la compra (un automóvil, una matrícula universitaria o una casa), mayor será el compromiso con una decisión vital costosa e importante.

Comprender: el Espíritu de entendimiento puede venir a ti en un sueño. Si quieres tener entendimiento espiritual y saber más que los ancianos necesitas buscar a Dios y estudiar sus preceptos, Sal. 119:100. *«Oirá el sabio, y aumentará el saber, Y el entendido adquirirá consejo, Para entender proverbio y declaración, Palabras de sabios, y sus dichos profundos. El principio de la sabiduría es el temor de Jehová; Los insensatos desprecian la sabiduría y la enseñanza»,* Pr. 1:5-7; *«Hazme entender el camino de tus mandamientos, Para que medite en tus maravillas»,* Sal. 119:27.

Comprometido: comprometido con una relación; recibir un anillo de diamantes en la fase de cortejo, cita exclusiva antes del matrimonio; fuera del mercado, reservado o no disponible para otros pretendientes.

Computador portátil: este tipo de computador lo suficientemente pequeño como para ser usado en el regazo es ideal para llevarse a cualquier lugar, de modo que el trabajo o el placer no se interrumpa o retrase. Los computadores portátiles representan estar bien situados para seguir adquiriendo conocimientos y sabiduría, para seguir prosperando. Ver o utilizar un portátil en un sueño representa tu necesidad de llegar a otros con una comunicación asertiva.

Computadora: necesidad de recuperar datos, recopilar hechos y cifras, almacenar información, cálculo de alta velocidad, se necesita mucha reflexión para un cálculo adecuado. 1 Sam. 23:22a, Jb. 42:4.

Comuna: si sueñas que vives en una comuna indica que gravitas en torno a personas que tienen una filosofía de vida común a la suya. Es señal de que no te gusta que se cuestionen tus opiniones.

Comunicaciones: soñar con las comunicaciones refleja tu necesidad de ser más abierto con sus deseos, necesidades y deseos frente a los demás, así como la necesidad expresar tus opiniones y transmitir la información o revelaciones que se te han conferido. Es posible que necesite más tiempo en presencia de tu Padre celestial para abrir una línea de comunicación espiritual.

Comunicador: has sido dotado con la capacidad de intercambiar ideas, mensajes, revelaciones e información mediante el habla, la escritura, el arte o alguna otra forma de comunicación. Se refiere al llamado profético en la vida de uno para recibir y liberar lo que Dios te ha revelado; como intercesor, comunicas las necesidades y decisiones de otros a nuestro Padre celestial en la oración.

Comunión: recordar todo lo que Jesús ha hecho por ti a través de su vida, muerte, sepultura y resurrección de entre los muertos. 2 Co 13:14.

Comunista: comunista, comunero, cree en el comunis-mo, marxismo-leninismo. Se mezcla con la sociedad y ya no destaca ni marca la diferencia en la vida, gente que quiere quitar a los ricos y dar a los pobres para que todos sean iguales y comunes.

Con los ojos vendados: no estás viendo las cosas con los ojos bien abiertos o con la conciencia clara, quítate las vendas y ve las cosas como realmente son, deja de engañarte a ti mismo.

Concebir: quedar embarazada, formar una nueva noción, opinión, relación, propósito, negocio, ministerio, etc.

Concejal: ver a un miembro del cuerpo legislativo del gobierno de un pueblo o ciudad, a un señor o príncipe, o a un funcionario de primera línea de una comarca, indica que necesitará la ayuda de personas con autoridad para superar algunos problemas de herencia de la familia debido a los celos.

Concejal: ver que un miembro del órgano de gobierno de un municipio vota a tu favor indica que tu capacidad de buscar la sabiduría de Dios en las circunstancias de tu vida hará que las cosas salgan como deseas.

Concepción: la fecundación de un óvulo representa el nacimiento de una nueva idea, noción, plan o concepto, inicio del embarazo.

Concertar: acuerdo en el propósito; sentimiento y acciones por parte de más de uno; plan; arreglar un acuerdo mutuo; idear o trazar un plan realizado en conjunto; combinar esfuerzos para terminar algo; alto orden; temporadas de placer; exitoso; fiel.

Concesión o franquicia: un acuerdo de concesión es el derecho contractual a llevar a cabo un determinado tipo de comercio o actividad empresarial en una zona, a explorar o desarrollar los recursos naturales o a operar un «puesto de concesión» dentro de un lugar más amplio. También hay que considerar las posibilidades de «conceder un juego» o conceder a un país o personalidad fuerte. Los puestos de franquicia suelen estar ahí por la comodidad, pero suelen servir «comida rápida», por lo que pueden representar una opción poco saludable.

Concha fea o sucia: puedes esperar una mudanza en un futuro próximo.

Concha, reunir o recolectar: tienes muchos amigos nuevos que caminan por la vida contigo. Puede que tu situación actual se haya quedado pequeña y necesites ampliar tu entorno o quedarte estancado.

Conchas marinas: ver conchas marinas indica que estás emocionalmente cerrado, protegido o buscando seguridad, no siendo fiel a ti mismo; quiere decir que no estás compartiendo tus verdaderos sentimientos y que tu forma de protegerte es enclaustrándote o recluyéndote.

Conchas: significan un deseo interior de estar protegido, resguardado y protegido de las dificultades de la vida. ¿Te has encerrado en ti mismo o te has encerrado emocionalmente guardando tus sentimientos? Considera también si te has replegado o disminuido, convirtiéndote en una «cáscara humana» en lugar de tu vibrante yo habitual, adoptando una actitud para enmascarar tus verdaderos sentimientos.

Conciencia: tienes una gran capacidad para reconocer la diferencia entre lo correcto y lo incorrecto cuando se trata de la conducta de una persona, con un buen sentido de lo que debe hacer y cómo debes actuar. Tus pensamientos más profundos y tu conciencia te ayudan a ajustarte a tu propio sentido de la conducta correcta.

Concubina: los hombres se cuidan de exponer públicamente la falta de carácter e integridad de uno, lo que lleva al fracaso de los negocios y a la deshonra; tratar a las mujeres como propiedad y no con respeto o como iguales; mujeres: que juegan a ser rameras; falta de respeto a sí mismas, degradación y humillación por medio de impropiedades. Jue. 19:24-29.

Concurso de comida: soñar que es un concursante en un concurso de comida sugiere que estás hambriento de atención. tus apetitos físicos están fuera de control. Deja de ser en un cerdo. Tus gracias sociales son escasas. Busca la sanidad de tu corazón roto cuando para que ya no tengas que comer en exceso para consolarse.

Concurso: una disputa en la que dos equipos opuestos se enfrentan en una lucha por la supremacía. ¿Siempre quieres ganar a toda costa? ¿Tu lado competitivo le hace ver todo como un desafío que debes ganar o conquistar? ¿Sigues las reglas y eres justo con los demás?

Conde: ver a un noble europeo en tu sueño indica que tu vida va a adquirir un nuevo ámbito de autoridad y favor en cuestiones gubernamentales.

Condenar: encontrar culpable, expresar desaprobación, denunciar, condenar o declarar no apto.

Condimento: *«Vosotros sois la sal de la tierra; pero si la sal se desvaneciere, ¿con qué será salada? No sirve más para nada, sino para ser echada fuera y hollada por los hombres»*, Mt. 5:13 Es posible que necesites condimentar o añadir algo de sabor a tu vida, para no aburrirte o conformarte.

Condolencia: escuchar una expresión formal de simpatía por la pérdida, la expresión de la pena de uno; indica que estará rodeado de muchos amigos durante un momento de tristeza o pérdida.

Condominio: los condominios representan el potencial y pueden indicar que se encuentra en una etapa inicial de la vida, habiendo pasado de un apartamento con el objetivo de llegar a tener una casa. ¿Cuál es tu situación actual en la vida? Un condomi-

nio también puede representar prosperidad financiera o independencia emocional si se trata de una segunda casa o un lugar de vacaciones. Soñar con un complejo de condominios indica la necesidad de unas vacaciones o que es el momento de hacer una inversión inmobiliaria. Tu vida puede estar en un cambio o transición, ya sea reduciendo su tamaño para simplificar tu vida o quizás empezando a mejo**rar desde un apartamento.**

Conducción de vehículos todoterreno: el camino puede ser duro a veces, pero las durezas nos ponen en marcha; no permita que ningún obstáculo, restricción o aversión se interponga entre usted y el camino al éxito; un vehículo todoterreno puede ser conducido a través de senderos para motocicletas o pistas de motocrós en medio de la naturaleza por recreación o trabajo; use el equipo de protección adecuado; es importante respetar el medio ambiente para tener una conducción segura e inteligente. La seguridad, la protección y el rendimiento son los aspectos clave de la diversión bien ejecutada por las trochas fuera de la carretera; para mantener el equilibrio se debe aprender a montar al lado de la colina. Está llamado a triunfar en las situaciones difíciles y variadas de la vida.

Conducción, carretera con curvas: las carreteras con curvas indican la necesidad de reducir la velocidad para asegurar tu capacidad de maniobra o aceptar los cambios que alteran continuamente tus planes.

Conducción de noche: si tu visión es limitada o conduces de noche, tu futuro no está claro y necesitas tomar decisiones radicales y establecer mejores objetivos.

Conducción: el vehículo representa el viaje de tu vida. Los coches se relacionan con tu «impulso» o ambición de lograr algo en la vida. Si otra persona conduce tu vehículo, le has cedido tus capacidades u objetivos vitales, por lo que estás fuera de control. El tipo de vehículo te permite conocer el grado de poder y el nivel de influencia que posees, así como la velocidad y el poder que tendrás para navegar por el curso de la vida. *Marcha hacia atrás:* si tu vehículo se conduce en reversa, estás experimentando grandes contratiempos. Jer. 3:22; 2 Pe. 2:21. Verte como conductor de negocios u otros asuntos indica que tienes un fuerte don de liderazgo y te gusta tener el control. Eres muy sensible a la transmisión espiritual y a la guía del Espíritu Santo. Puede recibir mensajes claros que dirigirán tu vida de manera exitosa.

Conducir con niebla: si estás cegado por la niebla, no eres consciente de ciertos aspectos o peligros en tu vida que siguen socavando tu éxito.

Conducir en estado de ebriedad: conducir ebrio indica que tu capacidad de decisión está fuera de control y que una fuerza externa domina o altera tu visión de la vida. Demuestra que la vida de uno está fuera de control, el alcohol lo domina y lo conduce.

Conducir auto de alquiler: un coche de alquiler o un autobús significa que estás pagando un alto coste por los avances que estás haciendo y que el fruto de tus labores le pertenecerá a otra persona.

Conducir, desde el lado del pasajero: conducir desde el lado del pasajero indica que estás intentando volver a valerte por ti mismo, recuperando el control del rumbo que lleva tu vida.

Conducir, en el asiento trasero: un conductor del asiento de atrás tiene problemas de poder y dificultades para ceder el control.

Conducir, obstáculos: si hay bloqueos, zanjas u obstáculos apareciendo continuamente, la gente está tratando de obstaculizar tu progreso o los problemas personales están limitando tu capacidad de avanzar hacia adelante.

Conducir: fuera de la montaña: desviarse de una montaña indica que alguien quiere destronar tu posición de líder o impedir tu avance. Las opiniones críticas de la gente intentan provocar tu caída.

Conductor de autobús: forma de dar autoridad o respeto a alguien en un grupo cuando nos sentimos más capaces que ellos; liderazgo en alguna idea o plan de grupo; poder colectivo; dar vueltas en círculos con poco progreso; para avanzar ser paciente y menos controladores; un conductor de autobús escolar: por el conocimiento y el aprendizaje en una nueva situación se avanza rápidamente en la vida.

Conductor: el que tiene el control de la situación, del negocio, del ministerio, del matrimonio o de la relación; ¿cuál es su tienda y/o naturaleza?; ¿quiénes son los pasajeros? 2 Re 9:20; La persona que está al mando, la posición de control, demostrando la capacidad de tomar decisiones, dirigiendo el negocio, la vocación o la vida personal en la dirección correcta o incorrecta.

Conejillo de Indias: mascota que se adora, experimentar como en un animal de laboratorio, animal impuro que puede representar el pecado, temeroso y tímido.

Conejo blanco: representa la magia como se ve en Alicia en el país de las maravillas, el Conejo de Pascua, algo que se multiplica muy rápidamente. Determina cómo aparece el conejo en el contexto del sueño. ¿Se trata de brujería blanca, de magia blanca o de un espíritu de lujuria o de un peluche inocente?

Conejo: mascota doméstica, un conejo es un símbolo mundano de la Pascua, significa gran potencial de crecimiento rápido y facilidad de multiplicación; espíritu inmundo de la lujuria, un amante desconsiderado que salta y se cae después de satisfacerse;

temores en la vida de una persona, persona no agresiva con mentalidad de víctima.

Conejo: Satanás; espíritus malignos; lujuria; celebración pagana de la Pascua; multiplicación rápida; crecimiento rápido; problemas; contenciones; grandes cambios; impuro; no agresivo; mentalidad de víctima, temores en la vida de una persona, Lev. 11:6.

Conferencia: oír a alguien dando una conferencia indica que estás recibiendo nuevas instrucciones sobre cómo proceder; se te está proveyendo educación y conocimiento. Verse a sí mismo dictando una conferencia indica que viajará para ser reconocido como una autoridad en un tema específico.

Confesar: reconocer, admitir o revelar algo perjudicial o inconveniente para uno mismo con el fin de limpiar la conciencia para el perdón de los pecados. *«Confesad vuestras ofensas unos a otros, y orad unos por otros, para que seáis sanados. La oración eficaz y ferviente del justo puede mucho».* Snt 5:16.

Confesionario: confesar los pecados, las debilidades y las culpas unos a otros o a Dios trae consigo la limpieza del alma y el perdón. *«Tenemos un gran sumo sacerdote que ha atravesado los cielos, Jesús, el Hijo de Dios, mantengamos firme nuestra confesión. Porque no tenemos un sumo sacerdote que no pueda compadecerse de nuestras debilidades, sino uno que ha sido tentado en todo como nosotros, pero sin pecado. Acerquémonos, pues, con confianza al trono de la gracia, para alcanzar misericordia y hallar gracia para ayudarnos en el momento de necesidad».* Heb. 4:14-16; *«Mantengamos firme la confesión de nuestra esperanza sin vacilar, porque el que prometió es fiel; y consideremos cómo estimularnos unos a otros al amor y a las buenas obras, sin dejar de reunirnos, como acostumbran algunos, sino animándonos unos a otros; y tanto más cuanto veis que se acerca el día»,* Heb. 10:23-25.

Confianza: determina en quién o en qué te apoyas en el sueño. Si has depositado tu fe o tu confianza en alguien o en algo que no sea Dios, serás destituido. Es tiempo de enfocar tu amor y energía en Cristo solamente para que puedas entrar en un balance apropiado y prosperar en cada área de tu vida.

Confiar: ¿En quién confías en la vida? ¿Las personas que te rodean son fiables o te han decepcionado? ¿Estás lidiando con decepciones? Jesús es un amigo que estará más cerca de ti que un hermano de sangre. Aprende a echar tus preocupaciones sobre Él y a confiar en su bondad y misericordia. Escuchar que alguien confía en ti indica que eres digno de confianza y que puedes guardar un secreto o una confidencia, revelar algo que te han confiado es señal de que eres una persona débil, sin carácter y propensa a los chismes y a la calumnia.

Confiscar: ver a alguien con autoridad confiscar o apropiarse de algo de valor, o soñar con que se pierde una propiedad en un sueño es una advertencia que indica que alguien o una fuerza espiritual maligna quiere hacerte daño. Debes tener mucho cuidado con tus negocios.

Confitería: un proceso dulce es producir un personaje de carácter e integridad; la preservación de los caminos rectos; la combinación de elementos favorables para liberar la prosperidad y la perfección; un anhelo cumplido; Sal. 55:14, compañía, dulce compañerismo; Sal.119:103, dulces palabras; Pr. 16:24, las palabras agradables son curativas; la luz; la sabiduría; Pr. 9:17, el agua robada es dulce, el alimento comido en secreto es delicioso.

Conflicto: choque de dos ideas, puntos de vista o posiciones opuestas, guerra o lucha prolongada, disputa, estado de desarmonía y división, exhibición de comportamientos impulsivos.

Confort: soñar que se está a gusto experimentando una liberación del trabajo, del dolor o de las molestias físicas en un lugar tranquilo o de descanso puede indicar que estás libre de las preocupaciones diarias y del temor. Has llegado a un lugar de paz mental donde puedes disfrutar de la soledad y no te ve afectado por el estrés o las dificultades de la vida.

Confrontación: un enfrentamiento representa un desacuerdo o un temor al que te estás enfrentando en la vida. Los sueños proporcionan una vía «segura» para enfrentarse a un oponente o agresor al que se le teme. Toma nota de lo que haces y dices al rival durante tu sueño para que puedas superar tus miedos.

Confucio: fue un maestro, editor, político y filósofo chino que hizo hincapié en el conocido principio de la Regla de Oro: «No hagas a los demás lo que no quieras que te hagan a ti». Defendía la moralidad personal y gubernamental, la corrección de las relaciones sociales, la justicia y la sinceridad, la fuerte lealtad familiar, el culto a los antepasados, el respeto a los mayores por parte de los hijos y a los maridos por parte de las esposas. Soñar con Confucio indica que necesitas espabilarte y cambiar tu comportamiento. Busca a Dios para acceder a la verdad y obtener sabiduría. Necesitas escuchar a aquellos que son respetados por su sabiduría, dice Confucio.

Confusión: significa estar aturdido, desconcertado o temeroso, sin claridad mental y de contenido, disipado de la realidad, desconcertado; es indicativo de que debes busca a Dios para obtener sabiduría y claridad de dirección; pide y espera que venga la paz antes de tomar decisiones. Ora por sabiduría, paz y claridad para eliminar el estado mental confuso o cuando sientes que las cosas no tienen sentido; determina los móviles te tu indecisión, evalúa la situación, elimina los obstáculos hasta que se esclarezca el sendero, siempre opta por los caminos más altos o más difíciles; recuerda que el carácter y la integridad son vitales.

Congelado: ver algo congelado en un sueño indica que algo está siendo preservado o suspendido en el tiempo. Puede que necesites activar tus emociones en una relación o descongelar tu frío corazón y permitirle volver a sentir antes de que pierdas a alguien cercano y querido.

Congelador: un congelador en el sueño indica que tiene sentimientos fríos o frígidos hacia quienes te rodean. Los alimentos congelados se conservan, por lo que puede estar esperando a descongelar una nueva idea o plan para acceder a ella en un momento posterior más adecuado.

Congestión: tener la nariz congestionada indica que debes ser más exigente con las personas que te rodean.

Congregación: asamblea de personas o miembros de un determinado grupo religioso, una iglesia o institución religiosa.

Congreso: verse reunido en una asamblea formal de representantes de varias naciones para discutir problemas indica que tendrá gran influencia en los próximos dos años.

Conjurador: autoengaño o engaño a los demás; asombrosas capacidades mágicas e inconscientes de la mente para crear, imaginar, incidir y cambiar una situación.

Conjuro: suplicar o invocar, convocar mediante juramento o artilugio, hechizo mágico o evocación de espíritus o pedir a un demonio, conspirar contra alguien con intención maligna.

Conmoción cerebral: soñar que tiene una conmoción cerebral indica que tu vida de pensamientos negativos está teniendo un impacto adverso en tu mente y cuerpo. Necesita renovar tu mente con la Palabra de Dios y pensar en pensamientos más positivos que traerán salud y sanidad. Tu ego puede estar fuera de control haciéndote ver como un engreído «cabezón».

Conmutador o centralita: verse conectado a una centralita telefónica indica que su red social va a ampliar su influencia a un nivel de éxito totalmente nuevo. Te estás conectando con más gente de la que creías posible.

Conmutar: tiene que ver con intercambiar o sustituir una cosa por otra; reducir una deuda o un pago; viajar de un lado a otro como conmutador indica que eres muy calculador y bueno para sortear diferentes circunstancias en tu beneficio.

Connecticut: «El que trasplanta, sostiene»; lleno de sorpresas; Estado de la Constitución; Estado de la Nuez Moscada; Arsenal de la Nación; Laurel de la Montaña.

Conocido, adquirir conocimiento de: Adquirir conocimientos sobre una persona en un sueño indica que hay potencial para desarrollar una amistad duradera si la información que obtuvo es positiva. Si la información es negativa, considérela como una advertencia para que no siga relacionándose con esa persona.

Conocido, discusión: Discutir o pelear con este aspecto indica que no se siente cómodo con esta parte de su personalidad; está rechazando una parte de sí mismo.

Conocido: Relación menos íntima que una amistad personal, alguien que conoce, sabe o está familiarizado con una persona o situación conocida, 2 Re. 12:5. Ser observado en un sueño revela un nuevo rasgo de la propia vida que ha estado oculto.

Conocimiento: es el estado o el acto de conocer la sabiduría, las ideas o las habilidades. Conocimiento o comprensión adquirida por la experiencia o el estudio. La suma o gama que se descubre, percibe o aprende. Relaciones sexuales Adán conoció a Eva. Soñar que se obtiene conocimiento indica que el Espíritu Santo está visitándote con su revelación y entendimiento para capacitarte, prosperarte y llevarte al éxito.

Conquista: verse en proceso de conquistar algo, ya sea territorios o grupos de personas indica que has sido cautivado por el amor.

Consejero: busca seguridad en la multitud de consejeros dotados en lugar de depender de tu propia sabiduría, Espíritu Santo, Espíritu de Sabiduría, Jesús el Mesías, Is 9:6; el Espíritu de consejo y poder, Is. 11:2; un abogado o defensor, uno que da consejo o aconseja, un consejero sabio, Is. 40: 13; uno que supervisa a los niños, un hombre de entendimiento, 1 Cro. 27:32; un profeta, 2 Cro. 25:16; buscar apoyo o dirección piadosa; llamado a prestar atención a lo que se dice o se hace; la oración es necesaria para poder resolver un problema difícil. Sabiduría piadosa, profeta, consejero, seguridad en el acuerdo.

Consejo: tribunal judicial, el Sanedrín, Mt. 12,14; Hch. 25:12; los consejeros de Festo, el gobernador romano; en Mt. 5:22; Mc. 13:9, el tribunal menor. Necesitas sabiduría para tomar una decisión acertada, ora y busca el consejo de Dios.

Consejos: Aparece en un sueño cuando se necesita sabiduría para tomar decisiones importantes. Escuche a la sabiduría y clama por el discernimiento en asuntos de relevancia. Escuche su corazón y la voz de la razón. Si está dando un consejo, tiene la sabiduría, el conocimiento o la perspicacia necesarios para una situación determinada en la vida de otros.

Recibir un consejo en un sueño es como recibir una pequeña palabra de conocimiento o sabiduría que te ayudará a tomar próximas decisiones.

Consentimiento: verse a sí mismo dando voluntariamente su asentimiento, permiso o aprobando algo, o tener la misma mentalidad y opinión de otros para tomar las acciones correctas indica que eres una persona razonable que está llena de integridad y honor.

Conserje: capacidad de limpiar los desórdenes de otros, don de servicio, corazón de siervo, Pr. 14:35; 1 Cr. 9:22-26.

Conservar: soñar que conservas a alguien o algo en un lugar determinado; almacenar o retener algo como posesión propia; hacer uso de ello durante un período de tiempo: mantener un secreto o promesa, condición, posición, estado, curso o alguna acción, de acuerdo con los requisitos específicos como por el cuidado y el trabajo, indica que estás preocupado por tu bienestar y quieres conservarlo.

Considerado: algún negocio personal ha sido concluido, Hch. 27:27.

Consolador: Jesús, el Espíritu Santo de Dios viene a dar consuelo, Dios nunca dejará ni abandonará al creyente; Jer. 8:18.

Conspirar: planear o maquinar en secreto para cometer un crimen o un acto ilícito mediante una acción ilegal. Apártate de aquellos conocidos que no son piadosos o ellos corromperán tu buen comportamiento y traerán destrucción a tu vida.

Construcción de la iglesia: puede indicar que se está actuando de una manera religiosa estructurada o legalista en lugar de moverse por la vida llenos de amor actuando como el templo vivo de Dios. Jesús dijo que edificaría su iglesia sobre la revelación. Mt. 16:18.

Construcción: significa una nueva oleada de energía, desarrollo, aspiración y seguridad renovada, una reconstrucción de la propia vida y de la confianza en uno mismo; trabajar en un nuevo aspecto de la mente, el cuerpo o el espíritu; la ropa o la protección inadecuadas en una obra de construcción indican que no se está preparado para aceptar los cambios necesarios para alcanzar un nivel de producción superior.

Constructor: Jesús, Hacedor y arquitecto, alguien que es hábil en la construcción de algo a partir de materiales en bruto, finalizador.

Construir: crear o construir sistemáticamente o poner en orden algo; si está sin construir no pierda la esperanza, es un proceso.

Contabilidad: soñar con la contabilidad indica la necesidad de poner en orden las finanzas, la vida y las acciones. La contabilidad es la organización por escrito de las finanzas empresariales o personales de acuerdo con las directrices estandarizadas establecidas. Esto proporciona una visión general del estado financiero actual de la persona o la empresa. ¿Está usted actualmente diezmando para mantener su estado financiero celestial donde debe estar?

Contador o contable: Espíritu de pobreza, de ahorro, demasiada atención a los detalles, cálculo del costo, objetividad de las circunstancias, reevaluación, segunda mirada para ver si los hechos cuadran, prosperidad.

Contador: necesidad de mantener la propia vida en un sistema de control y armonioso equilibrio; estar en un estado de alta responsabilidad; centrarse en los pequeños detalles para prosperar.

Contaminación: en un sueño significa que has entrado en contacto con alguien o algo impuro cuando se representaba como puro y sin mezcla. Ora por discernimiento. Palabras ruidosas o abusivas que dañan, hieren, controlan o atan, opresión o brujería; abundancia de pecados de una nación, Sal 106:38.

Contar mal: el error de cálculo o un recuento inexacto conducirá al fracaso si no se corrige; advierte de personas que roban ajustando los libros de contabilidad a su favor.

Contar: si está contando el sueño sugiere que estás calculando el costo para avanzar en alguna nueva empresa o relación. Significa que eres confiable y seguro, por lo que otros «cuentan» con tu sabiduría, cordura y capacidad de consejo para sumar experiencia. Aprende a actuar con mesura y a disfrutar de la vida. Evite volverte demasiado cabal, rígido, obsesivo-compulsivo o excesivamente reglamentado. A nadie le gusta los tacaños. Trata de controlar tu temperamento, impaciencia, inflexibilidad, obstinación, y tu habitual tendencia a querer tener el control de todo. Relájate y tranquilízate. Ponle pausa a tu acelerare y el éxito llegará por sí solo.

Contener la respiración: una situación desafiante o repentina que te deja sin aliento. Necesitas tomar un nuevo aliento del Espíritu. Llamado a anticipar un gran movimiento del Espíritu de Dios; aguantar la respiración con grandes expectativas para ver lo que va a pasar.

Contentamiento: sé considerado con los sentimientos y deseos de los demás. *«Pero gran ganancia es la piedad acompañada de contentamiento; porque nada hemos traído a este mundo, y sin duda nada podremos sacar. Así que, teniendo sustento y abrigo, estemos contentos con esto»* 1 Tm. 6:6-8.

Contestador: escucha lo que los demás tienen que decirte.

Contienda: verse envuelto en un acalorado conflicto violento indica amargas disensiones y una lucha acalorada entre rivales; ora por sabiduría y paz. Perversidad en el corazón, un testigo falso que profiere mentiras e insolencia, continuamente trama el mal, y propaga la contienda, Pr. 6:14; 6:19; 13:10; el odio y el temperamento ardiente avivan la contienda, pero el lento para la ira calma una disputa, Pr. 10:12; 15:18.

Contraalmirante: soñar con un oficial comisionado de la marina o contraalmirante indica que te encuentras en un nivel introductorio y que aún te queda un largo camino por recorrer para alcanzar el más alto rango o la mayor autoridad.

Contrabandista: alguien que actúa por fuera de la ley o que las reglas no se le aplican.

Contrabando: intento de obtener un objetivo, un objeto o una posesión material a través de acciones secretas o ilegales, intento de hacer una jugada sagaz; incapacidad de expresar tus sentimientos o emociones libremente, dificultad para superar los obstáculos. Ver que se importan o exportan bienes prohibidos por la ley, tráfico ilegal o carga de contrabando, indica que estás tratando de salirte con la tuya en algo que no deberías hacer.

Contradicción: Eres tú quien negará el avance del proyecto si percibes alguna incoherencia o discrepancia en la contabilidad o en los planes. Es el momento de reevaluar los contratos antes de seguir adelante. Los números no cuadran.

Contradictor: oponerse o contradecir, declarar algo falso o negar una acusación en un sueño indica que alguien está mintiendo sobre tu carácter y poniendo en duda tu reputación, Lc. 21:15.

Contraseña: soñar que se accede a la información de una cuenta, una computadora o un iPhone a través de una contraseña indica que tendrá contacto y control sobre nueva información y recursos en su vida. Discierna los significados de los números y las letras en el código que se le da para obtener más comprensión o descubrir un misterio oculto en el mensaje. Si ha olvidado su contraseña, esto indica que se le está bloqueando información valiosa y necesaria y que su vida dará un giro para mal. Ver una contraseña en un sueño puede representar la palabra autorizada que se le da para permitir la entrada a un edificio o función. Una contraseña también puede abrir o permitir el funcionamiento de ciertas máquinas o computadoras. Una palabra de sabiduría o conocimiento dada proféticamente por Dios puede abrir el camino (una «contraseña») para la curación, la liberación o la comprensión para cambiar su vida o la de otra persona.

Contrato antisindical: un contrato entre empleador y empleado, ahora ilegal, por el que el empleado se compromete a no permanecer ni afiliarse a un sindicato mientras esté empleado.

Contrato: hacer un acuerdo legalmente exigible entre dos o más partes; que tus palabras sean tu vínculo; tu sí debe significar sí y tu no debe significar no, un encargo pagado para asesinar a alguien, firmar un acuerdo significa que has llegado a nuevos términos y que serás promovido o que aumentarás de favor en breve.

Control remoto: te has desvinculado de la actividad de la vida, eres un holgazán que dirige su vida desde una silla, 1 Tes. 4:4.

Control: ejercer la moderación sobre uno mismo con en el fruto del espíritu de el autocontrol que es una virtud, tener la responsabilidad o la dirección sobre el bienestar de alguien; no abuses del control moviéndote autoritariamente o tomando el timón donde no se te ha dado dicha facultad.

Convento: edificio o vocación para desarrollar una comunidad espiritual; monjas ligadas por votos a una vida religiosa bajo una superiora.

Conversación: escuchar un intercambio de opiniones, pensamientos y sentimientos en un sueño indica que puedes necesitar tener una discusión informal con aquellos que están en relación contigo.

Convertir: cambiar a otra forma o sustancia, estado o producto, transformar, persuadir o inducir a adoptar una fe o creencia particular, convertirse a una religión indica que has cambiado tu sistema de creencias mundanas por la salvación en Jesucristo.

Convicción: tu corazón es tierno para el Espíritu Santo, tanto, que eres capaz de llevarte con facilidad al arrepentimiento, a la convicción de pecado o maldad, a encontrar o probar que alguien es culpable de una ofensa o crimen por el veredicto del tribunal. *«De estos también profetizó Enoc, séptimo desde Adán, diciendo: He aquí, vino el Señor con sus santas decenas de millares, 15 para hacer juicio contra todos, y dejar convictos a todos los impíos de todas sus obras impías que han hecho impíamente, y de todas las cosas duras que los pecadores impíos han hablado contra él»*, Jd. 14-15.

Convulsión: intensa contracción muscular involuntaria, un ataque descontrolado o una violenta agitación tratará de manifestarse, busca a Dios para que te dé sabiduría, paz y desarrolles el autocontrol.

Convulsión: ver o experimentar el acto de convulsionar o el estado de ser convulsionado a modo de convulsión epiléptica repentina o un ataque al corazón u otra sensación repentina, indica una presencia demoníaca. Declara el nombre de Jesús, así como su sangre y reprende este ataque físico o espiritual.

Cónyuge: puedes estar comprometido para ser el compañero de matrimonio de alguien. Los dos serán uno cuando se casen, así que ver a su cónyuge en un sueño indica que lo que vea también te afectará profundamente.

Copa de oro: ver o beber de una copa de oro puede representar la comunión en una mesa de abominaciones.

Copa de vino rota: representa a un burlón ruidoso y violento, a un seductor o a un engañador, a un corazón roto o pesado que intenta olvidar las dolorosas decepciones o traumas de la vida.

Copa de vino: puede representar el corazón de alguien que está preparado para contener vino espiritual nuevo al comulgar en la alegría del Espíritu Santo. Es capaz de contener las bendiciones, la bondad y la prosperidad del Señor.

Copa rota: una copa rota sugiere emociones ansiosas o sentimientos de incapacidad o de ser impotente para manejar adecuadamente algo que se te ha entregado en la vida.

Copa: ¿Eres capaz de beber de la copa del sufrimiento que se presenta? ¿Ves las cosas como si tu copa estuviera medio llena (visión optimista) o medio vacía (visión pesimista)? Considera también la expresión «mi copa rebosa», que indica grandes bendiciones, abundancia y desbordamiento. Las copas representan la porción de amor, curación, restablecimiento, renovación y cuidado que se te ha medido. Una copa también puede representar un vientre, ya sea lleno (preñado) o vacío (estéril). Una oportunidad para beber de una experiencia de vida positiva o negativa; comunión; juicio; prueba; tribulación; *«Padre mío, si es posible, pase de mí esta copa; pero no sea como yo quiero, sino como tú».* Mt 26:39; participar, tomar parte, 1 Co 10:21. Ver en sueños un cuenco sin asas utilizado para la comunión indica que le gusta pasar tiempo en comunión con Dios.

Copero: elegido por su atractivo y belleza; persona de alta confianza, rango e importancia; llamado a «ser suplente», con acceso frecuente a la presencia real del ungido Gén. 41:9.

Copiar: considera un honor que otros traten de emular, reproducir, modelar, hacer un patrón o imitar tus acciones, eres un modelo a seguir, un manuscrito que hay que poner en práctica, evita que alguien viole tus derechos de autor.

Copo de nieve de obsidiana: la nieve es un símbolo de un nuevo comienzo limpio y de pureza. Ver una gema de obsidiana en forma de copo de nieve puede alertar al soñador de una necesidad de desintoxicación espiritual o física, liberarse de la amargura y la falta de perdón, restaurar la función muscular de manera adecuada eliminando los calambres dolorosos.

Copular: unirse con el propósito de incrementar la producción; entrar en unión con los propósitos o la vocación de otra persona; reproducción de una buena idea o proceso; participar en el coito.

Coqueteo: diversión en los círculos sociales si está dentro de los límites de seguridad; advertencia de problemas domésticos si es rencoroso.

Coqueteo: invitación abierta a una relación íntima, coqueteo con el peligro o con una nueva oportunidad de progreso.

Coral rosa: representa el corazón restaurado de la inocencia de la infancia, la cual te devolverá la esperanza y una energía juvenil eliminando el temor. 2 Tim. 1:7.

Coral: en sueños, el coral representa una comunidad próspera, llena de vitalidad y armonía vital. Depresión o espíritu de pesadez, Is. 61:3, o trastornos del sistema nervioso. Al volver a centrar tu corazón en Jesús, una nueva paz que sobrepasa todo entendimiento vendrá a través de la restauración de las cosas perdidas o robadas en el pasado. *«Y la paz de Dios, que sobrepasa todo entendimiento, guardará vuestros corazones y vuestras mentes por medio de Cristo Jesús»*, Fil. 4:7; *«No se hablará de coral ni de perlas, porque el precio de la sabiduría es mayor que el de los rubíes»*, Jb. 28:18; Ez 27:16.

Coraza: símbolo de defensa; intento de protegerse de la ruptura emocional o del amor; pieza de la armadura antigua que protegía el pecho, Ef. 6:14: Is. 59:17; paño bordado con adornos que cubría el pecho del sumo sacerdote, Éx. 25: 7; engastado con cuatro hileras de piedras preciosas, tres en cada hilera; grabado con los nombres de las doce tribus, Éx. 28:15-29; 39:8-21; de diez pulgadas de tamaño cuadrado; se sujetaba al efod con cintas azules, Éx 28:28; y el cinturón del sacerdote; recordatorio del carácter representativo, el memorial, Éx 28:29; la coraza del juicio. Éx. 28:15; la coraza de la justicia; vestido y de pie en Cristo; mentes renovadas con la Palabra de Dios; vestido de justicia; protege los órganos vitales; capacidad de respirar la unción del Espíritu Santo, el poder, la revelación, la vida, para digerir la palabra; estar de pie en lugar de temblar cuando se le confronta; protege del miedo, la flaqueza, la enfermedad, la debilidad, la muerte; y de las heridas emocionales.

Corazón: amor, centro de deseos, afecto y emociones, piedad, simpatía; guarda, vigila tu corazón porque de él brota el manantial o las cuestiones de la vida, Pr. 4:23; centro del propio ser y de las sensibilidades, estado de ánimo, preocupación o simpatía, compasión, Ez. 36:26; afecto, toma valor, sé fuerte, fortaleza, devoción, sentimientos más profundos; Sal. 57:7; Dios te dará los deseos de tu corazón, la sabiduría entrará en tu corazón, aplica tu corazón a la disciplina, guarda mis mandamientos, no envidies a los pecadores, quita la pena y la ira, la arrogancia te engañará, Ab. 1:3, desgarra tu corazón, vuelve a Dios, Jl. 2:12- 13; ama a Dios con todo tu corazón, Mt. 22:37; donde está tu tesoro, Mt. 6:21; perdona de corazón, Mt. 18:35, 15:19; un corazón duro o corazón Grinch. La luz verde de la unción de Dios sana

las condiciones del corazón. Las promesas de Dios escritas en las tablas de nuestro corazón; dolor emocional o dolor de corazón; un dolor punzante indica brujería o condición física del corazón; agrandamiento; maldición; masonería.

Corazones: un palo de cartas de corazones indica el amor verdadero y el romance. Un corazón representa la esencia interior de la persona, tus pensamientos e intenciones o quiénes son realmente, la mente y las emociones de uno que afectan a su voluntad y a los propósitos de su vida, el núcleo de la compasión, el alma o los recuerdos de una persona, el lugar donde Dios habla y deposita su sabiduría. La sede del amor a uno mismo, a Dios y a los demás.

Corbata: necesitar ayuda para atarse la corbata en un sueño indica que tienes dificultades para hacer las cosas por sí mismo; has llegado a un nivel de frustración y necesitas que otros te ayuden a lucir bien.

Corbata: unir; anudar; «atar el nudo» en el matrimonio: confinar, restringir; ensartar o conectar; vestido profesional; banda de seda o tela que se pone debajo del cuello de la camisa.

Corbatín: preparado para una ocasión formal y elegante.

Corcho: los corchos representan la flexibilidad, el ingenio y la adaptabilidad a diversas circunstancias; capacidad de mantenerse a flote en tiempos de caos, de cabalgar sobre las olas de los problemas y de elevarse por encima de cualquier situación. Ver descorchar un corcho puede simbolizar una celebración por los logros obtenidos, ser honrado con un brindis o el clímax sexual de un hombre. Considera la expresión «poner un corcho» si tu boca está siempre farfullando. ¿Alguien se comporta de forma extraña o estrafalaria?

Cordero sacrificado: representa a Jesús, el dulce y perfecto Cordero de Dios; que dio su vida como sacrificio expiatorio.

Cordero: Jesús como nuestro sacrificio, el cordero de la Pascua; verdaderos creyentes; mansedumbre; santos; la iglesia; Israel; infantil; inocencia; dependiente; desplumado en asuntos financieros; joven; dulce; de modales suaves, Jn. 1:29; 21:15.

Cordón de zapato desatado: si está desatado entonces no estás preparado para la tarea que tienes entre manos; no debes continuar con una relación o emprendimiento. Tus fondos son limitados; tienes un «presupuesto apretado».

Cordón de zapato: atarse los cordones indica investigación o entrenamiento para una próxima disputa; prepararse para avanzar en sus objetivos o en una decisión.

Cordón: conectado a algo; lazos del alma; cadena; vínculo; cautivo; amor; salvación; el cordón de tres dobleces no se rompe fácilmente, armonía, tocar una cuerda. ¿Tus decisiones vitales y la aprobación de tus relaciones siguen ligadas a tu madre o a otra persona? Los cordones pueden representar las limitaciones, el control, las cadenas y las cuerdas o restricciones que se imponen, puede que haya una relación que esté en peligro y que cuelgue de un hilo, un fracaso o un percance inmoral puede dejarte colgado.

Cordura: es la cualidad o el estado de estar cuerdo, con una mente sana y saludable. Soñar con tu cordura significa que tienes o necesitas renovar tu mente con el lavado de los patrones de pensamiento o sistemas de creencias erróneos para poder tener una mente sana y entrenada para pensar en los caminos más elevados de Dios. Piensa en todo lo que es verdadero, en todo lo que es honesto, en todo lo que es justo, en todo lo que es puro, en todo lo que es amable, en todo lo que es de buen nombre; si hay alguna virtud, si hay alguna alabanza, piensa en estas cosas. Alternativamente, podría sugerir que el enemigo está tratando de hacerte creer que estás perdiendo el control de tu mente. Sométete a Dios, resiste al diablo y él huirá de ti. *«Porque no nos ha dado Dios espíritu de temor, sino de poder, de amor y de dominio propio»*, 2 Tm. 1:7.

Corn hole, juego: esperar que por casualidad se alcance la madurez; juego de azar que se juega con bolsas de frijoles que se lanzan por un agujero plano en un tablero. Al igual que el beanbag toss, corn toss, baggo o bags, es un juego de césped en el que los jugadores se turnan para lanzar bolsas de maíz sobre una plataforma elevada con un agujero en el extremo más alejado. Una bolsa en el agujero suma 3 puntos, mientras que una en la plataforma suma 1 punto. El juego continúa hasta que un equipo o jugador alcanza la puntuación de 21.

Cornalina: es usada como sello, grabado, de color rojo, primera piedra en el pectoral del sumo sacerdote (cornalina), trono celestial, brillo o santidad divina, ira ardiente. *«Y el aspecto del que estaba sentado era semejante a piedra de jaspe y de cornalina; y había alrededor del trono un arco iris, semejante en aspecto a la esmeralda»*, Apo. 4:3. Ver una piedra preciosa de cornalina en tu sueño indica que tienes un deseo, hambre y una sed renovada por buscar a Dios de una manera nueva. Tus fuerzas se renuevan como la del águila Sal. 103:5. Sabrás y verás que el Señor es bueno Sal. 34:8. Se encuentra en Brasil, India, Siberia y Alemania.

Cornamenta: marcar el propio territorio; un enfrentamiento para demostrar dominio propio; mostrar autoridad con fuerza o luchar para obtener un premio.

Cornejo: durabilidad; este de Norteamérica; Virginia; Carolina del Norte.

Corneta: dedicación; instrumento de viento; accionado por pistones. 1 Cro 15:28; Da 3:5,7.

Cornucopia: ver un cuerno de la abundancia en tu sueño indica una temporada de gran favor, Col. 3:16; acción de gracias; aumento y bendiciones que te están tomando en cada área de tu vida.

Coro: un grupo organizado de cantantes y miembros de la banda; espera un entorno alegre que sustituya a la tristeza y el descontento.

Corona de la vida: ver la corona de la vida representa la salvación que lleva a la vida eterna. Snt. 1:12; Apo. 2:10.

Corona imperial: tus logros y disciplinas continuas te llevarán a aumentar tu capacidad de liderazgo; nueva autoridad; majestuosidad y poder.

Corona seca: si la corona está seca o moribunda puede representar enfermedad o muerte.

Corona: dar a luz a un bebé o a una nueva idea, victoria o vencedor, campeón triunfante, éxito que se otorga por las cosas que se logran en la vida; el ganador o la ganadora de un concurso, un símbolo de autoridad como un rey o una reina son coronados para gobernar un reino; prestigio, realeza, superar el pecado para obtener la salvación. 1 Pe. 5:4; 1 Cor. 9:25; Jn. 19:2. Se celebrarán los logros de la coronación; surgen nuevas oportunidades a medida que las venturas pasadas maduran hasta completarse; un monumento conmemorativo; decoración de honor; finales felices; busca un nuevo giro o curva que se entrelace con el éxito, Pr. 4:7-9.

Coronación: verse a sí mismo o a otros siendo coronado en un acto ceremonial de un soberano o consorte indica que recibirá una justa recompensa por las acciones honorables que has realizado.

Coronas de oro: ver coronas de oro en un sueño representa la realeza que está reinando. Apo. 4:4; Sal. 21:3.

Coronel: soñar con un oficial del Ejército, la Fuerza Aérea o el Cuerpo de Marines de los Estados Unidos u otra nación con un rango inmediatamente superior al de teniente coronel e inferior al de general de brigada, sugiere que eres una persona disciplinada con autoridad necesaria para ayudar a entrenar a otros a fin que puedan alcanzar su destino.

Corporación: entidad privada con estatutos legalmente reconocidos, donde cada uno de sus miembros tiene sus propios derechos, privilegios y distintas responsabilidades; soñar con una corporación indica que sabes cómo animar a un grupo de personas para que se unifiquen y actúen como una unidad totalmente cohesionada y capacitada.

Corral: recinto para confinar, conducir a la bodega, para tomar posesión o apoderarse del ganado o formado por un círculo de carros para la defensa contra un enemigo en una época de viaje, transición o pionero. Puede tener la sensación de que le están arreando o manteniendo cautivo en una zona de influencia limitada. Ver este gran recinto o corral que estabula temporalmente el ganado para su venta, sacrificio o envío indica que es capaz de reunir y liberar recursos mientras ganas o mantienes la riqueza.

Correa: establecimiento de límites seguros, restricción o limitaciones, 1 Cor. 7:35; Jb. 41:5; guiar; retener o controlar.

Correcaminos: representa la astucia y la destreza mental o una mente acelerada; rapidez en los pies; tendencia a correr de una idea a otra; capacidad de procesar diferentes planes de acción al mismo tiempo.

Corredor de bolsa: agente que actúa en nombre de otro para negociar contratos, compras o ventas, un corredor de bolsa que invierte dinero y activos, que va a la «quiebra» por falta de planificación, endeudamiento o exceso de gasto. No hagas inversiones especulativas y busca asistencia profesional en lo que tiene que ver con la planificación de la seguridad financiera.

Corredor de finca raíz: agente que asiste en la compra o venta de propiedades inmobiliarias, un ascenso, una reubicación o un traslado geográfico pueden estar en marcha; estás deseando un cambio, o una nueva perspectiva de la vida; estás buscando un nuevo aspecto o sentido de ti mismo.

Corredor de olas: embarcación personal que permite desplazarse rápidamente por la superficie del agua a gran velocidad. Estás llamado a tocar a mucha gente de forma emocionante; correr la carrera para ganar.

Corredor: competidor de una carrera; el que corre las bases; un portador de pelotas; un agente; solicita negocios; apoya el deslizamiento del cajón; un mantel largo y estrecho. *«Mis días han sido más ligeros que un correo; Huyeron, y no vieron el bien»*, Jb. 9:25. Correr con empeño la carrera que se nos propone, Heb. 12:1-2. Significa que uno está explorando nuevas dimensiones de sí mismo; moviéndose de un lugar a otro en un período de transición de la vida; la iluminación espiritual, la transformación emocional, la destreza física y la destreza proporcionarán un pasaje abierto o puertas a nuevas formas de pensar; los patrones de comportamiento compulsivos y dañinos necesitan romperse para comenzar un nuevo ciclo ascendente.

Correo electrónico: el correo electrónico, comúnmente llamado email desde 1993, es un método de intercambio de mensajes digitales de un autor a uno o más destinatarios. El correo electrónico moderno funciona a través de Internet u otras redes informáticas. Recibir o entregar un correo electrónico en un sueño indica que hay una necesidad de comunicarse con otras personas que tal vez estén a gran distan-cia. Dado que los correos electrónicos se entregan de forma instantánea, puede haber una urgencia en tu capacidad para ponerse en contacto con alguien rápidamente. Considera también que cualquier cosa que pongas por escrito puede ser fácilmente rastreada y recuperada. Escoge bien tus palabras, ya que puede que algún día te las tengas que tragar.

Correo: revelación; se entrega un mensaje; se obtiene una información necesaria.

Correr, alejarse: indica que no se estás confrontando tus miedos o evitando la responsabilidad.

Correr, no poder moverse: representa una presunción demoníaca de temor o pánico; parálisis REM; falta de autoestima o confianza en sí mismo; miedo a comprometerse con algo nuevo o a no tomar decisiones. Si intenta correr, pero sus pies se congelan o se mueven muy lentamente, esto indica temor a avanzar en una relación, baja autoestima o falta de confianza.

Correr solo: correr solo en un sueño significa estar decidido y tener una gran motivación en la carrera de la vida; entrenar para ganar o alcanzar las propias metas; gran éxito; estar al frente; acumular resistencia y fuerza física. Correr solo indica una gran auto-determinación y la necesidad de cooperación y apoyo para llevar a cabo una empresa. Es posible que el tiempo se agote y haya que tomar decisiones, Fil. 2:16.

Correr: ejecutar, competir o lograr por o como corriendo, ir rápidamente moviendo las piernas más rápido que al caminar y de tal manera que por un instante en cada paso todos o ambos pies se despegan del suelo. Soñar que se corre a alguien sugiere que el tiempo es esencial y que hay que moverse rápidamente antes de perder una oportunidad. Temeroso o intimidado por alguien o algo; no enfrentarse a sus miedos; huir de, o del llamado de Dios.

Corresponder: ver corresponder: dar o tomar, ir y venir, mostrar una respuesta o sentimiento mutuo a cambio de la acción de otra persona indica que valoras la opinión o la influencia de esa persona igual que la tuya y deseas complementarla de la misma manera. No devuelvas mal por mal, sino muestra amor y perdón a los que te utilizan con engaño.

Corrida de toros: se necesita mucha destreza y gracia para evitar un grave peligro y sortear una embestida agresiva de un lote de toros que viene hacia ti; espectáculo público en España, México, Colombia y otros países hispanos en el que un toro de lidia se enfrenta a una serie de maniobras tradicionales que culminan con la ejecución ceremonial del toro por parte del matador.

Corriente de resaca: sentir una atracción para ministrar en el mar de la humanidad, una vocación misionera, discernir una corriente subterránea maliciosa que fluye en una multitud, algo que está tratando de destruir tu potencial tirando de ti bajo una pesada ola de depresión o calumnia.

Corriente: perteneciente al tiempo presente, es progreso o movimiento hacia delante, que pasa de uno a otro, dinero corriente que circula, flujo eléctrico de energía.

Corsé: denota que se atrae la atención y el apoyo.

Cortado: ver algo cortado en un sueño indica que te sientes como si estuvieras separado de alguien por una ruptura o que temes la disolución de una relación. Teme que se te interrumpan los suministros o que se elimine una presencia. Se le separa de una fuente de vida.

Cortador de alambre: corte de una corriente eléctrica o flujo del Espíritu.

Cortador de pipa: ser ajustado con precisión en la posición para permitir que el flujo del Espíritu se mueva a través de nosotros como canales de mayor bendición.

Cortadora de césped: humildad; *«he aquí que yo estoy siempre contigo»*; uniformidad; un corte; disciplina frecuente; proceso de aseo; mantener una apariencia cuidada, administración de tu hogar y esfera de influencia, Is. 61:5; Dan. 4:15.

Cortafuego: ver un cortafuegos en tu sueño, o que se controla un incendio que avanza limpiando una zona de escombros y basura en su sueño puede ser una advertencia sobre una situación peligrosa en la que ya se encuentra o que le está invadiendo rápidamente. Si no se toman medidas drásticas y esta situación destructiva sigue avanzando, podría estallar en tu cara, provocando daños físicos, mentales o espirituales. Ora para que la sabiduría del Espíritu Santo guíe y oriente tus pasos, Pr. 20:24.

Cortar el árbol de Navidad: representa la tradición, una ocasión festiva para celebrar el nacimiento de Jesús con la familia y los amigos. Cuando se corta un árbol de Navidad, más de la mitad de su peso es agua. Guarda tu árbol en un lugar fresco; un cuidado adecuado mantendrá la calidad de tu árbol navideño.

Cortar por la mitad: verte a ti mismo o a otros cortados por la mitad o divididos en dos partes iguales indica que te sientes cortado, restringido o como si fueras la mitad de la persona que solías ser. Elimina el pecado y el arrepentimiento. Pide a Dios que renueve tu juventud. Levántate con un nuevo favor y sé restaurado y hecho completo de nuevo.

Cortar: apartarse de situaciones o relaciones difíciles o dañinas; liberarse de las ataduras o cortar los lazos; ser diseccionado, cortado o socavado; tus palabras cortan como un cuchillo.

Corte de pelo: quitar la sabiduría; separar los pactos. Sansón perdió su fuerza al dejarse cortar el cabello; la tradición religiosa del hombre.

Corte: Dios es el Dios de la justicia y la rectitud. Él te defenderá como tu abogado contra el acusador. Soñar que estás en un tribunal defendiéndote de los cargos te ha dejado la sensación de ser juzgado. Esto indica que su vida te está causando angustia, preocupación y ansiedad en medio de una lucha con cuestiones de intimidación, miedo y culpa.

Cortejar: intentar ganarse el favor de alguien mediante atenciones o halagos; ganarse el afecto de, amar o cortejar; intentar ganar o tratar de halagar solícitamente, intento de ganar algo o eliminar el antagonismo; buscar una relación amorosa; juego de palabras: alguien puede estar llevándote a los tribunales.

Cortes, heridas autoinfligidas: uno está abrumado por la vida.

Cortés: ser cortés en un sueño sugiere que no has sido educado en tu vida. Es el momento de ser más considerado con los sentimientos de los demás; practique el tacto, los buenos modales y sea más refinado y civilizado en su enfoque en lugar de estar exigiendo continuamente.

Cortes: tu propósito, destino o habilidades están siendo cortados o acortados.

Corteza: fragmento de la «corteza superior»; algo viejo o costroso; abrasivo; pobreza; carencia; incompetencia; descuido; decepciones.

Cortina: cerrar las cortinas significa cerrar los ojos a algo, poner fin a un capítulo de la vida, expresar el deseo de ocultar un asunto personal, la sed de secreto y la represión de los sentimientos.

Cortinas: enmarcar las ventanas de uno con hermosos materiales indica que la prosperidad y el éxito serán parte de tu futura visión.

Corto: quedarse corto en un sueño indica una falta de planificación o poca capacidad de organización por tu parte. Necesitas ser más intencional en lugar de ser tan casual en tu enfoque de la vida. Ser corto en un sueño también puede representar a alguien que se aprovecha de tu generosidad dejándote con la sensación de haber sido engañado con el «extremo más corto del palo». Ser corto en comparación con los demás también puede indicar una falta de amor propio o una autoestima baja. Es posible que sientas que otros tienen un mayor impacto, una mayor estatura o más influencia de la que tú tienes actualmente.

Cortocircuito: relajación, placer, calor con los amigos o la familia, necesidad de tomarse las cosas más en serio para alcanzar todo su potencial; se ha cortado una ventana de oportunidad debido a un comportamiento inadecuado.

Cosecha: los campos de la cosecha están blancos y listos para la siega; beneficios de la planificación, la estrategia y las labores. Es un signo de abundancia y desbordamiento. Indica que todavía hay cosas que hacer para cumplir los objetivos profesionales. Forma de vida familiar en la que todos colaboran y ayudan hasta que se termina el trabajo. Recogiendo el aumento, la prosperidad, la abundancia y la bendición que has invertido, el trabajo duro dará sus frutos, nuevos amigos y relaciones, ganando almas, multiplicación, tus talentos naturales, frutos espirituales y dones están creciendo y desarrollándose.

Cosecha: precursores de bendiciones y prosperidad; traer el aumento y la herencia; fin de la cosecha; tiempo o temporada para actuar, Mt.13:39; Apo. 14:114-20; Lev. 23.

Cosechadora: poderosa máquina cosechadora impulsada para cortar, trillar y limpiar el grano; hace referencia a muchas almas entrando en el reino de Dios; una alianza con una persona a un grupo.

Cosechar la tierra: ver la tierra siendo cosechada representa la cosecha de los últimos tiempos de miles de millones de almas de los santos, Mt. 13:37-43; Apo. 14:15.

Cosechar: recoger lo que has sembrado en la vida de otros; cosecha de aumento y bendición debido a la fecundidad; la ley de la siembra y la cosecha opera tanto en lo positivo como en lo negativo, cosecharemos lo que sembramos en la vida, tanto bendición como maldición; si sembramos iniquidad cosecharemos vanidad Pr. 22: 8; si sembramos vientos cosecharemos torbellinos, Jn. 8:7; si sembramos para la carne cosecharemos corrupción, si sembramos para el Espíritu cosecharemos vida eterna, Gál. 6:8-9; sembrar cosas espirituales para cosechar bendiciones financieras, 1 Cor. 9:11.

Cosechar: verte a ti mismo o a otros cosechando indica que tu cosecha está llegando, espera una recompensa abundante por tu trabajo y esfuerzos. Si sembraste bien cosecharás cosas buenas; pero, si sembraste mal o de manera equivocada no cosecharás nada o cosas malas. *«No os engañéis; Dios no puede ser burlado: pues todo lo que el hombre sembrare, eso también segará»*, Gálatas 6:7; «porque tuve miedo de ti, por cuanto eres hombre severo, que tomas lo que no pusiste, y siegas lo que no sembraste», Lc 19:21; *«Porque sembraron viento, y torbellino segarán»* Os. 8:7; Os. 10:12; Jn. 4,38; Mt. 6:26; 25:26.

Cosmética: aplicación de productos para realzar la belleza o el atractivo físico, corregir o cubrir imperfecciones físicas, que es ornamental más que funcional, que tiene poca o ninguna importancia, cambios superficiales, cosméticos o temporales para que una persona se vea bien. Para las mujeres, es una buena señal de que están dando lo mejor de sí mismas para ser examinadas. Para los hombres indica que tienes dos caras, eres falso o farsante, considera los problemas de carácter y deja los comportamientos fraudulentos.

Cosmos: pacífico; llamado ampliamente cultivado para llegar a América, y al mundo, Jn 3:16; octubre.

Cosquillas: que te tomen el pelo o te exciten con placer indica una unión feliz con los amigos, pero advierte también de que hay que cuidarse de las acciones inapropiadas con el género opuesto; guarda siempre tu corazón y mantén un alto nivel de moralidad incluso cuando alguien te haga cosquillas.

Costa: ver una costa representa un gran llamado a los pueblos de las naciones, no se puede ver el final de una línea de costa por lo que indica una abundancia ilimitada de almas para ganar y discipular. Crecerás y aumentarás como las arenas del mar.

Costilla: Adán y Eva, mujer, llamada a caminar al lado de alguien que cuida, protege, es iglesia, da forma y apoya; dolor: advertencia de un estafador o timador; burlarse, bromear o burlarse, carencia o pobreza, Gén. 2:22

Costillas: los colores azul y añil de la luz de la unción de Dios ayudan a sanar las costillas y otras zonas de dolor y aflicción. Los dolores punzantes o las tensiones pueden indicar espíritu de pena o maldiciones de palabras; dificultad en las relaciones o el matrimonio; falta de unidad.

Costra: ver una herida sanando en un sueño indica que las dolorosas traiciones del pasado están llegando a su final; tu salud emocional será restaurada, Sal. 147:3.

Costumbre: puede haberse acostumbrado demasiado a un mal hábito siguiendo una práctica como algo habitual entre un grupo cercano de amigos; tradición o uso común que se establece teniendo fuerza o validez de ley. Un deber o impuesto al que se accede cuando se revisa el bagaje de uno; es hora de eliminar los excesos de tu vida o te costará caro. Especialización en la confección de un regalo o prenda que se ajusta a sus necesidades, exactamente a la medida de la unción, respuesta o sabiduría que viene.

Costura: es una de las artes textiles más antiguas que consiste en coser objetos, zapatos, tapizar, hacer velas, encuadernar libros y fabricar artículos deportivos o unir materiales con puntadas hechas con aguja e hilo. Las formas artesanales incluyen el bordado, la tapicería, el acolchado, los apliques, el trabajo con retazos, la sastrería de alta calidad, la moda de alta costura y la confección de prendas de vestir para clientes, que es lo que hacen los artistas textiles, los diseñadores de moda y las personas que tienen el deseo de expresar su propia creatividad. Se está reparando una relación desgarrada, se está tratando de unir dos extremos opuestos en armonía; reparar una ruptura; se está preponiendo un nuevo don o talento, una unión para liberar una mayor función, un aumento de la influencia y una adición de favor. Tratar de conectar o unir mediante la recopilación de información para obtener la imagen completa, Sal. 139:15.

Costuras: ver tus costuras abultadas indica que está estirando demasiado tu presupuesto o gastando demasiado; es hora de reducir tus gastos.

Costurero: el proceso de coser material en un patrón decorativo para formar una obra de arte; una forma de interacción social donde las mujeres se reúnen para orar y hablar mientras son productivas en su trabajo con las agujas.

Cota de malla: arma defensiva; un abrigo blindado hecho de cadenas y anillos entrelazados de placas metálicas superpuestas para desviar los ataques del enemigo.

Cotorrear: ladrón, asaltante, bandido, sinvergüenza; agradable sobremesa; estará lleno de amigos y de conversaciones atractivas, pero traerá consigo un trabajo improductivo por las peleas.

Cotorrear: oír a alguien cotorrear en un sueño indica que estás parloteando o hablando demasiado.

Coyote: a menudo viaja solo (por lo que representa la autoestima) y no en manadas, «El coyote Wylie», depredador furtivo y engañoso al que le gusta alimentarse de los cuerpos de otros animales, (las debilidades de los demás); carnívoro o comedor de carne. Soñar con este animal es una advertencia de que alguien está tratando de devorarte y aprovecharse de ti.

Crack (droga): pensamiento defectuoso, debilidad en los fundamentos morales o éticos, autodefensas, acontecimiento inesperado que echa por tierra una noción preconcebida, la vagina, estás a punto de resquebrajarte, crack del amanecer o de la muerte; una droga ilegal.

Cráneo: tú o alguien más está actuando como un cabeza hueca; la cabeza; sede del pensamiento y del intelecto, representa una advertencia de muerte o del envenenamiento de una relación a través de la traición de un amigo o un socio comercial, Lc. 23:33; Pr. 8:36.

Cráter: los traumas y acontecimientos dolorosos del pasado han aumentado o magnificado su efecto en tu vida hasta llegar a ser casi imposibles de superar sin ayuda espiritual profesional.

Crayones: fíjate en el color del crayón para obtener una visión espiritual del significado del sueño. Los crayones son utilizados por los niños para comunicar lo que piensan o sienten. Dibujar con crayones representa tus expresiones infantiles en la vida. Indica que tiene la capacidad de ser creativo. Tu actitud despreocupada en la vida es una inspiración para los demás. No permitas que los demás restrinjan la belleza de tu expresión infantil. No permitas que los demás te restrinjan con sus limitadas convenciones y leyes legalistas. Siéntete en libertad de colorear fuera de las líneas y vive en grande.

Creación: Dios hablando del mundo y de todo ser viviente a la existencia; el Universo fue formado por sus palabras.

Crecer: aumentar de tamaño por un proceso natural, expandir, prosperar y desarrollar amistades, unción, habilidad o influencias de negocios.

Creciente: feminidad, ver una luna creciente indica el comienzo o el final de una estación del tiempo.

Crecimiento rápido: ver que algo o alguien crece a un ritmo rápido indica que se avecina una aceleración de la popularidad, la influencia, el favor o la prosperidad. Si se trata de una parte concreta del cuerpo o de un tumor puede advertir de cáncer, enfermedad o dolencia.

Credo de los Apóstoles: oír recitar en tu sueño el credo más universal de la Iglesia cristiana es una confesión de tu creencia en Cristo Jesús.

Crema facial: soñar que te aplicas crema facial en la cara y el cuello para que la piel esté más suave y menos reseca indica que has recibido y estás usando una nueva unción que hará que tu semblante brille y renueve tu aspecto juvenil. También considera que puedes estar preocupado por envejecer.

Crema o nata: «la nata siempre sube a la superficie»; nata como en una derrota devastadora; loción cosmética; discurso suave y elocuente.

Crema, color: mezcla de blanco y amarillo, que se acumula en la superficie, para seleccionar la parte más selecta, lo mejor se está poniendo a disposición, para espumar, humear o hacer espuma, derrotas las circunstancias más adversas.

Cremación: fuego de limpieza, refinamiento y purificación, lucha por la perfección. Simboliza el final, la eliminación o la destrucción de un capítulo de la vida y el comienzo de algo nuevo. Si la persona que se incinera ha fallecido en la vida real, forma parte del proceso de duelo.

Cremallera rota: una cremallera rota o atascada indica que estás frustrado con una situación o que tienes dificultades para expresar tus opiniones, deseos sexuales o emociones. Es posible que tengas que trabajar más para ganar o mantener tu autocontrol.

Cremallera, subir: si la cremallera está abajo, te abres libremente y te ofreces a hablar de las cosas.

Cremallera: si la cremallera está cerrada, entonces estás cerrando a la gente emocional o físicamente; no estás dispuesto a comunicarte, «cierra la cremallera» o «mantén la boca cerrada», Lam. 3:28; deja de hablar o chismorrear tanto o necesitas aprender a guardar un secreto en confianza. Si la cremallera funciona correctamente, las cosas se unirán muy fácilmente y podrás cerrar el asunto rápidamente. Dos lados opuestos que se engranan o integran para formar una zona segura.

Crepé: verte en sueños con una tela ligera, suave y arrugada de seda u otras fibras indica una temporada de asuntos sociales elegantes; demostración de que si eres capaz de superar algunos problemas o limar algunas arrugas familiares. Comer una crepa ligera indica que tu paciencia puede estar agotándose si no le gusta el sabor. Si disfruta de la crepa, tu hambre de cosas espirituales se verá satisfecha si sigue buscando a Dios.

Crepúsculo: estado de vigilia entre el sueño y el dormir, cuando el Espíritu Santo o los ángeles a menudo hablan o se interponen en tu sueño; la iluminación y la revelación llegan en esta atmósfera entre el sueño y el despertar. Una zona de trance en la que tu mente no es muy activa; la misma rutina, costumbres, estado o circunstancias. La hipnagogia es la experiencia del estado de transición de la vigilia al sueño.

Cría: un aumento de ganado o animales representa un aumento de las ganancias financieras y de las responsabilidades.

Criatura viva: Ez. 1:5-14, las cuatro criaturas gobiernan los cuatro reinos del mundo: el hombre (humano), el buey (doméstico), el león (salvaje) y el águila (aves de corral); son guiadas por el Espíritu Santo; no giran a la izquierda ni a la derecha, sino que avanzan en línea recta hacia donde el Espíritu quiere ir, Ez. 10:15,17,20.

Criatura: todo animal que Dios creó; Ro. 1:25; 8:19.

Crib (juego): es un juego de cartas tradicionalmente diseñado ser para ser jugado por dos jugadores, aunque puede jugarse con tres, cuatro o más, este juego consiste en jugar y agrupar las cartas en combinaciones que ganan un total de quince puntos. Ver este juego de cartas indica que necesitas buscar el consejo y la sabiduría de Dios y dejar de correr riesgos innecesarios con tus decisiones de vida.

Cricket, juego: jugar al cricket indica que se mantiene el objetivo, once jugadores representan una temporada de transición a través de la introspección o la búsqueda de orientación espiritual, se requiere buenas condiciones deportivas para avanzar, el manejo hábil del bate, la pelota y los wickets asegurarán el éxito. Puede referirse a un dolor o espasmo muscular como en una torcedura o calambre por desviarse o girar de forma equivocada en la vida; las cosas no son correctas...

Crimen: perder el control del temperamento; arremeter contra otros; finalización abrupta o violenta de una relación; el fin o la conclusión de una antigua relación, hábito o patrón de pensamiento, romper o superar una adicción; la ira y la rabia reprimidas

llevarán a la depresión, atributo de uno mismo o de otros que se desprecia, odia o rechaza, una relación importante ha muerto, Jn. 10:10.

Criminal: personas indisciplinadas y taimadas te acechan o molestan a ti o a tus relaciones para avanzar aprovechando las circunstancias; guarda tus secretos en un lugar seguro, no los compartas abiertamente o te llevará a la perdición o a la sensación de ser robado. Chantaje, extorsión, anarquía, deshonra, vergüenza, actos ilegítimos, ilícitos o distorsión, búsqueda de un atajo hacia el éxito; subestimación de las propias capacidades, planificación o estrategia para aprovecharse de los demás.

Crisantemo amarillo: admirador secreto rico; relación peligrosa y engañosa; la falta de honestidad en las comunicaciones conduce a un amor despreciado.

Crisantemo blanco: amor a la verdad; pureza de corazón; la paz se acerca; conciencia limpia; seguridad en tu pacto matrimonial; relación simplista.

Crisantemo rojo: energía espiritual en la oración y pasión emocional; compartir; expresión de mor no verbal.

Crisantemo bronce: emoción.

Crisantemo: representa la necesidad de discreción; retener u ocultar información; se ofrecerán relaciones, arreglos y citas doradas o agradables; sé sensato; no permitas que falsas esperanzas, expectativas o ambiciones egoístas te hagan perder el tiempo; flor relacionada con el mes de noviembre; eres un amigo ganador.

Crisis de identidad: soñar que te encuentras en un estado psicológico de desorientación y/o con confusión de roles debido a opiniones contradictorias de tus propios deseos internos o de presiones externas y expectativas sociales, indica que tu alma necesita un tiempo intenso de oración y de arrepentimiento para obtener las perspectivas de Dios para poder llegar a una resolución saludable y, así, poder seguir adelante.

Crisoprasa: ver una gema de crisoprasa en un sueño indica que estás pasando por una temporada de curación de las heridas del pasado para volverse dorado o purificado. Jesús llevó tu dolor en la cruz, es hora de liberar tu sufrimiento y avanzar a una nueva temporada de salud y prosperidad. *«Los azotes que hieren son medicina para el malo, Y el castigo purifica el corazón».* Pr. 20:30. Nada es demasiado difícil para Dios. Esta piedra se encuentra en Queensland, Australia Occidental, Alemania, Polonia, Rusia, Brasil, Arizona y California.

Cristal roto: oír un cristal romperse a menudo representa la ruptura de una maldición; la vida emocional o física de uno se está quebrando o rompiendo en pedazos. Visión destrozada; transparencia; frágil, Apo. 21:21.

Cristal: apertura; humildad; transparencia; vivir en

una «casa de cristal»; fácil visibilidad; visión; «un espejo»; aumento; ser observado. Ver un cristal en un sueño significa un nivel superior de claridad, cristalización o toma de forma, transparencia, plenitud, ausencia de manchas, crecimiento, curación, expansión y unidad. Hay una necesidad de mirar en lo profundo del corazón para descubrir tus dones ocultos interiores y liberarlos para que puedas alcanzar tu futuro y destino. Jb. 28:17; Gén. 31:40; ver claramente el camino de la vida por el que se está llamado a transitar, sabiduría, claridad, seguridad de la salvación siendo claro como el cristal, el mar de cristal Apo 4:6, un nombre de mujer que significa chispeante o puro, 1 Tm. 4:12, una visión de la eternidad, visión espiritual, intuición o introversión, la práctica oculta de buscar respuestas a través de una bola de cristal.

Cristiano: soñar con el cristianismo se relaciona con tus propias tradiciones religiosas, creencias sobre Jesús y experiencias espirituales. Es una indicación de crecimiento espiritual interno y de mayor desarrollo. El nombre cristiano significa seguidor ungido de Cristo, Hch. 11:26; 10:38.

Cristo: relación personal con Dios; la salvación, la sanidad, la liberación, la vida eterna, la paz, la alegría y la salud; la religión organizada; las fuerzas en uno mismo que crean una presión moral para ajustarse a las normas sociales; cómo la vida de uno está a la altura de su máximo potencial; conocer la verdad sobre uno mismo. El Mesías; el Ungido; el Salvador; el Señor; Jesús; la manifestación divina de Dios; el juez, el rey y el sacerdote; la adoración indica la sabiduría; la semejanza a Cristo; la gracia; el conocimiento; la riqueza y la abundancia con alegría y satisfacción; el objeto del amor; el hombre de oración y el redentor de los planes del mal. Mc. 1:1; Jn 1:41; Dan. 9:24-27.

Crochet: trabajo con agujas; soñarse tejiendo crochet indica que tu atención a los detalles y tu ambición finalmente harán algo hermoso de lo que puedas estar orgullosa en tu vida.

Crocus (planta): ver esta planta floreciente indica visión de futuro; alegría juvenil; apego; alegría.

Cromosoma X: ver un cromosoma X en un sueño indica que estás adquiriendo características femeninas si están en pareja, si la X es singular representa características masculinas. Si está embarazada, puede predecir el sexo de su bebé.

Cromosoma Y: el cromosoma sexual asociado a las características masculinas que se produce con el cromosoma X en el par de cromosomas sexuales masculinos.

Cronómetro: se te acaba el tiempo rápidamente; utiliza una mejor gestión del tiempo, un evento cronometrado, correr contra el reloj.

Cruce peatonal: ver un cruce de paso en un sueño simboliza un momento de reflexión necesaria en una sección intermedia o encrucijada de la vida. Hay algunos temores o emociones que pueden hacer que experimente un retroceso o retraso temporal hacia la consecución de tus objetivos, especialmente si la baranda de cruce está bajando. La oración es necesaria para obtener sabiduría y conocimiento. No permitas que la presión externa o interna te lleve al límite. Si el cruce de paso sube, significa que has superado ciertos obstáculos en tu vida. No permites que alguien o algo se interponga entre tú y tus objetivos.

Crucero: (al Caribe, Europa, Alaska, etc. discernir el destino y lo que significa para ti) un viaje emotivo que estás teniendo. El sueño también puede ser un juego de palabras con respecto a «navegar» por ciertas situaciones de tu vida con facilidad y poco esfuerzo. Debes tener cuidado con las situaciones que podrían provocar un naufragio emocional, dejándote varado en una isla de desolación.

Crucificar, ser clavado en una cruz: asumir la culpa o el castigo por otros.

Crucificar: salvación para los perdidos; castigarse a uno mismo; tomar el control de los deseos carnales; morir a uno mismo; sentir culpa o vergüenza.

Crucifixión: advertencia de angustia que te involucra a ti y a otros; gran dolor y sufrimiento; desgracia; desfiguración; muerte a la carne; vergüenza; castigo; salvación y sanidad. Mt 16:24.

Crudo: comer algo que está crudo significa algunas relaciones no familiares o no probadas que han creado algunas emociones o experiencias vitales «crudas». Tal vez se sienta ansioso o poco preparado para el futuro.

Crueldad: observar la crueldad en un sueño significa que puedes haber sido mezquino, divisivo, odioso o haber herido los sentimientos de la gente. Debes ser muy consciente y cuidadoso con lo que dices y hace.

Cruz de la Victoria: recibir una cruz de bronce de Malta, la más alta condecoración militar de Gran Bretaña por su conspicuo valor ante el enemigo, indica que eres muy hábil para derrotar a todos tus enemigos en la guerra espiritual y física. Revístete de toda la armadura de Dios para que puedas resistir en este día malo, Ef. 6: 12-13.

Cruz Roja: un evangelista llamado a llevar la salvación a los perdidos; 1 Jn 5:6. La capacidad de rescatar en cualquier situación.

Cruz: llevar grandes cargas de pecado y vergüenza; ejecución pública; crucificado; aflicción; castigo; tomar la propia cruz y seguir a Jesús; única puerta a la vida eterna; «cruz que hay que llevar»; encrucijada respecto a una decisión; cruce de caminos; combinación de las cualidades de dos; salvación, curación y sacrificio. Llevar la cruz en la vida, las tribulaciones, las pruebas, los juicios, la experiencia dolorosa de ser crucificado, una actitud dura o abrasiva, clavar el pecado en la cruz, el perdón y el poder de las llagas y la sangre de Jesús para la salvación y la sanidad. Jn. 19:17; Mt. 10:38; Dt. 21:23.

Cruzar el agua: cruzar un río, un lago o un océano (cuerpo de agua) representa un refresco, un despertar o una limpieza espiritual o un cambio, cruzar a la Tierra Prometida o coronar una meta.

Cruzar en rojo: ver a alguien cruzando la calle con el semáforo en rojo indica que eres una persona arriesgada y que estás dispuesto a ir en contra de la corriente del tráfico o de la opinión popular para llegar a tu destino. Este símbolo advierte contra cualquier actividad ilegal, ya que el cruce de líneas quedará al descubierto.

Cruzar: atravesar una calle; ponerse en una circunstancia peligrosa en la que puede producirse un daño o perjuicio; enfrentarse a quienes son más poderosos que uno; ir en contravía de la opinión popular o del tráfico puede resultar en un daño o convertirte en objeto de desprecio o crítica. Puede representar las encrucijadas de la vida; hay que tomar una nueva dirección. Moverse de un lado a otro en un sueño indica que se está en el lado opuesto de una disputa; se desea obtener la aceptación y la comprensión de los demás para tener éxito, para argumentar asertivamente.

Cuaderno de notas: es importante tomar notas, hacer una lista y revisarla dos veces para estar al tanto de los asuntos importantes, estar en guardia, no dejar que las cosas se escapen. Anota tus sueños, pensamientos e ideas creativas; es el momento de hacer planes por escrito y trazar estrategias para avanzar y prosperar. Una película romántica de amor: El cuaderno de notas.

Cuadrangular: religioso o religión; la Iglesia Cuadrangular; tradición; mentalidad; sin piedad; duro o áspero; mundano y ciego a la verdad; recibir tres comidas cuadradas al día, ser igual, con los pies en la tierra, experiencia terrenal o natural, fuerza sólida, estabilidad e inamovible, equilibrado. Estás siendo «cuadriculado», «encajonado» en tus emociones; empezando de nuevo, «de vuelta a la casilla de salida».

Cuadrante (moneda): la moneda judía de menor valor; dos molinos, Mc. 12:42.

Cuadrilátero: a través de la sabiduría y la oración llegarás a una respuesta acertada a las dificultades a las que te enfrentas actualmente.

Cuadrilla: danza cuadrada compuesta por cinco figuras y ejecutada por cuatro parejas; compás de 6/8 o 2/4; juego de cartas del siglo XVIII jugado por 4 utilizando 40 cartas; se liberan las capacidades creativas.

Cuadripléjico: soñar que es un cuadripléjico o que estás paralizado de las cuatro extremidades, con tus funciones motoras o sensoriales deterioradas o perdidas debido a un daño en la médula espinal que resulta en una función deteriorada de las extremidades, el tronco o los órganos pélvicos, indica que ha sucedido algún evento traumático emocional o físico en tu vida que le impide avanzar.

Cuadrúpedos: ver un animal de cuatro patas en tu sueño puede indicar un amigo fiel que viene a ayudarte y reconfortarte o un adversario que viene a perjudicarte, dependiendo de qué tipo de animal sea y de tus sentimientos personales hacia ese tipo de ser.

Cuáqueros: gente de oración, moral elevada, ética de trabajo fuerte, vida familiar pacífica, unidad, temerosos de Dios, tienen la Palabra de Dios en la más alta consideración; modestia; amigo fiel y negocios justos; buen proveedor; dadores de honor e integridad; rendidos al temor reverencial de Dios; «tiemblan en su presencia».

Cuarenta y cinco: preservación.

Cuarenta y cuatro: juicio del mundo.

Cuarenta y dos: número relacionado con el anticristo; el advenimiento de Dios en la tierra; la carne religiosa; la oposición del hombre a Dios y a su voluntad; la prueba; la opresión y el vagar de Israel. Cuarenta y dos muchachos se burlaron de la ascensión de Elías a Eliseo 2 Re. 2:23-24. Un factor en la Gematria del nombre de Nimrod 294 o 42 x 7.

Cuarenta y seis: productividad.

Cuarenta y siete: larga vida; la duración de la vida de Jacob fue de ciento cuarenta y siete años. Gén. 47:28.

Cuarenta y tres: prueba; crecimiento espiritual.

Cuarenta: memoria, probación, pruebas y castigo de los hijos del pacto; prueba que termina en victoria, Mt. 4:2; 1 Re. 19:8; renacimiento y renovación; derrota o juicio; gobierno generacional y completo; historia asociada a la salvación; el diluvio duró, Gén. 7:12, 17; Elías y Jesús ayunaron, fueron tentados; permanecieron después de su resurrección 40 días; Moisés en Madián 40 años; vagaron por el desierto, Nm. 14:33; espiando la tierra, Nm. 13:25; Judá.

Cuarentena: período de aislamiento forzoso en un puerto de entrada impuesto a vehículos, personas o animales que portan enfermedades contagiosas o material sospechoso en una amenaza actual para su salud y bienestar; protéjase y sea selectivo con los amigos.

Cuartel: edificio o grupo de edificios utilizados para alojar temporalmente a los soldados, indica que estarás en algún tipo de conflicto, lucha o batalla y que necesitarás refuerzo para ganar.

Cuarteto: composición musical para cuatro voces o instrumentos; conjunto o grupo de cuatro; cuarto; compañeros alegres y buenos momentos.

Cuarto de baño: un lugar de limpieza; refresco, purificación o embellecimiento; lavado de los pecados o de la contaminación; arrepentimiento; afeitado de las cosas no deseadas de su apariencia física; fregado; mirar su verdadero yo en el espejo; permitir que Dios purifique cada área de su vida; eliminar la falta de perdón y la amargura. Gén. 18:4; Heb. 4:9.

Cuarto de galón: es una unidad de medida de volumen de líquido igual a dos pintas estadounidenses o 0,946 litros o igual a 1/4 de galón o 32 onzas (0,946 litros). En el sistema imperial británico, el cuarto de galón se utiliza para medir líquidos y secos, y equivale a 1,201 cuartos de galón líquidos o 1,032 cuartos de galón secos (1,136 litros). Soñar con medir indica que es necesario ser específico y llevar un registro preciso.

Cuarto de huéspedes: habitación grande y desocupada en la parte superior de la casa que se utiliza para ocasiones sociales para hospedar invitados, Mc. 14:14; Lc. 22:11.

Cuarto de sol: soñar que se encuentra en un cuarto de sol se refiere a su nuevo despertar espiritual en Jesús, el «Sol de Justicia». Tu espiritualidad tiene una fuerte conexión con el Espíritu Santo. Los días de tu vida serán brillantes y hermosos. Podrás producir mucho fruto espiritual, Ro. 8:23, y recoger una gran cosecha.

Cuarto oscuro: estás en un lugar para recibir el conocimiento de la revelación, obtener una visión clara, ver cómo se desarrolla una imagen, la falta de visión, el pecado, la tristeza, la desesperación, sentirse aislado.

Cuarto: una de cuatro partes iguales; una cuarta parte de una hora, medida, juego, año (tres meses); un término académico; veinticinco centavos; Jb. 31:6, perdón de los pecados; entrar en proceso de formación; gracia; cardinal.

Cuarzo rosa: es conocido como la «piedra del amor», está nublado con impurezas, por lo que la mayoría no lo recoge como piedra preciosa, sino que lo talla en figuras de personas y corazones, ver esta piedra en tu sueño simboliza la curación de un corazón roto o la restauración de un amigo, el nacimiento de un nuevo romance, o una mayor capacidad de amarte a ti mismo y a los demás para que tus necesidades puedan ser satisfechas. *«Si alguien afirma: "Yo amo a Dios", pero odia a su hermano, es un mentiroso; pues el que no ama a su hermano, a quien ha visto, no puede amar a Dios, a quien no ha visto. Y él nos ha dado este mandamiento: el que ama a Dios, ame también a su hermano»*, 1 Jn. 4:20-21; *«En esto conocemos que amamos a los hijos de Dios, cuando amamos a Dios, y guardamos sus mandamientos»*, 1 Jn. 5:2; *«Jesús le dijo: Amarás al Señor tu Dios con todo tu corazón, y con toda tu alma, y con toda tu mente. Este es el primero y grande mandamiento. Y el segundo es semejante: Amarás a tu prójimo como a ti mismo. De estos dos mandamientos depende toda la ley y los profetas»*, Mt. 22:37-40.

Cuarzo rutilado dorado: respira profundamente el aliento del Espíritu para revitalizar tu cuerpo con una fuerza renovada.

Cuarzo: es el segundo mineral más abundante en la corteza continental de la Tierra. El cuarzo puro se llama cristal de roca. Soñar con esta piedra presagia la obtención de algunas ideas necesarias sobre las personas o los negocios, las cosas que se han pasado por alto ahora se volverán claras como el cristal; prepárese para que su mundo se tambalee.

Cuatrillizos: las bendiciones aumentarán o se duplicarán; los problemas o dificultades aumentarán o se duplicarán; véase el número cuatro, 2 Re. 2:9; Jb. 42:10.

Cuatro mil quinientos: la salvación por Jesús, la sangre del Cordero.

Cuatro seres vivientes: Ez. 1:4-14; En apariencia su forma es como carbones ardientes de fuego o como antorchas; la de un hombre: rey de la creación, de la inteligencia; el león: rey de las bestias, de la realeza, el ternero o buey: rey de las cúpulas y del sacrificio, y el águila: rey de las aves y del cielo; cuatro caras y cuatro alas con manos de hombre. Sus piernas son rectas; los pies de los terneros brillan como el bronce pulido. Se mueven en línea recta; dondequiera que vaya el Espíritu, van ellos, sin girar, van de un lado a otro como relámpagos. Representan épocas en las que el Espíritu trae luz y progreso. Apo 4:6-8.

Cuatro vientos: representan los poderes del mal que soplan contra los pueblos de la tierra; Dan. 7:2; Apo. 7:1.

Cuatro: Dalet, el evangelio; cuatro esquinas de la tierra; implicaciones globales; mundo; creación; las obras creativas de Dios; el sol, la luna y las estrellas marcan el número de estaciones, Ge 1:19-20; mareas, vientos y direcciones norte, sur, este y oeste; espacio; cumplimiento; jinetes del Apocalipsis; debilidad.

Cuatrocientos cuarenta y cuatro: Damasco, el número del mundo; destrucción.

Cuatrocientos noventa: 7 x 70 = 490: producto de la perfección espiritual; restauración plena y final del «pueblo» y la «ciudad» de Daniel.

Cuatrocientos treinta: la llamada y la promesa hechas a Abraham hasta el éxodo; permanencia; período desde la promesa hasta la ley.

Cuatrocientos: tahu, verdad; Rey eterno: pasado, presente y futuro; creación material que prueba el destino final del hombre; cumplimiento de Abraham prometido en el nacimiento de Isaac hasta el Éxodo.

Cubierta exterior (reconstruir): ver en un sueño material de reconstrucción para cubiertas exteriores, como hormigón, amianto, acero o similares, en forma de suelos o techos autoportantes, sugiere que tu vida está actualmente en reconstrucción. Puede esperar algunas mejoras a medida que crezcas y madures.

Cubierta: ver algo cubierto en un sueño indica que hay algo oculto bajo la superficie que necesita ser expuesto o sacado a la luz, descubrir la tapadera de alguien, un agente encubierto o alguien que está trabajando entre bastidores. «sepa que el que haga volver al pecador del error de su camino, salvará de muerte un alma, y cubrirá multitud de pecados», Snt. 5:20; Pr. 10,12.

Cubierta: verse escalando y subiendo a una cornisa (cubierta) indica que se alcanzará una meta importante en la vida.

Cúbit o codo: medida de longitud de unas dieciocho pulgadas; Mt. 6:27; Jn. 21:8.

Cúbito: hueso grande del antebrazo que se extiende desde el codo hasta la muñeca; dar apoyo o tender la mano para pedir ayuda; ofrecerse a echar una mano a los necesitados.

Cubo de basura: ¿Necesitas eliminar la basura; aquello que te impide cumplir con el llamado de Dios en tu vida? Puede que necesites vaciar tu cubo de basura para evitar que atraiga molestias no deseadas. No escuches ni inicies conversaciones críticas duras que utilicen un lenguaje despectivo, insultante o abusivo, esto es hablar basura. Usted no es un basurero. Las palabras crean los ámbitos inferiores de la basura o el prístino mundo superior que le rodea. Elige cuidadosamente tus palabras y acciones.

Cubo: área o espacio definido por paredes paralelas. Un trozo de hielo congelado. Estar amurallado o encerrado en un espacio limitado con seis caras cuadradas congruentes donde todos se consideran iguales. Considerar el término, es muy «cerrado». Ablandar la carne (fuertes enseñanzas de la Palabra) rompiendo sus fibras para que sea fácil de consumir. Contenedor de la palabra o del Espíritu para limpiar, purificar y refrescar; servidor; pequeño - «una gota en el cubo»; una gran bendición - «cubo lleno».

Cubos de hielo: tus emociones se han vuelto tan frías como el hielo; autoconservación; intento de refrescar una situación; ser vertido en un molde y forzado a conformarse con los deseos de otros; sentir un hombro frío o estar encajonado. Danza sobre

hielo: fluir en unidad y armonía; disciplina del patinaje artístico que se inspira en los bailes de salón; al igual que en el patinaje por parejas, los bailarines compiten como pareja formada por un hombre y una mujer. La danza sobre hielo se distingue del patinaje por parejas por tener diferentes requisitos para las elevaciones. Las parejas deben realizar giros como un equipo en una retención de baile, y los lanzamientos y los saltos no están permitidos; las parejas no deben separarse más de dos longitudes de brazo.

Cubrirse, recortar: simboliza su aceptación de las restricciones a las que se enfrenta, sacando lo mejor de una situación negativa. Llevar a un punto culminante y luego abortar la acción.

Cucaburra: espíritu burlón, persona sarcástica o despectiva.

Cucaracha: infestación; espíritus impuros, pecado oculto que huye de la luz; las cucarachas representan rasgos indeseables que necesitan ser confrontados para cambiar; juego de palabras con el cigarrillo de marihuana; simboliza la insistencia y la longevidad. Significa la necesidad de una gran renovación, rejuvenecimiento y autolimpieza de tu vida mental y emocional para asegurar tu bienestar espiritual; vivir en zonas de oscuridad; la luz las revela y las dispersa.

Cuchara de plástico: intentar alimentar a alguien con una mentira presentada de forma barata, errónea o con una luz diferente; ser alimentado con una excusa inferior o usar una imitación para lo real; una solución temporal.

Cuchara, alimentar: alimentar a otro con una cuchara indica que sólo estás compartiendo un poco de información; disfruta repartiéndola, pero no puede recibir de la misma medicina.

Cuchara, dando de comer: si alguien te da de comer con una cuchara, te advierte que no te está diciendo todo lo que necesitas saber, así que procede con cautela, Mt. 25:37.

Cuchara: felicidad doméstica, un hogar feliz con un sentimiento cálido y amigos; compartir y cuidar.

Cucharear: besar o acariciar; uno está enamorado de otra persona de forma tonta o sentimental; se está muy cómodo o relajado con esa persona; bajar la guardia.

Cucharón: soñar con este utensilio para servir **so**pas o **p**onches indica que vas a acoger una reunión de amigos en tu casa. Los cucharones representan el amor curativo que nutre y reconforta.

Cuchilla: cortar los asuntos sobrantes o extraños para llegar al corazón de un asunto; hacer elecciones o decisiones difíciles, se están tomando acciones decisivas, se está al límite, se pide sabiduría divina. Inda que estás a la vanguardia de la tecnología o de algún otro campo de especialización, eres ingenioso, tienes una inteligencia aguda, tienes una lengua que corta como un cuchillo, palabras afiladas e hirientes que cortan a la gente en pedazos, lenguaje abusivo, Sal. 52:2. Afeitarse la cabeza para cumplir un voto; Nm. 6:5; Ez. 5:1; Is 7:20.

Cuchillo de bolsillo: significa que llevas una defensa contigo.

Cuchillo de plástico: cortar en algo que no es real; pretender estar a la vanguardia de algo sin tener conocimientos reales; una persona falsa o plástica.

Cuchillo afilado: lucha personal; divide entre el alma y el espíritu; herramienta para madurar para comer carne, discernimiento para cortar cuestiones falsas.

Cuchillo curativo: significa curación si se trata de un bisturí en manos de un cirujano experto. Puede haber algo perjudicial (el pecado es como un cáncer) en tu vida que necesitas cortar.

Cuchillo eléctrico: en un sueño indica el poder de labrar un futuro exitoso; usted tiene el poder de encontrar rápidamente la verdad.

Cuchillo, herido por: es símbolo de agresión masculina o animalista.

Cuchillo largo o corto: puede referirse a alguna tensión sexual o a un enfrentamiento entre amantes o a una discusión a larga o corta distancia.

Cuchillo, llevar: significa cólera, agresión y un deseo de cortar o separar a otros de su presencia. Tal vez sea necesario cortar o romper los lazos con un mal hábito o una relación. Es necesario tomar decisiones, ya que la vida de uno podría estar en juego.

Cuchillo oxidado o sin filo: denota problemas familiares, tendencia a dañar, pero no a matar, a «meterse en la piel» para atravesar o herir el corazón, ruptura o decepción en las relaciones amorosas; el mucho trabajo que produce poca ganancia; recompensa o ningún beneficio.

Cuchillo: las palabras «cortan como un cuchillo», si son duras, hirientes, cortantes, punzantes, sentenciosas o crueles, pueden cortar en seco, a menudo estropeadas a las espaldas; «apuñalado por la espalda», Pr. 23:2; una lengua chismosa que difunde chismes o que le gusta «calentar el oído», Gén. 22:6

Cucú (tipo de páparo): representa la oportunidad y el destino; es necesario un cambio de dirección y de perspectiva para tener relaciones felices, alterar su enfoque en la búsqueda de ciertas situaciones. Tiendes a involucrar personas no deseadas en tus asuntos personales; metáfora de alguien que se comporta de forma «cucú».

Cucurucho de helado: golosina fácil de manejar que llega a tu vida y que te traerá un breve tiempo de alegría y refresco.

Cuello de botella: tienes la sensación de que todo tu esfuerzo te lleva a un callejón sin salida.

Cuello de pavo: ver un pavo en un sueño indica que estás tomando decisiones tontas, siendo fútil o irreflexivo. El pavo es un símbolo del Día de Acción de Gracias y de la Navidad, así que es el momento de tomar decisiones para estar junto a la familia y los amigos. Cuida tu corazón y tus emociones; deja de besuquearte con cualquier Tom, Dick y Harry; eres una joya preciada, así que actúa como tal. Utiliza la sabiduría en los negocios y en las relaciones para que tu cuello no se vea afectado.

Cuello rígido: representa a alguien que se mantiene en sus costumbres; terco, que se resiste a la autoridad y al control, Dt. 31:27; Sal. 75:5; Jer. 17:23; Ez 2:4.

Cuello atado: atar al cuello la verdad y la bondad, Pr. 3:3; amar y ser fiel a los demás.

Cuello estrangulado: otros se aprovechan de ti; deja de ser una persona que dice «sí» a todo y libérate de sus tácticas de manipulación e intimidación.

Cuello largo: tener un cuello largo o grande indica riquezas, abundancia y honor por tu belleza y gracia.

Cuello, nuca: de cuello rígido; rebelde; testarudo; rígido; dominante; inflexible; tenaz; controlador.

Cuello, quebrado: negligencia en los asuntos; demasiado vulnerable al no tener precaución con los enemigos.

Cuello rígido: cabeza de chorlito; terco; rebeldía contra los poderes; rígido; dominante; contumaz; controlador; de voluntad fuerte.

Cuello torcido: estirar el cuello al máximo: altanería, orgullo, engreimiento o bullicio, Pr. 6:21.

Cuello con tumor: cuida tu boca; no hables mal de tu prójimo; enfermedad o dolencia.

Cuello velludo: si los vellos del cuello se erizan en un sueño, indica que hay una presencia espiritual alrededor que su cuerpo está discerniendo. *«Sentí sobre mi rostro el roce de un espíritu, y se me erizaron los cabellos»*, Jb. 4:15.

Cuello: alguien está intentando «respirándote en la nuca» para llamar tu atención; parte superior de una camisa que se utiliza para dar el toque a una corbata. ¿El cuello de la camisa está limpio, rígido o manchado? ¿Qué tipo de decisiones estás intentando tomar? Dinero; sistema de apoyo; elegancia o belleza; conecta los sentimientos de la sexualidad del cuerpo y el pensamiento de la cabeza, dispuesto o sumiso, dolor en el cuello por amigos molestos, relaciones familiares o de negocios que interfieren; las cosas pueden girar en otra dirección. Ser decisivo; autodeterminación o voluntad fuerte; rigidez de cuello o terquedad; incredulidad; fuerza; autoridad; mando; dureza de corazón. La luz amarilla de la unción de

Dios ministra sanidad a las regiones del cuello, Jer. 17:23; Gén. 41:42; Pr. 29:1; Os. 10:11; Gén. 27:40; Éx. 13:13; Dt. 28:48; 31:27; Cnt. 7:4.

Cuenco: si está llena de agua limpia podrás lavar fácilmente tus problemas, 'lavarte las manos de una situación', si está vacía experimentarás una navegación suave a través de las relaciones y las nuevas oportunidades de trabajo. Jesús lavó los pies de sus discípulos, Ex 24:6; Jn 13:5.

Cuencos llenos: representan las oraciones de los santos que se recogen en el cielo.

Cuenta del socio: soñar que se utiliza una cuenta de socios puede indicar que se está en una relación de alianza en la que los fondos se mezclan o se utilizan para fines comunes.

Cuenta regresiva: momento crítico antes de que algo empiece o se ponga en marcha, liberándote en tu viaje. El tiempo es esencial porque se está acabando. Administra el tiempo que te queda en la vida y aprovecha al máximo las oportunidades que se te han brindado.

Cuentas bancarias: en sueños representa la cantidad de favor que se ha dado, gastado o perdido. Es una cuenta de dinero entre un cliente del banco y la institución financiera que representa sus relaciones entre amigos, familiares o socios comerciales. Puede realizar ingresos en su cuenta o retiros. También puede utilizar una tarjeta de crédito y endeudarse mucho si no paga la tarjeta mensualmente. Las transacciones financieras (a favor o en contra) que se producen en un periodo de tiempo determinado se registran en la cuenta del banco y se comunican al cliente en un extracto bancario. El saldo de la cuenta puede ser consultado en cualquier momento por el cliente para que pueda conocer su puntuación o situación financiera. Una cuenta bancaria representa los fondos que un cliente ha confiado a un banco (amigo, familia, socios comerciales, etc.) y de la que el cliente puede retirar dinero (favor). Las cuentas bancarias pueden tener un saldo positivo, o en rojo, cuando el banco debe dinero al cliente; o un saldo negativo, o deudor, cuando el cliente debe dinero al banco, Mt. 25:27; Lc. 19:23.

Cuentas, contar: indica que le gusta calcular el costo; sumar todos los aspectos de un acuerdo antes de tomar una decisión final, también representa el placer, la alegría, la tranquilidad, la capacidad creativa para hacer algo bello a partir de pequeñas victorias, encadenar a la gente, añadir muescas a su cinturón de logros, y sentar las bases para el éxito, las recompensas bancarias y el reconocimiento de los logros.

Cuentas: para resumir las cosas en su relación o enumerar el dinero en una empresa, para encontrar los fondos perdidos robados por un enemigo; para computar, calcular una narrativa o registrar eventos con exactitud; se le valora y estima como una persona con la que se puede contar para la excelencia. Ver cuentas en un sueño indica que tienes tendencias a complacer a los demás y a anteponer tus necesidades a las suyas propias. Que tiene la costumbre de complacer a la gente y que se esfuerza por alcanzar la perfección, aunque le cueste la felicidad.

Cuento: oír un cuento en un sueño advierte de que alguien intenta engañarte de alguna manera, ten mucho cuidado y usa la sabiduría en los negocios.

Cuerda floja: simboliza el caminar por una línea muy fina entre el éxito y el desastre; tener cuidado con los pasos; caminar sobre cáscaras de huevo para evitar problemas, Sal. 119:133.

Cuerda salvavidas: que te lancen una cuerda salvavidas en un sueño, indica que necesitas ayuda inmediata o que alguien te rescate. Busca la sabiduría de Dios para que te saque de cualquier situación que amenace tu vida.

Cuerda: ¿alguien le está tomando el pelo en una relación? Puede que necesites cortar la cuerda y liberarte de los enredos emocionales. Las cuerdas representan un control vinculante o una obligación ligada a un supuesto regalo. Si algo tiene ataduras, no aceptes la oferta. ¿Quién mueve los hilos en tu vida, trabajo o relación? ¿Estás atado a alguien que tiene pensamientos cohesivos que se unen a los tuyos? ¿Necesitas atar algunos hilos sueltos para completar un proyecto, una situación o sellar una relación laboral o personal? Puede que necesites cortar algunos hilos si hay personas que intentan atarte o utilizar su palanca o influencia contra ti de forma perjudicial. Considera el arte de atar una cuerda alrededor del dedo para recordarles que deben hacer lo que han prometido en el momento oportuno. Si te encuentras enredado o enredada en una cuerda es el momento de salir de un lío y enderezar tu vida. Atar; ensartar; «al final de mi cuerda»: llegar al límite de la paciencia, la resistencia o los recursos; derrota o colapso; sin esperanza, sin poder; «estar contra las cuerdas»; ejecución en la horca; lazo; «acordonar» una escena; engañar; aprender o «conocer a fondo»; seguir un determinado procedimiento. Colgarse, atarse, una correa corta o larga, las limitaciones están deteniendo el avance, Pr. 5:22; Ec. 4:12.

Cuerno: jubileo; cuerno de carnero; estructura permanente; cornucopia; protección de las ondas sonoras; instrumento de viento; fluir violentamente con ruido; unirse sin invitación; teléfono; alardear o «hacer sonar el propio cuerno»; una persona impaciente, furia en la carretera, Jb. 21:4; entrometerse; convocar a la guerra o para la proclamación pública; noticias apresuradas; frasco. Un cuerno de salvación significa instrumento poderoso de salvación, Lc 1:69; trompetas; cuerno de carnero o trompetas de jubileo, usadas para convocar a la guerra o para la proclamación pública, Jue. 3:27; 7:18; cuenco utilizado para guardar el aceite de la unción, 1 Sam. 2:10; 16:1; fuerza de los bueyes, símbolo de poder, 1 Re. 22:11; cuernos del altar; pico de una colina, Is 5: 1; cuernos que salen de su mano: significa que tenía los emblemas del poder esgrimidos por su mano, que emiten rayos o relámpagos, curación, Hb 3:4; gorro de plata en forma de cuerno como el que llevan las mujeres africanas casadas; dos cuernos de carnero, Dn. 8:3 representa el doble poder medo-persa; Alejandro Magno «el macho cabrío», Dan. 8:5, se representa con cuernos en las monedas. Zac. 1:18, cuatro cuernos: representan los cuatro poderes gobernantes del mundo, Babilonia, Medo-Persia, Roma y Grecia que serán sustituidos por el reino de Dios; «el cuerno pequeño» Anticristo, los cuatro poderes mundiales, el poder gubernamental DaN. 7:24; 2 SaM. 22:3; Dan. 7:8; 8:9; figuras de dioses con cuernos, simbolizan el poder. Sal. 89:17; Ez. 29:21;

Cuernos: enfrentarse con alguien o algo, coger el toro por los cuernos, ponerse al teléfono, «llamar a alguien».

Cuero: odre nuevo o viejo, según su condición y flexibilidad; levantarse por los propios medios, Jb 31:20; He 11:37; 2 Apo 1:8.

Cuerpo femenino: éxito social.

Cuerpo hinchado: si toda tu persona se está inflamando o abultando, entonces puede indicar que las cosas se están «hinchando». Se está agrandando o destacando para el ascenso o la promoción.

Cuerpo masculino: éxito en los negocios.

Cuerpo olor: espíritu impuro, falta de higiene, falta de cuidado personal, miedo, enfermedad o dolencia. Ro. 12:1.

Cuerpo amarillo: malestar crónico, enfermedad o dolencia.

Cuerpo, armadura: los antiguos guerreros llevaban ropas gruesas de cuero hasta la cota de malla metálica; Éx. 28:32; coselete Éx. 28:32; coraza, Jer. 46:4; protege de los ataques enemigos, 2 Cor. 10:4.

Cuerpo rojo: adicciones, drogas, pasión sexual, comida, todos los excesos.

Cuerpo rosa: todo pecado o abuso sexual, inmoralidad, sensual.

Cuerpo: una estructura o marco de sistemas; los creyentes el cuerpo de Cristo.

Cuervo: ave carroñera; las zonas de tus apetitos carnales necesitan ser crucificadas o morir; comunicación clara; representa la molestia que producen los malos hábitos, la parte más oscura de tu personalidad, las debilidades o los defectos de carácter. El cuervo puede servir como ladrón, carroñero o mensajero de tu inconsciente que alberga pensamientos dañinos o negativos de rechazo, tristeza, desgracia; pena. Usurpadores de comida; franco, odioso, envidioso; acosador; burlón «a vuelo de pájaro», un camino recto; la provisión milagrosa de Dios. Negar a Cristo, Jn. 18:27. Pelo negro de Salomón; enviado por Noé después del diluvio para encontrar tierra, Gn 8:7; malas noticias; una maldición; peligro; infelicidad; una advertencia; una abominación. El amor y la provisión de Dios para todos los hombres y para Elías en 1 Re. 17:4-6; Jb. 38: 41; supervivencia; vigilancia; carroña; áreas de tu carne necesitan ser crucificadas o morir; mundanidad, postergación de la conversión; torpeza; simboliza traición, espíritu inmundo o tacaño, tomar malas decisiones de ignorar, desarmonía, infortunio y pérdida o retroceso en la prosperidad; poseer un agudo sentido del olfato; enfermedad, muerte o pestilencia; hambre; fatalismo y desesperación. Un carroñero; ladrón; roba comida; alberga pensamientos negativos como el rechazo; la tristeza; la maldición; la pérdida de fortuna y propiedades; acosador; burlón, un camino recto; la provisión milagrosa de Dios. Ave de rapiña impura, Lev. 11:15; se apodera primero de los ojos, Pr. 30:17; se alimenta de carroña, Is. 34:11; Sal. 147:9; Lc. 12:24.

Cuesta abajo: has pasado por la parte más dura de la cuesta arriba, ahora las cosas deberían ser más fáciles. Por otra parte, no busques lo que parece ser la salida fácil; podría ser una trampa puesta por el enemigo. *«Los pasos del hombre bueno son ordenados por el Señor, y Él se deleita en su camino. Aunque caiga, no será derribado del todo, porque el Señor lo sostiene con su mano»*, Sal. 37:23-24.

Cuesta arriba, en movimiento: verse caminando, conduciendo o corriendo cuesta arriba indica que tienes un camino difícil por delante. Sigue avanzando y progresando. Da un paso a la vez hasta que hayas alcanzado tu meta o destino.

Cuesta arriba: incremento en tu nivel de fe; unción o la habilidad de hablar a tus problemas (montañas) y hacer que sean removidos de tu vida, Mt. 21:21; Mc. 11:23. Uphill es un pueblo de Weston-super-Mare, en el norte de Somerset, Inglaterra; en el extremo sur del canal de Bristol.

Cuestionario: ver a un grupo de personas haciendo un sondeo mediante un cuestionario indica un retraso en el avance de la productividad, mientras se reúnen los hechos y las cifras encajan.

Cueva: lugar de escondite y retiro; protección física, una huida o refugio del peligro; refugio; remedio; lugar donde Dios habla. Los hombres poderosos de

David; simboliza un vientre: un lugar de protección, refugio u ocultación; aislamiento, retirarse de las situaciones o relaciones sociales, toma de decisiones, contemplar los cambios necesarios, ceder a la depresión o la presión, autodescubrimiento o exploración; representa la necesidad de un espacio para revaluar y cohesionarse mejor; alejarse de la familia o los amigos; derrumbarse ante cualquier socavamiento anímico; rendirse ante cualquier oposición; ceder cuando se es amenazado. 1 Sam. 22:1.

Cuidar: asistir cuando una herida o una ofensa necesita ser curada, un cuidador, Is. 66:11; 1 Tes. 2:7; Sal 37:4. Ser mentor, vigilar, custodiar o supervisar a los que son más jóvenes o menos maduros que tú; el ministerio de los niños.

Culpa: ver que alguien encuentra o tiene una debilidad o un defecto, que comete un error o una equivocación de juicio que causa una ofensa es una advertencia para no confiar en su propia sabiduría o en sus esfuerzos, sino ejercer el perdón, la misericordia y la gracia. *«Te basta con mi gracia, pues mi poder se perfecciona en la debilidad»* 2Cor. 12:9; «...Si tu hermano peca contra ti, ve a solas con él y hazle ver su falta», Mt 18:15.

Culpable: se siente como si fuera un criminal o un culpable imputable o responsable de una ofensa, un acto incorrecto o reprobable o un crimen. Es posible que no estés gestionando muy bien tus éxitos, competencias, fracasos o incluso tu falta de pericia. Algunas personas sienten que no son merecedoras de recompensa porque no cumplen con las expectativas de los demás. Estás reprimiendo sentimientos negativos, de ira o de odio hacia ti mismo.

Culpar: responsabilizarse a uno mismo indica que prosperarás; por el contrario, condenar a alguien por algún error cometido, producirá enojo y amargura en el ámbito de los negocios; ten cuidado con los hipócritas que dicen una cosa y hacen otra. Gén. 3:10-12.

Cultivo: un cultivo es cualquier planta cultivada, hongo o alga que se cosecha para la alimentación, la ropa, el forraje para el ganado, el biocombustible, la medicina u otros usos. Ver una cosecha en tu sueño representa que ha llegado el momento de cosechar tu duro trabajo o sacar provecho de tus inversiones. Puede esperar experimentar un gran aumento de favores y bendiciones financieras.

Cumbre: si llegas a la cima de una montaña para contemplar tu entorno, indica que alcanzas la posición más alta posible en tus negocios y que prosperarás en muchos ámbitos.

Cumpleaños: indica un nuevo nivel de madurez, una celebración de la vida, un nuevo hito en el proceso de desarrollo.

Cumplido: escuchar a alguien expresar un cumplido, alabanza, adoración o felicitación por un acto de bondad o corresponder a una cortesía con buenos deseos o saludos, indica que tus acciones positivas serán celebradas en un tiempo de gran favor y aumento. Buscar un cumplido de los demás indica que necesitas la aprobación del hombre para tus acciones.

Cuna: un lugar de nuevo comienzo, una cama de bebé, la crianza, la preparación para un nuevo comienzo, el nacimiento de una nueva idea.Volver al lugar de origen, al lugar de nacimiento, o recuerda los primeros momentos de tu vida; «de la cuna a la tumba». Utilizar un aparato parecido a una caja provista de balancines, que se usa para lavar la suciedad de oro, indica que ganará grandes riquezas y beneficios. Mecer una cuna de bebé indica que darás a luz algo nuevo, recogerás una gran cosecha y administrarás con éxito muchos dones y talentos.

Cuñada: lo mismo que hermana sólo que bajo la ley; ministra involucrada en otra iglesia; tú misma; la cuñada real; alguien que tiene cualidades similares a ella.

Cuñado: por ley, es alguien parecido a un propio hermano; compañero de ministerio; tú mismo; el cuñado actual; adversario; alguien que tiene cualidades similares a él. Gál. 3:5, 42-26; 4:21; 1 Tm. 5:1.

Cupido: ver a Cupido, el mítico dios del amor, representado por un niño alado con un arco y una flecha, simboliza el deseo de tener una relación amorosa romántica. También puede ser un recordatorio de que hay que hacer algo especial por los seres queridos. Arriesga en el amor. El día de San Valentín es el 14 de febrero. Envía a alguien especial una caja de dulces y una tarjeta para expresar tus sentimientos.

Cupones: ver o recortar cupones en un sueño sugiere que estás siendo frugal, haciendo todo lo posible para conservar tu energía y maximizar tus recursos. Un cupón es un certificado negociable adjunto a un bono que representa una suma de intereses o pagos periódicos que se deben. Es una forma impresa de publicidad que se utiliza para pedir mercancías o información; el portador tiene derecho a beneficios específicos, regalos o reembolsos en efectivo. Estás en la cola de una bendición.

Cúpula: se avecinan cambios; los nuevos conocidos te harán una invitación de honor; se fijan objetivos elevados; se logra el éxito mediante el trabajo duro y la planificación diligente; se utiliza la cabeza; un tipo de protección.

Cura: ver a un miembro del clero a cargo de la parroquia que asiste a un rector o vicario en las tareas espirituales, indica que tienes hambre por renovar tus disciplinas espirituales.

Curandero: al ver a alguien que pretende ser un experto en el campo de la medicina sabes enseguida que estás tratando con un charlatán o con un maestro del engaño, sé muy desconfiado con los nuevos conocidos. Chamán, hechicero, (falso) profeta entre los pueblos africanos, que utiliza incantaciones, espíritus demoníacos y hechizos.

Curruca amarilla: pequeño pájaro del Nuevo Mundo con plumaje predominantemente amarillo. No permitas que el miedo te invada. Mantente firme en la Palabra de Dios y haz lo que es correcto. Deja de tambalearte de un lado a otro con cada viento de doctrina. Pide a Dios sabiduría y discernimiento.

Curvas: la belleza de la figura de una mujer bien proporcionada le ha llamado la atención. Alguien con un discurso suave tiene la mala intención de lanzarte una bola curva cuando menos lo esperas, un rápido cebo y cambio está en ciernes, una desviación de ser directo. Representación gráfica del rendimiento relativo de las calificaciones de los individuos en comparación con el rendimiento de los demás.

Cus (negro): el hijo mayor de Cam, Gén. 10:6-8; 1 Cro. 1:8-10; Is 11:11 Etiopía.

D

D.V.M.: veterinario, alguien especializado en el cuidado de animales enfermos o heridos. Ve las necesidades de los demás y tender la mano para ayudar. Considera que puedes estar alimentando la naturaleza más animal en lugar de crucificar tu naturaleza carnal.

Da un giro de 180 grados: no hay vuelta atrás. No puedes deshacer lo que ya has hecho o dicho. Ahora tienes que recorrerlo de la mejor manera posible.

Dados: especulación desafortunada; jugarse la vida, las relaciones o las asociaciones comerciales; correr riesgos innecesarios; decidir su destino por el lanzamiento de los dados, dejar las cosas al azar en lugar de la oración estratégica.

Daga, tomándola de otro: impedirás o prevalecerás sobre las palabras o influencias negativas.

Daga: una espada corta destinada a la lucha cuerpo a cuerpo; arma punzante o cortante; una cuchillada destinada al corazón; apuñalada en la espalda o el tajo de un enemigo o asaltante, 2 Re 3:26; arma básica con capacidad de ocultarse facilitando el factor sorpresa, Jue. 3:16-22; palabras pronunciadas con ira, fría hostilidad y acusación destinadas a infligir desesperanza, depresión, dañando el corazón, quita la alegría o la paz.

Dagón: pez, ídolo de los filisteos; cabeza y manos de hombre con cuerpo de pez, 1 Sam. 5:1-4; 1 Cr. 10:10.

Dakota del Norte: «Libertad y Unión, Ahora y Siempre, Uno e Inseparable»; Legendario; Estado de la Cola de Chispa, Estado de los Sioux, Estado del Jardín de la Paz, Estado del Jinete Rudo; Rosa de la Pradera Salvaje; Madera de Teredo.

Dakota del Sur: «Bajo Dios el pueblo gobierna»; Los rostros enormes. Estado del Monte Rushmore; Flor de Pulsatilla; Azul y Oro; Cuarzo Rosa; Ágata Fairburn.

Dalia: prosperidad; bendiciones; ampliación; buen gusto; aumento del favor.

Dalila: languidez; mujer filistea que traicionó el amor de Sansón, Jue. 16:4-18.

Dallas: el nombre de Dallas significa eficiente y gentil, Dt. 15:10. Dallas es un próspero complejo metropolitano en el estado de Texas que ha producido dos presidentes de los Estados Unidos. «No te metas con Texas». Estado rico en petróleo y gas.

Dálmata: la popularidad del dálmata manchado está ligada en parte a las películas de Disney. Es un perro de proporciones cuadradas, de complexión moderada, con buena sustancia y complexión atlética; es principalmente un perro de compañía. El versátil dálmata ha tenido muchos usos, como mascota de los bomberos, centinela de guerra, artista de circo, cazador de alimañas, cobrador, pastor y perro guardián. El dálmata se situó históricamente por primera vez en Dalmacia, parte de la antigua Yugoslavia. La raza se hizo popular como perro de carruaje en el siglo XIX, trotando junto a los caballos (e incluso entre ellos) y vigilando el carruaje y los caballos mientras el amo estaba ocupado en otra parte.

Dama de honor: romance, amistad, celebración compartida; apoyo; siempre una dama de honor, nunca la novia.

Dama: una mujer o cabeza del hogar; una mujer bien educada, de comportamiento correcto, virtuosa o considerada; dirección cortés, mujer a la que un hombre está vinculado románticamente; honor social; una dama puede referirse a la Iglesia; a la suerte o al amor; título femenino para la nobleza; Nuestra Señora: La Virgen María. Is. 47:5, 7, Babilonia como señora de las naciones; Jue. 5:29; Esd. 1:18; damas significa princesas.

Damasco: ciudad de Siria «el ojo del desierto», «la perla de Oriente»; un lugar hermoso; Gén. 14:15, 15:2.

Dan: ver a un hombre llamado Dan en tu sueño puede significar: «Dios es mi juez». También significa discernimiento, así que no dejes que la gente te juzgue o condene. Dios es el único que es justo y verdadero, Sal. 119:142. *«Porque tal como juzguen se les juzgará, y con la medida que midan a otros, se les medirá a ustedes»*, Mt. 7:2.

Dana: significa brillante como el día, obediente, Dt. 16:20.

Daniel: Dios es mi juez; discernidor; Sal. 119:142; Profeta y vidente de los reinos del mundo; *«He oído que eres capaz de dar interpretaciones y de resolver problemas difíciles. Si puedes leer esta escritura y decirme lo que significa, serás vestido de púrpura y se te pondrá una cadena de oro al cuello, y serás nombrado el tercer gobernante más importante del reino»*, Dn. 5:16; Apo. 19:16, 11:15.

Danza del vientre: se realizan movimientos sinuosos y gráciles con los músculos del vientre para seducir y entretener; cuidado con los sentimientos lujuriosos o los apetitos descontrolados, puede indicar que hay problemas de fondo que deben afrontados.

Danza hula: capacidad de expresarse libremente, expresión creativa de la vida y el amor, mensaje simbólico del lenguaje corporal.

Danza, escuadrón: moverse como un solo equipo; pasos y movimientos orquestados que conducen a la armonía y la unidad; artistas itinerantes que funcionan como un equipo coordinado y preciso.

Danza, pasar por el aro: orientado a la actuación, buscando la atención o la aprobación.

Daños: soñar con una destrucción o una pérdida de valor, utilidad o capacidad como consecuencia de una acción o acontecimiento negativo es una advertencia para que cambies tus hábitos, relaciones o enfoques. Por encima de todo, cuida tu corazón.

Dar a luz, otra persona: el hecho de que otra persona dé a luz implica que está creando cargas no deseadas para los demás.

Dar forma a otra persona: si tratas de moldear a alguien a la imagen o persona que deseas que sea, entonces es una advertencia de que estás siendo controlador y manipulador.

Dar forma en arcilla: si estás dando forma a un objeto o recipiente útil a partir de un trozo de arcilla o algún otro material, esto representa el hecho de que eres un ser creativo que está ocupado diseñando cosas que te ayudarán a ti y a otros a alcanzar sus objetivos.

Dar la vuelta: arrepiéntete y busca una nueva dirección en tu vida. Busca la guía del Señor a través del Espíritu Santo. Estás corrigiendo un error o volviendo para humillarte y enmendar tu error. Alternativamente, significa que has sido herido y necesitas retirarte de una pelea. *«Y un hombre disparó su arco a la ventura e hirió al rey de Israel por entre las junturas de la armadura, por lo que dijo él a su cochero: Da la vuelta, y sácame del campo, pues estoy herido. Pero la batalla había arreciado aquel día, y el rey estuvo en su carro delante de los sirios, y a la tarde murió; y la sangre de la herida corría por el fondo del carro»*, 1 Re. 22:34-35; 2 Cr. 18:33.

Dar tumbos: verse a sí mismo dando tumbos en un sueño sugiere que se siente como si hubiera sido capturado y retenido contra su voluntad en alguna relación o trabajo restrictivo. Agitarse, balancearse o golpear salvajemente sugiere que está luchando con todas sus fuerzas para escapar de algún adversario. Quieres liberarte de aquellos que desean vencerte o derrotarte por completo. Invoca el nombre del Señor y el poder de su poderoso nombre para liberarte de los planes del enemigo.

Dar vueltas: dificultad para tomar una decisión, confusión, no hacer ningún progreso, dar vueltas a las ruedas, demasiadas cosas que suceden a tu alrededor al mismo tiempo, sensación de estar fuera de control o abrumado.

Dardo negativo: dardos ardientes de un enemigo; maldiciones de palabras calculadas y planificadas, molestias, fastidio; cosa que traspasa o «se mete bajo la piel»; dardos ardientes de un enemigo que dice palabras dañinas o maldiciones.

Dardo positivo: puntos de precisión, dar en la diana o en el objetivo marcado.

Dardos: desarrollar el arte de la conversación para persuadir a los demás de que se unan a una empresa; dar con un objetivo; las palabras punzantes o los comentarios dañinos te han dejado un aguijón hiriente; los dardos ardientes del enemigo han dado en el blanco.

Darío: significa próspero y preservado, Is. 42:6.

Darse de baja: se quiere quedar fuera del circuito, desinformado, fuera del conocimiento, no se quiere participar o resignarse a estar solo. No formar parte del grupo o corporación.

Darth Vader: soñar con el personaje de La Guerra de las Galaxias, Darth Vader, sugiere que estás siendo tentado por una fuerza maligna para unirte al lado oscuro o al pecado en lugar de dejar que tu hombre espiritual te gobierne y te guíe hacia el reino de la luz y la piedad.

Datos: es un resultado de información factual, en forma numérica que puede ser transmitida digitalmente o evaluada, mediciones o estadísticas utilizadas como base para el razonamiento, la discusión o el cálculo por un dispositivo u órgano sensorial que incluye, tanto información útil como irrelevante o redundante, que debe ser evaluada para ser significativa. Si en tu sueño estás recopilando, clasificando o analizando datos, indica que no tienes toda la información o los hechos pertinentes que se necesitan para tomar una decisión inteligente sobre una situación de la vida. Es posible que necesites buscar el consejo o la ayuda de otras personas que tengan más experiencia o conocimientos en ese campo de estudio específico. Puede tratarse de alguien muy astuto y calculador.

David: significa amado; amante de todos; 1 Jn. 4:16;

guerrero, rey, profeta; salmista, adorador; hombre según el corazón de Dios. 2 Sam. 23:1-2; Heb. 2:12; Hch. 2:25-36.

De madera: ver una estructura de madera en un sueño puede simbolizar idolatría ya que suele ser una imagen tallada o esculpida.

De puntillas: verse de puntillas en un sueño indica que tienes temores y angustias sobre cómo manejar una situación delicada en tu vida personal. Deje de andar de puntillas, haz acopio de valor y afronta el problema. No puede andar siempre de puntillas.

Deberes: dedica algo de tiempo adicional a prepararte para un ascenso y el siguiente nivel en el Espíritu. La práctica hace la perfección, con algunos ajustes llegará muy lejos.

Débil: carecer de fuerza física, energía o vigor o aparecer débil en un sueño indica que no serás eficaz; necesitas sabiduría sobrenatural de Dios para tener éxito. No estás dotado ni eres capaz de alcanzar el éxito sin la intervención divina.

Decaer: descomponerse, desintegrarse o disminuir, disminuir o caer en la ruina, declinar de un estado normal o próspero, un deterioro gradual a un estado inferior. Necesitas conectarte a la gloria para que se renueve tu juventud Sal. 103:5, la alegría del Señor es tu fuerza, Neh. 8:10.

Decano: ver a un decano de educación en el ámbito secular o en los círculos cristianos que ocupa una determinada posición de autoridad dentro de una jerarquía religiosa o el jefe de un colegio de abogados puede indicar que estás luchando con un enfoque legalista de la vida y la justicia. Puede que estés intentando descubrir a Dios a través del intelecto de la mente y no por el Espíritu de la Verdad. El nombre Decano significa valle próspero, Mt. 12:35; puede que estés pasando por un momento difícil, pero encontrarás consuelo y sabiduría mientras transitas por los valles de la vida.

Decapitación: muerte como mártir, castigo severo, cortar una relación porque se tienen creencias o ideas diferentes, se está siendo motivado por el conocimiento y razonamiento carnal en lugar de ser guiado por el Espíritu, más de una persona está tratando de dirigir; perder la cabeza por algo.

Decapitado: uso excesivo de su razonamiento carnal; ascenso intelectual a Dios; martirizado por su fe; rebelarse contra tus líderes u organización. Lc. 9:9; Mc. 12:2-4.

Decatlón: prueba combinada de atletismo que consiste en diez pruebas de pista y campo disputadas principalmente por atletas masculinos, mientras que las atletas femeninas suelen competir en el heptatlón. El rendimiento se juzga por un sistema de puntos en cada prueba, no por la posición alcanzada.

Decepcionar: ser retirado de una posición o cargo, no satisfacer la esperanza, el deseo o la expectativa de alguien. *«La esperanza que se demora es tormento del corazón; Pero árbol de vida es el deseo cumplido»*, Pr 13:12.

Declaración de derechos: notificación de límites garantizados, derechos, libertades, limita el poder de los líderes sobre el pueblo.

Decoración: lo que utilizas en tu casa para definir o transmitir lo que te agrada. Fíjate en el tipo de decoración si es espiritual o terrenal. Se estás preparando el escenario. Se te están dando nuevos regalos para conferirte el honor de amueblar o adornar tu vida con cosas bellas o de moda.

Decorar: embellecer, mejorar, actualizar el aspecto o la identidad de uno, tratando de hacerse pasar por otra persona. Adoptar una apariencia o una fachada para encubrir los sentimientos; poner una fachada en lugar de abordar un problema o una situación en cuestión.

Dedal: llevar o ver este pequeño recubrimiento de metal indica que la felicidad en el hogar llegará con un poco más de esfuerzo.

Dedo del corazón: es el dedo más largo, representa al evangelista o al que tiende la mano para reunir; gesto inapropiado que sugiere que alguien te deje en paz.

Dedos cortados: no estás en contacto con los acontecimientos actuales; pérdida de control de la realidad; pérdida de una relación. Necesitas «controlarte» a ti mismo.

Dedos, anillos de oro: ver anillos de oro en los dedos indica matrimonio o relación de pacto.

Dedos anulares: el dedo anular representa al pastor que está lleno de amor, misericordia y compasión. Él está casado con la Esposa de Cristo y protege al rebaño de los lobos y los falsos maestros. Es un buen oyente que se preocupa por tus sentimientos. Es alguien apto para enseñar, dirigir, nutrir a las personas, es compasivo y se preocupa por sus emociones. Esta persona está motivada por la misericordia y su máxima preocupación son los demás.

Dedos índices: el dedo índice representa al profeta, que está lleno de discernimiento y sabiduría para señalar el camino; provee dirección e instrucción piadosa, guía mediante el estímulo y la convicción; interpreta los sueños y las visiones; instruye sobre destino en la vida de las personas. El dedo índice nos recuerda que debemos orar por los que enseñan, instruyen e imparten sanidad.

Dedos del corazón: representa al evangelista que tiende la mano para recoger y amar al perdido. Una persona llamativa, extravagante, que se mueve con señales, milagros y prodigios. El dedo del corazón nos recuerda que debemos orar por el presidente, los líderes y los administradores.

Dedos meñiques: el dedo meñique representa al maestro que puede entrar en la puerta del oído para enraizarnos en una relación con Dios y con los demás sentando una base bien detallada, línea por línea. Esta persona puede tomar el problema o la imagen grande y difícil de entender y dividirlo en trozos pequeños y sencillos de modo que se puedan aplicar. El dedo meñique te recuerda que debes orar por ti mismo.

Dedos pulgares: representa la administración apostólica; un enviado; un director general, un tipo de líder fuerte que tiene una visión panorámica general y le gusta delegar; oficina de gobierno; capacidad para tocar todos los aspectos de los negocios o todos los cinco oficios ministeriales; empresario; un pionero; disfruta iniciando proyectos, obras y entregarlas a otros para que los dirijan. El pulgar te recuerda que debes orar por los que están cerca de ti.

Dedos: obras de Dios; señalar con el dedo: acusación; perversidad; Lc. 11:20; Dn. 5:5; Pr. 6:13; Is. 2:8; Sal. 8:3. Indaga o percibe un zumbido; un pulso; un cambio de color; una manifestación de aceite; un aumento o disminución de la temperatura; un viento ligero; una vibración; o una presión para determinar los dones y las unciones de alguien.

Deducir: quitarle a otro o restarle algo, disminuir; derivar a una respuesta por deducción indica que eres una persona de gran capacidad de razonamiento. Si se te da la información correcta, siempre responderás con la respuesta correcta.

Defecar: deshacerse de las toxinas espirituales, los residuos o la falta de perdón, la amargura y el pecado, salir del cuerpo, una limpieza espiritual, la liberación de las emociones negativas, los demonios o las manifestaciones espirituales. En público: aunque sea algo embarazoso su proceso de limpieza le traerá una gran recompensa y un aumento financiero.

Defecto: notar una imperfección estructural, un fallo de software o un defecto físico indica que eres consciente de tus propias debilidades, imperfecciones o trastornos, así como de los demás. La deserción es el abandono de tu lealtad a un compromiso personal o a un país.

Defender: proteger del peligro, del ataque o del daño, guardar, apoyar o mantener por medio de acciones o argumentos; acusado en el tribunal, hacer una defensa. *«Que te alabe otro, y no tu propia boca; un extraño, y no tus propios labios»*, Pr. 27:2.

Deformado: tu temperamento natural está siendo cambiado, puesto a prueba o distorsionado; se avecinan cambios peores; tu disposición, actitud o personalidad está siendo alterada o afectada por la presión y el estrés sin causa.

Degustar: prueben y vean que el SEÑOR es bueno, Sal. 34:8; juzgar, probar, discernir o probar algo nue-

vo; las palabras amables son más dulces que la miel, Sal. 119:103; probar la muerte, Heb. 2:9.

Déjà vu: *«Entonces revela al oído de los hombres, Y les señala su consejo»*, Jb. 33:16. Este es un ejemplo de déjà vu en la Biblia y se refiere a él como un sueño sellado. El soñador busca el significado y el deseo de su vida personal; tiene un fuerte deseo de conectar su vida real con el mundo espiritual invisible.

Dejar atrás: representa los sentimientos de rechazo, el abandono, la mentalidad de víctima de la insuficiencia, un inadaptado aislado que se deja de lado, el miedo a no estar a la altura, dejar una situación, persona o algo en el pasado, la disolución de una relación, quedarse atrás en los estudios, dejar todo atrás. Uno necesita darse cuenta de su propia valía o valor; estás lleno de potencial, deja de quedarte en el pasado y avanza hacia la grandeza.

Delaiah: Jehová es el libertador; 1 Cro. 24:18; Esd. 2:60; Neh. 7:62; Jer. 36:12, 25.

Delantal: Cobertura protectora; paños ungidos que producen milagros Hch. 19:12 o provisión; curación; cuidado; corazón de siervo para servir o satisfacer las necesidades de los demás, Jn. 13:4-5.

Delaware: «Libertad e Independencia»; es bueno ser el primero; Primer Estado; Estado del Diamante; Flor del durazno; Colonial Blue and Buff.

Delfín: personas serviciales y solidarias que ayudan, animan y contribuyen; armonía perfecta; unidad; inteligente; buen comunicador; avance a través de la actividad mental.

Delgado: si en tu sueño te ves delgado delgada puede indicar que tienes un cuerpo sano y delgado. Pero también puede representar una carencia si se trata de provisiones escasas.

Delicado: ver algo que es exquisito y fino o delicado en su estructura o apariencia puede indicar una fragilidad de la constitución corporal o de la salud. Por el contrario, puede representar que eres una persona refinada, sensible, perceptiva y discriminatoria. Se preocupa por el decoro con una respuesta o reacción aguda y precisa ante las dificultades.

Delincuente: soñar con un delincuente criminal o mafioso que es miembro de una banda de crimen organizado indica que el mal está tratando de aprovecharse de tus recursos para llevar a cabo una compleja transacción criminal que requerirá un grupo de personas corruptas que actúen en contubernio.

Delirio: trastorno temporal, confusión o nubosidad de la conciencia resultante de una fiebre alta, una intoxicación o una conmoción, marcada por el miedo, los temblores, las alucinaciones o los delirios, las emociones incoherentes e incontroladas o la excitabilidad. *«Porque ese hombre no debe esperar recibir* *nada del Señor, siendo un hombre de doble ánimo, inestable en todos sus caminos»*, Snt. 1:7-8.

Delphinium (especies de plantas): se logrará una nueva audacia y confianza; una situación nueva y fresca, libre de miedo, traerá mucho consuelo y alegría.

Demacrar: síntoma de hambre que hace que uno se vuelva demasiado delgado y poco saludable, dejar de alimentarse de pensamientos erróneos, angustia del alma.

Demanda: litigio que busca una solución equitativa para un problema difícil en tu vida en el que has sido perjudicado por otro. Sufre con sentimientos de culpa o miedo. Tiene miedo de que los demás juzguen o critiquen tus acciones. Perdona, olvida y sigue adelante. La vida es demasiado corta para pasarla atada a los tribunales luchando por algo que ocurrió en el pasado. Si te demandan, puedes esperar que te paguen todo el dinero que debes.

Demasiado maquillaje: indica que estás poniendo demasiado énfasis en la belleza y en las apariencias externas en lugar de en lo que hay dentro del corazón, 2 Re. 9:30.

Demencia: indica que estás «perdiendo la cabeza» por el temor y la preocupación. Alguien de tu entorno de vida puede estar volviéndote loco con sus palabras o acciones. Este símbolo también puede advertir de un ser querido que está empezando a perder la memoria debido a la demencia y necesita tu amor y paciencia.

Democracia: formar parte de un gobierno que se ejerce directamente por el pueblo o a través de representantes elegidos de una parte política o social indica que te gusta que la mayoría gobierne y tome decisiones. Crees en la igualdad social y en la ideología que respeta a los individuos dentro de una comunidad. Serías un excelente candidato para una democracia justa.

Demoler: derribar por completo, acabar con un daño o destrucción grave.

Demolición: las cosas en la vida de uno están fuera de control o le estallan en la cara; los cambios explosivos están llevando las cosas a su fin; para desactivar a alguien o una situación negativa. Uno debe derribar las estructuras externas actuales, las actitudes internas y los sistemas de creencias para añadir, expandir, aumentar o multiplicar su influencia e impacto. Cuando se ha derribado o reducido, entonces se puede reconstruir, renovar y fortificar.

Demoniaco: alguien cuya mente y acciones están motivadas, inspiradas, poseídas o controladas por demonios o fuerzas espirituales oscuras.

Demonio: dar expresión a las cosas de la propia vida por las que uno se siente amenazado; reprimir o sentirse culpable por los impulsos pecaminosos; un demonio puede representar cualquier miedo, pe-

cado y vergüenza, así como el odio, los sentimientos de impureza, la agresividad o los deseos carnales; un ser maligno; diablo; demonio; persona que atormenta; fuerza recelosa, destructiva y maligna. Mc. 9:38.

Demonios: ángeles caídos o espíritus incorpóreos que atormentan y extravían a los hijos de Dios, un ser maligno diablo, espíritu o demonio. Alguien o algo, una fuerza o una pasión que se empeña en atormentar a una persona. En la mitología griega, un demonio era un ser divino inferior o un héroe deificado. Una persona extremadamente hábil o celosa en una actividad determinada y motivada por una fuerza espiritual negativa.

Denim, jeans: Llevar jeans refleja tu deseo de encajar y trabajar con los demás en armonía. Eres muy trabajador y deseas completar lo que Dios te ha llamado a hacer. Tu cobertura espiritual te permitirá aventurarte en diversas situaciones en las que se necesiten tus dones y llamados espirituales.

Dentadura postiza: es un indicador de que necesitas sabiduría para tomar decisiones, la ayuda viene de fuentes inesperadas. Soñar que se lleva una dentadura postiza indica que no estás siendo completamente honesto consigo mismo o con los demás. Si los demás llevan dentadura postiza, es una advertencia para que disciernas sus palabras; puede que no le estén diciendo la verdad.

Dentista: temor periódico a ser herido, valor para lidiar con el dolor, médico que es capaz de diagnosticar problemas y prevenir daños tratando las encías y los dientes; proporciona protección contra los hombres cuyos dientes son como espadas y mandíbulas como cuchillos que devoran a los afligidos y necesitados, Pr. 30:14; 16:24,27; dolor por la autenticidad y la reputación de alguien; dientes de otros: traumatizados por chismes, calumnias o escándalos.

Depilación: afeitarse, cortarse o quitarse todo el pelo de la cabeza o del cuerpo indica que estás tratando de limpiarse de enfermedades o dolencias mediante un proceso de purificación. También puede representar una falta de sabiduría, una pérdida de fuerza o una cobertura espiritual.

Deporte: necesidad de distracción, forma de ejercicio físico que implica recreación para ayudar a pasar el tiempo; debes tener cuidado con las circunstancias difíciles o una situación desafiante, jugar según las reglas, estar alerta a cualquier mutación o cambio marcado de un patrón o modelo anterior, alianza amorosa, mostrar o exhibir los talentos y habilidades de uno, mostrar un comportamiento deportivo, respuesta de buen carácter, exhibir cooperación, ser un jugador de equipo.

Deportes y recreación, jugar: soñar que estás practicando un deporte significa que eres una persona activa que toma riesgos. Para ganar uno primero debe reconocer sus dones, talentos y limitaciones para entonces poder lograr los objetivos. El trabajo en equipo, la cooperación y la conducta deportiva con armonía son de suma importancia. Aprende a jugar según las reglas, el arte de ser un «deportista» implica mostrar un comportamiento similar al de un deportista. La mayoría de los deportes implican algún tipo de roce o contacto físico; así que, diferentes deportes pueden representar el arte de hacer el amor o el sexo apasionado.

Deportes y recreación, mirar: si sólo estás mirando un juego deportivo, deja de ser un espectador, sal del banco y comienza a vivir. Las rivalidades entre equipos representan una competición entre dos posiciones, puntos de vista, perspectivas u opiniones opuestas.

Depósito vacío: has dejado tus objetivos en suspenso porque has agotado todo tu favor, fuerza, conexiones o recursos. Considere la posibilidad de tomarte unas vacaciones hasta que tus jugos creativos y nuevas ideas comiencen a fluir de nuevo. Si firmas un contrato para un almacén vacío, indica que tienes una gran cosecha de trabajo o dinero que ya has sembrado, Jb. 38:22-23.

Depósito: almacén de bienes y recursos para otro momento; recuerdos de experiencias pasadas; poner en espera tus objetivos y deseos. Representa un lugar para almacenar recuerdos, bienes o mercancías, energía o una abundancia de recursos ocultos. Si está lleno: el banco emocional de uno, las emociones almacenadas o reprimidas, no dejar salir los verdaderos sentimientos; si está vacío: uno ha agotado toda su energía o emociones, se siente agotado.

Depresión: te sientes excluido, desunido o desconectado de tus amigos o familiares. Las decisiones negativas o pobres han afectado negativamente a las relaciones. Determina la causa de la depresión y toma medidas positivas para hacer los cambios necesarios en tu vida diaria.

Derby de patines: determinación agresiva para lograr los objetivos de uno en la vida; empujar a los demás a un lado; dejar que la ambición de uno se imponga en las situaciones para asegurarse que se pueda avanzar en la vida.

Derecha: es el exterior dominante, la autoridad y la fuerza, la longevidad, la fe confiada, la sabiduría, Ec. 10:2; lado moralmente correcto o recto de uno mismo que se muestra a la sociedad. Mantenerse en el lado correcto de alguien, hacer la elección correcta en el momento correcto, en la mente correcta, en la derecha, en el derecho, poner a alguien en el camino correcto, mano derecha, empezar con el pie derecho,

dar mi brazo derecho, la mujer contenciosa. Recto, rectitud, posición correcta o pensamientos coherentes, el lado derecho representa la realidad consciente o las acciones con propósito. Estás en el camino correcto o estás tomando las decisiones correctas. Defiende lo que es «justo» o tus «derechos». La derecha o las opiniones políticas correctas.

Derechos de autor: indica que tienes ideas creativas y obras literarias que necesitan ser escritas y registradas ante el gobierno para proteger tus derechos de propiedad para que te beneficies de tus trabajos.

Derramar: advertencia de no volcar el carro ni malgastar las oportunidades o los suministros que se te han dado, no llorar sobre la leche derramada, derramar la comida o la bebida indica que puede no estar de acuerdo con tu metabolismo, discierne si debes «desahogarte» o contener la lengua en ciertas situaciones. Ver sangre derramada puede representar asesinato y odio; si es la sangre de Jesús representa sanación, redención y salvación.

Derrape: ver marcas de derrape indica que se ha frenado una relación debido a la presión exterior.

Derrelicto: abandono total de las responsabilidades, descuido del deber o de la obligación, ser negligente, ser abandonado por un propietario, un tutor, una persona sin hogar que carece de medios de subsistencia; un vagabundo. Pide a Dios una idea creativa para producir algún ingreso, usa tu sentido común e ingenio para superar tu situación actual, renueva tu esperanza en el Señor.

Derretir: ver derretirse el hielo o la nieve en un sueño indica que estás dejando ir o liberando las emociones negativas y frías que has estado reteniendo. Se está calentando la situación, Is. 13:7; significa que te estás ablando al cambiar de opinión, revelar tus sentimientos o disminuir la resistencia.

Derrota: arrepentirse, dar la vuelta, reevaluar las situaciones y las decisiones, el cambio es necesario para tener éxito, aprender de los errores, buscar el consejo de Dios, y priorizar para el máximo éxito.

Derrotar: buscar una nueva dirección, animarse en el Señor, contar las bendiciones y estar agradecido para superar los comentarios negativos, mirar hacia arriba, orar por respuestas y sabiduría, ningún arma formada contra ti prosperará, reevaluar la situación, aprender de los errores del pasado.

Desafío: alguien le está acusando falsamente. Se le está pidiendo que participe en una prueba o lucha por tu reputación que requerirá toda tu concentración, habilidades y recursos. Desafío o tentación que el enemigo pone ante ti. *«Tened por sumo gozo, hermanos míos, el que[a] os halléis en[b] diversas pruebas[c], 3 sabiendo que la prueba de vuestra fe produce paciencia[d], 4 y que la paciencia[e] tenga su perfecto* *resultado[f], para que seáis perfectos[g] y completos, sin que os falte nada», Snt. 1:2-4.*

Desagradable: ser desconsiderado, cruel o duro en un sueño indica el deseo de tomar represalias o de hacer daño a alguien debido a sentimientos de amargura o la falta de perdón. *Alternativamente:* verse con ropa desaliñada, desgastada, harapienta, dilapidada o deteriorada, o vivir en una vivienda despreciable, pequeña o tosca, indica un espíritu de carencia y pobreza. Es hora de dejar atrás las viejas formas de hacer las cosas y comenzar un nuevo capítulo en la vida. Ora por ideas creativas, siembra en otros y recoge una cosecha provechosa de aumento y bendiciones piadosas.

Desagradar: mostrar una actitud de aversión o desagrado indica que te estás arrepintiendo del pecado pasado, cambiando de opinión y tomando mejores decisiones.

Desalmado: vida imprudente y moral relajada; reputación ennegrecida; atacado por falsos amigos; interceptación de planes malvados.

Desamparado: estar desamparado en un sueño: indica que tiene miedo a ser dejado de lado o abandonado. Eres una persona muy solitaria que sufre una carencia extrema que otros no pueden satisfacer. Arrepiéntete de la desesperanza y pon tu esperanza en Cristo. Él nunca decepciona.

Desaparecer: el dinero, los objetos de valor que se van o las furgonetas indican que un empleado, un amigo cercano o personal está robando. O tiene miedo al rechazo o a la pérdida, la ansiedad o la inseguridad te hacen aferrarte demasiado o intentar controlar una situación o persona, tienes miedo en el amor, temes que alguien te deje o abandone, buscas la restauración de un corazón roto; una mala imagen de sí mismo o emociones heridas. Si una persona desaparece, ¿le dedicas tiempo y atención de calidad, tu interés disminuye?

Desaparición de uno mismo: si estás desapareciendo, puede ser que te sientes insignificante o ignorado o puedes sentirte sobrepasado por la vida por lo que te estás retirando. Verte desaparecer de una situación significa que no te han tenido en cuenta y que te pasarán por alto si no haces los cambios necesarios. Por otro lado, puede que estés intentando hacerte invisible para escapar de las pesadas responsabilidades de la vida.

Desaparición: soñar que la gente, los amigos o los objetos desaparecen ante tus ojos, significa tu temor a quedarte solo y tus inseguridades ante la posibilidad de que tus seres queridos se desvanezcan, dejen de existir o desaparezcan de tu vida. Aprende a desarrollar más confianza en los que te rodean y trabaja en tus problemas de autoestima y confianza en ti mismo. Si una persona desaparece de tu vida, indica que no le has dedicado a ella o a los atributos y cualidades que representa el tiempo, la atención, el honor o el respeto que se merecen. ¿Está perdiendo el contacto con las cosas importantes de la vida? Si tu pareja está desapareciendo, necesitas trabajar en tu relación y en tu nivel de intimidad, ya que está perdiendo el interés en ti y se va con alguien nuevo.

Desaprobación: deja de ser tan duro o crítico contigo mismo o con los demás, ofrece gracia y ánimo, intenta algo nuevo para fomentar sentimientos positivos de autoestima y respeto.

Desarmar: estar despojado de las armas o privado de los medios de ataque o defensa sugiere que confías en la persona con la que tratas y quieres llegar a una resolución pacífica. Disipar la sospecha, la hostilidad o el antagonismo que alguien tiene contra ti sugiere que te ganarás su confianza y prosperarás.

Desarraigo: se avecina una mudanza o un traslado, sensación de desunión o desconexión, falta de estabilidad.

Desatar: liberarse a sí mismo, a alguien o a algo en un sueño indica que se avecinan grandes bendiciones de aumento y prosperidad, una nueva libertad para expresarse sin limitaciones ni restricciones.

Desatino: ver una metedura de pata en un sueño indica que tus acciones son inestables o torpes estando necesitado de información vital. Usted anda ciego a los pensamientos e intenciones de los demás. Se producirá un grave error si no supera su ignorancia, estupidez o confusión.

Desayuno: significa un nuevo amanecer en tu vida; un nuevo comienzo o inicio; un nuevo trabajo o empresa importante.

Desbloquear: ver que se desbloquea una puerta, un portón o un candado para hacerla accesible o abrirla sugiere un nuevo nivel de propiedad, autoridad y libertad. Se está comprendiendo un misterio o interpretando un sueño. Se está liberando, aflojando o desatando el control o las restricciones de alguien.

Desbrozadora: se utiliza para recortar o cortar los lugares de difícil acceso donde crecen las malas hierbas.

Descalzo: sin preparación, ocio, vacaciones, jugando, divirtiéndose, dispuesto a dormir, tiene algunos obstáculos o dificultades que superar.

Descapotable: soñar que estás en un descapotable sugiere un enfoque despreocupado y divertido de una vida llena de glamour y una actitud positiva. Eres de mente abierta; los demás se sienten atraídos por tu carisma, demostración de poder e influencia. Ten en cuenta también el juego de palabras «versátil».

Descarga: recibir revelación y conocimiento espiritual, obtener respuestas a las preguntas, respuestas a la oración.

Descarrilar: ignorar la conciencia, los principios o la ética de uno mismo acabará en fracaso, vergüenza o remordimiento

Descendencia de David: representa la humanidad de Jesucristo como Hijo de David. Apo. 22:16; Mt. 1:1; Jer. 23:5-6.

Descendencia: el producto, la progenie de una persona, un hijo, el fruto espiritual o el producto de las labores de uno, la prosperidad, el aumento; los momentos alegres o gozosos de la vida.

Descendiente: ver o hablar con uno de sus descendientes en un sueño suele ser una visión o visita. Como su hijo, vástago o pariente puedes recibir sabiduría, bendiciones generacionales de sus dones piadosos y otras cosas derivadas de una forma o prototipo anterior.

Desconfianza: no creer en el carácter de una persona, dudar de su integridad o sospechar de un juego sucio.

Desconocido: soñar con una persona desconocida representa nuevas personas o empresas que vienen a traer la ayuda necesaria, el talento, las habilidades y las respuestas a tus problemas. Debes orar por esta persona para asegurarte de que sus caminos se crucen en un futuro próximo; Ora por su seguridad, sanación y salvación.

Desconsolado: ser privado de un ser querido por la muerte, el fin de una relación, cuando uno es tomado otro viene al mundo para reemplazarlo, cuando una puerta se cierra otra se abre. *«Y sabemos que Dios hace que todas las cosas cooperen para el bien de los que aman a Dios, de los que son llamados según su propósito»*, Ro 8:28.

Descubrir: descubrir la cabeza en señal de dolor o luto; cautiverio, Lev. 10:6; Is. 47:2. Obtener conocimientos mediante la observación o el estudio para buscar el significado de un sueño o lo que revela un misterio. Discernir la verdad, el bien y el mal para proseguir y aumentar la piedad. *«¿Descubrirás tú los secretos de Dios? ¿Llegarás tú a la perfección del Todopoderoso?»*, Jb. 11:7.

Desear el bien: tendrás muchos «simpatizantes» en tu vida; los amigos que te quieren son abundantes por lo que la ayuda está al alcance de la mano.

Desempeño: te preocupan mucho las acciones y las apariencias de la gente.

Desempleado: aprovechar o utilizar todo el potencial de uno; estar abierto a una nueva perspectiva; dejar de sentirse aprehensivo, inseguro o inadecuado; orar y pedir a Dios la provisión. Lo que hagas con tus manos, hazlo de corazón como para el Señor.

Desempleo: una falta de autoestima, motivación o inspiración; estás causando que otros pasen por alto tu potencial, por lo que no vas a ningún lado rápidamente; los sentimientos de inseguridad, insuficiencia o no ser lo suficientemente bueno ha causado que no seas utilizado a tu máximo potencial; busca sabiduría y haz los ajustes necesarios para prosperar.

Desenmascarar: si le quitas la máscara a alguien en un sueño, te protegerás de sus engaños, artimañas y maquinaciones.

Desenvolver: descubrir un nuevo don, talento o habilidad.

Deseo: anhelos del reino espiritual o apetitos físicos. *«Perseguid el amor, pero desead fervientemente los dones espirituales, pero sobre todo que profeticéis»* 1 Cor. 14:1.

Deseoso: con alegría, Jb. 27:22; Lc. 15:16.

Deserción: abandono voluntario del cónyuge y de los hijos sin su consentimiento; dejar de lado tus responsabilidades. Una advertencia para cuidar tu boca de los chismes, las calumnias y los abusos verbales que causan ofensas, no gastes en exceso, apégate a un presupuesto. «Todos los hermanos del pobre le aborrecen; ¡Cuánto más sus amigos se alejarán de él!», Pr. 19:7.

Desesperación: si el fracaso, la derrota, el rechazo cruel y la falta de esperanza parecen ser tus amigos constantes, pon una guardia en tu boca, empieza a romper cualquier palabra negativa y habla con afirmaciones positivas. Busca otras opciones para resolver el problema, echa una mano a los demás.

Desfallecer: verte desfallecer en un sueño indica un tiempo de pruebas, de desolación y de disciplina. *«Cuando suspiro, entonces mi espíritu desfallece»*, *Selah Sal. 77:3. «Hijo mío, no tomes a la ligera la disciplina del Señor ni te desanimes cuando te reprenda»*, Heb. 12:5-6.

Desfibrilador: soñar que alguien está usando un desfibrilador en ti indica que necesitas guiarte por tu corazón y no por tu cabeza para que la vida te dé un empujón.

Desfigurado: sugiere que todavía estás en proceso de recuperación de una ruptura o relación pasada que no terminó bien o de un trauma grave que ha hecho mella en tu autoestima. Todavía no te sientes completo o como realmente eres.

Desfile: exhibir los dones de uno con pompa o colorido en una celebración elaborada, una presentación dramática pública o un evento histórico.

Desgarro: de las vestiduras, el corazón o las manos demuestra un gran dolor emocional a través de la pena, la desesperación, la gran tristeza, el cisma, la división, la angustia o la desilusión, Lc. 5:36. Quitar un cargo o unción a una persona para dárselo a otra, 1 Sam. 28:17; Ez. 13:13; Jl. 2:13; Mt. 7:6, 9:16, 26:65.

Desgracia: ver una pérdida de honor, respeto o reputación que trae vergüenza indica que no estás buscando la sabiduría de Dios o caminando en los caminos de la rectitud; si no te promueves, otros te desplazarán.

Desheredar: ser privado o excluido del derecho a heredar indica que serás llevado a un lugar de gran prosperidad. *«Bienaventurados los mansos, porque ellos recibirán la tierra por heredad»*, Mt 5:5.

Deshidratación: estar deshidratado es la pérdida excesiva de agua del cuerpo con una alteración de los procesos metabólicos. Que esto ocurra en tu sueño suele indicar una falta física de líquido corporal o una deshidratación espiritual debido a la falta de comunión espiritual o de ejercicio con Dios, de aporte bíblico o de funcionamiento en la oración. Le falta la capacidad de regar la semilla que ha sido sembrada en tu vida para obtener una buena cosecha. La deshidratación se produce cuando la pérdida de agua supera la ingesta de agua, normalmente debido al ejercicio o a una enfermedad. La mayoría de las personas pueden tolerar una disminución del tres al cuatro por ciento del agua corporal sin dificultad. Una disminución del cinco al ocho por ciento puede causar fatiga y mareos. Más del diez por ciento puede provocar un deterioro físico y mental, acompañado de una gran sed. Una disminución del quince al veinticinco por ciento del agua corporal es fatal.

Deshielo: ver algo que se está descongelando indica que se ha conservado para un momento como éste para bendecirte y beneficiarte.

Deshonestidad: mostrar una falta de integridad en una situación indica que hay que hacer grandes cambios en el desarrollo de tu carácter antes de que los demás puedan confiar en ti. *«Inclina mi corazón a tus testimonios y no a la ganancia deshonesta».* Sal 119:36.

Deshonra: la pérdida de honor, respeto o reputación que termina en desgracia sugiere algún tipo de falla moral o de carácter. Hay que arrepentirse y enmendar las cosas lo antes posible; buscar el perdón y la restauración. Acusación falsa, Jn. 8:49. *«Los sabios heredarán la honra, pero los necios exhiben la deshonra»*, Pr. 3:35.

Desierto: abandonado; solitario; sin dirección; vagando sin rumbo; estéril; sin creatividad o crecimiento; carencia; lugar seco espiritualmente. Dt. 32:10; Mt. 4:11.

Desinfectante: limpiar o erradicar los espíritus negativos; curar.

Deslizador: ser arrastrado por el poder de la carne o la fuerza.

Deslizamiento de agua: ir con la corriente; una transición fácil sin objeciones, o confrontación; ser arrastrado por las emociones de uno; un aguacero de unción.

Deslizamiento de tierra: ver un deslizamiento de tierra en un sueño donde el suelo se mueve de de-

bajo de sus pies o casa indica que viene un cambio radical o drástico a tu vida. Por fin estás dejando ir algunas violentas sobrecargas emocionales que te han reprimido durante mucho tiempo. Un derrumbe predice soledad y problemas. Si estás reparando un derrumbe, entonces serás muy próspero y ganarás el favor y la notoriedad por medio de «un derrumbe».

Deslizarse: soñar que usted o alguien está en un tobogán indica que estás experimentando cierta inestabilidad en tu vida. Has perdido el control de una situación o relación.

Desmayo: indica una predisposición a dejar o tratar de escapar de situaciones difíciles o un mecanismo subconsciente de escape que quiere evitar sensaciones desagradables. Ver que alguien se desmaya indica que su presencia o influencia se va a desvanecer. Jer. 8:18; Gál. 6:9. Verse así mismo o a otra persona desmayarse en un sueño indica un estado de terror o estar abrumado; sobrepasado por la debilidad, la enfermedad o el malestar. Este es un sueño de advertencia para hacer una evaluación interna y espiritual.

Desmoronarse: ver que algo se desmorona ante tus ojos indica que sientes que tu vida se está desintegrando, cayendo en pedazos y rompiéndose en pequeños fragmentos. No te rindas ni te derrumbes en la desesperación, serás realineado y fortalecido a través de la eliminación de cualquier debilidad o pecado y la reconstrucción de tu vida sobre una base piadosa.

Desnuda, mujer: si es una mujer, eres ambiciosa y ansías buenas ganancias y un año provechoso; cuidado con la arrogancia y el ego agrandado; reproductiva o seductora; poco preparada.

Desnudar: burlarse lentamente o tentar a alguien revelando la verdad poco a poco, quitarse la cubierta o la protección, desvelar el funcionamiento interno, abrir o desnudar el alma, exponerse a los demás, quitarse el título, el honor o la reputación.

Desnudez: transparente; vulnerable; deshecho; expuesto; reproductivo; abierto; sin engaño; inocente; no preparado; descubierto; seductor; lascivo.

Desnudo, chica: ver a una joven desnuda indica que necesitas arrepentirte, volver a tu inocencia y ser más niño para entrar en el Reino de Dios.

Desnudo, desnudarse: desnudarse delante de los demás indica que algo es muy obvio o explícito, que hay que sincerarse, sin la cobertura habitual; sentirse desprevenido, deshecho, expuesto o desprotegido en ciertas situaciones; desprovisto, indefenso, vulnerable, transparente, sin astucia; capaz de ver a través de los demás; aceptar a los demás; no juzgar; revelarse a sí mismo; exponer a los demás; miedo a ser descubierto, o traicionado por «la verdad al desnudo», «los hechos desnudos» o un escándalo que da como resultado la pérdida de prestigio; una relación amorosa ilícita.

Desnudo, hombre: eres abierto y transparente respecto a tus planes frente a los demás; por el contrario, la opinión pública puede haberte desnudado dejándote vulnerable por no estar preparado o preparada.

Desnudo, muchacho: ver a un joven desnudo indica que necesitas arrepentirte, volver a tu inocencia para entrar en el Reino de Dios y obtener tus promesas.

Desnudo, otros: descubierto, o sin cobertura; estar expuesto; no tener vergüenza; desgracia o deshonra por compromisos o enredos poco sabios; decepciones reveladas; tentación; tratar de ocultar la desnudez representa un encubrimiento o un plan que salió mal; algo es muy obvio o abierto; salir a la luz; sin la cobertura habitual; sentirse desprevenido o desprotegido en ciertas situaciones.

Desnudo, tú mismo: vulnerable, explícito, **transparente, puro, Adán** y Eva, Gén. 2:25; Jb. 1:21; sin engaños ni agendas ocultas, confiado, mayor favor e ingresos; reproductivo; inocencia; indefenso; vulnerable, Gén. 9:21; descubierto; desprotegido o sin apoyo; despojado; avergonzado; seductor; estéril; desprovisto o sin unción; no preparado; carnal; vergüenza, Is. 47:3.

Desnudo: quitar las fachadas y la máscara que la gente lleva para cubrir su verdadera personalidad, dejar caer el acto o la fachada, las actitudes, llevar las emociones o los sentimientos propios, el deseo de ser visto o de exponerse, el deseo de intimidad, de sexo o de reproducción, revelar su verdadero ser o naturaleza, vulnerable, debilidad abierta.

Desobediencia: fracaso o una negativa a obedecer te llevará a muchas penas. «Porque así como por la desobediencia de un solo hombre los muchos fueron hechos pecadores, así también por la obediencia de uno los muchos serán hechos justos», Rom. 5:19.

Desolación: páramo de soledad y miseria, desdicha. *«La desolación ha quedado en la ciudad y la puerta está destrozada», Is. 24:12.*

Desorden: acumulación caótica de objetos en un estado de total descuido; desordenado o sucio. estado confuso, perturbado y problemático de la existencia. Te está mezclando en un caos sin sentido. Ser brusco o «manoseado». Falta de regularidad, ruptura del orden cívico o de la paz, anarquía. *«Porque donde hay celos y contención, allí hay perturbación y toda obra perversa», Snt. 3:16.* Representa la necesidad de limpiar y organizar un determinado aspecto de la vida, dejar atrás el pasado. Simplifica tu vida y crea espacio para lo nuevo.

Despacho Oval: el despacho del presidente de los Estados Unidos situado en la Casa Blanca. Es el líder del mundo libre. El cargo, la autoridad o el poder ejecutivo del presidente de los Estados Unidos, el que en última instancia debe seguir a Jesús.

Despedida: final de una relación o situación estresante en la vida; temor a perseguir el verdadero deseo de tu corazón.

Despedida: si sueñas que has pasado por una temporada de inactividad como empleado, experimentando la inactividad o que ha sido despedido o apartado físicamente de su actual trabajo, es una advertencia de que necesitas un gran cambio. Para evitar la falta de trabajo en tu vida corrige los malos hábitos laborales y comienza a planificar tu futuro. Aunado a esto, actualiza tu currículum, obtén más formación o estudios y busca alternativas que tengan un valor duradero.

Despedida: ver a alguien diciendo «adiós» en un sueño indica que está saliendo de tu vida, pasando página y que la relación se desvanecerá y desaparecerá a través de un divorcio, una muerte u otra vía de salida.

Despedido: ser desechado por acciones repentinas de un jefe, un amigo o un amor indica que un ascenso está en camino. Dios tiene algo más grande y adecuado para ti.

Despedir: dar de baja en el empleo, disipar las dudas, poner fuera de los tribunales sin más audiencia. Presta atención a los pequeños detalles para que tu enemigo no pueda burlarse de ti, aprecia a los amigos; son un tesoro, no los deje de lado, sino que lucha por la relación.

Despejar la tierra: estás en el proceso de derribar para que puedas ser edificado, aumentar y multiplicar. Despejar la tierra indica que estás en el proceso de ser agregado, construyendo algo nuevo, o preparándote para plantar semillas para aumentar tu cosecha.

Despensa: armario o pequeña habitación que representa el corazón de una persona y que se encuentra fuera de la cocina para almacenar alimentos espirituales y naturales; preparar la comida y cocinar.

Despertador: Obsesión por un tiempo determinado, el tiempo se agota, puede ser necesaria una alarma, una llamada de atención, ansiedad por no tener suficiente tiempo para cumplir un objetivo, una fecha límite o una cita.

Despertando: Un vigía en la pared que está revestido de fuerza Is. 52:1; para advertir y hacer sonar la alarma cuando se detecta un peligro o se revelan los planes de destrucción del enemigo; para volverse sobrio de mente, darse cuenta o discernir un nuevo movimiento o dimensión de Dios; para despertar a un nuevo comienzo; para ser despertado del sueño para tomar una acción consistente ganando una progresión hacia adelante mientras el favor de Dios brilla sobre ti, Ef. 5:14. Saber que el tiempo de la salvación se acerca, Rom. 13:11.

Despertar: despertar del sueño, de la inconsciencia o de un estado de inactividad para activarse, agitarse, enfadarse o excitarse en un sueño indica que no has estado prestando atención a las cosas que han venido sucediendo en tus relaciones o en tu vida personal. Este es un sueño de advertencia para despertar y oler las rosas. Necesita poner atención a las cosas antes de que alguien se aproveche de ti. Espíritu de dolor, estar abrumado por la pena o la depresión, experimentar la pérdida de un ser querido o de una relación; necesitar un cierre para seguir adelante en la vida; despertar significa que el soñador necesita que se le abran los ojos a ciertos aspectos a los que está ciego para que pueda ver, Rom. 13:11.

Despertarse: despertar en tu sueño representa un renacimiento espiritual, una resurrección, una iluminación, una salvación, el comienzo de un nuevo capítulo, el reconocimiento y la aceptación de todos los aspectos de ti mismo para utilizar tu máximo potencial. ¿Quién o qué te ha hecho despertar? ¿Una persona, uno mismo, un despertador, un animal o un ángel? ¿Qué falta todavía en tu vida diaria? Si despiertas a otra persona en tu sueño, quiere decir que estás aprovechando los dones y sabiduría de esa persona para enriquecer tu propia vida, Is. 52:1; Ef. 5:14; Jn. 11:11.

Despierto: simboliza vigilancia, estado de alerta; resurrección de entre los muertos; 1 Cor. 15:34; Ef. 5:14; Dn. 12:1-2.

Despilfarro: soñar que está gastando de forma extravagante o despilfarradora sugiere que tus finanzas se disiparán muy rápidamente si no deja de dispersar tu dinero al viento con cada capricho o deseo egoísta que se te cruce por la cabeza. Es hora de establecer un presupuesto y empezar a guardar dinero para un día lluvioso.

Despreciable: ser un despreciable «manojo de nervios» indica que hay algunos problemas de relación que están agotando tus fuerzas.

Despreciar: tratar o mirar con desprecio, menospreciar o rechazar como indigno. Practica el amor y la aceptación de los que son diferentes a ti; todo el mundo tiene valor y un propósito significativo en la vida. No te consideres más importante de lo que deberías. La soberbia precede a la caída. *«La soberbia precede a la destrucción, y la altivez de espíritu al tropiezo»,* Pr 16:18.

Desprendimiento de rocas: ver desprendimientos de rocas indica grandes fracasos de enormes proporciones que afectarán tu estabilidad social y financiera durante años. Es hora de quitarse toda la presión de encima y dejar que otros te ayuden a soportar las cargas y responsabilidades de la vida.

Después de la muerte: miedo a la muerte, deseo de escapar de la realidad actual, mentalidad escapista, experimentación con lo oculto, conexión con el reino demoníaco, miedo, desconexión de los amigos, comportamientos antisociales, necesidad de un nuevo comienzo en la vida.

Después del afeitado: Soñar que te aplicas un líquido o bálsamo de agradable olor en la cara después de afeitarte indica que estás dando tu mejor imagen para atraer mayor atención sobre tus esfuerzos, que el favor y la confianza de Dios se posan en tu semblante, o que has decidido que es hora de cortejar o tener una cita, por lo que quieres lucir lo mejor posible. Por otro lado, puede que te estés recuperando de una señal de advertencia que indica que estuviste «al borde» del peligro.

Después: un pensamiento posterior a un acontecimiento que ha sucedido, una retrospectiva, un comportamiento incómodo, el pasado, la búsqueda de una disculpa tras una ofensa.

Destacar: estás sobresaliendo al ser elegido o resaltado por tu excelencia en un área de desempeño. Te encontrará en el escenario siendo llamado al frente y al centro para obtener reconocimiento por las cosas bien hechas. Eres un líder nato.

Destello: visión repentina; revelación; iluminación; presencia angélica.

Desterrar: ser desterrado en un sueño significa que se siente rechazado o solo en la vida.

Destino: el destino le llama a realizar el viaje de su vida para alcanzar sus más altas metas y su potencial; un deseo de crear algo sustancial en la vida, de dejar un legado para la siguiente generación. Fuerza, poder del destino o principio que se cree que predetermina los acontecimientos inevitables o predestinados. Dios es quien tiene tu futuro en sus manos. *«Porque yo sé los planes que tengo para vosotros, declara el Señor, planes de bienestar y no de calamidad para daros un futuro y una esperanza. Entonces me invocaréis y vendréis a orar a mí, y yo os escucharé. Me buscarás y me encontrarás cuando me busques de todo corazón»,* Jer. 29:11-13.

Destornillador: trabajo laborioso de la carne; ser conducido bajo gran presión.

Destrozado: ser destruido emocionalmente; incapacitado o aplastado físicamente; roto sin posibilidad de reparación; recibir un golpe violento que produce un daño tremendo.

Destrucción: del caos surge un nuevo orden y creatividad; lo viejo está dejando paso a lo nuevo; las malas elecciones conducen a resultados negativos; reevaluar los procesos de toma de decisiones.

Destructor: agente empleado para matar a los primogénitos de los egipcios; ángel o mensajero de Dios; precursor de la liberación y del viaje por el desierto; elimina los obstáculos para liberarte.

Desubicado: poner en un lugar equivocado o sentirse desunido o fuera de lugar; un inadaptado.

Desvalido: *«Se sienta en acecho cerca de las aldeas; En escondrijos mata al inocente. Sus ojos están acechando al desvalido»*, Sal. 10:8; *«Se encoge, se agacha, Y caen en sus fuertes garras muchos desdichados»*, Sal. 10:10; *«Tú lo has visto; porque miras el trabajo y la vejación, para dar la recompensa con tu mano; A ti se acoge el desvalido; Tú eres el amparo del huérfano»*, Sal. 10:14; si ves a algún desvalido es hora de que *«abras tu boca por el mudo En el juicio de todos los desvalidos»*, Pr. 31:8.

Desván, si está desordenado y polvoriento: confusión y fortalezas mentales. 2 Cr. 33:17.

Desvestirse: quitarse el vestido, la ropa o la cobertura; informal; desnudez; volverse transparente; sin astucia; franqueza; revelar los verdaderos sentimientos u opiniones; sin restricciones; sexualidad; desconocer los sentimientos de los demás; obtener una comprensión de una persona.

Desvío: desviarse del rumbo previsto. Te has desviado del camino y necesitas dar un giro. Intentas salir con elegancia de una situación que va demasiado rápido.

Detective, culpable: si eres culpable de un pecado o un crimen y ves a un detective siguiéndote en un sueño, significa que tu buena reputación se enlodará, el arrepentimiento traerá misericordia.

Detective, ser seguido: significa culpabilidad, cuestionar o escudriñar el carácter de uno; investigar las malas acciones o los crímenes para descubrir la verdad.

Detective: búsqueda de los propios talentos, dones o habilidades ocultos; están llegando las soluciones a los problemas desconcertantes; quien detecta, discierne o descubre la existencia, la presencia o el hecho, se está revelando la verdadera naturaleza.

Detector de humo: advertencia de un peligro imprevisto; discernimiento de la presencia de un espíritu; alarma; «llamada de atención»; proporciona protección en la oscuridad.

Detector de mentiras: verse sometido a la prueba del detector de mentiras indica que tus palabras están siendo cuestionadas; necesitas una contundente de honestidad en una situación extrema; la verdad siempre es la mejor política, Cl. 3:9.

Detector: encontrar un lugar oculto de apoyo fundamental que te ayude a realinear tu confianza y a comprenderte mejor. Una mujer que busca un hombre.

Detergente: jabón para lavar la ropa; purificación; refinamiento; limpieza; lavarse; eliminar las manchas de la culpa.

Detestar: aborrecer, odiar o disgustar intensamente algo en tu sueño muestra que no toleras la injusticia y el mal. tu subconsciente te está llamando la atención sobre un pecado o algo que es incorrecto. Tendrás que tomar medidas para corregir este error o acto inmoral en tu vida. Rom. 2:21-22. *«Que el amor sea sin hipocresía. Aborrece lo que es malo; aférrate a lo que es bueno»*, Rom. 12:9.

Detrás: perder la cabeza, estar fuera de control, advertencia de no perder la cabeza, falta de cordura, no tener capacidad de decisión, seguir ciegamente las indicaciones de otra persona.

Deuda: no debas a nadie más que la del amor; descontento; preocupación; angustia; incompetencia; carencia; presión; ve y vende lo que tienes para pagar tu deuda; el que desprecia la Palabra estará en deuda con ella, pero el que teme el mandamiento será recompensado, Pr. 13:13. Algo que se debe como dinero, bienes o servicios, una obligación o responsabilidad, una ofensa que requiere perdón, reparación, una ofensa. *«No tengan deudas pendientes con nadie, a no ser la de amarse unos a otros. De hecho, quien ama al prójimo ha cumplido la ley»*, Rom. 13:8; Mt. 18:27.

Devoción: prueba de lealtad a los sistemas de creencias morales, a los amigos y a la familia.

Devorar, acción: ser devorado por una persona, un animal, una criatura alienígena o un vehículo, o ser tragado por la tierra, indica que estás perdiendo una perspectiva personal de la vida, que tu identidad se está desvaneciendo, que no renuncias a tus objetivos y ambiciones vitales por los de otra persona, que te consume el temor. Si estás devorando a otra persona, significa que la estás controlando, insistiendo en que se ajuste a tus deseos y anhelos.

Devorar: miedo a perder la identidad o la individualidad; ser consumido o impulsado por el orgullo, la ambición o las obsesiones; dejar que algo distinto a Dios inspire el corazón.

Día 1: los sueños traerán deleite y felicidad; tratan de la soberanía de Dios. Dios libera un nuevo comienzo; la unidad está vinculada entre el cielo y la tierra, Sal. 27:4; Sal. 65:4; Dt. 6:4-5.

Día 2: el sueño carece de realidad, de certeza o de actividad; protégete de la doble mentalidad, Snt. 1:8; Snt. 4:8; de la división y la desunión. Pide a Dios que le revele la armonía.

Día 3: el sueño carece de permanencia; seguridad o exactitud Mt. 12:40. Dios está revelando la falsedad (Pedro negó a Jesús tres veces Mt. 26:34, 75) o la oscuridad del pasado, del presente y dar orientación para eliminarla de su futuro.

Día 4: la realización del sueño requerirá un mar de espera y oración, Jn. 4:35. Dios libera expresiones creativas, Is. 11:12 y sabiduría para eliminar la debilidad.

Día 5: la realización del sueño requerirá un mar de espera y oración. Dios está liberando gracia abundante, bendiciones divinas, Mt. 25:2, 15-20; y gran favor para que surjan acciones redentoras en tu vida y puedas experimentar la plenitud, Lc. 12:6.

Día 6: el sueño revela la propia insuficiencia o humanidad. Ocurrirá tanto con cosas positivas y alentadoras como con cosas negativas, pesimistas y perjudiciales. Representa la debilidad del hombre que lucha con su naturaleza carnal y espiritual, Gén. 1:31.

Día 7: el sueño se manifestará tras una temporada de espera en oración. El sueño revela el desarrollo de uno, Is. 11:2. Estás viendo el proceso de resurrección hacia la plenitud y la integridad a través de la purificación, Mt. 18:12, que conduce a la perfección espiritual, Apo. 4:5.

Día 8: verás la manifestación del sueño tal como lo soñaste. Dios te está enseñando la capacidad del hombre de caminar en la circuncisión del corazón, Lc. 2:21, para trascender los límites de la existencia física; entrar en la regeneración y el poder de la resurrección a través de un nuevo nacimiento espiritual o un nuevo comienzo, 1 Pe. 3:20. Deseas capacitarte para abundar en fuerza y hacer que la unción aflore sobre ti.

Día 9: el sueño sucederá o se hará realidad tal como lo viste. El Espíritu Santo traerá un movimiento perfecto para traer un final, una conclusión o una finalidad a un viejo ciclo de juicio o tribulación. Esto liberará la plenitud de las bendiciones 1 Cor. 12:8-10 y la renovación personal donde el fruto del Espíritu Gál. 5:22-23, traerá nuevos desarrollos en la vida del soñador.

Día 10: el sueño ocurrirá en la plenitud del tiempo sin incidentes, desgracias o calamidades. Obedece a la nutrición y a la dirección del Espíritu Santo para que se produzca la restauración. Obtendrás un testimonio piadoso y un orden divino a través de un tiempo de travesía por el desierto, de prueba y ensayo Apo. 2:10. Permite que Dios cree un corazón de compasión dentro de ti para que Su gobierno y mandamientos sean establecidos, Éx. 20:1-17. Asume la responsabilidad de tus actos, pero evite el legalismo para recibir la perfección y la plenitud de Dios.

Día 11: el sueño ocurrirá después de un tiempo prolongado sin acontecimientos, problemas o percances. Usa la sabiduría para juzgarte a ti mismo. Haz los cambios necesarios para alejarte del desorden, la desorganización, la incompetencia, la imperfección y la anarquía. José estuvo en la casa de Potifar durante once años Gén. 39. Soñó con once estrellas,

Gén. 37:2. Serás guiado por la revelación profética del Espíritu Santo, Hch. 2:14-21.

Día 12: las cosas buenas y positivas observadas en tu sueño se cumplirán rápidamente. Volverán a cumplirse los propósitos elegidos por Dios a través de su gobierno o regla divina, Lc. 18:31. Experimentarás la plenitud apostólica y el éxito que un alineamiento adecuado te traerá a través del mundo espiritual, Jn. 11:9.

Día 13: Sé cariñoso y agradecido, ora por el aumento de una doble porción, 1 Cor. 13. Escudriña tu corazón y arrepiéntete de cualquier rebeldía, o todo el mal cometido, Dt. 13:5, depravación, reincidencia o corrupción para que tu sueño se realice dentro de tres semanas.

Día 14: sé agradecido en todos los asuntos porque esta es la voluntad de Dios, 1Tes. 5:18; Gén. 31:41. Ora por una doble unción de liberación para aumentar la medida de la perfección espiritual y el temor del Señor en tu experiencia de salvación, 2 Cor. 12:2. Tu sueño podría hacerse realidad dentro de tres semanas.

Día 15: tu sueño se hará realidad después de un período de tiempo. Dios te concederá un indulto o perdón, 2 Re. 20:6; Esd. 9:18, 21. Encuentra tu descanso en la presencia de Dios. Encontrarás la energía de su divina gracia y misericordia. El sueño resultará exacto. Lev. 23:6, 34.

Día 16: tu sueño se hará realidad al cabo de un tiempo. Deja que el amor de Dios establezca un nuevo comienzo en tu vida, 1 Jn. 14:18, (dieciséis características del amor, 1 Cor. 13:4-8.)

Día 17: tu sueño se hará realidad posiblemente dentro de una semana trayendo una gran victoria, celebración y deleite personal. Tú eres el elegido de Dios porque caminas con Él, Gén. 22-24; Gén. 6:9. A medida que continúes caminando con Dios, Él te llevará a la perfección del orden espiritual para hacer grandes actos y hazañas. Espere apariciones angélicas.

Día 18: después de una larga temporada de espera, verás un cumplimiento parcial de tu sueño. Si continúas orando por la impartición de Dios para superar el juicio y la esclavitud, Jue. 3:12,14, Jue. 10:7-8; Dios establecerá Sus bendiciones en tu vida, Lc. 13:10-13.

Día 19: después de una larga temporada de espera y paciencia, verás un cumplimiento incompleto de tu sueño debido al juicio, Mt. 7:12; Jn. 7:24; Lc. 6:37 que trae esterilidad y carencia. Debes continuar actuando en fe para obtener la sabiduría piadosa para obtener la perfección del orden divino, Heb. 4:12.

Día 20: los sueños de este día no tienen mucha verdad ni exactitud. Pero, si continúas esperando, Jue. 4:3 con expectación y por casualidad se cumple, liberará la alegría y el deleite como un logro supremo para las cosas que son redimidas a través de la plenitud divina de Dios para la perfección espiritual, 1 Re. 9:10.

Día 21: los sueños de este día no tienen mucho de realidad. Pero si, por casualidad, se cumple, liberará un gozo por la superación del pecado, Dn. 10:13-14.

Día 22: si te despiertas y recuerdas el sueño, éste se producirá en ocho días o menos. La luz de Dios, Jn. 12:46 desintegrará la desorganización y la corrupción.

Día 23: lo que se revela en este sueño provocará peleas, desacuerdos, un choque y una fuerte diferencia de opiniones 1 Cor. 10:8. Si puede vencer por la gracia y la sabiduría de Dios, se liberará la prosperidad, la abundancia y la riqueza.

Día 24: este sueño traerá tranquilidad, serenidad y calma a tu espíritu. Esto liberará deleite y una celebración de adoración, Apo. 4:4, 10; Apo. 11:16; 19:4. Establecer una conexión sacerdotal y gubernamental en tu vida ayudará a lograr la perfección espiritual.

Día 25: arrepiéntase y ora por el perdón de los pecados para que se cumpla rápidamente este sueño. Dentro de dos semanas deberías ver la esencia de la gracia de Dios, Jn. 14:14, 16-17 comenzar un nuevo proceso de formación en la manifestación de este sueño.

Día 26: ora para que se cumpla rápidamente. Dentro de dos semanas deberías ver un ser impoluto, puro, limpio, comenzando la manifestación de este sueño a través del poder del evangelio de Cristo.

Día 27: este sueño traerá una tranquila serenidad y armonía con deleite y celebración a través de la predicación del evangelio, Cl. 3:15.

Día 28: este sueño traerá una tranquila serenidad y armonía con placer, fiesta y vida eterna, Jn. 17:3.

Día 29: este sueño traerá una tranquila serenidad y armonía con alegría y jolgorio con una salida de la expectativa de juicio, 1 Cor. 4:3-5.

Día 30: conságrese y dedíquese a Dios y a sus enseñanzas. Busca la bondad, la compasión y la simpatía de Dios. El poder de la sangre de Cristo aliviará tu dolor, tu luto, tu angustia o tu sufrimiento. Su gracia te proporcionará la sabiduría, la madurez, Lc. 3:23; Gén. 41:46; 2 Sam. 5:4 y la resolución tranquila que se necesitan para vencer.

Día 31: (enero, marzo, mayo, julio, agosto, octubre y diciembre) estos siete meses contienen treinta y un días. El siete es el número de Dios de la totalidad, la plenitud y la perfección espiritual. El número treinta y uno es el número del nombre de Dios, Pr. 18:10. Él es capaz de producir la perfección divina a través de la obra del Espíritu Santo, Gálatas 5:6. Los sueños que ocurren en el trigésimo primer día suelen estar inspirados por Dios y contienen revelación y cono-

cimiento para el crecimiento y desarrollo espiritual.

Día de la Raza: celebrar el descubrimiento de América por Cristóbal Colón indica que harás un nuevo descubrimiento sobre ti mismo o sobre los demás; avanzarás en un nuevo territorio en el trabajo o en una relación. También deberías considerar la posibilidad de hacer un viaje a un país extranjero y ampliar tus horizontes. Es el momento de aprender algo nuevo sobre el mundo en el que vives.

Día de los Caídos: soñar con esta festividad federal que se celebra el último lunes de mayo en honor a la memoria de los hombres y mujeres que murieron mientras servían en las fuerzas armadas de nuestro país en la Guerra Civil estadounidense, o con este día de condecoración de los ejércitos confederados de la unión americana, significa que tienes el corazón de un campeón como un guerrero de Dios para avanzar su Reino en la tierra. También puedes estar recordando a tus seres queridos que han dado su vida por ti.

Día del juicio: justicia final de Dios; ira, cólera y ajuste de cuentas entre el judaísmo, el cristianismo y el islam.

Día del Trabajo: fiesta de los Estados Unidos que se celebra el primer lunes de septiembre. Ver esta celebración del movimiento obrero americano en un sueño indica que te empeñas en alcanzar los logros sociales y económicos de aquellos para los que trabajas, o con los que trabajas, en los negocios. Te preocupas por fortalecer el bienestar y la prosperidad de la gente y de tu país.

Día específico: si sueña con un día en particular, entonces observa detenidamente ese día o fecha en busca de cualquier significación personal. Una fecha concreta podría llamar la atención sobre un aniversario especial, un cumpleaños, el fallecimiento de un ser querido, una cita o una ocasión. Piensa en el significado del número o los números asociados a ese día.

Diabetes: trastorno metabólico caracterizado por una sed persistente y una excesiva emisión de orina; es necesario corregir la dieta para asegurarse de que el páncreas se encarga de liberar insulina; supervisión.

Diablo: advertencia de una persona sin escrúpulos; imponente; que busca tu ruina a través de halagos ingeniosos; que controla; que engaña; que roba; que es precursor de la desesperación; que cae en lazos o trampas puestas por los enemigos; espíritu maligno mayor; gobernante del infierno. Snt. 4:7.

Diácono: Cristo el siervo, Mc. 10:42-45; hombres y mujeres que sirven al pastor en un equipo de liderazgo.

Diademas: ver una pequeña banda que sujeta el cabello indica que tienes una sabiduría duradera que te cuidará durante toda tu vida, Is. 3:20.

Diafragma: membrana muscular que separa y divide las cavidades abdominal y torácica para ayudar a la respiración. Disco que convierte las ondas sonoras o las vibraciones en señales. Un dispositivo anticonceptivo flexible que cubre el cuello uterino. En las cámaras fotográficas, limita la cantidad de luz que puede atravesar una lente.

Diamantes: la tribu de Neftalí, luchar, guerrear para conquistar y ganar la victoria, prevalecer, interceder en la oración, un intercesor que ama a los caídos y perdidos, avanzar, actuar de manera desagradable, soltar, enviar lejos, echar o alejar, conducir, abandonar, elegir una dirección, dejar partir, alejar; ciervo o hembra, agilidad, seguridad en los pies, fuerte voluntad propia, ser sin amargura ni hiel; claridad espiritual, brillo, tercera piedra de la segunda fila del efod del sacerdote, Éx. 28: 18, 39:11; apolillamiento, trabajo, visión de parto, dar a luz claridad, poder refractario de la luz de Dios para revelar la verdad, escriba, una piedra de fuego, el altar, brillo, chispa, atrio, dureza, Sal. 18:33, Jer. 17:1, Ez. 28:13. Formada por altas temperaturas y gran presión en el núcleo de la tierra. Piedra de gran valor; don precioso de amor; dones espirituales; eterna; refleja la luz de Dios; Espíritu del Señor. Piedra de nacimiento de abril, Zc. 7:12.

Diana: diosa pagana adorada por los griegos en Éfeso. Hch. 19:23-40.

Diario: mantener un registro personal de las experiencias, la sabiduría y el conocimiento indica que Dios te está dando una revelación que necesita ser registrada. *«Escribe la visión, y haz que resalte claramente en las tablillas, para que pueda leerse de corrido. [a] Pues la visión se realizará en el tiempo señalado; marcha hacia su cumplimiento, y no dejará de cumplirse. Aunque parezca tardar, espérala; porque sin falta vendrá»,* Heb. 2:2-3. Soñar con algo que se repite durante el día indica que se está formando un hábito o una rutina. ¿Es de naturaleza positiva o negativa?

Diarrea: flujo o evacuación excesiva de heces acuosas. Tú o alguien cercano tiene la boca muy suelta o muy sucia. Tu vocabulario está por los suelos o suelta un montón de palabrotas. Detente y niégate a seguir escuchando y tira tus palabras negativas por el desagüe.

Días que pasan: soñar que los días pasan rápidamente indica que no estás gestionando bien tu tiempo. El tiempo se escapa. Deje de perder el tiempo. Planifica para aprovechar mejor tus días. Sé deliberado a la hora de crear un horario de trabajo para asegurarse de que sus objetivos se cumplen.

Días soleados: soñar con un día soleado simboliza la alegría, la felicidad, la claridad de la vista y los sucesos agradables.

Días nublados: soñar con un día sombrío o nublado significa tristeza, depresión, dificultad, oposición y falta de previsión.

Días: un día soleado y claro simboliza la felicidad, la claridad y un resultado agradable. Un día lluvioso, con niebla o nublado indica pena, depresión o tristeza. Soñar con un día o una fecha en particular indica que hay un gran significado, un aniversario, una cita o una ocasión especial en la que hay algo importante que recordar. Soñar que el día pasa deprisa indica que debe ser más deliberado en tu planificación, trama o fijación de objetivos. *«Todos tus enemigos han abierto su boca contra ti; silban y crujen los dientes; dicen: la hemos tragado; ciertamente este es el día que esperábamos; lo hemos encontrado, lo hemos visto»,* Lam. 2:16.

Dibujar: libera la creatividad, desarrolla nuevas estrategias o planos para una nueva empresa o capítulo en la vida, un nuevo hálito de creatividad y poder soplará en ti.

Diccionario: cuida las palabras de tu boca, escoge tus batallas, trata de abstenerte de la controversia, la pluma es más poderosa que la espada, herrero de la palabra, escoge tus palabras con cuidado, di lo que quieres decir y piensa lo que dices.

Diciembre: Diciembre/Enero Tevet, soñar con el mes de enero significa una temporada de invierno, pérdida del amor y ruptura del compañerismo. Tribu Ayin (ojo, primavera, guerra con el mal de ojo): Dan: juzgar, crecer y madurar. Constelación: Capricornio, la cabra. Color: Azul oscuro. La piedra: Turquesa o Zafiro. Tevet es el final de Janucá, lo que significa que, en medio de la destrucción y la sacudida de todos los sistemas del mundo, hay misericordia. Es un mes de santa ira o justa indignación. Enfádate, pero no peques. Ora por tu presidente. Revisa tu plan de formación continua para prepararte para el resto de tu vida. Ayuna para purificar la sangre y que tu cuerpo funcione correctamente. Soñar con el mes de diciembre significa unión, amistades y reencuentros felices para la mayoría, pero también puede representar un tiempo de soledad para los solteros que no tienen familias con las que compartir las vacaciones. Considera tus propias asociaciones personales este mes. ¿Es el cumpleaños de alguien? ¿Invocas el espíritu navideño o la depresión? ¿El sueño es un indicador de que debe ser más generoso? ¿Significa diciembre un cierre de algo? ¿Sientes el frío o que te han dejado de lado? Es una época propicia para celebrar el nacimiento de Jesucristo, el Salvador del Mundo, aunque su real fecha histórica de nacimiento fue en septiembre.

Dictador: un jefe, un padre o una figura paterna demasiado controladora; hay que ser más flexible y abierto de mente; pensamientos controlados.

Diecinueve: fe; perfección del orden divino con el juicio; gematría de Eva y Job; arrepentimiento; el desinterés llevará a la infelicidad; vergüenza; estéril; carencia; destrucción ardiente, 2 Re. 25:8; desaparecido o muerto, 2 Sam. 2:30.

Dieciocho: superación de la esclavitud Lc. 13:11,16; opresión, fatiga, aflicción aplastante, Jue. 10:8; importaciones; bendiciones establecidas y juicio establecido, 6 + 6 + 6; llegada a la edad madura o responsabilidades de adulto; superación de la divergencia entre codicia y espiritualidad, advierte sobre el engaño, la decepción, la falta de honestidad y el egocentrismo.

Dieciséis: amor, comienzos establecidos; inocencia, ingenuidad, vulnerabilidad y ternura «los dulces dieciséis años», alguien que nunca ha sido besada; puede representar una mayoría de edad; cierta limpieza espiritual y eliminación de lo viejo para el nacimiento de lo nuevo.

Diecisiete: victoria; perfección del orden espiritual; elección; apariciones angélicas en los Evangelios y los Hechos; elegidos de Dios; «Caminar con Dios»; fuentes de gran profundidad y compuertas del cielo abiertas, Gén. 7:11; finalización de un ciclo para comenzar uno nuevo, Gén. 8:4; séptimo y décimo hombre a partir de Adán; José vendido, avergonzado y deshonrado; promoción, maduración, cierre, incompleto; no desarrollado.

Diente de león, amarillo: llega el valor y la nueva fuerza para superar los obstáculos, las distracciones y las falsas acusaciones; se formarán nuevas relaciones seguras.

Diente de león: oráculo del tiempo y del amor; fidelidad; amor leal; diente de león.

Diente: morder y devorar; masticar algo; fíjese en qué diente aparece ya que cada uno tiene diferentes funciones.

Dientes incisivos: decisión o indecisión, estrés y preocupación.

Dientes postizos: los dientes postizos no se tragan las mentiras que andan por ahí, las falsedades, los engaños, las promesas se están rompiendo. Apoyo o ayuda añadida de una fuente externa, falsa sabiduría. Cambiar el conocimiento espiritual, la sabiduría y la comprensión por la razón humana, las tradiciones y el error.

Dientes de animal: ver los dientes de un animal penetrando o devorando a alguien indica que está rodeado de personas astutas, taimadas, que son un verdadero peligro para él debido a sus mordiscos inteligentes y cáusticos.

Dientes de bebé: inmaduro; infantil; sabiduría o conocimiento limitado; falta de experiencia; libre de corrupción.

Dientes blancos: dientes blancos y hermosos: felicidad, salud, prosperidad.

Dientes caídos: ver que tus dientes que caen o se aflojan indica que estás asumiendo demasiadas responsabilidades; estás demasiado ocupado, así que disminuye la velocidad y descansa. Estás cansado y fatigado por las preocupaciones y la pérdida de sueño; tu salud y tu aspecto físico se están viendo afectados. Tienes dificultades para discernir o comprender tu situación actual; temor a perder tu aspecto, tu atractivo sexual, el proceso de envejecimiento y la madurez; necesitas de mejorar tu dieta, Heb. 5:12.

Dientes, cepillado: elegir cuidadosamente las palabras y los pensamientos correctos; cepillo de limpieza: eliminación de obstáculos y reputación manchada.

Dientes del enemigo: lanzas y flechas que destruyen.

Dientes desdentados: falta de fuerza o de capacidad para morder o discernir las circunstancias, indecisión y falta de sabiduría.

Dientes, dolor: peleas y mordeduras de espalda; una aflicción, problemas, carga o prueba que se avecina o que ya está presente; un dolor de cabeza; la pena, la desilusión y el dolor han causado una angustia.

Dientes, implantes: buena noticia, favor o respuesta a una situación difícil.

Dientes largos y afilados: un falso amigo o enemigo involucrado en una acción legal.

Dientes, ojo: revelación que llega en forma de visión o de sueño. Ver dientes del ojo en un sueño indica que no está reconociendo elementos clave o importantes.

Dientes podridos: problemas de salud o chismes, la envidia pudre los huesos.

Dientes, puente: advertencia para estructurar mejor tu vida.

Dientes rotos o desgastados: un enemigo desgasta las relaciones. Un proceso o asunto contrario; relaciones rotas; aprendizaje de la obediencia a través del sufrimiento; estás cerca de la aflicción; Jb. 4:10.

Dientes, sabiduría: uno se verá afectado por la sabiduría o la falta de esta si se los quita, se necesita fuerza o poder; reflexionar sobre las situaciones y las circunstancias; morder demasiado para masticar. Ver la pérdida de las muelas del juicio significa que tu situación requerirá una buena dosis de sabiduría que actualmente no posees.

Dientes sueltos: es una advertencia sobre amigos infieles.

Dientes: entendimiento; sabiduría; experiencia; incisivos: indecisión al resolver algunos asuntos; arrepentimiento; aborrecimiento extremo; afilado; poder de devorar; Zc. 9:7-8; Heb. 5:12; Apo. 9:8; Pr. 25:19; Ez. 18:2; Is. 7:16; Sal.35:16; 57:4.

Dieta: somos lo que comemos, así que haz un festín con el Señor y su bondad; ayunar para que la presencia de Dios aumente en tu vida; equilibrarse.

Diez cuernos: representan los diez reinos imperiales establecidos por el Anticristo, Dn. 7:7; Apo. 17:3-16; Apo. 12:3.

Diez: yad, pastor; ley y orden, Ex 20; gobierno; restauración; naturaleza; infortunios; pruebas y responsabilidad, Mt. 25:1-13, 28; 10 plagas; 10 mandamientos; voluntad; viaje; testimonio; perfección ordinal; orden dividual; plenitud; diezmo, Mal. 3:8-10; plenitud de los tiempos, Jb. 19:13; Gén. 31:7; 42:3; Rt. 1:4; Dn. 1:12-15; 7:24; Lc. 17:12; Apo. 2:10; 12:3; 13:1; Heb. 7:2-4.

Diezmos: significa décima; una forma de tributación que consiste en entregar la décima parte de los productos de la tierra, los rebaños y el dinero para el servicio del Señor.

Difamación: ser calumniado con palabras o imágenes impresas indica dificultades en los negocios y en la vida personal.

Dificultad para vestirse: muchas molestias; interferencia externa de conocidos; el descuido de otros o de uno mismo puede hacer que se pierda un momento u oportunidad. Cualquier tipo de dificultad que superes te hará más fuerte.

Difundir: significa sembrar, lanzar o esparcir la Palabra de Dios, transmitir la buena nueva, y seguir difundiendo el evangelio, un mensaje o la Palabra de Dios por radio o televisión en una zona amplia o extensa.

Digital: el término «digital» se refiere al uso o la aplicación de dígitos binarios expresados como 1 o 0, que se enlazan para compilar un flujo de bits de información que define un símbolo o instrucciones. Esta información debe ser descodificada, o interpretada, por un receptor para volver a saber lo que se ha transmitido o enviado. Soñar con algo digital puede significar que la información que transmites a los demás no se entiende o no se procesa correctamente. Reconsidera tu forma de comunicarte con los demás. O bien, que los trozos de la propia vida no están encajando correctamente.

Dígitos: ver los dedos de las manos o de los pies indica una habilidad para alcanzar y sostener o una necesidad de avanzar o mantener el equilibrio; si está viendo alguno de los diez dígitos de los números arábigos utilizados en el conteo o la numeración vea el número individual.

Diligencia: responsable del transporte de personas, correo, paquetes o suministros, medio de transporte lento y anticuado, pionero en algo nuevo, busca el éxito.

Diligente: verte perseverante con esfuerzos minuciosos, amar o elegir hacer algo con gran habilidad y pericia en significa que eres una persona con carácter e integridad que siempre pone lo mejor de sí en todo lo que haces. Por el contrario, puede sugerir que necesitas poner lo mejor de ti y hacer un buen trabajo; tu ética laboral puede estar decayendo.

Diluvio: desbordar de bendiciones, inundar de problemas, abrumar de responsabilidades, un gran diluvio, «He aquí que yo traigo el diluvio de las aguas sobre la tierra, para destruir toda carne en la que hay aliento de vida, de debajo del cielo; todo lo que hay en la tierra perecerá», Gén. 6:17.

Dime (diez centavos): redención; doble gracia en la vida; un término común de la droga; «una moneda de diez centavos»; arrepentimiento: «girar en una moneda de diez centavos» - cambiar de dirección al instante; diez centavos: rama de roble, hoja de olivo y antorcha: luz, fuerza o paz; una décima parte; favor; carecer de mucho valor, Lc. 19:16.

Dinamita, escuchar una explosión: advertencia para evitar o abandonar nuevas empresas; pérdida de temperamento, gran ira, Sal. 76:7.

Dinamita sin explotar: problemas peligrosos que no tendrán lugar.

Dinamo: una temporada de gran producción y exceso de trabajo le ha dejado con necesidad de recargar las pilas. Descansa y refréscate para rejuvenecer tus energías antes de iniciar un nuevo proyecto.

Dinero de oro: nobleza, atesorado, dinero, una sólida investidura; riqueza o una herencia, refinamiento y riquezas, «estándar de oro». «Por eso te aconsejo que de mí compres oro refinado por el fuego, para que te hagas rico; ropas *blancas para que te vistas y cubras tu vergonzosa desnudez; y colirio para que te lo pongas en los ojos y recobres la vista*», Apo. 3:18; El número atómico del oro es 79. Es un metal denso, blando, maleable y dúctil de color amarillo brillante, buen conductor espiritual. Sus propiedades se mantienen cuando se expone al aire o al agua. Casi todo el oro de la Tierra se encuentra en su núcleo, 1 Re. 10:18.

Dinero en efectivo: intercambio; ajuste de cuentas; aprovechar, «cobrar» una oportunidad; dicho popular: «salir de circulación»; morir.

Dinero: favor que se da si el dinero aumenta, o favor que se pierde si el dinero se toma; herencia; prosperidad; bendiciones; ahorro; inversión; poder; miedo a la pérdida o al robo; codicia. Poder; prestigio; riqueza; medio de intercambio; mide el valor; propiedades y bienes; preciso, «dar en el blanco»;

encontrar dinero: pequeños problemas resultarán en felicidad y cambio; robar: peligro de carencia y engaño; rollo de dólares: guardia contra los gastos excesivos en deseos y carencias.

Dinosaurio: impulsos básicos en la vida; viejas costumbres; extinto; algún gran problema del pasado todavía te corroe. Heb. 8:13.

Dioptasa: significa «a través de la visión» el hermoso color verde de la dioptasa simboliza la prosperidad, el crecimiento y el apoyo del corazón emocional del amor, la curación y la fuerza que se suministra al corazón físico para aliviarlo del estrés y despierta el corazón espiritual de la compasión. Ver una dioptasa en tus sueños indica una temporada de sanación emocional de las heridas y el perdón de varios traumas intensos como el divorcio o la muerte. Ora para que el Espíritu Santo abra tus ojos para que puedas ver y comprender el propósito superior en la pérdida de estas relaciones. *«Ruego que los ojos de vuestro corazón sean iluminados, para que sepáis cuál es la esperanza de su llamamiento, cuáles son las riquezas de la gloria de su herencia en los santos, y cuál es la supereminente grandeza de su poder para con nosotros los que creemos»,* Ef. 1:18-19; Permite que Dios restaure tus emociones y sane tu corazón roto. *«Porque tú encenderás mi vela; el Señor mi Dios iluminará mis tinieblas»,* Sal. 18:28.

Dios: prosperidad, alegría, felicidad, paz mental, salvación, Sanidad, contiene toda la sabiduría, satisfacción; el Creador y Gobernante del universo y de todo lo que hay en él, el poder Omnipotente, Omnisciente, Omnipresente y Sobrenatural digno de toda adoración y honor; en los sueños tu padre terrenal a menudo representa simbólicamente a Dios, Heb. 12:9-10. Is 44:8.

Dioses extraños: dioses falsos o ídolos, Dt. 32:12; Sal 81:9.

Diploma: documento emitido por una institución de enseñanza que atestigua que un estudiante ha obtenido un título o ha terminado su rutina de estudios. Recibir un diploma indica que serás honrado, ascenderás y sobresaldrás en todo lo que pongas en tus manos, prosperarás. 1 Cor. 9:25.

Diplomático: abordar una relación o dificultad con gracia, preocupación, habilidad y tacto.

Dirección del pasado: Indica quién eras anteriormente, viejos hábitos, rasgos, metas o normas perdidas.

Dirección antigua: Una dirección antigua indica que puedes obtener información o sabiduría de experiencias pasadas.

Dirección nueva: una nueva dirección, indica que un cambio de entorno o de ubicación le hará bien.

Dirección: Necesitas dirigirte a tu yo actual, a tu estatus o a tu creencia en la vida.

Direcciones, dar: eres una persona cualificada. Los demás te ayudarán a alcanzar los objetivos de tu vida, tu propósito y tu destino mientras sigues los planes de Dios para tu vida, Gén. 28:14.

Direcciones, seguimiento: sugiere que eres educado, complaciente y enseñable. Estás abierto a recibir información y críticas constructivas de los demás. Para liderar, primero hay que aprender a seguir.

Director de escena: actuar como director, supervisar el escenario de los actores o de las campañas políticas desde detrás de las bambalinas, preparar el escenario, la administración, la creatividad, ver el panorama general.

Director de pompas fúnebres: tomar las riendas o ser responsable de la propia vida; emprender un gran proyecto para alcanzar un objetivo deseado; un empresario; enterrar el pasado y empezar de nuevo.

Director: líder de una escuela o corporación; un espíritu demoniaco que gobierna una red demoníaca en un área geográfica. Miembro de una junta de personas que controla o gobierna la supervisión y guía de un actor, un director de orquesta. Tienes cualidades de liderazgo que te harán llegar a la cima de una organización.

Directorio: libro en el que se enumeran nombres, direcciones y otros datos, indicaciones o normas sobre un grupo específico de personas u organizaciones. El conocimiento es poder, así que cuida la información que otros comparten contigo sobre tu vida personal.

Dirigible: ministerio pesado y torpe; ineficaz; hinchado de aire caliente; orgullo; lento y perezoso. 1 Re. 9:26-28; Ez. 30:9; Hch. 27: 1-2; Sal. 48:7; Mt. 8:23-27, 24:38; Lc. 5:4; Sal. 74:13-14; Pr. 31:14. Ver esta aeronave inflada puede indicar que tu ego o ambición se ha ampliado hasta alcanzar proporciones enormes y necesita desinflarte. También puede sugerir que estás llamado a ascender a los reinos celestiales para hacer cosas increíbles y obtener la perspectiva de Dios en los asuntos terrenales.

Discernimiento de espíritus: 1 Cor. 12:10; un don divinamente supernatural del Espíritu Santo para probar los espíritus para comprobar si es de Dios, del hombre o de origen demoníaco.

Disciplinar: supervisar o regular a alguien o alguna cosa, indica que hay que tomar un papel más activo y destacado en una situación.

Discípulo: título dado a los que se convirtieron en Apóstoles de Cristo; personas que profesan ser seguidores de Jesucristo.

Disco compacto: ver un disco compacto o CD en un sueño representa una necesidad de tener tiempos de alabanza y adoración a Dios. La música es el lenguaje universal, así que si le das el CD a alguien puede indicar que tienes una canción de amor o un mensaje que deseas comunicarle.

Disco duro: El disco duro o «unidad de disco duro» son los discos reales dentro de la unidad donde se alojan todos tus datos y se almacenan magnéticamente en el disco duro, donde todos sus archivos y carpetas se encuentran físicamente. Tus datos permanecen en el disco duro incluso después de apagar el sistema. Puede contener más de 100 GB de datos a los que se puede acceder inmediatamente. Soñar con un disco duro de ordenador representa a Dios, que lo sabe todo, es todopoderoso y está siempre presente y accesible. Dios nunca duerme ni se adormece, sino que se puede acceder a él las veinticuatro horas del día para que nos proporcione sabiduría; conocimiento o «información».

Disco rayado: si el disco está rayado considera el dicho «suenas como un disco rayado».

Disco: ver o escuchar un disco en su sueño sugiere que necesita sintonizar con su espíritu para discernir ambos lados de un argumento antes de tomar partido o tomar una decisión. No expreses tu opinión al azar «ni en privado ni en público». Las palabras que dices pueden dar vueltas para morderte.

Discurso de grado: tu agudo intelecto y tu personalidad ganadora te llevarán a la cima; triunfador; honrado por logros sobresalientes; tus altas metas te distinguirán; recordar una época de la vida más exitosa.

Discurso: dar una disertación formal indica que estás preparado para dar un mensaje cuando se presenten las oportunidades; escuchar un discurso indica que eres enseñable y adquieres conocimientos útiles para mejorar tu vida.

Discusión: ¿Con quién está discutiendo? ¿Sobre qué está discutiendo? Hay que resolver un conflicto doméstico o interior.

Discutir: elija sus batallas con cuidado; no es prudente pelear por todo. Discierne con quién o qué estás en desacuerdo y busca una solución pacífica y amistosa. Asegúrate de que tu comunicación sea abierta, honesta y llena de gracia. No reprimas tus verdaderas emociones. El conflicto, la tensión y la presión desaparecerán cuando se encuentre una solución pacífica. Está intentando resolver algún conflicto interno o alguna disputa o asunto no resuelto con una persona o personas en su vida diaria. ¿Con quién y sobre qué está discutiendo? ¿Qué características o atributos personales refleja esa persona acerca de usted mismo? Hablar con alguien sobre un tema, hablar de algo, examinar de palabra o por escrito, asegurarse de expresar tu opinión sobre cualquier asunto; no estar de acuerdo si no se ha expresado.

Disecar: si sueñas que diseccionas a un animal o a una persona puede indicar que estás tratando de descubrir la razón fundamental por la que actúas como lo haces a veces. Quieres conocer el propósito central o llegar al corazón de un asunto.

Disentería: infección de los intestinos delgados que causa dolor, fiebre y diarrea severa con el paso de sangre y mucosidad. Verte a ti mismo o a otros superando esta afección indica que encontrarás favor y fuerza para avanzar hacia una temporada de éxito y prosperidad. Ningún arma formada contra ti prosperará. Por el contrario, esto puede representar un periodo de limpieza, ya que puedes haber estado lleno de egocentrismo o de otras cosas dañinas que necesitan ser expulsadas de tu vida.

Diseñar: formar un plan para la estrategia de marketing; tener un objetivo o propósito o intención, crear o ejecutar de manera artística o muy hábil. Si está diseñando en horas de trabajo de la empresa, no esperes recibir compensación por tus ideas del proyecto terminado.

Diseño de interiores: renovación espiritual, reestructuración o fortalecimiento de su hombre interior, 1 Tm. 3:12; 5:14, poner la casa en orden para una nueva temporada de prosperidad.

Disfraz: estilo de vestimenta que incluye ropa, accesorios y peinados que son típicos de una época, un país o un pueblo en particular, a menudo son usados en una obra de teatro, en un festival, en una ocasión o estación en particular, indica que puede que no estés actuando como tú mismo o asumiendo el papel o las responsabilidades de género de otra persona. Sal. 102:26.

Disfrutar: saborear o tener placer, beneficiar o hacer feliz. *«He aquí, pues, el bien que yo he visto: que lo bueno es comer y beber, y gozar uno del bien de todo su trabajo con que se fatiga debajo del sol, todos los días de su vida que Dios le ha dado; porque esta es su parte»*, Ecl. 5:18.

Disgusto: las ofensas, los enfados y las frustraciones llegarán hasta que seas capaz de desarrollar la paciencia y cambiar la actitud negativa hacia los demás.

Dislocar: desligarse de las relaciones adecuadas o habituales y de todo lo que los unía, para caminar en desorden o interrumpir el flujo normal de los negocios, la residencia o las conexiones, indica una temporada de desajustes dolorosos que necesitarán ser reconectados a través de diálogos y explicaciones cuidadosas.

Disney World: ver un parque de atracciones en Orlando, Florida, indica que necesitas unas vacaciones en familia; un tiempo de descanso para relajarte y entretenerte con la diversión y el sol.

Disparar a un extraño: matar una nueva oportunidad debido al temor o a la falta de conocimiento.

Disparo al azar: o disparo a la gente: liberar palabras de ira fuera de control, odio, rabia y hostilidad hacia una persona desde una gran distancia, disparando por la boca.

Disparo a las estrellas: subes a la cima muy rápidamente avanzando a través de una oportunidad única en la vida, un signo de autorrealización, debes mantener una posición alta a través del desarrollo de la integridad o te caerá tan rápido como disparaste.

Disparo al objetivo: verse disparando un arma hacia un objetivo indica que tus objetivos están a la vista y son muy alcanzables.

Disparo a persona: si estás disparando a una persona, entonces estás soltando palabras hirientes que la dañarán y agredirán.

Disparo, piscina: eres una persona calculadora que desarrolla estrategias precisas para superar las dificultades de la vida; compites para ganar; te mantienes centrado; te alineas para el éxito.

Disparo, rango: eres capaz de planificar el éxito a largo plazo, una salida productiva para tu fuerza anímica, tienes la necesidad de articular la irritación y los sentimientos negativos en un entorno seguro y limitado, estás decidido a dar en la diana, estás orientado a los objetivos, te gusta presumir o disparar a la boca.

Disparo, ser disparado: ser víctima de personas enfadadas que hablan mal de ti, esperar un enfrentamiento abierto.

Disparo: práctica de tiro, fijarse de un objetivo futuro con agresividad; objetivos elevados en la vida, dar en el blanco, ojo de buey, metas o estándares elevados.

Disparos: verse disparando un arma contra uno mismo o a otra persona indica un gran conflicto, alguien está disparando por la boca, las palabras tienen poder para herir o curar; debes apuntar con cuidado para alcanzar una meta o expectativa más elevadas.

Disputar: discutir, debatir, cuestionar la verdad o la validez de algo, dudar. *«Y sin discusión alguna, el menor es bendecido por el mayor»*, Hch. 7:7.

Distancia: verte a ti mismo en la distancia te está diciendo que te acerques más a Dios para que Él pueda revelar sus planes futuros. Eres capaz de llegar a la distancia y alcanzar tu destino. Estás viendo cómo serás en los años venideros. Puede que te hayas desviado del camino. *«Acercaos a Dios, y él se acercará a vosotros. Pecadores, limpiad las manos; y vosotros los de doble ánimo, purificad vuestros corazones»*, Snt. 4:8. Reenfoca tus pensamientos para volver a centrarte en los deseos de tu corazón. Es posible que te hayas separado de tus amigos por perseguir lo que Dios te ha llamado a hacer.

Distorsionar: torcer los rasgos faciales de uno fuera de la forma apropiada indica que una relación será contorsionada al dar una cuenta falsa que tergiversa la verdad.

Divagación: es el momento de descansar y buscar a Dios para que nos dé una dirección clara y un nuevo camino. Calma tu mente acelerada y pide claridad y un enfoque conciso.

Divertido: que provoca la risa, representa un alivio cómico o divertido a través de cosas extrañas o curiosas, truculentas o engañosas.

Dividendos no asegurados: indica fracaso; pérdida; falta o que no se le dará crédito por su duro trabajo.

Dividendos que se reciben: indica favor, prosperidad y aumento; ingresos y venturas empresariales exitosas; bonificaciones y ascensos.

Divinidad: la esencia y naturaleza del ser de Dios, Cl. 2:9; Rom. 1:20, Hch. 17:29.

Divisiones: si sueña que haces divisiones en un sueño indica que te siente como si te estuvieran desagarrando apartando. Siente que no tienes una pierna para estar de pie. Las presiones de la vida te han arrastrado. Sientes que algunas lealtades se han apartado, por lo que intentas mantener un pie en cada campo. Puede que sea el momento de «separarte» de alguna escena social y trazar distancia de una situación estresante negativa.

Divorcio de padres: ver a tus padres divorciados en un sueño refleja tus propios conflictos, luchas y desavenencias; es una forma de reflejarte en el tiempo.

Divorcio: soñar que se divorcia sugiere que temes estar solo, separado o rechazado. Necesitas distinguir entre las prioridades de la vida y tus deseos egoístas. Aléjese de algunos problemas crónicos o malos hábitos, temas o algunas facetas negativas de ti mismo. Si no estás feliz o satisfecho con tu matrimonio actual, indica que necesitas orar, arrepentirte y pedirle a Dios sabiduría para trabajar en tu relación. Los sueños de divorcio pueden reflejar acontecimientos actuales de la vida real y una fase de transición de la soltería; quizás estás preguntándote si cometiste un error al casarse. ¿Estás sirviendo y satisfaciendo las necesidades de tu cónyuge? Víctima de adulterio o inmoralidad, ruptura del pacto conyugal, pecado, rebelión de corazón duro, desacuerdo, separación, actuación independiente, Mal. 2:16. Mt. 5:23; 19:3-9.

DNI o cédula: ver su DNI en un sueño significa tu propia confianza en ti mismo y tu autoestima.

DNI perdido: soñar que se pierde el carné de identidad denota confusión sobre su propio propósito en la vida, la vocación del destino o la dirección de la vida, la identidad propia y su sentido de la individualidad.

Dobladillo: sentirse «acorralado o atrapado», presagia relaciones difíciles debido al control y la manipulación; doblar el material hacia atrás y coserlo representa el cierre de un trato o acuerdo.

Doblar: Jesús dobló el paño que cubría su rostro en el sepulcro para hacer una declaración: «*Está terminado y no volveré a comer de esta copa*». Doblar en una mano de cartas, terminar. Soñar que se dobla significa su capacidad de adaptarse a nuevas situaciones. En particular, doblarse hacia atrás puede representar que se desvive por complacer, mientras que doblarse hacia adelante implica su afán por hacer algo.

Doble cita: si te ves en una doble cita significa que estás intentando conseguir el doble de cosas en menos tiempo. ¿Eres una persona con tus amigos y otra en una cita? ¿Pones tu mejor cara en público, pero vuelves a ser tú mismo a puerta cerrada? Disfrutas de la interacción social de los demás.

Doble: si se ve un número duplicado representa el doble de lo que significa ese número en particular. El doble en tamaño, fuerza, número o cantidad. Tener dos partes distintas, dualidad de criterios. Marcado por la duplicidad, el engaño de duplicar el trabajo o falsificar la idea de alguien.

Doce estrellas: representan los doce aposentos bíblicos, Apo. 21:12-14; Apo. 12:1.

Doce: apóstol; el número de apóstoles; propósitos elegidos de Dios; tribus; jueces; liderazgo; discipulado; plenitud apostólica; gobierno, orden o regla divina, Lc. 6:12-13; creatividad; iluminación, Jn. 11:9; mundo espiritual; abundancia; cestas de pan; hijos de Jacob; las primeras palabras registradas de Jesús; posesión de lo mejor.

Docena: ver representada una docena de algo en un sueño puede indicar una agrupación de similitudes como en una docena de huevos o rosquillas. El número doce también entra en juego cuando consideramos los doce meses de un año con los ciclos de la luna y el sol que conforman las diferentes estaciones. El doce es un número base utilizado en el sistema duodecimal. Se divide convenientemente en otros números más pequeños: 12 = 2 × 6 = 3 × 4 = 1 ×12. Consulte también el doce en la tarjeta de números de los símbolos del sueño en *www.decodeMydream.com*

Doctrina: ten cuidado cuando oigas o veas a alguien tratando de convencerte de que creas algo que trata de enseñarte, ya sea un principio, una declaración de política gubernamental oficial establecida por un precedente, o un conjunto de principios representados por un campo, sistema u organización específicos para tu aceptación o creencia, la mayoría de las veces es su dogma personal. Sé muy desconfiado, no dejes que la gente te lave el cerebro con sus agendas personales. «*para que ya no seamos niños fluctuantes, llevados por doquiera de todo viento de doctrina, por estratagema de hombres que para engañar emplean con astucia las artimañas del error*», Ef. 4:14.

Documentación: ver un pergamino, referencias de apoyo, registros de lectura o un documento en un sueño representa alguna información importante o revelación que está a punto de serte conferida. Simboliza un nuevo avance, una visión o una comprensión.

Dólar: moneda; el favor actual está determinado por los números y el valor del billete de dinero (véase la tarjeta del símbolo del sueño de los números); unidad monetaria utilizada para medir los ahorros, las inversiones, las herencias y el descenso; soñar con un aumento significa éxito, promoción y prosperidad; un descenso significa pérdida y pobreza.

Dolor de codo: necesidad de humillarse en la oración, intercesor; oposición; descoyuntamiento; posición o alineación inadecuada en el trabajo o el servicio.

Dolor de espalda: este sueño tiene que ver con un espíritu de enfermedad. «*Había una mujer que desde hacía dieciocho años tenía una enfermedad causada por un espíritu; y estaba doblemente encorvada, y no podía enderezarse en absoluto*», Lc. 13,11. Puede que estés llevando demasiadas cargas o los pesos de otros. Echa tus preocupaciones y ansiedades sobre Jesús Él las llevará por ti.

Dolor de estómago: experimentar un alto nivel de ansiedad y estrés, asumir más de lo posible, negarse a afrontar emociones dolorosas.

Dolor de muelas: aflicción; carga; prueba que se avecina; dolor de corazón; decepción; pena y dolor.

Dolor de vientre: dolor físico en el abdomen; refunfuñar o quejarse, de forma quejumbrosa; las palabras negativas crean una atmósfera negativa; nadie disfruta de la compañía de un quejumbroso o regañón que es como un grifo que gotea constantemente.

Dolor de corazón: Liberar emociones reprimidas.

Dolor: Despertarse con dolores y molestias indica que tu cuerpo está desequilibrado, hay que prestar atención a las necesidades dietéticas, buscar consejo médico y oraciones de sanidad.Experimentar una sensación desagradable que se produce en diversos grados de severidad a causa de las consecuencias de una lesión o de un trauma emocional por una ruptura o una pérdida, indica cambios inmediatos; se necesitan la penitencia y la renovación de la mente para obtener la sanidad y la restauración, Apo. 21:4.

Domar o adiestramiento: «la máxima expresión del entrenamiento de caballos», es una prueba de rendimiento, un deporte ecuestre de competición, en el que se espera que «caballo y jinete» realicen una serie de movimientos predeterminados a partir de la memorización denominada «Ballet del caballo» desarrollada a través de métodos de entrenamiento progresivo estandarizados, la capacidad atlética natural de un caballo y su voluntad de rendimiento, maximizando así su potencial como caballo de monta. En el punto álgido del desarrollo gimnástico de un caballo de doma, el caballo responderá suavemente a las mínimas ayudas de un jinete experto. El jinete estará relajado y parecerá no esforzarse mientras el caballo realiza de buen agrado el movimiento solicitado.

Dominación: necesidad de dominar, controlar o ejercer poder sobre los demás; a la inversa, uno desea un poder espiritual superior al que someter su vida para honrar y servir.

Domingo: el primer día de la semana en el calendario hebreo representa un día para adorar, pensar y servir a Dios. Un día de descanso, relajación, agradecimiento, un nuevo comienzo, Jesús se levantó de entre los muertos un domingo por lo que representa el poder de la resurrección.

Dominios: ente espiritual, soberano que reina sobre un territorio o esfera de control; una influencia; autogobierno.

Dominó, efecto: caer de una manera prescrita, según una determinada teoría o patrón de creencias; una cadena de acontecimientos que desencadena un evento similar; efecto acumulativo; enmascarar algo; enmascarar; alabemos al Señor.

Dominó, juego: pequeños bloques rectangulares cuya cara está dividida en mitades, cada una de las cuales está en blanco o marcada con uno a seis puntos el juego se realiza con 28 fichas de dominó. Una mala decisión o una acción errónea lleva a la siguiente hasta que las cosas se desmoronan y se derrumban a su alrededor. Fíjate en los números que aparecen en el dominó y luego busca el significado de esos números. Capa con capucha que llevan los clérigos cuando bendicen a otros en nombre del Señor.

Donación: acto de dar a una organización benéfica o sin ánimo de lucro para apoyar la propagación del mensaje del evangelio.

Donas: se refiere a un proceso de crecimiento y desarrollo en la búsqueda de la plenitud de uno mismo; representa la formación de una identidad, una personalidad y un carácter que se está formando; puede que te sientas perdido y que aún estés tratando de encontrarte a ti mismo y tu propósito en la vida.

Doncella: ser representada como una doncella o una virgen en un sueño indica pureza, virtud y honor. Se valora mucho su valor como persona de castidad e integridad moral debido a su abstinencia sexual en las relaciones interpersonales.

Dorado: aplicar este oro simulado, «dorado» a algo indica una atracción superficial de apariciones externas sin tener ninguna sustancia o valor real. Un juego de palabras: se trata de pecados pasados y «culpas». Es necesario aplicar y aceptar el perdón de Dios. Debe discernir el origen de las imágenes doradas que aparecen en tu sueño. ¿Son las imágenes de oro ídolos como la imagen de un becerro, Sal. 106:19; o son los platos, las copas, el candelabro y el altar, y la mesa, el cetro de oro, utilizados en la adoración de Dios? Hay que discernir entre lo santo y lo profano. Una persona espiritualmente madura desarrollará sus dones espirituales y sus sentidos naturales hasta que sean «de oro» en el ámbito mundial. Estar hecho de oro representa que el objeto ha sido probado a través del proceso de purificación del fuego. El oro es un metal precioso que representa la seguridad, la riqueza, la prosperidad, las inversiones, la curación natural, la iluminación y la santidad. Es un símbolo de espiritualidad, amor, durabilidad y un paraíso celestial. Por el contrario, el oro representa la codicia, la corrupción, el soborno, la lascivia, la opulencia, la tentación y el exceso de dulzura.

Dormido con alguien: Si se ve durmiendo en la cama con un individuo del que se está alejando o cerrando los ojos ante algún asunto personal con él.

Dormido, amigo o ser querido: Ver a un amigo o a un ser querido durmiendo sugiere que se ignoran y no se afrontan los problemas relacionales.

Dormido, cayendo: Representa la muerte o un nuevo comienzo.

Dormido: estar dormido puede representar estar muerto para alguien o algo, Mt. 9:24, los cuerpos de los santos se levantaron, Mt. 27:52, Lázaro se ha dormido Jn. 11:11. Aturdimiento espiritual, indiferencia, Hch. 7:60; 1 Cl. 5:6-7; *«Despiértate, tú que duermes, Y levántate de los muertos, Y te alumbrará Cristo»*, Ef. 5:14; *«Porque no nos ha puesto Dios para ira, sino para alcanzar salvación por medio de nuestro Señor Jesucristo, quien murió por nosotros para que ya sea que velemos, o que durmamos, vivamos juntamente con él. Por lo cual, animaos unos a otros, y edificaos unos a otros, así como lo hacéis»*, 1 Ts. 5:9-11; *«Perezoso, ¿hasta cuándo has de dormir? ¿Cuándo te levantarás de tu sueño? Un poco de sueño, un poco de dormitar, Y cruzar por un poco las manos para reposo; Así vendrá tu necesidad como caminante, Y tu pobreza como hombre armado»*, Pr. 6:9-11. Estar dormido en un sueño sugiere que no estás despierto o alerta a los problemas y necesidades actuales. Necesitas despertar y oler las rosas, y enfrentar las cosas en tu vida en vez de ponerle en el trasero; dormir en vez de ponerle el pecho a las situaciones solo pospondrá lo inevitable.

Dormir: estado de paz mental, descanso y tranquilidad, advertencia de no ignorar las circunstancias, mantener los ojos abiertos para encontrar alternativas y respuestas; indolencia, necesitas una llamada de atención, el exceso de sueño y las manos ociosas causan pobreza o muerte. Dormir con un personaje desconocido, significa que el soñador no es consciente de ciertas situaciones, Pr. 6:9; Ef. 5:14; 1 Ts 4:14; Ro. 13:11; Lc. 9:32; 1 Cor. 15:51. Verte dormido o adormecido cuando deberías estar levantado trabajando u orando indica que un espíritu de pobreza y carencia está tratando de apoderarse de ti. Dios nunca duerme, por lo que siempre está activamente guardándote y trabajando a tu favor. *«Jamás duerme ni se adormece el que cuida de Israel. El SEÑOR es quien te cuida, el SEÑOR es tu sombra protectora»*, Sal. 121:4-5; *«Un corto sueño, una breve siesta, un pequeño descanso, cruzado de brazos... ¡y te asaltará la pobreza como un bandido, y la escasez, como un hombre armado!»*, Pr. 24:33-34; Pr. 6:10-11; *«Sus atalayas son ciegos, todos ellos ignorantes; todos ellos perros mudos, no pueden ladrar; soñolientos, echados, aman el dormir. Y esos perros comilones son insaciables»*, Is. 56:10-11.

Dormitorio de residencia: un dormitorio (dorm) o residencia (los pasillos representan la transición sin muchas opciones) es un edificio que proporciona principalmente cuartos para dormir y residir para un gran número de personas, a menudo internados, y estudiantes universitarios. Se da un gran valor al conocimiento y a la educación, aprendiendo siempre en el aula de la vida. Al igual que el medio de una casa, uno se encuentra inscrito en la universidad o en una nueva situación de aprendizaje.

Dormitorio: intimidad, descanso; privacidad; relajación; estar dormido; recámara para la reproducción. 2 Re. 6:12; 11:2; Sal. 63:6.

Dos candelabros: representan a los portadores de luz de la unción de Dios, la gloria y el conocimiento de la revelación, Zc. 4:3, 12, 14; Apo. 11:4.

Dos céntimos: ofrecer una opinión sin valor o una pequeña percepción; el ácaro de la viuda; un gran sacrificio; Mc. 12,42; Lc. 12,6.

Dos olivos: los ungidos que están junto al Señor de toda la tierra; dos testigos de Dios, Zc. 4:3, 12, 14; Apo. 11:4.

Dos: Beit, testimonio establecido, testigo confirmado y apoyo; doble porción, Is. 61:7; bendición de la unidad; acuerdo, Mt. 18:19; juicio; ruina; muerte; multiplicidad; Antiguo y Nuevo Testamento; Diez Mandamientos escritos en dos piedras; revelación; armonía; encarnación; la Palabra viva; separación, división o fin de un romance; contraste; división; guerra.

Doscientos treinta y dos: que haya luz.

Doscientos: rashah, promesa; malvado; insuficiencia de dinero, belleza, religión y cosas externas en el culto a Dios.

Dosel: una cubierta que protege de los elementos del entorno; red protectora. Se está cubriendo o protegiendo de elementos nocivos; la promoción se acerca.

Dotán: dos cisternas Gén. 37:17; 2 Re. 6:13.

Dote: la transferencia de los bienes y la riqueza de los padres de la novia al novio en el matrimonio de una hija sugiere que ambos tendrán que trabajar mucho para lograr un matrimonio feliz. Tendrán que superar muchos obstáculos religiosos, financieros y culturales para tener éxito.

Drag Queen: hombre que se viste de mujer, imitador de mujeres, perversión, uso de formas mundanas para traccionar a la gente, identidad incierta, engaño.

Dragón rojo: un dragón rojo representa al diablo que es la serpiente, Satanás, Apo. 12:3, 9; 20:2.

Dragón: ataque demoníaco de alto nivel; fuerzas del Anticristo; Satanás, Apo. 16:13, 20:2; espíritu maligno; persona influyente y poderosa; adorado u honrado en la cultura china. Apo. 12:9.

Drástico: observar un comportamiento drástico en un sueño significa que tu personalidad es firme, inflexible y aguda con modales implacables; puede ser difícil para ti hacer o mantener amistades.

Drenaje: ver un drenaje en un sueño significa que alguien ha extraído todas tus fuerzas o ha desviado tus habilidades para su propio uso sin recompensarte por ello, ni rebosarte con elogios o sin darte crédito; estar completamente agotado, fatigado, agotamiento gradual, estar gastado físicamente o exhausto; fluir de o fuera de algo.

Drogadicto: estar bajo la influencia de un espíritu ya sea santo o demoníaco; estar totalmente controlado una sustancia psicotrópica; actos de rebeldía; completamente vencido; autoindulgencia; un tonto; destrucción de uno mismo y de otros; mares turbulentos; mareado; gran error; espiritualmente ciego; una conmoción violenta; confusión; persecución; mente degradada; pobreza; un individuo corrupto que está en confusión; lujuria sin freno; comportamiento desordenado; sueño.

Drogado: curación, problemas de medicación, delirios; brujería; ver visiones falsas, alucinaciones, adicciones. Mc. 15:23.

Dromedario: soñar con un camello doméstico de una sola joroba indica que la prosperidad, las bendiciones y las riquezas están llegando a ti desde lejos. Tu temporada de desierto está llegando a su fin.

Ducha de agua limpia: verse a sí mismo duchándose con agua limpia y clara indica limpieza espiritual, renovación, eliminación del pecado, de la pena, de las cargas a través de la entrega. Se te ofrece un nuevo comienzo, un nuevo día está amaneciendo. Se te ofrece un nuevo comienzo, un nuevo día está amaneciendo.

Ducha de agua sucia: necesitas perdón y buscas claridad. La situación o la relación en la que te encuentras es confusa. El contacto de alguien te ha hecho sentir violado o sucio.

Ducha, no puede encontrar o tomar: no has encontrado una solución necesaria para resolver una situación negativa o liberarse de las cargas emocionales de arrepentimiento que estás cargando.

Ducharse con un grupo: indica que te sientes aceptado como parte de un grupo específico que tiene un propósito común.

Ducharse con una persona: indica un nivel de confianza e intimidad. Tienes el deseo de ser honesto y transparente, de compartir abiertamente algunos secretos o revelar tu corazón, intimar o «confesar».

Ducharse con la ropa puesta: si te duchas con la ropa puesta: significa que eres muy precavido y aún tienes miedo de abrirte y ser vulnerable, estás ocultando algo. Puedes cambiar tu enfoque o tu apariencia externa, pero tu corazón ha permanecido intacto y se niega a cambiar.

Duchas: lugar de limpieza; la Palabra lava el pecado; comunicación; «lluvias de bendiciones» que se derraman. Liberación de la limpieza espiritual a través del lavado de la Palabra; un breve y repentino derramamiento del Espíritu; abundante flujo y presentación de los dones celestiales.

Dudar: tiendes a no creer o a desconfiar de la gente; vives la vida con falta de certeza o convicción. Eres escéptico y cuestionas la intención de todos, lo que te hace tener una doble mentalidad, ser temeroso e inestable en todos tus caminos. Snt. 1:8.

Duelo: un combate o lucha formal preestablecida entre dos personas que se libra para dirimir un punto de honor. No dejes que las ofensas lleguen demasiado lejos; haz cuentas cortas de las malas acciones, perdona a diario.

Duende: ver una pequeña criatura mística imaginaria que se cree que tiene poderes mágicos en un sueño indica que hay algunos niños traviesos que han estado gastando bromas pesadas o se han portado mal y que necesitan ayuda para aprender a comportarse; se necesita alguna corrección

y dirección en sus vidas. Verse a uno mismo o a los demás como alguien pequeño, inferior o insignificante, tramposo, furtivo o mágico; las fuerzas energéticas magnéticas naturales de la tierra, como la gravedad, la electricidad, la unidad, son representadas por el subconsciente como fuerzas energéticas o ideas como hadas o duendes en los sueños.

Dulce de azúcar: es un rico caramelo blando de azúcar, leche, mantequilla, especias y chocolate; significa falsificar, exceder los límites adecuados de forma disparatada, actuar deshonestamente o engañar. Hacer o comer dulce de leche o de azúcar es una advertencia contra la autoindulgencia y la extravagancia; por el contrario, un regalo de dulce de leche indica un camino pedregoso en la senda del romance. Es una advertencia para que no se pierda la integridad.

Dulce: la ganancia de los trabajos traerá alegría, felicidad y caprichos o lujos especiales en la vida; afluencia; admiración; indulgencia, sensualidad y o placeres prohibidos, inmadurez o infantilismo. 1 Cor. 13:11. Las palabras agradables y reconfortantes de edificación y exhortación traerán vida, favor, aumento y promoción; adulación, Jb. 32:22, el que es experto en adular tiene un fin repentino, Dan. 11:32, la corrupción llega a los que violan el pacto, Ro 16:18; las palabras suaves y las carantoñas engañan a la mente ingenua, 1 Ts. 2:5, nunca uses la adulación para enmascarar, salir adelante o encubrir la codicia; despreciar, ridiculizar o menospreciar a los amigos con palabras enfermizas, dulces, zalameras y poco sinceras.

Dulcémele: (antiguo) gaita; dos tubos; un sonido quejumbroso; un tubo; (moderno) estás en un proceso de afinación para escuchar la voz de Dios y vibrar en armonía con Él.

Dumpling: una pequeña bola de masa cocinada con sopas o guisos; fruta envuelta y horneada en masa azucarada; una criatura corta y regordeta. La sensación de seguridad en un entorno hogareño cálido y acogedor hará que desaparezcan la ansiedad y el miedo, la cooperación y la paz son mejores que la lucha y la disputa.

Dúo: composición de dos; un par; unión en armonía; existencia pacífica; uniforme; sin peleas; rivalidad leve; cero competencias.

Duque: ver a un noble con el más alto rango hereditario en Gran Bretaña, un príncipe que gobierna un ducado independiente, indica serás influenciado por alguien con gran autoridad, riqueza y poder. Ver o ser un duque en un sueño indica que estás desarrollando un carácter noble que te atraerá un mayor nivel de favor y responsabilidad. También puede tratarse de un juego de palabras sobre la necesidad de «disputar las cosas» o de luchar por el éxito. Un duque es el intermedio entre una cereza dulce y una agria, por lo que está tratando de encontrar las palabras que decir en una situación delicada.

Durar: continuar en el tiempo. Continuar en la existencia o en una acción determinada más tiempo del esperado. A la inversa: no resistir el programa de formación, ni lograr que los suministros les duraran una semana.

E

Ébano: simboliza el rico misterio de la seducción; ojos negros: seducción; teclas de un piano: una melodiosa armonía en la vida; madera oscura: representa la riqueza y la prosperidad.

Eclesiastés: el predicador.

Eclipse de sol: simboliza la falta de luz, la duda, la falta de confianza en uno mismo lo ensombrece todo, y un miedo abrumador hace que subestimes tus habilidades, lo que estanca el crecimiento individual. Es hora de adquirir una nueva y más positiva perspectiva de la vida. La depresión te ha hecho sentir pesimista, oscuro y solo. La confianza se desvanece. Es hora de adquirir una perspectiva más optimista. Cada nuevo día ofrece posibilidades en la vida. Señal en los cielos de la grandeza de Dios, Jos. 10:13- 14.

Eclipse parcial: un eclipse parcial es más dramático. La Luna se sumerge en el núcleo de la sombra de la Tierra, pero no hasta el final, por lo que sólo se oscurece una fracción de la Luna.

Eclipse total: eclipse durante el cual toda la superficie del cuerpo celeste queda oscurecida por otro. Su vista o visión del futuro está bloqueada por un objeto grande. Un romance puede perderse totalmente en un mes.

Eclipse, luna: algunos temas femeninos se están revelando, habilidades ocultas están siendo resaltadas. La luna de sangre que cae en las fiestas judías como señal en los cielos de la grandeza de Dios. *«Y el sol se detuvo, y la luna se paró, hasta que la nación se vengó de sus enemigos»*, Jos. 10:13.

Eclipse: representa una nueva visión, un conocimiento o indica que una iluminación se acerca para permitirte salir airoso de una circunstancia oscura o difícil. *«Y el sol se detuvo en medio del cielo y no se apresuró a bajar durante todo un día. No hubo día igual antes ni después, cuando el Señor escuchó la voz de un hombre; porque el Señor luchó por Israel»*, Jos. 10:13-14.

Eco: repetición de un sonido o de una palabra, imita-

ción de una opinión, de un discurso o de una vestimenta ajena; Ninfa cuyo amor no correspondido por Narciso la llevó a enfurruñarse hasta que sólo quedó su voz.

Ecuación: ver el signo de igualdad en su sueño representa la capacidad de igualar, de equilibrar entre la izquierda y la derecha para poner las cosas en simetría. Tienes el deseo de poner orden y un estándar de equidad en tu vida.

Ecuador: atravesar el gran círculo que recorre toda la circunferencia del globo terráqueo indica una vocación internacional para viajar y ejercer el ministerio; tendrás un gran impacto en múltiples grupos de personas. Las naciones son nuestra herencia.

Ecuestre: capaz de saltar por encima de obstáculos enormes; se relaciona con personas que tienen gran autoridad o poder; a menudo avanzan ejerciendo su propia fuerza o sus apetitos carnales.

Edad: Percibirte más allá de tus años actuales indica que estás adquiriendo sabiduría y conocimientos espirituales para vivir una larga y próspera vida piadosa, ver a otros ancianos discierne si están sanos, felices y bien vestidos; si es así son un símbolo positivo, si tú o ellos están enfermos o mal vestidos indica pobreza y carencia, es hora de un examen físico. *«Y Abraham era viejo, de edad avanzada; y el Señor había bendecido a Abraham en todo».* Gén. 24:1.

Edén: deleite; el paraíso de Dios; el jardín de Dios; el Tercer Cielo; esto también puede ser un sueño de advertencia para discernir mejor a las personas engañosas que tratan de convencerte de caer en desgracia. La serpiente engañó a Eva en el Jardín del Edén, Gén. 2:8-15; 2 Cr. 29:12; 2 Cr.31:15; Is. 51:3; Jl. 2:3; 2 Cor. 12:1-4.

Edificio arruinado: ver un edificio arruinado o dañado indica que hay que cambiar el enfoque de una relación o situación laboral.

Edificio de oficinas: evangelismo en el mercado; ministerio quíntuple, llamado de Apóstol, Profeta, Evangelista, Maestro y Pastor; corporativo; dones administrativos; sentimientos en cuanto a las relaciones con las autoridades en el trabajo.

Edificio, derrumbándose: edificio derrumbándose: la imagen de uno mismo ha sufrido un golpe; la búsqueda de ganancias materiales está fracasando; implica que estás perdiendo de vista los objetivos que te trazaste y las ambiciones. Ver la caída de un edificio en un sueño también es un indicador de que se está fracasando en una tarea, que no se está alcanzando un objetivo o que se está descendiendo de forma inconsciente.

Edificio, escalando: verse escalando una iglesia; una corporación; o escalando un edificio indica que tu ambición, empuje y actitud diligente producirán cosas exitosas a pasos agigantados.

Edificio nuevo: si el edificio es nuevo indica felicidad, vidas provechosas.

Edificio viejo: si es viejo: las situaciones, las oportunidades y demás cosas están decayendo.

Edificio: representa a uno mismo o al cuerpo; se avanza positivamente, se toma conciencia y se comprende si se está en los niveles superiores; niveles inferiores: actitudes primitivas, calcular el costo antes de empezar; el césped verde representa prosperidad, abundancia y éxito. Jn. 3:31; Ef. 3:10; 2 Cor. 12:2-4.

Editar: perfeccionar, afinar, describir o reducir con el fin de hacer algo excelente.

Editor: reprimes tus verdaderas expresiones u opiniones sobre un asunto, te reservas lo que te permites decir, calculas cuidadosamente tus sentimientos, cortas lo que no es aceptable, reescribes tu vida para complacer a los demás.

Edom: rojo; el hijo mayor de Isaac, Gén. 25:30; 36:1,8,19.

Edredón: traerá calor, una cobertura y descanso.

Educación: lugar donde se imparten conocimientos y habilidades; deseo de crecer en sabiduría y aprendizaje, estás siendo exaltado por encima de tus compañeros y avanzarás.

Edwin: significa amigo próspero que pertenece a Dios, Jn. 17:10.

Efod: es un símbolo del sacerdocio y del ministerio, Éx 28:2-8; Heb. 4:14.

Egipto: el mundo, la carne pecaminosa, el sistema mundial, el faraón o las obras de Satanás, la filosofía del humanismo, la humanidad no redimida; casa de servidumbre, Éx. 2:23; Dt. 5:6; Éx. 20:2.

Eglefino: es un pez muy popular en la alimentación, se pesca mucho comercialmente y representa la buena salud en los sueños. Este pez tiene una mancha oscura distintiva sobre la aleta pectoral, a menudo descrita como la «huella del pulgar» o incluso la «huella del diablo» o la «marca de San Pedro». Ver estos peces indica que podrás dominar muchos asuntos diferentes en un corto período de tiempo. Eres amigable y tienes muchos amigos que son de tu misma escuela de pensamiento.

Ejecuciones: miedo al futuro; temor a una confrontación; difamación; calumnia; palabras devastadoras, catástrofe, mártir, muerte.

Ejecutor: ver al que es designado para ejecutar un testamento por el testador indica que la muerte de un ser querido está cerca. Es el momento de despedirse y expresarle tu amor. Asegúrate de que haya recibido la salvación y de que su casa está en orden. Se ganará una herencia, pero se perderá un ser querido.

Ejemplo: alguien que sirve como un prototipo específico de patrón de excelencia, un modelo para que otros sigan su precedente. *«Les he puesto el ejemplo, para que hagan lo mismo que yo he hecho con ustedes»*, Jn. 13:15.

Ejercicio de pilates: aprender a estirarse, doblarse o ser flexible en las situaciones de la vida; hay que endurecer los aspectos fundamentales de la vida; fortificar la fuerza interior en Dios.

Ejercicio en el agua: es especialmente bueno para las personas con artritis, porque permite hacer ejercicio sin forzar en exceso las articulaciones y los músculos; aprender a desarrollar los músculos espirituales sumergiéndose en el agua de la Palabra.

Ejercicio: el acto de poner en uso, el desempeño de una función, la práctica para aumentar la habilidad de uno, si disfrutaste el ejercicio aumentará tu salud y la prosperidad vendrá, si usted estaba agotado es el momento de buscar el consejo de un médico y perder peso, 1 Tm 4:8.

Ejército de jinetes: Representan ejércitos inspirados por el diablo, falsos, comparados con los ejércitos de Dios en Apo. 19:11- 21; Apo. 9:13-21.

Ejército de langostas: representan devoradores y hordas de espíritus demoníacos; plagas de juicio. Éx. 10:1-20; Apo. 9:13-21.

Ejército de Salvación: salvación, dar ayuda, consuelo, seguridad, los esfuerzos humanitarios tendrán éxito, unirse al ejército del Señor.

Ejército tanque, enemigo: Las tinieblas tratan de expandirse, ventaja o tomar territorios 2 Cor. 10:4.

Ejército, tanque: Intercesores yendo a la guerra para tomar territorios enemigos; avanzando en fuerza y poder de la unción.

Ejército: Aliados, amigos que se reúnen para ayudarte en una situación difícil; fuerzas enemigas, enemigos que se disponen contra ti; fíjate en los colores de sus uniformes; ejército celestial de Dios, terrenal, Jl. 1:4; 2:11; Ef. 6:12; o un enemigo; ¿Qué clase y condición de armas? ¿Cuántas están luchando a favor o en contra de ti? Fuerzas espirituales o naturales, positivas o negativas, ejército de Joel, unísono, unidad, conformidad, fuerzas poderosas, guerra espiritual. Apo. 9:1-13, 19:14-19; Zc. 6:1-8.

El arrendajo azul (especie de azulejo): ver este pájaro azul indica la necesidad de audacia; su fuerte llamada indica un exceso de confianza o arrogancia; llama persistentemente la atención sobre algo que se ignora o se pasa por alto.

El clima: las condiciones positivas y agradables de la temperatura y el cielo representan la paz y el bienestar; las condiciones negativas y desagradables de la temperatura y el cielo representan la adversidad, los problemas, las dificultades y la necesidad de orar, Jb. 37:9-13.

El color ámbar: Es el color de la gloria, la pureza

y la santidad de Dios. Es una invitación al Trono de la Gracia. Ver ámbar en su sueño indica que puede haberse alejado de la presencia del reino celestial. Si tienes problemas de estómago, bazo y riñones, o dolores de cabeza, es hora de adquirir la paz de Dios reconectándote, echando todas tus preocupaciones sobre Él, sumergiéndote en el poder sanador de la gloria de Dios. Ez. 1:4, 1:27, 8:2. El ámbar representa el poder positivo de la resurrección del sol y su capacidad para restaurar la vitamina D. El color ámbar tiene una energía curativa natural para sanar la depresión, los ojos adoloridos, las torceduras o la artritis. Ver el ámbar indica que tus experiencias pasadas prosperarán en tu futuro. Dios está ministrando; la unción de fuego contra la idolatría.

El deporte y la recreación, jugando agresivamente: verse practicando un deporte agresivo indica que se está exponiendo a un gran riesgo de daño al sobre exigirse demasiado.

El rafting en aguas bravas: se considera un deporte extremo y puede ser mortal; la desafiante actividad recreativa al aire libre utiliza una balsa inflable para navegar por un río de aguas blanquecinas (movimiento de Dios) u otras masas de agua bravas con el fin de emocionar y excitar a los pasajeros de la balsa. El desarrollo de esta actividad como deporte de ocio se ha popularizado desde mediados de la década de 1970, evolucionando desde individuos que remaban en una balsa de 3 metros con remos de doble hoja hasta balsas para varias personas impulsadas por remos de una sola hoja y dirigidas por un guía turístico en la popa.

El Shaddai: el que tiene muchos pechos, significa nutrición y productividad.

El sol, detrás de las nubes: si las nubes cubren el sol: algo está tratando de ensombrecer tu éxito, trabajar para prevenir una pérdida; es el momento de trabajar en tus relaciones amorosas. Si el sol sale de las nubes, tendrás éxito en todos tus esfuerzos, el favor de Dios brilla sobre ti.

Elaboración de cerveza: una situación o problema está en ebullición o es incitada por instigadores que traman o idean planes hostiles; ser presionado, perseguido o puesto en cintura por poderes excesivos; si vences el temor al hombre llegarás a la cima y tendrás éxito.

Elástico: volver a un estado o forma anterior después de la deformación, capaz de adaptarse a los cambios o a una variedad de circunstancias, estirarse hasta sus límites, ser flexible.

Elección: elegir a la persona adecuada para un cargo según los principios piadosos y su carácter e integridad, no eligiendo por la raza, el género o las líneas de partido. Cuando los piadosos gobiernan, el pueblo vive en paz.

Electricidad: flujo de energía y poder dunamis del Espíritu Santo.

Electricidad: soñar con electricidad simboliza una revitalización de tu energía vital y tu vigor, a menos que estés gastando todas tus energías en un proyecto inútil o en una mala relación; en ese caso, indica que necesitas conservar tu energía. Considera que tienes una personalidad eléctrica que atrae hacia ti a los que tienen un entusiasmo similar y expulsa a los que tienen opiniones contrarias.

Eléctrico: tienes un gran potencial y una gran cantidad de energía no aprovechada que necesita ser conectada a algún trabajo o evento provechoso. Esto también puede relacionarse con tu personalidad magnética y enérgica que atrae a la gente hacia ti.

Electrocución: indica que te espera el susto de tu vida si no cambias tu forma de actuar. Te sorprenderás al encontrar el desastre esperándote al final del camino. Será una sentencia de muerte si no enmiendas tus acciones equivocadas. Te has enchufado a la fuente equivocada y eso te traerá la muerte si no te desenchufas.

Electrocución: lesión o reacción causada por el paso de una corriente eléctrica por alguna parte del cuerpo que provoca fibrilación del corazón y daños en los tejidos circundantes. La electrocución causa la muerte debido a la cantidad de electricidad que pasa por el cuerpo de una persona. Es posible que necesite conectarse a una nueva fuente de energía para estimular alguna acción necesaria en varias partes de tu vida. Es posible que te hayas quedado paralizado al observar una noticia impactante o sorprendente.

Elefante: invencible; de piel gruesa; no se deja vencer fácilmente; grande pero grácil; un asunto muy grande; muy inteligente; capacidad de encontrar agua en la sequía; se deja reprimir fácilmente; potencial poderoso en la vida; realeza; enorme prosperidad o buena fortuna; familiar y socialmente originado; oído agudo, memoria increíble; espíritu religioso cuando vuelve a venerar los huesos de los muertos. Pr. 28:13; Nm. 32:23.

Elemental: etapa infantil; aún no maduro, infancia, algo que es fácil; un principiante.

Elevación: soñar que te elevas por encima de un lugar (como una colina) que es más alto que el área que te rodea indica que se te está promoviendo o dando una mayor ventaja. Es una señal de que estás llamado a mantener un nivel más alto o una perspectiva más celestial que los demás. Una elevación también puede ser un dibujo geométrico que representa un plano vertical de un objeto o estructura.

Elevarse: simboliza la capacidad de romper con las limitaciones para entrar en una nueva libertad, romper los límites, las cargas y las situaciones difíciles o las relaciones negativas. Victoria, triunfo, superación de una situación difícil o de un obstáculo, libertad, éxito, te sientes fortalecido en una relación.

Elí: Significa liberado, Sal. 50:15.

Elías: significa Dios es mi salvación, portavoz de Dios, Lc. 12:11. «Mi Dios es el Señor», El Señor es mi Dios, campeón espiritual; Pr. 3:6; profeta de Dios trasladado por un torbellino al cielo sin experimentar la muerte; uno de los dos testigos; precursor de Cristo; cerró los cielos durante 3½ años; oración eficaz y ferviente; sacrificó a los profetas de Baal; transportado por el Espíritu del Señor; oyó la pequeña voz de Dios. Mt. 17,3; 1 Re. 17-21: prototipo de Juan el Bautista; presente en la transfiguración de Jesús; Lc. 9:28-35.

Eliminación: que te quiten tus pecados, problemas, dolor o deudas en un sueño indica que Dios te ha visitado en tu sueño con su sabiduría divina, su poder curativo y su intervención.

Eliminar: soñar que te deshaces de algo, como el exceso de peso o el equipaje, indicaría que tienes el deseo de sobresalir espiritual o personalmente y de hacer crecer tu carácter e integridad; también significa eliminarse (sustraerse) de las consideraciones o las competencias, omitir o deshacerse de la derrota en un concurso, de alguna manera no deseable, por ser poco importante o irrelevante; dejar fuera, expulsar, erradicar el pecado o eliminar un mal hábito Heb. 12:1.

Elíptico, entrenador: ejerce un gran esfuerzo físico sin impulso hacia delante; es una máquina de ejercicio estacionaria que se utiliza para simular que se suben escaleras, se camina o se corre sin causar una presión excesiva en las articulaciones, lo que disminuye el riesgo de lesiones por impacto. El bajo impacto permite a las personas con algunas lesiones utilizar una elíptica para mantenerse en forma. Las elípticas ofrecen un entrenamiento cardiovascular sin impacto que puede variar desde una intensidad leve a un alta en función de la velocidad del ejercicio y de la resistencia que prefiera el usuario.

Elisabeth: adoradora de Dios; esposa de Zacarías; madre de Juan el Bautista, Lc. 1:5.

Eliseo: tipo de Cristo; profeta con una doble porción de la unción de Elías; 2 Re. 4:35; Lc. 8:50-56; 2 Re. 7:16; Mt. 14:15-21.

Ella: significa sostenida y hermosa, Sal. 91:11.

Elogio: alabanza en forma laudatoria, escrita o hablada, que rinde homenaje o celebra los logros de alguien en la vida. Escuchar tu propio elogio indica que la gente aprecia los actos amables que haces en su nombre. Escuchar el elogio de otra persona indica que tienes que expresar tu aprecio por los pequeños favores recibidos.

Elohim: poder total y soberanía completa, creatividad total.

Eloísa: significa sostenida y sabia, Sal. 121:5.

Elvis Presley: Elvis significa sabio y justo, Is 58:8. Presley significa espíritu pacífico de la pradera del Sacerdote, Sal 146:5. Soñar con Elvis Presley indica que has elegido un destino mundano cuando estás llamado a un destino espiritual. Tu voz debe ser utilizada por Dios para dirigir un movimiento de jóvenes a través de la adoración.

Emanuel: Dios con nosotros; Mesías; Is. 7:14; 8:8; Emanuel.

Embajada: cargo, función o destino de un embajador en una misión, un gobierno extranjero o una sede oficial. Viene una invitación de favor que te colocará en compañía de gente poderosa; ejerce una confianza audaz al representar el Reino de Dios; eres un embajador de Cristo si eres un creyente en Jesús.

Embajador: Representante delegatario, trae unidad y diplomacia, mensajero de la más alta autoridad; aumento en tu estatus social o financiera a través de amigos o conocidos influyentes. Intérprete, 2 Cro. 32:31, ministro, 2 Cro. 5:20.

Embalsamar: evitar la putrefacción de un cadáver disecándolo; mantener vivos los recuerdos de los seres queridos, refundir la salvación permaneciendo en un estado espiritual muerto, no estar dispuesto a dejar de lado los malos hábitos y los defectos de carácter negativos.

Embarazada, actualmente: si estás actualmente embarazada y sueñas que lo estás, quiere decir que estás actuando temerosamente por el hecho de estar mal equipada o de carecer de las nuevas habilidades que serán necesarias para criar a un niño. Soñar que está embarazada simboliza una promesa, una expectativa o la espera del nacimiento de algo nuevo, una característica íntima que está oculta, pero que crece y se desarrolla.

Embarazada, amada: si su amada está embarazada de otro indica que su relación se ha deteriorado y que ella ha cambiado de opinión sobre su relación y se ha trasladado a un terreno diferente o a lo que ella cree que son pastos más verdes.

Embarazada, amiga: si una amiga está embarazada, tu relación con ella prospera y crece a pasos agigantados.

Embarazada, bebé enfermo o moribundo: si su bebé está enfermo o moribundo en el vientre materno, indica que se está avanzando en una idea prematuramente, y que debes esforzarte y prestar atención para que puedas planificar mejor. tu último proyecto o empeño está siendo abortando, está fracasando o falleciendo.

Embarazada, secreto guardado: puede que esté manteniendo en secreto el nacimiento de un secreto, una gran idea, una nueva dirección, un proyecto o un objetivo. Puedes estar en vísperas de que ocurra algo grande o terrible.

Embarazada: lista para dar a luz un nuevo ministerio o una nueva idea; capacidad creativa que surge; la revelación está creciendo. Llevando un bebé en desarrollo en el útero; la imaginación creativa de uno inventará algo nuevo y significativo; un nuevo comienzo o un nuevo capítulo en la vida está llegando a través de nuevas ideas, dirección, proyectos o metas; uno será reproductivo, desbordante y abundante en la fecundidad; el emprendimiento producirá grandes resultados, con un crecimiento o desarrollo convincente.

Embarazo, intento: intentar quedar embarazada y tener éxito indica un deseo cumplido. Si se queda embarazada sin intentarlo, el sueño indica una preocupación por el aumento de las responsabilidades que le esperan.

Embarazo: te estás expandiendo; nuevas áreas del potencial de tu vida o de tu personalidad están siendo desarrolladas; algo nuevo viene en camino que requerirá de crianza y cuidado; riqueza material y felicidad; reproducción; dar a luz el cumplimiento de las promesas proféticas de Dios; dolores de parto: la prueba final, el ensayo o el empuje antes de que la nueva empresa o ministerio sea entregado en tus manos; hombre: una advertencia contra el sexo indiscriminado. Listo para el nacimiento de un nuevo ministerio, idea o negocio; habilidad creativa que surge; la revelación está creciendo; algo nuevo en progreso; una gran bendición que requiere tu atención; aumento; crecimiento, Is. 66:9, Gál. 4:19.

Embarcación a motor: un navío que se propulsa con un motor indica que debe haber gasolina y aceite para impulsar el vehículo.

Embarcarse: verse embarcado indica que se tiene el deseo de invertir en una empresa. Embarcarse en un barco o en una nave de viaje sugiere que es una temporada para viajar, para aventurarse y visitar tierras lejanas y diversas culturas de todo el mundo.

Emboscada: Ataque por sorpresa de enemigos que esperan una oportunidad para causar daño, peligro oculto o trampa.

Embriaguez: el exceso de vida elevada ha provocado una pérdida del rumbo; advertencia de parar y dar la vuelta antes de que todo se pierda; el espíritu de lujuria lleva al engaño y a la destrucción, fuera de control; lleno del poder y la inspiración del Espíritu Santo; sentirse fuera de control, ser egoísta o poco razonable; eliminar todas las inhibiciones.

Embrión: persona o ser vivo en sus primeras etapas de desarrollo antes de ser reconocido; se necesita tiempo antes del desarrollo completo, el nacimiento o la eclo-

sión, la concepción de una persona; un bebé hasta el tercer mes de embarazo. La parte inocente o vulnerable de una persona, la vida prenatal o la experiencia del parto, descubrir que nuestra madre intentó abortarnos o rechazarnos antes de nacer, algo pequeño y aparentemente insignificante va a crecer hasta convertirse en alguien fundamental y muy importante.

Emigrar: verse dejando un país para establecerse en otro indica un llamado a las naciones, viajes y el deseo de ver a otros grupos de personas salvadas y discipuladas para Cristo, espera sembrar con sus finanzas para que este sueño se haga realidad.

Emisora de radio: comunicación; percibir lo que está «en el aire»; captar mensajes de la gente; conectar los puntos; transmitir; emitir; material programado; recibir información; entretenimiento; red; organización.

Emociones: presta mucha atención a la forma en que sientes tus emociones en los sueños; generalmente son literales, Gén. 43:30.

Empalar: una fuerza externa se entromete violentamente en un área no deseada de su cuerpo o vida personal. Sensación de ser abusado, notar qué parte del cuerpo está siendo atravesada.

Empapado: verse a si mismo empapado en agua o siendo sumergido y rendido en la adoración indica que estás absorbiendo la presencia de Dios y saturándote completamente con la unción para que Su Palabra renueve tu mente, remueva fortalezas, refresque y vigorice tu cuerpo, alma y espíritu. Por el contrario, estar empapado también puede significar el estar excesivamente ebrio al punto de exudar por los poros la borrachera.

Empapar: estar empapado, cubierto o completamente mojado indica que puedes necesitar tomar alguna medicina.

Empaquetar: dejar atrás lo viejo (relaciones, carrera, trabajo, hogar, negocio) y esperar grandes cambios en el futuro. Puede que sea el momento de reducir el tamaño o eliminar el desorden de tu vida, hacer limpieza de primavera. Elimina el equipaje innecesario, deja de llevar las cargas de los demás, suelta y distánciate. Empaquetar y desempaquetar repetidamente indica indecisión o confusión, la falta de planificación te llevará al caos. Está haciendo malabarismos con demasiados hierros en el fuego y se siente inundado. Ate los cabos sueltos y ponga fin a los proyectos.

Emperador: hombre llamado a gobernar o a construir un imperio; esta figura real puede representar los sentimientos hacia el propio padre; la necesidad de aprobación o de bendición paterna, o los sentimientos o necesidades por los que uno es «gobernado».

Emperatriz: mujer llamada a gobernar un imperio, esposa o viuda del emperador.

Empleado: siervo; sumisión a una situación; persona real; dones de ayuda; discípulo. Cl. 3:22; Persona que trabaja para otra siendo compensada mediante un pago en dinero o un salario.

Empleo, pasado: soñar con un empleo pasado: advierte de que se está volviendo a cometer un error del pasado, de que se está residiendo en una zona de confort sin avanzar ni mejorar las habilidades, de que se traen viejos hábitos al nuevo trabajo.

Empleo: tus dones y talentos están siendo utilizados, así que pon lo mejor de ti para recibir una promoción, añade una nueva habilidad, céntrate en nuestra profesionalidad ya que eres de gran valor.

Empresa: ver a invitados, amigos o socios que vienen a visitar tu casa indica que estás llevando tu trabajo o vida exterior a tu espacio personal o entorno doméstico. Es necesario establecer unos buenos y seguros límites que tracen una línea de demarcación entre tu vida laboral, social y personal.

Empresa: verse a sí mismo emprendiendo un proyecto de gran alcance, complicado y lleno de riesgos, indica que tienes habilidades administrativas u organizativas que necesitan ser desafiadas. Prosperarás si tomas la iniciativa y te aventura con entusiasmo mostrando tu flexibilidad e imaginación.

Empresario: tiene que ver con el aspecto racional, equilibrado, bien pensado y organizado de uno mismo.

Empujón: el miedo puede estar paralizándote o impidiéndote dar el siguiente paso; todo lo que necesitas es un pequeño empujón o estímulo para motivarte en la dirección correcta; sé decisivo y no un «pelele», valora tu capacidad de decisión; déjate llevar por la paz; no permitas que otros te obliguen o presionen.

Emú: amigo bien intencionado con malos consejos.

En el extranjero: Una aventura misionera te llama a expandir tus horizontes, a influenciar espiritualmente a la gente y a la cultura en otra tierra; se necesita una escapada o un cambio de aires. Ver un país extranjero es un llamado a la oración, a la intercesión y al trabajo misionero que te llama a salir de casa y a ponerte en circulación para cubrir una gran área geográfica durante una temporada.

En vivo: ver algo que está ocurriendo en vivo da al soñador las ideas necesarias sobre cómo reaccionar, qué acciones positivas son necesarias para evitar cualquier peligro o para alinearse para la prosperidad. También puede sugerir que el soñador necesita parecer más vivo y vivir la vida al máximo. Deja de deprimirte, sé feliz, Gén. 3:22; 12:12, 13.

Enagua, perder: perder una enagua indica que otra mujer va a entrar en escena.

Enagua, rasgar: rasgar una enagua indica que la relación se va a perder.

Enagua: ver la enagua de una mujer indica un interludio marital de intimidad.

Enaguas, cambiar: cambiar de enaguas significa cambiar a los hombres con los que sales.

Enaguas, comprar: comprar unas enaguas como regalo predice el deseo de una relación personal; evite las compras extravagantes o ella pensará que estás intentando comprar su afecto.

Enamoramiento, antiguo: soñar con un antiguo enamoramiento puede representar ese periodo concreto de la vida de uno o un patrón de comportamiento si se repite el fracaso o el éxito. Si la persona te rechaza, se levanta, se aleja o te da la espalda, indica que la inseguridad y el temor a fallar en una relación están intentando aparecer.

Enano: los problemas parecerán pequeños y luego sólo desaparecerán; si es feo: advertencia contra los amigos infieles; alguien cuyo crecimiento ha sido atrofiado, afligido o cortado prematuramente, no te has desarrollado completamente en lo emocional, permanecer pequeño o insignificante en comparación con otros, no poder alcanzar tu pleno potencial o desarrollo, una parte de la personalidad o de los dones espirituales que no has desarrollado o que no han sido integrados o perfeccionados; una parte de uno mismo que ha sido retenida o atrofiada en su desarrollo debido al miedo, al dolor o a la culpa por fuerzas inconscientes, pensamientos, creencias (de mente pequeña) o poderes que te frenan; ser empequeñecido expresa el sentimiento o el temer de ser pequeño, insignificante o no desarrollado; bien fundamentado. Parecer pequeño a los ojos de alguien; abrumar; ser anormal, atípico o inferior a la media.

Enanos: conocidos casuales que pronto se convertirán en amigos de pleno derecho.

Encaje de la reina Ana: ver esta delicada flor indica feminidad; fantasía.

Encaje: trenzado; verse vestida con un traje o prenda de encaje indica que podrás ganarte los afectos de un caballero con tus cualidades femeninas de ternura y belleza. Éx. 28:28; cordón, Éx. 39:3. Sensualidad femenina; tradición o ideología anticuada.

Encantado: soñar que estás siendo encantado (encantado o completamente encantado) indica que estás siendo hechizado por un brujo, manipulado por un mago o influenciado de forma negativa para su perdición.

Encantadores: personas capaces de domar y controlar serpientes venenosas, Sal. 58:5; Jer. 8:17.

Encanto: tienes el favor de Dios en tu vida y el poder de atraer y fascinar a la gente con tus habilidades y forma de ser.

Encarcelado: sentimientos de inadecuación, miedo, retenciones mentales, creer en mentiras, intentar complacer las expectativas de los demás sobre tu vida, inseguridad, ansiedad o ignorancia por falta de formación, aprendizaje o incomprensión.

Encarcelamiento: castigo autoimpuesto, alejarse de la interacción social, aislarse de los demás, los remordimientos le impiden avanzar en la vida, sentimientos de estar atrapado o cautivo.

Encargo: si sueñas que estás aceptando un encargo en una nueva dimensión de autoridad o círculo de influencia, quiere decir que se aproxima una temporada de gran aumento y promoción. Es tu tiempo de favor. Estás siendo facultado para moverte con una nueva gracia para cumplir con cada tarea o deber que se te ha encomendado.

Encarnación: soñar que has tenido una serie de vidas pasadas puede indicar la necesidad de arrepentirse de pecados o males pasados. Renacer a la vida eterna a través de recibir a Jesucristo como su Señor y Salvador para que las viejas cosas pasen y una nueva persona sea resucitada a la unión de la divinidad con Jesucristo en la vida eterna.

Encerar, sellar: sellar las grietas de uno para parecer completo o íntegro; engaño, Sal. 22:14; 68:2; 97:5; Mi. 1:4.

Encerrado: estar encerrado o cercado en un sueño indica que te siente excluido o rechazado por las personas que te rodean. No te rindas. Presiona a Dios, pasa un tiempo de calidad con Él y permite que su presencia y gracia te cambien y transformen. Nadie puede resistirse a la perfección.

Enchufe: tienes mucha energía que otros pueden aprovechar para obtener un apoyo adicional. Manténgase «conectado» a Dios y nada será imposible para ustedes dos.

Enchufes eléctricos: significa enchufarse o conectarse al poder del Espíritu; estar arraigado y enraizado en el amor por las señales, las maravillas y las demostraciones milagrosas del Espíritu.

Encías sangrantes: algo que estás rumiando o masticando te está haciendo daño; es hora de que aparezcan tus dientes con algo positivo y escupan las cosas negativas que te hacen perder la fuente de alegría.

Encías: de la abundancia del corazón habla la boca, si tus encías se retraen, sangran o no están sanas: entonces tus palabras son hirientes, llenas de chismes y calumnias, sembrando la discordia entre amigos y miembros de la familia. El poder de la vida y la muerte está en la lengua, así que crea vida con tus palabras.

Enciclopedia: que tiene que ver con la educación general, un libro de referencia completo con una amplia gama de artículos sobre diversos temas y campos.

Encontrar: descubrir un talento oculto o desarrollar un aspecto de uno mismo; encontrar a alguien que has estado buscando representa el nacimiento de una nueva relación o llevar una relación existente en una nueva dimensión.

Encrespamiento: si tu cabello se encrespa en un sueño, puede significar que estás al límite de tus fuerzas o que se siente agotado por las distintas situaciones de la vida. Date el tiempo necesario para enderezar las cosas.

Encrucijada: se trata de desafiante cruce de caminos en medio de nuestro tránsito hacia el destino que Dios desea para nosotros; un lugar de decisiones que transforman la vida. Es necesario tomar decisiones; discernir la dirección adecuada; representa la ansiedad que producen los cambios inevitables y lo desconocido.

Encuesta: verse a sí mismo examinando o evaluando una situación indica que se necesita un escrutinio antes de tomar una decisión de avanzar o de unir sus fuerzas con ciertas personas; preste atención a lo que dice la «encuesta».

Endeble: tus pensamientos no están enfocados en Dios; ora por sabiduría; tus emociones son temerosas, te sientes estresado y agotado.

Endecha o canto fúnebre: himno funerario o lamento, una composición musical lenta y triste. Escuchar un canto fúnebre indica que algo está muriendo, como un mal hábito, una carrera, una amistad o un capítulo de la vida para ti, un amigo o un compañero.

Enebro: árbol de hoja perenne; bayas de color gris azulado; sabor a ginebra y licores; follaje espinoso; alegría en lugar de dolor.

Eneldo: planta, Anethum graveolens, de la familia del perejil, con semillas aromáticas y hojas finamente divididas que se utilizan para condimentar los alimentos. Puede que te encuentres en un aprieto o en una situación difícil. Usa tu inteligencia o algunos pueden considerarte una «hierba de eneldo».

Enema: soñar con que se te inyecta un líquido en el recto a través del ano para la limpieza, indica que estarás en una relación muy corta, dolorosa o embarazosa en la que te sentirá como si hubieras tenido algo pegado a ti que era muy desagradable; simboliza a alguien que está lleno de sí mismo.

Enemigo: persona o pueblos que están en contra o se oponen a ti; algo dentro de uno mismo que se teme, con lo que se entra en conflicto o se lucha; reprimir una relación, por ejemplo; también puede significar algunos sentimientos sobre el trabajo.

Energía: vigor en la realización de acciones para terminar ciertos logros. Si necesita nuevas fuerzas, vitalidad y energía, está quemando la vela por los dos extremos y te convienen unas vacaciones de descanso.

Enero: enero/febrero, Shevat; alfabeto: Tza- dik simboliza al justo. Tribu: Asher. Constelación: Acuario, el portador de agua. Color: Verde olivo claro. Piedra: cuarzo amarillo o peridoto. Shevat es un mes en el que la rectitud debe convertirse en tu fundamento. Desarrolla un plan para sostener las generaciones futuras. Busca la sabiduría para que tu Olivo siga floreciendo. Busca a los que traen cántaros, arroyos y ríos de agua. Las bendiciones financieras de Dios están en camino, vendrán y te alcanzarán a medida que te acerques a su presencia. Prueba y ve que el Señor es bueno. Él te está preparando para la vida eterna y el alimento continuo. Soñar con el mes de enero significa una temporada de invierno, pérdida de amor y ruptura de la compañía, pero también habla de un nuevo comienzo y de un nuevo inicio.

Enfado: El enfado, la decepción, la indignación y el resentimiento son elevados, sofocar los sentimientos negativos provocará una erupción de emociones negativas en los que te rodean. Sé lento para la ira; porque la ira del hombre no es beneficiosa St. 1:20. Perdónate a ti mismo y a los demás; trata los sentimientos agresivos de forma positiva y productiva. Dios castiga a los malvados con un gobernante que es provocado a la ira.

Enfado: verse molesto o enfadado en un sueño significa que tienes algunas emociones negativas no resueltas en tu vida que necesitan ser tratadas de forma positiva.

Enfermedad de Alzheimer: Aferrarse a viejos recuerdos, temor a dejar el pasado, olvidar lo que queda atrás, alcanzar la meta de la alta vocación, preocupación por ser olvidado u olvidar detalles importantes, ocasiones, fechas, citas, eventos o personas, advertencia de que un ser querido ha sido diagnosticado.

Enfermedad del corazón: es causada por una maldición, ira, miedo y ansiedad, amargura, desesperanza y el rechazo de un corazón roto. La oración es necesaria para superar estos sentimientos para recibir liberación y sanidad. (Ver la Tarjeta de Sanación para las causas de raíz de las enfermedades y las dolencias *www.decodeMydream.com*)

Enfermedad venérea: enfermedad contagiosa como el SIDA, la sífilis o la gonorrea, contraída por infidelidad, fornicación o adulterio. Contaminación; traición; dolencia; seducción física o emocional; vulnerable a ser aprovechado, no pensar con claridad.

Enfermedad: alteración emocional; padecimiento, dolencia, debilidad corporal, esclavitud del mal; afección. Mt. 4:23; Is. 53:5 (Ver tarjeta de curación). Presta atención a las necesidades de tu cuerpo físi-

co, descansa, haz ejercicio y recibe la nutrición que necesitas, ya que un espíritu de enfermedad está tratando de apoderarse de ti y enfermarte. Uno puede estar experimentando cambios horribles que están produciendo angustia emocional. Es necesario orar y buscar a Dios para obtener sabiduría y sanidad. Soñar con una enfermedad terminal implica un espíritu de muerte que está tratando de robarte la vida de forma prematura. Vive cada día al máximo como si fuera el último; no seas víctima de la desesperanza, la autocompasión o la pena, pon tu esperanza en Cristo; Él no defrauda. El temor, la depresión, la falta de perdón y la ira, el resentimiento y la amargura conducen a la enfermedad. Procura perdonarte a ti mismo y a cualquier persona que te haya ofendido para que tu cuerpo pueda sanarse.

Enfermera: capacitada y licenciada para cuidar a enfermos y discapacitados bajo la supervisión del gran fisioterapeuta; dones de sanidad y unción; una cuidadora; alguien que nutre; unidad familiar; una influencia de fomento o matrimonio; cuida a jóvenes y ancianos, alimenta con el pecho, amamanta, cuida de manera especial, previene el dolor y el sufrimiento; temores de mala salud, deseo de ser amamantado, consolado o cuidado; deseo infantil de ser amado, Nm. 11:12.

Enfermería: ver esta institución para el cuidado de los enfermos y heridos en un sueño indica una dolencia corporal, una enfermedad o una lesión, ya sea física o emocional. También puede tratarse de un fallo moral o de un defecto de carácter personal. Ora para que obtengas sabiduría y perspicacia de modo que puedas recuperarte.

Enfermos: ver a personas enfermas o con dolencias en un sueño indica que tienes una vocación como impartidor de sanidad de los enfermos mentales, emocionales o físicos. Los creyentes expulsarán a los demonios, impondrán las manos a los enfermos y éstos se recuperarán. La enfermedad indica que alguien no está a gusto en su vida, hay discordia y problemas supurando, Mc. 6:56.

Enflaquecimiento: ser físicamente débil, especialmente por ser mayor y débil en un sueño, puede indicar falta de firmeza moral, no ser sano o estable, sino inseguro e irresoluto. Un espíritu demoníaco que causa enfermedad o dolencia en un cuerpo, Lc. 13:11, 16.

Engalanar: relacionarse con uno mismo, los amigos, la familia y el entorno; ser más consciente de tu entorno natural; estar «engalanado» para una ocasión especial.

Engañar en el deporte: refiere a intentar salirse con la suya con engaños o deshonestidades. Es un indicador de que eres demasiado competitivo y quiere ganar a toda costa. Soñar que engañas en una competición sugiere que no eres sincero contigo mismo. Te siente insuficiente, inseguro y falto de confianza.

Engañar: soñar que se engaña a la pareja, al cónyuge, al prometido, al amigo o a la pareja, indica culpa autoimpuesta, sentimientos de vergüenza o traición a sí mismo. Puede que hayas hecho una concesión respecto a tus creencias éticas y hayas comprometido tu integridad moral. Engañar es malgastar tu vida y tu tiempo en actividades poco gratificantes. Alternativamente, los sueños de engaño reflejan la cantidad de tu fervor sexual en este estado de cosas, que puede servir para refrendar o iniciar un nuevo compromiso. La pasión sexual se intensifica, explorando nuevos aspectos del propio compromiso; el miedo al matrimonio o a perder la libertad o la identidad. Una fecha de boda próxima puede encender experiencias oníricas eróticas con otras parejas. Este sueño representa la frescura de tu pasión sexual o las ansiedades de cambiar tu identidad de soltero por la de cónyuge.

Engatusar: ser persuadido por medio de halagos o súplicas, de la seducción o de la insistencia, es una advertencia para no confiar en los que te rodean. No te están dando un buen consejo.

Engordar: engordar en un sueño puede indicar que estás siendo bendecido espiritualmente con un aumento de la unción, de los dones o de nuevos mantos. También puede indicar un desequilibrio físico en tus hormonas o en la ingesta de alimentos que provoca un aumento de la acumulación de grasa.

Engranaje diferencial: hacer una diferencia o una distinción; clasificar; permitir la rotación de dos ejes a diferentes velocidades en las curvas.

Engranajes: si ves engranajes en tu sueño indica que todo en el universo está cooperando o trabajando en conjunto para tu bienestar.

Engreimiento: soñar que usted u otra persona es engreída es una advertencia de que no debe pensar más en sí mismo que en los demás. Debes discernir los pensamientos y las intenciones de tu corazón. *«No hagáis nada por egoísmo o por vana presunción, sino que, con humildad de ánimo, considerad a los demás como más importantes que vosotros mismos; no os limitéis a velar por vuestros intereses personales, sino también por los de los demás»*, Fil. 2:3-4.

Engrudo: si está usando engrudo en un sueño, puede significar que tiene miedo de perder un amigo, un trabajo o una relación. Estás intentando pegar algo para que no se vaya o no te lo quiten. Recuerda que Jesús se nos une más que un hermano.

Enigma: atravesar con numerosos agujeros de bala; o ver que algo negativo se extiende por una zona indica que te mueves en una gran confusión y nece-

sitas un tiempo de paz, mediación y oración para conseguir una nueva estrategia, Jue. 14:12-19; un «dicho oculto», requiere ingenuidad, oración, meditación y revelación del Espíritu Santo.

Enigma: son sueños difíciles de interpretar y a menudo necesitan ayuda profesional para llegar a una clara comprensión profética del mensaje oculto, rompecabezas ambiguo o inexplicable discurso críptico. Por favor, consultar más detalladamente *www.decodeMydream.com «Oirá el sabio, y aumentará el saber, Y el entendido adquirirá consejo, Para entender proverbio y declaración, Palabras de sabios, y sus dichos profundos»*, Pr. 1:5-6.

Enjambre: verse formando parte de un enjambre de abejas indica que vas a trasladar o establecer una colonia novedosa o algo dulce y nuevo. Ver un enjambre de insectos en tu contra indica que hay un grupo de personas oponiéndose para que no prosperes. Estás siendo picoteado por palabras negativas, las cuales son proferidas por ellos con la intención de minar tu positivismo y tus energías.

Enjuagar: enjuagarse ligeramente con agua y jabón para eliminar una sustancia extraña indica que se está en un proceso de limpieza y búsqueda de sabiduría.

Enlace, atadura, esclavitud: elemento para asegurar, garantizar; sujetar o mantener pegado algo; enlazar, unir o atar cabos sueltos; acuerdo vinculante; pacto; deber, promesa u obligación escrita a la que uno está obligado; se necesita cohesión y unión; suma de dinero pagada por la fianza; los certificados de deuda emitidos por un gobierno o corporación significan que se cumplirá el pago garantizado de una inversión original más los intereses en el futuro; recibirás el pago de una pérdida financiera imprevista; bonos que decepcionan significa que te sentirás sometido a un poder, fuerza o influencia de esclavitud, servidumbre o esclavitud; experimentar un sometimiento involuntario a otro; sumisión a un amo poco amable que te trata como una posesión.

Enmarcar: poner varias partes juntas para concebir o diseñar arreglar o ajustar para un propósito determinado, poner en palabras «enmarcar una respuesta», incriminar personas mediante pruebas amañadas o engañosas, destacar los logros de uno enmarcando sus logros o premios.

Enmascaramiento: tiene que ver con el engaño y un plan activo para encubrir la verdad. Si usted u otros están usando máscaras en el sueño, no están siendo honestos y honrados.

Enoc: trasladado a la presencia de Dios sin morir; «el traspasado», Heb. 11:5; inmortalidad; hombre de familia; agradó a Dios; caminó con Dios 365 años y no vio muerte porque Dios lo tomó con Él; primogénito de Caín; uno de los dos testigos. Gén. 4:17; 5:18; Jd. 14; Gén. 5:22 trasladado al cielo; Dios lo llevó Gén. 5:24.

Enredado: la confusión ha entrado y es difícil tomar la decisión correcta; alguien está lanzando acusaciones perversas, Pr. 25:26.

Enredo: estar mezclado o entrelazado en una masa fundida o un enredo incómodo; dificultará, complicará o entorpecerá las relaciones; este símbolo advierte de distanciamientos, ver una «red enredada» indica momentos embarazosos en los que los planes de engaño se descubren. Si las cosas parecen estar confusas en tu vida, no es prudente tomar ningún tipo de decisión que altere el rumbo de tu vida. Ora y busca a Dios; espera a que llegue la paz y la claridad mental.

Ensalada: ser mezclado; necesidad de mantenerse fresco frente a cualquier circunstancia; te gusta mezclar las cosas o estar en la mezcla.

Ensayo: intentar o hacer un intento en una empresa, para probar el valor o la naturaleza de algo indica que tendrá una oportunidad de discernir la confianza de alguien en un futuro próximo. Verte en un ensayo sugiere que estás preocupado por un gran evento próximo, una propuesta o una entrevista de trabajo en tu vida personal. Estás en un proceso de preparación para grandes avances y éxitos.

Enseñanza: verse a sí mismo como un maestro indica que estás dotado de la capacidad de enseñar, orientar y formar a otros.

Enterrado vivo: significa que te sientes abrumado, totalmente consumido por alguna carga o deuda; desesperado e impotente. Nm. 16:33.

Enterrar a otra persona: intentas escapar de su control o influencia.

Entierro: significa poner a descansar los malos hábitos o el pecado; liberarse de situaciones negativas o dañinas; dejar ir una relación destructiva; enterrado vivo: luchas emocionales o conmoción interna, ser enterrado por el estrés o sentirse socavado en el trabajo. Intentar enterrar las experiencias dolorosas del pasado sin dejar de honrar o aprender de tus experiencias.

Entorno escolar: volver a tomar o prepararse para tomar un examen indica que se ha dominado algo que no se sabía anteriormente; escuela del Espíritu, lugar de promoción de las lecciones aprendidas; revelación que salen a la luz; estudiante de la Palabra; maestro de la Palabra.

Entorno: cuando sueña con un entorno tranquilo, quieto, bello o caliente, aireado y seco, es un reflejo de tu entorno actual o de tus relaciones en la vida. A medida que tus situaciones cambien para bien o para mal también lo hará tu entorno onírico.

Entrada en coche: llegar a una entrada en coche indica el final de algo o de un viaje; un momento de entrada en un lugar de seguridad y descanso; el camino hacia la paz interior y la espiritualidad.

Entrada: acceso a la vida, la propiedad, el viaje o el edificio donde uno vive, entrando o entrando en las instalaciones. Un punto o vía de acceso puede indicar una próxima oportunidad o puede advertir de una puerta abierta para el juego sucio o el robo que trama un enemigo. Hacer una entrada audaz indica la confianza de una persona que está segura de sí misma y que sabe a dónde va en la vida.

Entrañas: depresión profunda y oscura, miseria excesiva, frenar, evitar el miedo y la preocupación; cambiar la dieta; práctica oculta de leer las vísceras o los intestinos de los animales para predecir el futuro.

Entrar: entrar en algo; caminar hacia una nueva experiencia, relación o carrera, comenzar a caminar nuevamente en el reino del Espíritu, ser ascendido en el reino de la unción, el poder o la fe.

Entre bastidores: No conocido por el público, a la espera de ser revelado, secreto, privado y exclusivo; área restringida entre bastidores, 1 Cor. 4:5

Entre: estar atrapado entre dos ideas u opiniones; entre la espada y la pared.

Entrecerrar los ojos: mirar más de cerca, centrarse en las situaciones y circunstancias, asegurarse de que se ven las cosas con claridad antes de tomar una decisión, considerar todas las posibilidades, asegurarse de que los ojos están abiertos a otras opciones.

Entrenador de vida onírica: ver o contratar las habilidades de un entrenador de vida onírica indica que necesitas buscar la ayuda de un intérprete de sueños profesional para desentrañar los misterios que se ocultan en tus sueños para avanzar y tener éxito. Ver *www.decodeMydream.com* o *www.Barbie-Breathitt.com*

Entrenador: el Espíritu Santo, un exhortador o animador, Jesús, entrenador de vida o mentor, alguien a quien admiras, un maestro. Pionero de una nueva empresa, los viejos métodos conducirán a la pobreza y a las dificultades, progreso lento, impulsado por la carne.

Entrenadores: contratar a un entrenador personal indica una necesidad de desarrollo personal mediante mejoras espirituales o físicas.

Entrenamiento de fuerza: tipo de ejercicio físico especializado en el uso de la resistencia para inducir la contracción muscular, lo que aumenta la fuerza, la resistencia anaeróbica y el tamaño de los músculos esqueléticos. Cuando se realiza de forma adecuada, el entrenamiento de fuerza puede aportar importantes beneficios funcionales y una mejora de la salud y el bienestar general, como el aumento de la fuerza y la resistencia de los huesos, los músculos, los tendones y los ligamentos, la mejora de la función de las articulaciones, la reducción de la posibilidad de sufrir lesiones, el aumento de la densidad ósea, el aumento del metabolismo, la mejora de la función cardíaca y el aumento del HDL (colesterol bueno).

Entrenamiento: entrenamiento espiritual para reinar; entrenar para una instrucción especial y aprender nuevas habilidades que aseguren tu avance; el régimen de autodisciplina mejorará su autoestima y confianza; un deseo de sobresalir; preparación física para posicionarse para el éxito. Es el momento de aprender una nueva habilidad, la formación para un nuevo puesto u oportunidad de trabajo, es el momento de probar algo nuevo.

Entrenar: los entrenamientos rutinarios darán como resultado fuerza y resistencia física para correr la carrera con éxito.

Entretenimiento: verte en el arte o campo del entretenimiento indica que te gusta mostrar tus habilidades o diferentes aspectos de la vida para complacer a los demás con tu ingenio, perspicacia y diversas habilidades de comunicación.

Entrevista: ansiedad por solicitar un nuevo puesto, temor a ser juzgado por los demás, deseo de entrar en un nuevo campo de especialización, deseo de un cambio que suponga un nuevo reto y una mejora en la vida, insatisfacción con su empleo actual.

Envejeciendo, antes de tiempo: Si están envejeciendo antes de tiempo indica que están haciendo cosas en la carne, esforzándose o envejeciendo antes de tiempo Rt. 4:15 a.

Envejecimiento: Ver a una persona anciana en un sueño puede representar madurez o sabiduría espiritual Dt. 32:7.

Enviar: comisionar a alguien o despacharlo con un mensaje errante o regalo indica que tienes la capacidad de facultar de enviar a las personas o de convocarlas para que vengan en el momento oportuno. También puedes ser tú mismo quien es enviado con la responsabilidad apostólica de cubrir a otros, Lc. 4:43; fui enviado a predicar el evangelio.

Envidia: es mala y causa discordia entre las personas en todo tipo de relaciones. Snt. 4:2; *«Porque de dentro, del corazón de los hombres, salen los malos pensamientos, las fornicaciones, los robos, los asesinatos, los adulterios, las obras de codicia y de maldad, así como el engaño, la sensualidad, la envidia, la calumnia, la soberbia y la necedad».* Mc. 7:21-22.

Envoltura de burbujas, reventar: hacer estallar las burbujas de plástico representa una actitud despreocupada y facilista en la vida.

Envoltura: una cubierta que se enrolla alrededor del cuerpo. Un juego de palabras para decir que el trabajo o la actividad ha terminado.

Epidemia: soñar que estalla una epidemia significa que hay muchos problemas abrumadores, dudas o situaciones dañinas que se nos van de las manos.

Epístolas: cartas inspiradas de los Apóstoles a las iglesias o a los individuos.

Epitafio: ver una inscripción en una lápida en memoria del que está enterrado en ella indica que aún estás a tiempo de vivir una buena vida que los demás recordarán y celebrarán luego de que mueras. ¿Qué quieres que diga tu epitafio? ¿Qué tipo de legado vas a dejar?

Época de otoño: soñar con la estación del otoño indica que se está produciendo una transición de nuevos cambios en tu vida, lo viejo está pasando y la primavera está llegando para traer una nueva perspectiva. Usted ha sido llamado para un tiempo como este en el campo de la evangelización para cosechar las almas, y almacenar tesoros en el cielo, es un momento crucial. Es una de las cuatro estaciones en las que las hojas caen de los árboles debido al peso. Las hojas representan la curación de las naciones, Gál. 6:9.

Equilibrio: Perder el equilibrio denota una dificultad en la toma de decisiones o en la ponderación de varias opciones en una situación, uno puede estar tomando el lado equivocado de un argumento o ser unilateral; es necesario establecer un nuevo orden o estructura. Dn. 5:27.

Equipaje: llevar exceso de equipaje indica que necesitas eliminar las preocupaciones y cargas del mundo que te atenazan, *«... Depositen en él toda ansiedad, porque él cuida de ustedes»,* 1 Pe. 5:7 Prepárate para los próximos viajes; Mt. 11:28; Lc. 10:4; el Señor te llama a ir como enviado. Protege tu identidad o tu vocación en caso de que se pierda tu equipaje; otra persona puede tener envidia de lo que posees. La necesidad de llevar las cargas (equipaje) de los demás, *«Ayúdense unos a otros a llevar sus cargas, y así cumplirán la ley de Cristo»,* Gál. 6:2. Un viaje largo, un viaje o una excursión que se avecina, tener cuidado de no incurrir en una deuda innecesaria, puede representar el cargarse por la falta de perdón, el pecado, la esclavitud u otros atributos negativos.

Equipamiento: ver un equipamiento, ya sea algo que equipa o los rasgos de las cualidades que conforman los recursos masculinos y emocionales de una persona, indica que tiene lo necesario para tener éxito.

Equipo de acampada, mapas: sigue el estrecho camino, las estrategias y los planes de Dios.

Equipo de acampada, mochilas: lleva sólo lo esencial.

Equipo de acampada: la vida es una aventura; aprende a navegar en cada momento con habilidad y con el equipo adecuado para tener éxito en tu paseo por entre la naturaleza; tu supervivencia depende de tu capacidad para ser flexible y adquirir conocimientos de tu entorno.

Equipo de camping, tienda de campaña: muévete cuando el Espíritu Santo te mueva; equipo de excursionismo.

Equipo nautilos: aplique una mayor resistencia a los movimientos de la ejercitación muscular para que sean más fuertes; si deseas ser exitoso y pasar a la posteridad debes añadir más fuerza y resistencia.

Equipo SWAT: capacidad de eliminar el adversario desde una gran distancia con una hábil puntería y precisión profesional. Eliminar una plaga de un manotazo o de un solo golpe.

Equipo: dos o más animales de tiro unidos para tirar de un vehículo agrícola.

Equitación: (a caballo o en bicicleta) llamada equitación o pony trekking es montar al aire libre en senderos y caminos naturales en contraposición a montar en un área cerrada como un picadero. El término puede englobar a quienes se desplazan a caballo, en bicicleta de montaña o en motocicletas y otros vehículos todo terreno motorizado. Los paseos por senderos pueden ser actividades informales de un individuo o de un pequeño grupo de personas, o pueden ser eventos más grandes organizados por un club. Algunos paseos son dirigidos por guías profesionales o por organizadores, sobre todo en ranchos de huéspedes. Existen pruebas competitivas que ponen a prueba la capacidad del caballo y del jinete para sortear los obstáculos que se encuentran habitualmente en el camino, como abrir y cerrar puertas o cruzar arroyos.

Erguido: justo o recto con Dios y con los hombres, conduce al honor y a la verdad, a la integridad y al carácter sobresaliente.

Erizado: soñar que se le eriza el vello sugiere que alguien o algo le eriza el vello, le altera o te saca de tus cabales. Un pájaro eriza las plumas cuando está molesto o enfadado y usted también lo hará.

Erizo de mar: los pensamientos erróneos vuelan en muchas direcciones diferentes; has encerrado tus verdaderos la suavidad de tus sentimientos dentro de un caparazón duro y espinoso.

Erizo: te enfrentas a algunas decisiones difíciles y puntiagudas con respecto a los amigos o socios.

Ermitaño: persona que se retira de la sociedad para vivir solo en una existencia solitaria, una naturaleza malhumorada, aislamiento, llamado a un lado para crecer y formarse.

Erotismo: deseos sexuales intensos y apetencias apasionadas; resultado de leer o ver material porno-gráfico inapropiado, películas eróticas o lectura de novelas románticas; pensamientos sobre el día de la boda o la luna de miel con el prometido; adopción de papeles íntimos nuevos o no determinados; más común cuando uno se está recuperando de una lesión, cirugía, pena o enfermedad; la animación, la chispa o la energía sexual de uno.

Error: encontrar un fallo o admitir un error en un sueño habla de integridad y de una buena ética de trabajo, por lo que el éxito llegará sin tropiezos. Si tratas de encubrir un error o inculpar a otra persona no prosperarás.

Erupción en la cara: soñar con una erupción temporal en la piel puede indicar algún tipo de irritación personal por un encuentro con un amigo cercano que te está molestando. También puedes considerar que es una advertencia de una reacción alérgica, por lo que debe vigilar o cuidar su ingesta.

Erupción: un estallido violento y repentino que surgió debido a las restricciones o limitaciones que provocaron una explosión de lava caliente. Verse a sí mismo en erupción significa que has estado reteniendo sentimientos y emociones no expresadas durante mucho tiempo y que finalmente los has dejado salir en un ataque de ira o rabia que ha quemado los sentimientos de los que te rodean.

Esaú: hombre carnal y profano; peludo; hijo mayor de Rebeca, la mujer de Isaac; vendió su primogenitura a Jacob; Heb. 12:16; Gén. 25:30-33; Dt. 2:5.

Esbelto: su sueño le dice que está bien proporcionado. También puede representar un periodo de tiempo estrecho o una ventana de oportunidad para avanzar.

Esbozo: hacer un dibujo apresurado, preliminar y sin detalles indica que se tiene una formación vaga e incompleta y que se necesita delinear las cosas de manera más amplia antes de tomar una decisión; se tienen conocimientos limitados.

Escabullirse: verte a ti mismo escabulléndote en un sueño indica que estás creciendo gradualmente en tu búsqueda de la excelencia. Es posible que en el pasado hayas sido cobarde, que hayas actuado como un esclavo o que te hayas escabullido; sin embargo, este sueño indica una necesidad de franqueza y de cambio. Necesitas salir a la luz y ser honesto contigo mismo y con los demás.

Escalar una montaña: llevar a cabo un proceso de preparación para tener un encuentro con Dios; ir a un nivel más alto de comprensión espiritual; el aumento de las elevaciones significa que menos personas son capaces de escalar las empinadas pendientes; se requiere una disciplina estricta y una forma física óptima con agilidad para tener éxito.

Escalar una roca: subir a una altura superior por pura determinación, las luchas de la vida, la determinación, la disciplina y la ambición enfocada; superar cada obstáculo que se presenta; orientado a la meta, empujarse a sí mismo hasta el límite; un salto de fe, construir sobre una base firme, Jesús es la Roca, subir sobre Él y estar seguro.

Escaldar: calentar el agua hasta el punto de ebullición y esterilizar herramientas o equipos, indica que estás trabajando desde cero para construir una reputación impecable con integridad y firmeza de carácter.

Escalera mecánica: si sube: el progreso, la promoción y el aumento del favor vuelven a dar la vuelta; si baja: la decepción, llevará a la desesperación; la pérdida de la promoción o la disminución de la influencia.

Escalera que sube: logro, aumento, comprensión y promoción, cambio positivo y transformación.

Escalera, bajando: disminución y descenso, humillarse.

Escalera, en espiral: nacer de nuevo o ascender a un renacimiento espiritual; significar crecimiento o renacimiento espiritual, emocional o mental.

Escalera, escalar: aumento, promoción, avance, visibilidad, prosperidad, graduación; subir o bajar: disminución, fracaso, descenso, falta, indiscreción.

Escalera, miedo: uno necesita enfrentarse a sus emociones y pensamientos reprimidos, y reconocer su pasado.

Escalera, perder peldaños: tratar de acortar un proceso de transformación, cada peldaño es necesario para desarrollar una persona bien ajustada, dar un paso a la vez para llegar a la cima, Jb. 14:16.

Escalera, resbalarse: ir más despacio y disfrutar del viaje, la prisa hace el gasto, dejar que la consecución de un objetivo evolucione a la vez, no ir demasiado deprisa.

Escalera, subir: un tramo de las escaleras indica prosperar o avanzar en el camino de la vida, alcanzar un nivel más alto de creencia o comprensión en los procesos de pensamiento y logros, progresar en los ámbitos espiritual, emocional o material.

Escalera: cambio hacia arriba. Tienes la necesidad de llegar a lugares más altos en la sociedad; estás en un proceso de ascenso a una mayor altura de fama o reconocimiento; entramado que conecta una serie de estructuras a intervalos regulares. Tienes una pequeña plataforma que depende del apoyo de otros. Ascender espiritualmente a los cielos; «escalera de Jacob», puerta o portal de Dios desde el cielo a la tierra, Gén. 28:12, estructura espiritual que conecta el cielo y la tierra con ángeles que ascienden al cielo y descienden con mensajes, dones y unción; Casa de Dios; Puerta del cielo; un ascenso; oportunidades en la vida que no se obtienen fácilmente; esfuerzo; oración audaz;

«cima de la escalera»; «subir la escalera corporativa», Jn. 1:51. *Alternativamente:* una estructura de apoyo que conecta niveles superiores o inferiores; dar pasos hacia o lejos de algo; subir o bajar en la unción y el favor.

Escaleras para cercas: ver una este tipo de estructuras que impiden que los animales de granja salgan de un recinto, mientras que proporciona a las personas el paso a través de una valla o línea de demarcación mediante escalones, escaleras o un estrecho hueco, indica que vas a encontrar un nuevo camino que te conducirá a pastos más verdes y a la prosperidad mientras continúas siguiendo la guía del Espíritu Santo.

Escaleras, bajando: un retroceso en la vida, miedo a la degradación, pensamientos negativos introvertidos que llevarán a una caída; reprimir los sentimientos, regresión al subconsciente, falta de confianza o convicción.

Escalinata: representa subida desde Sion hasta el lado oeste de la zona del Templo, 1 Cr. 26:16.

Escalpelo: ver o utilizar un escalpelo o bisturí en un sueño indica que necesita una operación quirúrgica puntual para cortar algunas partes viejas, disfuncionales o enfermas. Haz un corte limpio y afilado y disecciona la información necesaria de quienes te rodean. Busca ayuda profesional de aquellos que son expertos en las áreas en las que necesita ayuda. Es posible que tengas que cortar algunas relaciones tóxicas o poco saludables.

Escamas, peces: representan tu barrera protectora o un muro defensivo que has levantado a tu alrededor. Si estás desescamando un pez, entonces quiere decir que estás empezando a romper tus mecanismos de autodefensa y tus barreras emocionales.

Escándalo: ofender o deshonrar la moral pública indica que necesitas ser más abierto y honesto sobre algunos informes negativos para limpiar tu conciencia con los amigos, o de lo contrario tu integridad se verá comprometida. Una sorpresa repentina e impactante.

Escanear: si estás escaneando la habitación, entonces estás buscando nuevas relaciones y oportunidades. Si te escanea una máquina, entonces la gente te está investigando para saber dónde están tus debilidades o para confirmar si estás siendo sincero.

Escapar con un amante: evasión de los problemas rutinarios de la vida; armonización de la vida emocional, espiritual y física.

Escapar: soñar que escapas Jer. 46:6; de cualquier tipo de tentación, lesión o situación peligrosa indica que la mano protectora y el favor de Dios está sobre ti para bien. *«No os ha sobrevenido ninguna tentación, sino las que son comunes al hombre; y fiel es Dios, que no permitirá que seáis tentados más allá de* *lo que podéis, sino que junto con la tentación os dará también la vía de escape, para que podáis soportarla»*, 1 Cor. 10:13.

Escapista: ministerio, negocio o persona joven o inmadura.

Escarabajo chasqueador: cuidado con los «chasquidos» y los mecanismos audibles de autodefensa que se utilizan para apuntalar cuando las cosas en la vida parecen estar al revés; el rebote instantáneo hará que se retroceda con fuerza propulsora.

Escarabajo de estiércol: viene a sanear o limpiar los malos hábitos, el pensamiento mundano equivocado y el orgullo, Jb. 20:7.

Escarabajo de Hércules: fuerte enemigo que difunde mitos; devora los nuevos comienzos con sus enormes espadas o con sus palabras devoradoras; se abre paso en situaciones donde no le se le ha invitado; muy diferente en apariencia y en acciones al mismo tiempo.

Escarabajo de la alfombra, para eliminarlo: limpiar o destruir la fuente de infestación; controlarlo a fondo evitando la acumulación de residuos; prestar mucha atención a los aspectos fundacionales.

Escarabajo de la alfombra: carroñero que se alimenta de diversos productos de origen animal, como lana, pieles, plumas, pelo, especímenes de taxidermia y carnes secas; actúa en zonas oscuras y poco transitadas; no permanece sobre su material alimenticio, sino que se arrastra a lo largo de distancias considerables; es importante y necesaria una buena limpieza del hogar.

Escarabajo enterrador: variedad de escarabajos de color negro o negro y naranja que entierran pequeños animales muertos, como ratones, de los que luego se alimentan y ponen sus huevos. Ten cuidado de alguien que quiere enterrarte en sus problemas y chuparte la vida con su negatividad.

Escarabajo tigre: feroz, muy activo, alerta, sigiloso de tipo depredador que se apodera, embosca y desploma a otros en transición. Consumen a las víctimas en lugares áridos y estériles; corren rápidamente hacia los problemas, cubriendo mucho terreno; son reconocidos por sus acciones rápidas, emprenden la huida sin dudar una fracción de segundo; sus poderosas mandíbulas en forma de hoz y sus palabras monstruosas les permiten enganchar a las personas sacándolas de su zona de confort y desorientándolas.

Escarabajo: indica que algunas influencias destructivas y devoradoras pueden estar actuando a tu alrededor; las presiones están tratando de socavar tu salud; el comprometer tus buenos valores y creencias causará pobreza; Lev. 11:22. Los escarabajos tienen la capacidad de soportar la dureza del clima, de ajustarse o cambiar las circunstancias; posible-mente experimentas ansiedades sobre la muerte y el envejecimiento; las relaciones están decayendo; el aumento viene al eliminar los residuos; esta clase de «bichos» representan la limpieza, o una nueva rotación; el escarabajo sagrado de Egipto se ve en los monumentos; está tallado en las piedras preciosas; se solía llevar como una joya de alto valor, también se utilizaba como amuleto o sellos oficiales; es un símbolo del sol bajo el cual aparece su dios sol; se cree que trae buena suerte y que aleja el mal; representa la inmortalidad, la resurrección o el renacimiento.

Escarcha: hacer, ver o probar la escarcha en un sueño representa el dulce resultado de su industria, creatividad y trabajo duro. Tu mayor confianza en ti mismo te abrirá muchas nuevas oportunidades. Algunas personas desean tener tu pastel y comérselo también; así que no te quedes en lo superficial respecto a las relaciones personales. Disponte a abrirte a los demás, a probar y a ver a las personas a un nivel más profundo. No te fijes en la capa de caramelo e ignores la verdad o las dimensiones interiores de una persona.

Escarchas: actuar o responder de manera fría, helada, que trae dificultad; fracaso; daña el fruto espiritual; corazón frío.

Escarlatina: soñar con que se contrae la escarlatina sugiere que se ha estado expuesto a una enfermedad infecciosa que afecta mayormente a los niños. Antes de que existieran los antibióticos podía producir la muerte debido a las complicaciones del dolor de garganta, la fiebre alta y los sarpullidos rojizos que se contagiaban por inhalación. Este es un sueño de advertencia para que se revisen las válvulas del corazón y te asegurares de que funcionan correctamente.

Escarpado: verse trabajando duro para ganar territorio subiendo una pendiente difícil y escarpada indica que tus esfuerzos serán coronados con el éxito. Llegarás a la cima de la montaña o alcanzará los objetivos de tu vida.

Escenario: «escenificar» o manipular situaciones o relaciones en beneficio propio; interacciones sociales; «montar un acto» o no actuar como uno mismo; ser todo un «personaje»; «todo el mundo es tu escenario», el deseo de ser el centro de atención; la actuación en el escenario se asemeja a las situaciones de la vida real; escenario lateral: las acciones introvertidas de uno pueden hacer que se le deje de lado o se le pase por alto para los ascensos; hay que actuar con confianza y seguridad en uno mismo. Causar una escena a través de un despliegue público de dramatismo, pasión o temperamento; una esfera de actividad dentro de «una cita amorosa». Competir por una posición entre bastidores; Dios está trabajando en tu favor. El local o lugar donde se desarrolla un evento. Si estás en la escena, el evento que está ocurriendo es sobre ti. Si sólo estás viendo la escena, pero estás involucrado en la acción, la escena es sobre otra persona, tú eres sólo un espectador.

Esclavitud: esclavo; siervo; aspectos de tus sentimientos, expresión personal, emociones y/o carácter están siendo controlados o reprimidos; estar prisionero en situaciones poco cómodas en contra de la propia voluntad; estar cautivo de tus emociones o temores; falta de conocimiento; sentimientos o expresiones reprimidas; cautivo o prisionero de circunstancias poco saludables; falta de libertad de movimiento. No querer hacerse cargo o atribuirse el mérito de sus propios deseos; deseos de cambio de culpa para ser más sumiso sexualmente a los demás; miedo a reconocer las pasiones sexuales; Rom. 8:21; Gén. 47:19, 25, Faraón; Éx. 6:9, desaliento, crueldad; Esd. 9:8, no liberado. Estar esclavizado de los gastos excesivos, deudas y pobreza; robo e incapacidad para pagar; vendido como criado; cautivo de guerra.

Esclavo: es alguien que está sometido a la voluntad y al servicio de otros; si sueñas que eres un esclavo indica que debes cuidarte; no te esclavices de tu trabajo, familia y amigos, ni de una obsesión o un mal hábito.

Escoba: necesidad de limpiar ciertos asuntos; barrer lo viejo; prepararse y poner las cosas en orden; considere la expresión «barrer los pies». Is. 14:23.

Escolta: soñar con un hombre que acompaña a una mujer a una ocasión social como guardia protector o cita de diversión indica que los hombres que estás frecuentando van detrás de tu dinero; no son lo que dicen o aparentan ser, especialmente si los conociste por internet.

Escombros: ver un montón de restos y ruinas en un sueño indica que ha habido una fuerza destructiva que ha provocado daños en un área específica de tu vida. Es hora de recoger los pedazos que quedan, reconstruir y realinearse con una nueva estructura para avanzar y prosperar, Neh. 4:2; Heb. 1:10.

Escondite: si estás jugando al escondite, significa que estás ocultando secretos que van saliendo poco a poco. ¿Eres tú el que busca conocer los secretos o quien los oculta? El buscador representa una mente curiosa e inquisitiva que desea conocer más información sobre una situación o persona concreta. Por otra parte, el sueño puede ser un regreso a la infancia, donde los tiempos eran más despreocupados y sencillos en la escuela.

Escopeta, fútbol americano: formación ofensiva en la que el mariscal de campo se alinea unos metros por detrás de la línea de scrimmage y los demás backs juegan en posiciones dispersas.

Escopeta: estás en todas partes, desarrolla una experiencia y deje de ser un hombre de todo tipo, con-

céntrate en un proyecto u objetivo a la vez para tener éxito.

Escorpión: espíritu maligno; tormento; naturaleza pecaminosa; trampas y problemas; cargas pesadas; engaño; satánico; tentación; pisada; lujuria de la carne; brujería; negación de los procesos; denota a aquel tipo de persona que toma represalias si se le encara o se le confronta; libera situaciones mortales dolorosas e hirientes; sentimientos destructivos, sufrimiento por comentarios «punzantes», palabras amargas o pensamientos negativos que se extienden o se diseñan en tu contra; juego de palabras: «cuentos» urticantes que traen acusación y dolor mortal; tentación; lujuria de la carne; un camino autodestrucción y autoanulación; aceptar cosas que no puedes cambiar; símbolo de muerte y renacimiento; moverse en dirección de lo viejo y no hacia lo nuevo; representa el dolor satánico, el azote, un látigo lacerante, Lc. 10:19; 11:12; Apo. 9:5; Dt 8:15; 1 Apo. 12:11; 2 Cor. 10:11.

Escribano cerillo (tipo de pájaro): pájaro carpintero común de Norteamérica que tiene el revestimiento de las alas amarillo, la nuca roja y una banda negra en el pecho. Significa que estás usando demasiado la cabeza y parece que no dejas de golpear tu cabeza contra un muro de oposición. Intenta orar por tu situación para que encuentres mejores resultados escondidos en ella.

Escribano: alude a alguien que se emplea para escribir la correspondencia y llevar la contabilidad, 2 Sam. 20:5; Mt. 2:4; Mc. 1:22.

Escribir dirección en un sobre: Significa que debes tender la mano y establecer nuevas conexiones, compartir su agradecimiento o invitar a otros a unirse a usted en nuevas posibilidades; puede que necesite dirigirse a una situación o persona en la vida.

Escritorio: indica diligencia, perseverancia, dedicación al estudio, habilidad para escribir, negocios, organización, creatividad, administración y autoridad, Lc. 5:27.

Escritura a mano: una advertencia para estar atento «la escritura está en la pared», descubrirás la verdad; es el momento de escribir tu meta y visión para dejar claros los planes futuros, una necesidad de expresarte por escrito, dignidad en el amor; llevar un diario de los sentimientos traerá sanación y claridad a las emociones, libera la creatividad; una unción de escriba para escribir.

Escritura: documento legal sellado como un instrumento de enlace, contrato o traspaso perteneciente a la propiedad, para transferir la propiedad. Pide a Dios sabiduría antes de firmar cualquier documento y haz que un abogado lea todos los contratos. *«Todo lo que hagáis de palabra o de obra, hacedlo todo en* *nombre del Señor Jesús, dando gracias por medio de él a Dios Padre»*, Col. 3:17. Tienes una unción de escriba o una habilidad para recibir y escribir lo que Dios ha puesto en tu corazón para compartirlo con otros. Eres un comunicador dotado que puede interpretar lo que Dios ha revelado a otros que ellos mismos no pueden entender. «Y ahora fueron traídos delante de mí sabios y astrólogos para que leyesen esta escritura y me diesen su interpretación; pero no han podido mostrarme la interpretación del asunto», Dn. 5:15; Juego de palabras para la escritura está en la pared; aprende a lidiar con la realidad de las situaciones. Unción de escriba, gran habilidad literaria o verbal para comunicarse con los demás, escribir a alguien o algo, ejercer sus «derechos», progresar a través del «rito de iniciación».

Escuchar a escondidas: indica que escucharás o revelarás información oculta, noticias malas o desconcertantes; escuchar atentamente lo que dicen otras personas indica el deseo de conocer información no revelada sobre una persona o situación. Usa la discreción y no reveles información personal que pueda ser perjudicial para los demás. Escucha al Espíritu Santo y ora para obtener sabiduría y palabras de aliento que te ayuden en esta situación.

Escuchar: se necesita sabiduría, buscar consejo y asesoramiento piadoso, quedarse quieto y escuchar la pequeña y tranquila voz de Dios, no escuchar las críticas o seguir la voz equivocada.

Escudo de armas: ver tu escudo de armas en un sueño indica cuestiones generacionales o de raíz; tu identidad o herencia.

Escudo: fe para apagar todos los dardos del maligno; la fe viene por escuchar la Palabra que reconoce nuestra mente y transforma nuestra alma; arma defensiva usada para proteger el cuerpo de un guerrero de las armas enemigas; es hecha de cuero, madera o metal; broquel, 1 Cr. 5:18; 1 Re. 10:16; Ef. 6:16.

Escudo: instrumento de defensa, escudo o proveedor de protección.

Escuela católica: las escuelas católicas son centros educativos parroquiales mantenidos por los ministerios de educación de la Iglesia católica que operan el sistema escolar no gubernamental más grande del mundo, participando en la misión evangelizadora de la Iglesia, integrando la educación religiosa como la materia principal dentro de su currículo. Ver o asistir a una escuela católica indica que estás recibiendo nuevos conocimientos sobre la religión. Asegúrate de no abrazar las tradiciones de los hombres y anular así el poder de Dios que actúa en tu vida.

Escuela primaria: estás en el proceso de aprender los fundamentos de la vida a través de la educación formal. Cuando presentes tus ideas a los demás, pro-

cura que sean sencillas pero profundas para mantener su interés. Utiliza un enfoque infantil y haz que tu audiencia participe en actividades, Heb. 6:1.

Escuela privada: se te ha concedido un privilegio especial para que te capacites y sobresalgas en la vida, el Espíritu Santo como mentor, Jesús como maestro, entrenamiento exclusivo para reinar.

Escuela superior: entrenamiento espiritual para ir a los lugares altos con Dios, promoción desde las cosas elementales y los niveles menores a un nivel superior de entendimiento.

Escuela: preparación para una prueba; escuela del Espíritu Santo; lugar de promoción a partir de las lecciones aprendidas; estudiante o maestro de la Palabra. Enseñanza espiritual y entrenamiento ministerial; discipulado; instrucción en una habilidad o negocio; colegio, institución o universidad; aprendizaje superior; currículo planificado por años; educativo; «la escuela de los golpes duros»; «de la vieja escuela»; «ser un lenguisuelto»; «corbata de la vieja escuela»; «bien educado»; animales acuáticos (especialmente peces) nadando juntos. Necesidad de conocimiento y sabiduría; lugar de aprendizaje y adquisición de habilidades y talentos para tener éxito en la vida; ansiedad por sentirse insignificante o inadecuado. Es el momento de superar las inseguridades de la infancia o los retos de rendimiento; aprender de las lecciones de la vida o adquirir unciones y aprender a operar los dones y habilidades espirituales; faltar a clase: significa que no estás abierto o receptivo a la filosofía que se está enseñando; aprender de los errores y fracasos del pasado, Mt. 11:29; Hch. 19:9.

Esculpir: moldear o ser moldeado en una imagen o algo bello implica que tengas que dar o recibir algunos duros golpes. Ser empujado, moldeado o movido a una forma o posición deseada, ser influenciado por la mano creativa de Dios mientras moldea tu vida.

Escultor: tu creatividad te permitirá alcanzar objetivos y superar obstáculos con facilidad; significa que ves belleza en cada situación; buscas tu esencia interior.

Escultura de hielo: oportunidad de asistir a un evento elegante, se prepara un festín en presencia de los enemigos, sensación de estar emocionalmente congelado en el tiempo, el progreso se ha detenido, fíjate en la imagen de la escultura.

Escupir: juego de palabras para «escúpelo»; necesitas expresarte libremente; aspecto desagradable de enojo, rencor o contemplación del que necesitas deshacerte. Una breve lluvia o nieve dispersa; ensartar carne en el fuego; pedazo de tierra delgada que se extiende en el agua, Jb. 17:6.

Esdras: fuerte ayudante, Lc. 12,12; sacerdote judío, escriba, hermeneuta y erudito.

Esfera o pelota: la esfera de influencia de uno, el poder o los ámbitos de conocimiento, el todo o lo completo, lo redondo o lo equilibrado, la interacción entre dos socios en igualdad condiciones; los retos, tener una pelota, jugar a la pelota, él no tiene las pelotas, ella tiene pelotas de acero, empezar a rodar la pelota.

Esfinge: ver esta figura egipcia con cuerpo de león y cabeza de hombre, carnero o halcón indica que has demostrado las características de estos animales o que eres muy mundano en las relaciones. Si se trata del monstruo alado de la mitología griega con cabeza de mujer y cuerpo de león que destruyó a todos los que no pudieron responder a su acertijo, enigma o misterio, no te estás comunicando de forma clara y abierta; sugiere que estás permitiendo que la ira gobierne cuando los demás no saben lo que quieres. En este caso, debes permanecer en silencio y con la boca cerrada.

Esgrima: grandes habilidades en la oratoria y elegancia en la elección de las palabras adecuadas para la ocasión; combate verbal; palabras cortantes o punzantes que hieren u ofenden; chismes o acusaciones que se lanzan contra ti o contra otros; lengua viperina o mentirosa; palabras astutas para engañar o convocar a otros a seguir tu ejemplo. Las palabras cortantes o las ofensas están saliendo a la luz. ¿Con quién o qué cosa estás experimentando un desacuerdo? Puede que necesites ser astuto, ágil y flexible para superar la oposición. Te estás batiendo en duelo con una idea o un oponente digno. Sentarse a ambos lados de la valla; tomar una decisión.

Esguince: ver o experimentar el desgarro o la laceración de un ligamento articular en un sueño que produce gran dolor e hinchazón indica que tu progreso se verá ralentizado durante una temporada; busca la sabiduría para eliminar el obstáculo en tu camino; si estás intentando engañar a los demás te verá atrapado por tus propios planes; suelta la trampa para que no quedes atrapado como un indefenso pájaro. *«El vigor de sus pasos se irá debilitando; sus propios planes lo derribarán. Sus pies lo harán caer en una trampa, y entre sus redes quedará atrapado. Quedará sujeto por los tobillos; quedará atrapado por completo»*, Jb. 18:7-9.

Esmalte de uñas: embellecerse así mismo; unción de siervos; preparación para una relación, Sal. 144:1.

Esmalte: recubrimiento transparente, duro y brillante que protege los objetos. Dedica tiempo a desarrollar una nueva relación para que pueda ser conservada y apreciada como un nuevo tesoro.

Esmeralda: la tribu de Judá, león de alabanza, Gén. 49:9, expulsar, lamentar, presuntuoso, león, brillar, resplandecer, la sanidad está llegando a tu ceguera espiritual, tu corazón que se ha roto por grandes decepciones permitiendo que un espíritu enfermo se aloje en tu espalda causando gran dolor y limitación, visión espiritual, nacimiento, castidad, 1ª piedra en la 2ª fila del efod del sacerdote, Éx. 28: 18, 39:11, arco iris en la sala del trono, Apo. 4:3, 21:19, sacerdote real, inmortalidad, aleja a los espíritus malignos, Ez. 28:13, protección contra la enfermedad. La esmeralda es una piedra rara y valiosa, pero muy frágil o quebradiza, que simboliza estar en gran armonía espiritual con Dios a través de la profecía que restablece el tiempo de primavera de la esperanza, la sanidad divina, la prosperidad, la sabiduría y el amor. Piedra de nacimiento de mayo.

Esmoquin: llamado a influir; ocasiones sociales formales con elegancia y estilo.

Esófago: se está ingiriendo, digiriendo o aplicando un alimento o sabiduría espiritual; una historia, información o hechos pueden ser difíciles de tragar; se puede indicar reflujo ácido.

ESP: soñar que se tiene ESP (percepción extra sensorial) sugiere que se necesita aprender a escuchar la pequeña voz de Dios y dejarse guiar por el Espíritu Santo en lugar de confiar en la intuición, las corazonadas o las impresiones vagas.

Espacio de rastreo: ver un espacio de rastreo en un sueño simboliza la intrincada exploración de los asuntos de los cimientos a través del estrecho acceso a su fontanería personal; es un llamado a comprender cómo está conectado o cómo es la mecanización de la calefacción interna de tu subconsciente.

Espacio exterior: percepción del cosmos; experiencia de cosas espirituales profundas; sucesos extraños o inusuales; volar en el Espíritu.

Espacio: es la frontera final, representa los límites exteriores, la búsqueda de Dios, la eternidad, los cielos; los límites exteriores; el potencial de uno; la oportunidad; el espacio en un edificio u organización; la independencia; la libertad; más allá de las fronteras y las limitaciones establecidas; el espacio; «fuera de contacto» con la realidad; juego de palabras para alguien que «vive en las nubes».

Espada ancha: hoja más corta y ancha; significa que el enemigo está más cerca; la penetración de las puñaladas es profunda.

Espada apagada: entendimiento embotado o falta de conocimiento en la Palabra, no pasar tiempo con Dios o con los amigos.

Espada de dos filos: ver una espada de dos filos en un sueño representa la poderosa Palabra de Dios que viene a ti por el Espíritu Santo, Ef. 6:17; Apo. 1:16; 19:15.

Espada: la palabra escrita de Dios aplicada apropiadamente a las situaciones de la vida cortará y dividirá entre los asuntos del alma y las cosas del espíritu. Un arma ofensiva; la espada del Espíritu, que es la palabra de Dios, Biblia, Ef. 6:17; querubines y una espada flamígera centelleando, Gén. 3:24; Esaú vivirá por la espada y servirá a tu hermano, Gén. 27:40; tomar, matar, destruir, los enemigos caerán por la espada, Lev. 26:8; la espada los dejará sin hijos; en sus casas reinará el terror, Dt. 32: 25; mano que empuña una espada: juicio, devora la carne, Dt. 32:41-42; no hay supervivientes, Js. 10:30; una espada de doble filo: en sus manos, para infligir venganza a las naciones y castigo a los pueblos, Sal. 149:6-7; penetra hasta dividir el alma y el espíritu, las articulaciones y los tuétanos; juzga los pensamientos y las actitudes del corazón, Heb. 4: 12; Hijo del hombre: de su boca salió una espada afilada de doble filo, Apo. 1:16; adúltera, Pr. 5:3-4; palabras imprudentes, Pr. 12:18; falso testimonio, Pr. 25:18; guerreros, los más nobles de Israel, Cnt. 3:7-8; rebelde; nación contra nación; Yahveh castigará a Leviatán con su espada feroz, grande y poderosa, Leviatán, Is. 27: 1; Asiria caerá por una espada, Is. 31: 8; hizo mi boca como una espada afilada, Is. 49: 2; calamidades dobles: ruina y destrucción, hambruna y espada; destruye ciudades fortificadas; hambre; opresores; los vigías advierten que vienen las espadas; te cortan; para golpear su brazo y su ojo derecho.

Espadachín: ver a un aventurero o espadachín extravagante o luchar con un espadachín en un sueño indica que estás aprendiendo a defenderte con tus palabras. Las palabras negativas disminuyen y cortan profundamente como un cuchillo; mientras que las palabras positivas producen sanidad y haces que la prosperidad y las bendiciones se reanuden. Aunque tengas temor de comenzar una nueva empresa o relación, es el momento de luchar por tu futuro y destino.

Espadas: la Palabra de Dios escrita; que corta los pensamientos y las intenciones del corazón; discurso hábil, palabras decisivas o selectivas, la pluma es más poderosa que la espada; distinción autorizada que promueve el prestigio y el honor. Daga corta de dos filos que se lleva en una vaina suspendida de un cinturón o faja y que se utiliza para luchar cerca de una persona.

Espaguetis: has consumido palabras o sustancias que han afectado (enredado) tu manera de pensar espiritual. Busca la sabiduría de Dios para ser liberado y que el Espíritu Santo te guíe en todas las cosas. *«Y conoceréis la verdad, y la verdad os hará libres».* Jn. 8:32. Una buena fuente de carbohidratos. Es el momento de preparar tu plato italiano favorito.

Espalda, parte del cuerpo: Capacidad de llevar cargas, apoyo, fuerza y fibra moral, valor y fuerza para apoyar a los demás; alguien que trabaja entre bastidores para beneficiarte; capacidad de resistencia; si está desnudo: pérdida financiera o ser despojado de su estatus, un enemigo que intenta apuñalarte por la espalda; darte la espalda: envidia, rechazo, celos, relación rota, pérdida de favor; mordedura de espalda, calumnia o chismorreo. Sanado por la luz (índigo). Una situación pasada; parte superior de la columna vertebral: resistencia constante, presión, espíritu de terquedad, estrés; columna vertebral: esfuerzos humanos, confiar en las propias fuerzas en lugar de en Dios; parte media: soportar falsas cargas, tensión; parte inferior de la espalda: ansiedad, depresión y temor; dificultades financieras.

Espantapájaros: simboliza una vida aburrida y estacionaria de ilusión; sin espíritu, vacía de sentimientos o de valor, Jer. 10:5; Sal. 28:8.

España: el español es la segunda lengua materna más hablada del mundo. La España moderna es una democracia organizada con un gobierno parlamentario bajo una monarquía constitucional. Es un país desarrollado con la 14ª economía del mundo. Es miembro de las Naciones Unidas, la OTAN, la OCDE y la OMC. España significa «ciudad del mundo occidental» «la tierra donde se forjan los metales», «isla o tierra de conejos», «borde» y «tierra del sol poniente». Es el extremo sudoeste de Europa donde Pablo deseaba predicar, Rom. 15:24-28; Tarsis.

Español: tienes un llamado a España o a los países de centro y Sur América; se aproxima una oportunidad para impactar a la gente de esta cultura. El español es conocido como la lengua del romance. Por lo tanto, si escuchas el español en un sueño, puede esperar que aparezca una nueva relación amorosa en tu vida.

Espárrago: Ver: la prosperidad es lograble, comer: tener en cuenta todos tus actos para evitar un futuro inobjetable. La sumisión o el acatamiento a la autoridad traerá éxito y prosperidad; el ascenso a la cima o a la posición de cabeza.

Espástico: te estás viendo en una situación incómoda en la que sientes no encajas o en la que tus emociones tienen espasmos. Dime con quién andas y te diré quién eres. Si no tienes paz cuando estás cerca de estas personas este es un sueño de advertencia para que te alejes de ellas.

Espátula: ver o utilizar una espátula en un sueño sugiere que estás en una situación acalorada en la que sólo necesitas un corto lapso de tiempo para que todo se desparrame a tu alrededor. Considere también la posibilidad de que esté dando demasiadas vueltas cuando se trata de tomar decisiones. Las cosas se te pueden voltear fácilmente, así que ten mucho cuidado.

Especias orientales: tenga cuidado; falsa iluminación oriental.

Especias: representan la fragancia que sale de un individuo cuando son machados por el sufrimiento a causa del Reino, Éx. 25: 6; 30:22-38; alude a la variedad de «especia» de la vida; indica que debes obtener un nuevo punto de vista, favor, perspectiva o ángulo en las relaciones y situaciones laborales, Cnt. 4:16; 5:1; vida amorosa picante.

Específico: escuchar o ver instrucciones específicas u órdenes detalladas en un sueño sugiere que usted es alguien único, singular, llamado y elegido para un servicio divino especial.

Espectro, negro: si sueñas que te vistes de negro, ora contra el dolor, la pesadumbre o la muerte.

Espectro: fantasma amenazante o inquietante, los recuerdos dolorosos del pasado quieren volver a aparecer o instalarse en tu vida y en tus pensamientos.

Espectro: recuerdos o sentimientos de culpa o vergüenza que nos persiguen, sentir, ver u oír una aparición, fantasma o demonio, que no tiene realidad física, una imagen en un sueño o fantasía de la mente, algo que no es real o tangible.

Espejo retrovisor: mirar hacia atrás; arrepentimientos; legalismo; no guiado por el Espíritu; advertencia de vigilar las espaldas, Gén. 19:26 estás viviendo tu vida en el pasado, Fil. 3:13; Lc. 9:62; los arrepentimientos te están alcanzando, siempre mirando hacia atrás deseando que las cosas fueran diferentes.

Espejo: imitación de lo que se ve; duplicación de los actos de Dios; se está formando un modelo ideal en tu cabeza; la Palabra de Dios; una imagen positiva de ti mismo, Snt. 1:23; un tiempo de reflexión; ego; actuar como Jesús. Escuchar, pero no obedecer; olvidar tu pasado; visión limitada; mala reflexión; no reflejar a Dios en tu vida; vanidad; orgullo; ensimismamiento; limpieza y embellecimiento; mostrar la imagen de Dios. Una imagen de ti mismo o de otro. ¿De quién es la imagen que ves? Hemos sido creados a la imagen de Dios, por lo que nuestras vidas deben reflejar su belleza. Te verás y actuarás como la compañía que tienes. ¿Te gusta lo que ves? El cuerpo es el templo del Espíritu Santo. Vanidad, enfoque en uno mismo, «humo y espejos».

Espeleología: ser guiado totalmente por el Espíritu Santo a través de la oscuridad profunda, donde no hay visión ni capacidad de obtener revelación a través de los cinco sentidos. La espeleología es un deporte extremo, una afición o práctica de la exploración de cuevas como pasatiempo recreativo. Los cavernícolas más devotos y serios se dedican a la prospección, el estudio científico y la exploración de sistemas de cuevas salvajes (generalmente no comerciales) con la ausencia total de luz más allá de la entrada —Los espeleólogos más avezados y con mayor dominio técnico, son capaces de gestionar los desniveles, los aprietos y los distintos obstáculos del agua.

Esperanza: percibir la esperanza en un sueño anima al soñador a confiar y tener la seguridad de que las expectativas que alberga en su corazón se harán realidad.

Esperanzas: las esperanzas se harán realidad; el poder y la energía estarán disponibles cuando se necesiten para lograr una meta o expectativa necesaria; favor en abundancia.

Esperar: se necesita paciencia, la paciencia es una virtud que se desarrolla, seguir esperando el tiempo del Señor y orar; rendirse al plan mayor de Dios; falta de control sobre un deseo o situación.

Espía: alguien te observa desde lejos, espera un ascenso o una oferta de progreso o una nueva oportunidad, Nm. 14:7; advertencia para que te comportes lo mejor posible en todo momento.

Espiar: acechar, atisbar o actuar como un mirón en un sueño indica que te falta confianza, estás ansioso o te falta confianza en ti mismo o en los demás. tu inseguridad te llevará a profundizar en una situación antes de comprometerte. Es importante conocer a las personas con las que te relacionas. Ser observado por los demás indica una sensación de estar controlado, dudan de tus capacidades y te están micro gestionando. Alguien está violando tu intimidad o cruzando los límites saludables.

Espiga: ver una espiga, un grifo exterior o un dispositivo que controla el flujo de líquidos indica que se necesitas una temporada de refresco.

Espina dorsal: Soñar con su columna vertebral o la de otra persona, representa su sistema de apoyo, su fuerza, resistencia y responsabilidades. Tienes que mantener la cabeza en alto, incluso en los momentos difíciles. Alternativamente, la espina dorsal sugiere que necesitas mantenerte fiel a tus propias convicciones y ser firme. La columna vertebral representa fortaleza. Si no muestras fuerza en una situación: por contraposición sugiere que eres alguien «sin carácter».

Espina: una espina en la carne, estar molesto, una irritación, palabras hirientes que atraviesan y causan dolor, la falta de amor que sigue supurando como un recuerdo constante de su ira o resentimiento, ser destrozado o roto en mil pedazos.

Espinacas: comer esta verdura indica que una nueva fuerza, un crecimiento espiritual y un vigor están llegando a tu vida. *«El Señor es mi fuerza y mi cántico; él es mi salvación. Él es mi Dios, y lo alabaré; es el*

Dios de mi padre, y lo enalteceré», Éx. 15:2; *«¡Tú sí que ayudas al débil! ¡Tú sí que salvas al que no tiene fuerza!»*, Jb. 26:2.

Espinas/abrojos: preocupaciones del mundo; ahogan la buena semilla; alguien que se ofende fácilmente; a menudo afrenta a otros; insatisfacción; una situación muy difícil de manejar; enemigo; Jue. 2:3 espina en el costado; Js. 23:13 ojo; Jue. 8:16 castigo; invasivas; enredado; torcido; Lc. 8:7 ahogado.

Espinas: causan dolor, irritación o molestia; previenen el orgullo a causa de la gran revelación; promueven la humildad; corona de humillación y burla de la realeza; ahogan el bien a causa del pecado; barrera o seto de protección; curan heridas incurables, Jer. 8:22; Mc. 4:18-19; 2 Cor. 12. Gén. 3:18, son utilizada como material de combustión, Sal. 58:9; forma un seto impenetrable, Os. 2:6.

Espinilla: la tibia, o parte delantera de la pierna por debajo de la rodilla y por encima del tobillo; Trepar: subir agarrando o tirando de uno mismo hacia arriba alternando las manos y las piernas; Shin es la 22ª letra del alfabeto hebreo, significa 300, remanente fiel; protección de Dios; Jerusalén ciudad de paz; carácter de Dios. La luz roja de la unción de la presencia de Dios ministra curación a las espinillas y a las partes inferiores del cuerpo. Si la espinilla es dolorosa deja de correr, de esforzarte con tus propias fuerzas, de acosar al espíritu y de ser pateado o herido por un amigo o socio cercano.

Espinilla: suciedad de la carne, infección superficial; las cosas que están ocultas en lo más profundo de tu corazón necesitan salir a la luz para ser expuestas y resueltas, Pr. 4:22.

Espiral: considera que cuando Dios creó el universo creo las galaxias en forma de espiral, los espirales pueden aumentar o disminuir la distancia desde el centro que es Dios. En el espíritu viajamos en forma helicoidal como en una escalera de caracol subiendo o bajando con una aceleración constante. Si Dios no es el centro del universo de tu vida, entonces puede representar que estás girando fuera de control. Si estás ascendiendo, te estás moviendo hacia un mayor despertar o entendimiento espiritual; si desciendes, a nivel espiritual representa un hábito, o repetir algo una y otra vez.

Espíritu de Dios: Gén. 6:3; Nm 11:17; Neh. 9:20; Sal. 51:11; Pr. 1:23; Is. 32:15; Zc. 4:6.

Espíritu del hombre: 2 Cor. 7:1; Ef. 4:23; Snt. 4:5.

Espíritu Santo: el Espíritu guía por excelencia de todo el universo. No hay espíritus más grandes que Él. Su trabajo es conducir y guiar a los creyentes a toda la verdad. Es la tercera persona de la Divinidad o Trinidad. Él habita en los cristianos que creen y han aceptado a Jesucristo como su Señor y Salvador.

Él es la fuerza de poder que emana de Dios el Padre y de Jesús el Hijo de Dios. El Espíritu Santo interpreta los sueños, da dones y poder, y trae el conocimiento de la revelación, la comprensión, las ideas espirituales y la sabiduría a los creyentes. Nos conecta con Dios. Él es nuestra línea de vida hacia la vida eterna.

Espíritu familiar: Lev. 19:31; 1 San. 28:3,7; Is. 8:19.

Espíritu, maligno: espíritu del mal, mentiroso o impuro, 1 Sam. 16:14-15; 18:10; 2 Cr. 18:21; Zc. 13:2.

Espíritu negativo: participación oculta (naranja); brujería; maldiciones; votos internos; control; manipulación; satanismo; masonería.

Espíritu, Santo: Mt. 3:11; Mc. 1:8; Lc. 1:15; Jn. 1:33.

Espíritu: Espíritu Santo o tercera persona de la trinidad de Dios, un espíritu maligno, demonio o el espíritu de una persona que no ha sido llevada al infierno. Un vapor de una persona, espíritu de miedo o alguna otra entidad espiritual. El espíritu de una persona fallecida que se cree que atormenta o persigue a los vivos, un demonio o espíritu maligno, un recuerdo o imagen recurrente de un miedo pasado, que sigue regresando; puede representar la culpa, el miedo a la muerte, el conocimiento intuitivo, el temor a lo desconocido, o cosas pecaminosas que uno ha hecho y que ha tratado de enterrar y olvidar. Ver un espíritu de una persona fallecida que se cree que persigue a las personas vivas o a sus antiguas moradas, un espíritu demoníaco, indica que estás tratando con algunos recuerdos del pasado que vuelven a visitar tus situaciones actuales, resiste los planes del maligno, sométete a Dios y el espíritu huirá. Apo. 16:14; Mt. 27:50 somete el fantasma; Gén. 25:8.

Espíritu: la conciencia del hombre, la capacidad de estar en comunión con Dios y recibir su sabiduría; el espíritu de la mente se renueva con la Palabra del Señor.

Espíritus malignos: Satanás, demonios, espíritus malignos, oscuridad y tinieblas, agentes malignos que atacan y dañan a las personas, territoriales, ISIS. Causar dolor, ruina, injuria, insulto, daño o pobreza, acciones malas o culpables que traen mala fortuna o destrucción. Estás en el camino equivocado o te diriges en una dirección equivocada con la gente equivocada, arrepiéntete y da la vuelta antes de que todo esté perdido.

Espíritus ministradores: Heb. 1:13-14, *«¿No son todos espíritus ministradores enviados para servir a los que heredarán la salvación?»*. Reconocer, incorporar a los ángeles que son asignados para ayudar, guardar, vigilar, guiar y fortalecer aquí en la tierra.

Espíritus: demonios; fantasmas; almas sin cuerpo; ángeles; Espíritu Santo; maldad; experiencias extrañas e inquietantes; enfrentarse a problemas inesperados, traición e infidelidad.

Esplendor: ver el esplendor del Señor en un sueño rodeado de su gran luz, brillantez y gloriosa magnificencia, predice un encuentro espiritual o una visita a Dios.

Esponja, húmeda: absorbe la Palabra y la unción del Espíritu.

Esponja, seca: tiempo de sequedad, de experiencia en el desierto o en la selva, que necesita el agua refrescante de la Palabra.

Esponja: se utiliza para limpiar o embellecer.

Esposa, moribunda: si sueñas que mueres en tu boda indica que estás muriendo a ti misma y entregando para servir a tu marido como compañera idónea para asegurar su continua felicidad.

Esposa: cumplir con tu deber en el matrimonio; una sola carne; compañía, mejor amiga, cosa buena, mujer virtuosa, respeta y honra a su marido, madre, partícipe de la vida, hogar feliz, celos, divorcio, adulterio; disensión y disputas no resueltas; prestar atención a los sentimientos que estás reprimiendo; aspectos femeninos; Israel; la esposa actual; unidos; afición; negocio; sumisión; novia de Cristo; Espíritu Santo; relación de pacto; la iglesia o el remanente; infidelidad o fidelidad en lo natural o en lo espiritual.

Esposas: instrumento o herramienta que se utiliza para conectar, atar, asegurar o bloquear las manos de un prisionero para restringir sus movimientos, de modo que los demás se sientan seguros y protegidos de sus acciones. Si esposas a alguien: indica que vas a vencer tus miedos. Tienes la necesidad de sentirte seguro y protegido. La eliminación del temor, la ansiedad y la preocupación desaparecerán porque el ladrón ha sido atrapado. Si te esposan o te atan las manos representa: limitación y molestia severa, esclavitud, ser capturado o cautivo. Mt. 16:19. El éxito, la libertad o las oportunidades de uno están limitadas; acceso muy limitado; tienes un enfoque de manos fuera; mano dura; pérdida de poder o efectividad en las relaciones; extremadamente dominante, esclavitud sexual, celos o control, dominación de otros; comportamiento criminal; deseo de culpar a alguien más por el comportamiento de uno. *Alternativamente:* si sueñas con esposas o que usted lleva puestas unas esta ligadura que es un dispositivo de sujeción diseñado para asegurar, juntas, las muñecas de un individuo sospechoso de actividad delictiva mientras está bajo custodia de la policía, sugiere que estás tratando de usar más el autocontrol. También puede indicar que te han pillado *in fraganti* haciendo algo malo. Considera esto como una advertencia, arrepiéntete y cambia tus malas costumbres. Ver a un adversario esposado indica que tu negocio prosperará. El ladrón ha sido atrapado.

Esposo: autoridad; liderazgo; el Señor Jesús; Satanás; una persona real o esposo que debe ser respe-tado y honrado; ama a tu esposa, apegado, padre, proveedor, protector, cabeza del hogar o familia; matrimonio, separación o divorcio dependiendo del contexto, adulterio; cómo uno se siente acerca de su relación sexual, física o emocional con su esposo; cómo te relacionas con la intimidad en cuerpo, mente y espíritu; hábitos de relación desarrollados con tu padre, Ef. 5:23; Jn. 5:1; 1 Cor. 3:9; Is. 54:5; 1 Pe. 3:1. Representa a Jesucristo, Mt. 9:15; expresa el deseo de casarse, o de encontrar una pareja amorosa; femenino: sentimientos sobre el tipo de hombre con el que a una le gustaría casarse; masculino: intento de reconciliar los propios sentimientos sobre el matrimonio.

Expreso, café: hacer o beber un expreso en un sueño significa que quieres una solución rápida o un trato «expreso» que hará que las cosas se muevan a toda prisa para que no se te escape una nueva oportunidad.

Espuela de los padres (planta): ver esta clase de planta representa un corazón abierto; inconstancia; espíritu hermoso; el regocijo en la alabanza y el canto te impulsarán a la grandeza; julio.

Espuelas: ver un par de espuelas brillantes en los talones indica que hay que seguir adelante; anímate, estás siendo «espoleado» para alcanzar la grandeza; consigue el éxito poniendo en práctica tus ideas y llevándolas a cabo. Si alguien te está montando, o usando las espuelas en ti, es el momento de desecharlas y eliminar su presunta influencia en tu vida; deja de hacer cabriolas; encuentra a alguien con quien disfrutar y desarrollar una relación seria y significativa.

Espuma en la boca: la espuma representa la posesión demoníaca, el lenguaje soez, las palabras venenosas o de ira de alguien que está fuera de control con ira, destemplanza, rabia, animal rabioso, enfermedad mental, insano en cuerpo y mente.

Espuma: indica que es hora de sincerarse y dejar de sudar la gota gorda, sobre algunas cosas que has estado ocultando o manteniendo en secreto. Si es de un cepillado de dientes: tendrás las palabras adecuadas para decir cuando te hagan preguntas difíciles. Si proviene de una manifestación demoníaca: está siendo muy obstaculizado u oprimido por fuerzas demoníacas debido a una falta de carácter, integridad y sustancia moral, necesitas arrepentirte y ser salvado para ser liberado y encontrar una estructura de vida espiritual piadosa.

Esqueleto: sistema de apoyo o armazón, estructura interna y protección de los asuntos vitales; esquema o boceto de una organización; hay que dar cuerpo a las cosas; alguien que está demasiado delgado, hambriento o demacrado; un legado o herencia; en un museo: una colección de viejos amigos o familiares

Esquí acuático: montar las olas turbulentas de la vida y disfrutar del viaje desafiante; recuperarse de una temporada de decepción o dolor.

Esquí acuático: viaje de autodescubrimiento, de conquista agresiva y de exploración de lo nuevo.

Esquí móvil: avanzar con gran facilidad en una nueva estación refrescante de pureza y claridad.

Esquí: deslizarse o avanzar con poco esfuerzo; disfrutar del paseo, una recompensa por el duro trabajo de escalar la montaña hacia el éxito. Las situaciones difíciles o competitivas de la vida hacen que uno se entrene en una especie de novedosa gimnasia mental para superar las montañas u obstáculos físicos; el entrenamiento competitivo de la mente, el cuerpo y el espíritu, empujarse a sí mismo hasta romper sus propios límites, sobresalir en la grandeza, deslizarse hasta la victoria.

Esquiar en el agua: la madurez espiritual a través del estudio de la Palabra de Dios traerá sabiduría, una nueva libertad, libertad y paz del alma y su confianza en sí mismo para florecer.

Esquiar sobre la nieve: tu destreza, rapidez de reflejos, agilidad y gracia te ayudarán a maniobrar por la vida.

Esquife: navegar por el agua en una embarcación abierta de fondo plano y poco calado propulsada por remos, vela o motor indica que debe andarse con pies de plomo en los asuntos de negocios; busca la ayuda de una persona destacada que tenga experiencia en su campo; si se vuelva, tus planes fracasarán.

Esquimal: los amigos y parientes no te ayudarán a salir de las dificultades financieras.

Esquina: uno se siente desesperado, decepcionado o frustrado, atrapado o «acorralado» con opciones muy limitadas o nulas para escapar o cambiar. No saber qué camino tomar (cuando se haya en un cruce de caminos), Ec. 10:2. El corazón del sabio lo hace girar hacia su derecha, pero el del necio hacia su izquierda. Puede representar lo inesperado, situaciones ocultas, nuevas experiencias en el futuro, indecisiones respecto a las encrucijadas de la vida. Estar acorralado o sentirse en una situación preocupante de desamparo. 2 Sam. 21:16.

Esquivar el balón: «esquivar lo inevitable», las circunstancias de la vida exigen tu capacidad para estar a la ofensiva y a la defensiva al mismo tiempo, para esquivar los insultos, los ataques y la victimización, o los obstáculos que te lanzan, «esquivar» asuntos o una confrontación.

Esquivar: maniobrar para alejarse de algo o de alguien, evitar una pregunta, fabricante de coches.

Establo: estar en un establo simboliza la naturaleza carnal o los deseos, la sexualidad o la capacidad de controlar el impulso y el vigor pasionales de uno, un juego de palabras para «el sentido de estabilidad» en las finanzas, las fortalezas mentales o emocionales, si no puedes tocar o «acariciar» al caballo en el establo, la relación puede estancarse o detenerse rápidamente, cabestro. Si el caballo te acaricia, todavía hay fuertes sentimientos emocionales implicados.

Estaca: ver una estaca en un vallado indica el deseo de establecerse con un amor verdadero y formar una familia. Si ve una estaca, tenga cuidado con las dificultades en el trabajo, debería empezar a leer los anuncios de búsqueda y actualizar su currículum.

Estación de autobuses: sígnica que esperas un nuevo nivel o etapa en la vida espiritual, de liberación, de sanidad espiritual o física. Dt. 16:3-6.

Estación de ferrocarril: movimiento en una nueva dirección; cambio de vías o escenas del trabajo a casa; dejar atrás el pasado; hacer conexiones; un esfuerzo para avanzar en la travesía de la vida. Te encuentras en un periodo de transición de la vida a la espera de encontrar un camino claro, una vocación vital o una dirección.

Estación de servicio: establecimiento de venta al por menor en el que se abastece a los vehículos de gasolina y aceite para que puedan continuar su camino en la vida; lugar de puesta a punto o de mantenimiento mecánico.

Estación de televisión: comunicación a una gran audiencia de espectadores; acto de mirar en el Espíritu; recibir revelación; noticias; un vigilante.

Estación de tren: este es un periodo de transición en tu vida, así que tómate un tiempo para estar tranquilo, reflexionar en oración y meditar en la Palabra de Dios. Esto te permitirá captar la sabiduría necesaria para moverte en una nueva dirección. Estás cambiando de camino o de escenario en el trabajo y en el hogar. Es hora de dejar atrás el pasado. Está haciendo conexiones sólidas que apoyarán tus esfuerzos para que avances en el viaje de la vida.

Estación: reflexionar y reevaluar los objetivos de la vida y los caminos; la transición y los cambios son necesarios.

Estaciones: una estación o fase en la vida está terminando y una nueva está comenzando; el paso del tiempo; volverse diestro o experimentado; ver el tiempo moverse rápidamente significa que el tiempo se está escapando o que estás madurando rápidamente; entrenamiento, equipamiento, desarrollo espiritual; determina lo que toma lugar durante ese tiempo de siembra anual; siembra, cosecha, ir al mercado...

Estadio, verte a ti mismo: verte a ti mismo en un estadio representa una gran determinación para tener éxito, una actividad evangelística agresiva para lograr objetivos a gran escala, estar audazmente confiado en aplicar un enfoque más centrado, aprovechar la fuerza y la energía de Dios, salvaciones o redención a gran escala, el *Super Bowl* de los grandes logros.

Estadio: involucrarse activamente en el juego de la vida; salir del banquillo; no ser un espectador; fijarse metas altas; ser un jugador de equipo agresivo y decidido a ser audaz y a tener éxito; deportes y entretenimiento; lugar de avivamiento.

Estado: ver uno de los cincuenta Estados Unidos en un sueño es una invitación a visitarlo o a orar por su seguridad y bienestar. Consulta la tarjeta del símbolo del sueño de los Estados para conocer más detalles sobre cómo orar. *www.decodeMydream.com*

Estados Unidos de América: soñar con los Estados Unidos de América, la mayor nación de la tierra, mientras sea una nación bajo Dios, es desear la libertad espiritual, la valentía y la independencia creativa. Este es también un llamado a orar por la protección y la dirección de Dios sobre los líderes y el pueblo de este gran país para que podamos mantener nuestras libertades sin ser destruidos desde dentro o fuera de nuestras fronteras. Obtén la tarjeta de los símbolos del sueño de los Estados Unidos en *www.decodeMydream.com* para saber cómo orar más específicamente por cada estado.

Estafar: cuidado con apostar con personas que son estafadoras; moverse fuera de la carne.

Estafa: verse envuelto en una estafa para hacer dinero en un sueño indica que debe tener cuidado con los compromisos que no debes cumplir.

Estafador: este artista de la estafa que trabaja solo o en connivencia con otros estafadores intenta defraudar a la gente después de ganarse primero su confianza explotando rasgos de carácter de honestidad, vanidad, compasión, credulidad, irresponsabilidad, ingenuidad y avaricia. Soñar con estos «ladrones deshonestos» sugiere que alguien se está aprovechando de ti y te está tomando por tonto. Ora por discernimiento y sabiduría; aprende a confiar en la guía del Espíritu Santo. Asegúrate de que no eres tú el que tiene mal carácter y se aprovecha de los demás.

Estallido de estrellas: ver estallar una estrella en el cielo indica que no conseguirás tu sueño o tu objetivo. Puedes esperar una gran decepción en el futuro.

Estallido: el temperamento se está descontrolando; se están desarrollando circunstancias inesperadas; obstáculos imprevistos que obstaculizarán los objetivos de una persona. Tener un estallido en un sueño indica que alguien va a tener algunas palabras duras que podrían causar ciertas heridas emocionales o interrumpir temporalmente su progreso.

Estampa: quién o qué aparece en la estampa, calcula el costo de la comunicación escrita que no puede ser borrada, un juego de palabras para «estampar», demuestra más determinación, afán y seguridad en la vida; ver una colección de sellos: indica preocupaciones con el dinero estresado por cuestiones de seguridad.

Estampida: comportamiento indómito e imprevisible, mostrar más moderación en la situación social; no precipitarse al tomar decisiones que cambian la vida sobre el matrimonio, los traslados geográficos o la propia carrera.

Estampilla: tarjeta que se imprime con un sello postal rebajado emitido y vendido por el gobierno; permite enviar mensajes a una tarifa rebajada. Aunque la tarifa sea baja, hay que asegurarse de que el mensaje sea de alta calidad, positivo y edificante, o se te volverá una vez recibido.

Estancamiento: vacilar, estancarse o detener el impulso hacia adelante; pérdida repentina de poder; no permitas que el miedo te paralice o detenga tu movimiento; lograrás la grandeza dando un paso a la vez.

Estanque de Salomón: tres grandes depósitos conectados por pasajes subterráneos, construidos a diferentes niveles que abastecían de agua a Jerusalén, Ec 2:6.

Estanque: unción de una iglesia o de un grupo; quietud; cuerpo cerrado; un club, una pequeña escuela privada o una organización; separado o no conectado con el mover de Dios, Jl. 2:16.

Estante: sugiere que hay algo o alguien que debes dejar de lado por el momento. Debes suspender temporalmente tus ideas o planes. Por otra parte, los objetos de la estantería podrían ser aspectos de ti mismo o de los demás que has descuidado, abandonado u olvidado. Considera el tiempo que algo puede permanecer en la estantería sin deteriorarse. ¿Estás desempleado o en estado de desuso, fuera de circulación o jubilado? Puede que necesites volver a la acción.

Estaño: elimina una fortaleza mental y los recuerdos que causan emociones dolorosas. Renueva el poder de tu mente, pasa la página y empieza de nuevo con una nueva perspectiva de la vida. Recuerda al Hombre de Hojalata que tiene una pobre autoestima y se ve a sí mismo como un desperdicio o sin valor; una persona barata sin valor o con poco valor, necesitada o necesitado de purificación; una imitación de lo real; escoria; sentirse como un gato en un tejado de hojalata caliente, Is. 1:25.

Estar en la cola o fila: verse en la cola indica que se está en el camino correcto, pero que aún no has llegado la plenitud del tiempo. Tu viaje requerirá paciencia para obtener el premio. Paso a paso, precepto a precepto, te llevará al éxito.

Estático: si tu sueño está marcado por la ausencia de movimiento o progreso, lleno de ruido aleatorio de la radio o la televisión, necesitas orar, marcar para escuchar la pequeña y tranquila voz del Espíritu Santo, eliminando los obstáculos y la influencia negativa que están impidiendo tu capacidad de escuchar.

Estatua de la Libertad: significa la libertad de América, deja que tu luz brille, Nueva York, el sueño americano, la independencia, la libertad de empresa y el patriotismo. América, Señora de la libertad, una luz brillante de esperanza, una señal de la Tierra Prometida, guardián de la puerta, Señora de la Libertad, liberación de la esclavitud y capacidad de buscar el sueño americano, 2 Cor. 3:17.

Estatua de persona: ver a una persona como una estatua simboliza una falta o un estilo de comunicación frío, estás siendo rígido, inflexible o no cedes, atascado en una rutina que no va a ninguna parte, representa poner a alguien que idealizas o admiras en un pedestal.

Estatua: majestuosidad, elegancia, riqueza; estatuas de personas: no responden, son inflexibles o no se comunican, no ceden o no van a ninguna parte; colocan en un pedestal a alguien a quien idealizan o admiran; están fuera de la realidad.

Este: salida del sol (Hijo) Mal. 4:1-2, dirigirse en la dirección correcta, Querubines; Ez. 43:1-2; Mt. 24:27; el Este está delante de la cara de Dios; la gloria de Dios, hombres sabios con sabiduría interior, religiones de Oriente Medio, creer en los sueños, el punto cardinal en una brújula de marineros está a 90 grados en el sentido de las agujas del reloj desde el norte y directamente opuesto al oeste, sabiduría interior, transformación a través de la iluminación espiritual en Dios, busca a Dios con todo tu corazón, alma y cuerpo y Él será encontrado en ti, una vida dedicada a Dios, a la familia y a los objetivos espirituales o aspectos de ti mismo. Comienzo; luz; surgir; nacimiento; primero; el viento del este trae el juicio; secar; bendito o maldito; falsa religión. Jesús nació en el este; Dios es la fuente de la vida, el nacimiento, el misterio del Espíritu. Gén. 28:14; Gén. 11:2. Cielo y rejuvenecimiento en el camino correcto para la vida. Apo. 7:2; Gén. 3:24.

Esteban: significa corona; uno de los siete discípulos designados para ayudar a los pobres; «lleno de fe y del Espíritu Santo», Hch. 6,5; realizó grandes señales, milagros y maravillas entre el pueblo, Hch. 6,8; fue apedreado hasta la muerte como primer mártir, Hch. 7:59; 8:1.

Ester: significa estrella; Hadasa el mirto, una joven judía de gran belleza, educación, huérfana de la tribu de Benjamín, prima de Mardoqueo, esposa de Asuero Jerjes el rey de Persia.

Estéreo: un estereotipo; una fotografía; un sistema de sonido que mejora tu capacidad de escucha.

Estéril: ser estéril en un sueño sugiere que no te sientes productivo o fructífero en tu vida cotidiana. Quizás sientes que eres incapaz de reproducirte sexualmente debido a la infertilidad o a la falta de función. Pide un aumento de la vitalidad en el ámbito creativos de la imaginación. Recibe una nueva visión. Aprende a explorar y experimentar.

Esterilidad: maldición; espíritu de muerte; aborto; no productivo; sin descendencia; sin hijos; estéril; incapaz de producir; sin provecho; esfuerzos o campo estéril; carente de calidad; apagado; miedo al rechazo o a perder la belleza o la apariencia atractiva; impío, Jb. 15:34; Gén. 11:30; Gén. 29:31; 2 Re. 2:21; Sal 107:34; Is. 2:5; bendito, Lc. 23:29; Ga 4:27. Estéril, infructuoso, improductivo, incapaz de alcanzar el éxito o ganar prosperidad; no vivo o motivador; incapaz de reproducir la descendencia o dar vida a otro; una maldición o juicio de carencia y pobreza; Dios ha cerrado su vientre; rechazado y despreciado por los demás; gran reproche; castigo de Dios.

Esteticista: el que es experto en embellecer a los demás mediante tratamientos cosméticos, Esd. 2:3, hacer o volverse bello, prepararse para cambiar los modos o las percepciones, protegerse de la vanidad.

Estetoscopio: ver o utilizar este instrumento en un sueño indica que el deseo de tu corazón está saliendo a la luz; realizarás el sueño o la ambición de su vida y te regocijarás con tus amigos y familiares.

Estiba: ver una estiba en un sueño le está diciendo que una gran cantidad de bendición está lista para ser liberada para suplir a otros en sus necesidades físicas y espirituales.

Estibador: ver a un estibador en un sueño sugiere que tu barco está llegando finalmente; alegrete por esta nueva etapa de prosperidad y aumento.

Estiércol: algo que es residuo impuro, suciedad, inútil, Jer. 16:4. El hecho de esparcirlo sobre la vegetación o el césped indica una temporada de prosperidad y crecimiento con una gran cosecha de bendiciones espirituales y financieras, Ez 4:12; si andas en el estiércol indica que estás tomando suciedad y creyendo todo lo que te dicen, usa un poco de discernimiento no todos dicen la verdad.

Estigma: se refiere a los sacrificios que está dispuesto a hacer para defender tus creencias, la pasión espiritual le permite soportar las dificultades y el dolor del sufrimiento por una causa justa.

Estilete: es una pequeña daga con una hoja delgada y afilada que se utiliza para hacer agujeros de ojal en la costura o un tacón alto en los zapatos de mujer que es más fino que un tacón de aguja. Considera una nueva forma de caminar en tu vida. Puede que tengas que abrir los ojos a algunas cosas, ser más exacto e ir al grano rápidamente en lugar de eludir los temas.

Estilista: soñar que eres estilista sugiere que tienes el don de ayudar a las personas a lucir lo mejor posible. Sabes cómo evitar los callejones sin salida, aliviarlos de los problemas de raíz y colorear su mundo para que estén por encima de la competencia. Se te da bien dar sugerencias para mejorar la imagen de los demás. Un estilista puede cambiar la visión de la vida de alguien dándole un corte de pelo o un color nuevo o actualizado para mejorar su imagen.

Estimular: inducir, o provocar una reacción o emoción que despierte fuertes sentimientos o que provoque un aumento de la actividad en tu sueño indica que necesitarás mucha energía para mantenerte a la altura de los crecientes niveles de bendición y favor que se te avecinan. La realización de una promesa largamente esperada ha llegado por fin.

Estiramiento facial: Tus expresiones faciales reflejan tu estado emocional, tu condición y semblante, y provienen de la necesidad de renovación de tu corazón; necesidad de un estímulo o de una llenura del Espíritu Santo para cambiar o mejorar tu visión de la vida. Puede que estés intentando renovar tu juventud, mejorar o encontrar una nueva identidad o imagen propia debido a un golpe en tu confianza. Un estirar miento facial también puede simbolizar un deseo de estar en el escenario, de ser visible, o de preocuparse por tu apariencia personal en lugar de los asuntos del corazón, de donde proviene la verdadera belleza. El Señor levanta su consejo sobre ti y te da la paz, Nm. 6:26. *«Dios, me avergüenzo y me da pena levantar mi rostro hacia ti...»*, Esd. 9:6; Jb. 10:15; *«Entonces, en verdad, podrías levantar tu rostro sin defecto moral, y estarías firme y no temerías»*, Jb. 11:15. Deléitate en el Señor, Jb. 22:26; Pr 24:7.

Estirar: asumir demasiadas responsabilidades, exigirte más allá de la zona de confort o de las capacidades personales, «estirarte (finanzas, tiempo, emociones, capacidades físicas) demasiado a ti mismo».

Estofado: cocinar o comer estofado puede indicar que estás guisando una situación actual o pasada que aún afecta a tus emociones. Ver una olla de estofado indica que te verás en una situación incómoda con una mezcla de amigos y extraños.

Estómago: órgano principal para digerir los alimentos espirituales y naturales, abdomen, vientre, un apetito, un deseo o inclinación, valor, espíritu, orgullo, soportar, tolerar, resentir a alguien o algo, no podía soportarlo. Humildad; postrado en oración; hambriento o lleno; dejarse llevar por la carne. La luz amarilla de la unción de Dios ministra curación a este órgano. Ver un estómago representa el hambre por las cosas espirituales: humildad; intercesor; sensación de enfermedad o náuseas: brujería; espíritu enfermo o impuro.

Estoque: combate cuerpo a cuerpo, no se da como arma espiritual, sino que es resultado del pensamiento humano; «ingenio de estoque»; se usa principalmente para la esgrima y el duelo, el espectáculo y la vanidad; personas que guerrean con el razonamiento humano y sus opiniones y mentalidades obstinadas.

Estorbar u obstaculizar: restringir el movimiento o la libertad, considere el término «ser obstaculizado», es un llamado a eliminar los obstáculos en su camino.

Estornudo: persevera en tiempos de cambios repentinos o inesperados; no dejes que las pequeñas cosas alteren tu progreso.

Estrabismo: mirar con los ojos entrecerrados o parcialmente cerrados, visión limitada, no ver el cuadro o la situación en su totalidad, una inclinación o tendencia a mirar de forma oblicua o hacia un lado; una mirada crítica o de juicio, despreciar.

Estrado: mueble o soporte que sirve para elevar el pie a un lugar de comodidad y descanso. Ver un escabel indica que al adorar y descansar en la presencia de Dios Él someterá a tus enemigos. *«Exalten al SEÑOR nuestro Dios; adórenlo ante el estrado de sus pies: ¡él es santo!»*, Sal. 99:5; *«El Señor dijo a mi Señor: Siéntate a mi derecha, hasta que ponga a tus enemigos por estrado de tus pies»*, Sal. 110:1; Lc. 20:43; *«Así dice el Señor: El cielo es mi trono y la tierra el estrado de mis pies»*, Is. 66:1.

Estrangulamiento: algo intenta robarte la voz; cortarte la vida; exprimirte la vida espiritual; impedirte usar la cabeza en una situación, Sal. 140:4.

Estrechar: puede indicar que deseas más tiempo o la atención de alguien especial; anhelas una relación más estrecha. Puede que te sientas presionado o que necesites más espacio, ya que te están quitando opciones. Cuando las presiones de la vida se vuelven tan sofocantes que perdemos en aliento, todo lo que debería salir es amor y una dulce fragancia de gracia.

Estrecho: este símbolo representa una vida acosada por problemas y dificultades, 1 Sam. 13:6; 2 Sam. 24:14; Jb. 36:16; Mt. 7:13; 2 Re. 6:1. Sentirse enjaulado o restringido, una lucha por la independencia, tener una mentalidad estrecha en su pensamiento. Una persona que tiene un enfoque muy limitado de la vida o de las opciones disponibles. Una vida de pensamiento estrecho producirá pocas relaciones. Dios te guiará por un camino estrecho para lograr el éxito. Una mujer adúltera es un pozo estrecho, Pr. 23:27.

Estrella caída: representa a los santos caídos o apóstatas; ser apóstata; el Anticristo, Jd. 13; Apo. 9:1; Gén. 15:5; Apo. 12:4.

Estrella de Belén: esperanza.

Estrella de David: conocida en hebreo como Escudo de David o Magen David, es un símbolo de la identidad judía moderna, del sionismo y del judaísmo. Su forma es la de un hexagrama, compuesto de dos triángulos equiláteros. Los nazis lo utilizaron durante el Holocausto como método de identificación de los judíos. La bandera de Israel, que representa una estrella de David azul sobre fondo blanco, entre dos franjas horizontales azules, fue adoptada el 28 de octubre de 1948. Ver la estrella de David en sueños puede representar los siete espíritus de Dios en Is. 11:2, el número siete, o que uno está siendo adoptado en la familia de Cristo como creyente. Consultar las joyas de la Estrella de David en *www.BarbieBreathitt.com*

Estrella de la mañana: ver la estrella de la mañana en un sueño representa a Jesús, que es la estrella brillante y matutina. Rick Joyner de *Morningstar Ministries* en Carolina del Norte.

Estrella de los sabios: aparición milagrosa de una conjunción remarcable entre Júpiter, Marte y una estrella de extraordinario brillo en el momento del nacimiento de Cristo, atrajo a los Magos a la venida del Mesías, Mt. 2:1-21.

Estrella de mar: persona influyente con gran capacidad para brillar y llegarle a las personas.

Estrella del pop: al igual que los famosos, los adolescentes sienten una intensa atracción sexual; se les considera un ideal o un ídolo; un modelo a seguir; egolatría; ascienden rápidamente, pero caen si su carácter no está a la altura de su nivel de fama.

Estrella: armonía entre el espíritu, el alma y el cuerpo; hijos, Nh. 9:23; Gén. 37:9-10; alguien muy admirado, famoso o excepcional; realmente brillas, Apo. 2:28; 22:16, Cristo es llamado la «Estrella de la mañana», porque introduce la luz del evangelio, Sal. 8:3-4; Sal. 147:4; Gén. 15:5; 22:17; 26:4; Éx. 32:13.

Estrellas fugaces: estrellas fugaces es el nombre común para la trayectoria visible de un meteoroide cuando entra en la atmósfera para convertirse en un meteoro. Si una estrella fugaz sobrevive al impacto con la superficie de la Tierra, entonces se llama meteorito. Soñar con una estrella fugaz indica que tus oraciones y sueños se harán realidad ya que el cielo está invadiendo la tierra trayendo tus respuestas.

Estrellas que caen: apóstatas; pedir un deseo a una estrella que cae representa poner tu esperanza en algo que no tiene poder para producir bendiciones.

Estrellas, siete: las siete estrellas en Apo. 1:16 y Apo. 1:20, representan los siete ministerios de la iglesia.

Estrellas: simbolizan aspiraciones elevadas; «el cielo es el límite», éxito, excelencia o ideales elevados, las decisiones de la vida no deben estar en manos del destino, la casualidad o la suerte, advertencia sobre ser demasiado «estelar» o idealista, representan un sistema de clasificación para evaluar hoteles, restaurantes y logros de la vida, un deseo de fama, fortuna y ganancia material, estrellas de cine de Hollywood, las estrellas (hermanos) se inclinaron ante José; Cristo es la «estrella de la mañana», Apo. 22:16; Sal 8:3-4; Sal. 147:4; Gén. 15:5; 22:17; 26:4; Éx 32:13.

Estreñimiento: dificultad para evacuar los intestinos con la debida frecuencia; tu salud y prosperidad están siendo bloqueadas por algunas actividades sucias; es hora de evitar las influencias tóxicas o malignas.

Estribo: utilizar un estribo para montar un caballo indica que vas a tener un viaje emocionante en la vida. Podrás montar con alas de águila para afrontar cada nuevo reto con fuerza y poder.

Estricto: verse a sí mismo comportándose de manera estricta sugiere que te gusta ser preciso y exacto en tu comunicación y ética de trabajo. Mantienes a las personas en un espacio específico, estrecho y limitado. Eres muy disciplinado y poco permisivo. Eres rígido, correcto y muy devoto de tus creencias. Este sueño puede ser una advertencia para que te relajes, dejes que la gente entre en tu esfera de influencia y disfrutes un poco de la vida.

Estrógeno: la principal hormona sexual femenina responsable de los ciclos reproductivos menstruales y estrales. El estrógeno es el productor del brío o la inspiración, el deseo sexual y la pasión. Cuando el estrógeno aparece en un sueño puede indicar que tus niveles hormonales están altos, bajos o inexistentes. ¿Desea una relación íntima que requiera el uso de anticonceptivos orales para evitar el embarazo? ¿Deseas quedar embarazada y formar una familia? ¿Es usted posmenopáusica y necesita una terapia de sustitución hormonal? Los estrógenos también pueden indicar que no te gusta o te cuesta aceptar el proceso de envejecimiento.

Estructura: ver una nueva estructura en un sueño indica que habrá algunos cambios positivos en el futuro. Es el momento de liberar las viejas formas de hacer las cosas, realinear, reorganizar y avanzar de una manera nueva con nuevas interrelaciones en su lugar.

Estrujarse: estrujarse el cerebro o ser estirado a un nuevo nivel; sus procedimientos o políticas se convertirán en un problema. Una forma de tortura.

Estudiante: algo que uno necesita estudiar, aprender o comprender para prosperar en la vida; cuando el estudiante esté listo, el maestro vendrá.

Estudiar: alude a la necesidad de tener más conocimientos bíblicos o espirituales y una mayor perspicacia. Aplícate para estar preparado para los planes que Dios tiene para ti. Estudia para que te muestres como un trabajador apto y calificado. Es posible que necesites tomar algunas clases de educación continua para perfeccionar tus habilidades profesionales o tu vocación.

Estudio: verse a sí mismo en un estudio indica que Dios está tratando de comunicarte un mensaje para que te conviertas en el portador de ese mensaje y les advierta a otros sobre los peligros o les anuncien las buenas nuevas.

Estufa Coleman: utilizar una estufa Coleman en un sueño significa comer la carne de la Palabra para mantener su fuerza y resistencia.

Eternidad: tomar conciencia de la totalidad del tiempo que no tiene principio ni fin, ligado al período interminable de tiempo después de la muerte. Tomar conciencia de la inmortalidad del alma humana indica la necesidad de asegurar tu salvación a través de Jesucristo como su Señor y Salvador antes de entrar en la otra vida. Para que todo el que crea en él (Jesús) no perezca, sino que tenga vida eterna. Porque de tal manera amó Dios al mundo, que dio a su Hijo unigénito, para que todo aquel que crea en él (Jesús) no se pierda, sino que tenga vida eterna. Porque Dios no envió a su Hijo al mundo para condenar al mundo, sino para que el mundo se salve por medio de Jesús. El que cree en Jesús no es condenado; pero el que no cree ya está condenado, porque no ha creído en el nombre del Hijo unigénito de Dios, Jn. 3:15-18.

Etiopía: el país sin salida al mar más poblado del mundo y la segunda nación más poblada del continente africano. En Etiopía se encuentran los testimonios más antiguos de los hombres humanos. El Antiguo Testamento la llama Kush, que se refiere principalmente a Nubia. Esd. 1:1; 8:9; Jb. 28:19; Sal. 68:31; 87:4; Jer. 46:9; Ez. 29:10; 30:4-5, 9; Am. 9:7.

Etiqueta con el nombre: llevar tu propio nombre en una etiqueta indica que estás descubriendo tu identidad, tu verdadero yo y quién eres realmente. Quieres que la gente sepa tu nombre y quién eres. Estás abierto a conocer gente en lugares desconocidos para iniciar una nueva relación. Si llevas el nombre de otra persona en tu placa, esto sugiere una crisis de identidad o que quieres ser esa persona. Tienes celos de esa persona, admiras sus cualidades, sus logros o su prestigio y te gustaría imitar su éxito. Tal vez sufras de baja autoestima o estés experimentando con algo extraño o fuera de tu carácter.

Etiqueta: una autoridad en el comportamiento social para diversos eventos y fiestas, si has violado la norma por ser demasiado franco o agresivo una corrección está en orden para lograr un buen equilibrio y resultado, si estás siendo celebrado entonces espera un gran honor y prestigio para seguir este

sueño. Una etiqueta conlleva la noción de marcar o encasillar a alguien o algo para un propósito específico, poniendo las cosas en orden para clasificarlas o distribuirlas. ¿Te etiquetan como un éxito o te etiquetan como un fracaso? ¿Quieres llevar una etiqueta? ¿La presencia de una etiqueta te hace sentir que perteneces a ella? ¿La ausencia de una etiqueta te provoca la sensación de quedar fuera de un grupo?

Etiquetado: ser etiquetado o encasillado, necesitas salir de la caja, las limitaciones están impidiendo el favor, malentendido, se necesita un nuevo nombre, poner las cosas en orden, sentir que no perteneces.

Eucalipto: bien cubierto; las hojas aromáticas producen aceite medicinal; se utiliza en las saunas; madera apreciada para la construcción; risa.

Eunuco: la sexualidad ha sido cortada; una persona sin sentimientos sexuales; siendo violado y perdiendo el poder; 2 Re. 9:32; Hch. 8:27.

Europa: es uno de los siete continentes del mundo. Europa es el segundo continente más pequeño del mundo por superficie, con unos 10.180.000 metros cuadrados, el 2% de la superficie de la Tierra y alrededor del 6,8% de su superficie. De los aproximadamente 50 países de Europa, Rusia es, con diferencia, el más grande tanto por superficie como por población, ya que ocupa el 40% del continente, mientras que la Ciudad del Vaticano es el más pequeño. Europa es el tercer continente más poblado después de Asia y África, con una población de entre 739 y 743 millones de habitantes, lo que supone un 11% de la población mundial. La moneda más utilizada es el euro. Europa, en particular la antigua Grecia, es la cuna de la cultura occidental.

Europeos: diversos grupos étnicos de personas que residen en los países europeos. Hay ocho pueblos de Europa (definidos por su lengua) con más de 30 millones de miembros que residen en Europa: rusos, alemanes, franceses, italianos, británicos, españoles, ucranianos y polacos.

Eva: madre de la vida; llena de vida; camino de la vida; tentación; libre albedrío o elección independiente; toma de decisiones; iniciativa; identidad individual; poder de seducción sensual o sexualidad femenina de la esposa; deseo del hombre; el alma o la personalidad.

Evacuar: crear un vacío; renunciar a una posesión u ocupación militar, retirar las tropas, abandonar una zona a toda prisa debido al peligro, indica que tienes alguna competencia en una relación o departamento empresarial que te está quitando toda la autoridad, si las cosas no cambian rápidamente te encontrarás solo o sin trabajo.

Evangelio: escuchar las enseñanzas de Jesús y los apóstoles predicando el mensaje del evangelio en un sueño indica un llamado similar en tu vida para difundir el Reino de Dios y hacer discípulos de Cristo. Eres un creyente con señales, maravillas y milagros tras la predicación del mensaje evangélico.

Evangelista: Cristo la Buena Nueva; Is. 61:1-3; Lc. 4:16-19; oficio o vocación Ef. 4:11; ganador de almas; señales, maravillas y milagros; declara la buena nueva del Reino; constructor del Reino; pescador de hombres.

Evaporar: ver que algo se convierte en vapor indica que tienes una pequeña ventana de tiempo antes de que una oportunidad ya no esté disponible, es importante actuar rápidamente.

Evento deportivo: asistir a un evento deportivo en un sueño puede representar tu predilección por la emoción que te produce interactuar con otras personas. Te gusta la emoción de la competición. Si estás viendo deportes extremos, te gusta arriesgarte, empeñarte y perseguir las cosas hasta donde las circunstancias lo permitan.

Evidencias: ver que se acumulan datos, hechos y cifras a favor o en contra de uno indica que surgen preguntas sobre tus acciones, tu reputación o tu carácter. Tendrás que responder, presentar y hacer que tus intenciones sean claras y evidentes para todos.

Evita: «Un vacío» en tu vida es señal de que necesitas encontrar validación, aceptar una nueva porción, rasgo o característica de ti mismo; dejar de huir de lo desconocido, convertir lo no deseado y hacer los cambios necesarios para mejorar.

Ex, beso, abrazo, dormir con: verse besando, abrazando, durmiendo, volviendo a estar juntos o peleando con un ex sugiere que estás experimentando sentimientos similares hacia una persona actual en tu vida. Considera esto como una advertencia de que estás repitiendo los mismos errores del pasado, reaccionando con el mismo patrón dañino en tu vida que tuviste en la relación pasada que fracasó. Si no pasaste por el proceso de sanidad y aprendiste de tu primer error, atraerás a la misma persona en un cuerpo diferente. Es posible que estés reviviendo recuerdos positivos o negativos del pasado. Indica que estás reviviendo aspectos que despreciaste o amaste de ellos, puede que aún tengas deseos secretos. Hay una necesidad de romper las ligaduras del alma o los vínculos espirituales que existen. Sigues necesitando un cierre y una sanidad emocional.

Ex, interacciones: soñar con ex maridos, esposas, ex amigos o amigas, indica que estás recordando aspectos que despreciaste o amaste de ellos, puede que aún tengas deseos ocultos. Hay una necesidad de romper ligaduras del alma o los vínculos espirituales que existen. Todavía necesitas un cierre y una curación emocional. Busca consejo, un intérprete de sueños o un entrenador de vida para que te ayude

a obtener las respuestas que estos reflejos te están mostrando, una necesidad de perdonar el dolor, la traición, las acciones y los sentimientos negativos.

Ex, reencuentro: soñar que tú o tu ex quieren encontrarse de nuevo no es un reflejo de la realidad, sino el desencadenante de cambios encendidos por una relación actual infeliz o incómoda en la que no quieres estar o el deseo de una buena relación.

Ex, te echa de menos: si sueñas que un ex que «te echa de menos» entonces has seguido adelante y ellos «han perdido» una gran oportunidad de vivir una vida feliz contigo.

Examante de su pareja: soñar con el ex de tu pareja indica baja autoestima, te estás comparando con el ex. No cometas ni repitas los errores del pasado, renueva tu mente, perdona y olvida, pasa a una nueva mejor versión tuya. Hay esperanza después del divorcio y el matrimonio exige mucho trabajo.

Examante: es un llamado a tratar de trabajar las emociones difíciles o dolorosas o resolver los sentimientos del pasado con respecto a la relación rota, para así poder pasar a estar disponible en el presente.

Examen médico: es el momento de un examen físico y espiritual o chequeo del cuello para arriba; evalúa tu bienestar natural y sobrenatural, Mc. 2:17; Jer. 33:6. Una visita al médico es necesaria para prevenir una enfermedad, dolencia o malestar no detectado.

Examen: hacer un examen, un juicio o una prueba, buscar las respuestas de la vida.

Examinar: soñar con un examen indica que es el momento de analizar tu vida y observar los detalles finos, escudriñar y analizar muy cuidadosamente, observar y buscar un asunto, explorar y probar el estado de algo para determinar la aptitud o el nivel de habilidad para avanzar y aumentar, Snt. 1:3.

Excalibur: la espada del rey Arturo; en el mundo secular se cree que tiene poderes mágicos. Es posible que tengas un deseo inconsciente de poder relacionado con esta época.

Excavación: ahondar en los recovecos ocultos de uno mismo; descubrir misterios y creatividad; abrirse; excavar en busca de secretos; revelar los verdaderos sentimientos. Destapar cosas profundas y ocultas, desenterrar viejos pecados u ofensas del pasado, descubrir los secretos de alguien. Excavar para descubrirse a sí mismo o descubrir algo sobre una nueva situación.

Excavación: el trabajo duro te ayudará a descubrir respuestas a viejos problemas de carácter o malos hábitos, lo que te conducirá a una mejor reputación, alguien te está «socavando», tus palabras pueden estar «cavando un agujero», uno puede «recabar» o degustar de algo de manera positiva, eliminar las restricciones para traer una ampliación, estar abierto;

si el agujero que cavas se llena de agua o suciedad, tus esfuerzos son en vano, Lc. 16:3; Dt. 8:9.

Excedente: tener un excedente de bienes en un sueño indica que el favor de Dios está en tu vida. Tienes más de lo necesario para poder compartir y apoyar a otros en sus necesidades. Estás llamado a mostrar y demostrar la bondad del Señor.

Exceder: ser mayor que, superar o ir más allá de los límites de las expectativas de alguien o de algo indica que tienes capacidades excepcionales. El éxito y la prosperidad te seguirán todos los días de tu vida si te ajuicias para alcanzar la grandeza.

Excremento: ver o entrar en contacto con excrementos indica un aspecto negativo de uno mismo, como el orgullo, la posesividad, la vergüenza y la agresividad, que usted considera sucios, no deseados y nauseabundos. A medida que reconozca y comunique estos sentimientos asquerosos, conseguirá aliviar la vergüenza. Las heces pueden referirse a alguien que tiene retenciones anales. Deja de albergar y retener todos tus sentimientos pesimistas y tu falta de perdón. Estás demostrando un nivel de expresión infantil, mostrando tu asco o repulsión las emociones que hay en tu interior que necesitan un poco de alivio. Es hora de dejarlas salir, perdonar a los demás y cambiarlas.

Excrementos, jugar con: soñar que se juega con excrementos indica una preocupación activa por los asuntos de dinero y una falta de seguridad financiera.

Excrementos, sin tirar de la cadena: si no eres capaz de tirar de la cadena o eliminar los excrementos, indica que el hedor en tu vida no hará más que empeorar. Es el momento de ocuparse de los asuntos dañinos o de los desperdicios. Se necesita una limpieza espiritual. Puedes estar lleno y necesitar una evacuación intestinal debido al estreñimiento, la gula o el exceso de comida. Influencias negativas o pecados que se han ido acumulando en ti durante un periodo de tiempo y que pueden ser difíciles de expulsar o liberar.

Excursión: la unción del profeta es abrir tus ojos (Ayin) para veas algunos lugares domésticos, nacionales e internacionales fuera de tu ambiente y entorno habitual por el Espíritu del Señor; viajar por el mundo; entrar en nuevos lugares en el Espíritu por un periodo de tiempo limitado con el propósito de aprender, obtener conocimientos espirituales, recreación, ocio y propósitos de negocios. Realizar un viaje corto o una excursión en un sueño indica que tendrás una excursión agradable de duración limitada a una tarifa reducida. Desviarse de un tema específico, divagar.

Excusa: no disculparse, sino tratar de esquivar la culpa de algo malo que has hecho, buscando un per-

dón por acciones erróneas sin arrepentirse, o hacer una concesión por el maltrato de alguien a otros, pasando por alto una ofensa, lo que indica es una gran pena y la pérdida de amistades e influencia por tu torpe comportamiento.

Exesposa: indica que estás recordando aspectos que despreciabas o amabas de ella, puede que aún tengas deseos inconfesos. Hay una necesidad de romper las ligaduras del alma o el vínculo espiritual que existe. Sigues necesitando un cierre y una sanidad emocional.

Exfoliar: si sueñas que te exfolias la cara significa que quieres poner tu mejor cara o que deseas revelar un nuevo aspecto de tu carácter y naturaleza.

Exhibición: soñar con una muestra pública de afecto u objetos, o que has sido beneficiado con una beca universitaria indica que recibirás recompensas en muchas áreas diferentes de tu vida si puedes superar la vergüenza y volver a mover pequeños objetos.

Exhibicionista: vida sexual frustrante; negación de los propios deseos sexuales.

Exilio: el alejamiento forzado del país de origen o una ausencia autoimpuesta por un período de tiempo o un decreto de ausencia voluntaria. Cuida las palabras de tu boca y no hables con precipitación.

Éxito: ver que obtienes algo que habías planeado, intentado o deseado, predice grandes logros y celebraciones en la vida.

Exmarido: indica que estás recordando aspectos que despreciabas o amabas de él, puede que aún tengas deseos inconfesos. Hay una necesidad de romper las ligaduras del alma o el vínculo espiritual que existe. Aún necesitas un cierre y una sanidad emocional.

Exorcismo: indica una gran necesidad de librarse de la opresión demoníaca, la posesión a través de la liberación o la expulsión de los demonios, Lc. 4:35.

Exorcistas: personas calificadas para expulsar a los demonios en el nombre de Jesús, Hch. 19:31.

Expectación: estar física o espiritualmente embarazada, con un hijo; esperar la llegada de una promesa; aguardar ansiosamente un acontecimiento probable; una visita o aparición.

Expedición: emprender un viaje con un grupo específico de personas con un objetivo, un propósito y un límite de tiempo definidos; enviado a descubrir territorios o reinos inexplorados; pionero; peregrinaje. Un viaje emprendido con un propósito definido, tiene una pequeña ventana de tiempo en la que superar los obstáculos personales y relacionales para asegurar un resultado feliz.

Experto: ver a una persona o a uno mismo con un alto grado de habilidad o conocimiento de un tema específico, indica que serás recompensado por tus habilidades, trabajo y compromiso con en las relaciones.

Expiación de la sangre: ver la sangre expiatoria de Jesús representa la salvación a través de su sangre derramada en el Calvario. Lev. 17:11-14; Apo. 5:9.

Expiación: Es un símbolo de redención mediante la sangre que Jesucristo derramó en la Cruz del Calvario para aplacar la ira de Dios contra el pecado. Lev. 17:11-14; Apo. 5:9-10.

Explanada, arqueología: en arqueología, la explanada es la zona situada delante de ciertos tipos de tumbas de cámara en la que se realizaban prácticas rituales relacionadas con el entierro y la conmemoración de los muertos. Ver esta estructura puede indicar el fin de una relación, de un trabajo o la necesidad de expresar tu amor y afecto a quienes te han ayudado en el pasado. Todavía tienes la necesidad de enterrar los remordimientos y las malas decisiones para avanzar en la vida.

Explicación: resolver o aclarar mutuamente un malentendido, manifestar, interpretar, aclarar un asunto.

Explorar: ver que investigas, examinas o buscas sistemáticamente lo que le emociona o motiva, indica que tienes el deseo de descubrir nuevos aspectos sobre tu propio carácter, dones espirituales y talentos.

Explosión: ver explosiones en un sueño indica que tu subconsciente está tratando de lidiar con tu cólera o iras reprimidas antes de que exploten como un volcán de lava fundida sobre todo el mundo. Si tu cara se cubre de ceniza u hollín, se producirá una confrontación y una situación embarazosa con repercusiones perjudiciales. Verte explotar o evaporarte en el aire significa que alguien se está aprovechando de tu ingenuidad. No debes confiar en todas las personas que conozcas. La confianza se gana. Mantén los ojos y los oídos abiertos para que no te pillen por sorpresa.

Explosivos: intentos de hacer saltar por los aires algunos planes o ideas; expulsar por medio de palmadas; sonido fuerte y agudo; un arrebato repentino de emociones; el poder de Dios dado a los creyentes a través del Espíritu Santo; dunamis: milagroso, violento; poder maravilloso; puede aparecer como dinamita, C-4 o cualquier otro explosivo.

Éxtasis: expresiones extáticas en lenguas, un trance o rapto de exaltación mística o profética, alegría arrebatadora o gozo en las relaciones, lleva a un individuo más allá del pensamiento o el control; droga adictiva.

Exterior: distante, lo más lejano, delgado, ligero, un aspecto exterior o externo, un aspecto aparente o superficial, el espacio más allá de un límite; o estructura confinada, un límite máximo, un origen que actúa o que existe en un lugar más allá de un cierto límite restringido, situado en el exterior de un recinto.

Extinguidor: apagar el Espíritu con la duda y la incredulidad; apaciguar los fuegos salvajes de la carne y la falsa enseñanza, 2 Sam. 14:7.

Extinguir: puede sentir que alguien intenta extinguir tu influencia, poner fin a tu capacidad de influir en las opiniones, destruir, eclipsar u ocultar tu visibilidad, anular o apagar tu poder o autoridad.

Extractor de leche: ver o utilizar esta clase de extractores de leche materna en un sueño indica que usted es una persona muy cariñosa y compasiva que disfruta llevando consuelo y nutrición a muchas personas.

Extranjero: Desarrollará nuevas y valiosas relaciones. Alguien siente impulsos nuevos o extraños que le resultan poco familiares e incómodos, o muy distantes. Un comportamiento o una personalidad extraños, inusuales, que son incoherentes u opuestos a su carácter y naturaleza. Un miembro de otra familia, un forastero, un paria, un cadete del espacio, una criatura del espacio exterior, alienarse de los demás a través de cambios diversos o inusuales. Éste entró como un extranjero, Gén. 19:9, un forastero, Lev. 25:35, muestra su amor dando comida y ropa, Dt. 10:18-19, sin porción, alejado, un forastero, un cristiano, no de este mundo, Jn. 1:10. Forastero; no es parte de la familia; extranjero; llamado a evangelizar y a las misiones, recibir con cautela; no es ciudadano del cielo; vagabundo; maldito; ya no es parte del mundo; exhibe o ignora emociones, talentos y sentimientos atípicos; aspecto desconocido o extraño y maravilloso de uno mismo; persona fuera de la fe cristiana; vagabundo maldito; alguien a quien hay que enseñar, discipular, nutrir y cuidar para llevarlo a la salvación del pacto, Heb. 11:13; Ef. 2:12,19; Jn. 10:5; Pe. 2:11; Fil. 3:20; Sal. 119:19; Pr. 2:16; 5:10; 6:1.

Extraño: amigos que aún no conocemos; un mensajero; un aspecto o rasgo de personalidad desconocido, reprimido u oculto de uno mismo que ofrece sabiduría, consejo o asesoramiento, la parte de nosotros que no queremos conocer o abrazar. He 5:14; Éx. 10:10; 2 Cr. 2:17; Is. 14:1; aplicado a alguien que no es sacerdote o de una familia diferente. Cualquier persona de origen extranjero, Éx. 20:10; Is. 14:1; alguien que no era sacerdote, Nm. 3:10 o de una familia diferente, Mt. 17:25.

Extraviado: Vida interminable sin dirección, fuera de curso, desenfocado del rumbo, aburrido de la vida, perdido.

Eyaculación: una descarga abrupta de semen durante un orgasmo; un pronunciamiento pasional repentino, corto y breve; una exclamación; derrama de pensamientos, emociones e ideas; necesidad de liberación sexual; no poder contener más la presión sexual; pérdida emocional o física de control y poder; derrame, vertido.

Ezequiel: fuerza de Dios; tercero de los profetas mayores; contemporáneo de Jeremías.

F

Fábrica: procesos adecuados; organización; sistemática; laboriosa; duplicación.

Fabricación: éxito o prosperidad en la industria y los círculos comerciales; fabricar o procesar. Usted está ganando mucho dinero a través de la duplicación de su oficio elegido.

Fábula: soñar con una historia o leyenda ficticia que plantea una moraleja o advertencia utilizando animales como personajes que hablan y actúan como personas, indica que debes ser consciente de la forma en que la gente percibe tus acciones, y que las cosas que dices son increíbles. Jue. 9:8-15; 2 Re. 14:9; 1 Tm. 4; 4:7; 2 Tm. 4:4.

Facebook: soñar con tu página de Facebook indica que necesitas relacionarte con la gente de una manera más personal para ampliar tu círculo social. Deberías ponerte cara a cara en el libro de Dios, la Biblia, para obtener una revelación positiva y edificante que puedas compartir con las personas con las que te relacionas.

Fachaleta: revestimiento delantero, o capa exterior de piedra o en forma de ladrillo que se pone en una pared de ladrillo con el fin de reforzar potenciar una vivienda, un negocio o una iglesia. Soñar con una fachaleta es un indicador de que estás en proceso de hacerte un lavado de rostro para poder lucir como tal y aumentar tu prosperidad.

Facial: indica que necesitas un poco más de tiempo para concentrarte en tratarte bien. Deseas poner tu mejor cara eliminando la vieja piel y brillando con nueva salud y vitalidad. Te vuelves más transparente y te quitas todas las fachadas y máscaras del pasado. Quieres que te conozcan cara a cara en una relación íntima. Puedes considerar el proceso de preparación de la Reina Esther. «*Restáuranos, Señor Dios Todopoderoso; haz resplandecer tu rostro sobre nosotros, y sálvanos*», Sal. 80:19.

Facturas: pagar todas las facturas: indica una temporada de gran prosperidad, avance y éxito. Ver que las facturas se acumulan indica una temporada de carencia, pobreza; sentirse abrumado por grandes presiones financieras. Usted está pagando el costo de una mala decisión o una acción equivocada realizada en el pasado.

Faisán: pájaro de caza; el compañerismo con los amigos y la familia puede requerir sacrificios; buscador espiritual de la verdad.

Faja: indica algún tipo de dotación o unción espiritual. El color del fajín y la forma en que se usa te darán una idea adicional de su significado y función. Invitación formal a una ocasión espiritual o social; verdad revelada, elegancia y celebración.

Fajas de oro: Servicio sacerdotal, Éx. 28:40-41; Apo. 1:13; 15:6.

Falda de hula: vestido para las vacaciones y la relajación, hacer un viaje a Hawái y comunicarse con la naturaleza.

Falda escocesa: falda hasta las rodillas con profundos pliegues de lana de tartán que se lleva en las Tierras Altas de Escocia, indica un viaje a este hermoso país para caminar entre estas fuertes gentes y explorar su cultura. Es posible que descubras que tienes ascendencia con esa lugar.

Falda: si llevas una minifalda o una falda corta y ajustada, tus finanzas se están estirando al máximo; si la falda es larga y completa, prosperarás y te cubrirás por completo ganando una gran riqueza material.

Fallo de frenos: correr sin orar; falta de sabiduría; sin autocontrol; espíritu desbocado; Pr 25:28; ser vencido; muerte, Éx. 14:23.

Falsedad: una mentira nunca ayudó a nadie porque la verdad siempre prevalecerá. «*Si he andado con falsedad, y mi pie se ha apresurado tras el engaño, que me pese con balanza exacta, y que Dios conozca mi integridad*», Jb. 31:5-6.

Falsificación: el acto de falsificar una firma o producir material falso con el propósito de engañar o hacer fraude. Conoce a las personas con las que te relacionas, no todo el mundo es honesto o digno de confianza.

Falsificación: el mal te molestará a través de personas inútiles y falsas; sé consciente del fraude y el engaño.

Falso: algo falso, engañoso, no genuino o auténtico, artificial o una copia barata; una imitación. Puedes estar tratando de poner una fachada para ganar estatus con los demás. Véase a sí mismo como Dios lo ve; eres único y Él tiene un plan específico para tu vida, Jer. 29:11.

Falta de amor: si sientes que no eres amado o que careces de la capacidad de amar a los demás pídele a Dios que sane tu roto corazón. Necesitas abrir tu corazón y permitirte sentir de nuevo. Cierra la puerta del pasado y comienza de nuevo como si fuera el primer día del resto de tu vida.

Faltar al respeto: desprecio, falta de cortesía o consideración hacia una persona.

Fama: caminar con gran renombre y estima pública indica que tus palabras y acciones tienen gran peso, la gente te observa y sigue tu ejemplo, 1 Cr. 14:17.

Familia adoptiva: familia con uno o más hijastros, pariente, relación.

Familia, difuntos: seres queridos o parte de la Gran Nube de Testigos que vienen a visitar para entregar sabiduría; bendición o visión espiritual; si no se es salvo en vida puede representar maldiciones generacionales o los pecados de los antepasados que vienen a visitar, Éx. 20:5-6.

Familia: iglesia, trabajo o familia natural; asamblea, equipo o grupo de amigos que se relacionan entre sí; armonía; unidad; vínculo perpetuo; orden o desorden; compañerismo; nube de testigos. Ef. 3:14-15; Gén. 13:16. Aumento positivo de la vida; aquellos con los que se está llamado a armonizar relacionándose de forma personal y cercana, miembros de un hogar que viven bajo un mismo techo, unidad, unicidad, pacto; los valores, actitudes y respuestas emocionales o sociales que uno recibe de su familia; la aceptación o las tensiones, el apoyo o el dolor, que uno siente en las relaciones con la familia, los padres o el contacto con los hermanos.

Fan: persona seguidora o devota de una celebridad.

Fango: líbrame del fango no dejes que me hunda, Sal. 69:14; pisa a tu enemigo, Zc. 10:5; actúa como una cerda revolcada en el fango del pecado, 2 Pe. 2:22.

Fantasía: fantasía que utiliza la imaginación para crear una gran imagen o un acontecimiento o invención fantástica, creada por la mente, ser amoroso o formar un apego romántico, encapricharse con alguien o algo, gustar, ser fan de algo o alguien que está bien. Un tipo de cuento de hadas de imaginación creativa, presunción, drama, ficción indica que estás pensando por fuera del molde y que nuevas expresiones surgirán de tus esfuerzos.

Faraón: espíritu del mundo; orgullo y arrogancia; un pecador de dura cerviz y corazón duro; una persona con gran autoridad o poder de decisión, Éx. 8:19.

Farmacéutico: farmacéutico, que utiliza sustancias químicas para alterar la capacidad de las personas de sentir o sanar; influencias externas negativas o positivas; medicar, formula médica.

Farmacia: si uno sueña que está en una farmacia: significa un tiempo de sanidad; renovar los pensamientos y ajustar la actitud; buscar en el interior o en Dios la sabiduría para resolver los problemas en lugar de en otros; experimentar preocupaciones por la salud física, espiritual o emocional. Soñar que estás en una farmacia sugiere que necesitas un toque curativo de Dios para una necesidad emocional, física o espiritual. Es hora de tomar una dosis del Espíritu Santo.

Faro: deja que tu luz brille, no escondas tu luz bajo un cesto, guía, señal, luz del mundo, casa luminosa, aviso de peligro o de un enemigo que se acerca. La luz en las tinieblas da esperanza y advierte de los peligros u obstáculos imprevistos que pueden hacer naufragar a un individuo, Jb. 17:15; la vida de la corporación o de la iglesia si no se evita.

Farolas delanteras: mira de nuevo para ver más allá de los obstáculos naturales de la vida, disfruta del viaje y resiste la tendencia a esforzarte y estresarte por lo desconocido. Deja de extrañar el pasado, concéntrate en el ahora y en las posibilidades positivas que ofrece el futuro. Dedica un tiempo a meditar en la Palabra para adquirir sabiduría y no quedar atrapado como un ciervo en los faros de la vida. Evalúa las opiniones y abraza la verdad.

Fásmido (insecto): no es un problema como una plaga; es pacífico; se posee la capacidad de regenerar parcialmente los miembros que le faltan; tasa de crecimiento asombrosa; las hembras reproducen a las hembras si no hay un macho disponible; se siente común, humilde, ordinario y a menudo se pasa por alto; es estrictamente vegetariano; la ramita representa una autoridad limitada para curar.

Fatiga: has sido entrenado, equipado y ungido para hacer la guerra espiritual, has sido escondido en Cristo para que el enemigo no pueda verte. Por otro lado, puede representar que estás cansado, fatigado o agotado por el trabajo físico o mental, tu cuerpo puede estar débil. Busca a Cristo como tu torre fuerte y tu escondite.

Fauces de la muerte: te librarás de un choque o de un accidente, Jb. 29:17; Ez. 29:4; Is. 30:28.

Favor: consideración amable hacia los demás, parcialidad superior, ser tenido en alto respeto y consideración, encontrar el favor del Señor significa que uno se elevará a la cima en cada situación. Ver a una persona favorita: indica gran alegría o que pronto se encontrará con esa persona en tiempo real.

FBI: Soñar que el FBI te persigue indica que sientes que has cometido un delito federal y que tu culpa te está rebasando. Por el contrario, puedes estar en la lista de los diez más buscados y los pretendientes pueden estar persiguiéndole hasta el punto de que te sientas abrumado. Si al contrario, tú eres el agente del FBI, significa que tu intelecto, aguda habilidad y disciplina te permitirán resolver los problemas a los que te enfrentas en la vida con un poco de investigación.

Fe: Dios recompensa una vida de fe que confía en Él. La fe permite que las imágenes comiencen a formarse en objetos tangibles de la realidad. Cuando estamos escondidos en el Señor se nos enseña a percibir su presencia por la fe, tocada en nuestro espíritu y no en nuestras emociones. Aquí aprendemos a estar tranquilos, a desarrollar la paz y la paciencia mientras buscamos a Dios de todo corazón caminando por fe para desarrollar nuestra confianza en Dios. Renovamos nuestras mentes en sabiduría y entendimiento, esperando en la Palabra del Señor. Cuando somos fieles en las cosas pequeñas, como registrar e interpretar nuestros sueños, Dios nos confía las escalas más grandes del conocimiento de la revelación. Rom. 10:17; 11:20; 12:3,6; 1 Cor. 13:13.

Febrero: Febrero/Marzo Alfabeto de Adar: Kuf; quitar la máscara para entrar en la alegría. Tribu: Neftalí «La dulzura es para mí». Constelación: Piscis el pez. Color: Púrpura. Piedra: Amatista. Adar es un mes para ser fiel a tu identidad espiritual y física. Un suministro abundante eliminará toda preocupación y ansiedad. Tu negocio aumentará. Desarrolla una nueva estrategia para avanzar y tomar posesión de tu destino. No temas a los gigantes que tratan de alejarte de tu tierra prometida. Guárdate de la idolatría. Rompe todos los decretos negativos, las falsas opiniones y las maldiciones de palabras que se han lanzado contra ti. Permite que tu fe aumente eliminando toda la desesperación y la depresión. Febrero es el mes para encontrar un nuevo amor o para que los enamorados celebren su amor en el día de San Valentín.

Fechas: prosperidad; felicidad; alegría y diversión; cortejo; el tiempo es significativo; llamado a prestar mucha atención a las «fechas» y/o a la duración de algo; compromiso de salir socialmente; rendimiento.

Felicitar: expresar tu felicidad a un personal por su logro o buena fortuna indica que también serás celebrado por un cercano avance financiero. Es el momento de pedir la ayuda necesaria para formar un equipo exitoso.

Feliz: soñar que se es feliz indica que se está en una situación triste o difícil, aguantando y esperando días más felices. Es feliz por haber realizado sus objetivos y ambiciones.

Felpudo: ver un felpudo en la puerta de entrada indica que pronto tendrás que recibir visitas y agasajar a familiares y amigos en tu casa. También te recuerda que no debes ser un felpudo, sino establecer buenos límites y exponer tu opinión y sus deseos.

Femenino: el Espíritu Santo, la iglesia, la parte más sentimental, intuitiva e irracional de uno mismo; si se reconoce, la mujer simboliza tu opinión y sentimientos sobre ella, o lo que te ha hecho sentir.

Feminidad: actuar de una manera suave, dulce o femeninamente en un sueño indica que estás utilizando mucha gracia en tu enfoque suave de las situaciones de la vida.

Fémur: hueso del muslo situado entre la pelvis y la rodilla; el hueso más grande del cuerpo; representa la capacidad de caminar; o la estructura de apoyo está en su lugar para permitir que uno progrese por la vida con su fe puesta en Dios.

Fénix: ave mítica Fenghuang, el fénix asiático, Fénix hijo de Amyntor un héroe de la guerra de Troya en la mitología griega, Fénix hijo de Agenor una figura mitológica griega, Fénix, Arizona, en los Estados Unidos.

Feo: actuar de forma fea indica una pobre autoestima, te falta una buena imagen de ti mismo; uno debe mostrarse amable para tener amigos. La belleza está en los ojos del que mira.

Féretro: significa enterrar o poner fin a una situación o relación; conclusión de una temporada o capítulo de la vida; el comienzo de una nueva era o perspectiva; muerte. Gén. 50:26; 2 Cro. 16:14.

Féretro: ver un féretro en un sueño indica una pérdida significativa, seguida de una temporada de dolor. Se trata de acabar de una vez por todas con una mala costumbre. El fin de una amistad o de algún tipo de relación.

Feria: exhibición pública; desprenderse de las restricciones morales o sociales; diversión familiar; creatividad.

Ferretería: los ajustes espirituales traerán mejoras en las actitudes emocionales; es el momento de reconstruir o eliminar los malos hábitos.

Ferrocarril, caminando al lado: alegría y satisfacción al completar el propio viaje.

Ferrocarril, lazos que caminan: éxito; con duro trabajo lograrás tus objetivos; motor: energía o factores motivadores de la vida.

Ferrocarril, tren: indica la formación o los diferentes viajes de las personas con las que estamos conectados en la vida.

Ferrocarril, vagón: representa los diferentes departamentos o aspectos de la vida.

Ferrocarril: indica que tienes un plan o vía específica o definida sobre la que ejecutar tus objetivos para avanzar logrando tus metas o ambiciones vitales. Las disciplinas lentas y constantes harán que ganes la carrera, así que sigue avanzando. No te quedes atascado en tu forma de pensar lineal, sino que sigue los nuevos desarrollos y cambios que se produzcan en tu camino.

Ferrocarriles, raíles para caminar: los amigos influyentes le ayudarán; estación: avanzar hacia algo nuevo, dejar atrás la antigua relación, el trabajo, la situación. Si está caminando o cruzando vías, está explorando nuevas opciones, pensando fuera de la caja o yendo en contra de las tradiciones. Tu éxito está asegurado si te ves caminando «desde el lado equivocado de las vías».

Ferrocarriles: uno ha establecido o determinado sus objetivos en la vida, un enfoque disciplinado, lento y constante asegurará el éxito y la seguridad; los pensamientos inflexibles o lineales resultarán limitantes; desviarse del camino para explorar otras vías; embarcarse en un viaje, entrenamiento, impulsar las cosas rápidamente sin discusión, condenar sin juicio, tener cuidado con los ladrones y los asaltantes en los negocios que intentan hacer un ferrocarril o descarrilar sus beneficios, camino recto y estrecho con opciones limitadas.

Ferry: cruzar o ser llevado a un nuevo nivel de éxito o cambio; montar en un ferry: pasar por algunas fases de transición; poner la vista en una nueva meta; esperar un ferry: las circunstancias imprevistas podrían obstaculizar el progreso, 2 Sam. 19:18.

Fértil: deseos de dar a luz, reproducirse, apoyar y sostener a los hijos espirituales o naturales. Tierra fértil para la siembra de semillas que crecerán en los campos de los cultivos.

Festín, blanquete: honrar a un invitado; compañerismo; celebración con amigos y personas cercanas; ocupar el lugar designado; abundancia o excedente; deleitarse con los placeres; risa, Ec. 10:19; Os. 2:11; regreso de un pródigo; Fiestas de: Dedicación, Pascua, Panes sin levadura, Cosecha, Primicias, Semanas, Recogida, Tabernáculos.

Festival: diversión con amigos, una celebración amena con la familia; tratar de perderse en una multitud o mezclarse para no ser notado.

Fetiches: atribuir poderes mágicos a algún objeto ajeno para traer protección; excesiva atención o reverencia a una parte del cuerpo, a menudo no sexual, pero que despierta o satisface deseos sexuales; indica falta de madurez o capacidades; miedo, supersticiones.

Feto: representa las obras creativas de Dios en forma de ideas que se están desarrollando en tu interior. Un bebé se llama feto al final de la octava semana después de la concepción. El deseo de una mujer de tener un hijo; la necesidad o el deseo de un nuevo comienzo.

Fianza: parte de una deuda pagada de antemano, bajo contrato, una prenda o garantía del todo, una promesa; 2 Cor. 1:22; 5:5; Ef. 1:4. Si necesitas que te paguen una fianza es que estás en algún tipo de problema y necesitas que un amigo te eche una mano para rescatarte del peligro o de la dificultad. No puedes hacerlo por ti mismo. Es el momento de pedir ayuda. Quieres escapar, «pagar la fianza» o dejar una relación actual.

Fiasco: ver un fiasco en un sueño advierte de un fracaso bochornoso en algún ámbito de tu vida.

Fideos: nada en qué apoyarse; fundamento pobre; indecisión; excesos; es hora de usar la cabeza para tomar buenas decisiones, considera el término, «usa tus sesos».

Fiebre amarilla: ver a alguien con fiebre amarilla (yellow fever) indica una enfermedad tropical infecciosa aguda causada por un mosquito; se caracteriza por fiebre alta, ictericia y vómitos de color oscuro resultantes de hemorragias.

Fiebre: enfermedad, dolencia o virus, infección en el cuerpo, Jesús reprendió la fiebre y la señora se curó al instante, Jb. 30:30.

Fiel: verse uno siendo firme y devotamente autodeterminado, leal o digno de confianza, que cree que es fiable y firme a una causa, significa que cualquier cosa que emprendas prosperará.

Fiesta del amor: celebrada en relación con la fiesta del Señor, 2 Pe. 2:13; Jd. 12; 1 Cor. 11:20-22.

Fiesta nupcial: la novia de Cristo, su lealtad continua y su amistad fiel le han hecho ganar un lugar en la fiesta nupcial de un querido amigo. Continúa celebrando y atendiendo la nueva felicidad encontrada de los demás en lugar de centrarte en ser «siempre la dama de honor y nunca la novia». Dios conoce tu deseo de casarte y de encontrar un compañero de vida que te aprecie, ame y entre en una relación de pacto; las cosas buenas llegan a los que saben esperar.

Fiesta: grupo de personas que se reúnen para participar en un objetivo o actividad común, en un proceso judicial, en un grupo político que apoya a un director o a un candidato común; divertirse, celebración, Lc. 15:24; Gál. 5:21.

Figura de autoridad: Cuestiones de corazón en relación con la forma en que se responde a los que tienen autoridad, la rebelión, el desmarque o la sumisión y el apoyo o cómo se ejercería la autoridad si se diera; describe cómo es tu relación con la autoridad de tu padre; dinámica subyacente de la relación paterna; muestra la forma en que uno cumple su papel de autoridad.

Filete: la carne de la Palabra, la madurez espiritual, confiar más en tus instintos, un juego de palabras para «estaca», una reclamación de algo, Heb. 5:12.

Filo: juego de palabras: «afilado»; en el «filo de la navaja»; reubica el crecimiento no deseado afinando los límites.

Filosofía: soñar con diferentes filosofías indica que estás en un proceso de búsqueda de la verdad real sobre la vida. Jesús es el Espíritu de la Verdad y toda la verdad está en él y gira en torno a él. Es hora de reevaluar tu sistema de creencias y construir tu vida sobre una base bíblica de amor, honestidad y respeto. La verdad y la realidad que buscas se encuentran en Jesucristo.

Filtrar: vociferar un secreto, revelar información o permitir que algo se escape a través de una brecha o falla, ocasionará la ruptura de la confianza trayendo deshonra y humillación pública. **«A veces no podemos responder a historias basadas en filtraciones»** Ronald Reagan.

Fin de los tiempos: soñar con el fin de los tiempos es un sueño profético (léase Daniel y Apocalipsis) que revela lo que ocurrirá cuando el Anticristo gobierne la tierra. También puede representar que se te está acabando el tiempo por lo que debes tomar las mejores decisiones con el tiempo que te queda.

Fin de semana: el fin de semana representa un momento en el que uno se relaja y disfruta de los amigos, el entretenimiento y la familia. Es un momento para ponerse al día con las tareas de la casa y divertirse con sus aficiones personales. El sábado es un momento para rendir culto. Soñar con el fin de semana puede indicar que no se está tomando tiempo para refrescarse y recargar su batería personal. Es el momento de bajar el ritmo y relajarse.

Fin: conclusión, finalidad, meta o destino que se cumple, cambio de dirección y liberación para descubrir algo nuevo, muerte.

Financista: experto en asuntos financieros de gran envergadura, capacidad de asesoramiento y gran favor.

Fineas: significa sacerdocio eterno; rostro misericordioso de compasión; Neh. 9:31; Nm. 25:11; Heb. 7.

Fingir la muerte: fingir tu propia muerte indica que estás buscando desesperadamente un nuevo comienzo o cambios importantes en tu vida. Quieres escapar de las presiones de la vida; del exceso de compromisos y responsabilidades. Si alguien cercano a ti finge su propia muerte, indica que descubrirás una nueva verdad sobre él o ella cuando revele quién es realmente detrás de todas las pretensiones ocultas. Es posible que tengas pensamientos suicidas, que te centres en la enfermedad terminal de un ser querido o en algún otro patrón de pensamiento perjudicial o destructivo de depresión o comportamiento personal en tu vida cotidiana. Tienes un fuerte deseo de dejar atrás el pasado.

Finlandia: República del norte de Europa que se independizó de Rusia en 1917. Tiene numerosos lagos, ríos y extensos bosques. Potencial para líderes ungidos y tranquilos que buscan el mover de Dios.

Firma: compromiso de propiedad; asumir la responsabilidad de lo que se ha dado. Una celebridad que firma su nombre en una foto o un autor que firma su libro para un fan.

Firmamento: las extensiones celestiales, el arco visible del cielo; mirar hacia el cielo para la revelación; un soporte; «hacer de un cuerpo firme o un marco sólido», Gén. 1:6- 7; Ez. 1:22-23. Ver la luna iluminando el cielo claro de la noche indica que vas a prosperar económicamente. Caminar a la luz de la luna con un amigo indica que encontrarás el amor verdadero.

Firmar, papel: firmar un papel indica propiedad o autoridad.

Fiscal del Distrito: ver que tienes interacciones con el fiscal o la fiscalía de un distrito judicial designado sugieren que te has sentido presionado, juzgado o perseguido. Busca un consejo sabio para obtener el conocimiento necesario para superar y cambiar su situación o actitud negativa actual. Jb. 16:19; «*...si alguno hubiere pecado, abogado tenemos para con el Padre, a Jesucristo el justo»*, 1 Jn. 2:1.

Fiscal: ver o ser un fiscal, el principal representante de la fiscalía que presenta el caso en un juicio penal contra un individuo acusado de infringir la ley en un sueño puede representar al diablo o al acusador de los hermanos. Es posible que tengas rencor, falta de perdón o una deuda contra alguien a quien debas perdonar. No permitas que crezca una raíz de amargura en tu vida o te destruirás y contaminarás a los que están alrededor tuyo. También puede representar que has hecho algo malo y tienes miedo de ser juzgado o encontrado culpable de una ofensa contra otros. Es posible que necesite perdonarte a ti mismo.

Fisiculturista: tu cuerpo es el templo del Espíritu Santo, cuanto más Dios lo posea más fuerte y más en forma estará tu cuerpo. Soñar con ser un fisiculturista indica que te estás construyendo en tu santísima fe. Estás potenciando y ejerciendo los dones y frutos del Espíritu. Eres lo que comes, así que come la Palabra de Dios diariamente.

Flaco: estar flaco en un sueño le indica que debe comer mejor para nutrir el cuerpo, o que debe aumentar su tiempo de oración y de lectura de la Biblia.

Flamingo: significa estar vadeando inocentemente en las aguas poco profundas; como un niño en la comprensión de las cosas profundas; tomando el sol; flexible y cálido; un sentido de la familia, la comunidad y la cooperación; nuevas experiencias o situaciones; demasiado preocupado por la apariencia física.

Flauta: usada en la adoración de la imagen de oro de Nabucodonosor; surco corto en la tela; plisado; volante; acto de incisión; reunión agradable con amigos lejanos; compromiso provechoso; manera agradable; el aliento del Espíritu Santo.

Flecha: Hijos, Sal. 127: 3-4; flechas de dolor, pena y dolor envenenado que atraviesan; juicio rápido y silencioso, Jb. 6:2-4; mentiras devastadoras Je 9:8; capacidad de dar en el blanco o en la diana; palabras punzantes y amargas de rebeldía, ira o acusación, crítica, calamidad, enfermedad, juicio, ataque del enemigo, afiladas por Dios para dar en el blanco Sal. 64:2-4. Un arma ofensiva; calamidad; enfermedad; juicio; ataque del reino demoníaco o de las tinieblas, espíritu religioso; 2 Re. 13:17 y Ez. 5:16 la Palabra del Señor para la liberación o para el juicio y la aflicción.

Flecos: ver flecos en tu sueño sugiere que estás al límite de tus posibilidades, sintiéndote agotado o frágil. Cultura nativa americana: los flecos en la ropa simbolizan la lluvia que cae, que también es una metáfora del llanto y las lágrimas. El sueño también puede ser una metáfora de alguien que está explorando al borde de algo nuevo. Los flecos indican la belleza sencilla que se encuentra en los demás.

Flequillo: El flequillo puede ser recto, desordenado o con volantes, en forma de espiga, barrido hacia un lado o cortado sobre los ojos. El flequillo es un corte en forma de la parte delantera del cabello que se coloca sobre la frente para disimular las líneas de expresión o las arrugas y dar un aspecto más joven.

Flexiones: la fuerza y la determinación te ayudarán a desempeñar un papel más activo en la realización de la tarea; hazte valer para conseguir el objetivo deseado.

Flor de la pasión: ver esta flor indica una vida de pasión; fe y piedad.

Flor de melocotón: generosidad y esperanza nupcial; paz; si brota: compañerismo y bienestar; agradable al Señor; el gozo del Señor es nuestra fortaleza; juego de palabras: «un melocotón»; persona o cosa particularmente fina, admirable o agradable; Georgia; Carolina del Sur; Delaware.

Flor de pascua: estar de buen humor; Navidad.

Flor de saúco: la humildad y la bondad conducirán a muchos nuevos amigos, sabiduría, honor, aumento del favor y promoción.

Flor, gracia: favor; la dulce fragancia del Señor; «Rosa de Sarón», delicada belleza que se despliega. Belleza tierna y fragante, la capacidad de amar, la calidad de tus dones florece revelando un nuevo aspecto de ti mismo, salud, prosperidad y bienestar, relájate y medita en la belleza del Señor. Cnt. 2:12. Belleza y gloria del hombre que se desvanece, Is. 40:1-3; Snt. 1:10-11; 1 Pe. 1:24.

Floral: una flor, a veces conocida como florecimiento o floración, es la estructura reproductiva que se encuentra en las plantas florecientes. Las flores dan lugar a frutos y semillas. Muchas flores han evolucionado para ser atractivas para los animales, por lo que son agentes portadores para la transferencia de polen. Las flores han sido admiradas y utilizadas durante mucho tiempo por los seres humanos para embellecer su entorno, y también como objeto de romance, ritual, religioso, medicinal y como fuente de alimento.

Florecer: florecer en un estado de tiempo, dando frutos edificantes o espirituales. Gén. 40:10; favor, Nm. 17:5-8.

Flores, artificiales: presagia desgracias; alguien que es falso o de plástico. Son diferentes a como aparentar ser en público; las acciones que representan no son reales ni sinceras.

Flores, mujer: si una mujer sueña que recibe flores, tendrá muchos pretendientes. Si está recogiendo flores: se casará pronto.

Flores: personas que florecen, Sal 103:15; belleza; reproducción; florecimiento; fertilidad: órganos masculinos y femeninos; reino celestial; bendiciones; favor; amor; expansión; crecimiento; aumento; placer; que se marchitan, Is. 28:4; que se secan, Sal. 102:4, 11; 1 Pe .1:24; o que mueren: duda; decepciones; situación negativa; terror, Snt. 1:11; carencia; espíritu seco que necesita agua y refresco. Para una descripción completa de las plantas, los árboles y las flores, adquiera las Tarjetas de Símbolos de Sueños del Volumen II, encuadernadas en espiral. *www. decodeMydream.com*

Florida: «In God We Trust»; Descubra su propio patio trasero: Florida; Estado del Sol; capital mundial de la fresa; el Cenzontle es el pájaro del estado; Estado de los imponente pantanos Everglades; Estado de la Naranja; Flor de Naranja; Naranja; Piedra de la Luna; Ágata coralina.

Florista: aquel cuyo negocio es el cultivo y la venta de flores y plantas ornamentales. Para los casados o en una elación indica un intento de suavizar un desacuerdo, una discusión o una ocasión especial olvidada. Para una persona soltera representa un intento romántico de atraerle a una relación o de conseguir una oportunidad para salir.

Flota: que se posee o se maneja como una unidad; un número de barcos de guerra que operan bajo un solo mando indican protección de un gran grupo de personas y tranquilidad; una flota de taxis o vehículos: indican que puedes contratar a alguien para que te lleve a tu destino con gran facilidad. Ver una flota de barcos de pesca: prosperidad, tienes el cebo, las herramientas y las habilidades para hacer una buena pesca.

Flotando en el agua: significa que estás tranquilamente contento, en paz y descanso con tus emociones, Is. 60:8.

Flotar en el aire: indica que tienes la capacidad de elevarte por encima de las limitaciones terrenales para encontrar la sabiduría divina y una perspectiva sobrenatural para resolver los problemas y superar los obstáculos; estás satisfecho con tus posiciones y la libertad para disfrutar de la vida; si estás flotando, pero inmóvil: sugiere que dudas de tus capacidades para avanzar y estás paralizado por el temor. Por otra parte, flotar en la vida, ser movido por todas las olas, ser zarandeado de un lado a otro, indica que simplemente sigues la corriente, sin dirección, propósito o plan. Es el momento de establecer objetivos, de adquirir un discipulado y de avanzar con una clara determinación.

Flotar en el hielo: obstáculos que hay que superar; dificultades que hay que evitar; peligros ocultos.

Flotar: ser elevado en el Espíritu para ver las cosas desde la perspectiva de Dios; estás demasiado cerca de tus amigos y familiares, siempre tienes tu nariz metida en sus asuntos o cuestionas sus decisiones. Es hora de retroceder y darles un poco de espacio para que crezcan. *Alternativamente:* una estación de paz y descanso, dejándose llevar o siguiendo la corriente. Necesitas fijarte unos objetivos claros, elevarte por encima de las circunstancias para tener una perspectiva clara, libertad y desenvoltura, contento con un resultado, has aceptado una situación. Flotar en el agua o en una balsa o barco indica una situación emocional que depende de la acción del agua. Necesitas hacer olas y actuar positivamente, dejar de dudar de ti mismo.

Foco reflector: es el momento de centrarse en encontrar el camino hacia el destino deseado; estás buscando el verdadero amor en todos los lugares equivocados; no obstante, cuando busques a Dios con todo tu corazón, Él será encontrado por ti; ver los rayos de luz cruzando el cielo por la noche indica un momento de competencia en el ámbito empresarial.

Fogón: prueba; en el «fragor de la batalla»; fuego que se enciende para alcanzar la perfección.

Follaje: planta que se cultiva principalmente por sus hojas. Se le ha otorgado un don curativo. «*En medio de la calle de la ciudad, y a uno y otro lado del río, estaba el árbol de la vida, que produce doce frutos, dando cada mes su fruto; y las hojas del árbol eran para la sanidad de las naciones*», Apo. 22:2.

Fondo: estar en el fondo de la pila o en una posición inferior indica que tiene un largo camino que recorrer para alcanzar sus objetivos en la vida; llegar al fondo en un sueño sugiere que el soñador descendió a un lugar donde perdió su riqueza, sus posesiones, su autoestima, su estatus social y su refugio; y no tiene nada que perder debido a sus propios comportamientos autodestructivos, como la ira incontrolable, la rabia, el alcohol o el abuso de drogas. Si se ha llegado al fondo del barril, la única opción disponible que le queda es ir hacia arriba. El velo del templo se rasgó de arriba a abajo cuando Jesús murió en la cruz para nuestra salvación, lo que representa nuestro libre acceso a la presencia de Dios. Mc. 15:38; Dn. 6:24; Mt. 27:51.

Fonomímica: repetir como un loro las palabras de otros, permitir que otros hablen por ti o hablar por otra persona, formar tus propias opiniones, tienes valor, hablar por ti mismo.

Fontanería: obra fundacional de limpieza; libera el flujo del Espíritu Santo; pasión ardiente de amor que bombea; si es tibia: será vomitada; si es fría, has perdido tu primer amor, Lc. 3:5; Is. 40:4.

Forma: ver una forma o figura, el aspecto visual, la constitución o la configuración de un objeto en su

sueño indica que se avecina una nueva sorpresa. Si estás formando algo de la nada o reformando un objeto, espera que tus energías creativas den sus frutos. Seguir una forma o tradición religiosa anulará el poder de Dios en tu vida y sobrevendrá la pobreza. La forma es la manera en que se hace o sucede algo; es la respuesta a la pregunta de «¿cómo?».

Formal: soñar que se viste de etiqueta indica un evento social ostentoso en el que las reglas de etiquetas y la ropa cara son la norma.

Formas: la forma de las cosas por venir; observa la forma específica; un círculo representa la alianza; un cuadrado puede representar las cuatro esquinas o pontos cardinales. Puede que sea el momento de dar forma y volar hacia la derecha.

Fórmula: ver una forma establecida de palabras o símbolos para usar en un sueño indica que podrás resolver un misterio y prosperar a gran escala. Revelación el conocimiento y las percepciones espirituales te llegan a través de la sabiduría de la noche. Si se ve como un encantamiento, representa una brujería que hay que romper.

Fornicación: relaciones sexuales entre un hombre y una mujer no casados; lascivia; Ef. 5:3, impureza; pasión; malos deseos; Cl 3:5, codicia; idolatría espiritual; ira; Apo. 17-19, abominaciones e inmundicias; embriaguez; ramera; «reyes de la tierra». Apo. 2:21; 14:9; 1 Cor. 6:9.

Forro: coser o ver un forro ornamental en el borde especialmente de una prenda de vestir o una capa protectora de material que se coloca en la superficie o la parte delantera de algo para mejorar su apariencia, indica que las prendas ungidas que usas fueron confeccionadas específicamente para ti. Están hechas a tu medida.

Forsythia: arbusto asiático que se cultiva por sus flores amarillas de floración temprana que representan un hogar feliz y un ambiente cálido y nutritivo, el amor está en el aire.

Fortaleza: fuerza de la mente, del carácter y de la integridad que permite soportar el dolor o la adversidad de manera valiente, serás puesto a prueba, ora por sabiduría.

Fortalezas: el Señor, Pr. 18:10, gran fortaleza militar permanente; lugar o edificio fortificado; un argumento, para resistir el cambio o la confrontación.

Fortuna: una fuerza de poder hipotética, a menudo personificada, que es controlada favorable o desfavorablemente por los acontecimientos de la vida de uno. «La fortuna no está de nuestro lado». «*Pero a ustedes que abandonan al SEÑOR y se olvidan de mi monte santo, que para los dioses de la Fortuna y del Destino preparan mesas y sirven vino mezclado, los destinaré a la espada; ¡todos ustedes se inclinarán para el degüello!*

Porque llamé y no me respondieron, hablé y no me escucharon. Más bien, hicieron lo malo ante mis ojos y optaron por lo que no me agrada», Is. 65:11-12. Ganar mucho dinero, poseer bienes muebles e inmuebles, una gran herencia.

Fósforo o cerilla: encontrar a tu contraparte que enciende un fuego apasionado en tu corazón augura una gran felicidad y alegría. Hacer coincidir los calcetines, los guantes o los pendientes indica que seguirás prosperando y multiplicándote. Encender una cerilla indica que tienes energía para quemarte las pestañas con tal de hacer expandir tu negocio.

Fósiles: los fósiles en un sueño pueden indicar tu deseo de profundizar en tu herencia espiritual. Es un juego de palabras para referirse a un fósil viejo o a alguien que está atascado en viejas ideas o cuya unción ha sido dejada de lado o adormecida debido a la falta de creencia o a la falsa religión. Un fósil representa un remanente o rastro de algo del pasado que está caduco o anticuado. Una persona rígida que tiene teorías anticuadas o una palabra obsoleta.

Foso de los leones: prueba severa o pública para tu vida; uno debe confiar en Dios en su vida, Nah. 2:11.

Foso: se necesita sabiduría para saltar las trampas enemigas o los lazos que se tienden; no comprometer la ética o los principios; no correr riesgos innecesarios; peligro oculto; escollo; caer en: problemas, calamidades, tristeza y depresión; desviarse del camino, caer, pecar o estar atrapado, infierno, esclavitud o una prisión, depresión y desesperanza, Gén. 37:24; Is. 14:15; 24:22; 38:17-18; Apo. 9:1-2; 20:1-3; Jer. 18:20.

Foso: ser consciente de lo que te rodea. Un foso puede reflejar aguas estancadas o contaminación; enseñanzas injustas. Invoca la Sangre de Jesús sobre tu situación para que te proteja; lávate y llénate de la Palabra.

Foto: la instantánea capta la imagen de uno, o lo que uno da a conocer a los demás; comunica, la historia, la memoria.

Fotocopiadora: alguien está copiando el original; duplicación o repetición, Jb. 33:29.

Fotografías: recuerdos, recordar o añorar el pasado, estudiar la historia. Alguna historia pasada necesita tu atención; mira más allá de la superficie para ver los problemas subyacentes que pueden estar tratando de surgir en una relación; puede haber una persona falsa que alguien está poniendo en evidencia; ¿Quién o qué período de tiempo está siendo retratado en la imagen? Alterar o retocar una foto significa que se intenta disimular u ocultar algo para que no salga a la luz. Destruir una foto o una imagen significa que estás dispuesto a dejar atrás una relación do-

lorosa del pasado, a recuperarla y a seguir adelante con la vida en el ahora, sin vivir en el pasado.

Fotógrafo: captura de ocasiones especiales para crear recuerdos duraderos, 1Tm. 3:6.

Fracaso: soñar con un fracaso indica que no crees tener las capacidades necesarias para alcanzar el fin deseado. Tus temores respecto a que eres insuficiente e inadecuado te están gobernando y generándote una baja autoestima. Tu falta de rendimiento y la omisión de todos tus esfuerzos y habilidades te han impedido alcanzar tu máximo potencial. No dejes que la presión del éxito te abrume. Si tu negocio o profesión parece un fracaso, toma medidas y sé más agresivo, considera la posibilidad de conseguir un nuevo administrador. El temor a no dar la talla y la baja autoestima o confianza en ti mismo te están impidiendo desarrollar todo tu potencial; soñar con el fracaso de una empresa indica una mala gestión o falta de integridad de los empleados; es necesario superar el miedo porque lo que temes te caerá encima.

Fracción: dividido en una pequeña parte, trozo, fragmento o pieza desconectada, un cociente indicado de dos cantidades, alguien sólo revela una pequeña parte del rompecabezas, pero retiene las partes principales de la información que se necesita para tomar una buena decisión.

Fracturación hidráulica: la inyección de agua o fracturar con agua se refiere al método de la industria petrolera por el que se inyecta agua en el yacimiento, normalmente para aumentar la presión y estimular así la producción. Los pozos de inyección de agua pueden encontrarse tanto en tierra como en el mar, para aumentar la recuperación de petróleo de un yacimiento existente. El agua se inyecta (1) para mantener la presión del yacimiento (también conocida como sustitución del vacío), y (2) para barrer o desplazar el petróleo del yacimiento y empujarlo hacia un pozo. Normalmente sólo se puede extraer el 30% del petróleo de un reservorio, pero la inundación con agua aumenta ese porcentaje (conocido como factor de recuperación) y mantiene la tasa de producción de un yacimiento durante un período más largo. Al inyectar o inundar su vida con el poder de la Palabra de Dios (agua) usted podrá tener una reserva más profunda de Su unción, poder y favor de la cual sacar. Su Palabra liberará la unción (aceite) para que fluya en tu vida.

Fragancia: el olor agradable representa el éxito y los grandes beneficios o la presencia del Señor.

Frágil: ver algo que es frágil en un sueño indica que hay algunos asuntos sociales delicados en los que la gente puede volverse muy vulnerable si no se manejan sus sentimientos con mucha cautela, habilidad y cuidado.

Francés: el idioma francés se conoce como el idioma del amor. También se les considera una cultura romántica y sensual. Oír hablar el idioma francés en un sueño, si es extraño para usted, puede indicar que no tiene una buena comprensión de cómo comunicar sus deseos y necesidades en una relación romántica. Es hora de aprender a expresar su amor de otra manera.

Francia: la tierra del romanticismo, el beso francés, las patatas fritas, una tierra extranjera.

Francmasón: ver una organización fraternal internacional con ritos secretos ocultos y signos oscuros que los atan a un juramento impío en tu sueño indica que estás tratando con maldiciones familiares si tus familiares se han unido a este grupo de culto. Busca la oración para liberarte de las ataduras demoníacas y romper la maldición de la pobreza, la enfermedad y cualquier malestar. Los miembros suelen morir de forma repentina, prematura o trágica. Verse a sí mismo en una reunión de la logia masónica o en una ceremonia de inducción: indica que tiene algún tipo de apego generacional a las maldiciones liberadas al tomar los juramentos de lealtad a este grupo ocultista que necesitan ser rotos. Una vez que te liberes de los efectos negativos de estas maldiciones, tu salud, tu éxito y tus finanzas mejorarán.

Franela: ver o llevar franela en un sueño significa que te encuentras en un entorno cálido, acogedor y confortable en tu vida, que es propicio para la relajación y el acercamiento a los amigos y miembros de la familia.

Franqueo: sello, pago del precio de la comunicación abierta, capacidad de enviar o recibir un mensaje o un regalo.

Frascos de oro: ver recipientes de oro, cuencos y vasijas, en un templo representa un alto llamado al ministerio y al servicio piadoso, 1 Re. 7:50; Apo. 5:8

Fraternidad: significa «hermano» ver o unirse a una organización como «Fraternity» que atiende principalmente estudiantes universitarios, indica que estás buscando a otros hombres que te ayuden con la administración de tu vida.

Fraude: engaño deliberado que se practica para obtener una ganancia injusta o ilícita a través de artimañas y trampas, alguien que finge ser lo que no es para obtener apoyo financiero, un impostor. Si usted es la víctima en el sueño, es una advertencia de traición. Está rodeado de engañadores.

Freerunning: el parkour es una disciplina de entrenamiento integral que utiliza el movimiento que se desarrolló a partir del entrenamiento militar de carreras de obstáculos; una disciplina interior, fuerza y belleza te permitirán elevarte sobre los obstáculos con una gran pericia y haciéndolo parecer fácil.

Freesia (tipo de planta): animado; liberar.

Fregona o trapero: limpieza de los asuntos fundamentales; eliminación de los efectos de haber sido pisoteados o pisados; «limpiar» un desorden, Ef 4:1.

Frenar: es el momento de elevar el nivel de contención, las limitaciones, de controlar, restringir o «refrenar» alguna área de tu vida que está fuera de control, «frenar tu apetito».

Frenazo: es posible que tenga que aplicar los frenos y revaluar la dirección que está tomando. Esto puede ser una advertencia para las trampas puestas por el cazador, así que busca el refugio de Dios; Sal 91:2-3.

Frenético: estar emocionalmente desesperado o frenético en un sueño: indica que tu vida está desordenada y estás respondiendo a las circunstancias de tu vida con energía nerviosa en lugar de orar por sabiduría y gracia para cambiar tu situación. Estás actuando como si estuvieras loco o fueras un demente.

Freno de aire: Reduzca la velocidad y reevalúe su plan, la prisa puede hacer que se desperdicie, hágase a un lado, mire de nuevo, vea más allá de lo natural. Los frenos de aire se utilizan en vehículos grandes que llevan mucho peso o suministros. Ten cuidado de no sobrecargar tu negocio, ministerio o extender demasiado tu esfera de influencia.

Frente al mar: lugar deseable para desarrollar, tocar e impactar a grandes grupos de personas.

Frente arrugada: una frente arrugada muestra ansiedad, preocupación o estrés. Echa toda tu ansiedad sobre Jesús porque Él cuida de ti. Estás procesando pensamientos, ideas, percepciones, información o revelación, razonando, reteniendo el conocimiento, recordando; entregado a Dios.

Frente, beso: aliviar o besar a alguien en la frente indica un nuevo amigo o interés romántico.

Frente, calva: terca, obstinada, más dura que el pedernal.

Frente, lisa: falta de preocupaciones, paz o descanso; tu comportamiento tranquilo tendrá un fuerte impacto en los demás.

Frente, surcada: preocupación agobiante, tensión, estrés.

Frente: el frente suele indicar algo que está ocurriendo en tu vida en este momento frente a tu cara o que ocurrirá en un futuro cercano.

Fresas: bondad; amistad con Dios; curación; deleite, placer o recompensa especial; Oklahoma; Luisiana; Plant City, Florida.

Fresco: refrescarse, vigorizarse o revivir en un sueño o despertarse fresco indica que tendrá una nueva experiencia o que ganarás algo que fue hecho o producido recientemente. Su pureza te permitirá cosechar una unción adicional, inusual y un don diferente que no has encontrado, experimentado o sido entrenado antes. Por otra parte, alguien puede estar tratando de «refrescarse» contigo violando tu conciencia. Cuando un caballo es visto significa estar descansado; brillar con una apariencia juvenil. Cuando se califica a una vaca de fresca significa que ha parido recientemente y que tiene producción de leche disponible.

Fresno: Alguien te ofrece refugio, protección, estabilidad o armonía frente a cosas que han causado destrucción o «dolor» en tu vida. Is. 44:14.

Fricción: puede que alguien o algo te esté molestando como una irritación; por el contrario, estás buscando un toque cálido y reconfortante que te ayude a soportar tus obligaciones actuales. Podría haber un deseo de intimidad.

Frijoles horneados: frijoles o semillas para sembrar para producir multiplicación; el conocimiento de la revelación está siendo manifestado, Lc. 8:11

Frijoles: pobreza, carencia, mala planificación, «contar frijoles», «contador de frijoles»; las cosas no cuadran; confiar en la magia de «Jack y los frijoles mágicos» en lugar de trabajar duro. 2 Sam. 17:28; Ez 4:9.

Friki: soñar que es una persona socialmente inepta o torpe, inadaptada, que es entusiasta, con una mentalidad única, con conocimientos y logros en actividades científicas o técnicas, indica que tiene una gran mente para los detalles y las actividades administrativas. Ser un friki podría ser una advertencia para no micro gestionar las situaciones o a los demás en el ámbito laboral.

Frío: sentirse excluido por circunstancias poco aceptables, corazón frío, falta de emociones; sentir temperaturas frías en un sueño indica una presencia demoníaca que intenta robar, matar o destruir; advierte de la aparición de un resfriado o virus.

Frisbee: lanzar las preocupaciones al viento; jugar a la pelota con un juguete de plástico en forma de disco plano con los amigos, los miembros de la familia y las mascotas significa que estás disfrutando de un tiempo de diversión y relajación.

Frontera: entrar en un nuevo territorio; terreno inexplorado; nuevas dimensiones; aventura, transición; convergencia de dos áreas separadas que se juntan; cruzar hacia La Tierra Prometida.

Fruncir el ceño: estar triste o decepcionado por un resultado, no te has salido con la tuya, hacer pucheros, mostrarte infantil, se necesitan más músculos para fruncir el ceño que para sonreír.

Frustración: el enemigo está trabajando para anular o frustrar tus planes causando decepción, desánimo o para desconcertarte y evitar que logres tus objetivos. No dudes. Busca a Dios para que te oriente y esclarezca hacia dónde te diriges. Determina si estás en la voluntad de Dios. Ora por la guía del Espíritu Santo. Puede que te resulte difícil comunicar tus creencias espirituales a los demás.

Fruta, inspector: una persona que discierne, que conoce el pensamiento y la intención del corazón, las cosas buenas hechas en un espíritu de amor permanecerán.

Fruta, mosca: mentiras que se liberan o se ciernen sobre tu ética de trabajo y las labores de tus manos; falsedades que intentan robar o devorar tus frutos espirituales, especialmente el amor, la alegría y la paz; temporada de verano; las moscas de la fruta se encuentran en las cocinas y sus alrededores cuando se enlatan materiales vegetales o frutales; también aparecen cerca de las zonas de almacenamiento de basura; se encuentran merodeando alrededor de la vegetación en descomposición y las frutas demasiado maduras.

Fruto caído: maldición, la cosecha inoportuna será en vano, no hay fruto que mostrar de las labores realizadas.

Fruto seco: las labores de tus manos se precarizan para un tiempo posterior.

Frutos: la creación es el fruto de la obra de Dios, Sal. 104:13; resurrección de Jesús, 1 Cor. 15:20 y 23; aumento y multiplicación; Sal. 21:10; Éx. 21:22; Os 9:16; Dt. 7:13; Hch. 2:30; Sal.132:11; Jer. 17:10; Espíritu Santo, Rom. 8:23; el justo da buenos frutos, Pr. 31:31, Sal. 1:3; arrepentimiento; cosecha; luz; fruto del Espíritu; amor, alegría, paz, paciencia, bondad, fidelidad, mansedumbre y templanza, Gál. 5:22-23; Árbol de la Vida, doce frutos, curación de las naciones, vida abundante, Gén. 1:11-12 curación de la Caída, Apo. 22:1-2, Ez. 47:12; riqueza, Jer. 40:10, 12; abundancia, Dt. 30: 9, 28:11; bendición divina; Tierra Prometida vinculada a la obediencia, Éx. 3:8, Nm. 12:27, Dt. 8:8; una acción buena o mala que da lugar a un resorte apagado; fruto de los labios, oración, adoración, Pr 12:14; pecado primitivo en el Jardín; dolor, vergüenza, oscuridad, espinas, cardos, cizaña, ajenjo; estrangula la vida; sufrimiento; muerte final; fruto verde: el desencanto surge de la impaciencia y las acciones precipitadas, Lc. 6:43.

Fucsia: arbusto tropical que se cultiva mucho por sus flores blancas caídas o por sus fuertes y vivas flores rojas violáceas. El estrés y la tensión nerviosa hacen que los ánimos se caldeen y se produzcan errores en las relaciones.

Fuego de la boca: ver salir fuego de la boca representa un juicio ardiente de Dios o la ley que consume, 2 Re. 1:5-12; Dt. 33:2; Apo. 11:5.

Fuego: Espíritu Santo; santidad de Dios; unción limpiadora; ángeles; mensajeros del fuego; purificación; Heb. 12:29; Gén. 19:24; Éx. 3:2; 2 Re. 1:10-14; Dn. 7:9; bautismo; persecución; prueba; ira; lujuria; carga; superación de la mundanidad; juicio; bautismo del Espíritu Santo, Hch. 2: 3; carga o persecución, pasión que arde en el corazón, amor, purificación, fuerza de limpieza, quema la madera, el heno y la hojarasca, hace que aumente la fertilidad de la tierra, juicio, experiencia de la zarza ardiente, bautismo del Espíritu Santo con lenguas, reavivamiento, presencia de Dios, Él es un fuego que todo lo consume, el Hombre de fuego, gloria, presencia angélica, infierno, tormento, ira, celos, lujuria, fiebre en el cuerpo, juicio, prueba o ensayo, aflicción, Is. 47:14; 66:15; Lev. 6:12; Zc. 13:9.

Fuegos artificiales: celebración de la independencia; romance, amor; miedo al conflicto, discusiones y peleas en las relaciones.

Fuelle: ver este dispositivo que produce una fuerte corriente de aire para aumentar la ignición, indica que tu trabajo duro realmente está «cocinando» algún tipo de éxito.

Fuente de agua: las fuente o manantiales fueron en sus orígenes puramente funcionales y se utilizaban como una pieza de arquitectura que vertía agua en una cuenca y la lanzaba al aire para suministrar agua potable. También era un artefacto decorativo o dramático que se usaba para celebrar a sus constructores. La mayoría de las fuentes funcionaban por gravedad y necesitaban una fuente de agua más alta, como un embalse o un acueducto, para que el agua fluyera o saliera disparada al aire. Las fuentes estaban conectadas a manantiales o acueductos y servían para proporcionar agua potable y para que los residentes de las ciudades, pueblos y aldeas se bañaran o lavaran. «*Porque contigo está el manantial de la vida; En tu luz veremos la luz*», Sal. 36:9; «*alaben al Señor, la fuente de vida de Israel*», Sal 68:26 NTV; «*¡Bendita sea tu fuente!*», Pr. 5:18; «*Fuente de vida es la boca del justo*», Pr 10:11; «*La enseñanza de los sabios es fuente de vida*», Pr. 13:14; «*El temor del Señor es fuente de vida*», Pr. 14:27; «*Fuente de vida es la prudencia para quien la posee*», Pr. 16:22; «*Las palabras del hombre son aguas profundas, arroyo de aguas vivas, fuente de sabiduría*», Pr. 18:4; Jer. 2:13.

Fuente: lo que brota de una fuente interna profunda, la fuente de la vida: indica la renovación del espíritu humano por el Espíritu Santo. Fuente natural o artificial de agua viva y corriente; una buena esposa; sabiduría espiritual; o manantial; ojos malignos de muchas pasiones pecaminosas. Una fuente de un arroyo; principio o punto de origen de un asunto; depósito o estanque que libera un gran suministro de agua; agua de sifón que se usa según la necesidad; lo profundo llamando a lo profundo; bendiciones; vida; cre-

cimiento; apertura o una puerta, refrescante, Dt 8:7; sabiduría, Sal. 36:9; Pr. 13:14; 14:27; 18:4; Ec. 12:5-7.

Fuera de la carretera: tienes el deseo de explorar algunas vías no convencionales.

Fuera del cuerpo: ser llevado por el Espíritu del Señor para ver o visitar otros lugares en el Espíritu Ez. 3:12,14, «*Y me levantó el Espíritu, y oí detrás de mí una voz de gran estruendo, que decía: Bendita sea la gloria de Jehová desde su lugar. Me levanté, pues, el Espíritu, y me tomó; y fui en amargura, en la indignación de mi espíritu, pero la mano de Jehová era fuerte sobre mí*»; «*Se siembra cuerpo animal, resucitará cuerpo espiritual. Hay cuerpo animal, y hay cuerpo espiritual*», 1 Cor. 15:44; Muerte, «*Cuando Jesús hubo tomado el vinagre, dijo: Consumado es. Y habiendo inclinado la cabeza, entregó el espíritu*», Jn. 19:30.

Fuerte/fortaleza: tiempo para fortificar la posición o la salud de uno; defender un fuerte: autodefensa, siempre en guardia, protegerse a uno mismo; sentirse atacado; prepararse para una situación difícil o emocionalmente exigente, no cerrarse o aislarse de los demás; construir muros o fortalezas; Dios es una fuerte torre de protección, Sal. 31:3; 18:2; 71:3; 91:2; 2 Cr. 27:4; 2 Sam. 22:2; Is. 34:13.

Fuerza Aérea: Es tiempo de ascender a un nivel más alto de madurez espiritual, la visitación celestial, la disciplina espiritual te hará volar y prosperar en cada área de la vida. Ef. 1:20-21; 6:12.

Fuerza naval: un agente de Dios enviado a un lugar específico para una misión específica; altamente entrenado en múltiples habilidades especializadas con una variedad de armas, capaz de actuar con éxito en cualquier entorno de forma rápida y limpia, por lo general de una manera encubierta; un guerrero «sellado» por el Espíritu Santo; Ef. 4:30, sellado hasta el día de la redención.

Fuerzas especiales: creyentes altamente capacitados, dotados y ungidos por Dios para desarrollar misiones especiales; sus ministerios son poderosos y generalmente muy poco convencionales.

Fuga: Ver que alguien se va repentinamente o en secreto para esconderse de ti o de las autoridades indica que no está tramando nada bueno, que no es sincero ni veraz, sino que opera con mentiras y engaños. Irse repentinamente, escaparse o fugarse puede indicar que se siente inadecuado o inseguro en su vida personal. Los logros fallidos pueden dejar un sentimiento de desesperación. Dios devolverá lo que el enemigo ha robado.

Fugitivo: que pasa rápidamente, fugaz, difícil de entender o retener, escurridizo, dado a cambios de apariencia, desaparición, un vagabundo, alguien que huye. Este símbolo representa problemas en las relaciones y en las finanzas; cuida tu corazón, tu cartera o billetera.

Fumar de la pipa: comodidad, relajación, conocimiento reflexivo; satisfacción satisfecha con la vida. Si tú o alguien que conoces fuma pipa, el símbolo sirve como recordatorio para que ores para que todas las cortinas de humo sean eliminadas y haya claridad en la vista.

Fumar en cadena: un mal hábito que te tiene atado y en total dependencia; enlazar o encadenar incidentes de ira.

Fumar un cigarrillo: Debes estar atento pues alguien de forma soterrada está provocando problemas, confusión y miedo. Ese alguien está montando una cortina de humo para intentar engañarte. Cuanto más denso sea el humo, más oscura será la maldad de la situación y más maldad podrá ocultar. No puedes respirar o ver en el humo negro, ya que representa una ofensa, la ira, una búsqueda inútil que se convierte en humo o los celos.

Funda: enfundar o contener tus pensamientos para no disparar por la boca. Necesidad de protección oculta; puede que necesites restaurar toda la armadura de Dios, *«Vestíos de toda la armadura de Dios, para que podáis resistir las asechanzas del diablo»*, Ef. 6:11.

Fundamento: establecido en la Palabra de Dios; estable; sana, enseñanzas evangélicas; apóstoles; un comienzo; Ef. 2:20; Jb. 4:17-21; Mt. 13:35; 25:34; Is. 28:16; 1 Cor. 3:11; Heb. 6:1-2; Jer. 17:3; Apo. 21:6; profetas; una vida en el Espíritu, Jesús la roca y la piedra angular, la salvación.

Fundición: soñar con una fundición donde se hace la fundición del metal indica que estás buscando una nueva estructura de trabajo o de negocios sobre la que construir o asegurar tu futuro.

Funeral, de otra persona: avanzar hacia la independencia; reprimir o dejar ir las heridas del pasado; alejarse de una relación; desear que esté muerta o que se marche; intentar escapar de su control o influencia.

Funeral, el propio: deseo de simpatía por parte de los amigos y la familia; autocompasión; retirada de las presiones mundanas; muerte a los sentimientos y las emociones; abandono de un antiguo modo de vida. Sentirse enterrado u olvidado; morir a uno mismo; morir a los propios sentimientos o deseos; empezar un nuevo capítulo en la vida; avanzar hacia la independencia; reprimir o dejar ir las heridas del pasado; alejarse de una relación; depresión o sentimientos suicidas, desear estar muerto, irse o alejarse de una situación negativa, Ec. 2:20.

Furgón de mudanza: un traslado físico o espiritual a un nuevo nivel o ubicación geográfica; es hora de deshacerse de su equipaje extra; racionalizar para una mejor eficiencia; reubicarse, Hch. 17: 28 a.

Furgoneta: visión sensata de la vida, orientada a la familia o al equipo, facilidad de trabajo, conveniente o accesible; no cargar con más responsabilidades que la propia capacidad; ministerio en grupo, en familia o en casa, 1 Re. 12:18; 2 Re. 2:11-12, 10:16; Sal. 104:3; Hch. 8:28-38; 1 Ts. 2:18.

Furia: ira violenta o desenfrenada que saboteará todas tus relaciones. «La ira del rey es presagio de muerte, pero el sabio sabe apaciguarla, Pr. 16:14; Jer. 10:25 juicios aflictivos.

Furioso: verse a sí mismo exhibiendo enojo o comportamientos violentos en un sueño indica que estás involucrado en algún comportamiento bastante colérico, turbulento o en situaciones peligrosas. *«¿Quién puede comprender el furor de tu enojo? ¡Tu ira es tan grande como el temor que se te debe!?»*, Sal. 90:11; *«La ira del rey es presagio de muerte, pero el sabio sabe apaciguarla»*, Pr. 16:14.

Furor: hay que aprender a expresar los sentimientos y las emociones interiores antes de perder los nervios y expresarse en un arrebato negativo y furioso.

Fusible: dispositivo que contiene un elemento que protege un circuito eléctrico fundiéndose cuando este se sobrecarga, advierte de una crisis emocional o de perder el tiempo en algún empeño improductivo.

Fútbol americano: deporte de equipo exclusivo para hombres varoniles, se espera una gran oposición, contacto recio, se usa equipo de protección, competitivo, entretenimiento recreativo, el pasatiempo favorito de Estados Unidos. Significa que obtienes aprobación y satisfacción de los desafíos del trabajo. Eres una persona con grandes logros y muy progresista debido a tu naturaleza competitiva.

Fútbol: estar preparado para correr la carrera; capacidad de actuar agresivamente de forma aceptable sin rebasar las buenas maneras; competir con integridad, correr a través de los desafíos de la vida con fuerza y habilidad, puede cambiar de dirección en un instante al lograr un objetivo; deporte de confrontación; agilidad para pensar con los pies.

Futón: ropa de cama tradicional japonesa que consiste en colchones acolchados y edredones lo suficientemente flexibles como para ser doblados y guardados durante el día, lo que permite que la habitación sirva para otros fines que no sean el de dormitorio; necesitan ser ventilados con frecuencia al sol. Ver un futón en tu sueño significa que eres flexible y creativo y que sigues la corriente del entorno. Llevas tu intimidad con Dios y con los demás en tu corazón para estar conectado en todo momento.

Futuro: ver un tiempo aún por venir indica una temporada de cambio, crecimiento, prosperidad y aumento. *«Esta visión de los días con sus noches, que se te ha dado a conocer, es verdadera. Pero no la hagas pública, pues para eso falta mucho tiempo»*, Dn. 8:26.

Fyke o malla de pescar: red larga, en forma de bolsa, que se mantiene abierta por medio de aros y que se utiliza para introducir los peces que se han capturado; significa una llamada a la evangelización.

G

Gabinete: conseguir un nuevo gabinete en su sueño indica que estás experimentando un tiempo de aumento y favor. Espere nuevas ideas creativas que le harán prosperar de una manera nueva. Las viejas estructuras están siendo eliminadas y reemplazadas por construcciones funcionales más modernas para una mejor organización y productividad. Las cosas que antes estaban ocultas o contenidas en privado, ahora serán revelarán en público.

Gabriel: Dios es poderoso; ángel enviado por Dios a Daniel, Dn. 8:16; 9:21; a Zacarías, Lc. 1:19; y a María, Lucas, 1:26.

Gacela: la gracia de correr la carrera con rapidez y precisión está llegando. Veloz, amado; increíble habilidad, seguro de sí mismo, anhela la presencia de Dios; grácil; tímido; 2 Sam. 22:34. Buscando el agua; capaz de saltar sobre los obstáculos; anhelando al Señor; profunda amistad; veloz; de pies seguros; ágil; tímido. Heb. 3:19; Sal. 42:1.

Gachas: es un tipo de comida que consiste en algún tipo de harina de cebada, avena, trigo o centeno o arroz, hervida en leche; haciendo una versión más fina de las gachas que se suele beber más que comer. Este alimento líquido, básico en la dieta de los campesinos occidentales, representa en sueños los tiempos difíciles, la pobreza y el hambre. Las gachas son una forma de sustento para los inválidos y los niños recién destetados, por lo que pueden representar la leche de la Palabra que es fácilmente comprensible para jóvenes y mayores.

Gad: vidente, Gén. 30:11; Éx. 1:4; profeta que vivió en tiempos de David, 1 Sam. 22:5; 2 Sam. 24:13-14.

Gafas de sol: algo trata de impedir que veas el cuadro completo, o de arrojar una situación bajo una luz cuestionable. Puede que tengas el don de profecía y seas capaz de discernir las dimensiones invisibles del Espíritu o las cosas que se esconden en la oscuridad.

Gafas rotas: si las gafas están rotas, tu visión natural y tus percepciones espirituales se verán obstaculizadas.

Gafas: corrige una visión defectuosa; hace que las cosas se alineen correctamente; gafas de sol: te mantiene en la oscuridad; lupas: hacen más grande la vida real, aumentan el poder. Ojos que ven son raros; ver ojo a ojo, la nueva visión y la claridad están llegando, el cambio o la corrección de la propia visión. Demasiado miope o hipermetropía, visión doble, falta de enfoque, se necesita ampliación, pasar por alto lo obvio, ignorar el elefante en la habitación, ciego como un murciélago, visión nocturna, unción de profeta, intérprete de sueños. *Alternativamente:* llevar gafas cuando no suele llevarlas indica que necesita observar con más agudeza, tener una visión más clara y específica de su futuro o de alguna delicada situación. ¿Hiciste alguna ridiculez?

Gaita o cornamusa: flexibilidad; celebración; marcha; boda; inflado; lleno de aire caliente.

Gala: si participas en un evento social la felicidad está en el horizonte, gran alegría, festividades y una celebración por una causa digna.

Galante: verse a sí mismo o a otra persona actuando de forma galante en un sueño indica que eres una persona de espíritu imponente, señorial, majestuoso, que presta mucha atención cortés a la protección de las mujeres, una persona caballerosa o coqueta.

Galería de arte: Compartir o coleccionar momentos íntimos con amigos cercanos o miembros de la familia de entrañables y hermosos recuerdos de sus experiencias pasadas que todavía tienen un gran valor e impacto en usted.

Galería: edificio o sala donde se exponen y contemplan obras de arte. Ver pinturas tradicionales antiguas indica que las relaciones pasadas con los amigos se repondrán y restaurarán. Ver arte contemporáneo significa que un nuevo y audaz amigo aparecerá en escena. Si aparecen esculturas, es el momento de crear o moldear una nueva imagen para ti, deja que lo viejo pase y que todas las cosas se conviertan en nuevas. Si miras desde un balcón, estás viendo cómo tu proyecto o situación actual será vista por los demás.

Galgo, si está corriendo: los amigos están corriendo en círculos; advertencia de perseguir conejos, cosas o un cuento de hadas, el juego o la colocación de una apuesta en contra de las probabilidades de éxito, en el juego sólo hay un ganador y el resto son perdedores. Pena: espíritu de luto por la pérdida de un ser querido o el fin de una relación, angustia, dolor, daño, una pesadez de espíritu que hace que uno se entristezca.

Galleta de avena: comer una galleta de avena con pasas sugiere que está bien mimarse de vez en cuando.

Galleta fuera de alcance: si una tanda de galletas recién horneadas está fuera de tu alcance, implica que otros están recogiendo tus recompensas, atribuyéndose para sí el mérito de tu diligencia.

Galleta recuperada: si consigues o recuperas las galletas, entonces significa que estás ganando el control de tu entorno al obtener un mayor conocimiento de los planes de acción de los demás.

Galleta: las galletas son una dulce recompensa que te elevan a condiciones óptimas respecto a tus conocidos. Son una poderosa bendición que supera los problemas. Pueden representar una visión celestial que se da como el maná. Pero también pueden significar la tentación de sobrealimentarse. Si recibes, comes, das o robas galletas, indica que dejas que los asuntos insignificantes y los problemas intrascendentes te irriten.

Galletas de chips de chocolate: ver o comer este tipo de galletas simboliza la culpa de la desmesura y la indulgencia.

Galletas de chocolate: hornear galletas de chocolate representa una conexión íntima o emocional.

Galletas de soda: pan sin levadura; comunión; considera el dicho «a falta de pan, buenas son galletas»; considera el parloteo de los loros que repiten todo lo que oyen; juego de palabras: «engalletado», se refiere a estar perturbada o confundida. Ver galletas en tus sueños indica que estás más interesado en atender las necesidades de los demás que en velar por tu propio bienestar.

Galletas, hornear: Si está horneando galletas significa que aumenta el sentimiento de confianza optimista que dará lugar a tu estatus; un corazón alegre de dar trae un aumento de la productividad; dulce recompensa; eleva las condiciones óptimas con los conocidos; el poder de una bendición supera los problemas; percepciones celestiales y maná; tentación. Hornear galletas representa la generosidad de un corazón alegre, el cual producirá un aumento en la productividad.

Galletas: amor que se demuestra a través del servicio con las manos; amasado: necesidad de actos de bondad.

Gallina: protección contra la calamidad; paciencia; chismorreo; tendencia a cacarear cosas triviales; metáfora de ser un «calzonazo» o ser «acosado»; muy susceptible a la influencia externa; propenso al pánico y al temor. Figura maternal sobre Israel, maternidad, *«¡Jerusalén, Jerusalén, que matas a los profetas y apedreas a los que te envían! Cuántas veces quise reunir a tus hijos, como la gallina reúne a sus polluelos sin alas, y no quisiste»,* Mt. 23:37; Lc. 13:34.

Gallina: simboliza a la recolectora; a la madre; a la protección; a Israel; al temor; a la cobardía y a la falta de voluntad para afrontar las situaciones; a la preocupación, a la charla excesiva y a los chismes; a

escuchar atentamente lo que la gente puede decir de ti o lo que tú dices de los demás. Lc. 13:34; 2 Tm. 1:7.

Gallo joven: advertencia de la agresividad y masculinidad inesperada del hombre.

Gallo: despertar a una noticia alegre o renacimiento; amanecer de un nuevo día; traidor infiel; juramento; maldición; llamada de atención; alarma; jactancia; fanfarronería; orgulloso indica que usted o alguien está siendo un fanfarrón. Es un indicio de chulería y arrogancia; tienes poca o ninguna consideración por los demás; la glorificación centrada en ti mismo, el protagonismo engreído te hará subir por medio de peleas y mucha rivalidad, Mt. 6:34; 14:72; Mc. 13:35. Las buenas noticias que llegan al amanecer de un nuevo día indican una segunda oportunidad para cumplir una promesa, una advertencia para no negar o traicionar a alguien después de jurarle lealtad, advertencia; actuar de manera arrogante y orgullosa, un líder o jefe; en algunos países latinos como Colombia, se refiere despectivamente a la vagina de la mujer. Mt. 26:34, 74-75; Lc. 22:34, 60; Jn. 13:38; 18:27.

Galón de aceite: tendrá un aumento financiero o un avance.

Galón de agua: vivirás una vida larga y saludable.

Galón, arena: necesita deshacerse de pesos y cargas innecesarias.

Galón de vinagre: predice un final amargo para un amigo.

Galón: ver este recipiente de cuatro cuartos de litro lleno de líquido en tu sueño predice un suministro abundante. Tendrá suficiente para compartir con los demás.

Galope: manera de andar del caballo y otros animales, la más rápida de todas, en la cual el animal mantiene por un momento las cuatro patas en el aire. Significa que te estás moviendo hacia las cosas del Espíritu a buen ritmo, desarrollando tus músculos para permitirte correr hacia la batalla.

Gama: un ciervo, una hembra de ciervo; liebre; canguro; argot: «dinero»; Pr. 5:18-19 amor embelesado con la querida y agraciada esposa de tu juventud.

Gamuza: es una forma de cuero con una superficie tersa y suave procedente de una vaca que se utiliza para los muebles o la ropa. También puede simbolizar la piel de un cristiano (simbólicamente una vaca) condenado a muerte por su creencia en Jesús. Ser persuadido o «influido» para creer en las doctrinas o en el sistema de creencias de otra persona.

Ganadero: ver a un hombre que posee o cría ganado en un sueño predice gran riqueza y prosperidad en el horizonte.

Ganado: riqueza y prosperidad; actualmente se invierte en la bolsa, Sal. 50:10. Si posees varios rebaños de ganado representa gran riqueza y prosperidad. Disfrutarás comiendo la carne de la Palabra de Dios. También puede ser un llamado a de seguir la corriente de la estampida humana y los movimientos de las multitudes. Recupera el control de tu vida, sé un individuo singular y único. Defiende tu singularidad de modo que destaques entre la multitud como un líder y no como un simple seguidor. Ten cuidado antes de proceder con tu relación actual o con las situaciones de negocios, ya que pudieras estar siendo encadenado.

Ganador de la lotería: representa un deseo interior de vivir sin preocupaciones por asuntos financieros y problemas materiales. Considera también que tu número ha salido, lo que implica que pueden venir problemas.

Gancho cruzado: es un puñetazo potente y recto que se lanza con la mano trasera, alguien va a cruzar unos límites que ha erigido.

Gancho del boxeador: es un puñetazo semicircular lanzado con la mano delantera al lado de la cabeza del oponente, alguien está tratando de enganchar tus pensamientos para que hagan lo que ellos quieren; ten cuidado con las tácticas de control mental.

Gangrena: muerte y descomposición de los tejidos de una parte del cuerpo o un miembro, debido a la falta del flujo sanguíneo tras una lesión o enfermedad. Los chismes, las calumnias y las habladurías provocan mordacidad y falta de perdón entre los amigos, son como la gangrena en el corazón, porque conducen a la enfermedad emocional y física. *«Evita las palabrerías profanas, porque los que se dan a ellas se alejan cada vez más de la vida piadosa, y sus enseñanzas se extienden como gangrena...»*, 2 Tm. 2:16-17.

Ganso: simboliza el amor maternal y la fertilidad; estás bien cimentado en el carácter moral; representa un mensaje de tu inconsciente; necesitas ser más serio; juegos de palabras: «tonto como un ganso»; «huevo de ganso»; «piel de gallina»; «lo que es bueno para el ganso es salsa para el ganso», habla de parcialidad, de no igualdad; chismes indiscretos; tonto. Un intercesor que toca la bocina para provocar una nueva herencia y atmósfera espiritual mediante una formación de entidad. Desplumar un ganso: representa la obtención de una herencia. Si el ganso está nadando: prosperarás y obtendrás riqueza.

Gansos: una llamada a la intercesión o a la oración; representa la domesticidad y el compañerismo de toda la vida; hace sonar una alarma; tendencia a ir con la multitud o a seguir formaciones; trabajo al unísono o en equipo si se vuela en V; apoyo; cambio de entorno; huir de los problemas. Intercesores que hacen sonar una alarma cuando se acercan enemigos o intrusos, ver gansos en vuelo, pastando o na-

dando es una señal positiva de la mano de Dios en tu vida, las cosas se tornarán positivas para ti.

Garaje: almacenamiento de herramientas personales, dones o energía; capacidad para hacer frente a las situaciones de la vida; protección; reparación para ministerios o establecimientos comerciales; colección de cosas innecesarias de las que te cuesta desprenderte; ministerio de gran alcance; tiempo de equipamiento y preparación.

Garceta: ave zancuda de color blanco, sus plumas se caen durante la época de cría, los remordimientos rondan por ahí; miedo a vadear las profundidades de una relación, quedándose siempre en lo poco profundo o en la misma orilla sólo mojándose los pies.

Gardenia: alegría; boda; «te amo en secreto»; eres hermosa; originaria de China; flores blancas, grandes y fragantes.

Garfield: Garfield es una tira cómica creada por Jim Davis que narra la vida del personaje que da origen al título, el gato Garfield (independiente), Jon, su dueño (práctico), y el perro de Jon, Odie (travieso). Garfield se publica desde 1978, y en 2013 estaba sindicado en unos 2.580 periódicos y revistas, y ostentaba el récord mundial Guinness por ser la tira cómica más sindicada del mundo.

Garganta: garganta hermosa y atractiva: ascenso a la prominencia; paso estrecho, voz áspera o gutural; ver una cuerda alrededor de la garganta indica que te vas a ahorcar; vulnerable al control, al estrangulamiento o a la pérdida de la cabeza, una tumba abierta, Sal 5:9, el Seol, Is. 5:14, un cuchillo en la garganta significa que hay que dominar los apetitos, Pr. 23:2; Rom. 3:13; Jer. 2:25.

Gárgaras: la acción que consiste en mantener un líquido en la garganta, sin tragarlo, poniendo la boca abierta hacia arriba y expulsando el aire lentamente para que el líquido se mueva, indica que debes cuidar tus palabras, el poder de la vida y la muerte está dentro de la lengua. *«Y la lengua es un fuego, un mundo de maldad. La lengua está puesta entre nuestros miembros, y contamina todo el cuerpo, e inflama la rueda de la creación, y ella misma es inflamada por el infierno»*, Snt. 3:6.

Gárgola: figura humana o animal grotesca que se coloca en el tejado o en las entradas de los edificios, y que se cree que aleja a los intrusos no deseados, poniendo la fe en algo falso. Significa temores ocultos e incómodos sobre algunos asuntos clandestinos que has mantenido en privado de todo el mundo.

Garra: es esforzarse en sobresalir, arañar tu camino hacia la cima; se usa para golpear o dañar a otros de manera ofensiva, para actuar de manera salvaje.

Garrapata: indica que algo como una relación enfermiza y anémica, su trabajo, o alguien está chupando la fuerza de la vida al exigirle poco a poquito su fuerza y atención; enemigos traicioneros que traman un daño; pobreza; enfermedad o transmisión de enfermedades infecciosas: fiebre de garrapatas, enfermedad de Lyme; estar enojado, agravado o irritado, Lev. 17: 11a.

Garras: ver este apéndice afilado, curvo y puntiagudo que se encuentra al final de los dedos del pie o de las manos de los mamíferos, reptiles y aves indica que alguien o algo está a la caza de una presa. Las garras son armas que permiten a una persona o a un animal aferrarse a aquello que ha atrapado. Este símbolo advierte que alguien puede estar jugando al gato y al ratón con usted. A la inversa, advierte que hay que tratar a las personas con respeto. No te abras camino a los empellones hacia la cima o estarás solo cuando llegues, habiendo dejado destrucción y carnicería a tu paso.

Garrote: es el arma más primitiva de todas, usada en el combate cuerpo a cuerpo, mazo; bastón, 2 Sam. 23:21; 1 Cr. 11:23; mazo, falso testimonio, Pr. 25:18; garrote, Mt. 26:47.

Garza: volar alto puede indicar que se avecina mal tiempo; curiosidad; discreción; contenido; almas mundanas, Lev. 11:19; Dt. 14:18.

Gas natural: depósitos petrolíferos de metano junto con cantidades variables de compuestos orgánicos claves en la industria.

Gasa: ver un vendaje quirúrgico de algodón indica que estás abierto a nuevas ideas para aliviar tu dolor o preocupación, ver cortinas de gasa, o ropa significa que un nuevo viento fresco del Espíritu estará soplando en tu vida, una nueva visión está llegando.

Gasolina: combustible para avanzar en tus propósitos y planes, da poder, libera energía y enciende las percepciones para que fluyan, Ez. 21:32.

Gasolinera: la plazoleta de una gasolinera es la zona en la que se encuentran los surtidores fuera de la sala de ventas para comodidad de los clientes que repostan. Necesitas repostar y conseguir una nueva unción para afinar tu vida y tener éxito para avanzar en la vida.

Gasolinera: lugar para llenar con los dones de poder y la unción; poder del Espíritu Santo; llenado; cambio de aceite necesario.

Gastar: gastar dinero en un sueño sugiere que estás desgastado emocionalmente. Quizás estás perdiendo tu tiempo en una relación o en alguien que no merece ni tus energías ni tu afecto. Soñar que estás examinando tus gastos, indica que estás conteniendo tus emociones o que estás replanteando alguna relación.

Gastronomía: un sueño relacionado con la comida y la cocina, especialmente con el arte del buen comer, sugiere que necesitas hacer algunos cambios positivos en tu dieta o consumo espiritual. Es posible que tengas dificultades para digerir algunas situaciones desagradables en tu vida diaria.

Gat: lagar, el hogar de Goliat, 1 Sam. 17:14.

Gatas callejeras: Evita a las mujeres gatunas a las que les gusta el chisme, la murmuración, y andar merodeando en cuanto evento o reunión social encuentran a su paso.

Gatillo: palanca que al ser presionada hace que un arma de fuego sea detonada; una liberación o activación de poder; un evento que lleva a otro evento más poderoso; desencadenar palabras acaloradas al apretar los botones calientes de uno o de un gatillo.

Gatitos: presentan un comportamiento suave y juguetón, mientras desarrolla un espíritu independiente y distante. Un gato joven y adorable, puede representar el pensamiento independiente; un espíritu impuro; alguien astuto, arrogante, orgulloso, o un espíritu no enseñable que está creciendo o aumentando su fuerza.

Gato de Cheshire: gato travieso con una sonrisa engañosa; «sonríe como un gato de Cheshire», puede ser una especie de recordatorio para tu vida. Los gatos lecheros eran conocidos por sonreír para que el granjero pudiera echar un chorro de leche en abundancia en sus bocas abiertas. Se hizo popular gracias a Las aventuras de *Alicia en el País de las Maravillas,* de Lewis Carroll. Este personaje inteligente pero travieso, que a veces ayuda a Alicia y a veces la mete en problemas, trasciende las barreras culturales. Aparece en dibujos animados y en la televisión, donde el cuerpo desaparece y la icónica sonrisa permanece, lanzando la pregunta de si es digno de confianza o está tramando algo malo.

Gato mecánico: inmovilización para reparar o sabotear; levantar en oración para el proceso de sanación; sacar temporalmente del servicio; necesita llenarte de más aliento del Espíritu para que puedas llevar el vehículo.

Gato montés: término genérico utilizado para describir una variedad de felinos en la naturaleza. Es posible que esté intentando arañar una existencia o que se comporte de forma inapropiada; gatuno.

Gato: pensamiento independiente; espíritu impuro; astuto; travieso; traición; engaño; arrogancia, orgullo, no enseñable; si es una mascota personal, alguien o algo muy cercano a tus afectos.

Gavetas: un cajón simboliza tus reservas, las cosas que has protegido o guardado y que ahora estás dispuesto a utilizar o a expresar; significa tu estado interior u oculto; un cajón ordenado: significa calma y creatividad; un cajón desordenado: representa el caos interno, la confusión o el desconcierto.

Gaviota: ave acuática; representa su relación con la

lógica/objetividad y el inconsciente/subjetividad. Las gaviotas en vuelo denotan una perspectiva clara; espíritu libre al que le gustan los lugares abiertos, disfruta de la cercanía de los amigos, pero le resulta difícil. Una gaviota moribunda o muerta indica el fin de una amistad por separación.

Gaviotas: expresan tu deseo de alejarte de los problemas o del estrés de tu vida cotidiana. Puede que no estés utilizando todas tus fuerzas, perspectivas, recursos o conjuntos de habilidades que tienes disponibles para afrontar los cambios de la vida con gracia y comprensión. Tienes que dejar ir algunas cosas dañinas mientras las ves marcharse, pero también luchar por las cosas que el ladrón está tratando de robarte. Frecuentan las zonas costeras.

Gavota: ver o bailar esta danza campesina francesa de origen barroco al ritmo de la música indica una vida tranquila con un futuro feliz.

Gays: personas que están al margen de la sociedad o de las normas sociales y que intentan defender sus derechos o su agenda sexual.

Geco: pequeño lagarto que habita en regiones cálidas y que tiene unas almohadillas adhesivas en los dedos que le permiten trepar por superficies verticales; es un indicador de que podrás superar muchos obstáculos con gran facilidad, tu seguridad y tu salud están aseguradas.

Gedeón: representa un tipo de Cristo como libertador; cortador de árboles; guerrero victorioso; Jue 7-8; Jue. 8:28.

Géiser: ver un manantial natural burbujeante en un sueño pronostica un nuevo flujo de ideas creativas que serán se venderán como «pan caliente» aumentando tus ingresos.

Geisha: ver a una hermosa geisha, una artista tradicional japonesa que actúa como anfitriona que presenta las artes, la música clásica, la danza, los juegos y la conversación para entretener a los clientes masculinos, representa el aplomo social, el encanto profesional y la gracia.

Gelatina sin sabor: alimento divertido para comer sin valor nutricional, estás jugando con tu comida o sustancia espiritual.

Gelatina, comiendo: tu casa estará llena de felicidad.

Gelatina, comprar: vivirás una larga vida, lleno de satisfacción.

Gelatina, preparando: eres una persona dulce con muchos amigos; tendrás un enorme poder de influencia. Has estado sirviendo o manteniendo una relación preciosa.

Gelatina: representa las percepciones espirituales que vienen a resolver un misterio. Tus respuestas finalmente están tomando forma para darte la comprensión que has estado buscando. No permitas que la gente manipule tus emociones ni tus talentos a su antojo. Puede que Dios te esté preservando en un lugar seguro para su uso posterior.

Gemas, compra: indica un nuevo amor en tu vida o un negocio próspero.

Gemas, venta: indica que has perdido un amor y no quieres que te recuerden el dolor del rechazo.

Gemelo: una de las dos crías nacidas en el mismo parto, dos personas, animales o cosas idénticas o similares; homólogos o paralelos; dos partes o asuntos idénticos o relacionados de forma similar que están por llegar; doble mente; imagen en espejo, duplicar tus esfuerzos de oración para obtener un avance, 2 Re. 2:9; Jb. 42:10.

Gemelos: hacer un pliegue, sujeción o unión en la relación.

Gemido: intercesión con palabras que no se pueden pronunciar, dando a luz algo en el Espíritu, un corazón roto y lleno de dolor, pena y aflicción. Necesidad de hacer oír la voz, de hablar.

Genciana: planta con flores de color azul níveo, las raíces se utilizan como tónico, verse con una de estas flores azules indica curación emocional para volver a entablar una relación romántica, el conocimiento de la revelación vendrá a liberarte de la depresión.

Generación: es el acto de parentesco o de los padres de reproducir o procrear con el fin de tener «descendencia» o hijos. Se conoce como «generación social» a la producción de «personas dentro de una población delimitada que experimentan los mismos acontecimientos significativos dentro de un periodo de tiempo determinado». Está surgiendo una creciente conciencia de la posibilidad de un cambio social permanente y la idea de una rebelión juvenil contra el orden social establecido. La generación es una de las categorías sociales fundamentales de una sociedad, mientras que otros consideran que queda eclipsada por otros factores como la clase, el género, la raza, la educación, etc. Ver generaciones en un sueño habla de tu historia pasada, presente y futura. Las bendiciones de Abraham pasan de generación en generación a los que bendicen a Israel.

Generador: simboliza tu incentivo, tu fuerza espiritual y tu voluntad de perseguir tus ambiciones. Puede ser una metáfora de que estás generando algo novedoso, fresco o diverso.

General: el más alto o superior en rango; un oficial; autoridad que recibe la estrategia del comandante en jefe; se comunica con otros oficiales y tropas que ejecutan o llevan a cabo sus planes o estrategias militares; maduro en el ámbito profético; hábil en la guerra espiritual; líder fuerte y estudiado, 2 Sam. 24:2; Apo. 16:16.

Generales: soñar con un grupo de generales indica que tienes una vocación de grandeza. Los generales en el cielo te visitan como parte de la gran nube de ingenio para inspirarte a entrar en un gran destino como líder de guerreros.

Generosidad: nobleza de pensamiento o comportamiento, mentalidad abundante. *«Mándales que hagan el bien, que sean ricos en buenas obras, y generosos, dispuestos a compartir lo que tienen. De este modo atesorarán para sí un seguro caudal para el futuro y obtendrán la vida verdadera»,* 1 Tm. 6:18-19.

Génesis: primer libro del Antiguo Testamento que describe la Creación; Adán y Eva; la Caída del Hombre; Caín y Abel; Noé y el diluvio; la alianza de Dios con Abraham; Abraham e Isaac; Jacob y Esaú; José y sus hermanos.

Genética: ver una clase de biología o estudiar la ciencia de los genes en tus sueños indica que puede haber algunos problemas con las fortalezas, debilidades o elementos en común heredadas con tus antepasados.

Genio: conseguir un deseo o un camino; un poder creativo e inventivo de la mente.

Genitales agrandados: puede estar demasiado centrado en una relación sexual y no desarrollar un vínculo emocionalmente sano con su pareja. Reproducción, identidad sexual sana y vida amorosa satisfactoria.

Genitales deformados: perversión.

Genitales enfermos: promiscuidad, exceso de placer.

Genitales expuestos: falta de intimidad, se necesita asesoramiento profesional, tu reputación está en juego.

Genitales masculinos: soñar con la anatomía sexual del varón indica que tu semilla dará lugar a la fecundidad o a la reproducción sexual espiritual o física.

Genitales, falta: se experimenta una falta de confianza, te sientes inadecuado o alguien te emasculando.

Genitales: indican una necesidad de ser creativo, de reproducirse o de ser productivo, de ser abierto y vulnerable; un desarrollo para dar o crear vida; puede representar tus sentimientos hacia la intimidad, el sexo o tu propia sexualidad, se relaciona con cuestiones de compromiso y placer basadas en sus actitudes hacia sus atributos femeninos o masculinos.

Genitalidad: señalan si los órganos del aparato reproductor son masculinos (llevan el esperma) o femeninos (llevan la semilla); los órganos genitales externos pueden representar el placer sexual, la excitación física o el coito en las relaciones extramatrimoniales, la infidelidad o la intimidad en una relación matrimonial, así como ser fructíferos, multiplicando la capacidad de reproducción o procreación.

Genocidio: señala el aumento del miedo por la continua hostilidad del ISIS y los duros castigos físicos como la flagelación, la decapitación, las ejecuciones brutales y la lapidación que son legalmente aceptables según la ley Sharia que se impone en el mundo a través de las naciones islámicas radicales.

Gentil: patio exterior; gente que está injertada en la Vid, Jesús. Alguien que existe fuera de nuestras creencias.

Geografía: haga las maletas y prepárate para viajar, el mundo es tu casa, la aventura y la exploración están en el horizonte.

Georgia: «Sabiduría, Justicia y Moderación»; Georgia en mi mente; estado imperial del sur; estado del melocotón; estado de las galletas; estado del cacahuate; la rosa cheroqui; melocotones; Amatista.

Geranio: llega el consuelo; surgen nuevas amistades; se te mostrará preferencia; estupidez; locura. Variedad de plantas con hojas divididas y abigarradas, con racimos de flores de color rojo intenso, púrpura o rosa, originaria de Sudáfrica. Ver u oler el aroma de estas flores en flor indica riqueza, prosperidad y reconocimiento social.

Gerente: el que está al frente de una corporación o negocio, el ejecutivo de más alto rango en una organización o empresa, poder, promoción, decisión.

Gérmenes: pequeña estructura orgánica o patógeno del que puede surgir un nuevo organismo si no se trata adecuadamente. Tome las precauciones adecuadas, lávese las manos con frecuencia y limpie las superficies por las que transita la gente. Llamado a retirar las influencias negativas.

Gestión: liderazgo; tutoría; formación; discipulado; liderazgo o cobertura apostólica; la capacidad de mantener en orden y equilibrio la vida personal, social y empresarial.

Gestionar: es un indicador de que tienes el don de dirigir; personas o un equipo indica buen liderazgo o habilidades de grupo.

Gestor: necesidad de una organización más eficiente en la propia vida; aprender a manejar el éxito, Lc. 2,7.

Gig: demérito o castigo, músico reservado, barco para uso de un capitán.

Giga: truco; travesura; verse a sí mismo realizando un baile animado en tiempo triple sugiere que puede necesitar ejercitar más el autocontrol, «se acabó la festa»; rápidamente.

Gigante: temores de la infancia sobre los padres o los adultos; problema grande, miedo; si tú eres el gigante: sentimientos de superioridad sobre los demás, tú eres la persona grande pero, te sientes inferior y lo estás compensando; si otra persona es el gigante uno se siente inferior, temeroso o con menos poder; determinar qué problema, emoción, miedo o ambición ha crecido hasta alcanzar proporciones gigantescas; reflejar el sentimiento de uno hacia las figuras de autoridad o los padres; ángel; campeón; héroes; personas; demonio; desafío; obstáculo; montaña; fortaleza a vencer; deseos carnales, Nm. 13:32-33; 2 Sam. 21:16-22; Gén. 6:4; Dt. 2:10-11,21; 9:2; 1 Cr. 20:4-8, «seres caídos»; caer; humano anormalmente alto y poderoso; obstáculo a vencer; creer en un informe maligno; extremadamente malvado y violento en toda intención del corazón. Con la ayuda de Dios eres capaz de vencer al campeón de los enemigos, 1 Sam. 17:4. Raphaim, Gén. 14:5; 15:20.

Gimnasia: rapidez en los pies, gracia ágil con gran fuerza capaz de realizar hazañas sorprendentes. Eres flexible y capaz de aplicarte en diversas situaciones. Tu fe en el Señor te permitirá tener éxito en diversas situaciones; esfuerzo físico y práctica, 1 Tm. 4:8; *«Porque todo lo que ha nacido de Dios vence al mundo. Y esta es la victoria que ha vencido al mundo: nuestra fe»*, 1 Jn. 5:4.

Gimnasta: competición; atreverse a aprender algo nuevo; asumir un riesgo físico.

Gimotear: quejarse de forma malhumorada o quejumbrosa, quejarse o hablar rápidamente en un tono clamoroso.

Ginebra: beber esta fuerte bebida alcohólica, que altera la personalidad de alguien, trae confusión y cambios bruscos en las interacciones sociales, indica placeres fugaces de amigos poco fiables.

Ginecólogo: le informa sobre el momento del nacimiento de su bebé, teme exponerse, lidia con el problema de la vergüenza, teme revelar su verdadero yo, desea mantener en secreto sus preocupaciones personales, ansiedad por escuchar el informe del médico, inmoralidad, miedo a las enfermedades venéreas por la promiscuidad, miedo al cáncer, inhibiciones sexuales.

Girar: moverse en torno a una persona, tema o eje central, cambiar de posición girando, controlar o alterar la operación mediante el uso de empleados u horarios rotativos, herir retorciendo, hacer náuseas la vista me revolvió el estómago, cambiar el propósito o la intención de mediante la persuasión o la influencia. *«Y hará que muchos de los hijos de Israel se conviertan al Señor Dios de ellos. E irá delante de él con el espíritu y el poder de Elías, para hacer volver los corazones de los padres a los hijos, y de los rebeldes a la prudencia de los justos, para preparar al Señor un pueblo bien dispuesto»*, Lc. 1:16-17.

Girasol: longevidad; calor; admiración; homenaje; devoción; adoración; se mantiene erguido; rostro de Jesús el Sol de Justicia; produce semillas comes-

tibles; potencial reproductivo; lleva mucha posibilidad de promesa; una bendición «gigante»; Kansas.

Gitano: conocido por ser nómada, un vagabundo, alguien que está en busca de algo, pero nunca se compromete con nada Gén. 4:12; se sabe que cambias de opinión de un momento a otro; una caravana: incertidumbre, inquietud; compras: senderos, tribulaciones; mujer: adivinación, palabras falsas que se dicen; no escuchan el consejo; intuición, facultades psíquicas, aspectos celosos o irracionales de tus sentimientos, tal vez presionándote hacia cosas que no quieres.

Glaciar: moverse a un ritmo glacial indica un movimiento muy lento hacia la finalización de un proyecto, tus sentimientos se están preservando de una gran decepción, un enorme obstáculo se cierne bajo la superficie, sólo has descubierto la punta del problema; cruzar un glaciar significa que te enfrentarás a los desafíos con gran éxito.

Gladiador: guerrero profesional, contratado para luchar hasta la muerte, soldado romano, combate uno a uno, se necesitan las armas espirituales de la propia guerra, preparados para la batalla. Verlos luchando en una arena pública indica que se tiene una oportunidad de luchar para salir airoso de una situación o disputa difícil, se es un empleado preciado y se campea en todas las circunstancias de la vida.

Gladiola: una hoja en forma de espada con vistosas espigas de flores de varios colores indica que saldrás airoso de una manera poderosa o espectacular si aplicas la Palabra de Dios a tus situaciones difíciles actuales. Fuerza de carácter; soy realmente sincero; dame un respiro; flor de los gladiadores o guerreros, hojas en forma de espada y espiga de flores de colores; originaria de África; familia del Iris; se cultiva a partir de bulbos; Florida; agosto.

Glamour: verse con un aire de encanto irresistible, romántico y excitante indica que puedes atraer a los demás para que se pongan de su parte en un acuerdo, la gente te encuentra encantador, así que condúcete de manera piadosa y utiliza tu capacidad de influencia con integridad.

Glándulas: si están hinchadas, sensibles o inflamadas puede haber amargura o falta de perdón.

Glicina: firmeza; juventud y poesía. Esta hoja de la compañía con racimos de flores moradas o blancas que caen indica una vida amorosa feliz con esfuerzos domésticos satisfactorios.

Global Spheres: Centro de entrenamiento del reino apostólico del Dr. Chuck Pierce en Corinth, Texas, con impacto y exposición mundial; dar un paso atrás y mirar de nuevo para obtener una visión global más amplia desde una perspectiva celestial.

Globes: periódico escrito en lengua hebrea, publicado en Israel y el periódico más antiguo de Israel, fundado en 1980. El periódico Globes se ocupa del área de las finanzas, los asuntos económicos, las noticias de negocios israelíes e internacionales. Ver este símbolo indica que hay que prestar atención a las cuestiones financieras y a los cambios globales en los mercados financieros para prosperar.

Globo de aire caliente: siendo guiado por el Espíritu Santo, nota el color del globo entonces ve la tarjeta de símbolo de color para mayor clarificación; hablar fuerte, orgulloso y jactancioso te construirá solo para dejarte caer de nuevo, fácilmente llevado por todo viento de doctrina, «para que ya no seamos niños fluctuantes, llevados por doquiera de todo viento de doctrina, por estratagema de hombres que para engañar emplean con astucia las artimañas del error», Ef. 4:14; indica que serás promovido y acelerado a través de la exploración de esfuerzos espirituales para ganar sabiduría y claridad sobre las situaciones de la vida. Te elevarás por encima de la multitud ganando una nueva perspectiva celestial o una nueva visión de la vida, superando y dejando atrás tu depresión. Es hora de elevarse a un terreno más alto y tomar un nuevo territorio. El deseo de ser admirado como exitoso o talentoso. Un pequeño grupo familiar o individual dirigido por el viento del Espíritu Santo; visión espiritual.

Globo de aire descendiendo: Pérdida de esperanza, pensamientos oscuros o depresión.

Globo de aire negro: Los globos negros en su sueño simbolizan la celebración de cincuenta años

Globo de aire reventado: Incapaz de soportar el estrés y la presión excesiva, ser superado por la decepción o el fracaso, algo no se realizó o no se captó por lo que se convirtió en humo.

Globo de aire: Los globos simbolizan alegres celebraciones de amor y festividades, una inocencia infantil y entusiasmo por la vida, inflar globos que ascienden representa una nueva esperanza hacia sus sueños, aspiraciones, metas y ambiciones, un deseo de escapar o ser capaz de elevarse o reponerse de los acontecimientos difíciles o exasperantes de la vida. Los globos indican la disminución de las esperanzas y las decepciones en su búsqueda del amor, o un descenso en una situación de la vida debido a un ego inflado o a la arrogancia.

Globo terráqueo: Ver un globo terráqueo indica que tu vida está equilibrada y en orden, por lo que tienes la capacidad de cambiar el mundo; si el globo terráqueo está girando, estás experimentando confusión, cayendo en espiral, sintiéndote fuera de control, Is. 40:22.

Globo: profecía o palabras que edifican, celebración de una ocasión venturosa, espíritu de fiesta, llenura del Espíritu Santo, lleno de aire caliente, palabras que se elevan a la altura de la ocasión.

Gloria: peso; esplendor visible; respeto dado a Dios; nube Shekinah; atributos divinos; santidad; salud; prosperidad; revelar su estado honorable y su esplendor.

Glotón: si eres una persona que consume una cantidad enorme de comida y bebida, pon una guardia en tu boca para experimentar la aceptación social y el éxito. Es importante desarrollar tanto la paciencia como el autocontrol cuando la mesa del banquete es compartida por muchos invitados, de lo contrario, se te considerará egocéntrico e indisciplinado.

Gobernador: autoridad gubernamental; persona a cargo de la iglesia o los negocios; el gobernador real; Jesús; gobernar y reinar en los reinos naturales o espirituales.

Gobernar: verte a ti mismo o a otro gobernando indica que tienes habilidades de liderazgo que necesitan ser afinadas o perfeccionadas; los verdaderos líderes lideran por medio del servicio y el ejemplo; no te enseñorees de los demás sino sé el servidor de todos. Estás en entrenamiento para aprender a gobernar y reinar con Cristo por la eternidad.

Gobierno: los reinos de esta tierra, el rey de Dios viene, gobernando o reinando con Cristo, ora por tus autoridades y funcionarios, Rom. 13:1.

Gog y Magog: ver a Gog y Magog representa las masas malvadas de los muertos impíos y resucitados, Ez. 38; Ez. 39; Apo. 20:1-6,8.

Golden retriever (raza de perros): ver un Golden Retriever de pelo largo en tu sueño indica que tendrás un amigo fiel que te acompañará durante tus años dorados de vejez. Los Golden Retriever recibieron el nombre de «retriever» por su capacidad para recuperar las piezas abatidas sin daños durante las partidas de caza. Tienen un temperamento amistoso, juguetón y suave. Además, tienen un amor especial por el agua que representa el espíritu o las emociones de uno. Su inteligencia hace que sean fáciles de adiestrar en los estándares de obediencia básica o avanzada. Los Retrievers son muy versátiles y pueden desempeñar una gran variedad de funciones: como perro guía, perro de audición, perro de caza, perro de detección y búsqueda y rescate. Se adaptan bien a una residencia o a entornos campestres que requieran un ejercicio al aire libre subestándar debido a su tendencia instintiva a vagar.

Golf: momento de dar el primer golpe, estás en el carril justo de la vida, en la verde pradera de la «prosperidad», me dijo un pajarito, no seas caddie, momento de *chip* o *putt,* evita las trampas de arena de la vida, un deporte de caballeros o damas. Empresas agradables y exitosas si metes la bola en el hoyo, un hoyo en uno indica gran éxito, Ec. 10:10; «Proyectado» ; estás en el carril justo de la vida, deseo de escapar de la responsabilidad, necesidad de libertad o un tiempo de relajación para recargar las baterías creativas; el acceso al club de campo indica indulgencias de la corteza superior, pasando por la vida con un montón de tiempo extra de ocio en sus manos, impulso de línea dura para tener éxito. Soñar con el golf puede indicar que necesitas atender tus asuntos de negocios.

Golfo: ver un golfo en tu sueño indica la pérdida, la partida o la separación de amigos cercanos o una relación que se convertirá en un romance a larga distancia con poco o ningún acceso entre ellos, «un mar de distancia entre ellos».

Gólgota: una calavera, el lugar donde Jesucristo fue crucificado, Mt. 27:33; Mc. 15:22, Jn. 19:17.

Goliat: un exiliado; ver un gigante filisteo que fue matado por David en la Biblia con sólo una honda y una piedra indica que eres alguien que tiene un gran poder para lograr hazañas colosales eliminando grandes obstáculos con un solo golpe, 1 Sam. 17:4.

Goliatus (tipo de escarabajo): enemigo gigante que campea en el desafío inusual, devora los Frutos del Espíritu y mina a los líderes heridos con gran temor 1 Sam. 17:23-24; los propósitos principales son desafiar, conquistar o derrotar a otros; muy sensibles se sienten atraídos por el olor de la debilidad o los problemas; se alimentan de la muerte y la decadencia; reciclan el «material usado» y «limpian» los chismes.

Golondrina: es un símbolo de un vagabundo; puntualidad; encontrar un lugar para anidar o construir un hogar seguro, Sal. 84:3; capacidad de alejarse de los problemas o las maldiciones, Pr. 26:2. Atascar las emociones o los sentimientos de uno, ahogar o tragarse el orgullo.

Golpe de fuerza: ejercer tu influencia o imponer por la fuerza tu voluntad sobre otros.

Golpe lateral, choque: ser golpeado lateralmente en un choque de vehículos en el que se impacta el costado de uno o más vehículos, que suele tener lugar en aparcamientos o en cruces o intersecciones, o cuando los vehículos pasan por una carretera de varios carriles, indica que habrá algún tipo de interferencia u obstrucción negativa con la que tendrás que lidiar para poder avanzar. Estás en un lugar de toma de decisiones y necesita elegir un nuevo camino.

Golpe: un sonido producido, un momento inmediato indicado para un buen impacto, «un golpe de genio», la aparición repentina de una enfermedad grave, «un golpe de mala suerte», una visita al médico y una oración de sanidad son necesarias.

Golpear un coche: ser golpeado por un coche o un vehículo sugiere un altercado, que tus elecciones en la vida están en un conflicto importante con otros que herirá tu orgullo.

Golpear: si está golpeando a alguien o algo en un sueño, tiene mucha rabia y frustración. Si está golpeando comida: hay gran alegría y felicidad en su familia. Si estás presionando o golpeando pesos, tu carácter y tu cuerpo físico se están fortaleciendo; la responsabilidad, Lc. 19:13-26. Soñar que golpeas a alguien o a alguna cosa simboliza sentimientos negativos no expresados o reprimidos, ira y agresividad. Aprende a expresar tu ira y frustraciones de una forma sana y constructiva, en lugar de golpear a los demás. Si los demás te golpean, indica que te sientes impotente para ayudarte a sí mismo y que estás abrumado por las opiniones o puntos de vista de los demás. *Alternativamente:* una llamada de atención o una invitación a una nueva oportunidad, Jesús está llamando Apo. 3:20 y ofrece una relación más profunda o viene a llamar, recibir algunos golpes duros en la vida, levantarse de nuevo, sacudirse el polvo y seguir adelante, «golpear». Ver que alguien golpea algo indica que es el momento de actuar para conseguir su objetivo; «golpear mientras el hierro está caliente», «eso me parece una buena idea», «golpear el oro». Golpear y eliminar a un enemigo o una posición, 1 Sam. 15:3, Dt. 20:13, 2 Re. 3:18-19.

Golpes: las evaluaciones más elementales y los cambios en la conciencia son necesarios para lograr una base firme en el carácter. No permitas que otros controlen tus decisiones o ignoren tu valiosa aportación, mantén el equilibrio y vigila tus pasos. No impongas a los demás tu punto de vista, tus observaciones o tus planes. 2 Cor. 4:9; Pr. 10:13.

Goma elástica: estirar la verdad mientras se intenta mantener algo unido, huir de una relación y volver de nuevo, alguien te está poniendo a prueba hasta el punto de ruptura, estirándote hasta tu máximo potencial.

Gominola: ver o comer un caramelo ovalado como una gominola con una capa de azúcar endurecida sobre un centro masticable en un sueño significa un sentimiento de autocontrol, ligereza, poder positivo y alegría. Considera su color. Prueba y ve cuán bueno es el Señor. Él da la semilla al sembrador.

Gomorra: representa el orgullo, la idolatría, la inmoralidad, el pecado y la maldad, la prosperidad mundana, Ez. 16:49; Apo. 14:10-11; Jd. 7; Mc. 6:1.

Góndola: ver una barcaza estrecha y ligera impulsada por un solo remo en la popa en Venecia es una indicación de que un dulce romance y el amor están en camino.

Gong (címbalo): palabras fuertes sin amor 1 Cor. 13:1; obras resonantes sin amor; poner fin a; «gong»; falsa alarma; una pérdida.

Gopher (roedor): alguien está socavando las cosas a tu alrededor.

Gorgojo: significa un devorador indeseado y oculto que destruye las habilidades naturales de uno o que causa pérdidas en los negocios; una pérdida de amor, de amigos, de pareja o de compañía.

Gorila: directo; descarado; expuesto; rebelión abierta; «guerra de guerrillas»; control; manipulación; miedo; ser fuerte; mostrarse para asustar al adversario.

Gorra: indica el rango, la ocupación o la pertenencia; facilita la visión; restricción o limitación; completar, superar o terminar. Una gorra representa a un pensador. Una gorra también puede representar el límite impuesto a algo, como la gorra y el comercio; o un tope de gasto.

Gorrión: provisión; alimento; cuidado de Dios por su creación, sencillez. Provisión y cuidado divinos; persona templada; revolotear entre dos opiniones, Sal. 84:3 se evitará la maldición inmerecida; Pr. 26:2; Mt. 10:29, 31; Lc. 12:6-7.

Gorro de dormir: influencia embotadora, calmante; para proteger la cabeza del frío; una bebida antes de acostarse.

Gorronear comida: obtener por medio de la adulación; «una comida gratis»; esforzarse; necesitar alimento espiritual para superar una existencia escasa.

Gorronear: El término «gorronear» en el lenguaje cotidiano se refiere a un «gorrión», es decir, alguien que le gusta conseguir las cosas a costa de otra. Banda de música electrónica, película un lagarto roto, un juego de mesa creado por Cheapass Games, Freddie the Freeloader, un personaje creado por Red Skelton. Freeloader boot disks, una serie de videojuegos. Ten cuidado con tus acciones y con cómo te perciben los demás. Asegúrate de que pagas tu camino y llevas tu propia carga. Si te apoyas en los demás, envejecerás rápidamente y te encontrarás solo. También considera que esto podría ser una advertencia de la presencia demoníaca en tu vida, ya que los demonios buscan un anfitrión que les proporcione un lugar para vivir sus vidas.

Goshenita: cuando una piedra de goshenita aparece en sus sueños uno puede esperar que su vida onírica se expanda. La oración es una herramienta poderosa para estimular una mayor conexión con Dios a través del Espíritu Santo. La oración puede inspirarlo a uno a crear una armonía leal en Cristo y mantener una nueva visión superior de lo que es posible a través de Dios.

Gota de lluvia: una gota de lluvia que cae indica que una estación de refresco o limpieza está llegando a tu vida.

Gota: «causada por gotas de humor mórbido». La gota es una alteración del metabolismo del ácido úrico que se produce en las personas, causando veja-ción, inflamación dolorosa de las articulaciones, manos y pies, si la gota se hace crónica puede desfigurar a la persona. Soñar con gota indica una pérdida física o financiera. Es el momento de cambiar la dieta, buscar tratamiento médico y oraciones de sanidad.

Goteo: el goteo constante indica una irritación; alguien está intentando desgastarte con sus continuos regaños o golpes de frente, el abuso verbal está afectando tu temperamento o bienestar.

Gótico: pueblo y lengua germánica oriental. Estás en el proceso de explorar cosas en la vida que no entiendes. Buscas respuestas y necesitas sabiduría. Busca la luz del reino de Dios y ésta disipará la oscuridad que te rodea actualmente.

Goulash: un guiso de verduras de carne de vaca o ternera condimentado con pimentón indica un momento de diversión y de convivencia familiar con los amigos.

Gozo: soñar que está alegre denota armonía entre los amigos y los seres queridos. El sueño es un reflejo de tu estado de ánimo actual, Gál. 5:22.

GPS: exploración, territorio inexplorado o nuevo; tratar de encontrar la dirección de la vida; en un camino de autodescubrimiento, destino o propósito en la vida.

Grabación: ¿Qué estás grabando o permitiendo que se almacene en la memoria de tu cerebro? Otros podrían estar grabando tus palabras, así que elígelas sabiamente. Haz un recuento de todas las cosas maravillosas que Dios y los demás han hecho en tu vida y luego alaba y agradece.

Grabar: tallar, cortar o grabar en un material, bloque o superficie impresa, los nombres de los creyentes son grabados profundamente en las manos de Dios para que no pueda olvidarnos.

Gracia: recibir el favor inmerecido de Dios, las bendiciones o la concesión de dones que no te has ganado o merecido. Esfuerzo: menor encanto o belleza de movimiento con una cualidad de aptitud que agrada.

Graderías: verse sentado en las graderías en un sueño indica que se ha retirado del juego de la vida y está decidido a sentarse, relajarse y simplemente observar lo que sucede en lugar de participar o actuar. Puede que esté obteniendo otra perspectiva desde un punto de vista más elevado o que se esté tomando un tiempo para reflexionar sobre cómo alcanzar mejor tus objetivos. La aparición de las graderías en un sueño también puede devolverte a aquellas épocas en el colegio, la universidad o el atletismo a fin de que recuperes los sentimientos de emoción que experimentaste cuando hiciste parte de algún equipo.

Grado: avanzar en tu vida espiritual, 1 Tm. 3:13. Ver el grado o la nota que te han puesto representa tu nivel de éxito o fracaso en la consecución de un periodo o grado en el proceso de dominar las lecciones y etapas de la vida. Los grados indican una posición en una escala o tamaño o calidad, un grupo de personas que caen en los mismos límites o clase, una marca que muestra el nivel o la inclinación de los estudiantes, ordenar en un grado de pasos para graduar, para alcanzar una meta o estándar.

Graduación olvidada: si te olvidaste de asistir a tu ceremonia de graduación, indica que estás lidiando con algo de miedo y ansiedad por entrar en la siguiente fase laboral o profesional de la vida. Necesitas renovar tu mente con la Palabra y prepararte mentalmente para avanzar, conquistar y tener éxito. No dejes que los pensamientos de fracaso te impidan llegar a ser todo lo que has sido llamado a ser.

Graduación, créditos: si te faltan créditos o unidades para la graduación, indica que no te estás dando el crédito que te corresponde por haber logrado una hazaña tan grande. No subestimes tus emprendimientos.

Graduación: ceremonia en la que se confiere o se recibe un título o diploma académico que marca la finalización con éxito de unos estudios específicos y que amplía los límites, los logros y las capacidades en la vida. Es un momento importante de transición en tu vida, en el que pasas a un nivel superior de logros sociales. Pasar a un nuevo nivel de educación, madurez o crecimiento; aprendizaje; un nuevo comienzo o fase en la vida; nuevo nivel de responsabilidad.

Gráfico: dibujo que muestra la relación numérica entre dos cosas; graficar; indica cantidad.

Grafiti: falta de respeto por uno mismo, los celos de los demás llevan a la destrucción de la propiedad personal de las personas, a difamar, desfigurar o desacreditar las obras de los demás.

Grafito: indica que estás pasando por un proceso de expansión o construcción. Eres muy versátil y capaz de moverte en muchas direcciones diferentes. También tienes el don de la escritura o de la palabra. Puede ser el momento de escribir su libro. El grafito es un carbón de color gris acero a negro, con un brillo metálico, que se utiliza en lápices de plomo, lubricantes, pinturas y revestimientos y en diversas formas de fabricación, como moldes, ladrillos, electrodos, crisoles y boquillas de roca.

Grajilla: ladrón, asaltante, bandido, sinvergüenza.

Grajo: carroña; áreas de tus apetitos carnales necesitan ser crucificadas o morir; tus amigos no son capaces de satisfacer los deseos de tu carne; el contentamiento y los placeres huyen de ti.

Gramática: la composición de las palabras en distintos idiomas y los principios de la escritura, indica que tienes un don en los campos de la comunicación o los medios de comunicación, por lo que estás llamado a influir a las masas.

Gramófono: ver un fonógrafo o un aparato de grabación y reproducción de sonido en tus sueños indica que necesitas escuchar con más atención las palabras y las conversaciones que se producen a tu alrededor. Recibirá un feliz mensaje desde muy lejos que resolverá un antiguo misterio.

Gran bestia: ver la gran bestia en un sueño representa al Anticristo y su reino, Dn. 7; Apo. 13:1.

Gran Bretaña: Gran Bretaña se dio a conocer al mundo mediterráneo probablemente en el siglo V a.C. a través de los fenicios de Cartago, los grandes comerciantes y viajeros del mundo antiguo, porque el suroeste de Gran Bretaña era una de las pocas fuentes de estaño, un componente necesario del bronce muy escasamente difundido en la zona mediterránea.

Gran cadena: ver una gran cadena representa el momento en que Satanás será atado con cadenas y arrojado a las tinieblas, 2 Pe. 2:4; Apo. 20: 1-2.

Gran Muralla China: indica que hay algunas barreras subestatales, límites y salvaguardas que se han erigido en tu vida para mantener a la gente a distancia. Recuerda que, si mantienes a la gente fuera de tu vida, también te has aislado de ser amado o de obtener su ayuda cuando la necesites.

Gran parada: procesión pública en una ocasión ceremonial o festiva donde la gente honra y celebra el bien o el mal delante de los demás. Ver los deseos del mundo colocados ante una multitud observadora a través de una exhibición ostentosa, provoca un movimiento, el impulso y la fuerza de la creciente popularidad de su enfoque de las cuestiones políticas (band- wagon). Honra el suelo que pisas. *«Esto fue ofrendado a los ídolos»*, no lo comas por el bien de quien te lo dijo, y por conciencia; porque *«del Señor es la tierra y toda su plenitud»*, 1 Cor. 10:6.

Gran ramera: ver una gran ramera representa la falsa iglesia apóstata, Pr. 7:6-23; Apo. 17:1-7.

Gran tiburón blanco: un poderoso espíritu religioso, un devorador furtivo, brujería o falsa justicia. Representa a las falsas religiones como la budista o la hindú cuyo objetivo final es consumir un gran número de almas perdidas en el mar de la humanidad.

Grana: Pr. 31:21 la casa de las mujeres virtuosas está vestida de grana, Cnt. 4:3, tu hermosa boca y tus labios; Is. 1:18, tus pecados; Mt. 27:8, 28; un manto de grana representaba a un rey; la gran ramera y la bestia de escarlata, Apo. 17:1-4; Js. 2:18, 21; liberación y seguridad; 2 Sam. 1:24, lujo; la sangre de Jesús derramada para el perdón de nuestros pecados; Cristo Jesús nuestro sacrificio para la salvación, Éx. 25:4; Mc. 15:17; Heb. 9:19; Is. 1:18; Lev. 14:52.

Granada de mano: los comportamientos impulsivos causarán una humillación dolorosa; lanzar una bomba en ocasiones sociales, advertencia para tomar buenas decisiones

Granada: alguien está a punto de perder la compostura o la cima; un colapso emocional, cuidado con una situación o discusión que acabe en una devastación total. Dulce unción de Dios; fecundidad, alegría, sabiduría, alimento de reyes; significa fertilidad, modestia; coronada con buena salud, buena tierra y existencia prolongada; decoración del ministerio; nuevo crecimiento; amor; cercanía; cerraduras del templo, granate; Cnt. 4:3, 6:7; seca, Jl. 1:12; esterilidad, Hg. 2:19; Éx. 28:34.

Granadero: soldado especializado, elegido para el lanzamiento de granadas, de entre los soldados más fuertes físicamente, poderosos y de mayor tamaño que dirigen las operaciones de asalto en el campo de batalla. Los granaderos también dirigían el asalto a las brechas de las fortificaciones en la guerra de asedio, aunque este papel lo solían desempeñar más bien unidades de voluntarios con todas las armas, llamadas esperanzas abandonadas, o zapadores o pioneros. Ver un granadero en tus sueños sugiere que eres un precursor muy hábil, una persona poderosa con un gran impacto explosivo.

Granate: El color oscuro y rico del granate indica coraje galante, corazón valiente, heroísmo y fuerza interior. Prepárate para una situación desafiante que puede ponerte a prueba en todos los ámbitos.

Granate: Levi, unido, apegado, sujetado o consagrado a, unido, anudado, unidad, granada, capucha de sacerdote, semilla, fecundidad, arder, destellar, transparencia, 3ª piedra de la 1ª fila del efod del sacerdote, justicia, transformación, poder de la sangre de Jesús, protección contra las malas obras; coraza de oro puro del juicio, cuadrado, cuidado amoroso. El granate se ha utilizado desde la Edad de Bronce como piedra preciosa y abrasivo. Deposita tu confianza en el amor de Dios y su luz brillará sobre tu camino en la vida restaurando la esperanza y la fuerza, dándote valor para superar los problemas. Dios promete ser una ayuda en tiempos de necesidad para que tengas un testimonio de su bondad para compartir con otros. *«Acerquémonos, pues, confiadamente al trono de la gracia, para alcanzar misericordia y hallar gracia para el oportuno socorro»,* Heb. 4:16; «Tus ventanas pondré de piedras preciosas, tus puertas de piedras de carbunclo, y toda tu muralla de piedras preciosas», Is. 54:12.

Grande, árbol: se te presenta la posibilidad de elegir a quién vas a seguir. ¿De qué árbol comerás, del Árbol del Conocimiento del Bien y del Mal o del Árbol de la Vida? El árbol grande indica la elección que haces. Los árboles representan a los líderes, las hojas: la sanidad de las naciones, (ver árbol).

Grande, zapatos: viene un ascenso que te permitirá aumentar tus habilidades para la gran tarea que tienes por delante; no te apoyes en tu propio entendimiento.

Grande: soñar que eres más grande que la vida, grande en tamaño o cantidad o rango de influencia, sugiere que estás siendo promovido, aumentando en favor, prosperidad y sabiduría. Evita volverte orgulloso o pensar que eres más importante o mejor que los demás.

Grandes almacenes: ver un establecimiento comercial organizado por departamentos, que ofrece una gran variedad de mercancías y servicios, indica una llamada a la esfera del comercio; una necesidad de reponer material; una adicción a las compras; o una mujer virtuosa que busca las mejores ofertas disponibles; una unción de compras, Pr. 31:31.

Granero: almacén, Lc. 12:18; iglesia; corporación; riqueza acumulada, bendiciones Mt. 3:10, y provisión para el futuro; el reino; gran reunión o lugar de trabajo; traer la cosecha para capacitarla y equiparla; si está vacío, orar por el aumento de almas y por los cosechadores. Las cuevas en las rocas ocultaban la entrada para evitar robos; almacenaban grano; las familias vivían encima de ellas; Hg. 2:19; Lc. 12:24; Mt. 13:30; Jb. 39: 12; Pr. 3:10.

Granito: ver en tu sueño el granito que se utiliza en la construcción y en los monumentos se refiere a tu dureza, a tu testarudez y tu rigidez. Tiendes a ser inflexible y a no ceder en tu forma de pensar. Pero también tienes una gran capacidad para ser firme y mostrar una gran resistencia en los momentos difíciles. Si te mantienes firme y aguantas las situaciones por las que estás pasando, ¡se te concederá el deseo de tu corazón!

Granizo: tormenta espiritual; puede causar daños en las cosechas; efusión de emociones heladas; dificultad; juicio de Dios, una plaga, Jb. 38:22-23; Lc. 1:28; Is. 28:2; Apo. 8:7.

Granja, campos: representan la cosecha; prosperidad; llamada a la evangelización; producir un aumento; mercados mundiales.

Granja, casa: indica que vas a tener una gran cosecha fructífera si pones el empeño necesario en los proyectos que tienes entre manos.

Granja, florecimiento: tendrás éxito; prosperidad; afluencia, aumento y multiplicación.

Granja, trabajo: tu trabajo duro te hará tener mucho éxito; prosperidad y aumento.

Granja, vacante: sufre una gran pérdida; pobreza; ruina financiera.

Granja: los campos representan una cosecha de almas; llamada al evangelismo como evangelista; cuestión de temporada o de tiempo. Tierra que se cultiva para producir y cosechar la agricultura, la cría y reproducción de animales, un club de ligas menores afiliado a las grandes ligas de béisbol para el entrenamiento y reclutamiento temporal de jugadores innecesarios. Los campos están blancos para la cosecha, el reino de los cielos, el mundo, Mc. 4.

Grano: semilla para sembrar; prosperidad; contento; provisión. Un fruto pequeño y duro o una semilla que produce cereales y pan representa la multiplicación de las bendiciones, la prosperidad y el aumento de la productividad. Tomar las palabras de la gente, «con un grano de sal».

Granos: esparcir, plantar, recoger o sembrar granos indica una época de prosperidad y cosecha; una pequeña siembra recogerá una gran cosecha, Am. 9:9; *«Ciertamente les aseguro que, si el grano de trigo no cae en tierra y muere, se queda solo. Pero, si muere, produce mucho fruto»*, Jn. 12:24.

Grapas: «poner las cosas en orden», necesidad de ordenar u organizar la vida, ordenar tus emociones y expresar tus sentimientos de forma sistemática, un juego de palabras para los «elementos» básicos o esenciales de la vida.

Grasa: símbolo de energía, calor, exceso de indulgencia o de las partes internas, Sal. 92:14; 17:10; 119:70; Dt. 32:15.

Grasa: ver un aceite espeso o una sustancia viscosa que se utiliza para lubricar, recubrir, embadurnar o ensuciar con grasa o manteca de cerdo puede significar que alguien está tratando de sobornarte para facilitar o acelerar el progreso de una operación. También considera que puedes necesitar más unción para que tu vida, negocio o ministerio fluya sin problemas.

Gratificación: costumbre social en la que se ofrece una propina o una suma de dinero específica además del precio de una comida o servicio realizado para el cliente. Ofrecer una propina a un agente de policía o a un trabajador del Gobierno de los Estados Unidos es ilegal y se considera un soborno. Dejar una propina en un sueño indica que se es agradecido y amable con un corazón para dar y bendecir a los demás.

Gratitud: el estado de ser agradecido. *«Por lo tanto, ya que recibimos un reino que no puede ser sacudido, mostremos gratitud, por lo que podemos ofrecer a Dios un servicio aceptable con reverencia y temor; porque nuestro Dios es un fuego consumidor»*, Heb. 12:28-29; *«Porque todo lo creado por Dios es bueno, y nada debe rechazarse si se recibe con gratitud; pues se santifica por medio de la palabra de Dios y la oración»*, 1 Tm. 4:4-5.

Grava: ver una mezcla no consolidada de guijarros o fragmentos de roca con un material granular parecido a la arena indica que se están trazando nuevos caminos o carreteras que añadirán aventura a tu vida actual. Adopta un espíritu pionero para descubrir nuevas formas de hacer las cosas. Considera también la posibilidad de una infección de las vías urinarias, ya que puedes tener cálculos. Si tu voz es grave: entonces puede estar hablando demasiado, muchas palabras cansan a la gente, elija tus palabras sabiamente porque darás cuenta de ellas y puedes acabar teniendo que comerte tus palabras, así que asegúrate de que sean dulces, productivas y que edifiquen a la gente.

Gravera: mezcla no consolidada de pequeños guijarros, rocas y arena que se utiliza para verter los cimientos durante el proceso de construcción; suministro abundante.

Gravy (tipo de salsa): muchos beneficios serán una corona para tus logros.

Greba: arma defensiva; armadura para las piernas que se lleva por debajo de las rodillas; ayuda a proteger la marcha en la vida.

Grecia: país que está estratégicamente situado en el cruce de Europa, Asia y África. Considerada la cuna de toda la civilización occidental, Grecia es el lugar de nacimiento de la democracia, la filosofía occidental, los Juegos Olímpicos, la literatura y la historiografía occidentales, la ciencia política, los principales principios científicos y matemáticos y el teatro occidental, tanto la tragedia como la comedia. Grecia es un país democrático y desarrollado, con una economía avanzada de altos ingresos, una alta calidad de vida y un nivel de vida muy elevado. Soñar con Grecia puede indicar que vas a visitar este bello país y sus gentes en un futuro próximo. También considere la palabra «grasa» para algo que se está cocinando o es muy resbaladizo.

Grifo de agua: lugar o fuente simbólica que se abre dentro de la propia morada para liberar la gloria o la unción de Dios. Beber o llenarse de la unción. La necesidad de lavarse las manos de una situación.

Grifo: ver u oír un grifo que gotea indica que alguien te está fastidiando constantemente para que cuentes un secreto, tratando de que cotillees, calumnies o murmures de otros. No rompas la confianza de otro o se volverá contra ti, una persona recoge lo que siembra. Ver un grifo en un sueño indica que es el momento de aprovechar una nueva fuente de ingresos. Necesita desarrollar al menos cinco fuentes financieras diferentes. Aproveche a Dios, Él es la fuente más alta de sabiduría y bendiciones, y Él te dirigirá hacia el éxito. *«Querido hermano, oro para que te vaya bien en todos tus asuntos y goces de buena salud, así como prosperas espiritualmente»*, 3 Jn. 2.

Grilletes: ver una cadena o unos grilletes atados a los tobillos para restringir el movimiento indica que alguien intenta restringir tu libertad. También puedes sentirte atado a una relación o encadenado a un trabajo que ya no disfrutas.

Grillos: este bicho representa la introspección; la búsqueda de orientación interior; la receptividad espiritual; la buena suerte; el cebo utilizado para atraer; oír grillos sugiere que estás dejando que te molesten irritaciones o cosas menores, Lev. 11:22; su canto, tono y tempo dependen de la temperatura.

Gripe amarilla: la ausencia organizada de los estudiantes de la escuela en protesta por la obligatoriedad de los autobuses. Su nombre proviene del color amarillo de los autobuses. Puede que tengas que tomar alguna medida si las cosas que hacen los demás van en contra de tus creencias.

Gripe: contraer esta enfermedad viral infecciosa aguda en tus sueños es una advertencia para que te mantengas alejado de cualquier exposición a personas que tengan inflamación de las vías respiratorias, fiebre, dolor muscular o irritación en los intestinos. Necesitas una buena dosis del Espíritu Santo.

Gris marrón: significa «topo», es decir, de color marrón grisáceo a bronceado.

Gritar: intentar ser escuchado o llamar la atención de alguien; si nadie te escucha, te sientes como si no tuvieras importancia o fueras ignorado; dificultad para expresarte o dar tu opinión en una situación, Pr. 27:14.

Grito: no eres capaz de orar o decir nada cuando estás bajo un ataque demoníaco; necesidad de ser liberado o liberada de un gran temor, ansiedad o frustración; tus fuerzas están al límite.

Gritos: soñar que usted o alguien está gritando representa que tienes una necesidad urgente de compartir las buenas noticias del evangelio por lo que estás gritando desde los tejados para que todos puedan escuchar. Gritar puede indicar que te han pasado por alto porque no te sientes digno de alabanza. Es posible que tengas anhelos reprimidos, falta de perdón o amargura que necesitan ser liberados. Las voces del pasado seguirán gritando hasta que perdones las cosas que te persiguen continuamente.

Grosella negra: madurez.

Grosella roja: se presentan opciones dulces.

Grosella verde: un nuevo poder entrará en tu vida.

Grosella: una nueva y espléndida oportunidad se presenta en tu camino; las uvas agrias se convertirán en dulces conservas de jalea cuando todas las cosas malas trabajen juntas para tu bien. Prosperará en los negocios.

Grosellas: soñar con este arbusto espinoso de flores verdosas y bayas comestibles: indica una temporada amarga, agria y decepcionante en la vida. Tus malas experiencias han derivado en malas decisiones basadas en los celos y la envidia. Esperemos que

aprendas de tus errores y seas más sabio por ello. También conocida como «bayas buenas», es originaria de Europa, el noroeste de África y el oeste y sureste de Asia. Esta fruta peluda, comestible (de color verde, rojo, púrpura, amarillo y blanco) y de buen sabor se cultiva a nivel nacional y comercial. La mejor forma de propagación es por esquejes y no por semillas. En el siglo XIX, el término «Gooseberry bush» se utilizaba en la jerga para referirse al vello púbico, ya que se creía que los bebés «nacían bajo el arbusto de la grosella».

Grúa: gran máquina industrial capaz de derribar y construir estructuras, rompe la tierra dura y el concreto de una construcción para hacer surgir lo nuevo; significa estirar el cuello y tener una mejor visión.

Grueso: estar en medio de algo indica que tu participación es estratégica para tu éxito y el de los demás. Pide sabiduría para poder maniobrar hacia un lugar de prosperidad, sigue avanzando y no pierdas tu impulso.

Grulla (pájaro): este pájaro representa la felicidad, las cosas nuevas que surgen, la curiosidad; el amor maternal, y sus gestos de buena voluntad; tiene la capacidad de velar por los que le son cercanos y queridos; amigos leales; estirar el cuello para llamar la atención; o llegar a lo alto; larga vida; resurrección; renovación; solitario; cazador solitario, permanece en las aguas poco profundas, sensación de aislamiento; tiempos señalados; Jer. 8:7.

Grulla, volando: elevación o ascenso.

Gruñir: expresión áspera y hosca que se utiliza para detener el movimiento hacia adelante o intimidar con el miedo, «agárralo y gruñe». Si oyes que alguien o algo te gruñe es una advertencia de que el peligro está cerca. Si gruñes, es que no has afrontado los problemas que tienes a mano. Elimina la rabia que llevas dentro y busca una solución pacífica para tus frustraciones.

Grupo de guerra: ver a un grupo de guerreros luchando o atacando a la gente indica que tienes amigos que te ayudarán a ganar el botín del trabajo de otros para que te devuelvan las cosas que te han robado en el pasado.

Gruta: ver una gruta, como la Grotta Azzurra en Capri, o cualquier tipo de cueva natural o artificial cerca del agua que se asocie con un uso moderno o histórico en un sueño significa que estás teniendo algunas emociones oscuras relacionadas con el inframundo. La gente adquiere grutas artificiales con fines devocionales para colocar estatuas de santos en los jardines, en particular de la Santísima Virgen. Las conocidas apariciones de Nuestra Señora de Lourdes a Bernadette Soubirous tuvieron lugar en una gruta, que es visitada por muchos católicos.

Numerosos santuarios de jardín siguen el modelo de estas apariciones fantasmales.

Guacamayo: de los muchos géneros de loros auténticos, seis se clasifican como guacamayos. Los guacamayos son nativos de América Central y América del Norte, sólo de México, América del Sur y, anteriormente, del Caribe. La mayoría de las especies están asociadas a los bosques, especialmente a las selvas tropicales, pero otras prefieren los hábitats boscosos o de sabana. Esta clase de loros pueden representar una compañía para toda la vida si fueran una mascota porque los loros viven mucho tiempo. Por otra parte, imitan o «repiten como loros» lo que oyen, así que ten cuidado con los chismosos que repiten cada palabra que dices.

Guadaña: ver esta herramienta de un solo filo, curvada y de mango largo, que se utiliza para cosechar, indica que es tiempo de siega, ya que los campos están maduros para obtener grandes riquezas o llevar almas al Reino de Dios; por el contrario, también es la herramienta que lleva el Espíritu de la Muerte o la Parca cuando viene a poner fin a una vida en la tierra.

Guante de béisbol: la coordinación ojo-mano asegurará una gran captura; reúne las herramientas necesarias para que cuando surja lo inesperado estés listo; la preparación te facilitará el trabajo; la previsión te alineará para atrapar las bolas voladoras y los *line drives* o batazos de línea cuando se acerquen a máxima velocidad.

Guantes de boxeo: prepararse para recibir o dar una paliza; en una situación complicada o violenta, esforzarse al máximo para conseguir algo o vencer una situación agresiva mientras se esquivan los verdaderos problemas, afrontar los miedos, enfrentarse y vencer para ser el campeón.

Guantes, portadores: una ocasión elegante en la que prosperarás y harás muchas nuevas conexiones.

Guantes, sucios y andrajosos: tu vida se ha ensuciado por las decepciones, la soledad y los problemas del pasado; pero tu duro trabajo te ha llevado a un nuevo día de prosperidad.

Guantes: elegancia; inspección; siervo; espera; habilidad para atrapar una oportunidad de alto vuelo; preparado para una pelea; guante; invitación a separarse o trazar distancia en una relación.

Guapo: soñar con una persona agradable a la vista; tener un aspecto simpático que provoca sentimientos románticos o sexuales en alguien significa que se siente atraído por una persona que despierta tu interés.

Guarda: uno guarda su lengua, sus pensamientos, nuestras acciones; la moral, las presiones sociales, el miedo a perder la reputación, el respeto, el amor, la posición social, la virginidad; protección en forma de

ángel de la guarda Sal. 91:11; persona o perro protector; defensa; vigilante; mente clara; supervisa a los prisioneros; poderoso; entrenamiento del alma y la carne; la capacidad de Dios para guardarnos. 2 Tm. 1:12; Ef. 6:10-18; 1 Pe. 5:8; 2 Re. 10:25; Hch. 16:27.

Guardaespaldas: soñar que tienes un guardaespaldas indica que te sientes incómodo con alguna situación en tu vida cotidiana. Tu creciente popularidad te hace sentirse inseguro, ya sea física o emocionalmente. Has sido herido recientemente, por lo que estás a la defensiva. Si sueñas que eres un guardaespaldas, representa un deseo de vigilar, defender o proteger a los demás de las heridas emocionales que ha experimentado. Tu compasión y valor son tu mayor ventaja.

Guardafango: el guardabarros está abollado: conflicto, confrontación, un ataque a tu carácter un intento de avergonzarte; abollar el guardabarros de otra persona: ser más receptivo y menos crítico con los demás.

Guardería: instinto maternal, esperar un nuevo miembro de la familia; recordar la propia infancia; desear una época más sencilla, sin preocupaciones; un vivero: representa el desarrollo espiritual, el potencial, el crecimiento y la transformación; alimentar los cambios en la vida. Lugar al que se confían los bebés, los niños pequeños y los niños inmaduros en edad preescolar para que los cuiden y los socialicen como preparación para la escuela primaria. Representa una etapa de la vida despreocupada y sencilla en la que no hay responsabilidades ni grandes expectativas. Verse en un preescolar o en una guardería indica que quieres que te cuiden para evitar los caos de la vida.

Guardia de seguridad: protecciones angélicas celestiales; el vigilante; la gran nube de testigos; el Espíritu Santo; autoridades legales; 1 Cr. 9:27.

Guardián: ángel, alguien encargado de vigilar, proteger y cuidar o administrar los bienes de un menor o de un incompetente, un superior en un monasterio, fíjate en la forma en que te tratan; si te tratan de forma considerada: significa favor, de forma irrespetuosa o negligente: significa pérdida de favor. Ver un guardián en un sueño suele significar una actividad angélica que se posiciona para ofrecer protección y guía durante una temporada difícil o peligrosa de la vida. *Alternativamente:* la conciencia de uno; una figura de autoridad, o un guardián que vigila o patrulla tu comportamiento y acciones; puedes sentirte confinado.

Guarida: lugar de convivencia con los amigos y la familia; reclusión; comodidad; lugar de retiro o lugar oscuro para recuperarse. Ver la morada de un animal o un refugio o escondite en un sueño indica que podrás sortear un obstáculo y superar una gran oposición.

Guasón: representa las partes ilógicas e irracionales de uno mismo que se transforman en diferentes personalidades o talentos para obtener una respuesta o acción deseada, en sí mismo el Guasón no es ni bueno ni malo, ni sabio ni insensato, ni elevado ni bajo.

Guepardo: depredador astuto, garras no retráctiles, mata a las víctimas con rapidez, independencia centrada en sí mismo, peligro al acecho. Un juego de palabras para engañar a alguien.

Guerra civil: una guerra civil es un conflicto de alta intensidad o una división interna, en la que participan fuerzas armadas regulares, que es sostenida, organizada y a gran escala. Las guerras civiles provocan un gran número de bajas y el consumo de importantes recursos. Snt. 4:1.

Guerra de guerrillas: llevar a cabo una estrategia de batalla específica dada por el Señor; juego de palabras: si se representa en el sueño por medio de gorilas, advertencia de la estrategia del enemigo.

Guerra espiritual: ver o experimentar una guerra espiritual en un sueño es un llamado a la oración y al ayuno para vencer las artimañas del enemigo. *«pues aunque vivimos en el mundo, no libramos batallas como lo hace el mundo. Las armas con que luchamos no son del mundo, sino que tienen el poder divino para derribar fortalezas. Destruimos argumentos y toda altivez que se levanta contra el conocimiento de Dios, y llevamos cautivo todo pensamiento para que se someta a Cristo. Y estamos dispuestos a castigar cualquier acto de desobediencia una vez que yo pueda contar con la completa obediencia de ustedes»*, 2 Cor. 10:3-6; *«Por último, fortalézcanse con el gran poder del Señor. Pónganse toda la armadura de Dios para que puedan hacer frente a las artimañas del diablo»*, Ef. 6:10-11;

Guerra: representa la muerte, la destrucción, el asesinato, el racismo, la carnicería; *«La guerra se hace con buena estrategia; la victoria se alcanza con muchos consejeros»*, Pr. 24:6; Jer. 51:20; 1 Pe. 2:11; 1 Tm. 1:18; Snt. 4:1-2; Gén. 14:2; Is 2:4; Mi. 4:3; Apo. 12:7; 17:4; 19:11, 19; 2 Cor. 10:3.

Guerra: tiempo de muerte y destrucción, gran ruina, Ec. 3:2, 8; ora por protección y la sabiduría de Dios para vencer.

Guerrero: la capacidad de uno para enfrentar y superar los desafíos de la vida.

Gueto: barrio marginal de una ciudad habitado por grupos minoritarios que viven allí debido a las difíciles presiones económicas, en Europa los judíos fueron obligados a residir en estos barrios aislados. No se exceda en tus finanzas o sufrirás grandes pér-

didas, manténgase dentro de tu presupuesto o viva por debajo de sus posibilidades.

Guía turístico: visita a Israel para conocer la Tierra Santa y experimentar un encuentro espiritual, un líder espiritual dotado que puede conducirte a la presencia del Señor, viajar a diferentes países para amar y servir a la gente, estás llamado a cambiar el mundo.

Guía: el Espíritu Santo, Jesús, un líder cristiano, un hombre, un pastor, un amigo, un ángel, un perro lazarillo, la Biblia, una lámpara que ilumina el camino o una presa demoníaca o un espíritu guía.

Guijarros: arrojar un guijarro al agua indica que harás un gran chapoteo con un efecto ondulante durante los días venideros; cuídate de hablar de calumnias, chismes o contar secretos porque una vez hablados los pájaros del aire llevarán tus palabras a muchos; piensa bien antes de vengarte de alguien que arrojó una piedra, pues cosecharás lo que siembres.

Guillotina: advertencia de no cortar a los amigos valiosos por ser desconsiderados, enojados, hostiles o por erupciones de emociones groseras; advertencia de no perder la cabeza en una situación o relación; pensar antes de actuar, ser gobernado por la carne. La pérdida irracional de la cabeza o de la capacidad de pensar y razonar adecuadamente, martirio: un mártir que muere por su fe; la ejecución de los cristianos al final de los tiempos por el Anticristo.

Guiño: soñar que le guiñas el ojo a alguien o que te lo guiñan a ti, indica que se respira algún tipo de picardía en el aire. Es posible que tenga la información privilegiada o la primicia. El romance o el amor pueden estar en el aire o en un futuro próximo.

Guirnalda: *«Adorno de gracia dará a tu cabeza; Corona de hermosura te entregará»*, Pr. 4:9; *«Y a confortar a los dolientes de Sión. Me ha enviado a darles una corona en vez de cenizas, aceite de alegría en vez de luto, traje de fiesta en vez de espíritu de desaliento. Serán llamados robles de justicia, plantío del SEÑOR, para mostrar su gloria»*, Is. 61:3; *«Me deleito mucho en el SEÑOR; me regocijo en mi Dios. Porque él me vistió con ropas de salvación y me cubrió con el manto de la justicia. Soy semejante a un novio que luce su diadema, o una novia adornada con sus joyas»*, Is. 61:10.

Guisante de olor: timidez; partida; placer dichoso; gracias por un tiempo encantador; adiós; partida; sigue subiendo a mayores alturas; tus oraciones son una dulce fragancia; abril.

Guisantes: acumulación sistemática de dones o riquezas; los esfuerzos providenciales serán disfrutados por muchos; éxito y prosperidad; superar pequeños problemas con muchos topes, «La princesa y el guisante».

Guitarra eléctrica: soñar que tocas una guitarra eléctrico indica una poderosa pasión por adorar o expresarse a través de la música, el canto o las letras. Unirse a una banda de rock-n-roll representa un deseo de fiesta y de rebelión contra la sociedad.

Guitarra: ser tocada, punteada o rasgueada con aletas representa una reunión alegre, llena de amor y alegría, disfrutando del pequeño placer de la vida; las cuerdas rotas indican decepciones, Sal. 144:1.

Gul: espíritu maligno o demonio en el folclore musulmán que se considera que saquea tumbas y se alimenta de cadáveres, un ladrón de tumbas que se deleita en lo morboso o repugnante. Tus esperanzas y aspiraciones serán drenadas si estas criaturas de la noche te visitan. Utiliza el poder que se encuentra en el nombre de Jesús y su sangre para vencer a estos demonios de una vez por todas.

Gurú: maestro hindú, tibetano o de Oriente Medio que defiende sus propios conocimientos espirituales o filosofías personales.

Gusano: cebo; enfermedad o dolencia generacional detestada; humildad; debilidad; destrucción; Mesías crucificado; opinión negativa muy baja de uno mismo o de los demás; desventaja, Jb. 17:14, 24:20 y 25:6; Sal. 22:6; Is. 41:14, 51:8, 66:24; Js. 4:7; Mc. 9:44, 46, 48. Langosta, en su estado de larva, Jl. 1:4; Nah. 3:15-16. Miedo a la pérdida, a la disminución, a la enfermedad o a la muerte; preocupaciones, malos hábitos o predicamentos que «carcomen» o devoran; desbrava o come la carne sobrante, Is. 14:11; contaminación e infección de las heridas emocionales; destruye la belleza, la armonía y el equilibrio; persona que se sirve a sí misma y se alimenta de los demás, Jb. 25:6; infestación; se alimenta de los muertos; impureza; infección y corrupción; despreciado; pecado sucio o hábitos carnales.

Gusanos de luz: disfrutas de una fascinante temporada de misterio y de las místicas maravillas de las luces, ya que Dios utilizas a los insectos para iluminar la noche de verano. Un gusano de luz puede referirse a una luciérnaga o a un cocuyo. Una luciérnaga en un sueño representa ideas brillantes y destellos de ingenio. Ver estos insectos brillantes en tus sueños puede indicar que Dios está destacando tu necesidad de una mayor transformación espiritual. Un poco de la luz o el fuego de Dios traerá la iluminación espiritual. Ver luciérnagas trae el calor de la iluminación a un lugar oscuro mientras disfrutas de un tiempo de relajación.

H

Habitaciones oscuras: si ve una habitación oscura o restringida, llena de desorden, significa que te sientes intimidado o cohibido en una situación en particular. Las habitaciones oscuras también se uti-

lizan para revelar fotografías para que los detalles aparezcan con claridad.

Habitaciones amarillas: el amarillo indica que hay que pensar bien las cosas y usar el buen juicio.

Habitaciones blancas: las habitaciones blancas hablan de un comienzo inmaculado, limpio, con pureza, pero que no se alejan de la influencia exterior.

Habitaciones cálidas: si la habitación es cálida, hospitalaria o confortable, significa lujo, afluencia y satisfacción en la vida.

Habitaciones nuevas: si encuentras una habitación nueva, denota una nueva fuerza descubierta, un desarrollo de emociones, dones o talento y la capacidad de expandir tu influencia actual de una manera novedosa.

Habitaciones: soñar que te encuentras en una habitación específica representa un aspecto particular de ti mismo o una relación definida. Los sueños sobre una variedad de habitaciones a menudo se relacionan con áreas ocultas de la mente consciente y diferentes aspectos de tu personalidad. ¿Qué encuentras en estas habitaciones? ¿Se trata de recuerdos positivos o negativos del pasado o de un nuevo descubrimiento para mejorar tu futuro? ¿Has descuidado habilidades y destrezas dejando tu potencial bajo llave? ¿Las habitaciones están ordenadas, desordenadas, limpias, polvorientas o sucias? Es posible que haya algunos aspectos de tu persona que no quieres que los demás conozcan, especialmente si ves un ático o un sótano en tus sueños. ¿Qué colores tienen las habitaciones? (Consulte la carta de colores para obtener mayor información).

Hábito (prenda): ver o llevar un traje o ropa de «monja», indica que tienes el mismo manto de oración o características de una vocación, rango o función espiritual. Si el hábito es un traje que se usa para montar a caballo, puede estar utilizando sus propios poderes carnales para resolver problemas.

Hábitos: ver una inclinación continua, a menudo involuntaria o inconsciente, realizada con frecuente repetición y contraria a las normas sociales, te dejará como un paria y sujeto de chismes. Aléjate de las influencias negativas y haz nuevos amigos que se preocupen por tomar buenas decisiones.

Hablar: escuche las palabras de sabiduría o las conversaciones que se comparten; puede encontrar la respuesta a las preguntas que te has hecho en el sueño. Oír una voz audible o una conversación en un sueño indica que el soñador está recibiendo una advertencia, sabiduría del cielo o una estrategia divina. El mensaje o el consejo del sueño requiere obediencia, así que debes orar por eso cuando te despiertes

Hacer autostop: intentar seguir la visión o los objetivos de otra persona, buscar un viaje gratis, falta de ambición, has cedido tu voluntad a otra persona; recoger a un autoestopista indica que eres un salvador y que estás permitiendo que otros se aprovechen de tu generosidad.

Hacer la maleta para un viaje: reunir elementos y empacarlos para un viaje indica que necesitas hacer un inventario de tus recursos y pertenencias para asegurarte de que tienes todo lo necesario para avanzar en la próxima temporada.

Hacer: soñar que estás llamado a crear o hacer que algo nuevo suceda, llegue a existir, ocurra o aparezca juntando componentes o conectando personas, hacer una perturbación, favorecer el crecimiento de la popularidad de alguien, encajar o pretender, o destinar creando, hacer heno, todo ello es una alusión a una capacidad creativa en ti que está saliendo a flote para producir aumento y multiplicación. El tiempo es dinero. Deja de perder tu tiempo, reevalúa y avanza hacia una vida más productiva.

Hacha de guerra: arma antigua de uno o dos filos que se utilizaba para amputar y decapitar al enemigo; se coloca el hacha en las fortalezas mentales o en los problemas del pasado; una mujer pendenciera y dominante. Jer. 51:20. Ver un hacha pequeña, de mango corto, con el extremo de la cabeza opuesta a la hoja en forma de martillo que está hecha para ser utilizada con una sola mano, un tomahawk, que puede cortar, destruir o matar. Esto puede ser un sueño de advertencia de que es el momento de «hacer las paces», antes de que una ofensa o enemistad se vaya de las manos.

Hacha: «Alista el hacha» para cortar (o quitar) la raíz de un problema, Mt. 3:10; tienes un hacha para cortar; asunto o enfermedad; lo milagroso comenzará a manifestarse en tu vida, 2 Re. 6:6, el hierro flota, «levantando y subiendo». Las acciones valientes te permitirán evitar algún peligro en tu camino, Lc. 3:9; Jer. 51:20; Ez. 26:9.

Hacia atrás, caída: Caer hacia atrás puede indicar que estás siendo abrumado por tu situación actual. Ora para que el Espíritu Santo te guíe y te dé sabiduría antes de aventurarte a seguir adelante.

Hacienda: hacer un balance o una evaluación de la propia vida; establecer objetivos, planificar el éxito, y luego trabajar duro para alcanzar un alto nivel de excelencia.

Hackeo: avisa de que alguien quiere sacar provecho de asuntos personales o delicados que han sido archivados. Si tu ordenador está siendo hackeado puedes ser vulnerable y débil en la confianza o en el área de la autoestima o los límites.

Hada: ser imaginario, travieso e inteligente que adopta una forma humana, un espíritu familiar o un guía espiritual; un estilo de vida alegre; verse a uno mismo o a los demás como alguien pequeño e insignificante, astuto, furtivo o mágico; las fuerzas energéticas magnéticas naturales de la tierra, como la gravedad, la electricidad o la unidad, son representadas por el subconsciente como fuerzas energéticas, ideas creativas o como hadas o duendes en los sueños, Dt. 18:11-12.

Hadassah: estrella preciosa, Gén. 1:16.

Hades: el mundo subterráneo donde residen los muertos.

Haggis: plato escocés hecho con una mezcla de corazón, pulmones e hígado picados de oveja o ternera mezclados con sebo, cebollas, avena y condimentos y hervidos en el estómago del animal. Si te ves comiendo este brebaje eres muy robusto y capaz de superar cualquier obstáculo.

Halcón nocturno: Lev. 11:16; Dt. 14:15; un ave impura, puede haber sido un búho.

Halcón o asesino de cigarras: son grandes avispas solitarias que depredan las cigarras como provisión para los nidos; se hallan en América del Norte, México y América Central. Las asesinas de cigarras ejercen una medida de control natural sobre las poblaciones de cigarras, beneficiando directamente a los árboles de los que se alimentan sus presas. Ver a este asesino de avispas en tu sueño indica que las cosas que te han estado mordiendo el último nervio están siendo cazadas y eliminadas para que puedas mantenerte erguido y prosperar de nuevo.

Halcón: ave de rapiña; «ora» para expandirte y abrirte paso; victoria; libertad; guerrero capaz de vencer a los enemigos que quisieran aprovecharse de ti o convertirte en su presa, Lev. 11:16 inmundo; carroñero; mini superficie; visión aguda, «ojo de halcón»; obtención de grandes recompensas a través de la persecución de tus objetivos; conciencia aguda; juicio rápido; depredador, hechicero, espíritu maligno; inmundo, Gén. 10:9; Hch. 20:30; Jb. 39:26. *Alternativamente.* El aumento de la prosperidad, el placer y las bendiciones serán arrebatadas provocando la envidia de los enemigos; hábil cazador; ave de presa entrenada, «ora» por el aumento y el avance; estás centrado en tu vocación, objetivos y aspiraciones. Tus logros te harán próspero; otros desearán tus habilidades; presa de otros; Dt. 14:13. Ver un halcón en vuelo: advierte de amigos que traicionan tu confianza.

Half-pipes o medio tubo: un atleta hábil puede actuar en un half-pipe durante un largo periodo de tiempo bombeando para alcanzar velocidades extremas con relativamente poco esfuerzo en una estructura de madera, hormigón, metal, tierra o nieve utilizada en deportes extremos de gravedad como el snowboard, el skate, el esquí, el BMX de estilo libre y el patinaje en línea. Se asemeja a la sección transversal de una piscina, esencialmente dos rampas cóncavas (o cuartos de tubo), rematadas por coberturas y cubiertas, enfrentadas a través de una transición plana. Esta actividad recreativa ayuda a desarrollar habilidades para el entrenamiento competitivo en competiciones y demostraciones amateurs y profesionales.

Halibut o rodaballo: haly significa (santo) y butt (pez plano), el halibut es un pez plano afín a la platija que se hizo popular por los días festivos católicos. Ver un halibut en un sueño indica que es el momento de ayunar, orar y buscar acercarse a Dios para que pueda obtener sabiduría para lograr sus objetivos.

Halitosis: Soñar con Halitosis, coloquialmente llamada mal aliento, o feter oris, es un síntoma en el que se presenta un olor notoriamente desagradable en el aliento exhalado, esto es un indicador de que debe cuidar las palabras de su boca. No exhale cada pensamiento que se le ocurra. Elija sus palabras con cuidado, ya que es posible que tengas que comértelas en algún momento. Se estima que la preocupación por la halitosis es la tercera razón más frecuente por la que la gente acude al dentista, después de las caries y las enfermedades de las encías; y se dice que alrededor del 20% de la población general la padece en algún grado, por lo que este símbolo onírico podría indicar que una visita al dentista beneficiaría su salud.

Halle: significa regalo o bendición inesperada, 2 Cor. 9:13; heroína creativa, Cl. 3:23-24.

Halloween: el 31 de octubre, víspera del Día de Todos los Santos, celado por los niños que piden golosinas o gastan bromas, indica que será reconocido por tus habilidades creativas y tu generosidad. Es una fiesta oculta en la que la gente va disfrazada de monstruos aterradores y espeluznantes muertos vivientes. El color naranja y el negro son los colores dominantes.

Halo: ver una banda circular de luz coloreada alrededor como un aura de gloria que rodea a quien se mira con reverencia, asombro o sentimiento indica que eres santo. Usted está recibiendo un don divino sobrenatural que le permitirá hacer milagros. Espere un aumento de la unción, de las ideas creativas, del poder curativo, de la prosperidad y de la asistencia angelical, Ez. 1:28.

Hamaca, caída de: las cosas no son como aparentan; has sido engañado, defraudado o mal informado. El acuerdo se ha suspendido, o tus emociones están al límite. Los detalles inconclusos se adelantarán al cierre; habrá un despertar repentino o brusco a los detalles inconclusos.

Hamaca: tómate un tiempo de ocio, relajarte y apreciar algunas actividades placenteras; disfruta de las cosas sencillas de la vida. Benefíciese de la vida, ya que los objetivos que te has fijado se han cumplido.

Hambre: el hombre espiritual necesita más tiempo para comunicarse con Dios, Mt. 5:6; el cuerpo necesita ciertos minerales, vitaminas o componentes nutricionales, anhelar una nueva pasión en la vida, sentir una insatisfacción en la vida personal, anhelar la satisfacción sexual, la riqueza, salud o fama. La sed y el hambre espirituales de las cosas de Dios serán satisfechas Sal. 107:5; el hambre de la lujuria del mundo nunca será satisfecha. Un fuerte anhelo, deseo o necesidad de aprobación o necesidades espirituales, emocionales y físicas para ser satisfechas; pobreza y carencia; no hay alivio, acuerdo o satisfacción.

Hambre: una carencia en áreas espirituales, mentales o emocionales de tu vida, ignorar o evitar a un miembro importante de la familia, hacer dieta o un desorden alimenticio. No leer la Biblia, no alimentarse espiritualmente, falta de reverencia o hambre espiritual, pobreza, carencia, enfermedad, desazón, falta de atención, empobrecimiento, negación de uno mismo, déficit de atención.

Hambruna: pérdida de ingresos en los negocios; falta de favor o conexiones; tiempos de vacas flacas; baja o nula productividad; hambre de atención en las relaciones; si tu enemigo está en hambruna: prevalecerás y tendrás éxito, no te alegres de su dolor y desgracia, sino apaga cualquier ambición egoísta; juicio, Apo. 18:18; Jer. 5:12; 14:12-18; Am. 8:11.

Hamburguesa de queso: considere la canción de Jimmy Buffets, Cheeseburger in Paradise. La combinación de la leche y la carne de la Palabra, son una buena enseñanza que hasta un niño puede entender.

Hamburguesa: se siente insatisfecho con un sentimiento de carencia, con necesidad de componentes fundamentales en la vida. Falta de ilusión, hay lagunas en los trabajos académicos o en los elementos materiales que hacen que una persona se sienta completa. Es el momento de revisar la vida y fijar algunos objetivos.

Hamlet: Hamlet es una tragedia escrita por William Shakespeare. Soñar con un Hamlet sugiere que vivirás una larga y feliz vida en un nuevo lugar rodeado de amigos. Un nombre popular para un cerdo, representa un festín en el desayuno con hamlet y huevos. ¡Una maravilla!

Hámster: criaturas nocturnas; una vez maduros, lucharán hasta la muerte si se mantienen con otros de su especie; extremadamente territoriales; se mantienen en un solo camino; juego de palabras: «New Hampshire».

Hándicap: carrera en la que se dan ventajas o penalizaciones a las personas para igualar las posibilidades de ganar. Persona con una discapacidad mental, emocional o física, un impedimento o un obstáculo.

Hannah: significa compasiva con gracia, Sal. 145:8.

Hanukkah: también conocido como el Festival de las Luces, significa iluminación, conocimiento y guía espiritual.

Harén: significa lugar prohibido o lugar sagrado e inviolable, habitaciones cerradas para las esposas, concubinas y miembros de la familia en un hogar polígamo donde los hombres tienen prohibido ir. Ver un harén en un sueño puede indicar que te gusta darte un estilo de vida lujoso o los balnearios. Cuida tu corazón y tu boca, no chismosees, la verdad siempre acabará saliendo a la luz. Estás en un proceso de preparación para presentarte ante el rey, Esd. 2:3, 9, 11, 13-14.

Harén: una mujer favorecida en un harén indica que deseas placeres prohibidos con hombres casados; los hombres que frecuentan o poseen un harén de mujeres representan la falta de capacidad de decisión, la falta de compromiso, la necesidad de discreción; la falta de sabiduría, la búsqueda de placeres egoístas, está perdiendo el tiempo.

Harina de arroz: los miembros de tu familia crecerán.

Harina de cebada: capacidad de vencer a tus enemigos, ganar una vida feliz en el hogar.

Harina, comprar: verse comprando o comerciando con sacos de harina indica que tendrás mucho éxito y prosperidad. Le irá bien en el mercado y en los negocios.

Harina de maíz: el trabajo duro dará sus frutos con la suficiente planificación y estrategias de mercadeo.

Harina para pastelería: una vida hogareña feliz, llena de alegría y prosperidad.

Harina de patata: la juventud y los niños traerán gran alegría a su hogar.

Harina, trigo: salud, prosperidad, aumento y abundancia.

Harina: el cuerpo roto o molido de Jesús; moler a alguien hasta convertirlo en polvo; Is. 53, 28:28; Lev. 2:1; Nm. 28:5; 1 Cro. 23:29; una vida feliz con los productos básicos que proporciona una economía frugal; cuidado con los planes del enemigo para tamizarte; provisión abundante; abundancia, carga; ofrenda.

Harley: El nombre Harley significa del bosque de las liebres o de la pradera, pasto de los conejos o elegido por Dios. Harley también es la abreviatura de Harley Davidson.

Harry Potter: ver a Harry Potter en tu sueño sugiere que estás buscando los reinos de las tinieblas para controlarlos o una fuente maligna de brujería para encontrar las respuestas a la vida. Necesitas arrepentirte y buscar a Jesús, que es el Espíritu de la Verdad. Ver a Harry Potter en tu sueño puede ser una advertencia para que no te desvíes hacia el mundo de la fantasía. Esaú era un «peludo» que vendió su primogenitura por un plato de lentejas. Dios es el «Alfarero» que nos formó para sus propósitos y su Reino. «¿O no sabéis que vuestro cuerpo es templo del Espíritu Santo que está en vosotros, el cual tenéis de Dios, y que no sois vuestros? Porque habéis sido comprados por un precio; glorificad, pues, a Dios en vuestro cuerpo y en vuestro espíritu, que son de Dios»*, 1 Cor. 6:19-20.

Hawái: «Hawaiano, la vida de la tierra se perpetúa en la rectitud»; las islas de Aloha; el estado de Aloha; el estado de la piña; el hibisco hawaiano; el coral negro.

Hawaiano: nativo nacido en una de las islas hawaianas que vive o procede de las islas hawaianas. El idioma de Hawái.

Haz de luz: un rayo de luz que genera poder o ilustración que viene de Dios; irradiar la presencia de Dios para ganar exposición; el foco.

Hazaña: acto de fuerza o una hazaña de coraje y atrevimiento, llena de habilidad, imaginación y resistencia; estar en condiciones aptas: indica que eres muy inteligente y que lograrás grandes hazañas, Dn. 11:28, 32.

Hebilla: caer o «abrocharse» ante un exceso de presión o situaciones de estrés; aceptar la propia responsabilidad; atarse.

Heces: humanas, místicas del alma; falsa profecía; desperdicio; profanación.

Hechicería: practicar la hechicería o invocar a los espíritus malignos indica una mente reprobada y caída; significa estar controlado o poseído por demonios; alguien tiene intenciones malignas; un corazón lleno de decepción que tendrá un final terrible si no se arrepentimiento y obtiene la salvación; una gran pérdida; desilusión, devastación y decepción y muerte si se consulta a un hechicero, 2 Cr. 33:6; Gál. 5:20; Apo. 18:23; Éx. 7:11; Hch. 8:9.

Hechicero/hechicera: alguien que practica las artes oscuras de la hechicería, la brujería, el control, la manipulación o la adivinación, la seducción, el engaño, un poder sobrenatural que se ejerce sobre los demás a través de espíritus oscuros y malignos; lanzamiento de hechizos; espiritismo; conjuros, Dt. 18:10; el uso de la brujería, el poder del alma de uno, los talentos, la fuerza interior o las habilidades o dones creativos para lograr objetivos. 2 Cr. 33:6; Gál. 5:20; Apo. 18:23; Éx. 7:11; Hch. 8:9. Una persona que utiliza las artes oscuras, los espíritus malignos y familiares, los encantamientos y la magia para predecir el futuro, Éx. 7:11; Hch. 8:9.

Hechizado: estar confundido o desconcertado en un sueño indica que estás pasando demasiado tiempo con personas improductivas que te hacen perder el tiempo y nunca harán lo que dicen que harán, estás haciendo girar tus ruedas, es hora de hacer que tu tiempo y tus esfuerzos cuenten.

Hechizo: soñar que ves o escuchas a alguien poner un hechizo, proferir todo tipo de conjuros, entrar en estado de trance por medio de brujerías, o que es capaz hechizar a través del sonido de ciertos sortilegios, indica que necesitas arrepentirte, arreglar tu vida, ayunar y orar.

Hecho: una hazaña, acto realizado o acción llevada a cabo.

Helado, derritiéndose: decepción, tristeza, reencuentro, cinismo o deslealtad.

Helado, haciendo: prosperarás y tendrás muchos amigos.

Helado, máquina: ver una máquina de helados en un sueño indica una necesidad de mezclar algunas personas o cosas muy dulces para combinar o integrar algunos talentos e ingredientes en tu vida que dejarán un buen sabor de boca en los demás. También puede indicar que ha llegado el momento de celebrar, hacer una fiesta o invitar a amigos y familiares a divertirse.

Helado: cosas buenas que vienen a ti; satisfacción; cumplimiento y éxito con cada empresa en la vida; saborear la Palabra, 1 Pe. 2:2.

Helecho: sinceridad; fascinación; confianza; refugio; muy reproductivo; muchas semillas; sincero y cariñoso, 1 Jn. 4:11.

Hélice: ver este artefacto en tus sueños significa que obtendrás grandes ganancias y llegarás lejos en poco tiempo sin tener que invertir mucho esfuerzo.

Helicóptero: Capacidad de maniobrar en lugares estrechos.

Helicóptero: querer poner en marcha rápidamente nuevos planes o relaciones; pequeño ministerio móvil que puede hacer cambios rápidos según sea necesario; suspendido en el aire; en una posición fija pero flexible; gran ministerio de guerra espiritual; grupo en casa; hermandad o iglesia; posiblemente un ministerio de rescate de creyentes heridos. Ministerio móvil, el ministerio profético, 1 Re. 9:26-28; Ez. 30:9; Hch. 27:1-2; Mt. 8:23-27, 24:38; Lc. 5:4.

Heliotropo: devoción; amor eterno. Esta planta sudamericana con pequeñas y fragantes flores de color púrpura, sanguina o púrpura rojizo intenso que se vuelve hacia el sol, si se ve en sueños indica una vida amorosa próspera, el romance está empezando a florecer.

Hemorragia: una hemorragia anormal o una gran descarga de sangre, indica que se está quemando la vela por los dos extremos, es inminente un colapso nervioso o físico debido al agotamiento. Perder las fuerzas para la vida, la fe o las agallas, Lc. 8:43.

Hemorroides: la presión de la vida que causa estrés en tu hombre interior, esforzándote por librarte del pecado en lugar de confiar en Dios para el perdón.

Henchido: una situación o relación va «viento en popa», ser consciente de un ego u orgullo demasiado inflado.

Heno: cantidad insignificante de dinero; trabajos mundanos de la carne o del alma; motivos erróneos o impuros; alimentar a los animales: se está cuidando; recién cortado o apilado en graneros: seguridad; abundancia; prosperidad. Is. 15:16; 1 Cor. 3:12.

Hepatitis B: es una enfermedad causada por el virus de la hepatitis B (VHB) que infecta el hígado de causando una inflamación llamada hepatitis. La enfermedad ha causado epidemias en Asia, África y China. Aproximadamente un tercio de la población mundial, más de 2.000 millones de personas, se ha infectado con el VHB. La transmisión del VHB procede de la sangre infectada o de fluidos corporales que contienen sangre a través de contactos sexuales sin protección, transfusiones de sangre, reutilización de agujas y jeringuillas contaminadas y transmisión vertical de madre a hijo durante el parto. Los miembros de la familia dentro de los hogares pueden entrar en contacto con el VHB, al cortarse la piel o a través de las secreciones de las mucosas o la saliva que contienen el virus. El 30% de los casos de hepatitis B notificados entre los adultos no pueden asociarse a factores de riesgo identificables.

Hepatitis C: es una enfermedad reconocida como factor de riesgo de coinfección de la hepatitis B. El nivel de riesgo de transmisión sexual de la hepatitis C aumenta con la asociación entre la tasa de infección y las prácticas sexuales de alto riesgo, como las parejas sexuales múltiples y el sexo con penetración anal.

Hércules: mito griego, hijo de Zeus y Alcmena, héroe de extraordinaria fuerza que ganó la inmortalidad realizando 12 trabajos extremadamente difíciles exigidos por Hera. Una constelación en el hemisferio norte. Es una persona de gran fuerza moral y fortaleza.

Hereje: persona quejosa e irritable, Tt. 3:10.

Herencia: es una posesión familiar valiosa que se transmite de generación en generación, a menudo representa un don espiritual o una unción que viene a ti. Soñar que se hereda una finca significa que se está construyendo un buen nombre y que tu legado pervivirá más allá de ti; te lloverán dineros inesperados, finanzas y prosperidad en un futuro próximo; se avecina una gran herencia y regalos. Condición establecida en la vida Jd. 6; Rom. 12:16; Lc. 1:48. Ver una característica física, un don o unción espiritual, una bendición financiera o material o una herencia cultural en un sueño, generalmente indica que estos elementos serán impartidos en tu vida, Pr. 13:22; Rom. 8:17.

Herida abierta: el perdón es necesario para cerrar una herida o situación traumática; Jer. 8:22. Una herida es una lesión que se produce rápidamente y se caracteriza por una piel cortada, perforada o desgarrada (herida abierta) debido a un traumatismo por objeto contundente que provoca una contusión o (herida cerrada).

Herida: el perdón es necesario para cerrar una herida o situación traumática, Jer. 8:22.

Herido: tener un sueño en el que te hieren advierte de que alguien o algo quiere causar dolor físico, molestias o daños, agraviar o herir mental, emocional o físicamente mediante el sufrimiento o la aflicción para perjudicar o dañar las posibilidades de promoción.

Herir: soñar con ser herido advierte que alguien o algo quiere causar dolor físico, desasosiego o daño, agraviar, angustiar o herir, herir mental, emocional o físicamente a través del sufrimiento o la aflicción para perjudicar o dañar las posibilidades de promoción, Jer. 30:15.

Hermafrodita: tener órganos reproductivos masculinos y femeninos en una persona indica dolor; persona capaz de unificar pensamientos y opiniones diferentes u opuestas en equilibrio; persona que tiene dones, talentos o debilidades usualmente asociadas con el sexo opuesto, posible incertidumbre sobre su rol de género.

Hermana: hermana en Jesús; cualidades similares que ves en ti o en otra persona; hermana real; la Iglesia, Mt. 12:50. Hijo de la hermana, Cl. 4:10, significa primo; una hermana completa, hermanastra o media hermana, 2 Sam. 13:2, cualquier pariente femenino cercano, Rom. 16:1.

Hermanastra: la hija de los padrastros de uno por un matrimonio anterior, pariente, relación, surgirán problemas o una circunstancia inevitable.

Hermanastro: el hijo de los padrastros de uno por un matrimonio anterior, sin sentirse vinculado.

Hermano: el Espíritu Santo; Jesús; un hermano de la iglesia; tú mismo; alguien que te recuerda o tiene cualidades similares; tu hermano de sangre; un amigo querido, Mt. 12:48; desorganizado; para castigar; desmayado; enemigo; necesitado; juzgado falsamente. 1 Cor. 8:11-13.

Hermoso: bello, Is. 54:11. Ser honesto en todo lo que se hace; una reunión de gente para celebrar una actividad.

Héroe, interpretado por ti: abundarán las críticas de aquellos a los que aprecias; si otro hombre o persona interpreta al héroe: puedes esperar que aumenten los niveles de alabanza, aprecio y respeto, y surgirá la oportunidad de dar un paso adelante en una situación difícil; el valor de enfrentarse y luchar contra los defectos de carácter, las debilidades o los

fallos de uno mismo; es el momento de proteger o defender a alguien más débil o menos afortunado.

Heroína: ver a la heroína interpretada por usted: abundarán las críticas de los que le tienen aprecio; si otra mujer u otra persona es la heroína: espere ganar elogios, aprecio y respeto, surgirán oportunidades; el valor de afrontar y luchar con los defectos de carácter, las debilidades o la falta en uno mismo; proteger o es el momento de defender a alguien que es más débil o menos afortunado.

Herpes: ampolla de fiebre, palabras de enojo o expresiones negativas, una enfermedad, un resfriado o un virus. Temor a una enfermedad vírica que provoca la aparición de llagas en la piel y en las mucosas de la boca y los genitales; ansiedad sexual, situaciones de estrés, remordimientos y preocupaciones por la práctica de «sexo inseguro». Tener un herpes, una enfermedad de los nervios, indica que has estado bajo mucho estrés y presión, y que es hora de descansar y relajarte para recuperar tu salud.

Herraduras, arañando el poste: entonces el éxito está por llegar, si no, tendrás mala suerte.

Herraduras: indica que si uno practica una habilidad experimentará el éxito en la tarea o los esfuerzos que emprenda.

Herramientas: las herramientas representan los diferentes dones naturales y espirituales, los talentos y los activos que Dios ha dado a cada persona. Muchas veces las herramientas representan los dones de poder, activados por la fe para salvar, sanar, liberar y hacer señales y maravillas. Las personas que tienen una gran cantidad de herramientas o una caja de herramientas representan a la generación destinada a hacer «grandes obras». Estas personas tendrán una gran fe y una gran gracia trabajando juntas para el advenimiento del Reino.

Herrero: los enemigos obstaculizan tu capacidad de protegerte, 1 Sam. 13:19, el trabajo duro, las pruebas de fuego y la fuerza de tus armas no producirán el resultado deseado, Is. 44:12, el trabajo duro y laborioso producirán instrumentos, ningún arma formada contra ti prosperará, Is. 54:16-17.

Herrumbre: algo que se ha estancado en tu vida física o espiritual. Unción contaminada por enseñanzas falsas o erróneas. Palabras o enseñanzas rancias, estropeadas o contaminadas de una vieja fuente errónea u oscura. Las palabras que pronunciamos tienen el poder de crear; habla sabiamente en todas las situaciones.

Hervir: alguna situación o emoción se está calentando hasta el punto de liberar una gran presión o vapor, una discusión acalorada que llega a un punto crítico, una presión que se descarga, un tumulto emocional o una conmoción que se disipa.

Hibiscos: belleza delicada; flores tropicales grandes y de varios colores; Hawái; Florida.

Hidrante: un hidrante es una medida activa de protección contra incendios, y una fuente de agua provista en la mayoría de las áreas urbanas, suburbanas y rurales con servicio de agua municipal para permitir a los bomberos aprovechar el suministro de agua público para ayudar a extinguir un incendio. En la Biblia el fuego aparece como un gran movimiento de bendición y cobertura protectora de Dios, pero también aparece como un juicio devastador. Es importante discernir por qué ha aparecido el hidrante. ¿Se trata de un fuego que hay que apagar o proteger? Los espíritus religiosos tratan de apagar el corazón ardiente de la pasión que busca a Dios día y noche, por lo que ver un hidrante en este contexto sería una llamada a la oración contra las pérfidas acciones de los burladores.

Hidrofobia: La hidrofobia es el temor al agua. La infección de la rabia hace que sus víctimas tengan dificultad para tragar por lo que muestran pánico cuando se les presenta líquidos para beber dejando su sed sin saciar. Ver a alguien con rabia echando espuma por la boca indica que tiene una gran necesidad de la Palabra de Dios, pero teme abandonar su pecado y salvarse.

Hiedra venenosa: ver o tocar esta hoja trifoliada, pequeñas flores verdes y bayas blanquecinas que provocan una erupción al contacto, indica que se sufrirá por comunicar mal los sentimientos a un amigo o familiar.

Hiedra: amistad; amor conyugal; afecto; fidelidad; La *Ivy League*; distinciones de élite; prosperidad; salud; alegría; éxito. Si forma una corona, ganarás un campeonato.

Hiel: el líquido amargo segregado por el hígado llamado bilis representa la presencia de amargura; una planta venenosa, Hch. 8:23; Am. 6:12; Jer. 8:14; Jb. 16:13; 20:14, 25.

Hielo: cobertura superficial que parece atractiva, pero carece de sustancia y fortaleza, se necesita un toque delicado para completar una situación, demasiado de algo bueno puede causar problemas. Refrescante; factor de conservación; si resbala: personas de corazón frío; o tienes un corazón frío; hielo negro: ten mucha precaución, deja de ser imprudente estás en un camino peligroso o resbaladizo, Sal. 73:18; Jer. 23:12; emociones congeladas; capa resbaladiza; sentir la necesidad de «romper el hielo» en una situación social: ansiedad sin causa te amarán; No seas demasiado atrevido: «pisar sobre hielo fino».

Hiena: trata de obtener ventajas sin merecerlas; se ríe de los demás; distorsión; Jb. 12:4; Is. 13:22; decepción en las empresas; poderosas fauces de burla, chismes y calumnias.

Hierba seca: ver manchas secas o muertas en el césped: los problemas o dificultades momentáneos requerirán de tu atención; hoy están aquí y mañana se han ido; duran poco; falta de unidad en las relaciones.

Hierba, serpiente: ver una «serpiente en la hierba»: representa traición; engaño; artimañas de amigos, familiares o socios.

Hierba: exuberante y verde: felicidad; prosperidad; alegría; nuevo crecimiento y aumento; distinción; notoriedad; seguridad; Dt. 11:15, provisión; Jb. 5:25, descendencia; Sal. 92:7, malvado; Is. 40:6, hombres; desvanecimiento o marchitamiento Is. 40:6-8; 1 Pe. 1:24; música «Blue Grass» de Kentucky; pura sangre.

Hierba: fiesta en el césped: fiesta en el césped: los amigos mundanos se sentirán atraídos por ti.

Hierbabuena: tus palabras deben ser limpias, frescas y nuevas.

Hierbas amargas: raíces amargas Lam. 3:15; juicios; advierte de los planes de un enemigo para hacer daño; Éx. 12:8, condiciones amargas; farmacia, Lam. 3:15, me ha llenado de hierbas amargas y me ha llenado de hiel; sufrimiento en la tierra, Nm. 9:11; Éx. 12:8.

Hierbas, venenosas: las hierbas venenosas significan la muerte.

Hierbas: condimento; alimento Gén. 1:11-12, 19, 29-30; palabras de Dios que curan; Apo. 22:2 las hojas son para la sanidad de las naciones; prosperidad en los negocios; armonía y equilibrio en las relaciones; Jb. 30:3-4, sal; hierbas: demacrado por la necesidad y el hambre, errante, reseco, páramo desolado, Nm. 9:11, Pascua, 2 Re. 4:39-40, Lc. 11:42, fariseo dio una décima parte de hierbas pero descuidó la justicia y el amor de Dios. Se utiliza en la medicina o en la cocina; muere al final de cada temporada de cultivo; raíces amargas.

Hierro: obstinado; juicio del pecado; aflicción; fuerza; gobierno aplastante que es inflexible, Dn. 2:33; 7:7, 19; Sal 2:5, 9; 107:10; Jue. 4:3; Jb. 40:18.

Hígado: irritabilidad, se necesita una limpieza interior, posiblemente se requiere un cambio en la dieta en relación con el alcohol, procesar una situación o sentimientos tóxicos, Sal. 119:125; búsqueda de faltas o engaños; «Él hace que mi hígado tiemble».

Higienizar: limpiar o despojar de falsos exteriores; abrasivos; pulir para permitir que el Espíritu brille; los desinfectantes traen liberación y curación.

Higo: fruto de Israel; paz; prosperidad; soledad; comunión con Dios; delicadeza; recuperación del botín; giro positivo, afirmativo; provisión; retorno favorable a la salud, 2 Re 20:7; beneficio y riqueza; Jer. 24:5-7, apatía; placer y honor. Hb. 3:17; Je 24:1-8; Nah. 3:12.

Higos buenos: los ojos de Dios vigilan a la gente; los hace volver; construye y no derriba; Dios plantará, no desarraigará; conocerlo como Señor; volver a Dios, Jer. 24:9-10.

Higos malos: aborrecibles, una ofensa para todos, un reproche, un sinónimo, un objeto de burla, maldición, engaño; prohibidos; la espada, el hambre y la peste destruirán; esfuerzo propio; cubre la vergüenza y la desnudez.

Higos secos: pérdida de la virilidad, la influencia o la fortuna.

Higuera: símbolo de la vida nacional y política de Israel; árbol cultivado por sus frutos comestibles, conocido por representar la paz, la prosperidad, la soledad y la comunión con Dios, el milagro de Jesús maldiciendo a la higuera sin fruto, Parábola de la higuera estéril en el Evangelio de Lucas, Parábola de la higuera en ciernes que se encuentra en los tres Evangelios sinópticos. Si los higos están marchitos o son poco numerosos, representa un contenido embarazoso, esterilidad, carencia o pobreza, porque los higos se parecen a los testículos del hombre. Un verdadero tipo de Salomón - príncipe de la paz y el verdadero reinado del Rey durante 1000 años, Adán y Eva se escondieron detrás de las hojas de higuera, para ramificarse, las primicias de los frutos maduran temprano en junio, un espectáculo pretencioso y la hipocresía. Mt. 21:19-21, 24:32-33; Jue. 9:10; Cnt. 2:13; Apo. 6:13; Lc. 13:6.

Hija: hija de Dios; hija espiritual o física; rasgos de carácter similares en ti misma; la hija actual; femenina; inocencia; profecía; complaciente; obediente; infantil; inmadura; hermosa; «de tal palo, tal astilla»; un pueblo.

Hijastra: hija del cónyuge de un matrimonio anterior, pariente, relación, no te siente vinculada.

Hijastro: el hijo del cónyuge de uno por un matrimonio anterior, indica que te sientes relegado o excluido, que no te sientes conectado.

Hijo varón: soñar o ver un niño varón puede indicar el nacimiento de un hijo o la realización de una promesa que se hace realidad.

Hijo: un hijo de Dios; tu hijo espiritual; posee tus mismos rasgos de carácter; el hijo real; profecía; descendiente; complaciente; obediente; características de lujuria; ideal. Implica casi cualquier tipo de descendencia o relación; Gén. 29:5 un nieto; Mt. 22:42, un descendiente remoto; 1 Pe. 5:13, discípulo; hijos de Dios o hijos de Dios nacidos de nuevo por el Espíritu Santo; Adán es llamado hijo de Dios, Lc. 3:38; Is. 21:10.

Hilaza: ver una hebra continua de hilos retorcidos de material natural o sintético como lana o nylon. El hilo en un sueño indica que alguien está contando una larga y a menudo elaborada historia de aventura real o de hallazgos ficticios sobre usted. También

puede simbolizar tu conexión y creatividad, porque la gente teje ropa que representa nuevas uniones de hilo. Por otra parte, como el tejido es un patrón que se repite una y otra vez, puede que estés atrapado en una rutina diaria repetitiva y aburrida.

Hillsong: ver esta mega iglesia pentecostal con una adoración asombrosa indica que debes dejar que la palabra se eleve en tu corazón se eleve a Dios y gritar sus alabanzas desde las cimas de las montañas. Hillsong está afiliada a la Asamblea de Dios de las Iglesias Cristianas Australianas con sede en Sídney, fundada en 1983, cuando el Centro de Vida Cristiana de Sídney en Waterloo, fundado por Frank Houston, se fusionó con el Centro de Vida Cristiana de Hills en Baulkham Hills, fundado por su hijo, Brian Houston.

Hilo dental: intento de buscar respuestas en todas las grietas y hendiduras para tomar la decisión correcta, sensación de estar atrapado entre la espada y la pared, buscando una causa de fondo.

Hilo enredado: si el hilo está enredado en una madeja de nudos, implica que estás experimentando algún problema emocional real, angustia o confusión en tu vida.

Hilo: fibra delgada que se utiliza para coser y que mantiene las cosas unidas; estar colgando de un hilo; en el extremo de uno.

Himnos: alabanza directa y acción de gracias a Dios; salmos; cuidadosamente arreglados; canto; alegres piezas sagradas; melodía del corazón; contentamiento en el hogar o en el trabajo; confesión; contraste de dos cosas; cantos licenciosos de los paganos, Ef. 5:19; Cl. 3:16; Mt. 26:30.

Hincapié: insistir en un tema y regañar excesivamente presagia dificultades en las relaciones.

Hincharse: hincharse de vanidad u orgullo, ego hinchado o inflado; una reacción alérgica, intolerancia a la glotonería; ciclo menstrual.

Hinchazón, parte del cuerpo: si es en un contexto negativo como una cabeza hinchada: tu ego puede estar demasiado inflado y tienes la cabeza henchida de orgullo.

Hinchazón: advertencia de no ignorar o pasar por alto asuntos importantes que necesitan atención inmediata; las cosas están a punto de explotar.

Hindú: nativo de la India que cree en el hinduismo; un conjunto diverso de filosofía religiosa y prácticas culturales marcadas por la creencia en la reencarnación y en un ser supremo de muchas formas y naturalezas, un deseo de liberación de los males terrenales, y que las teorías opuestas son aspectos de una verdad eterna.

Hipermetropía: incapaz de ver las cosas que están al alcance de la mano o justo delante de su cara, Sof. 1:17.

Hipnología: es la experiencia del estado de transición de la vigilia al sueño.

Hipnosis: nunca permitas que nadie te hipnotice. No entregues tu subconsciente al control de otro. Si has sido hipnotizado en el pasado, es que se introdujeron espíritus demoníacos que todavía afectan a tu vida y te dan problemas. Soñar que está hipnotizado indica que otra persona tiene una influencia negativa y controladora sobre las decisiones que toma en su vida.

Hipnotista: es permitir que otros ejerzan control mental, brujería, deseos egoístas o influencias perjudiciales sobre tu voluntad y tus emociones.

Hipnotizar: estar embelesado o en un estado hipnótico de éxtasis en un sueño significa que no estás mirando la situación o la persona con espíritu de discernimiento, necesitas tener los ojos bien abiertos. Si parece ser demasiado bueno para ser verdad, es demasiado bueno para ser verdad. Usa tu buen juicio y busca consejo antes de avanzar en una decisión. Someterse a un espíritu de manipulación, brujería o entregar la mente al control de otra persona, ser víctima o dejarse llevar por los deseos egoístas de alguien, renunciar al control de tu vida indica inseguridad y mentalidad de víctima, arrepiéntete, hazte cargo y responsable de tu propia vida, tú eres el único que tiene poder para cambiar tu condición actual.

Hipo: el hipo es una contracción o sacudida involuntaria y repetida del diafragma y del cierre de las cuerdas vocales, que da lugar al ruido «hic» que se produce al intentar recuperar el aliento mientras se solloza. Tener hipo en sueños indica que necesitas más del aliento del Espíritu en tu vida para curarte de una pena o un dolor.

Hipócrita: persona que asume la apariencia de piedad y virtud mientras está vacía y desprovista de un verdadero conocimiento o relación con Jesús. Ser hipócrita en un sueño indica que tienes falsos amigos.

Hipopótamo: persona que mete las narices en los asuntos de los demás, la boca grande le dice a todo que traiga destrucción; extremadamente violento y agresivo; boca que asesina y devora a cualquiera que se atreva a acercarse; acecha bajo la superficie; territorial.

Hipoteca: ver aparecer la hipoteca de uno indica que hay presiones financieras en aumento, puede que te hayas excedido demasiado y necesites vender, reducir el tamaño o trasladarte a una zona diferente; endeudamiento; inversiones inmobiliarias; representan dinero que se debe al banco, Rom. 13:8.

Hiriente: si en un sueño te hieren los sentimientos, discierne si llevas tus sentimientos en la manga y necesitas endurecerte. La vida no es justa, así que desarrolle una piel gruesa para no ofenderse fácilmente. Si está actuando de una manera hiriente hacia los demás, entonces necesitas cambiar tu comportamiento y tratar a los demás de una manera amable y cariñosa.

Hisopo: tú y tu casa necesitan una limpieza espiritual mediante el ejercicio de la oración y la fe, Éx. 12:22; Sal. 5:17; Lev. 14:4.

Histerectomía: extirpación quirúrgica del útero; hacer estéril, estéril o improductivo; eliminar la improductividad.

Histeria: soñar que es incapaz de gestionar o controlar tus emociones indica que estás siendo controlado o manipulado y que has llegado al límite de tu paciencia. Muestra firmeza con tus familiares y empleadores y establece límites sanos.

Historia: escuchar, leer o escribir una historia indica que has comenzado un nuevo capítulo en tu vida. Las palabras crean, así que escribe la historia de tu vida para que hagas historia y dejes un legado que otros puedan disfrutar. Narración cronológica de los acontecimientos pasados de la vida de las personas y de las instituciones que se han desarrollado y registrado. Situaciones del pasado de las que se puedes aprender y que suelen repetirse si no se aprendió la lección la primera vez.

Hitos: vallas, muros, líneas de demarcación, hileras de árboles, rocas, montones de piedras, Dt. 21:17; se pronuncia una maldición si se mueven los límites en la propiedad de un vecino.

Hocico de cerdo: indiscreciones; pecaminosidad; mal juicio o falta de sabiduría; mundanalidad, Pr. 11:22.

Hockey: es un deporte rápido y agresivo que se juega en una pista fría y helada con grandes palos y un pequeño disco para meter en la portería. Se pueden esperar muchos tropiezos, golpes duros y hombros fríos en la vida. El trabajo en equipo es necesario para lograr el objetivo. Concéntrate y mantén los ojos en la meta; juega hacia dónde va el disco, no hacia donde está actualmente.

Hogar de la infancia: acontecimientos pasados que necesitan resolución o sanidad; que influyen en tu presente para bien o para mal.

Hogar: el estado de la residencia indica la condición física, emocional o espiritual de cada quien; si está deteriorado: fracaso, cansancio, desgaste, tristeza, enfermedad o necesidad de reparación y descanso; ir a un hogar alegre: familia, placer, alegría, plenitud, comodidad y amor; si se está remodelando: evaluar dónde se está en la vida y hacer cambios positivos para tener éxito y seguir adelante. Un hogar es donde está el corazón, es un lugar de seguridad, comodidad y descanso; si ves tu casa en un sueño indica que es hora de dejar las responsabilidades del trabajo y pasar tiempo de calidad con los amigos y la familia. Vida familiar cálida; un hogar acogedor; fuego: lugar donde calentarse, Sal. 102:3 un fagot, una piedra en la que se hacía fuego para cocer el pan, Gén. 18:6.

Hoguera: el fuego puede representar la lámpara de la vida que se consume; lugar seguro para calentarse; luz en la oscuridad; quemar lo viejo; tomar una nueva dirección; pasos restaurados; romance.

Hoja amarilla: registro de antecedentes penales. Considera tus pensamientos negativos ya que, si no se corrigen, se convertirán en acciones y finalmente en un mal hábito. Esta es una fuerte advertencia para que cambies tus pensamientos y comportamientos o te ganarás un prontuario. Recogemos lo que sembramos.

Hoja seca: presiones de la vida, estación de otoño, muerte.

Hoja verde: prosperidad, aumento y bendición; el río de la vida.

Hoja: sanidad de las naciones; un soplador de hojas: el viento del Espíritu Santo te impulsará al ministerio de sanidad, Sal. 1:3; Ez. 47:12; Jb. 13:25; Is. 64:6.

Hojas de higuera: son un símbolo de cuidado de uno mismo; una cobertura y una expiación de uno mismo. Gén. 3:1-8; Is. 64:6.

Hojas, caída de: indica que las nuevas ideas están muriendo en la vid; una pérdida o enfermedad.

Hojas, cocción de: estarás sano y vivirás una larga vida.

Hojas, flores: la gente que te rodea está muy feliz.

Hojas, laurel: felicidad y una vida llena de alegría.

Hojas, papel: tus ideas creativas te llevarán a una gran riqueza.

Hojas, recogida: tendrás una ganancia económica.

Hojas, tallo con fruto: serás muy productivo en tus relaciones domésticas y laborales.

Hojas, viento: los tiempos y las estaciones cambian en tu vida.

Hojas: sanidad de las naciones Apo. 22:2; alegría; salud; vitalidad; secas o marchitas: personas malintencionadas que causan una esperanza aplazada; una pérdida; enfermedad; soledad; alejarse o salir de; permanecer impasible en una determinada condición; entregarse después de la muerte al control de otro; desamparar; abandonar; depositar información. Una corona de honra.

Holanda: país del queso, las dunas y los diques A los habitantes de Holanda se les llama «holandeses». Viven en un entorno inestable y acuático. Las principales ciudades de Holanda son Ámsterdam, la capital de los Países Bajos y sus ciudades más grandes son Rotterdam y La Haya.

Holocausto: soñar con el Holocausto indica una injusticia nacional contra el pueblo de Dios, el asesinato de los creyentes en Jesús a través del prejuicio y el odio racial.

Holograma: si ves un holograma en un sueño indica que te gusta tener una imagen exacta de lo que ocurre en su vida antes de tomar decisiones. Quieres ver las cosas desde todos los ángulos posibles para tener una visión completa.

Hombre adelantado: El que se adelanta para hacer negocios y arreglos publicitarios; se avecina desarrollo y progreso económico, espiritual o físico; espera un aumento del favor público, de la promoción, de la popularidad y del ascenso social.

Hombre con gabardina: un abrigo puede representar una declaración de moda, un manto o cobertura espiritual, o una necesidad de protección de las condiciones ambientales. Soñar con una persona que viste una gabardina puede indicar que estás atrapado en una situación negativa y necesitas ayuda; alguien te está espiando; un exhibicionista o pervertido sexual puede estar cerca.

Hombre fuerte: una fuerza o espíritu demoníaco que intenta gobernar tu vida; Mc. 3:27. Ver a un hombre fuerte atado y derribado indica que tendrás éxito en los conflictos de la vida. Si el hombre fuerte está tratando de robarte o atarte, entonces necesitas orar por sabiduría para vencer su ataque. Aprende a ser hábil en la oración y la liberación. La gente es destruida por falta de conocimiento. Aprende quien es tu enemigo y usa la espada del Espíritu para remover su influencia de tu vida. Sal. 19:5; Is. 1:31; Mt. 12:29; Lc. 11:21. Una persona en buena forma física puede indicar que necesitas hacer más ejercicio.

Hombre guapo: ver un hombre alto, moreno y guapo en tus sueños indica que el amor verdadero está en camino.

Hombre lobo: deseos voraces propios o ajenos, lujuria animal voraz, impulsos físicos u odio devorador que se desgarra a sí mismo, a sus relaciones y a los demás.

Hombre alto: ver un hombre alto en un sueño indica que llegarás lejos y prosperarás gracias a una gran influencia. Estarás por encima de la cabeza y los hombros de los demás.

Hombre amable: si es un extraño amable: Jesús; Hijo del Hombre.

Hombre anciano: un padre, Dios Padre, la sabiduría o las experiencias vitales acumuladas, tu vieja naturaleza carnal.

Hombre armado: un defensor de tu reputación; a la inversa, se refiere a alguien que te va a herir o causar un gran dolor.

Hombre calvo: gran abundancia de sabiduría y riqueza.

Hombre de negro: ver a un hombre vestido de negro puede representar un misterio, el diablo, el engaño, la seducción o la pobreza y la muerte.

Hombre desconocido: mensajero de Dios; mensajero demoníaco; motivo maligno. Si es desconocido o no puede recordar sus rasgos faciales: un mensajero espiritualmente bueno o malo; Jesús, un ángel o el Espíritu Santo. Si una mujer sueña con un hombre desconocido puede indicar que ganarás riqueza a través del matrimonio.

Hombre de pelo blanco: si un hombre tiene el pelo blanco o parece ser santo representa el espíritu de la sabiduría y el consejo. Si además está vestido de blanco: representa una gran prosperidad.

Hombre viejo: ver a un hombre viejo, de pelo blanco y con barba puede representar la sabiduría, la guía espiritual o a Dios.

Hombre: Hijo de Dios; Hijo del Hombre; Primer Adán; representa la semejanza de Dios; Gén. 1:26, 27; 2:5,7; Jesús; Martín Lutero; Apóstoles; Profetas; Teólogos; Revivalista; sabiduría o razonamiento humano; Reformadores. Para las mujeres, ver a un hombre que conoce o ama en su sueño indica que se preocupa por su relación, que teme ser abandonada o rechazada, Ez. 1:10; 1 Cor. 15:45-50.

Hombres: líderes, fuerza, masculinidad, protector, proveedor.

Hombro del camino: si se corre o se desvía hacia el arcén de la carretera, necesitas una corrección gruesa.

Hombro: capacidad de soportar la vida y lo que ésta conlleva, los cambios que se avecinan, la autoridad, dar un apoyo contundente o ser un apoyo autoritario y fiable; la responsabilidad, el poder. La luz verde de la unción de Dios ministra sanidad y restauración a los hombros. Gobierno; gobernante; fuerza para llevar peso; decisivo; tu manto de autoridad y fuerza necesitan ser aumentadas, Sal. 81:6; Is. 9:6; Zc. 7:11; Is 9:4; 22:22; Lc. 15:5; Ez. 2:4; 2 Cr. 36:13; Dt. 31:27; Gén. 49:15. Indica servidumbre; retirar, Neh. 9:29, confiar a la propia custodia o cargo.

Hombros delgados: si tus hombros son delgados o débiles estás dependiendo demasiado del apoyo o influencia de otros.

Hombros desnudos de mujer: belleza; seducción; tentación; rebelión o brujería; un espíritu religioso quiere gobernar; falsamente unido a los propósitos del hombre y no construyendo el Reino.

Hombros encorvados: cansado; sobrecargado; desanimado; desesperanza; extremadamente desgastado.

Homelet: ser arrojado a la mezcla; los sentimientos y las emociones pueden dar lugar a la confusión; la traición; el engaño y las palabras suaves se utilizarán en tu contra.

Homicida: alguien que mata a alguien, Nm. 35:6, 12.

Homicidio: si ves en un sueño un asesinato accidental o, si notas que es intencional, significa que hay que determinar el estado mental o las intenciones de la persona que comete el crimen y la magnitud del mismo. ¿Estás tú o la persona que viste cometiendo el crimen mentalmente enfermo, o demente? El delito de asesinato puede ser castigado con cadena perpetua o con la pena capital en algunos países. Pero si el acusado está lo suficientemente incapacitado mentalmente o demente, Estados Unidos, por ejemplo, no puede ejecutarlo. ¿Retienes mucha amargura, ira o enojo? ¿No perdona a alguien? ¿Se siente controlado y necesita una vía de escape? ¿Está siendo manipulado por alguien sin poder salir? Verse a sí mismo planeando un homicidio indica que quieres salir de una situación o relación y huir.

Homosexual: orientación sexual hacia personas del mismo sexo; querer que la gente te quiera de la misma manera que tú la quieres; improductivo; amor propio, auto-aceptación; miedos o ansiedades sobre la propia masculinidad o feminidad; inseguridad en la relación con el sexo opuesto; miedo al rechazo; relación platónica; si sueñas que eres homosexual cuando no lo eres quiere decir que estás aceptando un aspecto de ti mismo que una vez rechazaste; soñar que el hombre que le gusta es homosexual, indica un miedo a ser rechazado por él; si es hombre: preguntas o ansiedad sobre la propia masculinidad; si es mujer: sentirse insegura con los hombres; si estás luchando con pensamientos o tendencias homosexuales: el sueño se refiere a ti mismo y a tu necesidad de controlar tus pasiones, Lev. 18:22.

Honda: tu fe está desatada para dar en el blanco o en un objetivo específico con la Palabra de Dios, tu corazón. Estar suelto con tu palabra, lanzar lodo a los demás.

Hondear: palabras de revelación dirigidas por Dios y enviadas para derrotar al enemigo para derribar grandes gigantes y obstáculos amenazantes; requiere práctica para ser hábil y preciso; dar en el blanco, la Palabra es el arma que empuña el creyente (Piedra: Jesús; Roca: Revelación) el arma de David para matar a Goliat.

Honestidad: es siempre la mejor política, la verdad es el manantial de la vida, confía en la pequeña y tranquila voz de tu conciencia, te llevará a un camino más elevado, sé transparente y quita las máscaras que estropean tu imagen actual. Discierne a los que parecen de una manera, pero que en realidad son lobos con piel de oveja.

Hongo venenoso: ver esta clase de hongos indica que hay algún juego sucio en tu entorno; no seas un soplón; ejerce la sabiduría y sé perspicaz.

Hongos: los hongos como la levadura, el moho, el tizón y las setas crecen en la oscuridad, por lo que representan la falta de clorofila, el estancamiento y la contaminación. Tu vida mental ha sido afectada negativamente por pensamientos mundanos que son perjudiciales para tu crecimiento espiritual.

Necesitas un lavado en la Palabra para eliminar los pensamientos o ideas destructivas.

Honor: es un concepto abstracto que implica una cualidad percibida de valía y respetabilidad que afecta tanto a la posición social como a la autoevaluación de un individuo o cuerpo corporativo como una familia, escuela, regimiento o nación. En consecuencia, a los individuos (o a las entidades corporativas) se les asigna valor y estatura en función de la armonía de sus acciones con un código de honor específico y con el código moral de la sociedad en general. El honor como código de comportamiento define los deberes de un individuo dentro de un grupo social. *«Honra a tu padre y a tu madre, para que disfrutes de una larga vida en la tierra que te da el SEÑOR tu Dios».* Ex 20:12; *«A los que me honran los honraré, y a los que me desprecian los despreciaré».* 1 Sam. 2:30; *«Las riquezas y la gloria proceden de ti, y tú dominas sobre todo; en tu mano está la fuerza y el poder, y en tu mano el hacer grande y el dar poder a todos»,* 1 Cro. 29:12.

Hora del día: es el tiempo que transcurre entre la salida y la puesta del sol, trabaja mientras es de día, abre los ojos para ver las oportunidades que tienes delante, suficiente es la gracia que se te ha concedido para realizar las tareas que tienes entre manos.

Hora: se acerca la plenitud del tiempo, el tiempo es corto, atar los cabos sueltos, hacer planes para embarcarse en la siguiente temporada de la vida, una fecha importante, un aniversario o una fecha límite, buscar un capítulo y versículo de la Escritura que se corresponda con los números del reloj, asistir a una hora feliz indica una necesidad de compromisos e interacciones sociales, dejar de estar tan centrado en el trabajo y disfrutar de la vida, es el momento de la iluminación para inspirar un nuevo enfoque de la vida, dejar de vivir en el pasado, abrazar el ahora y aspirar a la excelencia en el futuro, Dn. 3:6; Mt. 9:22.

Horca: lugar de castigo severo o de muerte por ahorcamiento; predice que tus planes para arruinar a otra persona se volverán contra tu propia cabeza, Esd. 7:10,

Horizonte: amanece un nuevo día, renacimiento o salvación, nuevo comienzo en algún área de la vida, crecimiento espiritual, regeneración, ver el final de una situación, las cosas están llegando a una conclusión necesaria, obtener una meta, ver las posibilidades futuras.

Hormiga terciopelo: (avispa hembra sin alas) sus palabras acusadoras pican muchas veces a gran velocidad; uno de los ataques de palabras más dolorosos de todos; se les suele llamar «asesinos de vacas» o «asesinos de mulas»; persona que es muy buena para defenderse y protegerse; su exoesque-

leto extremadamente duro les permite sobrevivir a las picaduras o palabras de otros; los colores amarillos, naranjas, rojos y blancos brillantes indican peligro; deja en paz a este tipo de personas.

Hormiga, león: «larva de hormiga» Persona voraz que actúa como un predador que captura a otros que se cruzan inesperadamente en su camino o que caen accidentalmente en su círculo de influencia; cavan fosas y esperan a que la gente se meta en ellas, que se resbalen y caigan en sus trampas; tejen muchas historias aprovechándose de los que están en lugares secos.

Hormiga: trabajo cooperativo con los demás; capacidad de preparación; constructor hábil; hábitos sociales; economía; industria; sabiduría en la preparación del futuro; almacena para el invierno Pr 6:6-8; poca fuerza, pero lleva mucho peso, Pr. 30:25; trabajo desinteresado; trabajo en equipo laborioso; organizado; diligencia con capacidad de preparación en lo que respecta a las cosas de Dios; almacena elementos y provisiones durante los tiempos de abundancia; fastidio; nuevas pruebas; infelicidad de gran alcance en la vida; sentirse descuidado e insignificante; algo pequeño, insignificante o molesto que se cuela en tu vida tratando de molestar, irritar, cortar o destruir tu potencial. La cooperación y el trabajo en equipo son la única manera de lograr sus deseos. Espere un aumento de las actividades comerciales. En una nota menos positiva, las hormigas simbolizan la conformidad social o la presión; y el cumplimiento masivo que hace que la vida sea demasiado estructurada, rígida y ordenada.

Hormigón: algo sustancial, tangible y seguro, un cimiento firme, corazón de piedra, fortaleza o fortaleza, que pesa sobre uno el pecado que te entierra vivo como llevar botas de cemento en el agua.

Hormiguear: verse a sí mismo subiendo agarrado con los brazos y las piernas indica que está poniendo todo de sí mismo para alcanzar con éxito tus más altos ideales.

Hormiguero: indica que está tratando de convertir una pequeña situación en una colina de topos o en una montaña en lugar de trabajar diligentemente para resolver sus problemas. Está permitiendo que las cosas se acumulen hasta que su presencia le pique o le muerda.

Hornear: Representa tu ser creativo y tu habilidad para hacer que las cosas sucedan mezclando ingredientes, personalidades o personas inusuales; sugiere una conexión o mezcla entre componentes opuestos o aparentemente incompatibles para producir algo de sustancia positiva.

Horno de fundición: significa que uno experimentará gran presión, acusación, calumnia, una olla de fuego, el calor está encendido; un tiempo de pruebas y aflicciones que resultará beneficioso; oro puro; trae buena fortuna, promoción, mayor influencia. Pr. 17:3; 1 Re. 8:51; Sal. 12:6; Is. 3:16; 48:10; Dt. 4:20; Jer. 11:4.

Horno: proceso de preparación de la prueba y la perfección; cocción del pan después de que la levadura haya subido, ser partido y comido; un tiempo para desarrollar nuevas ideas, Sal. 27:14. Ser probado y sometido a prueba en el horno de la aflicción; 1 Pe. 4:12; Nah. 3:13-15.

Hornos: pruebas ardientes, pruebas y aflicciones para producir vasos de oro puro; calor intenso; bautismo de fuego para la demostración de poder. Horno de cocción Gén. 15:17; Neh. 3:11; horno de fundición o calero, Gén. 19:28; Éx. 9:8; refinamiento Pr. 17:3; Is. 48:10; pena capital, Jer. 29:22; Dn. 3:19-26; Apo. 1:15; 9:2.

Horóscopo: carta astrológica, mapa del cielo, carta estelar o diagrama que representa las posiciones del Sol, la Luna y los planetas en el momento de un evento o nacimiento. Estos métodos ocultos se utilizan para adivinar la información con la que los usuarios dirigen sus vidas. Horóscopo se derivó de palabras griegas que significan «observador del tiempo» o «marcadores de la hora». Esta práctica está prohibida en la Biblia. Los creyentes en Jesús deben dirigir sus vidas por el Dios del Universo que diseñó y creó las innumerables estrellas y huestes del cielo no las estrellas y planetas en sí, Sal. 50:6; 97:6.

Horror: un fuerte y doloroso sentimiento de temor y repugnancia, una intensa aversión o aborrecimiento causado por ver algo feo que no te gusta. Cuando tus sueños se convierten en algo horroroso indica que no has estado prestando atención a tus sueños diarios, por lo que han empezado a gritar para captar tu total atención. Se necesitan cambios drásticos en tu vida.

Hortensia: perseverancia; vanidad; orgullo; frialdad o falta de corazón; gracias por comprender; frigidez.

Hospicio, auto: verse a sí mismo o a otros en un hospicio indica que podría haber algún problema de salud grave (físico, emocional o espiritual) que necesita atención inmediata.

Hospicio: cuidado que se centra en disminuir la extensión del dolor y los síntomas de un paciente clínico, grave o terminal, atendiendo a sus necesidades emocionales y espirituales. Los cuidados se prestan a quienes prefieren pasar sus últimos meses y días de vida en su propio hogar. Los cuidados de hospicio, referidos tanto a los huéspedes como a los anfitriones, también implican la asistencia a los familiares de los pacientes para ayudarles a sobrellevar lo que está sucediendo, proporcionando cuidados y apoyo para que el paciente permanezca en su casa.

Hospital mental: el hombre natural está en guerra contra el hombre espiritual, Is. 26:3; persona de doble ánimo, inestable en todos sus caminos.

Hospital: ministerio de sanidad, lugar de curación Sal. 147:3; lugar para ganar «paciencia»; amor; cuidar, reparar y/o restaurar a los rotos y heridos; condición de reincidencia; enfermo espiritual.

Hospitalidad: recibir y entretener a invitados o extraños sin recompensa, Lev. 19:33; Dt. 15:7; Gén 18:2-8.

Hostigado: hay algunas cuestiones delicadas que deben ser confrontadas; establezca límites firmes y adopte una postura agresiva para eliminar la infatuación malsana de los demás, el problema no desaparecerá por sí solo o por enterrar la cabeza en la arena para ignorar la situación, el acosador puede representar un mal hábito, una actitud negativa o un patrón de pensamiento que necesita ser refrenado y eliminado.

Hostilidad: tu estado emocional es como una bomba de relojería a punto de estallar de ira y rabia, deja de permitir que los demás te intimiden, reprimir tus sentimientos no es sano, abre una línea de comunicación, afronta los sentimientos de odio, celos, inseguridad y miedo.

Hotel: tiempo de transición, la condición y calidad del hotel habla de éxito, prosperidad, beneficio, facilidad, o fracaso y carencia; un lugar transitorio para reunirse; mudanza; cambio; migratorio; viaje; público, tener una aventura: devastación de las relaciones; poseer: trabajo duro con muchas quejas; trabajar en un hotel: buscar empleo en otro lugar, Lc. 10:35.

Hoyuelos: formar una abolladura en la piel al sonreír, la alegría y el gozo dan belleza a la cara.

Hoz y martillo: símbolo comunista que representa una alianza de las obras de la carne que trae consigo la pauperización o la pobreza.

Hoz: «clavar», llamado a la cosecha; segar; recoger; llevada por los ángeles y la parca, Jl. 3:13; Mc. 4:26-29, Jl. 3:13 la guadaña usada en el tiempo de la cosecha, Apo. 14:14.

Hucha: ahorrar los céntimos para algo especial; formar a los niños para que sean responsables con sus finanzas, Lc. 12:42.

Huella dactilar: identidad personal exclusiva y única de cada persona, reconocimiento de la individualidad, marcar a alguien con su huella o influencia, la mano de Dios.

Huella de leopardo: el leopardo es un enemigo

o rival peligroso, poderoso y deshonesto. Si estás usando ropa con estampados de leopardos, entonces puedes estar tomando el tipo de características y comportamientos equivocados. Un leopardo no puede cambiar sus instintos, pero tú si puedes cambiar tus costumbres o hábitos negativos con la ayuda del Espíritu Santo. No tienes que seguir siendo la misma persona que eres hoy.

Huella: camino o destino individual, encuentro angelical, tomar la tierra por donde pisaron los pies, avanzar en la vida, avanzar un paso a la vez.

Huérfano: sentimientos de abandono, aislamiento, soledad, falta de amor, sentirse rechazado o incomprendido, no ser protegido por los padres, no conocer al padre o a la madre, estar desprovisto, necesitar la adopción, ser vulnerable en su independencia, la simpatía traerá el auto sacrificio por la felicidad de los demás, vienen nuevas obligaciones y responsabilidades; los actos egocéntricos lo separarán de los amigos; la ayuda viene de una fuente desconocida; eventos traumáticos difíciles en la infancia, Sal. 10:14; Snt. 1:27.

Huerto, estéril: destrucción, devastación, robo, o las tormentas de la vida vienen a robar tu duro trabajo.

Huerto: cultivar el crecimiento y la fecundidad a partir del trabajo y la diligencia de uno; pasear con una pareja por un huerto lleno de frutas representa una consumación amorosa y fiel de un noviazgo; prosperidad y bendiciones; fecundidad y productividad de las inversiones en las relaciones.

Huesos del pie: ver los huesos de los pies suele ser una advertencia para caminar con circunspección y cautela. Puede haber quienes deseen hacerte tropezar o provocar tu caída. Hay veintiséis huesos en el pie que pueden romperse o magullarse fácilmente y causar dolor. El número veintiséis representa el evangelio de Cristo que salva al mundo; el destino, el globo; los negocios prósperos. Qué hermosos son los pies de los que llevan la buena noticia.

Huesos, carne: revés financiero.

Huesos humanos: herencia.

Huesos de pez: enfermedad o pobreza.

Huesos rotos: un espíritu roto o herido, Pr. 17:22; pena, Sal. 31:10; envidia, Pr. 14:30.

Huesos: estructura, asunto principal o la sub- posición subyacente de algo; soporte o fuerza duradera, llevar algo a los puros huesos, despojo, carencia, en necesidad de alineaciones y accesorios y coberturas apropiadas, escoger una pelea, hambre, la muerte o la destrucción están tratando de coartarte, profetizar aliento y vida como se ordenó en Ez. 37:1-10; un ejército poderoso, poder de resurrección, 2 Re. 13:21, viene una herencia; escribas y fariseos,

huesos de hombres muertos y falta de limpieza, Mt. 23:27.

Huésped en la casa: dos cosas apestan: el pescado y los visitantes, no te quedes más de lo debido, déjales con ganas de más, tienes una naturaleza hospitalaria complaciente, uno demuestra su amor por la gente, atendiendo a los demás más que a uno mismo, permitir un huésped no deseado indica una mentalidad de víctima o felpudo, es hora de levantarse por uno mismo y dejar de dejar que otros se aprovechen de tu buena naturaleza.

Huésped: ángel; amigo; mensajero; invitación a celebrar; testigos de la soberanía y la justicia de Dios; Jesús; presencia maligna. 1 Sam. 16:5; Sf. 1:7; Apo. 19:9; 22:17; Gén. 12:16; 19:3, 24.

Huestes celestes: sol, luna, estrellas y planetas; ángeles; seres y luces celestiales, el pueblo santo de Dios, Israel.

Huevo: algo nuevo que surge; una semilla que crecerá, madurará y dará fruto; tu promesa está en proceso de incubación; crecimiento; revelación, un nuevo comienzo, un huevo representa un periodo de tiempo: ayer, hoy y mañana, pasado, presente o futuro; pensamientos o planes, Is. 34:15.

Huevos de tiburón: alude a la propagación o al advenimiento del espíritu de juicio; rebeldía; los ataques opresivos repentinos del enemigo están siendo plantados y pronto serán liberados.

Huevos rotos: las acciones y decisiones apresuradas causarán tristeza y la pérdida de una nueva relación o de dinero en una empresa. Debes tener cuidado con un ladrón en tu entorno.

Huevos sin cáscara: representan las nuevas ideas que han nacido pero que no tienen ningún sistema de sustento protector ni lugar para albergarlas. Si estas ideas no se ponen en práctica de inmediato, se pudrirán y se desparramarán por el camino totalmente inservibles.

Huevos de araña: muerte, Is. 59:5. Alguien teje una tela engañosa para atrapar a otros.

Huevos blancos: una idea creativa que ha sido dada por Dios traerá riquezas y una gran ventaja para la persona justa.

Huevos, cartón: cajón o una caja de huevos: podrás planificar y trazar una estrategia para un futuro exitoso.

Huevos, comiendo: la falta de paciencia y perseverancia te hará perder un buen plan.

Huevos, desatención: dejar los huevos desatendidos: demuestra falta de sabiduría, de sentido común o de cuidado; falta de mente, Job. 39:14-17.

Huevos, frescos: las buenas noticias llegarán temprano en la mañana; se acerca un tiempo de refresco.

Huevos, incubar los de otros: robar para ganar, Jer. 17:11.

Huevos, marrones: no desprecies los pequeños y humildes comienzos.

Huevos de pájara madre: sacar una pájara madre del nido significa una vida corta, Dt. 22:6-7.

Huevos podridos: los planes se han estropeado y no darán fruto; pérdida de la propiedad y humillación.

Huevos de víbora: significa la muerte de la reputación de uno a través de mentiras calumniosas y chismes, Is. 59:5.

Huida: te niegas a enfrentarte a alguien o a algo; intentas escapar de una situación o relación incómoda o amenazante. Sentirse rechazado o marginado.

Huir de: escapar de un asaltante o de cualquier peligro sugiere que no te enfrentas al peligro o que no enfrentas tus miedos. Estos seguirán persiguiéndote hasta que superes tus incertidumbres. Deja de evitar y afronta el problema y asume la responsabilidad de tus actos, enfréntate a las personas cara a cara.

Huir/perseguir: estar temeroso o intimidado por alguien o algo; huir de la llamada de Dios; no afrontar tus miedos, dificultades o problemas.

Huir: verse huyendo en un sueño indica que has experimentado una gran decepción en la vida. Si los amigos huyen de ti: indica que les exiges demasiado o que les demandas demasiado tiempo.

Hula hula: simboliza estar parado en un mismo lugar; no avanzar; las cosas se arremolinan a tu alrededor, pero no avanzas; ir en círculos; que te hagan pasar por el aro.

Hulk el increíble (película): corres el riesgo de perder el control de tu ira; debes aprender a desahogar tus sentimientos antes de que el enojo se apodere de ti y estalle haciendo que las cosas exploten de forma desproporcionada; afronta los problemas personales y la falta de autocontrol antes de que tu conducta se vuelva violenta.

Humanidad: el mundo y su humanidad, depresión, crisis nerviosa; necesidad de relajarse, o vacaciones.

Humear: estar enojado o enfadado.

Humedad: aumento; refresco; humedad que llega a lugares secos. Si el escenario de tu sueño aparece húmedo, suele representar una temporada de decepción y agravamiento. También es posible que busques algún tipo de confirmación o dirección a través de un vellón. Soñar con humedad puede indicar que has pasado por una temporada de sequía y que necesitas refrescarte y ser flexible.

Húmedo: preparación que llega a través de la Palabra pero que aún no está firmemente fundada; inexperto; verde; totalmente equivocado; nebuloso.

Húmero: hueso largo de la parte superior del brazo que va desde el hombro (autoridad) hasta el codo (conexiones o relaciones); capacidad o fuerza para alcanzar o llevar grandes pesos o cargas relacionales con gran alegría; alguien que encuentra el humor en situaciones difíciles.

Humildad: verse a sí mismo actuando con humildad, caracterizado por la modestia o la mansedumbre en el comportamiento y la actitud con un espíritu sumiso, predice que has permitido que entre un espíritu de orgullo y que tus acciones han sido arrogantes. El orgullo viene antes de la caída. *«Tomad mi yugo sobre vosotros y aprended de mí, que soy manso y humilde de corazón, y hallaréis descanso para vuestras almas. Porque mi yugo es fácil y mi carga es ligera»*, Mt. 11:29-30; 1 Pe. 5:5; Fil. 2:5-8.

Hummer: vehículo todoterreno multiuso de alto cilindraje; es capaz de atravesar terrenos o situaciones difíciles con facilidad y comodidad sin apenas pensar ni esforzarse.

Humo blanco: si es humo blanco algo está nublando tu juicio emocional para que consientas o estés de acuerdo con sus planes.

Humo de cigarrillo: liberación de la adicción; cortina de humo.

Humo de la gloria de Dios: ver el humo cegador de la gloria de Dios indica la incapacidad de entrar en su abrumadora presencia, Éx. 19:18; Apo. 15:8.

Humo del pozo: representa la mistificación e incertidumbre religiosa, Sal. 37:20; Apo. 9:2.

Humo, respirar: si respiras el humo de los cigarrillos de otra persona, estás teniendo la compañía equivocada y tu inocencia infantil hará que te atrapen en malos hábitos. *«No erréis; las malas conversaciones corrompen las buenas costumbres. Velad debidamente, y no pequéis; porque algunos no conocen a Dios; para vergüenza vuestra lo digo»*, 1 Cor. 15:33-34.

Humo: oración que se eleva como incienso; ofrenda; cortina de humo; o una ofensa, Gál. 5:1; Apo. 8:4.

Humor: provocar la risa y proporcionar diversión en un sueño o hacer que la gente sonría o se ría de algo gracioso; el sentido del humor indica que la alegría viene a traer nueva fuerza a una situación.

Hundido: estar hundido o verse hundido en un sueño indica que se siente enterrado con las cargas y responsabilidades de la vida. No asuma más de lo que puede soportar. Aprenda a decir no y a establecer límites seguros.

Hundirse: guardarse de los sentimientos de desesperación o depresión, las situaciones o las personas tratan de abrumar o desanimarte; decepción porque no se cumplió una aspiración o una meta, algo de importancia está llegando a su fin, Jer. 51:64; Sal. 69:15.

Huracán: (blanco) viento del Espíritu Santo que trae grandes cambios, eliminando rápidamente los obstáculos y las trabas en tu vida; (negro) vientos destructivos que traen devastación, pruebas, tribulación, trastornos, Sal. 107: 28-29.

Hurón: advertencia, no repetir chismes.

I

Ibis: pájaro que simboliza la determinación y la aspiración; los judíos lo consideran impuro por alimentarse de peces muertos y de sus crías, Jb. 38:36.

Icabod: la gloria se ha ido; Israel perdió el Arca de Dios a manos de los filisteos, 1 Sam. 4:21.

Iceberg: sólo estás viendo la punta del problema que se te presenta, la mayor parte de los hechos y de la información sigue oculta o escondida bajo la superficie. Peligro oculto bajo la superficie, sólo se ve la punta; sólo estás viendo una fracción del problema, la mayor parte del obstáculo no se ve, sigue oculto a tu vista, procede con cautela para evitar el desastre, Hch. 19:40; 27:9.

Ictericia: la ictericia es una pigmentación amarillenta de la piel asociada a una enfermedad del hígado, como la hepatitis o el cáncer de hígado. Ver la piel amarilla en un sueño puede ser una advertencia para que revise su consumo de alcohol y su salud. También puede indicar que tiene miedo a la enfermedad o a la muerte.

Id: Freud creía en una teoría del psicoanálisis que la división de la psique estaba asociada a los impulsos instintivos y a las demandas de gratificación inmediata de las necesidades primitivas. La Palabra de Dios dice que debemos ser guiados por el Espíritu Santo en nuestro hombre espiritual y no por la carne o los deseos del alma que nos llevarán al pecado, al dolor, a la pérdida y finalmente a la muerte. *«Porque todos los que son guiados por el Espíritu de Dios, éstos son hijos de Dios»,* Rom. 8:14. *«Pero si sois guiados por el Espíritu, no estáis bajo la Ley. Ahora bien, son evidentes las obras de la carne, que son: inmoralidad, impureza, sensualidad, idolatría, hechicería, enemistades, pleitos, celos, arrebatos de cólera, disputas, disensiones, facciones, envidias, borracheras, juergas y cosas semejantes a éstas, de las cuales os advierto, como ya os he advertido, que los que practican tales cosas no heredarán el reino de Dios»,* Gál. 5:18-21.

Idaho: «Que sea perpetuo»; Grandes patatas; Destinos sabrosos; Patatas famosas; Estado de las gemas; Orfeo; arándanos; Granate estrella.

Ideas: representan el potencial dado por Dios que existe en la mente, activa tu imaginación para llevar estas ideas de emprendedor a la realidad, derechos de autor, producir, comerciar y prosperar ganando gran riqueza.

Identidad: soñar con los aspectos colectivos de una personalidad diversa, las características o los rasgos de comportamiento por los que una persona o las cosas se reconocen o se distinguen como distintos, indica que eres respetuoso con los demás y que buscas descubrir tu propia individualidad. *«Porque cual es su pensamiento en su corazón, tal es él...»,* Pr. 23:7.

Identificación: es un sueño importante porque trata del acto de identificar quién eres para ti personalmente y también muestra la evidencia de cómo te ven o conocen los demás en un grupo o entorno corporativo.

Identificar: si estás tratando de identificar el origen natural o la definición de elementos o reconociendo rasgos duplicados en una persona con la que quiere asociarse o significa que estás tratando de clasificar o equiparar comportamientos similares para rechazarlos, honrarlos o asimilarlos en tu propia vida.

Idiota: evita llamarte a ti mismo o a otra persona idiota; necesitas sabiduría, claridad y perspicacia, pues hay algún tipo de confusión en tu vida.

Ídolo: la adoración de ídolos indica que no hay progreso hacia el éxito o la prosperidad; estás enfocado en pequeñas cosas insignificantes y falsas en lugar de amar y servir a Dios, Jer. 10:8; romper ídolos: fuerte autocontrol, sabiduría y disciplina que llevan a un ascenso y confianza en Dios, Dt. 29:17; Cl. 3:5.

IED: Dispositivo Explosivo Improvisado (IED por sus siglas en inglés) es una bomba a menudo utilizada por activistas excéntricos o terroristas en la guerra contra inocentes. Detector Eléctrico Instantáneo se utiliza para activar artefactos explosivos. Dispositivo Electrónico Inteligente que se utiliza en la industria de la energía eléctrica. El francotirador enajenado mentalmente en Dallas, Texas, el 7 de julio de 2016, colocó varios artefactos explosivos improvisados con otros profesionales para asesinar a policías y ciudadanos inocentes.

IEP: Programa Educativo Individualizado (IEP por sus siglas en inglés) es un documento que se desarrolla a través de un esfuerzo de equipo para las personas que son elegibles para la ayuda educativa especial debido a algún tipo de discapacidad. Un IEP se crea para ayudar a las personas a alcanzar sus metas y objetivos.

Iglesia Católica: Iglesia universal, fe, doctrina, sistema religioso y práctica de los católicos romanos.

Iglesia ramera: Diosa Diana, la iglesia idólatra,

Hch. 19:24-28; la gran ramera, la iglesia ramera, Apo. 17:1-5; Jezabel, la iglesia asesina; 1 Re. 16:31; 21:25; Apo. 2:20; mujer y levadura, la iglesia corrompida, Mt. 13:33.

Iglesia: comunidad de creyentes cristianos; la ekklesia; una asamblea; Cuerpo de Cristo; Novia; ministerio quíntuple; llamada a servir; sistema de creencias morales; comunión; relación con Dios. Mt. 16:18; Gál. 1:13; Ef. 1:22; 5:27.

Iglú: vivir en una casa sin amor ni afecto, rodeado por quienes no están disponibles emocionalmente o son frígidos, parece que tienen un exterior frío pero un corazón cálido, romper una fachada para encontrar a una persona tierna detrás de una barrera emocional fría; «frío como un témpano de hielo»; ambiente hogareño poco cariñoso o indiferente; un ambiente hogareño estéril y frío, un corazón helado que aísla o cierra a otros fuera de su vida, vivir en el Polo Norte.

Ignición: estallar con una nueva pasión para alcanzar los propios objetivos, nuevo ciclo de crecimiento, no iniciar la cuenta regresiva para el estallido, se necesita más planificación para alcanzar el éxito, es el momento de encender un nuevo romance o aventura en la vida.

Ignorancia: verse sin conocimiento o educación, inconsciente, desinformado o ajeno a lo que sucede a su alrededor indica una gran necesidad de oración y estudio. No te dejes llevar por la vida esperando que la gente dirija tu camino ni permitas que el viento te lleve de un lado a otro, determina tu destino y trabaja hacia esa meta.

Iguana: observa a los nuevos amigos antes de tomarlos en serio; falso amigo.

Ilegítimo: significa que tú u otra persona no están siendo reconocidas o aceptadas como la descendencia legítima nacida de padres que no están casados entre sí. Puedes estar sufriendo con sentimientos de abandono, no pertenencia, rechazo, indignidad o vergüenza. *«Si soportáis la disciplina, Dios os trata como a hijos; porque ¿qué hijo es aquel a quien el padre no disciplina? Pero si se os deja sin disciplina, de la cual todos han sido participantes, entonces sois bastardos, y no hijos»*, Heb. 12:7-8.

Illinois: «Soberanía Estatal, Unión Nacional»; «Justo aquí. Justo ahora»; Tierra de Lincoln; La tierra de la pradera; Púrpura, Violeta; Cristal de fluorita.

Iluminación, rostro: ver el rostro de un ángel o persona iluminado en un sueño simboliza la sabiduría celestial, la conciencia espiritual de la verdad, la perspicacia y la comprensión piadosa. Los rostros, las personas o los objetos que se iluminan indican asuntos inconclusos o asuntos públicos o privados no resueltos que necesitan atención; determina si la fuente de luz es una iluminación demoníaca, divina o intelectual; producen, concentran o reflejan luz.

Iluminación: Ef. 1:18; los ojos de tu corazón; ser capaz de conocer la esperanza de tu llamado y vislumbrar el reino del Espíritu; despertar espiritual, comprensión y entendimiento. Se deriva de la iluminación espiritual e intelectual. La iluminación espiritual atraerá, tanto la luz del favor de Dios como el favor del hombre sobre una persona.

Ilusión: una percepción errónea en la realidad, creencia o concepto conducirá a un engaño o a una creencia errónea si no se expone la magia. Evitar vivir en un mundo de fantasía.

Imagen enmarcada: ver un marco de un cuadro indica que estás acercándote a una oportunidad de oro donde serás enmarcado por el sello divino de Dios para cumplir un propósito precioso. *«Manzana de oro con figuras de plata Es la palabra dicha como conviene»*, Pr. 25:11. Los marcos pueden representar tu condición mental o tu estado de ánimo pasado o presente, «cuadro mental». Si es un marco antiguo: puede que estés pensando de manera anticuada. *«Tu boca metías en mal, Y tu lengua componía engaño»*, Sal. 50:19; 1 Re. 6:4; 1 Re. 7: 4-5; 7:28-26; Nm. 3:36.

Imagen: «una imagen vale más que mil palabras», historia, un recuerdo, un momento especial o un acontecimiento, captar un punto de interés, un sueño, una visión, una impresión visual, una obra de arte, un dibujo que comunica. Ver una imagen sobresaliente de ti mismo indica que eres muy diligente y tienes una buena ética de trabajo, por lo tanto, llegarás lejos en la vida. Centrarse en la imagen de otra persona indica que la admiras y quieres imitar sus acciones.

Imágenes: traer a la memoria; un acontecimiento significativo; registra la historia y la tradición.

Imán: ver un imán que atrae objetos indica que tienes una personalidad magnética para atraer el favor, las finanzas, los trabajadores y los amigos que necesita para llevar a cabo grandes hazañas.

Imitación: es el mayor cumplido que alguien puede hacerte por ser un ejemplo a seguir en la vida, la admiración y la mejor forma de adulación. Imitar a otros sugiere que no has descubierto totalmente tu verdadero yo. Mira a los demás con respeto y alta consideración, con la capacidad de aprender de su sabiduría y consejos.

Impaciencia: incapaz de esperar o tolerar cualquier retraso, comportamiento inquieto, incapaz de soportar la oposición sin irritarse, intolerante, la paciencia es una virtud que necesita ser desarrollada para obtener el éxito, amar a los demás y desarrollar relaciones sólidas. *«El amor es sufrido, es benigno; el* *amor no tiene envidia, el amor no es jactancioso, no se envanece; no hace nada indebido, no busca lo suyo, no se irrita, no guarda rencor; no se goza de la injusticia, mas se goza de la verdad. Todo lo sufre, todo lo cree, todo lo espera, todo lo soporta»,* 1 Cor. 13:4-7.

Implante dental: ver un implante de porcelana o plástico utilizado en las coronas y puentes dentales para simular el diente natural en un sueño indica mejoras que harán que las palabras de tu boca sean elegidas como perlas de gran precio.

Implantes: deseo de aumentar favorablemente el tamaño de los senos o de mejorar la imagen corporal, sentirse inadecuado menos que igual a los demás, inseguro o acomplejado, deseo de intimidad o de una relación sexual, de ser seductor o sensual.

Implosión: necesidad de desahogarse lentamente, la cólera se está convirtiendo en una rabia destructiva que perjudicará su salud, depresión por volver la cólera hacia dentro contra uno mismo.

Importador: ver a alguien importando artículos o actuar como importador de bienes indica que tienes una unción de empresario, eres muy creativo y estás dotado para los negocios. Puede ganar dinero con casi todo. Disfrutarás de una gran riqueza y prosperidad, así como de prestigio social.

Importunar: sentimiento de ser aprovechado, abusado o forzado en una situación incómoda; el entorno de uno no es seguro; abuso sexual.

Imposición de la mano: ceremonia utilizada para consagrar a una persona a un servicio elevado y santo en la concesión de dones espirituales, Nm. 27:8; Hch. 8:15-17; 1 Tm. 4:14; 2 Tm. 1:6.

Impostor: advierte que alguien intenta estafar o aprovecharse, engaño.

Impotencia: sueño masculino de miedo a perder la fuerza, el poder o el vigor; miedo a volverse débil, impotente o ineficaz; incapaz o inexperto; o tener dificultades con las relaciones sexuales; un pene estéril que es incapaz de ponerse erecto o carecer de autocontrol; teme no estar a la altura de las expectativas de una persona en particular o de la tarea que tiene entre manos, Jn. 5:3; Hch. 4:9; 14:8, la impotencia es estar sin fuerza debido a una enfermedad o malformación, buscar la sanidad.

Impresora: ver o utilizar una impresora en un sueño indica que estás tratando de poner tus pensamientos por escrito para poder comunicarse más eficazmente con los demás.

Imprimir: ver tu nombre impreso significa que serás popular y exitoso; ver tu libro impreso significa una unción de escriba y un llamado al campo de la producción de medios impresos.

Imprudencia: observar o actuar de forma inmodesta, grosera o irrespetuosa indica que uno necesita

desarrollar su paciencia y su longanimidad, la promoción viene de Dios.

Imprudente: piensa antes de actuar, escucha más de lo que hablas.

Impuesto sobre la renta: ver que se cobra un impuesto sobre los ingresos netos de una empresa o individuo puede indicar evasión de impuestos, fraude o incapacidad para pagar las facturas a tiempo. Revise sus registros y haga las correcciones necesarias para evitar la pérdida de dinero.

Impuestos: pagar tus propios impuestos: éxito en desarmar las influencias negativas; si son pagados por un amigo o miembros de la familia indica que será necesaria la ayuda financiera o la asistencia; si eres incapaz de pagarlos expresa que la mala presupuestación o el engaño te llevarán a la vergüenza, al bochorno y la carencia.

Impulsar: empujar, propulsar o presionar para encontrar el éxito y la felicidad. Si te conduces a ti mismo o a los demás, eres el encargado de tomar las decisiones. Si es otra persona la que te conduce, has cedido las riendas de tu vida a su capacidad de decisión y estás fuera de control.

Inactivo: verse a sí mismo como retirado del deber o del servicio, no activo o inclinado a ser activo indica que no se está preparado para participar en una situación o acontecimiento en la vida diaria.

Inadaptación: intentar tener éxito en un campo o vocación que no le conviene.

Inauguración: reconocimiento de logros personales, ser elegido para un nuevo estatus o ser introducido en un nuevo nivel de la sociedad, una temporada de crecimiento individual.

Incantación: oír recitar un ritual de amuletos o lanzar conjuros que producen un efecto mágico indica que la brujería o un espíritu hechicero está tratando de bloquearte o engañarte. Ora en el nombre de Jesús y aplica su sangre a la maldición y este será anulada.

Incendio forestal: chismes que se lanzan contra los líderes, rumor popular que corre con el tiempo, consumiendo a la gente buena con malas palabras y mentiras.

Incendio provocado: Necesidad de una nueva pasión espiritual, la pasión del Espíritu Santo está consumiendo tu vida, una rabia destructiva que está consumiendo la cotidianidad de tu vida; encuentra una forma constructiva de expresar tu ira antes de que se explote, quemarse, quemar los puentes, comportamiento destructivo.

Incensario de oro: las oraciones de intercesión de los santos, Lev. 16:12-13; Apo. 8:3, 5.

Incensario: persona llamada al ministerio de Intercesión, oración, alabanza y adoración. Apo. 8:3. Un recipiente de incienso. Heb. 9:4; Sal. 141:1-2.

Incesto: pensamientos propios de una mentalidad

estrecha; tradiciones familiares; exclusión de influencias externas; delito legal de participar en una relación sexual incestuosa con alguien con quien se está estrechamente emparentado; la ley prohíbe el matrimonio; trabajo a través de experiencias dolorosas de la vida real o abuso incestuoso traumático; una influencia penetrante de un miembro de la familia, Éx. 20:5-6; Gén. 19:31-36.

Incienso: ofrenda de olor fragante o sustancias aromáticas perfumadas de la oración, la intercesión y la adoración del santo, Sal. 141:1-2. El sahumerio también puede indicar que alguien está tratando de usar la adulación para engañarte, Apo. 5:8.

Incienso: portal que conduce a obtener más de Dios; pureza y libertad; oración e intercesión; «blanco»; Lev. 2:1-2; Mt. 2:11; Nm. 5:5; Éx. 30:34; Apo. 18:3; Cnt. 3:6.

Incircuncisos: impureza, suciedad o maldad; Ez. 44:7; Rom. 9:4 Gentiles. No hay pacto con Dios. Gén. 17: Cl 2:13; Is. 52:1; Jer. 9:25-26; Ez. 28:10; 31:18; Hch. 7:51; Ef. 2:11.

Incisión: ver a un cirujano o a uno mismo cortando el tejido blando de un cuerpo indica que hay que eliminar algo dañino, es hora de cortar cualquier pensamiento o comportamiento negativo, revisa tu salud, así como tus registros contables, alguien puede estar robando en tu negocio.

Inclinación: verse a sí mismo o a otros en una superficie plana cuyos puntos extremos están a diferentes alturas indica que si se mantiene diligente, trabajando duro para avanzar en sus inclinaciones positivas, finalmente podrás alcanzar tus objetivos de éxito. Ver una inclinación en un sueño puede representar Incline, California o Manitou Incline situado en Manitou Springs, Colorado; Inclinación orbital es un plano orbital que se inclina lejos del ecuador.

Inclinarse: como una palmera cuando soplan los vientos de la publicidad, agacharse y adaptarse a la nueva situación, inclinarse hacia atrás para acomodarse a las necesidades de los demás, una inclinación hacia delante representa un corazón humilde y contrito de servicio o sumisión. Humildad, honrar o respetar a otro; servicio, someter la propia voluntad, reconocer un poder o posición superior.

Incoherente: sintonizarse con otras influencias o voces, falta de capacidad de decisión, miedo a la confrontación, aislarse o ser exclusivo, falta de autoestima o aplomo.

Inconsciente: puedes no ser consciente de la forma en que tus acciones afectan a los demás; préstale más atención a tu lenguaje y conductas impropias.

Inconstante: verse a sí mismo actuando de manera imprevisible o cambiando de opinión a menudo

y sin una razón o patrón discernible indica que está actuando de manera infiel; señal de que eres voluble, de doble ánimo e inestable en todos tus caminos.

Incorrecto: comportarse de manera indecorosa indica un espíritu de rebelión; brujería y una voluntad fuerte y obstinada; un desviado social; no cosecharás buenos frutos sino daños de todas las direcciones en las que sople el viento; tu único enfoque traerá destrucción.

Incubadora: se necesita más reflexión y planificación antes de lanzar un nuevo proyecto o empresa. Continúa buscando un factor estabilizador para asegurar el éxito, las nuevas ideas aún están en fase de desarrollo. Todavía no es el momento de actuar. Deja de comportarte de forma inmadura e infantil, es hora de dejar de lado las niñerías y crecer. Asume la responsabilidad de tus decisiones y deja de culpar a los demás de tus fracasos.

Íncubo: espíritu maligno que desciende o se acuesta sobre las mujeres dormidas para tener relaciones sexuales con ellas; acompañado de un espíritu de perversión o masturbación; una forma de pesadilla.

Indecente: verse actuando de forma indecorosa y ofensiva para el buen gusto y los valores morales indica que no se está siendo modesto en el enfoque de la vida. Tus excesos te causarán dolor y tristeza si sigues siendo indecente.

India: visitar este país en un sueño indica que un viaje misionero puede estar en el horizonte. Una llamada a la oración para evaluar su implicación personal con la gente de este país, puede que necesites avances o mejoras técnicas. Rompe con la mentalidad de pobreza, aleja la idolatría de tu vida. Advierte que tu familia está tratando de arreglar tu relación personal; don de la fe de la India, Job. 19:25.

Indiana: «La encrucijada de América»; Disfruta de Indiana; Estado Hoosier; Estado de la hospitalidad; Peonía; Piedra caliza.

Índice: sugiere que necesitas que el Espíritu Santo te guíe señalando el camino. Un índice en tu sueño indica que hay una preocupación por la vinculación de factores económicos como los salarios, los intereses o los precios, con el costo de la vida, ya que suben y bajan dentro de las tasas de inflación. Asegúrate de establecer un presupuesto y cíñete a él.

Indigente: verte a ti o a otros sin medios de subsistencia o en un estado empobrecido, con grandes carencias y desamparo, indica que actúas muy necesitado en tu vida personal. La gente huirá de ti si les exiges demasiado tiempo. Necesitas aprender a cuidar de ti mismo para ser un beneficio para los demás. Aprende a ser un dador y no un tomador.

Indigestión: tomar alimentos espirituales o naturales que son difíciles de tragar, rumiar algunos conceptos extraños, estar enfermo por una decisión que no está cuajando bien, y sacar a relucir una y otra vez viejos asuntos. Una advertencia contra el exceso de indulgencia, se necesitan mejores elecciones.

Indignado: indignarse al verse tratado de manera inapropiada o que otros se llenen de indignación sugiere que hay una situación humillante, degradante o abusiva en la que se ha maltratado a la gente, causando una afrenta al propio orgullo.

Índigo: Espíritu de Conocimiento, Is. 11:2; autoridad para sanar a las personas que se enfrentan a problemas internos fundamentales; desamor; trastornos mentales; estrés; agotamiento emocional y dolor. La luz de la unción del índigo y la música en la clave de A ministra la sanación del sistema esquelético, los ojos, los senos paranasales, los problemas de los senos, la bronquitis, los problemas de la espalda, la diarrea, los problemas de los ojos, los problemas de las glándulas, la fiebre del heno, el complejo del herpes, el insomnio, el dolor menstrual, la migraña, el dolor, la neumonía, las anginas (absceso de la garganta), los problemas de los senos paranasales, los ronquidos y las varices. Significa azul oscuro, fuerte, Sal. 42:5.

Indio americano: Intuición natural o sabiduría basada en la conciencia del mundo; autoaceptación o aceptación de la tribu; etapas de crecimiento; sensación de no tener hogar o de estar desahuciado.

Indio: jefe; feroz; sensible espiritualmente; honra a la naturaleza y a Dios; guerrero, Is. 2.

Indios: la sabiduría natural o mundana de uno, un aspecto de los deseos o necesidades de uno que no se reconocen y que normalmente se mantienen en secreto o en silencio; espiritualmente sensible, amante de la naturaleza y de la creación de Dios, Jb. 5:16.

Indisciplinado: indica una necesidad de entrenamiento; deja de procrastinar y de jugar; concentra tu tiempo y tus energías para lograr objetivos; sé productivo para lograr esfuerzos que valgan la pena.

Industria: interés industrioso y activo, planificación estratégica de empresas exitosas; producción o venta de bienes o servicios; comercio; diligencia.

Infancia: partes de uno mismo que todavía reflejan las experiencias de la infancia, patrones de comportamiento inmaduros que hay que superar; controlados por la madre; hacer pucheros como un bebé, deseo de escapar de las responsabilidades de los adultos. Soñar con la inocencia de la infancia sugiere que se añora una época de la vida más sencilla y sin preocupaciones, en la que los demás cuidaban de uno y las responsabilidades eran limitadas. Considere que puede haber algún asunto no resuelto del pasado, miedos o preocupaciones de desarrollo del carácter que necesitan ser alcanzados, resueltos o integrados en su vida adulta.

Infección: advertencia para que no aceptes consejos o escuche chismes que le envenenarán contra amigos o familiares; perdone y libere el rencor.

Infeliz: la pena, el dolor emocional y la angustia traerán la desgracia y un espíritu roto que seca los huesos. El llanto puede durar una noche, pero la alegría llega por la mañana.

Inferioridad: cuidado con los comentarios cortantes, con el autodesprecio y con la eliminación del sentimiento de insuficiencia, con el desarrollo de la identidad en Cristo.

Infertilidad: una maldición, un espíritu de esterilidad o de muerte te impiden concebir un bebé, sufres de aburrimiento, falta de creatividad; no eres fructífero, las cosas no están funcionando como habías planeado.

Infidelidad: falta de creencias religiosas, morales y de carácter; la falta de fidelidad, lealtad o fidelidad advierte de que se sufrirán consecuencias nefastas por las acciones de infidelidad matrimonial; reprimir la culpa por una relación sexual errónea; insatisfacción con el nivel actual de actividad sexual; búsqueda de una vida sexual más exótica o aventurera; traición, Mt. 2:10; Nm. 14:33. No ser fiel a un compromiso, una promesa o un pacto con una pareja o un amigo indica una falta de fe religiosa, integridad y un grave defecto de carácter. No ser fiel a uno mismo o a los demás causará un gran dolor a todos los implicados.

Infierno: juicio; castigo; condenación; morada de los muertos eternos; almas condenadas y demonios; discordia; destrucción ardiente; tentación; prisión; angustia por los amigos no salvos; llamada a la evangelización; desgracia; impotencia; carga; trampa del enemigo. Morada eterna de los muertos dobles que rechazaron la salvación de Jesús; residencia del mal, de los demonios, de Satanás y de los ángeles caídos; lugar de tormento; angustia y ardor eterno. 1 Sam. 2:6; Jb. 14:13; Hades y Gehenna, 1 Cor. 15:55; 2 Pe. 2:4.

Inflamación: ver una zona o parte del cuerpo inflamada indica que la sangre no está el circulando bien; provoca una proliferación de células; acumulación de líquidos en los tejidos de todo el cuerpo o es la inflamación de un órgano específico. Provoca calor, dolor, enrojecimiento y pérdida de función debido a una lesión, infección o enfermedad. Hay que tratar cualquier anomalía con un médico o especialista antes de que las cosas se salgan de control. Es posible que estés experimentando un problema de crecimiento. Determine qué parte del cuerpo está hinchada y el significado de su función.

Inflar: aumento y ampliación, iluminación piadosa, un ego excesivamente inflado puede hacer que una situación o relación estalle; puede indicar que estás exagerando una declaración o situación, lo cual pudiera estar sacando las cosas de quicio, «lleno de aire caliente», «haciendo una montaña de un grano de arena», «ahogándose en un vaso de agua».

Influencia: percibir un poder de influencia indirecta o intangible que afecta a una persona o a un acontecimiento a través de la riqueza, el prestigio, la capacidad o el estatus indica que estás llamado a hacer grandes cosas. Es importante discernir la fuente del poder. ¿Es Dios, la gente, las estrellas o el mal?

Ingeniería: ver la aplicación de las matemáticas y los principios científicos utilizados para llegar a un fin práctico o diseño, para la construcción o una operación para gestionar una empresa o industria indica que tendrás todo lo necesario para alcanzar el éxito.

Ingeniero: profesional capacitado que dirige, maniobra, planifica y construye una empresa de forma astuta y hábil, haciéndola funcionar sin problemas como un motor.

Ingenuo: soñar que se es ingenuo indica que aquellos en quienes confías se están aprovechando de ti. Es hora de pedirle a Dios su sabiduría y consejo. Él no quiere que ignores los dones que están a tu libre disposición.

Inglaterra: indica que se está formando algún tipo de conexión con esa nación o grupo de personas que requerirá gran tacto y modales para ejecutarse con éxito.

Ingle: es el pliegue en la unión del muslo: que representa la fe y el tronco del cuerpo que representa tus valores centrales, junto con las regiones adyacentes. Las ingles son la parte curva de las estructuras de los edificios y las proyecciones de la tierra desde la costa hacia el agua para protegerla de la erosión. Se le da fe para construir o reestructurar su vida para el éxito. Ver la región de la pelvis indica una temporada de fructificación, expansión y crecimiento. Estás entrando en sintonía con los aspectos creativos y la lucidez de tu feminidad o masculinidad. Tal vez estés luchando con algunas cuestiones sexuales o con tu identidad actual.

Inglés: soñar con alguien o algo que es inglés, está indicando un potencial para que alguna parte de tu linaje familiar que se relaciona con Inglaterra tenga influencia en su vida. Esto puede ser positivo o negativo.

Ingratitud: observar a otros siendo ingratos en tu sueño es una advertencia para que muestres aprecio por aquellos que te ayudan o sirven. Es un llamado a estar siempre dispuesto a ofrecer una ayuda cuando esté en su mano darla.

Ingresos: la falta de dinero está causando consumos financieros, preocupaciones y malestar emocional,

Lc. 10:7; éxito; aumento del favor; obtención de una herencia; perder o pagar: indica desencanto, desilusión; pérdida de empleo o de favor; reducción de salario: pérdida de interés; se le está quitando algo o alguien se le opone a usted.

Inhabilitar: alguien tiene la mala intención de debilitar, descalificar o detener tu movimiento o impulso hacia adelante, dejándote sin fuerzas a través de daños o lesiones físicas, emocionales o espirituales.

Inhalación: recibir el Espíritu Santo, una mayor actividad espiritual, un aliento fresco y la relajación le harán bien.

Inmersión: verse inmerso en una situación, relación o terapia indica que ha llegado el momento de afrontar y superar los miedos. Necesitas crecer en habilidad y comprensión, estudiar para mostrarte aprobado.

Inmigración: que una persona no nativa o extranjera sueñe con inmigrar legalmente a un país para establecerse en él, entrando legalmente por un puerto de entrada o una terminal de aeropuerto donde los empleados del gobierno examinan sus pasaportes o visados, indica que estás siguiendo los canales o los procesos adecuados. Entrar ilegalmente en el país saltando un muro, entrando de contrabando o invadiendo una propiedad privada o gubernamental indica que has infringido la ley. Eres un delincuente que teme ser capturado, encarcelado o deportado por los funcionarios del gobierno.

Inmigrante: viajar a un territorio inexplorado, explorar los aspectos desconocidos de uno mismo o de los demás, ayudar a otros menos afortunados demuestra un corazón compasivo de aceptación Zc. 7:10, Jer. 7:6, sentirse atraído a descubrir sus raíces ancestrales.

Inmodestia: verse a sí mismo o a otra persona actuando de forma ofensiva, arrogante o jactanciosa sin la ropa o las acciones adecuadas, es un sueño de advertencia para que cuides las palabras de tu boca, mantén tu temperamento bajo control o expondrá tus debilidades internas.

Inmoralidad sexual: indica falta de confianza; incapacidad para establecer vínculos o relaciones duraderas; ausencia de límites; daño a uno mismo, mala imagen de sí mismo; lujuria; fornicación; adulterio; víctima de un trauma, pecado, 1 Cor. 6:18-19.

Inmoralidad: actuar u observar interacciones sociales inapropiadas nos recuerda nuestra necesidad de orar para que los que nos rodean tengan ojos para ver la verdad y oídos para escuchar el evangelio. Nadie está por encima de la ley y todos estamos destituidos de la gracia de Dios por el pecado. «*No juzguéis para no ser juzgados*», 1 Tm. 1:17; Rom. 1:23.

Inmortal: obtener la salvación y la vida eterna, no

tener miedo a la muerte, longevidad, ignorancia juvenil, sensación de ser invencible, no estar dispuesto a cambiar de opinión o de dirección en la vida.

Inmóvil: no se deja influir fácilmente, firme, miedo paralizante, sentimientos de aprisionamiento, rígido o inflexible.

Inmuebles: soñar que compra una propiedad representa tu estatus en la vida. También puede significar un buen entendimiento en los negocios, permanencia, una herencia y riqueza. Estás expresando tu preocupación respecto a cómo asegurar el futuro de tus hijos. Soñar que pierde tu propiedad sugiere que está en un período de transición, que te siente inestable o que has perdido tu sensación de seguridad.

Inmundicia: si una persona toca cualquier cosa inmunda, ya sea un cadáver de una bestia inmunda, ganado o cosas que pululan, será culpable; si toca inmundicia humana, o jura irreflexivamente con sus labios para hacer el mal o el bien, en cualquier asunto que un hombre pueda hablar irreflexivamente con un juramento, ha pecado. Debe arrepentirse para ser limpiado por la sangre de Jesús y recibir el perdón, Lev. 5:2-5; Mt. 10:1; 12:43; Zc. 13:2; Mc. 1:23-27; 3:11, 30; Lc. 6:18; Ef. 5:5.

Inmunización: estar inmunizado contra una enfermedad, un brote o una influencia negativa sugiere un proceso de hacerse inmune a las fluctuaciones perjudiciales en las relaciones tóxicas, las finanzas o los tipos de interés variables. Es el momento de diversificar y negociar diferentes condiciones para obtener seguridad y diferentes rendimientos.

Inmunizar: forma mundana o científica de inyectar pequeñas cantidades de un virus o enfermedad en el cuerpo para crear inmunidad contra la aparición de una enfermedad peligrosa. Prevenir la enfermedad a través de una ligera exposición de un virus muerto para permitir que el cuerpo construya una resistencia contra él. Uno necesita construir su resistencia espiritual al pecado, espíritus demoníacos y malas influencias en la vida, 1 Pe. 5:9.

Inocente: ser inocente en un sueño significa que has sido perdonado y limpiado por la sangre de Jesús y has vuelto al estado de ser virtuoso. Ya no estás corrompido por la maldad y el pecado. También puede indicar que eres ingenuo, inexperto, que no estás expuesto o familiarizado con algo que deberías conocer, si es que estás siendo ignorante.

Inoculación: soñar con que se le introduce en el organismo por medios artificiales el virus o la bacteria de una enfermedad contagiosa, indica que serás inmune a las ofensas y estarás protegido de lesiones o pérdidas.

Inquieto: verte inquieto en un sueño sugiere que te cuesta encontrarte a ti mismo. No tienes tranquilidad ni reposo, por lo que te resulta difícil relajarte o estar quieto. Estás en constante movimiento. Necesitas descansar en el Señor y en el poder de su fuerza para ser restaurado. *«Pero nadie puede domar la lengua. Es maligna e incansable, llena de veneno mortal»*, Snt. 3:8 NTV; Gén. 27:40; Sal. 55:2.

Inquilino: no asumir la responsabilidad de la propia forma de vivir; una metáfora: sobrepasar los límites; tener un huésped: te estás preparado para una relación responsable.

Inquisición: estar en una indagación o investigación judicial celebrada ante un jurado en relación con una muerte, indica que existe algo oculto que debe salir a la luz.

Inquisitivo: significa que eres que un fisgón bastante curioso o entrometido, que siempre está husmeando en los asuntos de los demás con rigor excesivo e intensa preguntadera.

Inscribirse: inscribirse en un evento sugiere que estás en proceso de mejorar tu formación continua o de mejorar tus habilidades para asegurarte de que alcanzarás tus objetivos a tiempo. También considera que alguna información o hecho no se ha registrado todavía en tu ser consciente.

Insecticida: nos libra de plagas devoradoras como langostas, orugas, plagas y mentiras del enemigo que atacan nuestro bienestar y salud financiera, física, mental y espiritual.

Insecticidas: verdades espirituales que matan las mentiras y las falsas capuchas.

Insectos: significa obstáculos menores, problemas y molestias que hay que tratar y superar; mensajeros irritantes, alguien o algo puede estar «molestando» o acosándote insistentemente; los insectos son símbolo de exactitud, atención y tienen sentidos muy agudos; devoran y destruyen sistemáticamente las cosas bocado a bocado; gestiona tus pensamientos y prioriza tus valores, Lev. 11:22; Dt. 24:19.

Inseguro: es un sueño de advertencia que muestra algún tipo de acciones peligrosas o fallas en el equipo.

Insignia: Verse mostrando una insignia en su sueño indica que usted ocupa una posición de alto respeto, «una insignia de honor», y una recompensa por un acto de valor o prestigio en la red o asociación en la que usted es miembro. Por el contrario, es posible que esté luchando con su identidad, tratando de averiguar quién quiere ser realmente o qué quiere hacer en la vida. Ver una placa con el nombre en su sueño indica que se le presentarán nuevas oportunidades en los negocios y que sus relaciones personales también prosperarán al ampliar su red de amigos y asociados.

Insolación: ver la presencia del Sol de Justicia brillando sobre ti con intensidad indica que recibirás un conocimiento revelador o un «golpe de genio»;

serás inspirado con ideas creativas con las que prosperarás. Por el contrario, experimentar la exposición directa al sol, con la aparición de un aumento de la temperatura, convulsiones o desmayos, indica que alguien cercano está desatando sus rayos de ira o descargando su rabia sobre ti.

Insolencia: actuar de forma excesivamente presuntuoso y mordaz en un sueño indica que eres arrogante o descaradamente imprudente.

Inspiración: los profetas, videntes y apóstoles hablaban según el Espíritu Santo los movía, 2 Pe. 1:21.

Instruir: aprender a caminar y a vivir para agradar al Señor. *«Yo seguiré enseñándoles el camino bueno y recto»*, 1 Sam. 12:23; *«Con tu buen Espíritu les diste entendimiento»*, Neh. 9:20; *«Los instruiré en el poder de Dios»*, Jb. 27:11; *«El Señor dice: Yo te instruiré, yo te mostraré el camino que debes seguir; yo te daré consejos y velaré por ti»*, Sal. 32:8; *«Mándales que hagan el bien, que sean ricos en buenas obras, y generosos, dispuestos a compartir lo que tienen. De este modo atesorarán para sí un seguro caudal para el futuro y obtendrán la vida verdadera»*, 1 Tim. 6:18-19.

Instrumento: Indica que puedes ser llamado al ministerio de alabanza y adoración, Sal. 150. Unirse a otras personas en la tranquila armonía de la adoración al Señor. Un instrumento musical puede reflejar una necesidad de sanidad interior. Algo que se utiliza para lograr algún propósito, para ser controlado o engañado. Utensilio utilizado para registrar o medir una actuación. Un documento legal vinculante.

Instrumentos de cuerda: Sal. 144:1 entrena mis manos para la guerra, mis dedos para la batalla.

Instrumentos del viento: el viento del Espíritu Santo; el soplo del Espíritu; la declaración profética.

Instrumentos musicales: producen alegría, experticia, habilidad, placeres; diversidades unificadas que muestran armonía, Sal. 98:6; 150; Ef. 5:19.

Instrumentos quirúrgicos: el gran Médico tiene las herramientas necesarias para sanar.

Insultar: expresarse de manera inapropiada, hablar y expresar tu opinión antes de perder la compostura o los nervios, Ef. 5:4; Os. 4:2.

Insulto: oír a alguien injuriar o tratar a alguien con insolencia o desprecio indica que se necesita la oración para romper y revertir sus maldiciones.

Integrar: tienes la capacidad de unificar a la gente reuniendo todas las partes para formar un todo. Estás abierto a todas las razas o grupos étnicos.

Inteligente: aparecer como inteligente en un sueño indica que eres una persona perspicaz y exigente y muy popular entre tus amigos; tendrás una vida familiar feliz con muchos triunfos y motivos para celebrar. Para tu propio bien, mantente humilde y no te creas demasiado inteligente.

Intemperancia: en un sueño sugiere la falta de moderación en el consumo excesivo de bebidas alcohólicas. Es señal de que tiene una personalidad adictiva. Necesita ejercitar el autocontrol.

Intercambio de esposas: en la rutina, necesidad de añadir algo de picante, aventura o romance a la vida, hacer algunos cambios emocionantes, sacudir las cosas.

Intercambio: tomar o dar a cambio de otra cosa: Jesús tomó nuestro pecado, dolor y sufrimiento para darnos su salvación, alegría, riqueza y gloria. Renunciar a una cosa por otra: *«Den, y se les dará: se les echará en el regazo una medida llena, apretada, sacudida y desbordante. Porque con la medida que midan a otros, se les medirá a ustedes»*, Lc. 6:38.

Intercesión: oración en favor de los demás, Gén. 18:23-33; 1 Jn. 2:1; Jn. 17: Heb. 9:24.

Intereses: desembolsar dinero para pagar intereses elevados indica que se han rebasado las finanzas y es necesario hacer recortes drásticos para evitar la quiebra o la pérdida de una buena puntuación crediticia.

Interior, de: soñar que estás en el interior de un lugar o edificio indica que necesitas examinar más de cerca lo que ocurre dentro de tu ser interior o subconsciente. Es hora de hacer un examen de conciencia para descubrir lo que ocurre dentro de tu corazón y tu cabeza. ¿En qué piensas? ¿Qué cosas son importantes para ti en la vida? Pídele a Dios que escudriñe tu corazón y te ayude a encontrar las respuestas que tanto anhelas. Tienes el deseo de ser el centro de atención.

Internado: institución de enseñanza y residencia que incluye alimentación, materiales educativos y alojamiento; un grupo selecto o elegido de individuos de élite que son apartados durante una temporada para ser capacitados y equipados con ciertas habilidades.

Internet: o la World Wide Web; www o W3, «la web», es un sistema interconectado de documentos de hipertexto al que se accede a través de Internet para ver multimedia, imágenes y páginas web, etc. Es señal de que estás llamado a los medios sociales para ayudar a conectar el mundo en un espíritu de unidad y armonía entretejidos por el hilo común del amor. Eres un creador de redes de personas y organizaciones para la promoción del evangelio de Cristo.

Interpretación: *«Ellos le dijeron: Hemos tenido un sueño, y no hay quien lo interprete. Entonces les dijo José: ¿No son de Dios las interpretaciones? Contádmelo ahora»*, Gén. 40:8. Explicación o comprensión aplicada a un sueño; o afirmaciones hechas en un formato o forma que den una comprensión conceptual al tema.

Interrumpir: ver una interrupción indica que hay personas que están violentando tus límites para consumir tus bienes, ideas o talentos. Están robando, destruyendo o saqueando tus bienes. Si se atrapa al ladrón, éste tiene que pagar, mínimo de siete veces. El ladrón viene a matar, robar y destruir, pero Dios ha venido a darte vida abundante.

Interrupción: ver un impedimento en curso, una irrupción para detener la relación, o una interrupción durante un discurso, es una advertencia de que se avecina una mala jugada. Es un llamado de alerta a proteger tu matrimonio, amistades y otras relaciones del devorador.

Interruptor de circuito: los circuitos fluyen cuando la energía es capaz de completar un círculo ininterrumpido para poder representar el flujo eterno del Espíritu Santo. Si tu disyuntor se apaga en tu sueño, indica que hay algo que interrumpe tu flujo de energía. Puede que estés sobrecargado o demasiado comprometido, así que tómate un descanso. Considera también la posibilidad de que seas llamado como el líder del circuito para llevar las buenas noticias del evangelio.

Interruptor: encender un interruptor indica una necesidad de más potencia o energía; apagar el interruptor indica una pérdida de interés o el fin de una conexión o relación.

Intestinos: algo no te sienta bien, tener malestar estomacal significa que alguien está tramando algo malo. Los intestinos son el asiento de mociones como la piedad y de los instintos primarios. Tienes la impresión de que algo va mal, así que asegúrate de seguir tus instintos. Lo siento en mis intestinos o en mis vísceras.

Intestinos: coraje y perseverancia, actitud intestinal, tener agallas; ver los intestinos: esfuerzo físico, cansancio, fatiga, se necesita descanso.

Íntimo: es una llamada a amar a Dios con todo el corazón, mente, alma y espíritu, Mt. 22:37. Tener una asociación privada muy estrecha, un conocimiento o una familiaridad relativa o característica de la naturaleza más profunda de uno mismo. Conocer a alguien total y completamente, como en un encuentro cara a cara o en las relaciones sexuales. Verse deseando intimidad en un sueño indica la necesidad de abrirse, acercarse y compartir sus pensamientos y deseos más profundos con una persona especial. Dios siempre está dispuesto a escuchar. Estás a sólo un susurro de distancia.

Intolerancia: no estar dispuesto a soportar la diferencia de opiniones, culturas y creencias religiosas indica un espíritu de orgullo. Si no sabes escuchar a los amigos y a los desconocidos, no tendrás la oportunidad de influir en nadie.

Intoxicación alimentaria: comer de una fuente de información mundana, estropeada, sucia, maná podrido,

viejo o anticuado, doctrinas religiosas de los hombres, chismes, calumnias, engaños y charlas ociosas.

Intriga: ver un plan o trama secreta o una relación amorosa clandestina en un sueño indica que desea más emoción en tu vida. Has caído en la rutina y necesitas mezclar un poco las cosas. Requieres estimular alguna curiosidad o interés espiritual y físico.

Inundación: flujo, inundación o cobertura de agua; exceso de flujo; aumento; abrumar o inundar.

Inundaciones: abundancia; desbordamiento; derramamiento; un diluvio global del Espíritu Santo; una inmersión de enseñanzas espirituales y avivamiento; gran cosecha; aumento; extender fronteras; juicio del pecado y la violencia, Is. 59:19; Gén. 6:17; Sal. 29:10; 32:6; 69:1-2; Js. 24:2-3.

Inválido: ver a una persona crónicamente enferma o discapacitada puede ser un reflejo de cómo te ves a ti mismo o a los demás, ora por la sanidad de un espíritu herido y pide que tu alma sea restaurada.

Invención: el acto o el proceso de inventar un nuevo método, dispositivo o proceso desarrollado mediante el estudio y la experimentación indica que tienes el don de obtener riqueza, una visión espiritual creativa y una unción de emprendimiento.

Inventario: encontrar o ver una lista detallada de los artículos que uno tiene a la vista o en su posesión, indica que necesitas hacer una encuesta periódica de tus ingresos, posesiones, deseos y necesidades, amigos y familia, y todos los bienes espirituales y materiales. Haz un balance de las bendiciones que Dios te ha dado y da las gracias correspondientes. Paga los diezmos, las ofrendas y da regalos a los pobres.

Inventor: emprendedor, creativo, inventivo, reflexivo, fuera de lo común, que hace las cosas de una manera innovadora, un creador de tendencias que obtendrá los más altos honores.

Invernadero: lugar seguro, cálido y cubierto, que permite cultivar durante un tiempo.

Invernadero: ver o entrar en un invernadero de temperatura controlada para plantas, y que requiere una temperatura relativamente cálida, indica que estás creciendo en una relación bien equilibrada y nutrida.

Inversión: soñar que estás haciendo una inversión representa tu preparación para el futuro mediante el establecimiento de un plan sólido y el trabajo bien estructurado para asegurar los logros que conducen a tu éxito y seguridad.

Investigar: implica algún tipo de investigación criminal, privada o de la Oficina Federal de Investigación que se ocupa de algún aspecto de la ley o de alguien que no la cumple. Estás discerniendo o detectando algún tipo de juego sucio, actividad criminal o mala acción en tu vida.

Invierno: época difícil y fría del año, estación de

la muerte a la resurrección, penurias, hibernación, tiempo para planificar una nueva temporada de vida en la primavera. Hay un tiempo apto para todo. Hay un tiempo para cada acontecimiento bajo el cielo, Ec. 3. Soñar con el invierno puede indicar la amenaza de mala salud, depresión y dificultades. El sueño puede ser similar a cómo te sientes: emocionalmente frío y frígido. Para algunos, el invierno significa su época favorita del año, lo que indica la temporada de vacaciones en la que se decora, se entretiene, se come mucho en las fiestas, se deleita, se reúne y se hace caridad. Para algunos, el invierno es una época de profunda reflexión e introspección espiritual, Sal. 74:17; Cnt. 2:11.

Invisible: sentir que se es invisible o que no se deja ver o notar por los demás puede indicar que necesitas hacerse notar en ciertas situaciones, y hacer pública tus opiniones. Revisa tus estados financieros para verificar si hay errores. Alguien puede estar tratando de ocultar fondos o activos.

Invitación: Dios procura tu atención Is. 55:1; recibir una petición escrita o hablada de tu presencia o participación es un aliciente; si se trata de una seducción, significa una posible atracción personal, por lo que es necesario discernir si debes aceptar o negar el acceso a dichas personas.

Invitar: petición formal de la presencia o participación de alguien, dar la bienvenida o animar a asistir, tentar o atraer con una invitación.

Invulnerable: en tu sueño indica que te siente inmune a los ataques, inexpugnable o incapaz de ser herido, dañado o lesionado.

Inyección: si sueñas que te ponen una inyección, indica que necesita mejorar, impulsar o desarrollarte a nivel mental, físico y espiritual. Necesita una experiencia edificante o fortificante para inyectar más vida en sus labores diarias. Es una señal de que necesitas un tiempo de sanidad para recuperarte de actitudes negativas, opiniones, puntos de vista o presiones de los compañeros que han afectado tu visión de la vida.

Iowa: «Nuestras libertades valoramos y nuestros derechos mantendremos»; Campos de oportunidades; Estado del Ojo del halcón; Estado del maíz; Rosa salvaje de la pradera; Rojo, blanco y azul; Geoda.

iPad: es práctico dispositivo portátil desde el que se pueden recoger y almacenar datos o comunicarse con otros. Puede utilizarse en el mundo secular para difundir chismes y rumores o con fines espirituales para compartir conocimientos y bendiciones.

iPod: deseas estar conectado con tus más allegados tomando lo que el mundo tiene para ofrecer. Tienes la capacidad de llegar a otros que están repartidos por todo el mundo. Puede que tengas un profundo deseo de llegar a los perdidos en su búsqueda de poder y de su lugar en el mundo. Quizás estás pasando demasiado tiempo en actividades infructuosas; tu visión se ha vuelto defectuosa en cuanto a los planes que Dios tiene para ti. *«Porque yo sé los pensamientos que tengo para vosotros, dice el Señor, pensamientos de paz y no de mal, para daros un futuro y una esperanza»*, Jer. 29:11.

Ir a la deriva: moverse lenta o suavemente por la vida sin un plan o dirección clara, desviarse o ser movido por cada ola o viento. *«Por eso debemos prestar mucha más atención a lo que hemos oído, para que no nos desviemos de ello»*, Heb. 2:1.

Iris, diosa griega: la diosa griega de los colores del arco iris y de los mensajeros de los dioses también se llamaba Iris.

Iris, insecto: Iris es un insecto llamado mantis religiosa que está siempre en continua oración y que significa «profeta» en griego.

Iris, mujer: Iris es un nombre femenino que significa arco de lluvia y promesa de Dios, Sal. 104:24.

Iris ojo: representa al profeta vidente de muchas maneras. El iris es la parte redonda pigmentada del ojo situada entre la córnea y el cristalino, y está perforada por las pupilas, por lo que se refiere a una unción profética en la esfera del Espíritu y a una capacidad de ver más allá de lo natural. (La planta del iris tiene hojas en forma de espada y flores de varios colores, esto indica que la Palabra de Dios trae diferentes unciones para pelear la buena batalla y ganar con la gracia de Dios. Iris o Iridia es un nombre femenino que significa arco iris y promesa de Dios; Sal. 104:24, la diosa griega de los colores del arco iris y los mensajeros de los dioses también se llamaba Iris. Iris es un insecto llamado mantis religiosa que siempre está en posición de continua oración, la cual significa «profeta» en griego. El ministerio de Heidi Baker.

Iris, planta: fe; esperanza; sabiduría; valor; tu amigo significa mucho para mí; inspiración; mis complacencias; membrana pigmentada del ojo; Tennessee; bendición de la perspicacia espiritual; hojas en forma de espada; flores del color del arco iris; diosa oculta del arco iris y mensajera de los dioses; Francia.

Irlanda: juegos gaélicos, música y las lenguas irlandesas. La cultura de la isla tiene muchos rasgos compartidos con Gran Bretaña, como la lengua inglesa y los deportes relacionados con el fútbol, el rugby, las carreras de caballos y el golf.

Irlandesa, danza: notable por sus rápidos movimientos de piernas y pies, caracterizada por una parte superior del cuerpo controlada, pero no rígida y brazos rectos que se mantienen en gran medida inmóviles, y movimientos rápidos y precisos de los pies, las danzas pueden llevarse a cabo en «zapatos suaves» o «zapatos duros», la mayoría de las danzas competitivas son bailes en solitario.

Irritado: tu espíritu está discerniendo una influencia espiritual negativa, la oración es necesaria para vencer.

Isaac: nombre que significa risa, hijo de la promesa; Gén. 21:6; el hijo único, Gén. 22: Heb. 2:9; 11:17-19; fue un próspero agricultor, murió a los 180 años; el hijo de Abraham y Sara nacido de padres muy mayores para cumplir la promesa de Dios; Gén. 17:4-17. El segundo de los patriarcas hebreos que casi fue ofrecido como sacrificio por Abraham en obediencia al mandato de Dios. Sinónimo poético de Israel en Am. 7:9, 16.

Isacar: Dios me ha dado mi salario; el quinto hijo de Jacob y Lea, Gén. 30:18; Éx. 1:3; Gén. 49:14,15; I Cr. 26:5. Isacar conoce la sabiduría de los tiempos y los hijos del mar.

Isaías: nombre que significa la salvación del Señor; el más grande de los profetas, hijo de Amoz, sepultado a la edad de noventa años en un algarrobo hueco durante el reinado de Manasés.

Isla: ver o soñar que estás en una isla de los mares indica un pacífico tiempo de tranquilidad, relajación y confort. Es el momento de programar y tomarse unas vacaciones para escapar del estrés de la vida. Un período de soledad refrescará y recargará tus baterías creativas, Sal. 68:6. Estar varado en una isla significa que puedes querer escapar de las presiones de su vida actual. Por otro lado, puede que te sientas aislado, rechazado o abandonado, apartado de la sociedad y de tus seres queridos. También puede que te sientas como un paria; solitario; puede que necesites tiempo para aislarte y buscar la sabiduría de Dios, ningún hombre es una isla para sí mismo, 1 Sam. 19:2 ¿Huyes en dirección contraria a los problemas porque no quieres una confrontación? Necesitas salir de la misma rutina en la que has caído, una rutina aburrida.

Islas hawaianas: Te debes unas vacaciones de lujo; tiempo para relajarse y disfrutar de los amigos y la familia en un luau (fiesta hawaiana), descansar tranquilamente, reflexionar sobre tu vida para obtener sabiduría y resolver las dificultades que hayan surgido. Hawái es el único estado de Estados Unidos que no está situado geográficamente en Norteamérica, está completamente rodeado de agua, tiene palacios reales y no tiene una línea recta en su límite estatal. Industrias dominantes: cultiva café, piña, sándalo, caza de ballenas, ejército, turismo y educación. Las exportaciones hawaianas incluyen alimentos y ropa. Las ocho islas principales, Hawai'i, Maui, O'ahu, Kaho'olawe, Lana'i, Moloka'i, Kaua'i y Ni'i-hau es-

tán acompañadas por muchas otras. Hawái y Arizona son los dos únicos estados que no observan el horario de verano, y Hawái y Alaska son los dos únicos estados que no están en los Estados Unidos contiguos. Hawái tiene más especies en peligro de extinción y ha perdido un mayor porcentaje de sus especies endémicas que cualquier otro estado de Estados Unidos. Hawái, un entorno tropical, es el único estado que nunca ha registrado temperaturas bajo cero en Fahrenheit. O'ahu fue el objetivo de un ataque sorpresa contra Pearl Harbor y otras instalaciones militares y navales llevado a cabo por aviones y submarinos enanos por el Japón Imperial el 7 de diciembre de 1941, lo que llevó a Estados Unidos a la Segunda Guerra Mundial. La antigua Hawái era una sociedad basada en castas, muy parecida a la de los hindúes en la India. La esperanza de vida media de los nacidos en Hawai era de 79,8 años (77,1 años si son hombres y 82,5 si son mujeres), más que en cualquier otro estado. Hawái se distingue por tener el mayor porcentaje de estadounidenses de origen asiático y multirracial, así como el menor porcentaje de estadounidenses de raza blanca de todos los estados.

Islas: representan a las naciones gentiles de la tierra, Gén. 10:5; Is. 4:11; 42:12, 15; Sf. 2:11; Hch. 28:1,7.

Ismael: nombre que significa a quien Dios escucha; hijo de Agar por parte de Abraham; expulsado de la casa a petición de Sara, enviado al desierto de Beerseba, Gén. 21:10 se convirtió en cazador y se casó con una mujer egipcia, los ismaelitas una tribu de ladrones y salteadores.

Israel: la Tierra Prometida, Ora por la paz de Jerusalén, Gál. 6:16; nación hebrea, Tierra Santa, lugar de nacimiento de Jesús, Gólgota el lugar de la calavera donde Jesús fue crucificado, la Tumba del Huerto donde Jesús resucitó de entre los muertos, el Monte de la Transfiguración donde Jesús ascendió al cielo, el mayor portal celestial de la tierra. Sal. 122:6. Nombre dado a Jacob por el ángel en Peniel, Gén. 32:28; Os. 12:3,4; significa el príncipe que lucha con Dios; todo el cuerpo de verdaderos creyentes Rom. 9:6; 11:26; el reino de las diez tribus, 2 Re. 14:12.

Italia: significa la «tierra del ganado joven», el toro era un símbolo de las tribus del sur representadas corneando al lobo romano como símbolo desafiante de la Italia libre durante la Guerra Social.

Italiano: soñar con un italiano puede indicar que se desea el romance y la aventura, Hch. 10:1.

Itinerario: ver tu cronograma de viaje en un sueño indica que puede haber algunos cabos sueltos o citas que se han pasado por alto o de las que todavía hay que ocuparse antes de partir. Revisa tu plan y escudriña cada detalle.

Izquierda: pensamientos inconscientes, emociones o sentimientos reprimidos, ser pasivo, no actuar. La izquierda representa la debilidad de la carne natural, la duda, la muerte. Ser un cero a la izquierda para alguien indica que hay que controlar las pasiones. La izquierda es el lado menos dominante por lo que presta una función de apoyo de la mano, el ojo o la pierna, una opción secundaria o la expresión del yo; tratamos de reprimir u ocultar como la inmoralidad, el mal y el egoísmo, Ec. 10:2; el intelecto, la debilidad del alma, la incredulidad; las cabras se mueven a la izquierda representando la maldición de un individuo, mientras que las ovejas se separan a la derecha representando la bendición. Dos pies izquierdos, el lado izquierdo de la sabiduría es la riqueza y el honor, el corazón. La mano izquierda significa el norte, Gén. 14:15; Jb. 23:9; Jue. 3:15; 20:16.

J

Jab: deja de burlarte o de hablar con dureza a los que te rodean. Usa tus palabras para construir y edificar.

Jabalí, caza: deseas librarte de algunos espíritus impuros o malos hábitos que te agobian. Buscas una limpieza espiritual o un nuevo equilibrio en tu vida. Deseas pasar la página y salir del fango y del barro en el que te encuentras.

Jabalí corriendo: puedes estar intentando romper con la rutina o las responsabilidades diarias.

Jabalí: cerdo macho salvaje sin castrar con colmillos afilados, ancestro del cerdo doméstico. Advierte de una persona sin modales, escrúpulos ni dignidad, que se abrirá paso en cualquier relación, considere que la palabra significa aburrido o aburrida; es posible que se haya deslizado en un pozo cenagoso y que necesite limpiarse y tener una nueva perspectiva de la vida. Animal furioso y formidable, Sal. 80:13. *Alternativamente:* necesitas hacer algunos cambios importantes en tus hábitos, amigos, actitudes y dirección de tu vida. Te comportas como este feo cerdo con todas sus verrugas. El «cerdo de las llanuras» africanas tiene cuatro grandes protuberancias en forma de verruga en la cabeza que le sirven de reserva de grasa y sirven para defenderse cuando los machos luchan. El marfil del jabalí se extrae de los dientes caninos que crecen constantemente. La parte superior de los colmillos funciona de forma muy parecida a la de los colmillos de los elefantes, sólo que a menor escala. Simboliza la ferocidad, la fuerza y la audacia. Los cerdos son animales muy inteligentes y adaptables cuyo número está aumentando como una plaga en Texas. No echéis vuestras perlas espirituales a los cerdos o las pisotearán, Mt. 7,6. Los cerdos representan espíri-

tus impuros que habitan en una región específica, Mt. 8:30-32. Eres un pródigo que no usa el sentido común actuando de forma salvaje y comiendo bazofia en el corral de los cerdos, Lc. 15:15-16.

Jabalina: arma ofensiva; asta larga y delgada con una punta de metal; lanzar una jabalina representa dar una puñalada a un futuro brillante; poner tus objetivos o metas en alto; ir más allá de tus propias capacidades; ser lanzado: otros se sienten amenazados por tu presencia o tus habilidades, por lo que te están dando una puñalada, poniendo en peligro tu bienestar, 1 Sam. 18:10; Nm. 25:7.

Jabeque: ver una pequeña embarcación de tres mástiles mediterráneos con velas cuadradas y triangulares representa una llamada misionera a esa región geográfica para impactar a los pueblos costeros.

Jabes: significa nacido en el dolor, bendito, Jl. 2:25.

Jabín: significa que el que Dios ha elegido y formado, Sal. 139:13.

Jabón: la presencia limpiadora del Espíritu Santo, la penitencia, el perdón, la justicia; lavado o purificación; dinero utilizado como soborno o para engatusar; sin jabón: no es posible o permisible; infructuoso o inútil; inmundo, Is. 1:25. limpieza, purificar o refinar los metales finos, Jer. 2:22; Ma. 3:2.

Jacaranda: árbol tropical americano de madera dura, con hojas compuestas y racimos de flores de color púrpura pálido, es un signo de inspiración y creciente satisfacción.

Jacinto azul: constancia, comunión con Dios.

Jacinto blanco: belleza, oraré por ti; poder sagrado; pacto redimido.

Jacinto rojo: pasión.

Jacinto rosa: juego infantil.

Jacinto, amarillo: celos; avaricia; orgullo intelectual; planes o pensamientos engañosos.

Jacinto púrpura: lo siento, por favor, perdóname; pena; luto; exageración; deshonestidad.

Jacinto: eléctrico, fundamento del muro de la Nueva Jerusalén, ámbar, verde pálido a rojo púrpura, Apo. 9:17 es descriptivo del color, Apo. 21:20, mencionado en Éx. 28:19 como la primera piedra de la tercera fila en el pectoral del sumo sacerdote, el Hoshen o jacinto, «humo de sus bocas». Sinceridad; alejarse de los conocidos que ejercen una influencia negativa sobre ti resultará beneficioso; juegos y deportes; temeridad.

Jack Daniels (licor): el nombre Jack significa que Dios es misericordioso para redimir, Cl. 1:6. Daniel significa que Dios es mi juez de discernimiento Sal. 119:142. Jack Daniel's es un whisky americano muy vendido en Tennessee, propiedad de la Corporación Brown-Forman, ubicada en un condado seco de Moore, por lo que no está disponible en esas tiendas o restaurantes. Beber este whisky puede indicar que estás actuando de forma «arriesgada» al no confiar en todas tus facultades mentales. Necesitas ser más perspicaz para tomar buenas decisiones en la vida.

Jacob: su nombre significa suplantador; Gén. 25:26, 29-34. El tercero de los patriarcas judíos, hijo de Isaac y Rebeca, el que compró el derecho de nacimiento de su gemelo Esaú, Gén. 27. Visión de la Escalera en Betel. Se casó con las hijas de Labán, Lea y Raquel, y prosperó. Luchó con el ángel del Señor; se convirtió en Israel: «el soldado de Dios». Is. 40:11; Jn. 4:6-13; Jn. 10; Gén. 31:39-40.

Jacuzzi: limpiar las pasiones emocionales; librarse de toda la negatividad de la vida; relajarse y desestresarse con los amigos; sus emociones se calientan; sensación de estar en aguas calientes; desintoxicarse de actitudes negativas.

Jade: mineral verde, nefrita y jadeíta, utilizado principalmente como piedra preciosa o en tallas. Ver jade en un sueño indica aumento, poder curativo, totalidad, acuerdo, destino, vida próspera y verdad. Si la llevas puesto se refiere a la formación y el desarrollo de tu personalidad. El jade también puede hacer referencia a un caballo averiado o inútil, a una mujer despreciable, a una chica voluntariosa o coqueta. Estar fatigado, desgastado, embotado o insensible, cínico o encallecido.

Jael: nombre que significa cabra montesa; la esposa de Heber que mató a Sísara en su tienda con una estaca cuando huía de Débora y Barak, Jue. 4:17-18, 21-22. Ver a Jael en un sueño significa que eres llamado como defensor y libertador.

Jaguar: es el tercer felino más grande después del tigre y el león, y el más grande del hemisferio occidental. Este gato moteado es el que más se parece físicamente al leopardo, aunque suele ser más grande y de complexión más robusta, y sus características de comportamiento y hábitat son más parecidas a las del tigre. Si bien la densa selva es su hábitat preferido, debido a su fuerte y notable asociación con la presencia de agua, al igual que ocurre con el tigre, es un felino que disfruta estar nadando. El jaguar es en gran medida un depredador solitario, oportunista, de acecho y emboscada, está en la cima de la cadena alimentaria y posee una mordida excepcionalmente poderosa. Un coche de estatus caro que simboliza la elegancia, la potencia y la velocidad.

Jair: este nombre significa a quien Dios ilumina; fue un guerrero prominente bajo el mando de Moisés; descendiente de la familia más poderosa de Judá y Manasés; conquistó el país de Argob, Nm. 23:41; Dt. 3:14; 1 Cr. 2:21-23.

Jairo: este nombre significa a quien Dios ilumina; jefe de la sinagoga en una de las ciudades de Galilea; mostró una fuerte fe; Cristo fue a su casa para devolverle la vida a su hija muerta, Mc. 5:35-42.

Jamaica: país insular situado en el mar Caribe. Es el quinto país insular más grande del Caribe. En su día fue una posesión española conocida como Santiago, pero en 1655 pasó a estar bajo el dominio de Inglaterra (más tarde Gran Bretaña), y se llamó Jamaica. El 6 de agosto de 1962 alcanzó la plena independencia del Reino Unido. Jamaica es un reino de la Commonwealth, con la Reina Isabel II como monarca y jefa de Estado. Jamaica es una monarquía constitucional parlamentaria cuyo poder legislativo recae en el Parlamento bicameral de Jamaica, formado por un Senado designado y una Cámara de Representantes elegida directamente.

Jamaiquino: de o relativo a Jamaica (considere orar por el pueblo, la isla o el país) o a sus habitantes. Puede viajar allí por placer, por negocios o por misiones. En esta isla todavía se practica la magia negra, el vudú y el ocultismo.

James Bond: la serie de James Bond se centra en un agente ficticio del servicio secreto británico, 007, sexy y mujeriego, creado en 1953 por el escritor Ian Fleming, que lo presentó en doce novelas y dos colecciones de cuentos. Este símbolo onírico indica que usted desea una nueva y emocionante relación. Le gustan los retos y vivir la vida al límite. Bond también puede representar la necesidad de usar armas contra enemigos invasores.

James Dobson: es el momento de «centrarse en la familia».

Jamón: puedes estar actuando como «jamón»; porque te gusta ser el centro o acaparar toda la atención; se acerca un momento de celebración; áreas difíciles en tu vida necesitan tu atención; Virginia. Puedes esperar la alegría de un gran beneficio y ganancias financieras.

Jane o Johana: significa que Dios es bondadoso y que tú eres su amado, Rom. 12:2.

Japón: Japón significa «sol naciente», y a menudo se le llama «tierra del sol naciente». Japón es una nación insular de Asia Oriental situada en el Océano Pacífico. Tokio es la capital metropolitana de Japón, con más de 30 millones de habitantes. Ver o visitar Japón en tus sueños indica que Jesús, el «Hijo» de Dios, está surgiendo en tu vida para hacer que su luz brille cada vez más como el sol del mediodía. Viniste de Dios y a Dios volverás.

Japonés: ver a un japonés en tu sueño tiene que ver con la necesidad de reflejar una de sus características positivas en tu propia vida. Son personas laboriosas, con fuertes tradiciones familiares, una cultura del honor y superiores en tecnología.

Jarabe de arce: despertar a un nuevo día, una oportunidad o una relación; sentirse minado o agotado;

una situación pegajosa se está calentando; Canadá; Vermont. Jarabe: un dulce despertar; sobre romanización; sensiblería; aprovecharse de los líderes; melancolía; cursilería; reminiscencia.

Jarabe: ver o comer este líquido dulce y azucarado indica que la abundancia de palabras dulces y la amabilidad te llevarán lejos; una relación feliz y dichosa está en tu horizonte cercano.

Jardín botánico: hectáreas de senderos panorámicos donde se puede ver de manera general jardines, plantas y colecciones geográficas especiales; elimina las malas hierbas y las semillas y plantas improductivas o destructivas de tu vida para permitir que los frutos, las flores y las bellas fragancias del Señor surjan en tu vida.

Jardín de infancia: clase introductoria que acoge a niños de cuatro a seis años indica que tendrás un nuevo ímpetu por aprender y explorar las oportunidades que se abren.

Jardín del Edén: deseo de caminar y hablar con Dios; plantación del Señor; Edén o Paraíso: el estado original del hombre era la perfección. Un campo de trabajo; aprender a trabajar y esforzarse con nuestras manos. Lugar de oración secreta y comunión con Dios, Gén. 24:63.

Jardín cubierto: si sueñas con un jardín cubierto representa los enredos; las trampas mundanas; y las tradiciones religiosas, Mc. 4. Necesitas sacar las hierbas destructivas de tu vida para evitar la pobreza y la bancarrota.

Jardín: lugar de autocultivo; crecimiento, fertilidad y cambio; sentimientos de paz interior; un trabajo fértil que da frutos si florece: representa la prosperidad. Comodidad; tranquilidad; riqueza que conduce a la independencia; «Jardín del Rey»; Is. 58:11; Gén. 2:8-10; rodeado de un seto de espinas; muros de piedra; «torres de vigilancia»; «refugios»; Mt. 26:30-36; Jn. 1:48; perfección, Nueva Jersey.

Jardinería: cultivar el tiempo de la semilla y cosechar o contender por un área de tu vida para producir realce, multiplicación y fructificación, una gran cosecha de aumento y bendición. Gén. 2:8 una ofrenda inaceptable para Dios, Gén. 4:2-3; el consuelo de Dios sana los lugares baldíos, salvajes o desérticos en la vida de una persona, se vuelven como el jardín del Señor, Is. 51:3. Un lugar de cultivo, crecimiento del yo, sentimientos de cambio de la paz interior, trabajo fértil, prosperidad fructífera, y un campo de trabajo floreciente, una hermosa plantación del Señor, el Edén, el Paraíso, y el estado original de la perfección del hombre.

Jardinero: la vida espiritual interior de un individuo que está creciendo o desarrollando sus dones, talentos de la tierra y cultivando su carácter, Jesús,

el Padre Dios el viñador, Jn. 15,1, el Padre; Dios; Jn. 20:15, Jesús.

Jarra de bebidas: una jarra de agua o de té: se avecina un tiempo de renovación; nuevas ideas creativas, desbordamiento de información o conocimientos. Verter o derramar las vísceras. El cuerpo humano, un recipiente de honra o deshonra, Lam. 4:2; 2 Cor. 3:2-11; Jue. 7:16-20; Gén. 24:14-20.

Jarra llena de leche: se refiere a los grandes pechos de las mujeres y sugiere que necesitas usar tus instintos maternales de crianza.

Jarra rota: la liberación de nuevas ideas creativas que traerán una ampliación y una mayor exposición.

Jarra vacía: representa la apertura para recibir nuevas ideas de marketing. *Alternativamente:* Te has derramado por los demás y es hora de dejar que el Espíritu Santo te vuelva a llenar con su Palabra y su presencia.

Jarra: simboliza un vientre y la fecundidad. Buscas protección contra las acusaciones y quieres ponerle una tapa antes de que estas se extiendan. Considera el juego de palabras sentirse «sacudido» por algo o alguien. Las tinajas tienen la capacidad de contener y preservar las bendiciones del aumento de la Tierra Prometida. *«Lo hizo subir sobre las alturas de la tierra, Y comió los frutos del campo, E hizo que chupase miel de la peña, Y aceite del duro pedernal; Mantequilla de vacas y leche de ovejas, Con grosura de corderos, Y carneros de Basán; también machos cabríos, Con lo mejor del trigo; Y de la sangre de la uva bebiste vino»,* Dt. 32:13-14.

Jarras: representan el tener palabras de gracia que necesitan ser derramadas sobre los demás. Las jarras también pueden representar el vientre de una mujer, por lo que puede advertir que hay que mantener la inocencia y la virginidad mediante la abstinencia.

Jarrón de agua: Jn. 2:6, era utilizado por la familia y los invitados para lavarse las manos. Si está entera: un recipiente para contener el Espíritu de Dios; si está rota o inclinada significa que se derrama o se vierte.

Jarrón: todas tus lágrimas están siendo recogidas y guardadas en un bello jarrón, así que debes saber que tus pruebas y desafíos están formando un gran carácter y fortaleza.

Jaspe: Benjamín, un hijo, esforzarse en vano, quedar en la nada, afecto, maldad, falso ídolo, iniquidad, maldad, luto, injusto, mimado injusto, dolor, lobo, volverse contra ti, despedazar, hijo de mi mano derecha, vejez, madurez, felicidad, nueva unción fresca, última gema en el pectoral del sacerdote, primera piedra fundacional de la Nueva Jerusalén, la piedra de nacimiento de marzo, su nombre significa «piedra manchada o moteada», se cree que previene el dolor, da protección, trae curación, luz brillante y transparente, la más preciosa, como los crisoles, tal vez de color rojo, amarillo, marrón o verde, pero raramente azul. Está muy pulida y se utiliza en jarrones, sellos y cajas de tabaco. Éx 28:20, 39:13, Ez. 28:13, La gloria y el brillo de Dios, Apo. 4:3, 21:11, 18-19.

Jaula, animal salvaje: indica que reconoces los miedos que intentan vencerte. A medida que continúe librándose de la ira, ejerciendo el autocontrol y expresando libremente tus sentimientos, el éxito llegará con toda seguridad.

Jaula, cerdo: un cerdo en una jaula representa un mensaje positivo, una buena noticia o una impureza que está siendo contenida.

Jaula, pájaro: si sueñas con un pájaro en una jaula, significa que pudieras estar sintiéndote como un «pájaro enjaulado» o que te han cortado las alas recientemente. ¿Está experimentando una pérdida de libertad en algún área de tu vida? Los pájaros a menudo representan problemas espirituales, así que libérate de las ataduras religiosas o de las tradiciones humanas que te mantienen cautivo para que puedas experimentar la verdadera libertad espiritual.

Jaula: si sueñas que te encuentras en una jaula, puedes estar experimentando temores o iras reprimidas que impiden el libre flujo de las emociones; puede ser que estés siendo autoconsciente de la frustración y desesperanza que hay en algunas áreas de tu vida. A lo mejor se trate de una relación que pudiera estar exigiendo demasiado de tu tiempo, lo que te hace sentirse confinado, atrapado, restringido o reprimido. Un lazo, por corto que parezca, estar limitando tu capacidad creativa o controlando tu libertad de actuar o tomar decisiones independientemente de los demás. Jer. 5:26-27.

Jazmín de Madagascar: ver esta flor representa la felicidad en el matrimonio; la buena suerte; el deseo de viajar.

Jazmín, amarillo: temor; cobardía; afeminado; timidez, modestia.

Jazmín blanco: amabilidad; alegría, o flores amarillas usadas en el perfume: significa que olerás la dulce presencia de la fragancia del Señor rodeando tu vida.

Jazmín, mujer: si una joven o una mujer viuda sueña que recibe Jazmín de un hombre, representa una propuesta de matrimonio que se acerca.

Jazmín rojo: representa la acción de gracias; el entusiasmo; el celo; la locura y la alegría.

Jazmín: ver la floración de la flor de jazmín representa gracia y elegancia; amor profundo; indica favor y la realización de tus sueños. Recibir un ramo de flores: tendrás un breve encuentro con un amigo leal que te aportará alegría y placer. Carolina del Sur.

Jazz, baile: animar o animar algo; mentir o exagerar; acompañamientos diversos o no especificados; participar en conversaciones pretenciosas o acciones insensible; popular en los años 30-40; música americana tocada por primera vez por bandas negras en Nueva Orleans; armonía fuerte y flexible.

Jean: significa que Dios es bondadoso y dotado, 2 Cr. 1:12.

Jeans: confección de tela de larga duración; adecuado y muy versátil para muchas situaciones, muy a la moda.

Jedidías: Significa amado por Dios, perspicaz, Sal. 145:10.

Jeep: representa un vehículo todoterreno para aquellos a los que les gusta explorar la naturaleza, ser pioneros en cosas nuevas y disfrutar de actividades al aire libre. También puede representar la expresión popular «jeepin» o tener sexo en un vehículo.

Jefe del Ejecutivo: el presidente del país, un funcionario ejecutivo principal, la máxima autoridad de una nación, Dios.

Jefe: empleador, autoridad, responsable, sumisión a la misión o a la visión; el deseo de amor es la fuerza motriz más ambiciosa de la vida. Uno de los más altos rangos de autoridad, cargo o rango, un líder, el jefe, la persona más alta o más importante o principal.

Jehová Elohay: el Señor, mi Dios.

Jehová Eloheenu: el Señor, nuestro Dios.

Jehová Gmolah: el Señor de las Recompensas, Jer. 51:56.

Jehová Makkeh: el Señor nuestro Heridor, para formarnos y perfeccionarnos.

Jehová M'Kaddesh: Jehová que santifica, Lev. 20:7-8.

Jehová Rohi: Jehová mi Pastor, Rohi significa alimentar, Sal. 23.

Jehová Rafa: el Señor que te sana, Éx. 15:25- 26.

Jehová Tsebaoth: el Señor de los Ejércitos, tsaba significa hacer la guerra, prestar servicio a Dios.

Jehová: El Gran Yo Soy; el título de Dios Ser Supremo, Éx. 6:3.

Jehová-Eloh-Israel: el Dios personal de Israel.

Jehová-Jireh: el Señor verá o proveerá; Gén. 22:14.

Jehová-Nissi: el Señor, mi estandarte, Éx. 17:15. Jehová-Shalom: el Señor envía la paz; Éx. 6:24.

Jehová-Shammah: el Señor está allí; Ez. 48:35.

Jehová-Tsidkenu: el Señor nuestra justicia; Jer. 23:6; 33:16.

Jehú: este nombre significa Jehová es Él; hijo de Hanani el vidente, 1 Re. 16:1,7. Eliseo lo ungió como rey de Israel para juzgar a Acab, 1 Re. 19:16-17.

Jengibre: representa el vigor y la vivacidad «jengibre la noche» con una nueva pasión por un hombre o una mujer, o una celebración familiar. Nombre de mujer en inglés (Ginger)que significa pura y respetuosa, 1 Tm. 5:2. Andar o moverse por la calle con cuidado y precaución.

Jennifer: significa justa y confiada, Sal. 28:7.

Jeopardy: ver o jugar el juego de preguntas Jeopardy en un sueño indica que usted es una persona de éxito que le gusta competir con otros para mostrar sus conocimientos. Por el contrario, es una advertencia de incertidumbre y riesgo de pérdida o daño. Su trabajo o su relación pueden estar en peligro si no sabe qué hacer y decir para corregir una situación grave.

Jeque: ver a un jeque en un sueño, especialmente en el caso de una mujer, significa que te sientes atraída emocionalmente por un funcionario o líder religioso.

Jerbo (roedor): soñar con un jerbo indica que estás experimentando mucha energía social con hiperactividad física en un intento de encontrar un compañero adecuado para anidar.

Jeremías: a quien Jehová pone en marcha; uno de los cuatro grandes profetas de ascendencia sacerdotal consagrados al oficio de profeta antes de su nacimiento, hijo de Hilcías, denunció la idolatría proclamando el juicio de Dios.

Jericó: significa fragancia; «ciudad de las palmeras», la primera ciudad atacada por Josué después de cruzar el Jordán; las murallas de la oposición están cayendo Jos. 6:20, Rahab se salvó; Dt. 34:3.

Jeringa: reforzar el sistema inmunitario contra alguien o algo que es perjudicial, inoculación, antisuero, la sangre de Jesús, inyectando vida o muerte en tu sistema dependiendo de lo que haya en la jeringa y de quién la administre.

Jerusalén, Nueva: la Iglesia espiritual en su triunfo y gloria final, Apo. 3:12; 21:2.

Jerusalén: morada o fundamento de la paz; establecimiento de la paz; Ciudad de la Paz; Sal 116:19; Apo. 21 y 22; lugar escogido por Dios; ciudad de Dios en la tierra; Jos 10:1; situada en una meseta de las montañas del Jordán, entre el Mediterráneo y el Mar Muerto, es una de las ciudades más antiguas del mundo. Se considera sagrada para las tres principales religiones abrahámicas: el judaísmo, el cristianismo y el islam. Tanto israelíes como palestinos reclaman Jerusalén como su capital, ya que Israel mantiene allí sus principales instituciones gubernamentales y el Estado de Palestina la prevé en última instancia como su sede de poder; sin embargo, ninguna de las dos reclamaciones está ampliamente reconocida a nivel internacional. «*Pidamos por la paz de Jerusalén: "Que vivan en paz los que te aman"*». Sal. 122:6; Heb. 12:22-28; Gál. 4:6; Apo. 3:12.

Jesse Duplantis: ministro evangélico carismático con sede en Nueva Orleans, Luisiana, Estados Unidos, y fundador de los Ministerios Jesse Duplantis. Nació: el 9 de julio de 1949, en Nueva Orleans, LA.

Libro: Encuentros cercanos del tipo de Dios. Álbum: A Merry Heart Doeth Good Like a Medicine. Espera tener una experiencia de traslación celestial.

Jesucristo: el Salvador del mundo, el Sanador, el Libertador, el mejor amigo, el Señor de Señores, el único Hijo amado de Dios, el amor perfecto, el protector, el creador del universo, el amante de tu alma, Dios, la puerta, el único camino de salvación, la luz del mundo, la Palabra viva, el Mesías, el Rey de Reyes; una influencia positiva en tus decisiones, actitudes y sentimientos; el punto de verdad o la línea de plomada desde la que uno compara su calidad de vida; la fuente de la vida; el creador del universo. Ro 10:9-10. Si Jesús aparece en tu sueño, estás teniendo una visión o una visitación. Jesús se está revelando a sí mismo y también sus deseos.

Jet Harrier: «Jumbo Jet», caza ligero de apoyo táctico, es un avión militar a reacción de diseño británico capaz de realizar despegues y aterrizajes cortos verticales mediante vectores de empuje.

Jezabel: significa casta; toma lo que no le corresponde; espíritu mentiroso de control y hábil en la manipulación, un espíritu demoníaco que habita, tanto en los hombres como en las mujeres; celos, envidia, brujería; falsa religión; seducción o seducción sexual. 1 Re. 16:31; 18:4. Era una princesa, identificada en el libro hebreo de 1 Re. 16:31; 18:4 como la hija de Et-baal, rey de de los Sidonios (Líbano-Fenicia) la esposa seductora y manipuladora de Acab, rey del norte de Israel. Jezabel sedujo y engañó a Acab para poder ejecutar su maldad y gobernar. Se hizo tristemente célebre por la persecución de los profetas de Dios, la introducción del culto idolátrico a Baal y otros ídolos. Soñar con Jezabel indica que estás siendo seducido por una persona intrigante, controladora y maquinadora que te llevará a una gran pérdida y destrucción.

Jinete: alguien con poca influencia o aparentemente insignificante está tratando de «ganar a toda costa» un puesto principal; ando la pelea por una posición; si ganas la carrera, tendrás éxito; si eres arrojado del caballo o pierdes la carrera no tendrá éxito en tu empresa. Si una mujer sueña con un jinete: puede indicar que un compromiso o una propuesta de matrimonio se acerca a ella en un futuro próximo.

Jirafa: orgullo; autoestima excesivamente desarrollada; mente alta o cabeza; visión clara y espiritual; capaz de supervisar.

Job, apelando: necesidad de centrarse, está tratando de discernir a qué has sido llamado, propuesto y destinado a hacer en la vida, por lo que necesita una dirección clara.

Job: significa uno perseguido; desarrolla la paciencia a través del sufrimiento; afligido y liberado; Jb. 36:15; el patriarca, Jb. 1 y 2; Ez. 14:14, 20; Snt. 5:10-11.

Joel: nombre hebreo que significa El Señor es Dios o el mensajero de Dios, Rom. 12:2. La promesa del Espíritu y el Día del Señor, Jl. 2:28-32. *«Mas esto es lo dicho por el profeta Joel: Y en los postreros días, dice Dios, Derramaré de mi Espíritu sobre toda carne, Y vuestros hijos y vuestras hijas profetizarán; Vuestros jóvenes verán visiones, Y vuestros ancianos soñarán sueños»*, Hch. 2:16-17.

Jolgorio: ver juerga o jolgorio en un sueño sugiere la necesidad de ejercer el buen juicio y la moderación en los entornos sociales, Is. 5:14.

Jon: significa don precioso de Dios o regalo del Señor, Sal. 92:4.

Jonás: significa paloma, declarante de alegría y salvación, Hch. 4:20; signo del profeta, Jon. 1, 2 y 3; Mt. 12:40- 41; 16:4; tipo de la muerte, sepultura y resurrección de Cristo; ministerio a los gentiles, Lc 11:30; Jon. 1:15- 17; 2:1-10.

Jonatán: significa don del Señor, don precioso de Dios, Sal. 92:4.

Jonrón: anotar o ganar en el juego de la vida; volver a casa seguro o pródigo; completar un ciclo con éxito; ser celebrado; convertirse en campeón, Fil .2:16.

Jornalero: soñar con una persona que se dedica a los oficios de la construcción (como la demolición) y que usa herramientas manuales, eléctricas, neumáticas y equipos pesado, que se considera trabajo manual no cualificado, en contraposición al trabajo cualificado, indica que estás aprendiendo la función y el funcionamiento de los diferentes dones del Espíritu. Neh. 4:22; *«¡Cómo ha quedado sola la ciudad populosa! La grande entre las naciones se ha vuelto como viuda, La señora de provincias ha sido hecha tributaria»*, Lam. 1:1; *«El trabajador es digno de su salario»*, Lc. 10:7; 1 Tm. 5:18.

Jorobado: alguien que tiene la espalda anormalmente curvada o encorvada; «Papa de los tontos», rechazado, despreciado, rechazado, condenado al ostracismo, agobiado por presiones indebidas; servidumbre; carece de una columna vertebral fuerte; se le empuja fácilmente; apenas verbal, sordo, campanero, Notre Dame; amor devoto.

José: significa que Dios añadirá sabiduría y comprensión; Pr. 28:5; el hijo amado; Gén. 37:1-3; He 11:22; tipo de Jesús amado, rechazado, exaltado con una novia gentil, Hch. 2:36, 7:9; Sal. 105:16-22; Fil. 3:5-11; Lc. 1:32-33; Zc. 12:10.

Josué: significa que Dios es mi salvación y portador de la verdad; Jesús como Salvador; conduce a una herencia; Snt. 1:25; el Capitán del Ejército del Señor; Js. 1:5; 5:12-15; Heh. 2:10; 4:8; Nm. 25:18; Éx. 33:7-11.

Jota: ver una jota de automóvil predice un repentino alivio de un gran peso que has estado soportando por ti mismo, ver una jota de naipe indica la capa-cidad de iniciar un nuevo oficio con nuevos amigos. Una jota de corazón indica amor o devoción adecuados; mientras que una pica representa un adversario. Sostener o ver una jota de diamantes significa que encontrarás un verdadero amigo o alma gemela. El nombre de un hombre Jota significa que Dios es misericordioso, redimido, Cl. 1:6. Ver una jota en tu sueño indica que eres bueno en todo lo que haces, «ser un todoterreno».

Joven: los jóvenes se encuentran en el período inicial o no desarrollado de la vida o del crecimiento, en el que carecen de experiencia, pero tienen un fresco vigor juvenil para empezar de nuevo en muchos ámbitos. «La noche es joven». Tienen una visión fresca de la vida creyendo que son invencibles y que nada es imposible. Es posible que tengas que adoptar una visión más juvenil de la vida, ya que has dejado de arriesgarte y lo haces todo en modo seguro. ¿Recuerdas cuando eras despreocupado y juguetón? O puede que actúes de forma inmadura o infantil. ¿Intentas rectificar los errores del pasado? El pasado ha terminado. No hay nada que puedas hacer con tus arrepentimientos, excepto superarlos. Deja de lamentarte por las oportunidades perdidas y busca lo que está a tu alcance. Hoy es todo lo que se promete.

Joyas de latón: juicio de Dios, fuerza, terquedad, dinero, muslos de bronce en la época de Nabucodonosor. 1 Cr. 29:7, 2 Cr. 2:7, Apo. 9:20.

Joyas de turquesa: llevar turquesa predice que el poder curativo divino de Dios viene a la tierra para manifestarse en un creyente o a través de una fuerza energética natural que une el cielo y la tierra; «¡Venga tu reino, hágase tu voluntad en la tierra como en el cielo!». El Espíritu de Dios libera una revelación curativa desde el cielo para alejar el mal o las emociones negativas.

Joyas empañadas: ver joyas empañadas en un sueño indica algún tipo de engaño o trampa. Lo que debería haber sido plata genuina u oro de menor precio es falso, carece de brillo y se ha opacado con el tiempo. Alguien puede estar intentando usurpar tu herencia o hacerse pasar por alguien que no es.

Joyas: denota dones espirituales; tesoros; herencia; rango; placer y riquezas; el pueblo de Dios; unción y memoriales que son consagrados a Dios, Zc. 9:16. Mal. 3:17; 1 Cor 3:12; Éx. 19:5; Dt. 14:2; 1 Pe. 2:9; Tt. 2:14; Sal. 135:4.

Joyas, caja: representa tus dones espirituales colectivos, unciones, talentos o una herencia o legado físico. Los diferentes tipos de joyas representan tu sentido de autoestima o valor. Necesitas abrir y compartir tu almacén de dones con los demás.

Joyas, comprar: éxito, prosperidad, bendiciones, favor y aumento.

Joyas en general: denotan dones espirituales, tesoros, herencia, rango, placer y riquezas consagradas a Dios; unción; memorial.

Joyas heredadas: gran prosperidad, dote, dones espirituales, talentos y habilidades que se transmiten por las líneas de consanguinidad. Gran prosperidad; dote; dones espirituales; talentos y habilidades que se transmiten por las líneas generacionales de la herencia.

Joyas recibidas: salvación, justicia, alegría, bendiciones, aumento, dones espirituales o impartición del Espíritu Santo, herencia, favor de Dios y de los hombres, placer, valor y deseo cumplido, labios de conocimiento.

Joyas, regalar: favorecer a los demás, influir o impartir regalos a los demás, no valorar los tesoros y regalos espirituales, pagar una deuda, perjuicio propio o pérdida de favor.

Joyas: herencia; posesión de premio valorada; estar decorado; regalos celestiales y terrenales; realeza; habilidades; verdad; adornos de otros.

Juan el Bautista: voz que clama en el desierto: «Preparad el camino del Señor»; profeta; Elías; bautismo de agua; arrepentimiento; lucha entre el verdadero Rey de Dios y los sistemas religiosos y políticos de este mundo; mártir.

Juana: significa que Dios es bondadoso y sabio, Pr. 4:7.

Juanete: alguien intenta limitar tu progreso o acortar tu impacto poniéndote demasiadas restricciones.

Jubilación: verse descansando o retirándose de su ocupación en la intimidad o en la reclusión, antes de que una nueva y emocionante aventura esté en el horizonte; volverás a encender sus motores.

Jubileo de Oro: 50º aniversario. Jubileo, Platino: 75º aniversario. Jubileo, Rubí: 40º aniversario.

Jubileo, de diamante: 50º aniversario.

Jubileo, Plata: 25º aniversario; el reinado de un monarca.

Jubileo, Titanio: centenario.

Jubileo: soñar con un jubileo indica que tu esperanza de matrimonio se hará realidad. Para un cristiano celebrar el Jubileo representa la remisión de los pecados y el perdón universal. El Gran Jubileo fue en el año 2000. Esfuerzos placenteros en el comienzo de un matrimonio.

Judá: significa alabanza y lleno de amor; Jn. 13:34; la tribu de Judá lidera con la alabanza; tribu del león, semilla real, Gén. 37:26-28; 49:9. Necesitas cantar alabanzas al Señor para establecer una atmósfera de alegría y éxito en tu vida; traición de amigos de confianza; malversador en la empresa; ladrón, disputa por el dinero; sin arrepentimiento, sin remordimientos, suicidio.

Judías verdes: preparar judías o vainitas o coci-

narlas indica que prosperarás en lo que toquen tus manos; servirlas a los amigos indica la capacidad de compartir tu riqueza o tus ideas.

Judío en tu sueño: representa ganancia financiera, abundancia y prosperidad; tendrás una vida llena de gran alegría y bendiciones piadosas.

Judío: la ascendencia judía se remonta a los patriarcas bíblicos, como Abraham, Isaac y Jacob, y a las matriarcas bíblicas Sara, Rebeca, Lea y Raquel, que vivieron en Canaán alrededor del siglo XVIII a.C. Cristo es el judío por excelencia que dio su vida en la cruz para salvar al mundo de sus pecados asegurando la vida eterna en el cielo para todos los que creen en Él. Los judíos son la niña de los ojos de Dios y su pueblo elegido para favorecer con el intelecto y la riqueza.

Judíos siendo perseguidos: seis millones de judíos fueron asesinados en el Holocausto. Ver a esta minoría étnica siendo perseguida significa que debes clamar por la paz de Jerusalén y del pueblo judío para que todo te vaya bien.

Judíos: Jesús fue judío. El pueblo judío es la niña de los ojos de Dios, el grupo humano más favorecido de la tierra. Seis millones de judíos fueron asesinados durante el holocausto y ahora han aumentado a catorce millones. A pesar de ser un porcentaje tan pequeño de la población mundial, los judíos han influido y contribuido significativamente al progreso de la humanidad, ganando premios nobles en muchos campos, incluyendo, pero no limitándose, a la medicina, la ciencia, la tecnología, los negocios, la filosofía y la literatura.

Judo: Arte marcial japonés desarrollado a partir del *jujitsu*; aplica los principios de equilibrio y palanca para la defensa personal y se utiliza como método de entrenamiento físico.

Juego de amas: significa que un adversario o un oponente está intentando saltar algunos límites o coronarte; ten cuidado con los movimientos o motivos falsos que salgan a la superficie.

Juego de azar: ser frívolo y despilfarrador; tirar el dinero por diversión; correr riesgos innecesarios; una mala planificación terminará en una pérdida; es un llamado a evaluar cada decisión con oración y meditación. Tirar la sabiduría o la precaución al viento, un salto al vacío, sin un plan claro, las acciones impulsivas conducirán a la destrucción, arriesgando una relación o negocio.

Juego de la gallina ciega: entre en cada relación u oportunidad de negocio con los ojos bien abiertos; le rodean elementos perturbadores, debes estar atento a los que le rodean; no deje que nadie le tome el pelo; evite las burlas; juego infantil «la gallina ciega» que se juega en una zona amplia al aire libre, o en una habitación grande, en la que un jugador está cegado y es designado como «gallina ciega», la cual anda a tientas tratando de tocar a los otros jugadores sin poder verlos, mientras que los otros jugadores se dispersan y tratan de evitar que la gallina ciega los toque, mientras se burlan de él y tratan de confundirlo.

Juego familiar: soñar que juega un juego con su familia «el juego de la vida» indica una necesidad de llevarse bien con los que amas y que son los más cercanos a ti.

Juego: una respuesta inmadura e infantil a una situación grave dará lugar a una reprimenda. Es hora de madurar y asumir la responsabilidad de tus actos; todo trabajo y nada de juego te convierte en un individuo aburrido, tómate tiempo para disfrutar de la vida. Jugar con una nueva idea o invención, creatividad; sé tú mismo y deja de actuar como otra persona.

Juegos de cacería: si sigues jugando al cazador, acechando o disparando, significa que superarás los obstáculos y obtendrás tus posesiones deseadas.

Juegos de casino: jugarse la vida corriendo riesgos poco sabios, implica que estás intentando vencer probabilidades imposibles (tragaperras, ruleta, blackjack, póquer, Texas Hold'em, bingo, etc.); los jugadores apuestan fichas de casino en varios resultados o combinaciones de resultados posibles al azar; una ventaja predecible a largo plazo para el casino, o la «casa de apuestas», mientras que ofrece al jugador la posibilidad de un gran pago a corto plazo. Algunos juegos de casino tienen un elemento de habilidad, en el que el jugador toma decisiones rápidas e intuitivas; estos juegos se denominan «aleatorios con un elemento táctico». Es posible, a través de un juego hábil, minimizar la ventaja de la casa de apuestas, pero es extremadamente raro que un jugador tenga la habilidad suficiente para eliminar por completo su desventaja inherente a largo plazo (la ventaja de la casa de apuestas). Tal habilidad implicaría años de entrenamiento, una memoria y unos conocimientos numéricos extraordinarios, y/o una aguda observación visual o incluso auditiva, como en el caso del reloj de la rueda en la ruleta. Al lanzar un dado, las probabilidades reales serían cinco veces la cantidad apostada, ya que hay una probabilidad de 1 entre 6 de que aparezca un solo número.

Juegos Olímpicos: has sido elegido para caminar, correr y actuar entre la élite; un evento deportivo internacional de primer orden que se celebra cada cuatro años, alternando los deportes, juegos y competiciones de verano e invierno con dos años de diferencia, en el que compiten miles de atletas, 1 Cor. 9:24; 1 Tm. 6:12; Los Juegos Olímpicos se consideran la competición deportiva más importante del mundo, con la participación de más de 200 países, en la que están representadas casi todas las naciones, lo que crea muchos problemas, como boicots, dopaje, sobornos y actos de terrorismo. Los Juegos Olímpicos y su exposición mediática ofrecen a los atletas desconocidos la oportunidad de alcanzar la fama nacional y, a veces, internacional.

Juegos: considera la afirmación: «No se trata de si has ganado o perdido, sino de cómo has jugado el juego». Si has jugado un juego limpio y has disfrutado, tendrás ocasiones felices por delante. Sin embargo, si has hecho trampas o no te has involucrado voluntariamente en el juego, te surgirán oportunidades en un futuro próximo. Es una advertencia para no jugar con las emociones de las personas, Lc. 7:32; 1 Tm. 6:12.

Jueves: el jueves es el quinto día de la semana en el calendario hebreo, por lo que hay una gracia o un favor especial que se le concede. Permanece atento y alerta, abre tus oídos para escuchar y tus ojos para ver.

Juez de primera instancia: la muerte de un sueño o promesa, la falta de creatividad, el desgaste, dejar que las posibilidades se enfríen, una investigación oficial de una muerte que no es por causas naturales, recibir un informe malo o negativo, la vida y la muerte están en poder de la lengua.

Juez, citando al despacho: soñar que un juez te llama a su despacho puede indicar un gran favor y un consejo piadoso.

Juez: Cristo el Juez y Libertador; Jue. 2:16-18; Dios Padre; Jesús; buena conciencia; consejo; sabiduría; juez que sobresale por su carácter y capacidad para tomar decisiones, justicia; el sentido de la armonía con uno mismo y con los demás; la crítica interior o la necesidad de reevaluación, autoridad gubernamental; administra justicia; arbitrio; Dios es el ungido para tomar decisiones; Satanás; injusto, acusador, 1 Cor. 11:31; Sal. 75:7; 94:20; Hch. 23:3; 17:31; Snt. 4:12, 5:9; Mi. 7:3.

Jugador de tenis: ver a un jugador de tenis en un sueño indica que te estás preparando para entrar en una volea con un amigo o un oponente. Haga que cada encuentro y cada golpe de vuelta cuenten. Manténgase dentro de los límites establecidos y sirva con amor.

Jugar a las cartas: utilizar lo que te ha tocado en la vida de la mejor manera posible; un juego de habilidad y azar; jugar con los recursos propios arriesgándose con la esperanza de superar las probabilidades.

Jugar: entrar en el juego de la vida con un equipo que trabaja de su lado como expertos para ganar contra el rival.

Juglar: tocador de arpa; al retirar la mente del mundo natural, pones tu espíritu en estado de recibir la revelación divina; calma los espíritus malignos;

prepara el marco para las influencias espirituales; plañideras profesionales en los funerales. Cantante o músico empleado en los funerales y en los momentos de muerte, Mt. 9:23.

Jugo roto: tienes muchas ideas creativas que necesitan ser liberadas.

Jugo: beber el jugo de una planta, fruta o animal en el sueño representa el don de la vitalidad, la vida, la excitación y la energía. El jugo también puede referirse a la corriente eléctrica que libera energía, al combustible o a la unción; al licor o a un hecho o desarrollo interesante de carácter escandaloso.

Juguete: dejar de lado las cosas infantiles, es hora de crecer y madurar espiritualmente, la inmadurez de uno se muestra, se usa para pasar el tiempo o entretenerse.

Juguetes para la piscina: es el momento de relajarse con los amigos y la familia para disfrutar del don y los talentos que se le han concedido.

Juguetes sexuales: adultos que juegan; impaciencia, falta de habilidad o cuidado, búsqueda de atajos; aburrimiento.

Jujitsu: arte marital japonés que utiliza agarres, lanzamientos y golpes para incapacitar o someter a un oponente.

Julio: abecedario de julio/agosto: El Tet se asemeja a un vientre de fruta. Tribu: Simeón. Constelación: Leo, el León de la tribu de Judá. Color: Verde. Piedra: Esmeralda. Av es el mes en el que haces la transición, el cambio para experimentar la metamorfosis o la desintegración. Escucha el rugido del León. *«Ruge el león; ¿quién no temblará de miedo? Habla el Señor omnipotente; ¿quién no profetizará?»* Am. 3:8. Dios destruye este mes para poder reconstruir y edificar sobre una base más amplia que nos permita llegar más alto y más lejos con Él. Aguza tus oídos para escuchar la pequeña y tranquila voz y el rugido del cielo. Entra en un nuevo nivel de discernimiento o te encontrarás luchando contra el consejo de Dios. Desarrolla tu capacidad de escucha para que este mes puedas dar con las impresiones clave. Soñar con el mes de julio significa esperanza, conocimiento o productividad.

Jungla: intensa, despiadada, competencia y lucha por la supervivencia; laberinto frustrante, enredo o confusión que no conduce a ninguna parte; cubierta de maleza, espesa o densa; acumulación de líderes; naturaleza salvaje; dificultad para ver el peligro repentino.

Junio: Junio-Julio Tammuz; Alfabeto: Chet luz que irradia de tus ojos. Tribu: Rubén. Constelación: Cáncer el cangrejo. Color: Rojo. Piedra: Cornalina. Tammuz es el mes para cuidar tu corazón y tus ojos. *«Mira, hoy he puesto ante ti una bendición y una mal-*

dición...», Dt. 11:26; *«Hoy te doy a elegir entre la vida y la muerte, entre el bien y el mal. Hoy te ordeno que ames al Señor tu Dios, que andes en sus caminos, y que cumplas sus mandamientos, preceptos y leyes. Así vivirás y te multiplicarás, y el Señor tu Dios te bendecirá en la tierra de la que vas a tomar posesión. Pero, si tu corazón se rebela y no obedeces, sino que te desvías para adorar y servir a otros dioses, te advierto hoy que serás destruido sin remedio. No vivirás mucho tiempo en el territorio que vas a poseer luego de cruzar el Jordán. Hoy pongo al cielo y a la tierra por testigos contra ti, de que te he dado a elegir entre la vida y la muerte, entre la bendición y la maldición. Elige, pues, la vida, para que vivan tú y tus descendientes»*, Dt. 30:15-19. Elimina todos tus ídolos y becerros de oro y adora sólo a Dios. Es un tiempo para una nueva visión así que entra por los *Portales a una dimensión profética, Enfoca la mirada y mira más allá de lo natural.* Las alineaciones de las alianzas son muy importantes, así que determina a quién le darás la mano este mes. Soñar con el mes de junio significa que tus esfuerzos producirán ganancias y progreso; amar, Rom. 13:10.

Junquillo: simpatía y deseo violentos; ámame; afecto retornado; muy cultivado; narciso; flor amarilla: orgullosa y engañosa; representa el mes de marzo.

Júpiter: es el quinto planeta desde el Sol y es el más grande del Sistema Solar; gigante gaseoso joviano; lleva el nombre del dios romano Júpiter; es el tercer objeto más brillante del cielo nocturno después de la Luna y Venus; está compuesto de hidrógeno y helio. Es el momento de utilizar tu energía creativa para estirar tus limitaciones expandiendo tus límites personales para obtener conocimientos para una nueva medida de éxito, explorar nuevos horizontes y ser generosamente extravagante con tus seres queridos, Hch. 14:12- 13; 19:35.

Jurado, absolución: veredicto de no culpabilidad; tus enemigos no prevalecerán, el honor y la dignidad sobrevendrán.

Jurado, condena: significa un fracaso moral, te sobrevendrá un tiempo de arrepentimiento o periodo de prueba.

Jurado, sirviendo: confía en tu propia capacidad de decisión e intuición.

Jurado: representa la conciencia de uno, las ideas de lo que está bien y lo que está mal, la tentación de tomar decisiones sabias y equitativas; ver un jurado: reconocimiento o prestigio; estar en juicio: las pruebas de la vida, rendir cuentas, buscar un cambio de empleo o sopesar opciones, Snt. 5:9.

Juramento: soñar que se hace un juramento representa una promesa o compromiso que debe cumplirse; el deseo de entrar en una relación de pacto con plena lealtad a la verdad simboliza un compromiso dedicado. Negarse a prestar un juramento sugiere que se está ocultando algo. Verse prestando un juramento indica que estás haciendo la promesa de decir la verdad.

Justificación: Rom. 4:25, acto de gracia gratuita por el que Dios perdona a los pecadores y los acepta como justos a causa del sacrificio y la sangre derramada por Jesús en la cruz.

K

Kaiser: soñar con un gobernante alemán o emperador del Imperio Austriaco que ejerce una autoridad tiránica absoluta como si fuera un Zar ruso, Emperador de India o César, representa que usted u otra persona está imponiendo sus deseos a todo el mundo. Usted está ejerciendo demasiado control sobre los que están sometidos a su esfera de autoridad.

Kali-Ann: significa que eres como una corona de flores fragantes. Estás adornada con gracia y comprensión, Apo. 12:1; Sal. 111:10.

Kansas: «A las estrellas a través de la dificultad»; Kansas, tan grande como crees; simplemente maravilloso; Estado del girasol; Estado del ciclón; Estado de los jayhawk; girasol.

Karaoke: soñar que estás participando en un karaoke sugiere que eres una persona muy segura de sí misma y que buscas una oportunidad para demostrar las habilidades que Dios te ha dado para cantar, alabar y adorar a su máximo potencial, o para entretener a otros utilizando tus talentos y habilidades. Has estado cantando canciones que han sido escritas por otros. Necesita cantar una nueva canción. El Salmo 33:3 nos dice: «Cántenle una canción nueva; toquen con destreza, y den voces de alegría». Tu sueño puede ser una sugerencia a que uses este don dado por Dios para adorarle y bendecir a otros con tu canto también.

Karate: ser flexible y ágil; enfocar tu energía hacia un objetivo específico; hábil en la guerra y en las maniobras espirituales, 2 Cor. 10:4.

Karen: Significa amada pura, Neh. 8:10.

Kart: una ágil personalidad te llevará a los lugares rápidamente, pero debes tener cuidado de no correr en círculos y evitar los sobrepasos peligrosos; sea real, puede ser el momento de crecer y dejar de jugar.

Katherine: Significa pura y perspicaz, Jer. 33:3; llamada por Dios; Él te responderá y te mostrará grandes cosas.

Kayak: navegar por las diferentes corrientes del Espíritu; equilibrado, identidad de explorador; diseñado para navegar por entre ríos estrechos y cataratas; funciona mejor en los bajíos, usa tu propia fuerza para abrirte camino, mantente en el remanso no en el canal abierto; embarcación en la que el remero mira hacia adelante, con las piernas por delante, usando una pala de doble hoja. La mayoría de los kayaks tienen cubiertas cerradas, aunque algunos permiten «sentarse encima».

Kebab: representa el acto de comer de la carne de la Palabra y el fruto del Espíritu; prosperarás como una persona equilibrada.

Keith: significa desde el lugar de la batalla valiente, Gál. 5:25.

Kelly: significa guerrera leal y valiente, Pr. 2:7.

Kemp: significa campeón celoso, Sal. 19:5.

Kendo: el arte japonés de la esgrima con palos de bambú indica que eres rápido en el estudio, ágil y muy flexible; respondes a la corrección muy rápidamente y te esfuerzas por alcanzar la excelencia en todo lo que haces.

Kenia: país de África. Kenia está situada en la línea ecuatorial. El clima de Kenia es cálido y húmedo a lo largo de la costa del océano Índico, y las praderas de la sabana, ricas en vida salvaje, se extienden hacia su capital, Nairobi, la cual es también su ciudad más grande. El lago Victoria, el segundo lago de agua dulce más grande del mundo y el mayor lago tropical, está situado al suroeste y es compartido con Uganda y Tanzania. Kenia es famosa por sus safaris y sus diversas reservas de vida salvaje y parques nacionales. Este país goza, además, de una relativa estabilidad política y social. Soñar con Kenia puede indicar que visitará ese país en un futuro próximo o que debes orar por la gente que vive allí.

Kentucky: «Unidos estamos firmes, divididos caemos»; Espíritu sin freno; Es así de amistoso; Estado de Bluegrass; Vara de oro; Zarzamora; Perla de agua dulce; Ágata de Kentucky; Carbón.

Ketchup: obra de bondad; cubierta de perdón y de amor; ¡póngase al día!

Kevin: significa guapo y honrado, Sal. 91:15.

Kickboxing: golpear a los demás de forma agresiva; eliminar todas las restricciones o limitaciones; estar fuera de control; situación abusiva; sentirse enjaulado, sentirse abusado o victimizado; sentirse deprimido o compadecerse de uno mismo; patearse a sí mismo por algún fracaso; patear a otra persona mientras está deprimida; dar un golpe bajo; luchar para salir adelante utilizando métodos turbios; pisotear a los amigos y a la familia para salir adelante; un mal hábito que necesita ser eliminado; una rápida patada en la cabeza es necesaria para enderezar tu vida; necesitas una rápida patada en los pantalones para que corrijas una actitud negativa; necesitas iniciar un proyecto para alcanzar tu meta a tiempo; pensar «fuera de la caja», o hacer cosas «fuera de lo común».

Kim Kardashian: es una personalidad de la televisión estadounidense y de los medios de comunicación social, actriz de la serie de telerrealidad *Keeping Up with the Kardashians*, socialité y modelo. Se dedica a la venta al por menor, a la perfumería y a la moda. Tras 72 días de matrimonio, solicitó el divorcio de Humphries alegando diferencias irreconciliables. Ha tenido tres maridos. Simboliza una mujer seductora y mundana.

Kim: significa gobernante o súbdito de Dios, Sal. 29:2.

King Kong: amor eterno, protector hasta el final, sólo la muerte podía separarlo de su amor, gran fuerza, una señal y un prodigio. Actuar contra alguien de forma simiesca con emociones descontroladas.

Kipá: ver o llevar una kipá, que es un gorro que llevan los hombres judíos, en su sueño simboliza el judaísmo y la fe judía. El sueño sugiere que usted se está sometiendo a un espíritu o fuerza superior para que las bendiciones de Abraham puedan venir sobre usted.

Kiwi: pájaro no volador de Nueva Zelanda que se reviste de alas, se necesita un nuevo celo por la vida; vid asiática que da un fruto peludo comestible.

Koala: originario de Australia, es un marsupial arbóreo estrechamente relacionado con el wombat que tiene un pelaje denso de color grisáceo o marrón chocolate, un cuerpo robusto y sin cola, orejas redondas y esponjosas, y una nariz grande en forma de cuchara; el koala se alimenta principalmente de hojas y corteza de eucalipto. Los koalas son en gran medida sedentarios y duermen hasta 20 horas al día. Este símbolo puede advertir sobre la pereza. Los koalas son animales asociales, lo cual advierte sobre el tener pocos o ningún amigo, puesto que para tener amigos hay que mostrarse amigable, ya que los lazos afectivos sólo existen entre las madres y las crías. Los machos adultos se comunican con fuertes bramidos que intimidan a los rivales y atraen a las parejas, lo que indica que no hay que ser un bravucón. Por otro lado, los machos marcan su presencia con las secreciones de las glándulas odoríferas situadas en el pecho. No seas un apestoso territorial. Al ser marsupiales, los koalas dan a luz a sus crías de forma subdesarrollada por lo que deben cargarlas en sus marsupios, durante los primeros seis o siete meses de su vida. Estos jóvenes koalas se conocen como crías y se destetan completamente cuando cumplen un año. Los koalas tienen pocos depredadores naturales.

Kool Aid o cualquier bebida artificial en polvo: se mezcla con agua y es bebidas principalmente los niños. El líder de la secta Jim Jones consiguió asesinar a cientos de sus seguidores cuando les sirvió Kool-Aid con veneno de cianuro en Jonestown, Guyana. Este síntoma advierte de que hay que ser más infantil, tonto y no usar el buen juicio en situaciones

de grupo. No caigas en la presión de los compañeros sólo para encajar y pertenecer.

Ku Klux Klan (KKK): racismo, prejuicio, orgullo, odio, miedo, intimidación, ignorancia, violación de los principios y la moral para obtener beneficios personales o financieros. El KKK es el nombre de varias organizaciones secretas de vigilancia doméstica, pasadas y presentes, en Estados Unidos, que se originaron en los estados del sur y acabaron teniendo alcance nacional. Es más conocido por cometer actos de violencia al servicio de la supremacía blanca, llevando sombreros cónicos, máscaras y túnicas blancas. El KKK utiliza el terrorismo, la violencia y los linchamientos para intimidar, asesinar y oprimir a los afroamericanos, los judíos y otras minorías. También son conocidos por oponerse a los católicos romanos y a los sindicatos. Este símbolo habla de prejuicios raciales, injusticia, odio y asesinato.

L

L.A.: es la mayor ciudad del sur de California en el Océano Pacífico, y fundada por los españoles en 1781; creció a finales del siglo XIX tras la llegada del ferrocarril y el descubrimiento de petróleo. L.A. se convirtió en el centro de la industria cinematográfica estadounidense desde la década de 1920. L.A. es una hermosa zona metropolitana y es famosa por las playas soleadas, las bandas, los asesinatos, la contaminación, el tráfico de las autopistas, los deportes, la música, los millonarios, los actores y el exceso de población.

La absenta o ajenjo: El consumo de absenta fue fuertemente rechazado por los conservadores sociales y los prohibicionistas. Se trata de un aguardiente muy alcohólico con sabor a anís que contiene tuyona, una droga psicoactiva peligrosamente adictiva derivada de productos botánicos, como las flores y las hojas del «gran ajenjo», junto con el anís verde, el hinojo dulce y otras hierbas medicinales y culinarias. Se la conoce comúnmente como «la fée verte» (el hada verde). Los bebedores de absenta más conocidos fueron: Ernest Hemingway, Charles Baudelaire, Paul Verlaine, Arthur Rimbaud, Henri de Toulouse-Lautrec, Amedeo Modigliani, Pablo Picasso, Vincent van Gogh, Oscar Wilde, Aleister Crowley, Erik Satie y Alfred Jarry. Consumir este líquido amargo e imbebible indica que las disputas familiares conducirán a la tristeza y a las decepciones.

La Casa Blanca: soñar con la residencia oficial del presidente de los Estados Unidos de América, el más alto cargo de poder y autoridad en el mundo, indica un llamado a la oración para que los líderes de nuestro gobierno tomen decisiones sabias y piadosas.

La casa, desaparecida: si no encuentras tu casa o la ves desaparecer en el sueño indica que a tu vida le faltan unos buenos cimientos de estabilidad. Es importante arraigarse bien y poner los pies en la tierra en el amor para evitar sentirse inseguro y perdido.

La comida, la gula: La gula es mala, Dt. 21:20; *«Porque el bebedor y el comilón empobrecerán...»*, Pr. 23:21. Una persona codiciosa que es un glotón en tus sueños no hará bien en los negocios.

La Donna: significa dama refinada y amorosa, 2 Jn. 1:5.

La frente: un símbolo del pensamiento, del razonamiento de la mente; tu memoria o imaginación; es hora de dejar de ser tan terco y usar tu cabeza para resolver tus propios problemas. La marca de la bestia: Apo. 7:3: en su frente estaba escrito un nombre, un misterio: *«Babilonia la Grande, la madre de las rameras y de las abominaciones de la tierra»*, Apo. 17:5, rechazar la vergüenza, Je 3:3; nombre de Dios, Apo. 22:4; Jer. 3:3: conocimiento; conciencia de los procesos de la mente y el pensamiento; inspiración; desvergüenza; Ez. 3:8-9: poder más fuerte; verdaderos siervos devotos del Señor; razón; revelación en sueños y visiones; capacidad de recordar y rememorar una incidencia pasada; lepra; Sello de Dios; Babilonia Misteriosa; 1 Sam. 17:49: matar gigantes. Apo. 14:9; Éx. 28:38; 1 Sam. 17:49; 2 Cr. 26:19; Ez. 9:4; Apo. 13:16.

La muerte, morir: simboliza que tu hombre interior está experimentando una transformación a través de los muchos cambios y transiciones. Estás descubriendo cosas nuevas sobre sí mismo. Espera vivir nuevas y maravillosas aventuras. Hay elementos constructivos de iluminación que aportan crecimiento y madurez. La gente tiene miedo a la muerte, pero es un símbolo positivo que representa un nuevo comienzo espiritual al enterrar el pasado o dejarlo atrás. Cuando vemos nuestra propia muerte, indica que experimentaremos algunos cambios importantes en la vida. Se está muriendo a algunos malos hábitos o terminando con las viejas formas de hacer las cosas. La muerte en sueños no significa necesariamente una muerte física, sino el fin de algo, un capítulo de la vida, un trabajo o una carrera, una relación. Si una persona le dice que va a morir indica que estás sintiendo muchas exigencias para hacer cambios importantes en tu vida; algo está llegando a su fin; podría ser un capítulo de la vida; el matrimonio; un mal hábito que se está enterrando; el trabajo; la relación; el deseo; la carne se crucifica.

La naturaleza salvaje: oír la llamada de lo salvaje o caminar por lo salvaje es una expresión de libertad recién encontrada en una frontera o área de la vida que aún no has explorado. Estás en una temporada de descubrimiento. También puede ser un tiempo de prueba en el que Dios fortalece tu fe. Un lugar de seguridad y preservación para la verdadera iglesia donde Dios es capaz de revelarse para promover la preparación espiritual de los santos, Éx. 3:18; Dt. 8:1-16; Apo. 12:6. La naturaleza salvaje también puede representar un mundo sin Dios y abandonado, Jer. 4: 23-28. Apo. 17:3.

La pesca con caña: Es un método de pesca con un «ángulo» (anzuelo) que puede estar provisto de un señuelo o cebo que está atado a un sedal provisto de una caña y un carrete que funciona como mecanismo para guardar, recuperar y desembolsar el sedal. Un flotador indica la picada, también se utiliza un peso o plomada. Verse pescando en un sueño indica que tiene una vocación evangelizadora en su vida para salvar las almas de las personas.

La risa: Gén. 21:6, *Dios me ha hecho reír*; Jb. 8:21, *aún llenará tu boca de risa;* Sal. 125:2, *entonces tu boca se llenará de risa;* Pr. 14:13 *incluso en la risa el corazón puede estar en dolor;* Ec. 2:2, *A la risa dije: Enloqueces,* Ec. 7:3, *Mejor es el pesar que la risa; pues cuando el rostro está triste el corazón puede alegrarse;* Ec. 7:6 *Pues las carcajadas de los necios son como el crepitar de las espinas bajo la olla;* Snt. 4:9, *Que su risa se convierta en llanto.*

La ropa interior, la vergüenza: si te avergüenzas de estar en ropa interior representa una vacilación para exponer tu verdadera perspectiva o enfoque de la vida o tus prácticas, sueños o pensamientos ocultos.

La visión de las aves: es la más desarrollada de cualquier animal.

Labán: significa blanco y glorioso, Mt. 28:3.

Laberinto: misterio; uno está haciendo una montaña de un grano de arena; lidiar con las situaciones a mano en un nivel más directo; los giros y vueltas de la confusión de la vida, los pasos en falso, sentirse perdido o ser engañado; una persecución de un ganso salvaje. Tratar de encontrar el camino de la vida o el viaje hacia el destino en la vida, ideas o sentimientos creativos que ofrecen diferentes soluciones u opciones; encontrar el camino de la vida; sentimientos de estar perdido o confundido.

Laberinto: una encrucijada; peligro misterioso; uno necesita llegar al centro de los asuntos o problemas relacionales o laborales; sentirse atrapado en alguna situación confusa; sentirse perdido o sin salida; uno necesita la guía del Espíritu Santo, Lc. 19:10; 1 Cor. 14:33. En la mitología griega, el laberinto era una elaborada estructura diseñada y construida por el legendario artífice Dédalo para el rey Minos de Creta en Cnosos. Su función era retener al Minotauro, al que finalmente mató el héroe Teseo. Dédalo hizo el laberinto con tanta astucia que apenas pudo escapar de él después de construirlo. Un laberinto es sinónimo de caos o confusión y se refiere a un complejo rompecabezas de ramificaciones con opciones de camino y dirección. Un laberinto en este sentido tiene una ruta inequívoca hacia el centro y de vuelta y no es difícil de navegar.

Labios rojos y llenos: amor, conversación sana, palabras positivas de sabiduría y bendición, besos, amistad, amante, seducción.

Labios rojos: belleza seductora; atrae la atención hacia sus palabras y su discurso, 1 Cor. 1:5.

Labios secos, agrietados o pálidos: desavenencias, controvertidas, mentiras, peleas, engaños, deshidratación, enfermedad, fiebre, hablar con falsedad o acusar, pérdida.

Labios: palabras ungidas de Dios, testimonio; profeta, portavoz de Dios, ofrenda, testimonio; un beso; expresión; afecto; articular; declaraciones; seducción; testificar, detestar la maldad; impuro, Is. 6:5; seducciones llenas de miel, Pr. 5:3; un amante, Pr. 7:21; 10:19-21; 18:6; Heb. 13:15; Sal. 12:2-3; 34:13; 51:15; 63:5; 66:14; 71:23; 119:13; Js. 2:10.

Laboratorio: significa experimentar con la transformación de tus sentimientos internos, sistemas de creencias o miedos, probarse a sí mismo; investigar a los demás o probar alguna nueva relación.

Labores de parto, Braxton Hicks: experimentar o sentir dolores de parto prematuros o contracciones de Braxton Hicks en un sueño indica la anticipación de un duro esfuerzo por delante.

Labrador retriever: el labrador es un tipo de perro que se utiliza para la cacería porque es muy atlético y juguetón. El labrador es la raza de perro más popular en Estados Unidos, Australia, Nueva Zelanda, Canadá y el Reino Unido. Son excelentes perros de asistencia. Se les entrena como perros de terapia, de exploración y de detección para las fuerzas del orden.

Labrador: cultivador de la tierra; una ocupación honorable; Gén. 9:20; Is. 28:24-28; Jn. 15:1, Dios cuidando de su pueblo.

Labrador: hombre joven, trabajador diligente, constante y dependiente. Un agricultor independiente en Inglaterra. Un guardia, un asistente, un sirviente o un oficial menor en una casa real o noble. Un suboficial que realiza tareas administrativas en la Marina de los Estados Unidos. Un ayudante del sheriff. Considera si conoces a alguien en este campo de trabajo. Tienen un corazón de siervo. *«Su señor le dijo: Bien, buen siervo y fiel; sobre poco has sido fiel, sobre mucho te pondré; entra en el gozo de tu señor»*, Mt. 25:23

Labrador: son las regiones más septentrionales de la provincia canadiense de Terranova y Labrador. Contiene el río Churchill.

Labriego: pobreza; mendigo; pobre de espíritu; pérdida de riquezas; falta de misericordia; juicios; dureza de corazón.

Laburnum: soñar con este árbol o matorral de flores amarillas caídas indica que saldrás victorioso y triunfarás en tus esfuerzos, o que superarás las dificultades utilizando tu ingenio e inteligencia; el conocimiento y la comprensión están en camino.

Lacayos, guardia: infantería; la guardia del rey; 1 Sam. 22:17.

Lacrosse (juego): para lograr tus objetivos en la vida requieres habilidad, dedicación y trabajo duro; es un juego que se practica en un campo por dos equipos de diez jugadores cada uno, los participantes cooperan entre sí para asestar una pelota dentro de la portería del equipo contrario utilizando el trabajo en equipo y un palo de gancho de mango largo con una bolsa palmeada.

Ladera: es importante en el proceso de crecimiento de tu fe para mover montañas, Mt. 21:21.

Lado positivo: siempre hay un lado positivo en toda situación negativa, así que busque el lado positivo; estar al revés o invertido es una maldición que no es Dios, al revés de la propia hipoteca.

Lado: acercarse al lado de alguien indica que se quiere establecer una relación de pareja con él. ¿Pueden dos caminar juntos si no se han puesto de acuerdo? Am. 3:3; ponerse al lado de alguien también puede sugerir que no tienes la suficiente confianza para acceder a él en una presentación cara a cara o en una situación de negocios. Aprende a encarar tus problemas de frente.

Ladridos: escuchar el ladrido de un perro es una llamada de atención, un personaje dando órdenes o ladridos es una advertencia de que los amigos o conocidos están siendo engañosos, algo está todavía oculto de lo que necesitas ser consciente antes de comprometerte con cualquier plan a largo plazo.

Ladrillo rojo: representa una unidad de construcción utilizada en la construcción de mampostería. Pueden representar la conformidad. Los ladrillos endurecidos al fuego se colocan en hileras y patrones numerosos conocidos como enlaces o mampostería. Los ladrillos cocidos son los más resistentes y duran más. El horno mantenía una temperatura extrema que hacía que la arcilla brillara con el color de la plata o el oro fundidos. Esto indica que la persona ha sido probada con los fuegos de la vida hasta convertirse en alguien fiable para actuar bajo una intensa presión. A los ladrillos secados al aire o al sol, al barro o al adobe se les añade paja. Son uno de los materiales de construcción más antiguos.

Ladrillos: construir a partir de un molde predeterminado y uniforme, conformidad, falta de imaginación, amurallar o no, esclavitud egipcia. Éx. 5:8; 18-19.

Ladrón, atrapado: si se atrapa al ladrón: significa un aumento de los bienes mundanos; es necesario el arrepentimiento para tener un corazón limpio, el perdón está a la orden del día.

Ladrón: el segundo regreso de Jesús, «viene como un ladrón» en la noche para arrebatar a su novia. Miedo a perder lo que hemos ganado, deseos no reconocidos que inconscientemente tramamos hacer realidad, deseo de tomar algo que pertenece a otro, conflicto de voluntades. Satanás; engañador; pérdida; obras de la carne; condenado si no se arrepiente; ladrón; pérdida inesperada, Pr. 29:4; Jn. 10:10. Los temores y las emociones reprimidas salen a relucir o salen de su escondite; los enemigos buscan tu destrucción; enfrente a sus asaltantes con valor; significa amenazas producidas por algunas emociones complejas que surgen de tu interior; indica aspectos descuidados de uno mismo que, si se reconocen, producirá un crecimiento personal extraordinario; pérdida de talentos o cualidades valiosas que usted u otras personas han dado por sentado; intrusión forzada en la que uno se siente violado o en la que se irrumpe en tu vida sin su permiso; tus energías están siendo absorbidas o drenadas; temor al rechazo, la culpa o las ansiedades propias hacen que sea difícil decir que no; irrumpir; entrar para robar; un crimen con la intención de dañar o violar la seguridad de alguien. Advertencia de que alguien está tratando de hacerte daño robando tu identidad, finanzas, confianza u otra posesión; emociones temerosas que merodean tratando de darse a conocer pero que permanecen ocultas por temor al rechazo. Satanás, Jn. 10:10. Una advertencia; el ladrón viene a matar, robar y destruir, alguien intenta aprovecharse de ti, Jb. 1:14-17; Lc. 10:30; 2 Cor. 11:26.

Lagar: ver el lagar de la ira de Dios derramado sobre la tierra representa la batalla de Armagedón, Is. 63:1-4; Apo. 14:19-20; Dt. 15:14; Jue. 6:11.

Lagartija: representa tu gran versatilidad en la vida. Eres capaz de encajar con la gente de menor estatus y también de sentirte como en casa en los palacios de los reyes. Eres brillante, colorido y lleno de energía. Ten cuidado con las personas de corazón frío que han desarrollado una piel dura hacia las necesidades de los demás, quieren burlarse de ti. Atrapados por la mano; se encuentran en los palacios de los reyes; los falsos amigos en los círculos cercanos están planeando una traición; los cinturones, zapatos y carteras de piel de lagarto indican la capacidad de superar a los enemigos personales, Pr. 30:28; impuro, Lev. 11:29-30.

Lago turbulento: le esperan tiempos difíciles con muchos retos que superar. Un adversario o enemigo intentará crear confusión y hacer tambalear tu barco.

Lago, claro y suave: tiempo ungido de paz, tranquilidad y descanso; capaz de ver cualquier obstáculo

o dificultad; nueva profundidad impartida. El éxito llegará como resultado a tus esfuerzos.

Lago, lluvioso: las cosas se agitan en beneficio de tu «pesca» o de la búsqueda de ideas creativas. Avanzarás con paz y tranquilidad.

Lago: representa la unción de un individuo; el agua de la Palabra; el Espíritu Santo; la unción; la medida de la influencia; sumergirse en una situación; hundirse, ensimismarse; rendirse; sentirse enterrado o fuera de control.

Lágrima: líquido producido en los ojos para limpiar, curar, lubricar o liberar tensiones en momentos de profundo dolor; Jesús enjugará toda lágrima; Dios recoge nuestras lágrimas en una botella celestial.

Lágrimas de barro: representa un intento de mantener las palabras sucias, el lenguaje dañino y el lanzamiento de barro fuera de tu persona; tu ambicioso impulso empresarial o tu empresa; estás tratando de erigir un escudo de protección contra la calumnia.

Lágrimas: si tienes lágrimas simboliza que tu vida está en una época de curación o de arrepentimiento, a menos que sean lágrimas de alegría. Las lágrimas representan una pérdida, el dolor personal, la pena, el juicio, la persecución, la compasión, la curación emocional y la limpieza espiritual. Si ves a alguien llorando, escudriña tu corazón para ver si lo has herido de alguna manera. Dios guarda cada lágrima que derramamos en una botella en el cielo, Jb. 16:20; Sal. 42:3; Is. 25:8; Ec. 4:1; Jer. 13:17; Lc. 7:38-44; Hch. 20:19; Apo. 7:17; 21:4.

Laguna: estancado; aislado; que no fluye; separado de los demás por obstáculos y problemas que hay que superar; comprensión superficial.

Lai: escuchar un cuento o una aventura romántica en una narración lírica o un poema escrito en coplas octosilábicas (8 sílabas cada dos versos) indica que anhelas escuchar palabras de amor de alguien a quien admiras.

Lambón: «un chupamedia o lambón», alude a comportamiento inmaduro y es una advertencia de que alguien quiere sacar provecho de una situación. La lambonería es una situación negativa realmente «absorbente»; chupar la vida de alguien, un drenaje emocional o físico en una relación.

Lamento: o lamentación es una expresión apasionada de dolor, arrepentimiento o luto a través de la poesía o el canto musicalizado. Lamentar algo en tu sueño indica que todavía estás de luto por la pérdida de un amor o una relación pasada. Es hora de perdonar, olvidar y seguir adelante. Arrepiéntete y cambia tu visión de la vida para obtener un nuevo éxito y una perspectiva positiva de la vida.

Lamento: tristeza severa; dolor; sufrimiento descomunal; pena y desamor; una liberación emocional que trae curación y limpieza. Verte lamentando en la que tú u otros están arrepentidos o sintiendo remordimiento, pesar o pena por las acciones comidas indica que aprovecharás un tiempo de arrepentimiento. «Sentirse apenado» sugiere que te sientes compungido por algunos males que has hecho en la vida.

Lamer: ver a un animal lamer es un signo de amor, afecto o lealtad; lamer el polvo: has dejado tus enemigos muy atrás, Sal. 72:9.

Lámpara apagada: soñar que se apaga una lámpara sugiere que tus sentimientos por alguien se están enfriando o bajando su intensidad.

Lámpara de araña: deja que tu luz brille en el ámbito religioso, social y empresarial, tienes muchos grifos diferentes en tu vida y personalidad que te convierten en una hermosa pieza central muy deseable para cualquier ocasión; a la gente le gusta que estés cerca para poder hacerte compañía.

Lámpara de pantalla: indica que estás buscando algún tipo de cobertura para proteger, acentuar o enfocar la brillantez de tu luz.

Lámpara encendida: representa un corazón que arde con pasión.

Lámpara, atenuada: una lámpara tenue: indica que no se tiene mucha visión espiritual de una situación.

Lámpara: La luz de Dios; el espíritu del hombre; la Palabra; el Espíritu Santo; la vela; Jb 18:5; muestra la senda o el camino a seguir; la iglesia; la gloria; quita o expone las tinieblas; la iluminación; la revelación; la dirección hacia un nuevo camino; la verdad; los mandatos; convierte las tinieblas en luz; escudriña el espíritu; el ojo; brilla Sal. 119:105. Pr. 6:23; 20:27; Sal. 18:28; Apo. 1:14; Dn. 10:6; 2 Sam. 22:29.

Lana: ver lana en un sueño simboliza un amor tierno y un ambiente cálido y acogedor. Puede que estés buscando o dando protección a tus seres queridos. Debido a que las ovejas no son los animales más inteligentes, este sueño puede ser una advertencia para estar alerta de los «lobos con piel de cordero» que intentan hacer daño o engañar. No quieres que alguien te atrape, te estafe o te engañe «metiéndote gato por liebre».

Lanai (islas): receptivo a las ideas innovadoras; relajado, abierto, fácil de llevar como las islas hawaianas; necesidad de escapar y alejarse de las responsabilidades cotidianas; tomarse unas vacaciones.

Lancelot: significa ayudante o asistente de Dios, Ez. 18:31.

Lancha de motor: ministerio emocionante y de rápido avance caracterizado por señales, maravillas y prodigios; negocio con gran potencial de expansión y propulsión; advierte que eres capaz de tomar decisiones rápidas y maniobrar a través de equipos de alta tecnología, así como rozar la superficie de los nuevos esfuerzos con increíble fluidez.

Lancha rápida: un gran logro te llevará a un rápido y exitoso ascenso; indica que eres capaz de adaptarte a los cambios y que puedes moverte velozmente a través de ciertas situaciones a gran velocidad; diversión y excitación en la vida social.

Landó: disfruta de la diversión, de la gente ligera y de las súplicas. Si tu coche landó es volcado: tu placer llegará a un abrupto final.

Langosta: dificultades molestas; recuperación de algo perdido u oculto. Te sientes como si fueras el último de la fila, siempre limpiando el desorden o comiendo las sobras de la gente; tratando de arañar tu camino hacia la cima; garras que siempre se aferran a más; puedes sentir que estás siendo hervido vivo lentamente. Significa falta de claridad mental y alimento emocional; inspiración deficiente o tu ingenio está siendo restringido, criticado o destruido; devorador; plaga; juicio; Éx. 10:19; Lev. 11:22; Jb. 39:20; Sal. 78:46, 109:23; Jl. 1:4; 2:25.

Lanza de pesca: estás equipado para alcanzar y atrapar almas con gran habilidad y precisión y hacer que reino de Dios avance a través del evangelismo interpersonal.

Lanza, enemiga: causará daño a menos que sea enfrentada por el escudo de la fe o sea desviada por la espada del Espíritu, que es la Palabra de Dios, Sal. 35:3.

Lanza: arma pesada, larga y arrojadiza; Josué y Hai, Js. 8:18-19; Saúl y David, 1 Sam. 18: 10-11; revelación o la Palabra de Dios enviada directamente al corazón de una situación; precursor; previsión; perspicacia profética; impermeable a la distracción o a la desviación; la Palabra de Dios cumplirá su propósito; un pionero profético; si es enviada por el enemigo dañará a menos que sea enfrentada por el Escudo de la fe o desviada por la Espada del Espíritu que es la Palabra de Dios, Hch. 13:47.

Lanza: esta vara con una punta afilada es ideal para pescar siempre y cuando se tenga la habilidad para usarla; Cupido usaba una flecha, así que esto predice una gran pesca en las instancias del amor. Palabras hirientes o hábiles que se lanzan, la Palabra de Dios; palabras malignas o maldiciones. Un arma pesada y larga que se lanza, que empuja; Josué y Hai, Sal. 8:18-19; Saúl y David, 1 Sam. 18:10-11; la Revelación o la Palabra de Dios enviada directamente al corazón de una situación; precursor; previsión; perspicacia profética; impermeable a la distracción o a la desviación; la Palabra de Dios cumplirá su propósito; un pionero profético; un arma de guerra, 1 Sam. 13:19, 22; 2 Cr. 32:5; Nm. 25:7.

Lanzador: un lanzador de béisbol en un sueño indica que estás en la cima de tu mundo; las cosas están centradas y giran en torno a ti; el poder de tomar decisiones correctas que cambiarán no sólo tu curso sino el de los que te rodean. Tú tienes el control.

Lanzallamas: arma que proyecta combustible incendiario, napalm, enviada para propagar el fuego consumidor del Espíritu Santo, la purificación a través de las luchas y las pruebas.

Lanzamiento de peso: tratar de maniobrar bajo un peso elevado y seguir dando zancadas significativas. Es una prueba de atletismo que consiste en «lanzar», «poner» (lanzar con un movimiento de empuje) un objeto esférico pesado -el tiro- lo más lejos posible.

Lanzamiento: las etapas de planificación han terminado. Es el momento de implementar tus estrategias, ponerlas en marcha e iniciar el comienzo de un nuevo negocio o ministerio. El tiempo se agota, por lo que es importante prestar atención a los últimos detalles. Ora pidiendo sabiduría sobre el tiempo de Dios antes de aventurarte o comenzar una nueva carrera.

Lanzarse: lanzarse a nuevas aguas, territorios o espacios en un sueño indica que una nueva empresa, tarea o relación está despegando con éxito. Si el lanzamiento explota, se hunde o fracasa, su nueva empresa, emprendimiento o esfuerzo aún tiene agujeros y fracasará, a menos que corrijas tus errores y replantees el costo antes de decidir lanzarte al agua.

Lapicero: ver un lapicero en sueños significa una autoexpresión, un contrato, un acuerdo o un voto hecho por la comunicación. Considere también la frase: «la pluma es más poderosa que la espada», Sal. 45:1. El lapicero representa las palabras indelebles pronunciadas por la lengua que son un registro publicado permanente. Un lapicero o bolígrafo también puede indicar que alguien es portador de historias que han tomado nota de calumnias, quejas y chismes. Usted está dotado como escritor y necesita ser autor de algunos libros. La necesidad de anotar los acontecimientos de la vida, usted es un hacedor de la historia y un cambiador del mundo.

Lápida: se está produciendo un cambio monumental en la vida; se ha trazado un mojón o una línea de demarcación; la muerte de lo viejo traza la bienvenida a lo nuevo. Ver una piedra que marca una tumba indica que algo está llegando a su fin, si es tu lápida entonces pon tu casa en orden, tus días están contados; es el momento de asegurar la salvación y la vida eterna en Cristo, si es la lápida de otra persona: un capítulo de tu vida o una relación puede terminar.

Lapidación: la letra de la ley mata; apedrear a alguien hasta la muerte, Éx. 19:13; 21:28-29; 2 Cr. 10:18; Mt. 21:35; Jn. 8:5; Hch. 7: 58-59; Heb. 11:37; 12:20.

Lapislázuli: ver una piedra de Lapislázuli representa que el Espíritu Santo te revelará más y más ver-

dades a medida que continúes buscando la verdad de Dios. *«Santifícalos en la verdad; tu palabra es la verdad»*, Jn. 17:17; *«Yo soy el camino, la verdad y la vida; nadie viene al Padre sino por mí»*, Jn. 14:6; El Espíritu de Dios iluminará tu corazón y tu mente para ver las visiones a un nuevo nivel. El espíritu de sabiduría y paz te permitirá resolver conflictos para restaurar amistades. Lm. 4:7, Ez. 1:26, 28:13. Esta hermosa piedra preciosa azul en tus sueños traerá paz curativa a tu mente con gran revelación piadosa, alegría y felicidad.

Lápiz, virutas: afilar la unción de escritor; autor; don de escritura creativa; sumar cosas; tener en cuenta elementos.

Lápiz: ver un lápiz en un sueño significa la expresión de sí mismo, los cambios de contrato en un acuerdo, o un voto hecho por la comunicación escrita. El lápiz representa palabras deliberadas pronunciadas por la lengua que se convierten en un registro publicado permanente. Un lápiz también puede indicar que alguien es un portador de historias que ha tomado nota de calumnias, quejas y chismes. Tienes el don de escribir y necesitas ser autor de un libro. Un lápiz indica que necesita tomar nota de lo que ocurre en su vida, acordarse de llevar un diario y hacer una lista de las cosas que deben cambiar.

Laringitis: advierte de la existencia de demasiada palabrería, chismes y calumnias. Es hora de mantener la boca cerrada hasta que se pueda curar parte del daño causado.

Larvas: nuevo comienzo de un mal hábito, enfermedad generacional, enfermedad o maldad; primeras etapas de algo negativo; se necesitan grandes cambios para evitar el crecimiento o la madurez perjudicial; diferentes en forma y apariencia.

Las aceitunas negras: representan el aceite de la unción; la luz; la salud; la medicina; la gratificación y los amigos de la vida; los negocios prósperos. El negro representa el pecado; la pena; la maldad; y el juicio de Dios. Evite comer o participar de una unción falsa e impía. No busques consejo o visión de los reinos de las tinieblas.

Las aves de un plumaje se juntan: advertencia de que hay que vigilar la compañía que se tiene; 1 Cor. 15:33, *«No erréis; las malas conversaciones corrompen las buenas costumbres».*

Las glándulas suprarrenales: Situadas encima de los riñones, la corteza segrega hormonas y la médula segrega epinefrina. Soñar con las glándulas suprarrenales indica que tu cuerpo está cansado, que te esfuerzas demasiado o que la fatiga se ha instalado en tu cuerpo; descansa, relájate y reduce el ritmo para darle a tu cuerpo la oportunidad de recuperarse.

Las manos de Dios: la mano de Dios es grande y poderosa; sostiene todo el universo en la palma de su mano. Mide y dosifica los dones merecidos o perfectos, repartiendo la recompensa y el salario adecuados entre los malvados y los justos. Él trae la bendición, los juicios y toda buena dádiva. *«Ciertamente he dado mi corazón a todas estas cosas, para declarar todo esto: que los justos y los sabios, y sus obras, están en la mano de Dios; que sea amor o que sea odio, no lo saben los hombres; todo está delante de ellos»*, Ec. 9:1; *«No hay cosa mejor para el hombre sino que coma y beba, y que su alma se alegre en su trabajo. También he visto que esto es de la mano de Dios. Porque ¿quién comerá, y quién se cuidará, mejor que yo?»*, Ec. 2:24-25; *«Pero Esteban, lleno del Espíritu Santo, puestos los ojos en el cielo, vio la gloria de Dios, y a Jesús que estaba a la diestra de Dios, y dijo: He aquí, veo los cielos abiertos, y al Hijo del Hombre que está a la diestra de Dios»* Hch. 7:55-56; 1 Pe. 5:6 nos dice que debemos humillarnos bajo la poderosa mano de Dios para que Él pueda exaltarnos a su debido tiempo.

Las moscas: Belcebú Señor de las Moscas Éx. 8; Mt. 10:25; demonios; corrupción de la casa; impureza y suciedad; infestación demoníaca; mentiras; despojadoras de la unción; plagas; muerte; molestias provenientes de personas celosas y envidiosas, Ec. 10:1.

Las rocas, enterradas bajo: como las rocas son inflexibles, también pueden simbolizar la terquedad, la inmovilidad, el apedreamiento por parte de los enemigos, el enterramiento bajo un montón de rocas, las cargas o responsabilidades, la depresión o la infelicidad.

Las Vegas: es la ciudad más poblada del estado de Nevada, es una gran ciudad turística de renombre internacional conocida sobre todo por el juego, las compras, la gastronomía y la vida nocturna. La ciudad se autodenomina la Capital Mundial del Entretenimiento y es famosa por sus mega casinos-hoteles y el entretenimiento asociado. Las Vegas es la 31ª ciudad más poblada de Estados Unidos, uno de los tres principales destinos de convenciones, negocios y reuniones y uno de los principales destinos turísticos del mundo. Nevada legalizó el juego en los casinos y redujo los requisitos de residencia para el divorcio a seis semanas. Soñar que se está en Las Vegas hace referencia a los excesos y a la sobrealimentación mundana; una Sodoma y Gomorra modernas. Es necesario que muestres cierta moderación en algún ámbito de tu vida. Por otra parte, soñar con Las Vegas sugiere que su buen juicio está siendo nublado por la agitación emocional y el caos causado por el pecado (Gén. 19:24-25). Las Vegas es conocida como la «Ciudad del Pecado».

Lasaña: ver, hacer o comer lasaña en un sueño simboliza la ternura y las comodidades del hogar. Es el momento de explorar las múltiples capas de sus relaciones personales.

Lascivo: malo; maldad; crimen; libertinaje, Hch. 17:5; 18:14.

Láser: simboliza la precisión en la comprensión, la transparencia y la exactitud de la verdad. Mantente centrado en la tarea que tiene entre manos, sin dispersarse ni distraerse.

Lastre o balastro: Ver material pesado colocado en el lastre de un barco indica que su carácter y estabilidad se verán reforzados en la próxima temporada.

Latas: si las latas están apiladas y llenas es señal de habrá prosperidad y provisión en el futuro. Si las latas están oxidadas, abiertas, están vacías, es un anuncio de ruina financiera o gran carencia. Es el momento de ahorrar dinero, de estar seguro e invertir para el futuro. Este símbolo también puede representar una prisión o el retrete, así que espere un giro para mal, cambie de dirección para evitar el desastre.

Latigazo: ver a alguien siendo azotado en un sueño es una advertencia para no hablar sin saber. Cuida las palabras de tu boca y habla sólo cosas positivas.

Látigo: azotar a una persona o a un animal indica frustración y falta de paciencia; si estás siendo azotado por otra persona o por ti mismo necesitas ser más paciente, perdonar y dejar de ser tan duro contigo. Deja de intentar azotar a la gente para que entren en razón. *«El látigo para el caballo, el cabestro para el asno, Y la vara para la espalda del necio»* Pr. 26:3.

Latín: pueblo y cultura relacionados con la Iglesia católica romana y la antigua Roma que utilizan una lengua romance. Si eres capaz de entender el idioma, te llegará una gran alegría; si escuchas, pero no entiendes, el mensaje seguirá siendo un misterio que traerá frustración, Lc. 23:38.

Latón (aleación de cobre y zinc): falsedad, mentiras engañosas, engaño astuto; comportamiento odioso y audaz, «descarado»; pulir el latón: uno necesita pulir o alisar el exterior opaco, áspero o alquitranado para poder brillar. Is. 4:4; Apo. 1:12-15.

Laúd: instrumento musical de cuerda; unir; empaquetar o sellar; hacer impermeable; botín: botín valioso en tiempo de guerra; botín; bienes robados; obtenidos ilegalmente; soborno; dinero; noticias alegres de los amigos.

Laurel: recompensa o premio de honor que se otorga a loa atletas, autores, poetas, vencedores y héroes; éxito; renombre; fama; orgullo por logros y empresas pasadas; fidelidad en la obtención de frutos Jn. 15:5; «dormirse en los laureles»; Connecticut.

Lava: algo del pasado te ha estado quemando y ahora ha burbujeado, ha llegado a la superficie y se ha manifestado de nuevo. Una ardiente unción evangelística que se extiende; un fuego consumidor; un enemigo está devorando lentamente el territorio. Mira de cerca lo que ha sucedido, perdónate a ti mismo y a los implicados, libéralos y sigue adelante para permitir que la pasión de Dios ocupe el lugar de la ira y la falta de perdón. La lava también puede representar una fiebre o enfermedad en el cuerpo. Una prueba de fuego; destrucción; un derrumbe emocional, Apo. 8:8.

Lavadero: lugar que contiene herramientas que se utilizan para limpiar y arreglar las cosas para que sean más útiles. Puede que necesites utilizar cosas que están a tu alcance; aprende a ser más flexible o utilitario.

Lavado de cabello: soñar que se está lavando el pelo indica que estás eliminando cosas molestas de su vida que le han causado preocupación. Está buscando o adquiriendo sabiduría. Estás limpiando tu cabeza o tu vida de pensamientos de experiencias negativas, así como de cualquier confusión o distracción. Te preocupas por tu apariencia personal, prestigio, estatus en la vida y negocios. Lavado de una relación o memorias de su cabeza para posicionarse para un nuevo comienzo.

Lavado de cerebro: si sueña que alguien le está lavando el cerebro es una advertencia para que no escuche sus consejos o manipulaciones. Necesita orar y buscar el consejo y la sabiduría de Dios. Comienza a pensar por ti mismo y no permitas que otros controlen tus pensamientos o acciones.

Lavado de coches: ha llegado el momento de empezar de nuevo con una limpieza reluciente. Tu carácter y tu imagen están siendo sacudidos, lavados, enjuagados y encerados porque tu brillo o tu visión de la vida se han opacado. Es hora de avanzar y permitir que surja una mejor imagen de ti mismo. Tu vehículo (ego), limpio y brillante, te hará encender un nuevo impulso exitoso en la vida.

Lavado de manos: usted está aburrido con su trabajo o posición actual porque es bastante engorroso. Estás física o emocionalmente agotado porque sigues utilizando métodos anticuados para conseguir los resultados actuales. Estás físicamente en forma «tener el abdomen marcado como una chocolatina».

Lavado de ropa: si sueñas que estás lavando la ropa sugiere que estás tratando de limpiar tu actuar o cambiando tu imagen bajo tus propios medios. La única manera en que nosotros u otra persona puede cambiar verdaderamente es naciendo de nuevo y recibiendo la ayuda del Espíritu Santo para entonces poder ser transformados en una nueva criatura. Lavado de dinero o hacer algo ilegal con sus finanzas, especialmente si las bolsas de ropa están en el sueño. Preocupado por la apariencia externa o por la forma en que se presenta a los demás, dando una buena impresión. Si está ordenando tu ropa, especialmente tu ropa interior, indica que estás tratando de ordenar tus sentimientos y emociones internas, Rom. 13:12; compartir tus secretos, 1 Cor. 14:25.

Lavado, blanquear: ser limpiado por la preciosa sangre de Jesús; expiación del pecado; un sepulcro religioso, lavado blanco, lleno de huesos muertos; Éx 28:40-41; Apo. 7:14.

Lavado de coche: indica que quieres dejar atrás el pasado. Quieres empezar una nueva temporada con una visión limpia y fresca de la vida y una imagen impecable. «Es un lavado».

Lavado: lavado en la Palabra de Dios para renovar o limpiar tu mente, entrar en la salvación a través de la enseñanza de Dios. Estás en el proceso de preparación para el éxito, limpiando o quitando el pecado, los malos hábitos y otras cosas que han obstaculizado tu progreso en la vida. Estás eliminando y lavando los recuerdos dolorosos, las malas experiencias, las relaciones dolorosas y los fracasos. Cuando el proceso haya concluido, te sentirás orgulloso de tus nuevos esfuerzos personales, tu reconocimiento social y tu posición de prestigio. El lavado indica un nuevo comienzo o el deseo de conectarse de una nueva manera, Sal. 26:6; 51:2-7; Is. 1:16; Gén. 18:4; Lev. 1:9-13; Jer. 4:14; Jn. 9:7; 13:5-14; Hch. 22:16; Apo. 1:5-6.

Lavado: un proceso de purificación o limpieza se está llevando a cabo; el perdón libera sentimientos o emociones negativas; lavarse las manos de una situación o persona, empezar de nuevo o un nuevo comienzo; lavarse los pies indica un cambio de dirección o un nuevo camino en la vida, lavarse el pelo indica que te estás deshaciendo de la ansiedad, el estrés o el miedo y que viene una nueva sabiduría y comprensión la cual solucionará todos tus problemas.

Lavadora: proceso de limpieza o purificación a través del lavado con cualquier detergente; preparación para el ministerio o nueva liberación de aumento, juicio. Is. 1:18.

Lavamanos: ver un lavamanos de bronce en tu sueño representa un lugar de limpieza y lavado del pecado para prepararse para ministrar la Palabra a través de la santificación de Jesucristo, Éx. 30:18; Ef. 5:26; Tt. 3:5; Jn. 13:1-17.

Lavanda: pureza; constancia; desconfianza por falta de honestidad o sensualidad; racimo de flores de color púrpura utilizado para perfumar.

Lavandería: renovación, transformación o limpieza, deshacerse de las decepciones y heridas del pasado, buscar nuevos cambios; representa una transformación o limpieza que tendrá lugar en un entorno público. Necesitas cambiar renovando tu mente por el lavado de la Palabra de Dios. Es señal de que has calculado el costo de refregar las heridas del pasado, así como las ideas erróneas y las fortalezas mentales poco prácticas y estás dispuesto a pagar el precio.

Lavar los pies: significa que vas a caminar por un camino más elevado de santidad. Lavar los pies de otra persona indica que te estás humillando como un siervo que servirá a la visión de otro.

Lavar manos: indica que quieres terminar con una persona, tarea o dejar ir una relación. Te niegas a tomar o sostener la responsabilidad de una situación.

Lavatorio: soñar que se está en una habitación con agua corriente, lavabos para la limpieza y retretes, indica que los negocios o las relaciones personales que se persiguen se concretarán al dar los últimos toques.

Lavavajillas: limpieza y refinamiento de los recipientes para mejorar el servicio en el futuro, es el momento de lavar las preocupaciones del pasado y eliminar el hedor de los problemas anteriores, pasar a dar un comienzo limpio en la vida.

Laxante: tomar o dar un laxante indica que se tiene la capacidad de entrar en problemas difíciles y duros, de tener la capacidad de manejar del estrés de una manera relajante, cómoda, y hacer que la gente se relaje y esté a gusto.

Lazo del alma: se ha desarrollado un vínculo emocional o físico con alguien del mismo sexo, un amigo íntimo o la pareja de otro que es inapropiado. Los lazos del alma se producen por las relaciones sexuales o por el contacto o la comunicación estrecha y constante.

Lazo: ver o utilizar una cuerda larga o una correa de cuero con un lazo corrido en un extremo que se utiliza para atrapar caballos y ganado en un sueño, predice la conquista de los deseos de tu corazón, siempre y cuando hayas usado tus habilidades con elegancia; si te enredaste en tu propia cuerda, el premio se escapará dejándote en completa soledad. *Alternativamente:* ver un lazo en tu sueño te advierte que no debes permitir que tus propias palabras o acciones te estrangulen en un entorno público; muerte o ejecución, Jb. 18:10; Esd. 7:10.

Lección: es un periodo de tiempo estructurado en el que se desea aprender. Usted está siendo enseñado por el Espíritu Santo. Él le está dando un nuevo entendimiento, una visión y conocimiento espiritual y la sabiduría de la iluminación. También considere que puede necesitar «disminuir» algo que está haciendo.

Leche agria: visión agria de la vida, los amigos te angustiarán.

Leche, baño: denota placeres; bendición; lujo; tierra prometida; abundancia; fertilidad; Jl. 3:18; dientes, Gén. 49:12; príncipes de Judá, Lam. 4:7-8; parentes-

co Éx. 23:19, 34:26; creación Jb. 10:10-11; necesidad de ser madre.

Leche batida: se te presentará una tarea difícil, pero con mucha habilidad y diligencia continuada lo conseguirás; en tu cabeza se agitan nuevas ideas de prosperidad.

Leche caliente: prepárate para recibir.

Leche, crema de leche: la angustia o los problemas darán paso a una temporada de tranquilidad o placer.

Leche derramada: experimentas pérdidas, reveses temporal o infelicidad por algún engaño, Jue. 4.

Leche entera: experiencia placentera sensual, Cnt. 4:11, 5:1.

Leche en grandes tinas: ver grandes tinas o recipientes de leche indica gran riqueza y abundante prosperidad o un trato comercial, Jue. 5:25.

Leche, regalar: tienes un corazón generoso y benévolo y eres muy caritativo.

Leche: elemental, fundacional, simple, enseñanza; crecimiento temprano, alimento espiritual, 1 Pe. 2:2; una dieta básica, 1 Cor. 3:2; Heb. 5:12-13; Ef. 1:3; hospitalidad, Gén. 18:8.

Lecho de adulterio: verse en la cama de otra persona con la que no está casado representa la fornicación espiritual, una aventura, la lujuria o el adulterio. Apo. 2:22; Snt. 4:4.

Lecho del lago: ver que el agua del lago retrocede y deja al descubierto el lecho de barro en la orilla indica que tu vida espiritual se está secando. Tu estado emocional está obstruido con una gran cantidad de agitación negativa y sentimientos dañinos producidos por la mezcla de lodo. Necesitas arrepentirte y centrarte en Cristo para recuperar tu paz interior y tu unción.

Lechuga: Puede que necesites considerar perder peso o empezar una dieta.

Lechuza: criatura nocturna; depredador; sabiduría a través de medios terrenales; rutinariamente recluido; no abierto; persona que prefiere esconderse o retirarse; opera en la oscuridad; una mente analítica que se centra en la autoprotección; demonio; maldición, Is. 34:13. Alguien que se esconde en la oscuridad con una gran capacidad de observación y conciencia; aislamiento; introspección; melancolía; abandono; no opera al aire libre; mente lógica, crítica y cuestionadora. El búho también es sinónimo de perdición, muerte y transición; ojos malignos y vigilantes, Dt. 14:16-17; vigila las cosas de la oscuridad, la astucia; su graznido indica decepciones; criatura nocturna demoníaca; una abominación, Lev. 11:13-18; Is. 13:21; Is.43:20; Jer. 50:30; Jb. 30:29.

Lectura de las palmas: arte oculto para predecir la fortuna o la duración de la vida de alguien; artes oscuras, adivinación o hechicería, esta práctica está prohibida en la Biblia, Le 20:6.

Lectura: necesitas ir más despacio, relajarte y pensar bien las cosas considerando todas tus opciones para obtener más información y conocimiento antes de tomar una decisión final. Leer o meditar en las enseñanzas de la Palabra de Dios traerá sabiduría y discernimiento a través de la convicción y comprensión espiritual.

Legado: legar o recibir dinero, propiedades, libros o joyas de un antepasado en un testamento indica que serás muy afortunado y bendecido con la libertad personal.

Legado: recibir un anillo, algún tipo de joya, o algo de gran valor, espera que se fije una fecha de boda.

Legión: cuerpo de tres mil soldados romanos y seis o siete mil hombres, Mt. 26:53; Mc. 5:9, 15.

Legislación: la legislación es una ley estatutaria que ha sido promulgada por una legislatura u órgano de gobierno. Si sueñas que eres un juez que decide sobre la jurisprudencia o eres un miembro del poder legislativo que hace leyes, predice que necesitas resistencia y valor para librar una buena batalla y ganar. Lograrás tus objetivos si no desfalleces, Lc. 10:26.

Legos: popular línea de juguetes de construcción que consiste en ladrillos de plástico de colores que se entrelazan en un conjunto de engranajes, minifiguras y otras piezas. Los ladrillos Lego se pueden ensamblar y conectar de muchas maneras, para construir objetos como vehículos, edificios e incluso robots que funcionan. Todo lo que se construye puede volverse a desmontar y utilizar las piezas para crear otros objetos. Ver Legos en un sueño indica que estás construyendo cosas que no durarán. Estás jugando con travesuras infantiles que no producirán ningún resultado duradero en su vida.

Legumbres: pequeñas molestias y tribulaciones intrascendentes.

Lejía o blanqueador: soñar que bebes lejía o blanqueador indica el deseo de subsanar algunos comentarios impropios del pasado, o de borrar sus efectos nocivos eliminando sus estigmas o manchas.

Lencería: entrar en un tiempo de descanso, refresco e intimidad; seducción; vulnerable.

Lengua: miembro rebelde del cuerpo; chismorreo; engaño; derribo; mentira; edificación; edificación; justificación; profecía Sal. 64:3; Jer. 9:8; el justo habla sabiduría, conocimiento y justicia, edifica, ora, interpreta, canta alabanzas, pluma de escritor presto; espada, una lengua suave rompe un hueso, Pr. 25: 15; azote, injusticia, desfiles, adulación, hablar de cosas grandes, mentira, odio, aferrarse, hablar mal, engaño y reproche, destrucción ideada, navaja afi-

lada, murmuración, flecha mortal habla de paz pero pone una emboscada, Jer. 9:8, golpear, presumir, fuego que contamina. Habla, expresa sentimientos profundos, poder de control, fe espiritual, lengua natural o extraña, incapaz de domar, un miembro pequeño que habla grandes jactancias, Snt. 3:5, la lengua es un fuego, mundo de iniquidad; *«Y la lengua es un fuego, un mundo de maldad. La lengua está puesta entre nuestros miembros, y contamina todo el cuerpo, e inflama la rueda de la creación, y ella misma es inflamada por el infierno»*, Snt. 3:6; *«pero ningún hombre puede domar la lengua, que es un mal que no puede ser refrenado, llena de veneno mortal»*, Snt. 3:8; la injusticia, el azote, el veneno de una cobra o víbora, mata o murmura el engaño, la calumnia, *«Guarda tu lengua del mal»*, Sal. 34:13; *«La boca del justo habla sabiduría, Y su lengua habla justicia»*, Sal. 37:30; la pluma de un escritor preparado, Sal. 45:1; *«Por nuestra lengua prevaleceremos»*, Sal. 12:4; el canto alegre, la plata selecta, Pr. 10:20; urde la destrucción, la espada afilada, la mentira, la lengua suave de un adúltero. Pr. 6:24; las lenguas pervertidas serán cortadas, Pr. 10:31; una lengua tranquilizadora es un árbol de vida, Pr. 15:4; *«la muerte y la vida están en poder de la lengua»*, Pr. 18:21; *«El que guarda su boca y su lengua, Su alma guarda de angustias»*, Pr. 21:23; una lengua suave rompe el hueso, buenas noticias, Pr. 25:25; la miel y la leche están bajo la lengua, Cnt. 4:11; *«Toda lengua confesará que Jesucristo es el Señor»*, Fil. 2:11.

Lenguaje extraño: sugiere que todavía estás tratando de comprender un misterio espiritual y obtener una visión divina de su significado. A la inversa, es posible que no te estés comunicando correctamente con los demás. Tienes dificultades para expresar tus pensamientos y emociones a tus amigos y familiares. No está familiarizado con un nuevo trabajo y sus demandas.

Lenguaje, maldiciente o soez: sugiere que alguien está furioso y viene hacia ti con acusaciones calumniosas.

Lenguaje: tienes una capacidad asombrosa para adquirir y utilizar complejos sistemas de comunicación. Estás llamado a la montaña mediática de la sociedad.

Lenteja: el entorno insalubre produce una tensión o depresión psicológica, 2 Sam. 23:11; Gén. 25:34; Ez. 4:9.

Lentejuela: serás celebrada y brillará siempre y cuando seas capaz de seguir la secuencia de acontecimientos que conducen a la promoción.

Lentes 3 D: Los lentes 3D en un sueño te ayudarán a dar una dimensión diferente a un punto de vista actual.

Lentes de contacto: la corrección está llegando a

tu visión; claridad; te está siendo otorgado el don profético; un nuevo enfoque; los puntos ciegos están siendo eliminados. Estás entrando en contacto con la unción profética; permite que tus ojos espirituales vean más claramente, ajusta la claridad de la visión, trae las cosas a una perspectiva apropiada, mejora la visión.

Lentes o gafas: las gafas indican que vas a tener una visión más clara del futuro. Puede que seas un profeta en formación. Una nueva graduación en los lentes te aportará la claridad que ha estado buscando. Soñar que lleva unas gafas que normalmente no usas indica que necesitas centrarse en los asuntos que le rodean para obtener una visión más clara de las circunstancias y aclarar cualquier malentendido o percepción errónea.

Lentes rotos: Si su monóculo está roto, tu capacidad de ver las cosas sin prejuicios no existe. No ves las cosas con claridad.

Leña: cualquier tipo de material de madera que se recoge y se utiliza como combustible. Por lo general, la leña no está muy procesada y se reconoce en forma de tronco o rama, en comparación con otras formas de combustible de madera como los pellets o las astillas. La leña es una fuente renovable. Sin embargo, la demanda de este combustible puede superar su capacidad de regeneración a nivel local y regional. Los incendios pueden ser una fuerza útil o destructiva, por lo que es importante discernir qué tipo de fuego está alimentando la leña. *«Cuando se prendiere fuego, y al quemar espinos quemare mieses amontonadas o en pie, o campo, el que encendió el fuego pagará lo quemado»*, Éx. 22:6.

Leñador: persona que tala o corta árboles, transporta la madera a los aserraderos para venderla como madera; una chaqueta corta y abrigada. Ver un leñador grande y fuerte en un sueño indica que no estás viendo el bosque por los árboles. Los árboles suelen representar a los líderes, así que esto puede ser una advertencia de que alguien está intentando cortar tu influencia o apartarte de una posición de liderazgo. Hay mucho trabajo duro por delante si quieres tener éxito en despejar el camino para alcanzar un futuro próspero. Si el leñador está talando árboles, podría indicar que alguien está tratando de tomar una posición de liderazgo, quitando a los actuales líderes de sus posiciones o estatus.

Leñador: ver o ser un leñador en un sueño indica que tienes un hueso duro de roer. Habrá mucho trabajo intenso con poca recompensa económica. Considere también el hecho de que los árboles representan a los líderes. ¿Estás tratando de cortar o socavar el liderazgo que te rodea? Dios puede estar cortando algún brote salvaje o innecesario.

León marino: realiza trucos que entretienen mientras contornea su peso alrededor; utiliza poderosos dientes para devorar a los que entran en su territorio.

León, Jesús: el León de la Tribu de Judá, Sal. 17:12; Rey, líder supremo, conquistador; superación; santos audaces; guerrero; victoria ira de Dios hacia el pecado; León de Judá; dignidad; realeza; poder físico; intimidación.

León, Satanás: Satanás, el león rugiente, busca a quien devorar; anticristo; miedo e intimidación, dientes que desgarran, vencer a los santos valientes; falsa autoridad.

León: Jesús; el León de la Tribu de Judá, Sal. 17:12; realeza; fuerte; regio, Rey de las Bestias; derriba; un cazador; una dignidad; realeza; alguien con gran poder fisiológico; intimidación, no teme a nada. Si metes la «cabeza en la boca del león» sácala de la mejor manera posible. Nah. 2:11; Ez. 19:2, Nm. 24:9; dientes aterradores; derriba fortalezas; bebe la sangre de las víctimas; devora; despierta; se agazapa; los enemigos caerán en sus intentos por hacerte daño. 1. Pe. 5:8, Apo. 5:5; Pr 30:30, 28:1 Ver un león en un sueño representa a una persona buena, de gran dignidad, valor y respeto.

Leona: hábil cazadora; come carne espiritual; madre de crías; reina agresiva; ágil; autoridad; realeza; rotura; atrevimiento; levantamiento; colmillos; Jl. 11:6; Gén. 49:9.

Leopardo que ataca: un leopardo que ataca indica una confianza excesiva en tu éxito futuro. Las cosas pueden empeorar antes de mejorar. Te enfrentas a una lucha difícil en muchos frentes que tendrás que atravesar.

Leopardo, cazado: matar a un leopardo se refiere a tus logros empresariales.

Leopardo, enjaulado: si el leopardo está en una jaula, sugiere que superarás cualquier obstáculo con relativa facilidad.

Leopardo: líder depredador y poderoso, una persona que no cambia sus manchas o sus formas malvadas. Un leopardo es un enemigo o rival peligroso, poderoso y deshonesto. Ver un leopardo salvaje en un sueño sugiere que finalmente superarás tus dificultades a través de la persistencia Os. 13:7; Jer. 5:6; Dn. 7:6; Heb. 1:8; Apo. 13:2.

Lepra: marginado social; ser rechazado y despreciado, transgresión, pecado, Lev. 13:45; Mt. 8:3; Lc. 5:12; Mc. 1:42; 2 Cr. 26:19; Nm. 12:10; 2 Re. 5:27.

Leproso: ser gobernado por la carne, frustración, separación, aislamiento, dificultad, pecador que muestra su enfermedad en su carne, Jb. 2:7-8; 6:2; 7:3-5.

Lesbiana: sensación de aislamiento o exclusión; mujer atraída por otra mujer como amante; inseguridad en la relación con el sexo opuesto; miedo al rechazo o al abuso; miedo o ansiedades sobre su feminidad; quieres que la gente te ame de la misma manera que tú los amas; amor propio; carece de reproductividad.

Levadura: el mundo será impregnado con la propagación del mensaje del Reino, Mt. 13:33; Lc. 12:1; 13:20-21; falsos doctrinas de hombre, hipocresía de los fariseos y saduceos, Herodes, Mt. 16:6, 11; Mc. 8:15; efecto del pecado condonado, 1 Cor. 5: 6; Gál. 5:9; Levadura: pureza del culto; recuerdo de la liberación de Dios; peregrinaje; salida de la esclavitud, algo pequeño y aparentemente in- significante traerá corrupción; acción detenida por el fuego, Lev. 2:11.

Levadura: levadura de los fariseos, hinchada de orgullo, pecado, espíritu religioso que afecta a todo el grupo, Mt. 16:6.

Levantamiento de pesas: lanzar tu fuerza y poder para mostrar quién está a cargo; flexionar tus músculos; armarse de fortaleza en una situación desagradable; ser intimidado; tomar más de lo que una persona puede manejar; construirte a ti mismo; cargar con mucha culpa, vergüenza o falta de perdón; cargar el peso del mundo sobre tus hombros.

Levantar: favor, aumento, popularidad, ayuda en camino, superación de una situación negativa, carga que se mueve.

Levantarse al acercarse: eres capaz de hacer frente a los retos que se le presentan.

Levantarse de una silla o un sofá: Indica que las buenas noticias están a la puerta.

Levantarse del suelo o de la cama: Significa que se está recuperando de una enfermedad o de algún tipo de contratiempo.

Levantarse: Ascender a un nuevo plano espiritual; ascender y avanzar en el conocimiento; llegar a ser o determinar comenzar de cero, resultar, emitir o proceder a un lugar de prosperidad.

Leviatán: espíritu ancestral de naturaleza demoníaca; difícil de eliminar; sólo Dios tiene poder sobre él Jb. 41:1-10; Sal. 74:14; Is. 27:1; Sal. 104:26. Ver Caimán y Cocodrilo.

Levitación: es una palabra latina que significa ligereza. Es el proceso por el cual los objetos se mantienen en el aire en una posición estacionaria sin ningún tipo de apoyo mecánico, proporcionando una fuerza ascendente que contrarresta la atracción de la gravedad hacia abajo. *«Y aquella figura extendió la mano, y me tomó por las guedejas de mi cabeza; y el Espíritu me alzó entre el cielo y la tierra...», Ez. 8:3.*

Levitando, otros: representa tu deseo de ser útil y solidario con los demás. También significa que admiras o admira a la persona que está levitando.

Levitar, uno mismo: sugiere que te aferras a ideas descabelladas y extravagantes. Debes ser más realista. Por otra parte, el sueño significa que no te sientes seguro ni conectado a la tierra. Te sientes impotente y desconectado de los que te rodean.

Levitar: si sueñas que haces levitar a alguien o algo, quiere decir que tienes una naturaleza solidaria. De otro lado, el sueño puede estar indicándote que estás tratando de equilibrar demasiadas cosas en tu vida. También puede significar literalmente que «las cosas están en el aire». No tienes una conclusión o decisión sobre algo.

Ley: estar involucrado en algún tipo de asunto legal con las leyes de una ciudad, estado o nación, indica que experimentarás algún tipo de problemas o dificultades personales, de negocios o familiares en la vida. Si se necesita un abogado, entonces hay que buscar consejo y sabiduría. No intentes resolver estos problemas por tu cuenta, busca el consejo de un profesional.

Lezna: Herramienta puntiaguda para hacer agujeros; instrumento utilizado para perforar el lóbulo de la oreja de un esclavo que quería convertirse en siervo de su amo, oídos para escuchar lo que el amo dice. Perfora el oído de los siervos de Dios para que escuchen su voz; servirán con un corazón apasionado; agujerea los falsos argumentos para coser las promesas de la verdad. Éx. 21:1-6.

Líbano: tierra prometida a Israel pero que nunca fue conquistada por ellos; un símbolo de belleza, fuerza, altivez, Is. 2:13; 10:34; 29:17; 60:13; Jer. 22:6,23; Hb. 2:17; Sal. 90:12.

Libélula: simboliza que se necesitan cambios desde hace mucho tiempo; algo en tu vida puede no ser lo que parece; la lujuria o las pasiones están gobernando tu vida; las palabras feroces o las mandíbulas devoradoras ofenden o hieren los sentimientos de los demás; «halcón de mosquitos», bueno para maniobrar las influencias negativas detectando los movimientos leves.

Liberación: ser liberado de un peligro o de una esclavitud espiritual o física; ayudar a que nazca una nueva idea u oportunidad; eliminar las influencias demoníacas o negativas, enviar, arrojar o echar a los demonios por el Espíritu de Dios, Lc. 11:20; Mt. 10:8; rendirse a un poder mayor; entregar.

Liberar: liberar a alguien o a algo en un sueño indica que tienes el deseo de liberarte del confinamiento, la restricción o la esclavitud. Quieres ser liberado y soltarte para poder actuar sin que alguien esté atado a ti.

Libertad: libre de ataduras, capacidad de dar libertad a una persona, independencia política y personal, exención de condiciones desagradables u onerosas, libre albedrío, estarás contento y feliz en una relación de tu elección.

Librería: necesitas estudiar alguna información que esté a tu alcance para ganar algo de conocimiento.

Libro con siete sellos: ver el libro con siete sellos en el cielo representa la Biblia, el libro de la redención, Jer. 32:6-12; Apo. 5:1-7.

Libro de cocina: se necesita preparación; algo se está cocinando, reunir los ingredientes adecuados para el éxito, crear una sabrosa y deliciosa recete, «¿Qué se está cocinando?»

Libro de contabilidad, desequilibrado: sugiere un problema que tendrás que gestionar con los empleados o con un cónyuge.

Libro de contabilidad, error: encontrar un error en el libro contable es una señal de que necesitas revisar el registro y la totalización de las transacciones económicas y los balances de los estados financieros. Alguien está firmando sus propios cheques con tu dinero.

Libro de contabilidad exacto: ganarás económicamente y tendrá un buen año fiscal.

Libro de contabilidad: ver un libro de contabilidad en un sueño advierte de problemas. El libro de contabilidad también puede representar la necesidad de controles y equilibrios en tu vida social o matrimonial.

Libro de la Vida: ver el Libro de la Vida abierto en el cielo representa una visión para ver todos los nombres de los que han sido salvados escritos como un re cordón eterno de su salvación. Los que no acepten a Jesús como Señor y Salvador serán borrados. Apo. 3:5; Heb. 12:23.

Libro de texto: estás haciendo las cosas según la letra de la ley, lo que indica que tienes mucho que aprender sobre cómo hacer las cosas según el Espíritu de Dios. Pide a Dios sabiduría, conocimiento y entendimiento. ¿Cuál es el tema del libro de texto? La Biblia tiene las respuestas para la vida, la sabiduría y la piedad.

Libro abierto: nuevas ideas son captadas, se entienden y se ponen en práctica con facilidad. Corazón puro, acciones y motivos que están por encima de las normas.

Libro cerrado: búsqueda de lo desconocido, amor por el misterio y la intriga; algo a lo que no se tiene acceso; una relación u oportunidad cerrada; una llamada a un campo específico de estudio o experiencia; considera el tipo de libro, es decir, referencia, misterio, Biblia, novela o romance como un juego de palabras relativo a ti mismo; recuerda que no debes juzgar un libro por su tapa.

Libro, comiendo: verte comiendo un libro representa que estás devorando la Palabra de Dios y recibiendo su contenido para convertirte en el mensaje. Ez. 3:1-3; Apo. 10:9-11.

Libro infantil: recuerdos de la infancia o rememoración de personajes de cuentos de hadas de una época despreocupada de la vida, indica un deseo de escapar de la realidad.

Libro polvoriento: tienes la necesidad de repasar algunas viejas habilidades para abrir un nuevo capítulo en la vida; confusión o cosas olvidadas del pasado.

Libro satánico: indica que eres de mente estrecha; que tienes odio, amargura y falta de perdón en tu corazón; un deseo de venganza, quieres herir o destruir a los demás; te niegas a asumir cualquier responsabilidad por tus acciones rebeldes perjudiciales. El deseo de aprender las artes oscuras de la brujería, los hechizos y los conjuros, advierte de la posesión demoníaca y de una muerte trágica temprana, a menos que quemes o destruyas estos libros satánicos.

Libro: una resolución tranquila y sosegada; aprender del pasado; la historia registrada de alguien; el amor por el conocimiento y la sabiduría; aprender a tomar el ritmo para tener éxito; la destreza intelectual; buscar la sabiduría y la revelación de Dios; ¡La Biblia es el Gran Libro! Aprender o adquirir información, conocimiento y comprensión; el Libro de las memorias; el Libro de la Vida y los Currículos en el cielo; los pergaminos celestiales; la profecía; los Libros de los ángeles, un escriba, Dt. 31:12. Palabras que se escriben por inspiración. Apo. 1:11; 2 Apo. 22:8-13; Neh. 8:1-17.

Libros: sabiduría y conocimientos terrenales o celestiales almacenados; capacidad de aprender o enseñar; talentos y habilidades archivados.

Licencia de conducción: soñar con su licencia de conducir en un sueño indica que estás enfrentando una crisis de mediana edad o de identidad. Perder el carnet de conducir sugiere que has perdido tu impulso y tu capacidad de avanzar; ha perdido tu camino o tu verdadero yo y has desechado tus objetivos y aspiraciones de vida. Ora para obtener sabiduría, claridad y el plan y la dirección de Dios para ti, luego acéptalo y sigue adelante.

Licencia: ver una licencia en un sueño indica que se te está dando el visto bueno o el permiso para hacer o poseer algo que has deseado. Por el contrario, puede que estés desviándote de las reglas establecidas, de las prácticas o de las buenas costumbres sociales, inventando tus propios métodos o procedimientos con tal de obtener una licencia; también puede advertir sobre una falta de moderación o el uso excesivo de la libertad. Tienes cierto desprecio por comportarte adecuadamente en los entornos sociales.

Licor: bebida hecha de uvas remojadas, vino de gran sabor, Cnt. 7:2; Nm. 6:3; Éx. 22:29, jugo de aceituna o de uva.

Líder de la adoración: aquel que dirige a las personas en la adoración y el servicio a Dios.

Líder: el Espíritu Santo que conduce y guía a toda la verdad; la forma en que nos relacionamos con las figuras de autoridad que nos guían, revela dónde hay que asumir más responsabilidad por las decisiones de nuestra vida; una persona, o presencia espiritual de la que tomamos nuestro liderazgo, de la que tomamos la dirección, y de la que dependemos para ser guiados.

Liebre: incrédulo pecador con un espíritu impuro o lujurioso, una plaga para los agricultores por lo que dificultan la cosecha comiendo los frutos del trabajo de otros, puede representar la multiplicación «se reproducen como conejos», Lev. 11:6; Dt. 14:7; símbolo de Satanás y de los espíritus malignos.

Liendra: plaga, maldición, ambiente impuro, «melindroso», regaño, evaluar o juzgarte de forma injustificada.

Lienzo: escudriñar o mirar el entorno o la situación de uno en busca de sabiduría o de un plan de escape; lienzo de un área; reconocer las posibilidades potenciales de uno. Capacidad de empezar de nuevo con una pizarra limpia; sus pecados o errores anteriores han sido perdonados; pintar en un lienzo en blanco en un sueño simboliza la perspectiva y el potencial, considere el significado subconsciente de la imagen simbólica en el lienzo.

Ligadura de trompas: esterilización por medio de la ligadura de las trompas de Falopio; esterilidad; no reproductividad; corte de la fecundidad; estrangulamiento, miedo al embarazo.

Ligamento: unir, atar o enlazar con alguien o algo; dar gran fuerza o capacidad de apoyo, un fuerte apego; Cl. 2:19, el cuerpo se mantiene unido y se nutre de Cristo.

Ligas: alianzas para la ayuda mutua; Js. 9:15-16; 2 Sam. 5:3; 1 Re. 1:8.

Liguero: cuando una mujer sueña con un liguero indica que busca a alguien que la apoye o la ayude a poner en orden su vida. Quiere estar unida a alguien o a algo, para sentirse segura y tener un lugar propio.

Ligure o jacinto: Gad, una tropa, fortuna, ampliación en la minería o en los negocios, expansión, crecimiento, mayor volumen, ensanchamiento, aumento de tamaño, hablar o escribir con mayor extensión, reproducir; Primera piedra en la tercera fila del pectoral, Éx. 28:19, 39: 12, liberar de la prisión y de las limitaciones impuestas por uno mismo, atacar, vencer a uno mismo, tristeza, amargura, ira, odio, celos, invadir, reunir, tres tiendas, jacinto, calor del murciélago, grandes pruebas y tanteos, semejanza del cielo, difícil de poner en movimiento, empujar, salir, expandirse, guerreros de naturaleza leonina; ministerio de liberación, saca a los reyes gobernantes, desarma al enemigo, devora la presa, muchos tesoros dormidos, cabeza y no cola, Gén. 49: 20.

Lila blanca: ver una lila blanca significa mi primer sueño de amor; luz; sin mezcla.

Lila malva: una lila malva significa: ¿aún me amas?

Lila rosa: ver una lila rosa en tus sueños significa que tienes una inocencia casta; una aceptación juvenil de los demás.

Lila: primer amor; aroma del amante de tu corazón; New Hampshire; bendiciones.

Lima: una lima de uñas: una superficie estriada que se utiliza para alisar, pulir, esmerilar o perforar eliminando los restos y el pecado endurecido; ver una fila de personas, animales o cosas colocadas una detrás de otra indica que necesitas poner tu vida en orden para que las cosas se alineen para ti, 2 Cor. 10:7.

Limbo: danzar alrededor de circunstancias incómodas; inclinarse hacia atrás para hacer feliz a alguien; inclinarse bajo un gran peso; humildad.

Límite: algo o alguien intenta limitar tus objetivos, restringir tu crecimiento o nivel de influencia; indica una frontera o limitación física, establecer límites personales seguros, salirse de los límites, ofender o insultar.

Límite: llegar al final de la propia capacidad física; no hay límites en el reino del Espíritu de Dios, ¡todo es posible con Dios!

Limón: trato que se agria; amargo; no funciona correctamente.

Limonada: capacidad de convertir las experiencias agrias, posiblemente negativas, en algo dulce; esperanza; mente renovada; refrescante; emprendedor; las ideas de pequeños negocios traerán aumento.

Limonero: predice que en tu vida crecen muchos problemas y múltiples dificultades. Es posible que se haya agriado o amargado con la vida. Si las cosas no van como deseas, toma los limones de la vida que a menudo representan fracasos, añade un poco de azúcar y prepárate una limonada.

Limosnas: Son dadas por hombres y mujeres devotos y temerosos de Dios para apoyar a los pobres, para que Dios se acuerde de sus buenas acciones cuando se encuentren en necesidad. *«Tus oraciones y tus limosnas han subido para memoria delante de Dios»* Hch. 10:4; Hch. 3:3; 10:2; significa un regalo caritativo.

Limpiador de oídos: algo está tratando de bloquear tu capacidad de escuchar la voz de Dios, Is. 10:6, permite que el lavado de la Palabra de Dios abra la puerta de tu oído para mejorar tu audición.

Limpiador: se refiere a algún tipo de detergente, etc.; limpiarse de espíritus; refinamiento; purificación.

Limpiar un escritorio: la limpieza de un escritorio representa que las cosas en el trabajo o los asuntos profesionales se refinarán o se pondrán en orden.

Limpiar un objeto: un objeto que se limpia representa un avance o una función mejorada en una de sus habilidades, dones o talentos.

Limpiar una cocina: limpiar la cocina, el frigorífico o el horno representa una renovación o limpieza espiritual. Es señal de que se están abordando los problemas de raíz.

Limpiar: hacer que algo sea correcto eliminando la oscuridad y el pecado, apartar lo que es malo. «Dondequiera que vayan, prediquen este mensaje: *"El reino de los cielos está cerca". Sanen a los enfermos, resuciten a los muertos, limpien de su enfermedad a los que tienen lepra, expulsen a los demonios. Lo que ustedes recibieron gratis, denlo gratuitamente.»* Mt. 10,7-8.

Limpieza de una casa, estructura o habitación: la limpieza de tu atmósfera o entorno, la eliminación del pecado, significa que necesitas limpiar las fortalezas de pensamientos, deshacerte de tus viejas formas negativas y malos hábitos para mejorar. Preparación para un nuevo movimiento de Dios o un nuevo nivel de pureza; un gesto de sacrificio que indica amor o compasión u obediencia a Dios; ministerio de ayuda; liberación; intercesión profética o tutoría.

Limpieza: implica que estás eliminando la negatividad y superando un obstáculo importante, estás avanzando hacia una fase nueva, productiva y positiva en la vida. Hay que «sincerarse» o decir toda la verdad.

Limpio: hacer santo; pureza; hacer justo; hacer listo y aceptable. *«¿Quién hará limpio lo impuro? Nadie»*, Jb. 14:4.

Limusina: alta vocación de Dios; lujo; ostentación; llamada a la elegancia; orgullo; vanidad.

Lince rojo: persona salvajemente independiente al que le gusta inventar cuentos con tal progreso personal; alguien que socava y desbarata tus asuntos.

Lince: significa luz o brillo, un gato de tamaño medio también conocido como gato montés tiene una cola corta y mechones característicos de pelo negro en las puntas de sus orejas; patas grandes y acolchadas para caminar sobre la nieve; y largos bigotes en la cara. Ver una de estas hermosas criaturas indica que has llegado una estación primaveral de refresco, libera tu ira y las decepciones del pasado y entra en lo nuevo; ver un gato salvaje o un lince en un sueño representa un misterio oculto por el que hay que orar y buscar una respuesta. Hay mucho que aprender y descubrir y muchos conocimientos espirituales que obtener. Lince significa «luz, brillo» en sus ojos reflectantes. Ver un lince puede significar que necesitas encontrar un profeta o (vidente) que te ayude a resolver el misterio que contiene tu sueño. El soñador necesita ayuda para «enlazar» sus sueños con la realidad.

Línea de sangre: secuencia de antepasados directos que representa generaciones. Herencia de dones, talentos y habilidades, sus pecados pueden ser visitados hasta la cuarta y quinta generación si no hay arrepentimiento. En los animales se ocupa de su pedigrí y de la pureza de su línea de sangre para la cría de campeones.

Línea en el horizonte: ver las cosas desde una perspectiva diferente, ver el propio entorno, considerar lo que está disponible y es accesible, el cielo es el límite.

Lineal: línea recta; una dimensión; visión estrecha; aceleración.

Líneas de energía, enredadas: indica una lucha por más poder o que actualmente estás anudado de alguna manera y no puedes avanzar en tu carrera o planes sin obstáculos.

Líneas de energía, por debajo: significa que te falta confianza en ti mismo, que te sientes débil o inseguro o que tu vida de oración está ausente o es terriblemente escasa.

Líneas de energía, por encima: indica que estás siendo empleado o exitoso en tus esfuerzos.

Líneas o vías de ferrocarril: una dirección generalmente aceptada o un camino habitual rígido e inflexible de pensamiento o acción.

Lingotes: Lingotes de plata u oro, a veces en monedas o barras, lingotes o placas o pesados adornos de hilos de oro o plata retorcidos, considerados con respecto a la cantidad más que al valor. Los piratas a menudo asaltaban los barcos y los despojaban de sus lingotes. El oro representa las pruebas de fuego de la vida y la pureza que refleja a Dios, el orfebre. La plata representa la redención en una nota positiva y el ser comprado como esclavo en una nota negativa.

Lino doblado: doblar u ordenar la ropa blanca en un sueño significa la felicidad del hogar.

Lino limpio: ver el lino limpio y brillante representa la justicia de los santos, Apo. 19:8.

Lino: hilo hecho de las fibras de la planta del lino que, al tejerse, hace artículos de tela o prendas de vestir de lino. El lino también produce un material similar al lino o papel. Este material ligero y fácil de respirar es ideal para el clima tropical o para eventos informales. El lino requiere mucho planchado para tener una apariencia suave porque se arruga muy fácilmente cuando se toca. El lino cuesta mucho para comprarlo y también requiere mucho mantenimiento para prepararlo y lucirlo. Puede que pienses que eres una persona guay, pero te pones en un aprieto con mucha facilidad y también eres de alto mantenimiento. Ver o usar sábanas de lino en un sueño indica que necesitas ir más despacio, tomarte unas vacaciones y apreciar las cosas buenas de la vida.

Simboliza el lujo, el estilo elegante y la sofisticación, Éx. 28:42; Rom. 15:6; Gén. 41:42; Apo. 19:8,14. Ver lino o la fibra textil espigada de esta planta en tu sueño representa un aumento de la prosperidad y de las empresas exitosas en los negocios; la debilidad de los esfuerzos del hombre sin las bendiciones de Dios, Mt. 12:20.

Linterna: busca que aparezca repentinamente en tu camino; la iluminación de Dios va a arrojar una nueva luz en tu viaje en la vida; descubrirás algunas nuevas percepciones, pensamientos más profundos y conciencia espiritual sobre algunos aspectos ocultos de ti mismo; donde te has sentido perdido o confundido en tu camino, una nueva luz está amaneciendo para traer una clara fuente de descanso y dirección; un brillante interés romántico se pondrá de manifiesto; da un paso a la vez y mantente en el camino.

Linterna: ver una en la noche presagia un peligro en el horizonte; la libertad te llama, pero hay que luchar para obtenerla.

Líos: volver a vivir situaciones familiares; volver a vivir condiciones difíciles; «fastidio», una discusión, una molestia o un problema; la preocupación, los celos, traerán arrepentimiento, contenciones por nimiedades insignificantes.

Líquido: aprender a dejarse llevar por la corriente; representa las propias emociones a medida que cambian de forma; tomar medicinas o beber vino indica que hay influencias externas que intentan cambiarte.

Lira: instrumento profético utilizado para acompañar a un lector de salmos o a un cantante de poesía; los negocios y el hogar funcionarán sin problemas.

Lirio del Valle: representa la belleza que te rodea mientras caminas por la oscuridad de los momentos difíciles o de prueba de la vida. La intervención y el cuidado divino de Dios están a tu alrededor, huele la dulce fragancia del Señor. Tienes una vestimenta santa en la justicia de Jesús; pureza y humildad; vuelve a la felicidad. Has hecho que mi vida sea completa. La iglesia de Jesucristo, Cnt. 2:1.

Lirio, almohadilla: indica la necesidad de sumergirse; enraizado y cimentado en la Palabra; ungida de Dios para poder brotar, florecer y ser fructífero.

Lirio amarillo: significa que tienes que estar atento a tus sobrevuelos, usar mucho discernimiento; estoy caminando en el aire; falso; engaño; avaricia.

Lirio blanco: amor; rectitud; inocencia; majestuosidad; pureza; virginidad; «blancura»; eres «blanco como un lirio»: sin reproches; sin culpa; estar contigo es el cielo.

Lirio Cala: indica que una temporada regia, o majestuosa de belleza está llegando a tu vida. Esta era la flor favorita de mi padre Douglas H. Breathitt.

Lirio Casablanca: representa un momento de celebración.

Lirio lirio de día: significa algo relacionado con tu madre; un coqueteo; o un nuevo entusiasmo que llega a tu vida.

Lirio naranja: ver un lirio naranja en un sueño representa la riqueza, la perseverancia, una poderosa fuerza energética, la purificación; también prefigura el odio o el desprecio; la persecución a causa del orgullo, según el contexto o el escenario del sueño.

Lirio Stargazer: aspiración ambiciosa; inocencia; pureza; honor.

Lirio Tigre: indica riqueza y orgullo.

Lirios: representa la belleza y el esplendor; la intercesión y la oración son necesarias para atravesar situaciones difíciles; flor en forma de trompeta; floreció durante el sermón del Señor en el monte; muy llamativo; objeto vistoso; el mes de mayo. Cnt. 2:1; Mt. 6:28; Lc. 12:27; 1 Re. 7:19-22; Os. 14:5.

Lista: hacer una lista o registro para colocar en categorías específicas, alistarse en las fuerzas armadas, lugar de combate, un área de controversia, escuchar para ser agradable, un deseo o inclinación para satisfacer. Listado de todos los varones primogénitos de los hijos de Israel, Nm. 3:40. Estos constituyen la lista de los hombres poderosos que tenía David: 1 Cr. 11:11. Lista genealógica Esd. 8:3. Una viuda debe ser incluida en la lista, 1 Tm. 5:9. Pero se niega a poner en la lista a las viudas más jóvenes, 1 Tm. 5:11.

Listo: soñar que estás listo indica que has pasado por un proceso de adiestramiento que te ha capacitado y equipado para una nueva temporada, trabajo y una mayor medida de responsabilidad e influencia. Es señal de que estás dispuesto, apto y disponible para el servicio o la acción.

Lisura: tonterías insignificantes; moverse con nerviosismo; juguetear.

Litera: sé exigente, no creas todo lo que oyes. Una pequeña y delgada cama de dos pisos. Representa estrechez e incomodidad.

Llaga: sentir una llaga o ver una llaga indica que se necesita liberar algún dolor de una herida pasada, perdonar y ser sanado y restaurado totalmente.

Llamada telefónica intervenida: si la línea telefónica está intervenida, protéjase de los chismes que desean socavar a sus socios, planes y estrategias para su propio beneficio. Asegúrese de no estar ocultando nada ni tenga miedo a exponerse; mantenga todos sus tratos sobre la mesa a la vista de todos.

Llamada telefónica rechazada: si te niegas a responder a un teléfono que suena, o no hay tono de marcación, te has desconectado, tratando de mantener a alguien a distancia o estás limitando severamente tus pensamientos al no comunicar tus sentimientos.

Llamada telefónica, amigos: si está hablando con un amigo o conocido, entonces necesitas conectarse con él en tiempo real para discutir abiertamente las posibilidades, confrontar el tema o construir la relación.

Llamada telefónica contestada: responder al timbre de un teléfono o escuchar un tono de llamada indica que tienes las respuestas o que pronto descubrirás las respuestas a tus preguntas a través de los aportes de otros.

Llamada telefónica, número incorrecto: si marca un número incorrecto, tiene información errónea y debe buscar claridad.

Llamada telefónica, operadora: si la operadora le pone en espera, puede haber un retraso considerable por diversas razones, por lo que será importante orar y ejercitar la paciencia.

Llamada telefónica: representa la comunicación o un mensaje importante de su subconsciente, un lugar cercano o lejano, un espíritu o una persona con la que se relaciona. Una llamada puede indicar un momento adecuado, una alarma o hacer sonar su campana, para provocar una alerta ante situaciones actuales que no estaban presentes anteriormente.

Llamada: escuchar al Espíritu Santo llamándote por tu nombre en un sueño representa un llamado al ministerio como el de Samuel o una voz de alerta para que prestes atención a alguna situación particular de tu vida. Discierne la fuente de dicha voz. ¿Es Dios, un demonio, tus propios deseos o la voz de un amigo, un extraño o un familiar? Considera también sus palabras, ¿son positivas, de sabiduría o negativas?

Llamar: gritar en voz alta, ordenar, pedir, invitar o solicitar que vengan; convocar, comunicarse o intentar comunicarse por teléfono, despertar del sueño como por una llamada para despertar a alguien del sueño indica que se le ha dado una voz y tiene algo que decir que despertará a la gente a su destino cristiano. Considera también la posibilidad de unirte al ministerio de oración «The Call» (La llamada) de Lou Engle.

Llamas, una vieja llama: Una «vieja llama» o «donde hubo fuego llamas quedan» se refiere a alguien de quien estuviste enamorado o enamorada en el pasado o que supo encender tu fuego.

Llamas: ver a estos inteligentes y sociables animales nativos de los Andes que producen hermosa lana predice un gran éxito en las empresas personales o comerciales.

Llamas: ver una llama en un sueño simboliza el proceso de purificación del fuego sagrado de Dios. Los ángeles son ministros del fuego, las llamas se posaron sobre las cabezas de las personas cuando recibieron el Bautismo en el Espíritu Santo en los Hechos. Considera el hecho de que si tocas el fuego te

quemas. Considere el dicho es un «fosforito»; agresión personal o una discusión acalorada. Un espíritu de lujuria puede ser representado por llamas ya que te hace arder con lujuria o pasión desenfrenada.

Llanta pinchada: no hay morada del Espíritu Santo, está agotado, no puede avanzar; indica que hay obstáculos importantes en tu progreso, que las cosas se han estancado en una relación o en tu vida laboral, que necesitas más elevación espiritual para superar las situaciones y seguir rodando.

Llanto: gran pena, dolor emocional y la tristeza provocada por la decepción pueden llevar a la depresión y a la desesperanza si no se manejan correctamente; el soñador está embotellando emociones malsanas y necesita curación. *«Porque un momento será su ira, Pero su favor dura toda la vida. Por la noche durará el lloro, Y a la mañana vendrá la alegría»*, Sal. 30:5.

Llanura: ver una ensenada de tierra indica una herencia o una cosecha, Dt. 1:1; 2:8.

Llave Allen: Soñar con esta herramienta en forma de L con sección transversal de varilla hexagonal que se utiliza para girar un tornillo de cabeza hexagonal empotrada, indica que necesita encontrar las llaves específicas para abrir puertas y oportunidades para acceder a sueltas o construir un futuro próspero. Por el contrario, la forma de la L puede indicar que usted está actuando como un «Looser» (perdedor) en lugar de vivir la vida a lo grande. Este símbolo también podría indicar una persona llamada Allen o el significado de su nombre armonioso o en uno con la creación podría ser una clave para su éxito.

Llave de David: recibir la llave de David en tu sueño representa el poder del reino para superar grandes adversidades, Apo. 3:7; Mt. 16:19; Is. 22:21-22.

Llave de tubo: algo que se te calza o te arranca de tu posición; disolución; ajustes dolorosos que tienen lugar en actitudes o sistemas de creencias; visión profética.

Llave inglesa: ajustes de precisión utilizados para apretar o aflojar pernos; juego de palabras: «arrancar» o «soltar».

Llave, pozo del abismo: representa la autoridad sobre el reino espiritual; Mt 16:9; Apo. 9:1; 20:1.

Llave, si se encuentra: nuevas oportunidades de negocio, placer, relaciones.

Llave, si se pierde: se perderán oportunidades y argumentos.

Llave: recursos, nueva oportunidad, habilidad, dones, libre acceso, posesión; control; llaves del reino, autoridad, destino o cambios inesperados; un símbolo de autoridad el poder de atar y desatar en la tierra; cerrar o abrir; propiedad.

Llaves del Hades y de la Muerte: ver las llaves del infierno, de la muerte y de la tumba indica que tienes autoridad sobre el reino de los espíritus para liberar a los cautivos, Mt. 16:19; Apo. 1:18.

Llaves: son utilizadas para abrir y dar acceso, así como para cerrar cerraduras; representan los elementos vitales o las respuestas fijas a una prueba; capacidad de describir, descifrar o desentrañar un misterio o ser un intérprete de los sueños y los misterios de Dios. Representa los siete tonos de una escala musical; en una relación fija; propiedad, posesión, autoridad y control, capacidad de abrir o cerrar, puerta de la oportunidad, unción para progresar, poder, conocimiento de la revelación, oración, obediencia, el amor y la fe son la clave, Apo. 1:18.

Llegar: El proceso de preparación ha terminado, el nuevo comienzo, la promesa se ha cumplido, alcanzar el destino o el final de un viaje antes de comenzar otro. Es el momento de llegar a los demás para cumplir tu objetivo o deseo de relación. Tienes un impacto de largo aliento en las personas.

Llenado de botellas: liberación de una deuda; superación de la pobreza; prosperidad y libertad. Abundancia, una desbordante bendición profética, 1 Re. 17:14; 2 Re. 4:6-7.

Lleno: tiempo de restauración y refresco es necesario para ser revitalizado o renovado mentalmente o físicamente.

Lleno: estar lleno en un sueño representa una persona o cosa que contiene todo lo que es posible o normal, estar completo en cada detalle de la vida hasta el grado máximo, totalmente calificado y aceptado, lleno hasta el copete o estado más alto. Ser plenamente conocido y amado por un Dios perfecto.

Llevado: ser llevado en sueños indica una noción romántica de querer ser arrastrado; o una necesidad drástica de que alguien te rescate del peligro. Sal. 28:9.

Llevar: puede que te sientas como un peso para alguien o que tengas que cargar innecesariamente con alguien. Procure ser independiente y asumir responsabilidades adicionales. Llevar un arma oculta para protegerse.

Llorar, despertar: si te despiertas llorando indica que no has lidiado con traumas dolorosos; estás en auto negación. El dolor está saliendo a la superficie, es hora de buscar activamente la sanidad emocional.

Llorar, otra persona: notar las lágrimas de otra persona puede ayudarte a identificarte con su dolor o pena y ayudarte a procesar las tuyas.

Llorar, sin respuesta: si nadie responde a tus lágrimas continúa buscando ayuda porque aún no has encontrado a la persona que puede aliviar o sanar el dolor. Es el momento de pedir ayuda, nadie puede escuchar tus lágrimas en la noche.

Llorar: las lágrimas limpian el alma, son una forma segura de lidiar con las incertidumbres y los agra-vios. Las lágrimas indican la liberación de emociones pesimistas, dañinas o destructivas causadas por algún acontecimiento de la vida o una relación decepcionante que han sido retenidas. Es el momento de recuperar el aplomo o el equilibrio. Las lágrimas aparecen en sueños cuando uno ha descartado, negado o reprimido sus emociones durante el día debido a sus propios mecanismos de defensa. Pr. 21:13; Apo. 21:4.

Llover, para escuchar: representa un aguacero espiritual de ideas que fructifican en tu mente.

Lluvia de meteoritos: representa un acontecimiento celestial en el cielo nocturno cuando un número de meteoroides entran en la atmósfera terrestre a una velocidad extremadamente alta. La mayoría se quema antes de llegar a la superficie terrestre. En los sueños, esto representa un juicio o los muchos disturbios o destrucciones que llegan a tu vida. Te están bombardeando muchas fuerzas espirituales que intentan provocar un ardiente impacto en tu vida.

Lluvia, para ver: significa que pronto descubrirás una nueva fortuna en el amor y en las ideas espirituales, porque nuevas ideas celestiales están siendo aportadas a tu conocimiento.

Lluvia: refrescar, limpiar, la Palabra o el Espíritu de Dios que se derrama para dar vida y fructificar; la manifestación del Espíritu Santo; la prueba o la desilusión, está «arruinando tus planes». Ver y oír caer la lluvia simboliza la presencia de Dios; *«La tierra tembló; También destilaron los cielos ante la presencia de Dios; Aquel Sinaí tembló delante de Dios, del Dios de Israel»*, Sal. 68:8; bendiciones abundantes, Su Palabra, la gratuidad y la gracia. Las bendiciones de Dios se derraman; el Espíritu y la Palabra de Dios se derraman; avivamiento; señales de frescura; crecimiento. La lluvia que cae es una metáfora de las lágrimas que lloran, o de la tristeza. La lluvia simboliza una preparación para el avivamiento, el juicio, la fertilidad o la fecundidad y la renovación. Si te llueve, indica que recibes una enseñanza espiritual, que te limpias de tus problemas y que te los quitas de encima. *Alternativamente:* reposición; limpieza; bendiciones de Dios; derramamiento o lluvia del Espíritu o de la Palabra; enseñanza; abundancia de alabanzas o lluvia de cumplidos; lluvia de insultos o maldiciones; juego de palabras para referirse a alguien que reina sobre ti. Enseñanzas espirituales; refrescar; limpiar; dar o esparcir profusamente, Sal. 72:6; 78:24; Mt. 7:25; Is. 55:10; Jb. 29:21-22; Hch. 14:27; Pr. 28:3-4.

Loar: ensalzar con palabras de alabanza, Rom. 15:11.

Lobo de tierra (hiena rayada): Mamífero africano parecido a la hiena; pelaje a rayas grises y negras; representa el espíritu de la oscuridad y la confusión; se alimenta de termitas y larvas de insectos; mentiras y engaños que destruyen los sistemas de creencias fundamentales de las personas.

Lobo: fariseo; astuto, depredador nocturno; merodea por la noche, *«lobo con piel de oveja»* Mt. 10:16; 7:15; miedo; devoradores que viajan en manada; salen a buscarte; falso profeta; oportunista que busca ganancias; maestro malvado que destruye al pueblo de Dios; desviado; pérdida financiera, Hch. 20:29. Un enemigo terrible que busca devorar a los inocentes, Is. 65:25; Ez. 22:27; Jer. 5:6; Jn. 10:12; Hb. 1:8; Sf. 3:3; Lc. 10:3.

Lóbulos de las orejas: soñar que los lóbulos de tus orejas se estiran o se alargan, representa tu deseo de escuchar mejor la voz de Dios. Deseas más claridad en tu capacidad de escuchar a los demás para poder entender de dónde vienen.

Local: ver que algo tiene lugar en tu ciudad, barrio, zona de oficinas o casa indica que pronto algo sucederá o tendrá lugar en un futuro inmediato, Hch. 21:12.

Locomotora: conducción: autopropulsión, movimiento independiente, promoción rápida, entrenamiento y equipamiento exitoso para una nueva tarea; montar: aumento financiero; observar: viaje, viaje espiritual, elevación, ardor o poder enfocado; verlo destrozado: pérdidas o devastación financiera, emocional o relacional.

Locura: escapar de los planes de los enemigos que para hacer daño utiliza métodos no convencionales; el corazón de los hombres está lleno de maldad y locura durante toda su vida, Ec. 9:3; cambio drástico de comportamiento ante los demás, locura fingida, estar loco, salivar, no necesitar la realidad, 1 Sam. 21:13-15; idolatría insana, Jer. 50:38; la gran iniquidad y enemistad del idólatra dice que el hombre espiritual está loco, Os. 9:7. Verte a ti mismo apartándote de la normalidad, de la sindéresis o la moderación en tu sueño puede indicar que estás siendo consumido por el entusiasmo o la excitación sobre lo que está sucediendo en tu vida. Puedes estar encaprichado con un nuevo amor o una perspectiva romántica. No actuar de forma sensata o poco práctica puede indicar que has perdido de vista tus objetivos personales y que has asumido demasiadas responsabilidades y necesitas tiempo para priorizar tu vida.

Logros: El éxito, la prosperidad y las bendiciones están en camino, un sentimiento de plenitud y realización se hará realidad en un futuro próximo. El trabajo duro y la diligencia darán sus frutos.

Lombriz de tierra: ayuda a romper el terreno en barbecho; los enemigos ocultos están escarbando la tierra, esforzándose por causar ruina y humillación.

Lombriz: advierte de que algo o alguien está minando tus fuerzas como un parásito; relaciones anémicas; pulgas; mala salud; poca felicidad; insatisfacción.

Lomos: parte inferior de la espalda de las personas y las partes interiores que representan el asiento de la fuerza; la acción; Dt. 33:11; Jb. 40:16; 1 Pe. 1:13.

Lonchera vacía: necesitas pasar más tiempo en la presencia de Dios, en la Palabra y llenarte para que te enriquezcas con alimento, de modo que puedas compartirla con algunos conocidos.

Lonchera: significa que estás preparado con la Palabra de Dios para el día. Tienes grandes recursos a mano para iluminarte espiritualmente; información, revelación y aumento. Estás completamente respaldado, listo a tiempo y fuera de tiempo para dar una respuesta a los necesitados.

Londres: es la capital de Inglaterra y del Reino Unido. Es la ciudad líder más poblada del mundo, con un área metropolitana que va de la quinta a la sexta, con más de 13 millones de habitantes. Tiene puntos fuertes en las artes, el comercio, la educación con 43 universidades, el entretenimiento, la moda, uno de los principales centros financieros del mundo, la atención sanitaria, los medios de comunicación, los servicios profesionales, la investigación y el turismo. Londres es la ciudad más visitada del mundo y cuenta con el mayor sistema aeroportuario del mundo.

Loro: imita o repite lo que se oye de otros, copia a un imitador, balbuceo repetitivo, imita sin sentido, se hace eco de 2 Re. 2:23; representa chismes ociosos o dañinos y calumnias maliciosas que intentan acusar; se transmite un mensaje repetitivo a usted o a otra persona; se imita o incluso se burla de usted; no piensa por sí mismo; puede denotar un pendenciero, falta de creatividad; persona odiosa con usted, Pr. 17:9.

Los bolos: representan obstáculos, estorbos, fortalezas y demonios de oposición que deben ser eliminados. Ajusta tus perspectivas, alinéate en oración y centra tu vida en Cristo, entonces estarás listo para liberar tus pesadas armas (bola) y toda arma formada en contra (bolos) caerá, permitiéndote anotar en grande.

Los dedos de los pies: traen el equilibrio y la capacidad de mantenerse en pie; los dedos de los pies también podrían representar la necesidad de enseñanzas equilibradas, o de sanas relaciones en tu vida. La luz roja de la unción de Dios trae la curación a esta parte del cuerpo.

Los Diez Mandamientos: «Las palabras de la ley». Éx. 20:3-17; escritos en las dos tablas de piedra entregadas en el monte Sinaí; cinco engloban los deberes de Dios; cinco esbozan nuestros deberes para con el prójimo, Mt. 22:37-40.

Los ex: ex maridos, esposas, amigos o amigas, aspectos que despreciamos o amamos de ellos, deseos secretos, perdonar el dolor, la traición, las acciones y sentimientos negativos; ex amante: tratar de ejercitar emociones difíciles o dolorosas o resolver sentimientos pasados respecto a la relación rota para poder pasar a estar disponible en el presente, Fil. 3:13.

Lot: prototipo de reincidente; 2 Pe. 2:7-8; Lc. 17:28-29; Gén. 13:1-14; 19:1-36.

Lote, vacío: algo que se te ha reservado para que construyas un legado; una herencia; un campo abierto listo para cosechar; carencia y pobreza, necesitas sembrar lo que se te ha dado para que puedas recoger una cosecha a su debido tiempo.

Lote: un terreno con límites designados.

Lotería: sugiere que estás jugando con tu vida al confiar demasiado en el azar, el destino o la suerte, en lugar de mirar a Dios como tu fuente de provisión. Debes evitar las soluciones rápidas y asumir la responsabilidad de tus propias acciones o decisiones. Reconoce tus debilidades o problemas personales. No hagas un compromiso sin evaluar primero el costo, Pr. 13:11; Heb. 13:5; Fil. 4:19.

Loto: representa un misterio y una verdad revelada.

Lubricante anal: representa a alguien que está profundamente atrapado en el pecado.

Luceros: flor de colores brillantes en forma de embudo; venenosa si se come; puede indicar seducción; engaño; ornamentación; juego de palabras: «gloria de la mañana», Sal. 30:5 «El llanto puede durar toda la noche, pero el regocijo llega por la mañana»; septiembre.

Luces: intuición, visión espiritual, concepto o idea, la luz que se enciende, luces brillantes, en el foco, luz fría del día, en una buena luz, iluminar el tema, ver la luz, la luz al final del túnel.

Lucha de pulgares: significa tratar de poner o inmovilizar algunos problemas de relación haciendo valer tu influencia o tus deseos personales sobre los demás de una manera no amenazante; jugar con las emociones de alguien.

Lucha en la jaula: si sueñas que está encerrado en una jaula luchando, indica que quiere salir de una relación controladora o de un trabajo restrictivo. Es una señal de que estás luchando por tu independencia y derecho a expresarse libremente. Significa que está cansado de los constantes conflictos y peleas.

Lucha: contender por la lucha contra el propio oponente; esforzarse por arrojar al suelo un obstáculo negativo o una limitación destructiva. Esforzarse por superar la competencia, la oposición o la restricción indeseable; su batalla no es contra carne y sangre, sino contra los poderes espirituales de las tinieblas, Ef. 6:12.

Luchador: guerrero, guerra, gran lucha física con la carne; advertencia de no correr riesgos innecesarios.

Luchar: alguien o algo está tratando de aplastarte; luchas con un dilema personal o profesional; tu espíritu está en guerra no contra carne o sangre, sino con los pensamientos erróneos, la presencia del mal, los malos hábitos o las fortalezas que están fuera de control. Pelear la buena batalla de la fe; grandes injusticias o frustraciones; conflictos que se avecinan; compromiso peligroso. Confusión o conflicto interior no resuelto; lucha por ser escuchado, valorado o reconocido; acepta los cambios necesarios, evalúa las deficiencias y resuelve los problemas de carácter, 1 Tm. 6:12.

Luciérnaga: un poco de la luz o el fuego de Dios traerá iluminación espiritual, calor y relajación e iluminará los lugares oscuros; luciérnaga; bicho de luz; transformación.

Lucifer: el diablo; los deseos carnales, las ideas corruptas o los malos hábitos que surgen en la vida de uno, que entran en conflicto con la conciencia o los principios individuales; aspecto de la vida de uno como la ira, las ambiciones y el orgullo, que no han sido dominados y que siguen influyendo o controlando la voluntad o las elecciones de una persona; la oración ofrece la oportunidad de luchar contra la debilidad y superarla, desarrollando la fuerza y la conciencia espiritual; el miedo, la amargura, la falta de perdón, la baja autoestima, la lujuria, la duda y la incredulidad son puertas negativas o fortalezas que dan acceso a los demonios; los sentimientos destructivos o los demonios pueden haber sido heredados de los antepasados, introducidos durante un trauma o abuso en la infancia. La aparición de Lucifer, los demonios, los vampiros o el diablo inspira el mal para producir fuerzas destructivas de enfermedad, odio a sí mismo, crítica y comparaciones negativas. Lucifer representa la negación de las propias capacidades o dones personales. Destruye la salud física, emocional y espiritual, Is. 14:12.

Lucro: ganancia en dinero o bienes; «lucro sucio»; ganancia mal habida o vil, 1 Tm. 3:3, 8; Tt. 1:7, 11

Lugar de nacimiento: lugar de nacimiento u origen, un nuevo comienzo, el nombre del hospital, la ciudad y el estado son significativos.

Lugar de trabajo virtual: el desarrollo de las nuevas tecnologías de la comunicación ha dado lugar al desarrollo del lugar de trabajo virtual, que no se encuentra en ningún espacio físico, sino que es móvil, lo que permite al individuo desplazarse sin ningún impedimento.

Lugar de trabajo: el lugar de trabajo es el sitio físico donde la gente trabaja, desde una oficina en casa hasta un gran edificio de oficinas o una fábrica. El lugar de trabajo es un espacio social importante que constituye «un concepto central para el trabajador, la familia, la organización empleadora, los clientes de la organización y la sociedad en su conjunto».

Lugares: los lugares específicos en nuestros sueños indican el escenario y el período de tiempo que se está comunicando.

Luisiana: «Unión, Justicia y Confianza»; ven tal como eres. Déjalo diferente; Estado del pelícano; Estado de los pantanos; Estado del azúcar; Estado criollo; Hijo del Misisipi; Magnolia; Azul, blanco y oro; Fresa; Palma petrificada; Ágata; el hogar de Duck Dynasty.

Lujo, pérdida: serás humillado y te ganará muchos enemigos por no pagar tus deudas pendientes.

Lujo: gratificación autoindulgente o desenfrenada de los sentidos en algo que no es esencial, pero que conduce a la comodidad o al placer; dinero gastado en las cosas más caras o selectas, marcado por la magnificencia exagerada y ostentosa; vida o entorno suntuosos.

Lujuria: tienes un deseo sexual intenso o irrefrenable o unas ansias abrumadoras de dinero, fama, poder o placeres. No te sientes satisfecho con tu vida. Has perdido el control de tus apetitos; es hora de ejercitar el autocontrol y la paciencia. Si alguien te desea, toma medidas para protegerte, nadie puede satisfacer la lujuria, sólo el amor. Mantén tu autoestima alta, no te sometas a comportamientos lujuriosos, te mereces algo mejor, eres una joya preciosa y vales mucho más, no te conformes con menos, 1 Jn. 2:16; Cl. 3:5; Éx. 15:9; 2 Tm. 4:3 un deseo de cualquier tipo.

Luna de miel: deseo de alejarse de la vida cotidiana para experimentar un nuevo toque en la relación romántica y nuevos niveles de intimidad y transparencia. Miedo a experimentar una dimensión más profunda en la vida sexual.

Luna llena: ver una luna llena reflejando la luz iluminadora del sol en un sueño indica que estás a mitad de camino de un largo proceso. Sigue avanzando paso a paso hasta que hayas completado tu travesía o llegado a una conclusión sólida.

Luna nueva: cada uno de los meses hebreos comienza con una luna nueva, Nm. 28:11-15.

Luna, aullido: locura, esfuerzos inútiles como lanzar hachas a la luna, el hombre en la luna.

Luna brillante: grandes honores, felicidades y prestigio se avecinan en esta temporada.

Luna, cosecha: representa las almas que entran en el reino de Dios.

Luna de sangre: señal prodigiosa de Dios que se correlaciona con los días de fiesta de Israel.

Luna, eclipse de: espera un gran cambio en los acontecimientos terrenales.

Luna, ir a: intuición, fantasía o imaginación, volar a la luna, alcanzar la imposibilidad, y «alcanzar la luna».

Luna llena: la plenitud de la luna indica los ciclos de las mareas y los tiempos, los meses y la estación del año, Sal. 104:19, la iglesia que refleja la luz del sol (del Hijo), una esposa, madre, hermana, una mujer, un testigo, Gén. 1:16; la luz menor que gobierna la noche; el amor y el romance de una noche de luna.

Luna nueva: tienes una nueva oportunidad de progresar y aumentar en cada área de tu vida, Nm. 29:6; 28:11-15; 2 Re. 4:23.

Lunático: epiléptico, Mt. 4:24; 17:15. Ver a alguien actuando como un lunático: advierte de grandes problemas. Actuar como un lunático: sugiere que se está actuando de manera insensata y que hay que cambiar las formas.

Lunes: soñar con un lunes significa un nuevo comienzo, el inicio de una nueva semana de trabajo, algún proyecto o tarea. Estás listo para asumir los problemas que puedan presentarse.

Lupa: ampliar lo obvio, dar importancia a algo pequeño o insignificante, enfocar bien las cosas, examinar a alguien muy de cerca, exagerar las cosas, capacidad de canalizar los rayos del sol para provocar un incendio, hacer que los asuntos pequeños parezcan grandes, 2 Cor. 13:5.

Luto: dejar ir el dolor pasado para que entre una nueva alegría; la pena y la tristeza huirán, Mt 5,4.; Gén. 50,10.

Luz color pastel: ver colores pasteles suaves o una iluminación tenue en sueños indica sentimientos y pensamientos de los dones menos desarrollados o las habilidades del inconsciente.

Luz de Fresnel o lente: indica que Dios está poniendo luz sobre algo en tu vida para resaltarlo o captar tu atención, ya sea para edificación o corrección. Si estás bañado en luz de Fresnel: Dios puede estar mostrando tu ministerio o tu vida. Si es una luz de retroceso en tu coche: tu ministerio o negocio puede estar retrocediendo hasta un punto en el que Dios desea que tomes otra ruta. Si se usa como faro del coche: tu ministerio o negocio puede estar atascado en tradiciones que son útiles pero obsoletas. Si es un faro, puede estar colocado como una advertencia para evitar que otros se estrellen contra las rocas.

Luz del día: en un sueño indica que está amaneciendo un nuevo día con la temprana luz del sol que te permitirá descubrir cosas que estaban ocultas en la oscuridad. Tus ojos se abrirán para ver cosas que siempre han estado presentes pero que aún están ocultas. Tendrás éxito en alcanzar tus metas y completar cada esfuerzo.

Luz del sol: conocimiento de la revelación, visión espiritual, iluminación.

Luz apagada: soñar que no se puede encender la luz indica falta de visión y perspectiva sobre una situación.

Luz fluorescente: ver una lámpara fluorescente que convierte la energía eléctrica en una luz luminosa mucho más útil y eficiente que las lámparas incandescentes, indica que estás siendo iluminado más allá de tu capacidad de ver o entender en este momento. El alcance de tu visión está aumentando. *«...alumbrando los ojos de vuestro entendimiento, para que sepáis cuál es la esperanza a que él os ha llamado, y cuáles las riquezas de la gloria de su herencia en los santos, y cuál la supereminente grandeza de su poder para con nosotros los que creemos, según la operación del poder de su fuerza»*, Ef. 1:18-19.

Luz incandescente: la palabra incandescente también se utiliza en sentido figurado para describir a una persona que es tan irascible que casi que brilla o arde al rojo vivo. La luz del sol es la radiación de la superficie «incandescente» del sol.

Luz negrita: las luces ricas en negrita indican mayor madurez o desarrollo.

Luz: Dios es el Padre de la Luz. La Palabra, Sal. 27:1, Pr 6:23. El primer mandato de Dios: *«¡Que se haga la luz!»* Gén. 1:3. Debemos llevar o ser la Luz del Señor en el mundo. Determina la fuente o el tipo de luces que ves. Las luces pueden representar las atracciones mundanas (los nombres de los artistas más descollantes), por lo tanto, se refiere a la necesidad de pasar más tiempo con Jesús que es la Luz del Mundo. Ver luz en un sueño representa una nueva idea, iluminación, claridad, guía, comprensión clara y visión espiritual. Se está iluminando una situación o problema que antes estaba nublado. Has encontrado la verdad o la respuesta a una situación. Considera el color de la luz para obtener un significado adicional, 1 Jn. 1:5; 1:14; 8:12; Snt. 1:17; Sal. 27:1; 104:2; 2 Cor. 4:6; Ef. 5:8, 14; 1 Pe. 2:9.

M

Macadamia: La macadamia es un árbol de hoja perenne de pequeño tamaño que se encuentra en los climas cálidos de Australia y Hawái. Las nueces de macadamia son disfrutadas por muchas personas. Ver o comer esta sabrosa nuez en un sueño representa que dar un pequeño paso adelante puede traerle favor, crecimiento y prosperidad, al tiempo que elimina la sensación de estar aislado en una isla propia.

Macarrones: actuar como un niño; «Yankee Doodle»; necesitar sabiduría en los asuntos económicos; ser frugal; hacer un presupuesto, ahorrar dinero.

Maceta: ver una maceta de terracota, piedra, plástico o madera con flores o una planta que se cultiva o crece para su exhibición indica que hay que cuidar, nutrir las relaciones y regar las cosas que están en tu vida, área inmediata o entorno para que florezcan.

Machete: espada del Espíritu, palabras fuertes e hirientes que hieren o matan, herramienta utilizada para iniciar un nuevo juicio.

Macho: soñar con una figura masculina en un sueño puede representar los aspectos masculinos, asertivos, dominantes, agresivos, competitivos o racionales de usted mismo. Si conoce a la persona, puede indicar un deseo de reflejar más de su personalidad o los rasgos de su carácter, o también puede indicar tus sentimientos o deseos personales hacia él.

Mácula: manchado por el pecado o el error, corrompido por las tradiciones del hombre o las falsas enseñanzas; iniquidad, Jer. 2:22; guardar los mandamientos, 1 Tm. 6:14.

Macy: significa del estado de Mateo, iluminado, un objeto o persona de pura belleza, Jn. 1:29.

Macy's: soñar con Macy's, originalmente R. H. Macy & Co. (estilizado como Macy's), cadena de tiendas por departamento de gama media propiedad de la corporación estadounidense Macy's, Inc. indica que usted es muy práctico y no es extravagante en su apariencia o hábitos de gasto. Macy's es una de sus dos divisiones, la otra es la exclusiva Bloomingdale's. Se ha opuesto a las ideologías conservadoras boicoteando las líneas de productos de Ivanka Trump.

Maddox: significa hijo del benefactor o promesa, Heb. 11:11.

Madeja: ver el hilo enredado indica que te espera una tarea muy difícil que requerirá mucho esfuerzo y dedicación para lograr desarrendarla. Si el hilo está pulcramente guardado los deseos de tu corazón están tejiendo una relación romántica.

Madera de nogal: indica trabajo duro sin mucho fruto o alegría de tus labores.

Madera ornamentada: un trozo de madera ornamentada representa el ceder espiritualmente a la mano del Maestro para que la belleza del Señor pueda formarse en ti.

Madera, construcción: ver una construcción de madera en un sueño, donde las piezas están siendo encajadas para dar soporte y forma a una estructura, indica que hay una nueva dimensión en tu vida que está siendo formada y enmarcada. Tú eres la mansión que Dios está creando para albergar su gloria. *«sino que siguiendo la verdad en amor, crezcamos en todo en aquel que es la cabeza, esto es, Cristo, de quien todo el cuerpo, bien concertado y unido entre sí por todas las coyunturas que se ayudan mutuamente, según la actividad propia de cada miembro, recibe su crecimiento para ir edificándose en amor»*, Ef. 4:15-16.

Madera, humo: sacrificio; limpieza ardiente.

Madera, tallada: tallar un trozo de madera puede representar la formación de un ídolo en tu vida o que estás dando expresión creativa a un nuevo don que estás desarrollando. Tú puedes ser la pieza de madera que Jesús, el Maestro Tallador, está moldeando o convirtiendo en una hermosa pieza de arte o en un mueble funcional.

Madera: construye algo nuevo para honrar al Señor a partir de tu herencia espiritual de liderazgo y sabiduría; Dios es tu torre fuerte y el soporte de la nueva estructura. La madera es un miembro estructural estandarizado que se utiliza para edificar y construir instalaciones. Desplazarse lentamente o caminar de forma pesada y torpe. Ver madera y material de construcción en un sueño indica que tienes todos los recursos necesarios y estructuras de liderazgo para avanzar y construir buenas y sólidas relaciones. La madera viene de los árboles y el árbol representa a alguien con habilidades de liderazgo y fuerza de gran alcance. Árbol de la vida, liderazgo Os. 4:12 dice: *«Mi pueblo a su ídolo de madera pregunta, y el leño le responde; porque espíritu de fornicaciones lo hizo errar, y dejaron a su Dios para fornicar».* La madera puede ser una referencia de ídolos e imágenes esculpidas, cosas hechas por las manos del hombre, su propio trabajo, cosas que pueden arder en el fuego y perderse. Un juego de palabras o un término del argot sexual para «llevar leña para el monte» o una «leña», 2 Tm. 2:20; 1 Cor. 3:12-15; Apo. 9:20; Is. 53:1-3; Lev. 1:7-17; 14:4-6.

Madison: significa hijo valiente del guerrero valeroso, Lc. 18:27.

Madonna: soñar con la estrella del pop Madonna, conocida como «la chica material», indica que estás buscando posesiones mundanas superficiales. Su habilidad para los negocios, su belleza sexy y su talento para mantenerse con éxito en el ojo público cambiando constantemente su imagen pueden sugerir que necesitas sentirte libre para expresarte de diferentes maneras. ¿Son ciertos los mensajes de sus canciones? «Aprecia el amor que tienes» y permanece «como una virgen». ¿O su apariencia es una indicación de que necesitas recordar que debes orar por ella? Ver a «La Madonna» o a María, la Madre de Jesús, en tus sueños indica que debes emular sus virtudes piadosas y conservar tu virginidad hasta el matrimonio.

Madrastra: no es la madre natura sino la esposa del propio padre; pariente, relación, conflicto o sustituta, obsérvese su comportamiento.

Madre: iglesia; Jerusalén; caridad y amor; fortaleza; Espíritu Santo; amable; gentil; dadivosa; la que nutre; medidora; la madre real; madre espiritual; maestra; ciudad; separación de caminos; carretera, 1 Re. 15:10; Gén. 3:20; Eva es la madre de todos los vivientes.

Madreselva: afluencia, éxito y felicidad en las rela-ciones; dulzura de disposición; gentileza; junio; alabanza; ofrenda; herencia; palabras de la boca de un devorador o enemigo; adulación; facilidad; Is. 7:15 rechaza el mal y elige el bien; Is. 7:22 privación y juicio debido a la rebelión; Mt. 3:4.

Madrid: es una ciudad de España situada en la provincia en la zona de Castilla la Nueva. Puede tener un llamado a orar por este país o una necesidad de visitarlo por misiones o negocios.

Madriguera: hábitat excavado en la tierra por diversos animales. Puede indicar que te has metido en un agujero. En contraposición, también puede indicar un lugar de descanso o un escondite seguro. Sal. 104:18; Pr. 30:26.

Maestro: Jesucristo la revelación de Dios, Jn. 3:2; Espíritu Santo; la revelación de Dios; Lc. 6:40; instrucción importante; don de Dios al cuerpo; puede ser malo; ministerio quíntuple; autoridad. Oficio o vocación, 1 Cor. 12:28; línea sobre línea; hace que las cosas difíciles sean sencillas; revela la verdad bíblica; llamado a equipar a las personas para el trabajo, el ministerio y el servicio. Uno que ama impartir conocimiento, algo para aprender o enseñar, entrenar, instruir y educar a la gente en habilidades, relación con la disciplina de una figura de autoridad, oficios o filosofías, hacer que se aprenda por el ejemplo o la experiencia, abogar o predicar.

Maestro: la ley o el guardián; Gál. 3:24-25.

Maestro: sentimiento de deficiencia, la vida de uno carece de motivación propia, estructura y disciplina, búsqueda de la sabiduría de un líder fuerte o consejo a seguir; maestro, Lc. 6:40.

Magdalenas: ver o comer una magdalena en un sueño sugiere que se te está regalando una pequeña recompensa dulce bien merecida, un regalo o un premio. También puede representar la necesidad de reducir el tamaño o tomar las cosas de a poco. Colocar las diferentes facetas, componentes o ingredientes de tu vida para hacerlos más apetecibles o manejables.

Magenta: representa las dimensiones del alma; las propias emociones; el amor; la entrega; el odio; el miedo; la alegría.

Maggie: significa perla de gran valor, Apo. 21:21.

Magia: prácticas supersticiosas que perjudican o entretienen a la gente, Lev. 19:31; Dt. 18:9-14. Una bruja utiliza métodos paranormales, demoníacos u ocultos para manipular las fuerzas naturales y lanzar una maldición.

Magistrado: funcionarios civiles con autoridad legal, Esd. 7:25; Lc. 12:11; Hch. 16:20, 22, 35, 36, 38.

Magnate: encontrarse con un magnate, un poderoso ejecutivo de negocios, un prohombre o un barón en un sueño, indica que te acompañarás de «grandes hombres» que tienen posición social por nacimiento, riqueza u otras cualidades.

Magnetita (Lodestone): el Espíritu Santo te está atrayendo hacia Él para que puedas recibir su toque sanador en tu cuerpo en lo referente a los problemas circulatorios relacionados con los cólicos menstruales, el asma o los problemas respiratorios. La magnetita es el más magnético de todos los minerales naturales de la Tierra.

Magnolia: dignidad; belleza espléndida; nobleza; flores blancas, rosas, púrpuras o amarillas; Luisiana; Mississippi; el Sur; bendición de curación; prosperidad de una nueva vida.

Mago: hechicero, brujo o mago que es extremadamente hábil, erudito o inteligente en la magia negra, las obras ocultas del ocultismo y las artes de la hechicería; trata de agudizar sus habilidades de control y ejercer su poder de manipulación.

Mago: la capacidad de una persona para hacer lo imposible y alcanzar su potencial, alguien le está jugando una mala pasada, ilusiones, las cosas no son como parecen; sabios como en Daniel; hechiceros; amotinados; brujería; fraude; rebelión; desobediencia; obstinación; idolatría, Hch. 13:10.

Magos: nombre caldeo del sacerdote o de los sabios, Dn. 1:20; 2:24; 5:11; Mt. 2:1-14.

Maine: «Dirijo» o «Lidero»; debe ser Maine; tierra de vacaciones; estado de los pinos; piña blanca y borla; arándano silvestre; turmalina.

Maíz: aumento o multiplicación según la subida y bajada de los tallos; la Palabra de Dios, el alimento; Sal. 78:4. Si el maíz, el vino y el aceite se mezclan, representa la plenitud de las bendiciones de Dios.

Maizal: «oídos para oír la voz de Dios»; caminar entre mazorcas de maíz; «reservas»; la altura y el color indican un aumento (verde) o una disminución (marrón) de la prosperidad o de las ganancias; gran cosecha; energía; alimento; combustible; etanol.

Majuelo o espino blanco: ver esta planta en flor predice que hay espinas que soportar en situaciones difíciles pero que traerán inocencia y pureza, alegría y felicidad junto con riqueza; mayo.

Mal aliento: El mal aliento es ofensivo y repele a los que están cerca de ti. A menudo somos los últimos en saber que nuestro aliento apesta. Soñar con mal aliento indica que debes elegir tus palabras con cuidado, pensar dos veces antes de hablar. Pide sabiduría y gracia.

Mal tipo o malhechor: Ver en su sueño a una persona o personaje cruelmente malintencionado que se dedica al mal, a la maldad o al crimen, que es un verdadero canalla, indica que tal vez necesites hacer una revisión de tus acciones actuales o de tu carácter.

¿Cómo trata a los que le rodean? Alternativamente, considere esto como un sueño de advertencia de que hay alguien que está tramando el mal, por lo que debes estar alerta.

Mala conducta: ver a los demás o actuar de forma poco decorosa; no actuar conforme las normas o leyes vigentes; exhibir comportamientos impropios como la adulteración o ser deshonesto; mala gestión por parte de las personas encargadas.

Malabarismo: multiplicidad de talentos, capaz de desarrollar varias cosas a la vez, tienes demasiadas cosas en marcha al mismo tiempo como para lograr algo con excelencia; necesidad de priorizar; gastar demasiadas energías sin ningún beneficio; correr en círculos, la repetición lleva al aburrimiento, Lev. 17:11.

Malabarista: advertencia de un exceso de compromiso; tus manos están en demasiadas cosas a la vez; las decisiones están en el aire; ora por sabiduría, alineación y orientación adecuada. Cuidado con un embaucador, un impostor que se mueve en el engaño.

Malamute de Alaska (perro ártico): El Malamute de Alaska es un perro ártico grande, fuerte y de huesos pesados, con un pelaje doblemente grueso y áspero, y una cola con pelaje bien afilado y sostenido sobre el lomo. La raza está construida para la resistencia y la fuerza asombrosa, no por su velocidad sino por su fortaleza. El potente pecho es aproximadamente la mitad de profundo que la altura de los hombros. Los pies son peludos y tienen almohadillas resistentes. La cabeza es ancha, con orejas rectas y ojos marrones, triangulares y muy abiertos (los ojos nunca deben ser azules). El Malamute de Alaska tiene un pelaje doble compuesto por un pelaje exterior grueso y un subpelo denso, lanoso y aceitoso. Los colores son blanco, blanco y negro, gris lobuno, sable lobo (capa interna roja con capa externa gris oscura), o rojo, a menudo con reflejos más oscuros y a veces con una máscara o capa oscura. Los perros ayudaban a cazar grandes animales y eran el único medio de transporte para los esquimales que tiraban de trineos ligeros. Llevaban pesadas cargas de suministros. Los perros eran muy valorados, pero nunca se les mimaba. El malamute participó en la expedición de Almirante Byrd al Polo Sur en 1933.

Malamute: poderoso perro de trineo de Alaska; fuerte comparación; jugador de equipo; le encanta correr la carrera.

Malaquías: significa mensajero confiable de Dios, Pr. 25:13.

Malaquita: ver en un sueño esta «piedra verde malva», significa que llegará un nuevo espíritu de audacia y aventura que permitirá que tu imaginación te lleve a otros niveles de la creatividad. Al equilibrar tus relaciones, darás a luz una mayor visión que se traducirá en una multiplicación financiera a través de nuevos socios y empresas. A medida que el Espíritu del Señor repose sobre ti, tu belleza se verá manifestada en formas físicas o tangibles.

Maldad: ver algo moralmente incorrecto, malo, ominoso, malvado, desgraciado o dañino que causa sufrimiento y destrucción es una advertencia para que evites tú mismo esos comportamientos o las interacciones con quienes actúan de esas maneras maliciosas. Gén. 2:9, 17; Gén. 3:5-22; Las intenciones del corazón del hombre son malas desde su juventud. Gén. 8:21. No sigas a las masas haciendo el mal Éx. 23:2; entrena tus sentidos espirituales para discernir el bien y el mal, Heb. 5:14.

Maldición: aprende a controlar tu ira, perdona rápidamente y no guardes rencor. Un llamamiento o conjuro que invoca la calamidad, el daño o el mal para que caiga sobre alguien o algo, el azote, un juramento profano, la menstruación. *«Como el gorrión en su vagar, y como la golondrina en su vuelo, Así la maldición nunca vendrá sin causa»,* Pr. 26:2. Un hechizo o conjuro destinado a dañar. La expulsión bíblica de Adán y Eva del Jardín del Edén fue una maldición que se produjo como consecuencia del pecado del hombre. Las palabras de maldición o blasfemias se pronuncian debido a la falta de educación o de capacidad para expresarse. «La maldición» es un eufemismo para referirse al ciclo menstrual de una mujer.

Malecón: juego de palabras: «asomarse» o mirar hacia adelante; el igual de uno; una plataforma que proporciona acceso; mirar hacia el futuro a través de la visión o el sueño; el favor, la distinción y el honor vienen a través de la lucha valiente contra los obstáculos y la derrota del miedo.

Maleta: ver una maleta en un sueño indica que usted es una persona fría, calmada y tranquila, una persona unida que mantiene sus sentimientos, pensamientos y comportamiento bajo control. Usted es una persona planificada que está preparada para actuar a tiempo y fuera de tiempo. Una maleta puede simbolizar una escapada de vacaciones muy necesaria o un cambio de escenario en su vida. También puede representar que llevas una gran cantidad de equipaje. El viaje es una proximidad; el alejamiento de una situación; el transporte de lo esencial o la necesidad de «deshacerse de un exceso de equipaje», Mt. 11:28; Lc. 10:4.

Maletín: significa llevar planes, contratos, acuerdos; nivel de preparación para el trabajo o habilidad en la batalla; situaciones o circunstancias de la vida; elaborar el estado de los asuntos sobre la marcha. Alguien que se dedica a los negocios, un profesor, un abogado u otro profesional, una llamada a trabajar

en algo específico o a la esfera de los negocios. El caso presentado contra ti será breve. Busca la sabiduría del Espíritu Santo. Lc. 12,11-12; 1 Cor. 1:8, Mt. 25:14-18.

Malicia: tener el deseo de dañar a otros o de hacerles sufrir en un sueño indica que todavía estás luchando con la amargura y la falta de perdón hacia aquellos que te han herido o decepcionado en el pasado.

Malta: beber una malta en un sueño indica un mar de grandes riquezas y producción de riqueza.

Malva: el color pastel malva aporta una sensación de paz; elimina cualquier pensamiento y energía pesimista y asume un enfoque y un estado de ánimo positivo, esperanzador y optimista.

Malvavisco: representa a alguien que es un lirio blanco y un dulce blandengue, pero que es tímido y medroso con muy poca confianza en sí mismo. Aprende a ser más asertivo y a defenderte. Soñar que estás asando malvaviscos indica que estar bajo el fuego es algo que te motiva, por lo que estás experimentando un crecimiento.

Malversación: violar la confianza de alguien, tomar dinero de forma fraudulenta o utilizarlo para tus propios fines. Hay algunos problemas ocultos complejos que requerirán sabiduría y ayuda profesional para desbloquearlos.

Mamá: ver a tu madre en sueños representa el aspecto maternal de tu propio carácter, tu instinto maternal natural; tu madre espiritual; la Jerusalén celestial, Israel o el Espíritu Santo, o la iglesia. Las madres ofrecen cobijo, confort, vida, guía y protección. Algunas madres son controladoras, por lo que es posible que busques liberarte de su influencia para desarrollar tu propia individualidad o adultez. Entablar una conversación con tu madre predice la búsqueda de sabiduría o consejo sobre un asunto no resuelto y que te preocupa cupa tu vida. Si tu madre te llama en un sueño es una llamada de atención, el deber te llama, haz una corrección de rumbo, presta atención a las circunstancias y situaciones que te preocupan. Si te dicen que su madre ha fallecido estás lidiando con sentimientos de abuso o abandono.

Mamografía: someterse a una mamografía en un sueño puede indicar la necesidad de ser más apasionado, afectuoso o tierno con los demás. Si tiene una mamografía en una visión, puede ser una advertencia literal de que es necesario realizar una revisión de los senos para descartar cualquier bulto sospechoso o enfermedad.

Mamut: viejo, generacional, insuperable, grandes obstáculos serán enfrentados y superados por ti.

Maná oculto: si el maná está oculto en un sueño representa la Palabra espiritual de Dios que viene a ti en un misterio. Si interpretas el sueño o resuelves el misterio correctamente podrás participar del maná escondido. El amor es la clave, Jn. 6:35; Apo. 2:17.

Maná: ¿Qué es esto? alimento milagroso que Dios dio a Israel; revelación celestial; Jesús es el pan de vida. Éx. 16:35; Dt. 29:5-6. Tener alimento suministrado divinamente: riquezas no esperadas, buenas ganancias y prosperidad.

Manada: grupo de animales domésticos o salvajes de una misma clase que permanecen juntos en un grupo. Considera qué tipo de animales ves y luego discierne sus hábitos característicos para conocer el significado de este sueño. *«Los demonios salieron del hombre y entraron en los cerdos; y la piara se precipitó por la orilla del lago y se ahogó»*, Lc. 8:33.

Manasés: significa hacer olvidar, restaurar, Sal. 103:12.

Mancha: un área de pecado. Mácula o iniquidad, un mal hábito, la esposa de Cristo debe ser sin mancha o arruga o cualquier cosa por el estilo. Recuerda que nadie es perfecto. Todos estamos manchados con imperfecciones, somos defectuosos y estamos manchados de alguna manera; algo está molestando o afectando negativamente tu estado de ánimo y actitud. Jb. 11:15; Cnt. 4:5; 2 Pe. 3:14; 2:13; Jd. 12; 1 Pe. 1:19; Lev. 13:1-39; Nm. 19:2; 28:3.

Mancha: Ver una mancha indica un pecado, un fracaso moral, una estigmatización o una desgracia social que podría borrar, anular o eliminar su poder de influencia de forma permanente. Éx. 32:33; Dt. 9:14; Sal. 51:1,9.

Manchas de sangre: manchas de sangre: representan enemigos hostiles que buscan tu destrucción a través de comentarios hirientes, trata de evitar la controversia.

Manchas: deformidades, imperfecciones que hacen que una persona o un animal no sean aptos para el sacerdocio o el sacrificio. Lev. 21:18-20; 22:20-24.

Mandamientos: adhiérete a los Diez Mandamientos; escríbelos en las tablas de tu corazón; protégete contra el engaño, el error y el legalismo; el mayor mandamiento es amar a Dios y al prójimo.

Mandar: dar órdenes indica capacidad de liderazgo, habilidad de expresarse con seguridad y de producir los resultados deseados, además de expresar abiertamente las ideas. Soñar con este rasgo indica que no tienes temor de hacer notar tu presencia ni tomar el control o asumir un papel activo en cualquier situación. También es una señal de que tienes la habilidad de ayudar a cambiar los comportamientos inadecuados de los demás. Si sueñas que alguien te manda a ti, entonces estás en un papel humilde o servil. Considera cuáles serían las acciones adecuadas para

cada papel de mando. Uno siempre debe estar frente al de su vida y su comportamiento.

Mandíbula deformada: tenga cuidado con sus negocios y vida personal; alguien no le dice la verdad, sino que distorsiona los hechos para su propio beneficio.

Mandíbula, animal: estar en las fauces de una bestia, animal o monstruo: un enemigo intentará devorarle, atraparle o aniquilarle con sus odiosos chismes, mentiras y palabras destructivas; mandíbula cerrada: hablar en demasía le llevará a graves problemas, Sal. 141:9.

Mandíbula: advierte que se avecinan problemas por tu forma de hablar demasiado liberal; es hora de mantener la boca cerrada, dejar de chismorrear, no más calumnias e insultos descarados.

Mandíbula: representa una oportunidad abierta o cerrada a través de las palabras. También puede ser una advertencia de: discusiones inminentes, ominosas, insolentes, desacuerdos, mordeduras o conversaciones maliciosas, charlas o chismes excesivos o abusivos que dañan la reputación. Sea proactivo en las resoluciones. También puede representar que se muerde demasiado para masticar, que se reflexiona sobre algo, que se habla con los amigos, que se mata a los enemigos, Jue. 15:15-17.

Mandril: Hacer el ridículo; hacer tonterías; boato.

Manejar: tocar, levantar o sujetar en una relación; manipular; tratar o tener la responsabilidad de algo; gestionar; administrar; enfrentarse o hacer frente a una situación difícil.

Manera: observar las malas acciones de los demás o sus propios malos modales indica que tus malas elecciones te están impidiendo prosperar; arrepiéntete y compórtate de manera piadosa.

Manga ajustada: entrar en una relación precisa y placentera.

Manga ancha: tu temperamento estallará.

Manga bordada: fama, honor y respeto.

Manga corta: decepción debida a una infracción moral.

Manga de hombre: fuerza y vigor añadidos para un viaje.

Manga desgarro: los celos y la competencia causarán problemas en el trabajo.

Manga Julieta: Ver una manga tipo Julieta puede sugerir el final trágico de una relación amorosa o un nuevo romance en la vida.

Manga poeta: una manga de poeta puede presagiar que se escucharán palabras de belleza, con un toque dramático.

Manga: tienes algo en la manga que está oculto pero listo para ser utilizado; manga corta: te quedarás corto en un objetivo, vergüenza; te encuentras con un conocido casual; manga larga: honor y prestigio.

Mangas: ver mangas largas y sueltas que cuelgan indica que la persona tiene algo que ocultar, «algo tiene en la manga», «llevar el corazón en la manga», «reírse en la manga».

Mango: fecundidad; productividad; deseos sexuales y lujuria; juego de palabras: «mango» (hombre vete), dejar de lado una relación masculina perjudicial.

Manguera de agua: es un medio que canaliza el agua hacia un nuevo lugar para traer refresco, crecimiento, limpieza o revitalización y curación. El agua representa la Palabra de Dios que sacia nuestra sed. Considera también el juego de palabras «ser regado con una manguera» si alguien te sorprende apuntándote con el extremo de la manguera.

Manguera de jardín: utilizada para regar los frutos del Espíritu; enseñanzas sanas para aumentar la cosecha; refrescante.

Manguera: usado para regar los frutos del Espíritu; enseñanza sólida para aumentar la cosecha; traer refresco a muchos.

Manguito: dificultad para entablar nuevas relaciones.

Mani quebrado: se carece de la fuerza necesaria para superar la adversidad.

Manicura: alisar y pulir; la ministración de 5 pliegues; juego de palabras para la cura de no tener un hombre: man-i-cure. Si te haces la manicura: tendrás una vida feliz y saludable.

Maniquí: puede que te hayas enfriado, vuelto artificial o rígido a lo que Dios te ha llamado hacer. *«Y no os conforméis a este mundo, sino transformaos por medio de la renovación de vuestra mente, para que comprobéis cuál es la buena voluntad de Dios, agradable y perfecta»,* Rom. 12:2.

Maniquíes: un hombre de baja estatura puede estar recibiendo el extremo más corto del palo. Soñar con un modelo anatómico del cuerpo humano utilizado para enseñar sobre la anatomía puede servir para señalar áreas de preocupación física o mental.

Manitas: soñar que se es manitas indica que se quiere ser conveniente, útil o estar dispuesto a echar una mano a los demás. También es un término sexual de la jerga popular.

Mano derecha: poder y fuerza, Éx. 15:6; Sal. 77:10; juraba por la mano derecha, Is. 62:8; amistad, Gál. 2:9; estar sentado a la mano derecha era una posición superior de honor y autoridad, 1 Re. 2:19, Hch. 7:55.

Mano hinchada: rebosante de unción; gran riqueza y prosperidad.

Mano, acariciar: amor, afecto, ternura, cuidado.

Mano, agitando: despedida o partida.

Mano atada: estar atado a tu palabra o acuerdo,

impedimento o limitación que se impone, se necesitan cambios para evitar dificultades; Mano, si una de tus manos está atada a tu espalda puede ser una declaración de gran habilidad o experiencia ya que estás tratando de ponerte en desventaja para traer un campo de juego parejo para que otros compitan. Si ambas manos están atadas a la espalda, alguien está tratando de atar, capturar, torturar, controlar o eliminar su influencia.

Mano bajo los muslos: hacer un juramento o promesa de fe.

Mano, beso: conocerás a un admirador o a un nuevo amigo; buena fortuna.

Mano cortada: te traicionará un amigo de confianza que corta tu relación.

Mano derecha: placeres, felicidad y alegría, gran victoria, una larga vida, Sal. 20:6, justicia, habilidad, fuerza para someter el poder para vencer a los enemigos, compañerismo, la marca de la bestia, el abrazo de un amante, bendición, larga vida, Pr. 3:16. Fe liberada para moverse en o desarrollar sus dones y habilidades dadas por Dios; la promesa de: lealtad, fuerza, adoración, amor y honor leal, y compañerismo; resistencia valerosa.

Mano ensangrentada: peleas, rencillas; lavado: rectificar una injusticia, escuchar el caso de alguien, librarse de cualquier asociación.

Mano estrechando: llegar a un acuerdo, un compromiso o contrato, dar la palabra, saludar a un nuevo amigo, una presentación que trae una expectativa de bien.

Mano flácida: carácter débil, falta de fuerza o influencia, fácilmente influenciable, Jer. 50: 43.

Mano grande: tiene una gran capacidad y grandes habilidades para manejar múltiples cosas a la vez. Las manos de Dios sostienen todo el universo.

Mano hábil u ocupada: prosperidad, disciplina, éxito.

Mano izquierda: riquezas, sabiduría y honor, Pr. 3:16; el abrazo de un amante, no satisfecho, dar a los pobres, una irritación o dificultades menores; juicio; dones espirituales, talentos o habilidades ungidas que heredaste al nacer pero que no han sido activadas y cuyo uso no ha sido maduradas todavía.

Mano, lavando: te estás apartando de una situación negativa, Mt. 27:24. Preparación para el servicio sagrado.

Mano levantada: hacer un juramento a Dios; alabar, trabajar; rendirse o abandonar, Gén. 14:22; Apo. 10:5.

Mano limpia: hermosa, limpia, arreglada: éxito y satisfacción en la vida.

Mano peluda: fuerza masculina apoyo o relaciones, éxito. Gén. 27:16, Esaú: hombre velludo que renunció a su primogenitura por un plato de comida.

Mano pequeña: te estás limitando y no estás a la

altura de tu potencial. Necesita madurar en la forma de manejar tus asuntos personales.

Mano rota: vendada o rota: retraso momentáneo, robo, revisa tus cuentas alguien está robando.

Mano sucia o desagradable: protégete de las acciones erróneas en los negocios; deja de hacer tratos por debajo de la mesa y limpia tus asuntos personales.

Mano: relación, amistad, autoexpresión, apoyo, una mano representa la posesión, nuestros apegos de las personas, de nuestros hijos y de las situaciones, el apego de la vida, de las oportunidades, las manos que ayudan, el servidor, la amabilidad, una extensión de nuestro poder de dar. Un símbolo de habilidad, poder y muchas acciones, 2 Sam. 24:5; Gén. 14:15; Jb. 23:9; Jn. 10:28; Sal. 16:8; 17:7; 90:7; 109:31; 110:5; Jb. 9:30;

Manómetro: mide o discierne la presión del fluido o del aceite de la unción y los dones de poder explosivos que están presentes.

Manos en la masa: ver que tú u otros son sorprendidos en el acto de hacer algo malo o de robar un objeto es una fuerte advertencia para arrepentirse y cambiar sus caminos.

Manos aplaudiendo: aplauso; alabanza; gozo y adoración, exaltación, aclamación; guerra.

Manos cubriendo el rostro: desesperación; pena; culpa; vergüenza; responsable de un error; alegría; risa.

Manos estrechadas: relación de pacto; acuerdo; contrato; amistad; presentación.

Manos extendidas: desamparo; entrega; necesidad; amistad; oferta de apoyo y ayuda.

Manos golpeando: ofensa; lucha; inseguridad o enojo; contienda.

Manos, lavar: limpieza, inocencia; lavarse las manos de un asunto, Mt. 27:24.

Manos levantadas: adoración; reverencia; entrega.

Manos, puño: ira; lucha, conflicto entre dos o más, chatarra.

Manos sosteniendo: caminar de acuerdo con un amigo o amante; guiar o alimentar a un niño. Mc. 9:27.

Manos temblorosas: miedo terrible; debilidad; temor y reverencia ante la presencia de Dios.

Manos: relación; acuerdo; vínculo; hechos; fuerza; conexión poderosa; acción; trabajo, tanto natural como espiritual; posesión; ocupación; servicio; idolatría; guerra espiritual; mano de Dios: súplica; oración; escudo; valoración; corregir; castigar; provisión; destinado. Si las palmas de las manos se vuelven rojas, calientes y cubiertas de aceite significa unción sanadora o dones de milagros; un intercesor con autoridad. La luz índigo de la unción de Dios trae la sanidad a los dedos o a la palma de la mano. Si la base o la palma de la mano está caliente: indica dones de ayuda o ministerio de apoyo, Hab. 3:4 *«Y el resplandor fue como la luz; Rayos brillantes salían de su mano, Y allí estaba escondido su poder».*

Mansión: demuestra la influencia de una persona, sus grandes perspectivas de expansión o desarrollo; su actual estado de éxito o sus prósperas relaciones. Sal. 49:14-15. Uno mismo cuando empieza a darse cuenta de su potencial y de sus recursos no explotados; dimensiones; emociones; dones, talentos y habilidades; una venida en aumento; majestuoso. Vivir en una mansión: indica riqueza y prosperidad.

Manso: ser humilde y sereno de espíritu, una gracia del cristiano; sumisión a la voluntad divina de Dios.

Manta o sábana: comodidad, calor, cobertura; reprimir a alguien o ser «un aguafiestas», aplicar uniformidad de criterio a una situación. Gén. 9:23.

Manta raya: se encuentran en aguas templadas y tropicales y migran por los océanos abiertos solas o en grupos. Se alimentan por filtración y comen grandes cantidades de zooplancton, tragando con la boca abierta mientras nadan. Su gestación dura más de un año, lo que los ha llevado a estar en la lista de especies en peligro de extinción. Producen crías vivas. Visitan las estaciones de limpieza para librarse de los parásitos. También hacen una pausa por razones desconocidas. Ver una manta raya en un sueño representa una llamada a encontrar una profunda paz interior y libertad emocional. Una manta raya puede moverse lentamente, lo que puede ser engañoso, ya que puede moverse rápidamente para devorar a su presa. Viven en el fondo del océano, aisladas, y se alimentan de plancton, pequeños animales y varios tipos de peces. Tu sueño puede estar llamándote a la evangelización para que seas un pescador de hombres. Jesús dijo: *«Venid en pos de mí, y haré que seáis pescadores de hombres»,* Mc. 1:17.

Manteca de cerdo: grasa que se utiliza comúnmente como manteca o grasa de cocina o como pasta para untar similar a la mantequilla. Ver, comer o usar esta sustancia insalubre en tus sueños indica que puedes tener algunos problemas de salud, circulatorios o un problema creciente con tu peso.

Mantecadas: ver mantecadas en un sueño anima al soñador a no doblegarse ni desmoronarse bajo presión. La mantecada es un tipo de galleta que tradicionalmente se elabora con una parte de azúcar blanco, dos partes de mantequilla, un alto contenido en grasa y tres partes de harina (en peso). Su textura desmenuzable es capaz de mantener su forma bajo presión.

Mantel sucio: significa incumplimiento y argumentos.

Mantel: si se ve un elegante mantel planchado y colocado con habilidad sobre la mesa, habla de buena planificación, de cultura, de ponerse en plan Ritz para una reunión de amigos, familiares o socios comerciales.

Mantener: soñar que algo existe o continúa en un estado adecuado sin cambiar para mantenerlo en buen estado haciendo reparaciones, corrigiendo problemas para mantener unas relaciones sanas, un estado espiritual y físico de bienestar en tu vida y en la de los demás. Cuenta tus bendiciones y sé un buen administrador de las cosas que Dios te ha dado.

Mantenimiento: es el acto de mantener o proveer lo que se requiere para mantener el cuerpo, el alma y el espíritu de uno, el vehículo y la relación con los amigos, la familia y Jesús en buen estado de funcionamiento. Debemos mantener lo que se nos ha dado hasta que sea el momento de avanzar y tomar más territorio, Gén. 48:5; 2 Sam. 6:21; Sal. 105:21.

Mantequilla de maní: alguien te ha creído y te ha dejado sintiéndote pequeño e insignificante, mentalidad infantil; actuar como un loco.

Mantequilla: manipulación; «derretido como mantequilla en papa caliente»; palabras suaves; Is. 7:15 rechaza el mal y elige bien.

Mantis orante: continuamente en una postura de oración; la antigua palabra griega mantis significa profeta; toda la creación alabará el nombre de Jesús si nos quedamos quietos; orar sin cesar; una relación viciosa, destructiva y cáustica; «aprovecharse» de la debilidad o la compasión de los demás; tú u otros se comportan de forma cunada; un hipócrita espiritual. Tener una apariencia de santidad mientras el espíritu religioso devora a los que ofrecen confianza y amor.

Manto: augura estar cubierto o protegido de personas dañinas o fuerzas negativas. Tocar los flecos del manto de Jesús representaba estar conectado a su poder sanador. Jn. 15:22; 1 Ts. 2:5; 1 Pe. 2:16; Zc. 3:4; Mt. 5:40. Ver un manto, cobertura o mortaja representa los dones espirituales, unción y autoridad en un área específica de experiencia y poder; 1 Re. 19: 13,19; 1 Sam. 15:27; Jue. 4:18; 2 Re. 2:8; 13,14; vestimenta principal del profeta Elías; llevar una vestimenta tipo manto en un sueño puede sugerir una alta vocación en los negocios, en algún tipo de ministerio o en el clero; presta atención al apellido. En geología, un manto se refiere a una capa del interior de la Tierra o de los planetas. Los gran daneses con colores de pelaje blanco y negro se denominan mantos.

Manuscrito: ver un libro, composición o documento escrito a mano o a máquina para su publicación indica un llamado a influir en los medios de comunicación y dejar un legado para la próxima generación con el conocimiento y la verdad que has recogido.

Manzana, flor o árbol: Promesa; la buena salud está floreciendo; prosperidad agradable; espíritu tranquilo; muestra de aprobación y aprecio; la tentación está llegando; Cnt. 2:3, amante; Cnt. 7:8, aliento; Cnt. 8:5, despertó, se activó; concordia perpetua; Arkansas; Michigan.

Manzana: Representa la fragancia, la belleza, la dulzura, Dt. 23:10; Jl 1:12; Cnt. 2:3; 7:8; buena salud; tranquilidad, favor, Sal. 17:8; el espíritu pacífico; el pecado de la tentación, Gén. 3:6; las palabras; el aprecio; las palabras de Dios en el soplo del Espíritu que trae la libertad; la compota de manzana: el sinsentido. Pr. 25:11 una palabra bien dicha.

Manzanas de cangrejo: ver o comer esta pequeña fruta ácida y comestible indica que tu mala o agria actitud está afectando negativamente a tus relaciones o a tus ganancias. Recuerda: «Si no tienes algo bonito que decir no digas nada».

Mañana: nuevo comienzo; reinicio; la luz de Dios después de una temporada oscura; regocijo; pecados que se revelan, Is. 58:8; Sal. 30:5; Jer. 21:12; Dn. 8:26; Apo. 2:27-28.

Mapa, dificultad para leer: tener dificultad para leer un mapa indica que estás en un período de confusión sobre la dirección correcta a tomar; tienes sentimientos de impotencia y de estar perdido; estás tratando de encontrarte a ti mismo, el sentido de la vida, tu propósito y destino.

Mapa, estudio: verse estudiando un mapa indica que se está tratando de discernir qué dirección tomar en la vida para alcanzar el destino más elevado.

Mapa, luz: indica que serás iluminado en tu camino actual; una lámpara te guiará paso a paso para cumplir y realizar los objetivos y deseos de tu corazón.

Mapa: si deseas descubrir tu verdadero yo, toma el camino menos transitado; haz un esfuerzo adicional por alguien; el camino más alto te llevará al éxito; ora para que te indiquen cómo llegar a tu destino; sigue el camino de la santidad; cada paso en la vida es un paso importante; ora sobre las ubicaciones geográficas; obtén la guía de las instrucciones del Espíritu Santo; observar un modelo; una imagen; un rostro; detalles; trabaja; organiza; un plano; un diseño específico para la vida, Ez. 5:2.

Mapache: travesura enmascarada; criatura nocturna que asalta la basura; bribón; ladrón; bandido engañoso.

Mapeo espiritual: una técnica de oración que permite a alguien aprender lo que ha tenido lugar en una determinada propiedad para que la tierra pueda ser limpiada o las maldiciones puedan ser rotas y eliminadas.

Mapeo, sueño: técnica de interpretación de los sueños en la que un intérprete maduro es capaz de diagramar una serie de sueños de un individuo en un momento dado para aconsejarle sobre lo que le dicen sus sueños, identificar sus dones y llamados espirituales y ayudar a la persona a obtener la sabiduría necesaria.

Maquillaje, aplicación: soñar que se está maquillando sugiere que usted está tratando de cubrir u ocultar un aspecto de sí mismo. Por otra parte, indica que estás dando tu mejor cara. Usted está intentando mejorar su imagen y aumentar su sensación de auto confianza.

Maquillaje, espejo: ver un espejo de maquillaje en un sueño sugiere que necesitas magnificar o llamar la atención sobre su aspecto o apariencia a los ojos de los demás. Si usted perdona a los demás, ellos también le «maquillarán» las ofensas o te perdonarán.

Maquillaje: el sueño también puede ser una metáfora de que necesita «reconciliarse» con alguien. Es hora de perdonar y olvidar. *«Porque, si perdonan a otros sus ofensas, también los perdonará a ustedes su Padre celestial»*, Mt. 6:14. Es posible que desees un cambio o mejorar la forma en que la gente te ve. Mírate a ti mismo como te ve Dios. El deseo del hombre de ocultar o cambiar su identidad conforme a las normas establecidas por la sociedad.

Máquina de coser: su aspecto creativo está diseñando un nuevo patrón para tu vida; nuevo descubrimiento; nueva cobertura y relaciones; se está desarrollando un nuevo manto; austeridad con las finanzas. A menudo, una costurera profesional que se gana la vida con la costura tiene dificultades para ganar suficiente dinero para cubrir el tiempo dedicado a cortar, ajustar y coser una determinada prenda a medida. Sea frugal, ahorre dinero para un día lluvioso; economice para ayudarse en los momentos difíciles.

Máquina de escribir: un llamado a la escritura; necesitas articular tus ideas, anotar tus sueños en *www.decodeMydream.com*; no permitas que otros te encasillen y tampoco encasilles a otros. Utilizar un método de comunicación o de hacer algo viejo y anticuado.

Máquina de polígrafo: poner a prueba la Palabra de Dios; la Palabra de Dios es la verdad y nunca falla; que tu sí sea sí y tu no sea no; sé una persona de palabra; di siempre la verdad aunque pueda perjudicarte; hay que valorar a una persona de carácter e integridad. Un mentiroso nunca prosperará.

Máquina de vapor: estás canalizando tu ira en energía constructiva y laboriosa.

Máquina tragamonedas: es esperar que haya buena suerte en lugar de ejercer la fe; dejar de jugar con el dinero, las habilidades, las emociones y las finan-

zas; colocar tus afectos o tu favor donde tus posibilidades de obtener un buen rendimiento son muy pequeñas; juego de azar; tomar decisiones más sabias en la vida; botar el dinero bien habido. Verse a sí mismo o a otros jugando a una máquina tragamonedas significa que están jugando con el favor que se les ha hecho. Si usted juega en la vida es muy probable que pierda lo que se le ha dado y todo lo que ha ganado. Este es un sueño de advertencia. Es como la ruleta rusa, tarde o temprano te van a disparar en la cabeza.

Máquina voladora: progreso constante y satisfactorio en los esfuerzos futuros de uno; ser capaz de superar los obstáculos con facilidad.

Máquina, comprando: tu vida es laboralmente intensa, te espera mucho trabajo duro.

Máquina, reparando: eres un trabajador hábil con muchos talentos y habilidades.

Máquina, vendiendo: obtendrás un gran beneficio.

Máquina: generar o producir obras espirituales poderosas para el Reino. Vive una vida muy ajustada, rica y en forma. Aburrimiento de la rutina carnal; vivir en modo de mantenimiento.

Mar de cristal: ver el hermoso mar azul y liso de cristal representa la tranquilidad y la presencia de Dios, Apo. 4:6; 15:2.

Mar Mediterráneo: indica una llamada para ir a ministrar o hacer negocios, «al interior» o «en medio de la tierra» de los países que están conectados con el Océano Atlántico, rodeados por las regiones mediterráneas, al norte por el sur de Europa y Anatolia, y al sur por el norte de África, y al este por el Levante.

Mar Rojo: los israelitas escaparon de la esclavitud y la destrucción del ejército egipcio a través del Mar Rojo, «el mar» en Éx. 13:18; 14:2,9, 21-22; el «mar egipcio» Is. 11:15; separación del mundo; división; bautismo en agua, 1 Cor. 10:1-2.

Mar: humanidad inquieta; dominio sobre Ge 1:26; turbulencia creciente; espacioso; vasto mar de controversia; viaje; misiones; problemas; barrido abrumador; en el mar: complejidad; en una pérdida; el poder milagroso de Dios al dividir el mar, Éx. 14: 21-29; echar en el «mar del olvido»; enterrar a tus enemigos; fronteras; reprimenda del Señor 2 Sam. 22:16; baño del palacio de Salomón, 1 Re. 7:25; malvado: mar agitado, Is. 57:20; islas, puertas, hombres; echado al mar por hacer pecar a un creyente, Mt. 8:6; mar de cristal, Apo. 4:6; lugar de retención para los muertos, Apo. 20:13. El «mar» de la humanidad; las masas; un cuerpo de creyentes parcialmente separado; hinchazón; tiempo agitado o turbulento; confusión; perplejidad.

Maratón: la gran fuerza física y la resistencia te permiten superar obstáculos difíciles, sobrevolar el barro y los emocionantes 5K con gran facilidad y pericia.

Maratón: prueba de carrera de larga distancia con una distancia oficial de 26 millas y 385 yardas (42 km y 195 metros), representa el evangelio de Cristo, se suele correr como una carrera en carretera. La forma en que te acercas, te entrenas y luego corres en un maratón representa tu resistencia y fuerza de voluntad, y cómo te sientes al ejecutar o correr en el camino de la vida.

Maratonista: convertirse en un hombre o mujer maratonista; correr la carrera de la vida con excelencia; desarrollar resistencia, paciencia, grandes habilidades y experiencia en muchas áreas de la vida estableciendo y manteniendo un alto nivel; exhibir fuerza determinación y voluntad de superación.

Maravilla: estar maravillado en tu sueño presagia una visitación en la que se produce el maravilloso asombro de Dios. Usted admira y se asombra de su grandeza y sus emociones se despiertan.

Marca de la Bestia: recibir la marca de la bestia de Satanás es el pecado imperdonable, Apo. 14:9-11; Apo. 13:15-18.

Marca: algo que distingue; símbolo; apartar; la marca de Dios o del mal. Nombre de hombre que significa marcial, o siervo de Dios, Jn. 4:24; Gén. 4:15; Ez. 9:4-6; Rom. 16:17; Rom. 16:17.

Marcas de nacimiento: soñar que tiene una marca de nacimiento indica que algunas decisiones o pecados con algunas consecuencias permanentes que nunca podrán ser eliminadas, incluso después de arrepentirse.

Marcas o rayas: las marcas que Jesús llevó en su cuerpo para salvarnos también compraron nuestra sanidad de la enfermedad, la dolencia y la iniquidad. Si muestras maarcas en tu cuerpo indica que llevas tu propia cruz. Las estrellas y las rayas de la bandera estadounidense indican una declaración audaz de audacia, libertad y libertad. Si las rayas son de diferentes colores, consulte la carta de colores del símbolo del sueño.

Marchar: capacidad de caminar en sintonía con otros, unidad Jue. 6:7; trabajo en equipo o conformidad, gran exposición pública, un ejército Jl. 2:7; marchar al ritmo de otro tambor indica individualización. Caminar de manera militar; ritmo constante; pasos medidos; proceder o avanzar; estar de pie de manera ordenada; atravesar; viaje largo; ritmo regulado; salir adelante por métodos secretos o empresa tranquila; mando limitado; frontera; ambiciones como servidor público; «guarda tu reputación».

Marchitez: ¿estabas diezmando? Hay una necesidad de resolver una situación financiera perjudicial. Puede que te sientas perdido, abrumado o que te estés ahogando en un mar de desesperanza; no estás recibiendo la bendición del Señor. ¿Cuáles son tus prioridades en la vida? Busca primero el reino de Dios y su justicia para que puedas volver a prosperar, Ez. 17:10; Pr. 11:10.

Marea alta: plenitud; punto específico en el tiempo; culminación; clímax; nivel más alto.

Marea: el flujo y reflujo de la opinión pública. Las olas del mar o las mareas cambiantes representan los movimientos de Dios que llegan a las costas del ser humano.

Mareado: espíritu de confusión; la estabilidad y el equilibrio están desincronizados; falta de equilibrio.

Mareado: soñar con una sensación de malestar, timidez, nerviosismo o dudas en el estómago o sufrir de náuseas puede indicar que has permitido que el temor te atemorice. Ate el espíritu del miedo, ore y pida a Dios su sabiduría, amor, poder y una mente sana y disciplinada, 2 Tm. 1:7.

Maremoto: gran mover del Espíritu Santo; una ola poderosa de la unción; ola de gloria; un desastre nacional, una inundación o un conflicto devastador, 2 Sam. 22:5.

Mareo: estar aturdido o mareado, volar o tambalearse de emoción en tu sueño significa que tu mar de dificultades o el giro negativo de los acontecimientos ha terminado finalmente y, por lo tanto, es hora de celebrar tu victoria.

Marfil: algo precioso obtenido por el gran sacrificio de otra persona; belleza y elegancia, lujo fastuoso, Am. 3:15; conocimientos espirituales que te elevarán y llevarán lejos. Se utiliza para fabricar las teclas musicales de un piano y otros instrumentos de teclado para emitir sonidos puros y sagrados para el Señor. Se mezclan con la pasión de las teclas negras adyacentes. Si tienes marfil indica que tienes una unción de escritor o un talento literario para la comunicación, Sal. 45:8; Cnt. 5:14; Ez. 27:15; Apo. 18:2; 1 Re. 10:18;

Margarita: pureza; inocencia; infantilidad; dulzura; amor leal; salud y prosperidad; algo excelente o notable; nunca lo diré; abril.

María: la madre de Jesús, Hch. 1:14; Mt. 1:16-25; murió en Jerusalén después del año 50 d.C. María es bendita entre las mujeres. María fue la madre de Juan, que también se llamaba Marcos, Hch. 12:12. María, amiga de Cristo, hermana de Lázaro, el hombre que resucitó después de cuatro días, Lc. 10:39. María Magdalena, Mt. 27:56, fue liberada de siete demonios por Cristo y le siguió, Lc. 8:2-3. El nombre de María significa Mar de la Amargura; Bendita, Lc. 1:28.

Marido, ex: ver a un ex marido podría representar la atadura a un recuerdo pasado o al mundo.

Marido muerto: si uno ha perdido a su marido, sigue un tiempo de dolor, si no has procesado bien la pérdida, la imagen de tu marido puede volver en tus sueños para ayudarte a superar la pérdida y el dolor.

Marihuana: si sueñas que fumas marihuana sugiere que estás tratando de adormecer algún dolor emocional o físico para escapar de la realidad. Si un compañero le tienta o le empuja a consumir drogas, significa que estás perdiendo el control de tu buen juicio; no permita que los demás te falten al respeto. No comprometas tu buena moral ni permitas que cambien tu identidad por la de un drogadicto. Son una influencia negativa o peligrosa en tu vida. Di NO a las drogas y al alcohol. No busques en las sustancias que alteran la mente tu alegría o tus influencias creativas en la vida. Estás buscando el consuelo en fuerzas alucinógenas. La indulgencia hacia este tipo de sustancia dañina bloqueará la sabiduría o el conocimiento para liberarte. Estás contaminando tu cuerpo, tu templo, *«¿No saben que sus cuerpos son miembros de Cristo mismo? ¿Tomaré acaso los miembros de Cristo para unirlos con una prostituta? ¡Jamás!»*, 1 Cor. 6:15.

Marina: necesidad de organización, disciplina y estructura en la vida; si es rescatado: ayuda de una persona de confianza. Ser liberado por la marina indica que tienes un corazón para servir a los demás y que será honrado por tus sacrificios.

Marinero: el que navega un barco (ministerio o negocio), un marinero, pescadores de hombres, un evangelista, haz las maletas para un viaje misionero o un viaje al extranjero.

Marinero: la capacidad de afrontar las tormentas y aventuras de la vida con habilidad y entusiasmo, insatisfacción con la vida actual, deseo de cambio o vacaciones muy necesarias; alguien que trabaja en un barco o viaja por el agua, un misionero o evangelista; los medios o estrategias de uno para afrontar las emociones de la vida; el deseo de cambiar, de moverse, de ver más de la vida; el deseo de aventura, libertad y exploración; dispuesto a profundizar en una relación o aventura personal enfrentándose a cuestiones emocionales o revelando el subconsciente de uno.

Marioneta: otros te controlan; otros te influyen fácilmente; defiéndete; hay gente que mueve los hilos entre bastidores, 2 Re. 22:22-23. Ver una marioneta en tu sueño sugiere que eres fácilmente controlado o persuadido por otros; debes aprender a estar solo defendiéndote. No permitas que otros dirijan tu vida o tomen decisiones por ti tirando de tus hilos. Aléjate de los que hacen valer sus deseos por encima de los tuyos y desean utilizarte para su propio beneficio, 1 Re. 22:22-23, No vaciles ni cedas a los desplantes y desvaríos de mocosos malcriados, personas abusivas o manipuladoras; aprende a mantenerte firme.

Estás siendo controlado y manipulado por alguien que mueve los hilos desde detrás de la escena para su propio beneficio, te sientes impotente para tomar tus propias decisiones; brujería o control mental, alcohol o drogas.

Mariposa monarca: la metamorfosis implica grandes cambios o transformaciones espirituales en muchas áreas distintas de la vida; se alimenta de palabras alentadoras y de cumplidos; acumula grandes reservas de recursos; avanza más allá de la leche de la palabra; supera los asuntos negativos o las malas hierbas; si otros intentan devorarla, les dejará un mal sabor de boca; la persistencia conduce a un rápido crecimiento como gobernante soberano, único y absoluto; supera a los demás en preeminencia y poder.

Mariposa: cambio; transformación en libertad; polinización cruzada; delicada; hermosa; gloria; potencial; gracia; belleza colorida; migra; tiene dos ojos que ven en los ámbitos natural y ultravioleta con la radiación generada por el calor y el frío; bebe néctar; se utiliza para la polinización cruzada de las flores y los frutos; utiliza un capullo como plataforma de lanzamiento; utiliza sus pies para probar; huele con sus antenas. 2 Cor. 5:17; Rom. 12:2.

Mariposas: libertad; felicidad y amor; gracia; la belleza colorida denota la impresión positiva que causas en otros; migra; metamorfosis; ciclo de cambio 2 Cor. 5: 17; una nueva criatura en Cristo; larga vida; alma humana; creatividad; dones; transformación de la espiritualidad en una nueva forma de pensar o comportarse, romance, alegría y espiritualidad; renovación o rejuvenecimiento; capacidad de volver a la vida después de las decepciones; resurrección; la fugacidad representa la necesidad de establecerse, personas frágiles; gloria temporal; noticias agradables que llegan.

Mariposón: pensamientos y recuerdos amorosos; miedoso y tímido, falta de valor; débil de carácter y naturaleza.

Mariquitas: las «mariquitas, mariquillas o chinitas», es una especie de escarabajo que simboliza la buena suerte. Significan felicidad, alegría y satisfacción en la vida. Este escarabajo busca activamente alejar o eliminar las amenazas y los acosos. Representan una protección beneficiosa para el hogar o el negocio. Por el contrario, este pequeño insecto puede indicar que una dama le está molestando o que está siendo una verdadera plaga. *Lady Bird (mariquita)* era el apodo de la esposa y primera dama del presidente Lyndon B. Johnson. Cuando te iluminan significa que el verdadero amor te encontrará.

Mariscal de campo: está acostumbrado a llevar la voz cantante o a elaborar el plan de juego; dirige a su equipo con el ejemplo; estratega; experto en su campo; da en el blanco; entrega la mercancía, Neh. 9:38.

Mariscos: las defensas de uno mismo se utilizan para evitar que una situación le afecte, guardar las emociones, estar tenso o reservado, cerrar la boca o permanecer callado.

Marisma: estar sobrecargado de trabajo o responsabilidades; sensación de estar atascado con demasiadas cosas que hacer, empantanado y estresado. Te han buscado demasiado para un ascenso, por lo que te sientes como si estuvieras en la arena que se hunde sin poder pisar, perdiendo terreno. Las emociones negativas te han restado confianza en ti mismo, limitando tu capacidad de decisión; careces de una base firme y eres incapaz de avanzar.

Mármol: discernimiento, sabiduría, comprensión y examen; pulir un mármol: los esfuerzos duraderos y la perseverancia darán sus frutos; grandeza; majestuosidad; riqueza; del Reino de Dios; celestial; mansión o salón de baile. 1 Cr. 29:2; Es 1:6; Apo. 18:12; Cnt. 5:15.

Marmota: enemigos astutos que te tienden una trampa. La marmota se conoce como «ratón de montaña». La palabra marmota proviene de un término que significa murmurar o balbucear. Suelen vivir en zonas montañosas, excavan en montones de rocas e hibernan durante el invierno. Son animales muy sociables que utilizan fuertes silbidos para comunicarse o alarmarse entre sí. Se alimentan de verduras, hierba, flores, bayas, líquenes, musgos y raíces. Es un roedor fornido y de pelaje grueso que se encuentra en los hemisferios septentrionales, con patas y orejas cortas y una cola tupida. Su cabeza y su cuerpo miden entre 12 y 24 pulgadas y la cola entre 5 y 10 pulgadas.

Marmota: la marmota, también conocida como chuck de madera, cerdo silbador o castor de tierra en algunas zonas, es un roedor de la familia Sciuridae, perteneciente al grupo de las grandes ardillas de tierra conocidas como marmotas. Cavan agujeros en el suelo conocidos como madrigueras donde viven. Pensemos en la película «El día de la marmota», en la que Bill Murray tenía una nueva oportunidad de hacer las cosas bien cada mañana cuando sonaba su despertador. Si la marmota ve su sombra, habrá más victorias. Si no lo hace, la temporada de invierno se acaba.

Marrón oscuro: el color marrón es un tono terroso, por lo que hay que estar atento a la manifestación de las reacciones naturales de la carne. Si el marrón oscuro se refiere a los muebles de madera, habla de una riqueza elegante, estabilidad, seguridad y durabilidad. El marrón oscuro lo llevaban los monjes, así que puede hablar de sacrificio humilde o de un amigo de Dios.

Marrón: compasión; pastor; humildad; arrepentimiento; nacido de nuevo; calma; profundidad; organismo natural; naturaleza; riqueza; óxido; tradición; oveja; sin espíritu; humanismo; falsa compasión; esfuerzo propio; muerte; cansado; seco; marchito.

Marsopa: juego de palabras para referirse al destino de alguien o a la «propósito» que entra en juego.

Marta cibelina: la marta es cazada por su apreciada piel de lujo, si estás centrado en obtener esta clase de piel estás viviendo por encima de tus posibilidades. Ver un animal vivo indica que un nuevo amigo está en el horizonte. Las martas viven en madrigueras cerca de las orillas de los ríos, defienden su territorio y son buenas trepadoras de acantilados y árboles. Se alimentan de un gran número de liebres, roedores y otros pequeños mamíferos.

Marte: es el cuarto planeta desde el Sol; el segundo más pequeño del Sistema Solar después de Mercurio; lleva el nombre del dios romano de la guerra «Planeta Rojo», planeta terrestre con volcanes, valles, desiertos y casquetes polares como la Tierra. Ver a Marte en un sueño indica que es el momento de liberar una nueva energía, estimular la actividad agresiva o tomar acciones que te ayuden a conquistar tus ambiciones; el fuego o la pasión en la vida de uno va a lograr el propósito o destino; una masculinidad intrépida es necesaria para participar en la guerra espiritual o para vencer la violenta oposición de alguien.

Martes: el tercer día de la semana en el calendario hebreo, representa las bendiciones dobles y el aumento, el poder de la resurrección, Gén. 1:9-13, Mt. 20:19.

Martillo neumático: herramienta eléctrica de mano para romper rocas y hormigón.

Martillo: palabras ardientes que rompen las rocas en pedazos; sujeta; rompe; destroza; «a martillazos»; «ser golpeado», destruye a los enemigos; fuerza poderosa para hacer valer un punto con seguridad, Jer. 23:29.

Martín pescador (pájaro): simboliza la serenidad, la compostura, la dignidad, la capacidad de superación.

Mártir: dar la vida; elegir morir antes que renunciar a tus creencias o principios espirituales; la semilla produce multiplicación; sufrimiento extremo, autosacrificio; morir por las creencias o las causas del Reino; advierte que tus acciones avarientas o egoísmo podrían aislarte de los amigos, de una actitud poco saludable, como por ejemplo, sentirse más santo que los demás o, incluso, sentir lástima por uno mismo, autocompasión; el síndrome del felpudo; la reticencia a cambiar de opinión ante la crítica o la condena, la disposición a sufrir justa o injustamente por los propios bienes; el sacrificio propio a causa de las convicciones; la atención a las necesidades de los demás mientras se descuidan las propias; la falta de amor propio; la incapacidad de perdonarse a sí mismo por el pasado, Hch. 22:20; Apo. 2:13; 17:6.

Maryland: «Hechos varoniles, palabras femeninas»; Estado de la Vieja Línea; Estado Libre; Estado Monumental; Estado de la tortuga de río; Estado de la Cacatúa; Susana de Ojos Negros; Piedra del Río Patuxent.

Marzo: Marzo/Abril Alfabeto Nissan: Hei. Tribu: Alabanza de Judá. Constelación: Aries celebra el paso del Cordero. Color: Rojo oscuro o azul cielo. Piedra: Granate o Topacio Azul. El tercer mes del año. Nissan es un mes para el arrepentimiento, la redención y el comienzo de los milagros. Las palabras crean, así que pon una guardia en tu boca. Expresa tu más profundo amor y afecto a Dios y a tus seres queridos este mes. Pon tu mejor pie adelante y dale a cada oportunidad tu mayor esfuerzo. Alaben a Dios por su excelente grandeza mientras su Rey va a la guerra en nuestro nombre. Entra como un león y sal como un cordero. Soñar con el mes de marzo significa decepciones. También anuncia la llegada de la primavera y, por tanto, indica nuevos comienzos. El sueño también puede ser una metáfora para «marchar», especialmente en los momentos difíciles.

Más lejos: viajar más lejos a un punto más alejado o remoto o cubrir una mayor distancia, extensión o grado indica que has superado cualquier miedo a lo desconocido. Te has esforzado por sobresalir o ir más allá, alcanzando tus metas u objetivos más elevados.

Más pequeño, tú mismo: si te ves a ti mismo como más pequeño que los demás, puede sentir que no se te tiene en cuenta para los ascensos, o que estás asumiendo un papel de sirviente, siendo humilde o careciendo de autoestima y con un complejo de mártir.

Más rápido: soñar que estás ganando rápidamente velocidad que te permitirá moverte, operar y funcionar con mayor eficacia, sugiere que estás en el camino correcto para expandirte, aumentar y multiplicarte.

Masa: amasar o extender la masa indica que cuidas tu cuerpo, mantienes tu carne bajo control y disciplina.

Masacre: soñar que ves un incidente específico que implica la matanza deliberada, brutal e indiscriminada de personas desarmadas, sugiere que usted es un seguidor en lugar de un líder que cuestionaría o incluso detendría las acciones desgraciadas de la gente.

Masaje: amasar (necesitar) o frotar el cuerpo para aportar confort, nutrición y curación.

Máscara de esquí: ¿Qué intentas ocultar o encubrir?

¿Quién intentas ser o esconder? Querer permanecer desapercibido; mantener la verdadera identidad en secreto; esconderse detrás de máscaras, imagen falsa.

Mascarada: Advierte sobre personas que enmascaran sus verdaderos sentimientos, así que use el discernimiento; tenga cuidado de la gente que presume de «falsa diversión». Representa la entrega a los placeres pecaminosos e insensatos lo que le llevará a descuidar sus negocios y sus deberes domésticos.

Mascarilla facial: una mascarilla facial es un procedimiento que implica una variedad de tratamientos para la piel, incluyendo: vapor, exfoliación, extracción, cremas, lociones, máscaras faciales, peelings y masajes. Normalmente se realiza en los salones de belleza y es un tratamiento de spa común. Soñar que recibes un tratamiento facial indica que Esther está siendo preparada para una posición de alto perfil e influencia que impactará a mucha gente.

Mascarita norteña (pájaro): es un pequeño pájaro del Nuevo Mundo que tiene el dorso pardo, la garganta amarilla y, en el macho, una máscara facial negra. Estás siendo engañada por un hombre; no tengas temor de hablar y defenderse.

Mascota: se te está haciendo un gran favor o estás favoreciendo a alguien por encima de otros, «mascota del maestro», puedes verte a ti mismo como mejor que los demás, permitiéndote grandes libertades que no les concedes a otros, siendo siempre cariñoso con los que están cerca de ti, puedes estar alimentando un mal hábito. Ver una mascota vieja puede señalar una temporada pasada en la que te sentías más vital, Pr. 10:2. Ver un símbolo de un equipo deportivo indica que tienes esperanzas de una temporada ganadora, tanto en el ámbito deportivo como en tus actividades personales.

Masilla: indica que eres flexible, enseñable y moldeable.

Masónico: relacionado con los masones o la francmasonería; se refiere a una sociedad secreta cuyos votos liberan enfermedades y maldiciones a través de tradiciones ceremoniales. Soñar que se es masón significa un ascenso en una organización secreta a través de la toma de votos y la realización de ciertas promesas lo que, a la postre, lo afectará negativamente, no sólo a usted, sino a su familia durante generaciones enteras.

Masoquismo: se trata de una condición anormal en la que la excitación sexual, la excitación o la satisfacción dependen de ser sometido a, o en el sometimiento de otros al dolor físico, emocional o al abuso; uno obtiene placer de las ofensas, la dominación, el control, la esclavitud, el maltrato o las tendencias destructivas hacia uno mismo o hacia los demás; significa que uno desea sentir las cosas a un nivel exagerado o sacrificado, o que se le inflige algún castigo por los pecados o errores del pasado.

Massachusetts: «Por la espada busca la paz bajo la libertad»; Haz lo tuyo; Estado de la bahía; Mayflower; arándano agrio; Babingtonita; piedra petoskey; Rodonita.

Mastectomía: extirpación quirúrgica de los senos; corte o eliminación del confort, los afectos, la maternidad, la propia sexualidad y la capacidad de crianza; cáncer o quiste (véase Senos).

Masticar chicle: inmadurez o comportamiento infantil; masticar algo sin valor físico o espiritual; no ser capaz de digerir la verdad. Apo. 10:9.

Masticar: meditar en la Palabra de Dios o rumiar un tema o problema; meditar algo mentalmente; cortar. Apo. 2:7, 14, 17; Pr. 9:17; Ez. 18:2.

Mástil: significa elevarse a un nuevo nivel de prominencia, ser notado, tener éxito, estar centrado o enfocado, captar el viento o el mover del Espíritu, ser firme o inmóvil.

Mastín: ver a este gran perro bocazas: representa a un amigo o conocido que habla a favor o en contra de uno.

Masturbación: excitación de los órganos sexuales por medio de una estimulación manual que no es una relación sexual; no reconocer o reprimir las necesidades o deseos sexuales, la frustración o los deseos sexuales reprimidos que no se satisfacen; la necesidad de esforzarse más en las relaciones íntimas; la ansiedad o las inhibiciones le impiden a uno la verdadera intimidad al no compartirse a sí mismo; ser egoísta, centrado en sí mismo o ensimismado, auto-abuso; es señal de que a tu vida le falta alguna satisfacción vital; motivarse o estimularse a sí mismo, Ef. 2:3.

Matadero: no comprometer el carácter, la integridad o los principios para obtener una ventaja; calumniar o chismorrear para arruinar la reputación.

Matador: prepárate para una confrontación peligrosa o un obstáculo que se dirige hacia ti, sé valiente y arrojado.

Matamoscas: ver o usar un matamoscas en un sueño indica que has discernido las mentiras de alguien y que estás en proceso de eliminar rápidamente su efecto.

Matanza: ver la matanza violenta de un gran número de personas (carnicería), sugiere estás rodeado de amigos falsos y egoístas; la destrucción brutal de animales (carnicería) indica que se avecina la destrucción o la catástrofe; de un cerdo: las personas impuras o sucias se verán relegadas cuando den malas noticias; de un caballo: ruina y pobreza.

Matar un tiburón: ver que matas a un tiburón indica que has eliminado con éxito a alguien que es un devorador de hombres, muy encubierto, oculto y que busca devorarte o eliminarte a toda costa.

Matar: abrumar con la risa como un asesino, o matar deliberadamente con gran violencia. Soñar que te matas a ti o a otra persona indica que estás tomando una medida drástica para terminar una relación o romper un mal hábito. Algún aspecto negativo o insalubre tuyo necesita morir o ser cortado. Tal vez te encuentres en un periodo de transición que te hace luchar por mantener tu identidad, o seguir pasando por un proceso de purificación curativa. Matar indica el hecho de la muerte causada por un organismo de cualquier manera. Por ejemplo, soñar que mueres en un accidente automovilístico o que una helada mató una planta, indica que estás a punto de perder todo el autocontrol porque no has tratado adecuadamente tu temperamento o ira reprimida hasta el punto que esta rabia contenida se ha transformado en un deseo de asesinar. ¿A quién quieres matar? ¿Cómo te han perjudicado? ¿Estás enfadado u odias algún aspecto de ti mismo? Entonces determina qué es lo que desprecias de ti mismo y adopta drásticamente los cambios necesarios. Morir o matar puede representar el deseo de deshacerse de alguna característica, atributo, mal hábito, situación laboral o persona que detestas. ¿Estás pensando en el suicidio o en autolesionarte? Lo más probable es que te sientas traicionado, desilusionado o traumatizado por un ser querido o por un amigo desleal en el que confiabas que te ha robado o mentido. Necesitas perdonarte a ti mismo y a los demás. *«Padre, perdónalos, porque no saben lo que hacen»*, Lc. 23:34. Intenta abrirte, hablar, escribir y abrir algún tipo de comunicación civilizada para poder desahogar y reducir las presiones reprimidas. Busca ayuda profesional para gestionar una situación más pacífica de modo que puedas llegar a una tregua o fomentar algún tipo de reconciliación.

Matemáticas: ciencia de los números. ¿Las cosas suman en tu vida o se quedan cortas? Es importante cuantificar el costo de los nuevos proyectos y las relaciones antes de entrar en ellos.

Material escolar: Dios ha suplido todas tus necesidades según sus riquezas en gloria. Aprovecha las habilidades y los dones que Él te ha dado. Ahora es el tiempo de ser promovido para que sobresalgas en cada tarea. Esfuérzate al máximo y alcanza las estrellas. Nada es imposible con Dios, pue Él está de tu lado. Disponte en aprender un nuevo oficio, trabajo, habilidad o desarrolla una carrera emocionante. Es hora de vivir tu sueño y hacer que estos se hagan realidad.

Matón: el que domina cualquier situación mediante el miedo y la intimidación; el que se aprovecha de los miedos o debilidades de otra persona; el que controla las conversaciones o exige salirse con la suya; rabia reprimida.

Matrimonio arreglado: Alguien está controlando tus deseos, tomando las decisiones de la vida por ti, siendo forzado a una situación indeseable, con miedo a comprometerte, sin libertad de elección, necesitas afirmar tu independencia.

Matrimonio concertado: Estar sometido a un matrimonio concertado en su sueño le indica que debe reconsiderar tus motivaciones. ¿Te estás casando por presiones familiares? Ora por la persona del pacto que Dios tiene para que te cases. *«No os unáis en yugo desigual con los incrédulos. Porque ¿qué comunión tiene la justicia con la iniquidad? ¿Y qué comunión tiene la luz con las tinieblas?»* 2 Cor. 6:14.

Matrimonio: entrar en una relación amorosa o íntima con Dios o con una persona. Una unión legal; dos que se convierten en uno, que se unen; matrimonio entre un hombre y una mujer; dos que se convierten en uno en el propósito; Cristo y la Iglesia. El establecimiento de una alianza entre Dios y el hombre, 3 Jn. 1:8; la Esposa de Cristo, Heb. 13:4; la relación íntima de la Iglesia que se afianza; estar dispuesto a morir por la persona que se ama; entrega total a la servidumbre, Mt. 19:5-6; 9:15; 25:1-10.

Matrona: ver a una matrona o enfermera mayor en un hospital indica que tienes un fuerte don de curación con la habilidad de nutrir y entrenar a las personas para que ministren sanidad a otros.

Matusalén: hombre de tierra, muere y es enviado (el diluvio); hijo de Enoc y abuelo de Noé, Gén. 5:27; 1 Cro. 1:3; el hombre más longevo.

Matzá: comer este pan sin levadura durante la época de la Pascua indica que lo viejo se va deprisa y lo nuevo llega.

Mausoleo: significa enfermedad, dilema y posiblemente la muerte de algún amigo cercano o miembro de la familia; uno puede estar enfrentando problemas de salud.

Mayo: Mayo/Junio Sivan Alphabet: Zayin recibiendo misercoordia para completar. Tribu: Zebulón, mes de los empresarios. Constelación: Géminis 2 tablillas La Torá fue entregada en el Sinaí. Color: Blanco o claro. Piedra: Cuarzo claro o piedra lunar blanca. Sivan es un mes de dar. Espera que tus límites aumenten. Ofrece misericordia a los necesitados y alinéate adecuadamente con los que tienen autoridad. Asegúrate de que tu forma de caminar y tu forma de hablar estén de acuerdo. *«Quien se conduce con integridad anda seguro; quien anda en malos pasos será descubierto»*, Pr. 10:9; sigue esforzándose por pasar de un nivel de fuerza y gloria al siguiente nivel superior. Espera que tu negocio aumente, prospere y se multiplique mientras te ocupas de tus asuntos persona-

les con el Rey de Reyes. Soñar con el mes de mayo significa prosperidad y tiempos de placer. El sueño también puede ser una metáfora de «¿Puedo?» (por aquello de May en inglés). Tal vez estés pidiendo permiso para algo.

Mayor: significa el más grande, desinteresado, Jn. 15:13.

Mayordomo: autoridad definida; empleado de confianza responsable de la gestión de la finca. Es alguien que tiene la responsabilidad de cuidar y administrar una casa, Gén. 43:19; Lc. 16:1; ministros, 1 Cor. 4:1 y cristianos, 1 Pe. 4:10, mayordomo, Gén. 15:2; el que será poseedor.

Maza sin filo: presta atención a los detalles o te desgastarás inútilmente.

Maza: afilada y limpia: recompensa al trabajo duro; garrote con cabeza de metal para una mayor eficacia en el combate cuerpo a cuerpo; cetro, un símbolo de autoridad utilizado por los antiguos reyes, la maza de guerra; el milagro del profeta Eliseo recuperó la cabeza del hacha flotante; 2 Re. 6:5-7; herramienta doméstica, 1 Cr. 20:3; capacidad de perforar una armadura. Si alguien lleva una maza, tiene malos sentimientos hacia ti.

Mazo: derribo de lo viejo para reconstruir lo nuevo; ataque violento para provocar la destrucción; demolición; aplastamiento; destrozo. Martillo o mazo que se utiliza para llamar la atención o el orden, utilizado por los albañiles para encajar las piedras en su sitio, indica que la injusticia que has sufrido será revertida, la justicia está llegando, Sal. 1:5.

McDonald's: ver o soñar que estás en Mc Donald's significa felicidad y una actitud libre de preocupaciones «cajita feliz». Estás viviendo a lo grande «Big Mac», ampliando tu influencia, «Cuarto de libra»; perspectiva, horizontes o llevar algo a «su máxima expresión». Si no te gusta McDonald's, entonces el sueño puede ser indicativo de basura poco saludable en tu vida. Puede que te apetezca una hamburguesa con patatas fritas. Considera también lo que significan para ti los «arcos dorados».

Mecánico: trabajador cualificado que repara la maquinaria o la vida de las personas, consejero capacitado, consolador, pasador, maestro, profeta, ministro, intérprete de sueños o entrenador de la vida espiritual, Jesús, Espíritu Santo; una adición o revisión necesaria en la actitud, relación o doctrina.

Mecanografía: unción de escriba; capacidad o don para comunicarse a través del lenguaje escrito; necesidad de expresar o liberar las emociones; «encasillamiento» de individuos.

Mecedora: verse sentado en una mecedora indica una temporada de descanso y satisfacción; si la mecedora está vacía habrá una temporada de paz y soledad.

Mechero Bunsen: ver en sueños esta pieza común de equipo de laboratorio que produce una sola llama de gas para calentar, esterilizar o quemar, indica que estás experimentando con algunas ideas nuevas, buscando la verdad espiritual y la iluminación o practicando un enfoque diferente de una relación.

Medalla: que te den una medalla significa que te están reconociendo por un servicio y un trabajo sobresalientes, ver que otra persona es premiada con una medalla advierte que no hay que tener celos o envidia de los amigos cuando las felicitaciones son merecidas, Apo. 22:12.

Media de Navidad: si está llena de regalos, indica un año fructífero de celebraciones y recompensas; si está llena de carbón, considera tus acciones, arrepiéntete y haz algunos cambios necesarios para prosperar en el nuevo año. Si no estás sembrando ni dando a los tuyos, compártete con los demás, deja de aislarte.

Mediador: persona que se interpone entre dos o más individuos enfrentados con el fin de reconciliarlos; Cristo; 1 Tm. 2:5; Heb. 12:24.

Medianoche: representa la hora de la medianoche, de intensa penumbra u oscuridad; trabajar o estudiar hasta muy tarde por un examen «quemarse las pestañas». Es hora de afrontar la realidad y dejar de esconderse en las sombras, Mc. 13:35; el Maestro viene, Mc. 25:6; el novio, Éx. 12:29; el Señor hirió a todos los primogénitos de Egipto; Sal. 119:62; Jue 6:3; Jb. 34:20; Mt. 25:6; Hch. 16:25; 27:27; Rt. 3:8; Éx. 11.

Medias de malla: las medias de malla han sido durante mucho tiempo un símbolo de atractivo sexual y de seducción; considera dónde llevas este atrevido atuendo. Puede que tengas que ser un poco más moderada en tu forma de vestir. Por otra parte, ver medias de malla puede indicar que tu paseo te lleva a lugares donde hay muchas almas que necesitan ser salvadas. Así que permanece atenta (o atento) a cualquier oportunidad para dar testimonio a los perdidos.

Medias de Navidad: si están llenas de regalos indican un año fructífero de celebraciones y recompensas; si están llenas de carbón considera tus acciones, arrepiéntete y haz algunos cambios necesarios para prosperar en el nuevo año. Si está empapado no está sembrando ni dando a los que están en su vida, compártase con los demás, deje de aislarte.

Medias de seda: verse poniendo medias de seda o nylon indica que tus pasos se están preparando para prosperar; quitarse las medias indica una ligera demostración, tomarse unas vacaciones o un tiempo de tranquilidad con los amigos.

Medias, colgando: puede indicar que te sientes todo lavado como si te colgaran los amigos.

Medias, si están rotas: ver unas medias rotas significa que te encontrarás una irritación en tu camino actual; lavarlas indica que te estás preparando para una nueva aventura.

Medicamentos: ya sea que provengan por prescripción médica o de venta libre, los medicamentos sirven para aliviar el dolor o recibir la cura de cualquier otra lesión.

Medicina: ver una sustancia prescrita por un médico como medio de curación indica que estás pasando por una temporada de sanidad emocional, espiritual o física; todas las cosas obran para bien de aquellos que son llamados según los planes de Dios. Sin embargo, la medicina definitiva, es la sangre de Jesús derramada por él en el Calvario, y es la que libera la unción sanadora. Ver hojas de hierbas para la sanación de las naciones indica que es necesario un alimento espiritual y natural adecuado a tu proceso de restauración. El poder sanador del Espíritu Santo, Jer. 8:22; usted necesita sanidad en su cuerpo. Si usted o alguien más está dando la medicina equivocada a alguien, entonces usted o esa otra persona están tratando de manipular una situación para beneficio propio, o para infligir daño mientras esa persona está débil o no puede defenderse. Sin embargo, recuerda que tarde o temprano recogerás lo que sembraste y tendrás que probar tu propia medicina, y obtendrás lo que mereces o deseabas para la otra persona. Lo que va, viene. Por el contrario, si le das a alguien una buena medicina, no sólo lo sanarás, sino que liberarás grandes bendiciones haciendo que tu vida prospere en gran manera. *«Gran remedio es el corazón alegre, pero el ánimo decaído seca los huesos»*, Pr. 17:22. Eres hábil con las plantas, las flores y las hierbas, Pr. 17:22; Jer. 30:13; 46:11; Ez. 47:12.

Médico, casarse: es el maestro de muchas cosas por lo que su tiempo será requerido; cuidado con una situación engañosa, Lc. 2:46.

Médico, uno mismo: arreglar los problemas relacionales o poner una venda en las heridas emocionales; ser solidario con los demás.

Médico, ver: uno necesita curación física, emocional o espiritual; tiempo para un chequeo si se destaca una conciencia médica.

Médico: Jesús, «el gran médico»; Jer. 8:22; sanador, autoridad, sabiduría del mundo; ministro; doctor en medicina; médico; maestros de las leyes de Moisés. Jesús, el gran médico, el que cura, libera, restaura o ministra a otros, puede que necesites algún tipo de curación física, emocional o espiritual, perdona a los que te han hecho daño.

Medidas: eres una persona excepcional, no te midas con los demás o no estarás a su altura. Eres aceptado en el Amado tal y como eres.

Medidor: se usa para medir el tiempo, la velocidad, la distancia o la intensidad; para regular o registrar el volumen de potencia o nivel de unción.

Medieval: te encuentras en medio de una situación difícil y malvada en la que todavía no sabes nada sobre muchos asuntos. Los viejos hábitos y las malas actitudes están afectando negativamente tu manera de pensar. ¿Qué está pasando actualmente en tu vida? Tienes mucho que descubrir para vivir una vida abundante.

Medio: tomar partido; un obstáculo en el camino; estar atrapado entre dos personas u opiniones; estar en medio del camino; centro de atención o influencia. Límites que intervienen entre un periodo de tiempo anterior y otro posterior siendo iguales en distancia a los extremos, situado en el centro un deseo de ser el «centro de atención». Estás en una secuencia o serie designada en la etapa de desarrollo. Eres entrometido, siempre te metes en los asuntos de los demás. Nunca adopta una postura firme sobre lo correcto o lo incorrecto, sino que siempre adoptas el término medio del compromiso.

Mediodía: tiempo para comer y orar; hora de la siesta; bendiciones y curaciones de Dios, Jb. 5:14; 11:17; consejo, Is. 16:3; darse al hambriento, Is. 58:10.

Meditación: si sueñas que estás meditando indica que has descubierto la importancia de aplicar la Palabra de Dios y su sabiduría para tener una vida exitosa. La mejora de uno mismo y la iluminación espiritual llegan a medida que renuevas tu forma de pensar. Pide a Dios que te ayude a superar cualquier debilidad y a ofrecer más gracia a los demás. *«Si se enojan, no pequen; en la quietud del descanso nocturno examínense el corazón. Selah»*, Sal. 4:4; *«En mi lecho me acuerdo de ti; pienso en ti toda la noche. A la sombra de tus alas cantaré, porque tú eres mi ayuda»*, Sal. 63:6-7; quedarse quieto y conoce a Dios; descansar en la presencia de Dios; Es un llamado a entrar en su paz para recibir revelación, respuesta y visiones espirituales de sabiduría; estado de ánimo responsable que se logra escuchando la voz apacible del Espíritu santo hablando en forma de intuición a nuestro subconsciente.

Meditar: práctica espiritual que consiste en descansar y concentrarse en la presencia de Dios; calmarse para recibir la visión, la sabiduría, la dirección y la comprensión de la Palabra y del Espíritu Santo; iluminación divina.

Médium: si sueñas que eres un médium o que estás visitando uno indica que te estás alejando de los límites seguros del Rey de la luz que te han protegido en el pasado y que estás entrando en un reino oscuro que te envolverá totalmente hasta controlar o eliminar tu capacidad de tomar decisiones sabias por ti mismo.

Estás buscando conocimiento en los lugares equivocados y esta decisión te costará muy caro. «Cualquiera de ustedes, hombre o mujer, que sea nigromante o espiritista será condenado a muerte. Morirá apedreado, y será responsable de su propia muerte», Lev. 20:27; *«Nadie entre los tuyos deberá sacrificar a su hijo o hija en el fuego; ni practicar adivinación, brujería o hechicería; ni hacer conjuros, servir de médium espiritista o consultar a los muertos»*, Dt. 18:10-11.

Médula: reflejo automático, que responde sin pensar, exhibiendo instintos naturales o básicos; oblongada: núcleo interno o médula de algo; tejido nervioso en la base del cerebro que controla los reflejos involuntarios como la respiración, la circulación y varias otras funciones corporales. Ver una visión de la médula ósea en un sueño indica que puede haber algún problema interno en tu sangre o en tu estructura ósea. Se aconseja buscar la intervención médica y la oración de sanidad.

Medusa: alguien que no tiene carácter, palabras o sentimientos dolorosos, que flota indefenso sin dirección, que se siente inadecuado o inseguro; la falta de confianza en sí mismo hace que dejes llevar por cualquier ola o falacia, doctrina e intriga engañosa, artimañas del hombre, Ef. 4:14. Recuerdos dolorosos surgen del pasado provocando ira y hostilidad. Necesitas poner tu confianza en Cristo la Roca y reafirmarte en Su Palabra, arraigado y cimentado en el amor.

Megáfono: bocina acústica que amplifica el volumen de la voz; se usa para lanzar bendiciones, advertencias y revelaciones. También puede usarse para transmitir frustración o ira reprimida. Ser animado, reunir o inspirar a un grupo para que gane algo, magnificar la voz de uno, ser escuchado o no ser escuchado fácilmente, alguien está tratando de llamar tu atención, hacer oídos sordos a información o revelación importante, Sal. 130:2.

Mejilla, si se ruboriza: bochorno o vergüenza,

Mejilla: poner la otra mejilla, prueba; asalto personal; triunfo; paciencia; belleza, Mi. 5:1; Mt. 5:39; Cnt. 5:13; Sal. 3:7.

Mejillas: triunfo; paciencia; belleza; avergonzado, vergüenza o timidez; poner la otra mejilla; prueba; asalto personal al carácter; abuso «recibir un golpe». La luz roja de la unción de Dios trae sanidad a esta área de la cabeza.

Mejillón: suerte; prosperidad, el trabajo duro te librará del peligro; son bivalvos comestibles de agua dulce o agua salada; madreperla; filtra la suciedad.

Mejillones: la diligencia en el trabajo te llevará a la felicidad, la satisfacción y el placer.

Mejor amigo: Rt. 3:12; *«Un hombre con demasiados amigos llega a la ruina, pero hay un amigo más unido* *que un hermano».* Pr. 18:24; Jesucristo nunca te dejará ni te abandonará.

Mejor hombre: que llega a la felicidad en los negocios, las amistades y los asuntos familiares.

Mejorar: soñar con mejorar (algo) sugiere que deseas una vida mejor en la que pueda lograr más y hacer más por los demás. Estás cansado del statu quo y, por ende, listo para hacer algunos cambios necesarios. Deja atrás lo viejo y abraza lo nuevo.

Mejoras en el hogar: las mejoras o actualizaciones de los proyectos domésticos significan que necesita dar un paso adelante o mejorar en algún área, ampliar los procesos de pensamiento para pensar en los demás, ajustarse a una perspectiva más amplia de las cosas, volver a techar indica una cobertura de sabiduría que se necesita, es el momento de elevar el nivel o poner las miras más altas para lograr algunos objetivos.

Melancolía: estar triste o deprimido de espíritu o lleno de pesadumbre en una contemplación pensativa, con brotes de ira violenta, indica una vida llena de decepciones. Cuando uno se siente desilusionado por percances pasados es importante aprender de los errores cometidos para no volverlos a repetir. Conéctate con personas que tengan sabiduría y una visión positiva de la vida para aprender las habilidades necesarias, de modo que puedas mejorar tus perspectivas personales.

Melaza: otros ofrecen su generosidad; placeres para disfrutar; y felicidad providencial; división: pérdidas financieras o de negocios; desacuerdos embarazosos; lentitud: «lento como la melaza». Este espeso jarabe que se produce al refinar el azúcar indica que atraparás más moscas con la miel que con los limones agrios; se avecinan dulces tiempos de prosperidad si hablas de bendiciones de aumento sobre ti mismo y sobre los demás en lugar de cotillear con celos en tu corazón.

Melocotón: de color rosa amarillento a naranja claro, piel amarilla teñida de rojo, persona admirable o agradable, fruta cultivada en el sur y en Asia, melocotón fino. Paz, alegría, compañía y bienestar, agradable al Señor, el gozo del Señor es nuestra fortaleza; generosidad; esperanza nupcial.

Melocotón: paz, alegría, compañía y bienestar; agradable al Señor; el gozo del Señor es nuestra fortaleza.

Melodía: oír un arreglo de sonidos en una sucesión agradable de música, lírica o poesía, indica que las palabras que escuchas, si las tomas a pecho, provocarán una nueva armonía de paz entre tú y quienes te rodean. En inglés es un nombre de mujer que significa un canto alegre, Sal 63:5. Serás alabada y celebrada por las buenas obras que has hecho por los demás.

Melón rocío de miel: fruta dulce, suave, verde y carnosa puede representar una relación dulce con tu «honor», a veces llamado sencillamente como melón de agua, representa los sentimientos románticos blandos, una lista de «cosas por hacer», palabras dulces de alabanza, amor y edificación, palabras congraciadas o halagadoras; el color verde de la fruta puede representar un problema de celos o verde de envidia.

Melones: sentimientos de melancolía; soledad; depresión, mala salud y problemas en los negocios; impulsividad; la superación de las dificultades te llevará a una dulce recompensa; Nm. 11:5 deseos o enseñanzas mundanas.

Melquisedec: rey y sacerdote con un juramento eterno; rey de la justicia; rey de la paz; el Jesucristo pre-encarnado; Gén. 14: 17-20; Heb. 6:20; 5:6-10; 7:1-21; Sal. 110.

Membrillo: comer una fruta parecida a una manzana amarilla indica que aprenderás algo, la verdad sobre un nuevo amigo; no juzgues; asegúrate de mantener tus finanzas en orden y pagar tus deudas.

Memoria: necesitas pasar un tiempo íntimo de comunión con Jesús y recordar todas las grandes cosas que Él ha hecho por ti. *«Este pan es mi cuerpo, entregado por ustedes; hagan esto en memoria de mí»,* Lc. 22:19-20; Es hora de pasar por una transformación espiritual, olvidando el pasado y avanzando hacia el alto llamado de Dios, Fil. 3:12,14; Heb. 6:1; Os. 6:3. Has recogido la experiencia del pasado para aplicarla a tu vida actual.

Mendicante: soñar con un mendigo que se gana la vida de las limosnas de los demás representa la necesidad de romper el espíritu de pobreza y carencia en tu vida. Eres demasiado dependiente de los demás para tu bienestar y necesitas aprender una nueva habilidad para prosperar y resolver tus propios problemas.

Mendigo, ayuda: indica que se superan las dificultades y las insuficiencias.

Mendigo: mendigar opiniones; signo de mala gestión o pérdida de bienes; malas decisiones empresariales y relacionales; pobreza; miseria; descontento con las situaciones actuales; sentimientos de fracaso, desilusión y derrota, pensamientos de impotencia y pérdida, deseo de claudicar; naturaleza negativa o el lado de uno mismo basado en la vergüenza que impide encajar en la vida cotidiana; sentimiento de ser inadecuado, ser marginado; ocasionalmente, la sabiduría y los secretos de la vida y el destino se ocultan bajo la superficie exterior tosca y humilde, sensación de incertidumbre e inmerecida falta de autoestima.

Menorá: representa los siete espíritus de la luz de Dios que se encuentran en la sala del trono del cielo, Is. 11:2; Apo. 4:5; Israel, pueblo judío, Éx. 15:31-40.

Mensaje de texto: ver, leer o recibir un mensaje de texto en un sueño indica el enfoque, la imagen general o la esencia de lo que alguien está tratando de comunicarle. Es posible que no puedan compartir sus verdaderos sentimientos con usted cara a cara, por lo que han elegido una forma imperativa de mantenerse en contacto o intercambiar palabras. Los textos indican que la persona no tiene tiempo para hablar contigo, pero que todavía necesita o quiere algo de ti, 1 Cor. 2:13; Ec. 12:10.

Mensaje, enviar: soñar que está enviando un mensaje indica que tienes algo importante que necesita ser comunicado o transmitido a otros.

Mensaje, recibir: soñar que recibes un mensaje indica que tu subconsciente quiere anunciarte algo; una palabra de Dios, de los ángeles, un texto, un correo electrónico o una carta de una empresa, de un amigo, de un pariente o un sueño.

Mensajero: ángel portador de dones, de la Palabra de Dios, de unciones, de intuiciones espirituales o de respuestas a la oración, de buenas o malas noticias, Mal. 3: 1-2; Jn. 1:1-4, 14-18.

Mensajes: verse actualizando su Facebook, Twitter, YouTube, correo electrónico, sitio web o cualquier otro medio de comunicación con un mensaje actual indica que quieres mantener a tus amigos al día de lo que ocurre en tu vida.

Menstruación: (la maldición), la menstruación o período, es el sangrado vaginal normal que ocurre como parte del ciclo mensual de la mujer cuando no se está embarazo de un bebé. Soñar con esto significa que estás en un ciclo de limpieza, 2 Sam. 11:4; Gén. 31:25. *«Cuando la mujer tuviere flujo de sangre, y su flujo fuere en su cuerpo, siete días estará apartada; y cualquiera que la tocare será inmundo hasta la noche. Todo aquello sobre lo que ella se acostare mientras estuviere separada, será inmundo; también todo aquello sobre lo que se sentare será inmundo. Y cualquiera que tocare su cama, lavará sus vestidos, y después de lavarse con agua, será inmundo hasta la noche»*, Lev. 15:19-21. *«Si alguno durmiere con ella, y su menstruo fuere sobre él, será inmundo por siete días; y toda cama sobre la que durmiere, será inmunda»*, Lev. 15:24.

Menta: aliento refrescante; limpieza; calidez de sentimientos. Representa una presencia calmante o refrescante en tu vida. Es el momento de relajarse y apaciguarse. Masticar una menta indica que estás tratando de elegir hábilmente tus palabras para que sean apetecibles o puede ser que hayas ofendido a alguien y estés tratando de suavizar las cosas con palabras más agradables, Dt. 14:22. Si estás trabajando en la acuñación de monedas, espera un aumento de la prosperidad y del favor.

Mentir: recostarse o faltar a la verdad en un sueño indica que está decidido a salirte con la suya cueste lo que cueste; si mientes, sé honesto consigo mismo y con los demás; Pr. 26: 28; considera tus acciones antes de perder tu buena reputación. *«Si un hombre es sorprendido durmiendo con la esposa de otro, los dos morirán»*, Dt. 22:22.

Mentiras: oír o decir una falsedad; exagerar o contar una historia que no es cierta indica que serás atrapado en una mentira; deja de mentir; Lev. 19:11; Jn. 8:44.

Mentiroso: la voz del enemigo, el engaño, los chismes y las falsas verdades están circulando, la desconfianza, los verdaderos colores de una persona están siendo revelados; discernir el corazón o la naturaleza de alguien.

Mentor: tu alma desea orientación espiritual, consejo y conocimiento revelador que te ayude a caminar por un sendero nuevo y más elevado; ahora estás preparado para aceptar y aprender de los errores del pasado; disciplinar a otros; capacitar a las personas para que desarrollen su carácter e integridad; buscar la aprobación de una figura de autoridad; tratar de manejar los sentimientos de inadecuación o inmadurez; los mentores mezquinos o demasiado estrictos indican que estás siendo demasiado duro contigo mismo; «enseñar a alguien una lección».

Menú: ver, sostener o leer un menú en sueños indica que la gente atenderá todas tus necesidades y deseos; ser muy selectivo, Sal. 25:12; Es 2; la prosperidad y las bendiciones son tuyas si las pides.

Mercado de alimentos: soñar que estás en un mercado de alimentos indica que no estás siendo muy selectivo con los alimentos que comes. Tómate el tiempo necesario para planificar y cuidar mejor tus necesidades personales.

Mercado de pulgas: te sientes pequeño o subestimado, no valorado ni apreciado. Deja de dar demasiado de ti, te estás vendiendo mal. Considera el simbolismo del artículo que estás regateando, comprando o vendiendo y observa cómo te hace sentir.

Mercado: llamado a impactar a las personas en la vida cotidiana; mundo real del comercio, los negocios y el comercio; Egipto; poder de evangelización.

Mercedes: ver este auto de alta gama representa durabilidad, innovación, alto rendimiento, lujo.

Mercurio: tu hábil mente intuitiva te aportará gran riqueza e ideas creativas; eres admirado y tenido en alta estima por muchos. Tus ingresos e influencia aumentarán a medida que te acerques a Jesús, el Hijo de Dios.

Mermelada: pobreza; conservación de lo poco que tienes; enfermedad; vida familiar infeliz. Sucesos agradables y placenteros; aventuras frescas; juego de palabras: «atrapado en un embotellamiento»; los problemas o predicamentos temporales te hacen perder el tiempo. Si estás haciendo mermelada: eres una persona dulce y con muchos amigos. Si estás comprando mermelada: tu casa estará llena de felicidad y satisfacción.

Merodeador: alguien que entra y sale de tu vida de forma sigilosa, buscando aprovecharse de tus dones de misericordia o de tu buena naturaleza, busca robar dinero y arrancar favores sin ninguna forma de compromiso. Se refiere a un peligroso merodeador o un fugitivo.

Mes: una de las doce divisiones del año; un periodo de tiempo; el tiempo medio de rotación de la luna alrededor de la tierra, «más largo que una semana sin carne» que significa un periodo de tiempo indefinidamente largo. Mensualmente, como la aparición de la menstruación femenina. «Y fueron desatados los cuatro ángeles que estaban preparados para la hora, día, mes y año, a fin de matar a la tercera parte de los hombres», Apo. 9:15.

Mesa de billar: las cosas están o no están cuadrando en la vida; es el momento de desarrollar una nueva estrategia; calcula tu próximo movimiento con cuidado; dar el golpe equivocado hará que tus esfuerzos se hundan; pon en común tus recursos; coopera con otros ángulos.

Mesa de café: reunión para relajarse, conversar y disfrutar de los amigos y la familia.

Mesa: reunirse para comer y compartir ideas; comunicación; fiesta y compañerismo; alimentación; reunirse en un ambiente relajado; conferencia. Un trozo de piel o cuero extendido en el suelo servía de mesa y mantel; la gente se reclinaba durante las comidas en tiempos bíblicos, Éx. 24:12; 25:23-30; Lev. 24:5-9; Sal. 23:5; 1 Cor. 11:23-34; Hch. 2:42; Pr. 3:3; Lc. 1:63; significa una tabla para escribir.

Mesías: el que ha sido ungido; Cristo Jesús; 1 Sam. 24:6; Sal. 105:15.

Mesita de noche: lugar para guardar la Biblia, el diario de sueños, el bolígrafo luminoso, la grabadora digital y la preparación esencial para una visitación.

Meta: ver la visión de la meta indica que estás posicionado para un éxito rápido que te proporcionará nuevas oportunidades y muchos nuevos amigos para celebrar.

Metales: representa tu fuerza de carácter, tu fortaleza y valor. También considera que alguien puede estar entrometiéndose en tus negocios o asuntos personales.

Metamorfosis: ver una metamorfosis en un sueño indica que estás siendo transformado por el poder sobrenatural de Dios. Tu apariencia está siendo alterada para reflejar Su gloria y belleza. Te estás convirtiendo en una nueva creación. Tu vida personal y espiritual está pasando por cambios repentinos y rápidos para que puedas adaptar una visión más positiva de la vida y puedas obtener el éxito.

Meteorito: el meteorito es un trozo sólido de restos de asteroides o cometas que se han roto en el espacio exterior. Cuando entran y sobreviven a las presiones de fricción de la tierra crean una bola de fuego incandescente conocida como meteorito; estrella fugaz antes de impactar con la superficie de la tierra. Se denomina meteoroide. Ver un meteorito en un sueño advierte de las subidas repentinas de popularidad, las bajadas de éxito y las presiones friccionales de la fama de la vida y la fugacidad de las riquezas.

Meteoro: ver la estela o partículas incandescentes que aparece en lo alto del firmamento cuando una estrella fugaz cruza el cielo o cuando un meteoroide se hace luminoso por la fricción con la atmósfera terrestre, predice un gran éxito durante un breve tiempo fugaz; te elevarás y caerás como una estrella fugaz; el fin de los tiempos, los últimos días, Mt. 24:29; Apo. 8:10.

Mezcla: aprender a llevarse bien con los demás y sus diversas opiniones; familia mixta; la capacidad de unir los opuestos.

Mezclado con fuego: ver algo mezclado con fuego representa las pruebas ardientes, las penas y las tribulaciones, Jb. 23:10; Apo. 15:2.

Mezclador: la mezcla de las especies de la vida, una familia mezclada, la unión de diferentes sabores y opiniones.

Mezquita: religión islámica o hindú.

Michigan: «si buscas una península hermosa, mira a tu alrededor»; Grandes Lagos, Grandes Tiempos; Más para ver; Agua/País de las Maravillas del Invierno; Estado de los Grandes Lagos; Estado de los Lobos; Estado de los Mitones; Flor de Manzana; Clorastrolita.

Mickey Mouse: Walt Disney mantuvo vivo su sueño de Mickey Mouse cuando otros le decían que nadie nunca querría un ratón como mascota. Mickey representa la alegría y la despreocupación de la infancia. Puede que necesites permitir que tu naturaleza infantil resurja en lugar de ser tan serio y adulto en todo. Deja que tu creatividad aflore y disfruta de la vida.

Micrófono: Dios te llama a ser un instrumento o una voz que amplifique Su Palabra. Habla con valentía lo que Su Espíritu te transmite o revela, Sal. 130:2

Microondas: preparación instantánea; proceso rápido; impaciente, lo quieres ahora mismo.

Microscopio: sensación de estar bajo un severo escrutinio, necesidad de examinar las cosas muy de cerca para encontrar algo que está oculto; asegúrate de leer la letra pequeña; plagas virales; inspección minuciosa de uno mismo o de la situación; introspección; examen extremadamente minucioso, selección de detalles, control excesivo, hacer una montaña de un grano de arena; atención a los detalles; ampliación; micro gestión, Lm. 3:40.

Microsoft Word: es un procesador de textos para computadoras desarrollado por Microsoft y lanzado por primera vez en 1983. Representa múltiples herramientas de la tecnología que están disponibles para mejorar tu capacidad de comunicación con los demás a través de la palabra escrita. Puede que necesites procesar tus emociones, heridas o traumas a través de la escritura.

Miedo: los sueños acerca de miedos exponen sentimientos de duda, de doble ánimo, que derivan en alguna forma de inestabilidad e incompetencia, a la indecisión y a la falta de autocontrol. La cólera interna o externa se disfraza a menudo de miedo.

Miel: recepción de la divina, Ez. 3:3; Apo. 10:9-10; Sal. 19:7-10, 81:16, 119:103; Pr. 25:27; la dulce Palabra de Dios; unción; Espíritu Santo; fuerza; sabiduría palabras agradables, naturalmente dulces, curativas, medicinales Pr. 16:24; delicadeza; don apreciado; abundancia; prosperidad; unción; Espíritu Santo fuerza; sabiduría; placer sexual Cnt. 4:11, 5:1, Sansón, Jue. 14:8-9; vigoriza 1 Sam. 14:26, 29; 2 Sam. 17:29; riqueza; amor; dones, Gén. 43:11; amplia Tierra Prometida «leche y miel», Éx. 3:8.

Miembro de un comité: líder capacitado para funcionar con un grupo o equipo de personas; la cooperación es esencial para tener labores fructíferas de éxito en los proyectos venideros; cuídate de los compromisos excesivos.

Miembros del equipo: grupo que se organiza para producir trabajos en conjunto, compañeros de trabajo.

Miércoles: representa el cuarto día de la semana en la iglesia y el tercero en el mundo; el dominio o la regla. El miércoles se conoce cariñosamente como el «día de la joroba», lo que significa que ha llegado la mitad de la semana o el punto medio y que el fin de semana se acerca rápidamente. Recuerda que debes disfrutar de lo que te ofrece cada día. No intentes apresurarte en tu vida para llegar a un evento o cita futura.

Migajas: comer las migajas de la mesa de alguien indica que tienes una mentalidad de pobreza y no te sientes digno de mantener tus compañías. Mt. 15:27, los perros se alimentan de las migajas que caen de la mesa de su amo, Lc. 16:21.

Migraña: está estresado, ansioso, preocupado y temeroso; te sientes culpable y tenso por muchas cosas. Es importante orar por sabiduría y echar todas tus ansiedades sobre Jesús porque Él se ocupa de todo lo que te preocupa.

Miguel: ¿Quién es como Dios? El arcángel mencio-

nado en Jueces 9; líder de la hueste de ángeles Apo. 12:7-9.

Mijo: grano Ez. 4:9; semillas de la hierba del pánico y del sorgo o maíz egipcio.

Mil doscientos sesenta: Anticristo.

Mil quinientos: luz; poder; autoría.

Mil: plenitud divina y gloria del Padre; cantidad indefinida; fecundidad perfecta; madurez y estatura plenas; una nación, Is. 60:22; juicio maduro; Satanás está atado en el abismo, Apo. 20:1-3; 20:7-9; Jesús reina la tierra, Apo. 21:1-3.

Milagro: acontecimiento sobrenatural producido por intervención divina del Espíritu Santo; una señal; obra poderosa o maravilla de Dios. Tienes el don de los milagros, muchos se recuperarán de las enfermedades y dolencias, Gál. 3:5; Apo. 16:14; 13:14; 19:20; Hch. 2:22; 15:12.

Milenio: período de mil años, Apo. 10:1-7.

Milenrama: esta planta representa la buena salud y la curación.

Militar: necesidad de disciplina o aptitud física; poder, protección, sumisión a una autoridad superior; ceder a una presencia de mando; una defensa unificada o trabajo en equipo.

Millas: unidad de longitud que equivale a 5.280 pies, 1.760 yardas o 1.609,34 metros. Una milla náutica, una milla aérea, una carrera de una milla es una distancia relativamente larga. «Camina una milla extra en favor de alguien», Mt. 5:41.

Millón: ver un millón de dólares en un sueño representa abundante riqueza y éxito. Un millón es 1000 x 1000 representa un gran número no especificado de personas, cosas o dinero. Esta noche hay un millón de estrellas. El primer dígito es el más importante para discernir el significado.

Millonario: tú mismo: ayuda a los ministerios, a la familia y a los amigos con tu favor económico, las bendiciones y el incremento de la abundancia continuarán; conocer a uno: recibirás sabiduría de los que tienen más experiencia.

Milpiés: plaga muy activa o molestia móvil que viene de muchas direcciones diferentes.

Mímica: advertencia para no perder la propia identidad o singularidad.

Mina de carbón: representa mucho trabajo duro o el trabajo en aliente. Estás bajo mucha presión. Tu corazón arde de pasión por Dios. Si perseveras, saldrás como un diamante brillante. Si te portas mal, sólo tendrás un trozo de carbón negro y sucio.

Mina de oro: predice que te harás rico en ideas doradas, salud y una gran cantidad de pensamientos creativos que te aportarán muchos ingresos y prosperidad. Has descubierto una fuente de información lucrativa. Dios te está llamando a quitar toda la cubierta sucia y dejar que las verdaderas riquezas de lo que eres en tu interior brillen con la luz de Dios.

Mina, afuera: salir de una mina: has descubierto lo que buscas en la vida.

Mina, en lo profundo: bajar a una mina indica un deseo de desenterrar los tesoros escondidos en la oscuridad. *«y te daré los tesoros escondidos, y los secretos muy guardados, para que sepas que yo soy Jehová, el Dios de Israel, que te pongo nombre»*, Is. 45:3.

Mina, oro: tener una mina de diamantes o de oro: tendrás mucha sabiduría y claridad espiritual después de pasar por algunas pruebas importantes de carácter. *«Por tanto, yo te aconsejo que de mí compres oro refinado en fuego, para que seas rico, y vestiduras blancas para vestirte, y que no se descubra la vergüenza de tu desnudez; y unge tus ojos con colirio, para que veas»*, Apo. 3:18.

Mina, propiedad: si posees una mina, tendrás una gran cantidad de ideas que te aportarán abundancia de prosperidad.

Mina: representa un lugar en el que se han sacado las riquezas del mundo. Puedes estar en un camino de incertidumbre buscando las riquezas perdidas del mundo que no tienen valor eterno. Preocupación por perder o sacrificar lo que sientes que te pertenece. *«Jesús le dijo: Si quieres ser perfecto, ve y vende lo que posees y da a los pobres, y tendrás tesoro en los cielos; y ven, sígueme»*, Mt. 19:21.

Mince pie (pastel): este pequeño pastel navideño de carne picada, cordero, rallado o dulce británico se remonta a los cruzados europeos y se asocia con la «idolatría» católica, por lo que era mal visto por las autoridades puritanas.

Mineral: determina el tipo de minerales en tu sueño. Pueden relacionarse con dones espirituales; tesoros o riquezas.

Minería de gemas: la capacidad de sacar algo único y valioso de las corrientes de la vida, ver la belleza en algo que está en su estado bruto, saber pulir una piedra hasta que brille, el hierro afila el hierro, (consulte la tarjeta laminada de símbolos de sueños de joyas para determinar lo que significa cada piedra preciosa *www.decodeMydream.com*).

Minería: buscar tesoros enterrados; buscar en las profundidades de uno mismo; introspección y autoexamen; buscar la sabiduría y el favor de Dios, Ec. 7:25.

Minero: alguien que trabaja bajo la superficie de la tierra para proporcionar una fuente de energía a otros. O, alguien que cava profundamente y con esfuerzo constante para encontrar tesoros ocultos.

Ministerio: verte a ti mismo o a otros ministrando a la gente indica que tienes un corazón de siervo y quieres ayudar a los menos afortunados. Hay un llamado en tu vida para uno de los cinco dones ministeriales de Pastor, Maestro, Evangelista, Profeta o Apóstol. Usted tiene la habilidad de ministrar vida y ofrecer el plan de salvación para sacar a la gente de la muerte por el pecado, llevándolos a arrepentirse y aceptar la vida eterna al recibir a Jesucristo como su Señor y Salvador. 1 Cr. 24:3; Luc. 3:23; Heb. 1:17; 1 Cor. 15:16.

Ministro: agente que sirve a otros; autorizado a realizar funciones u órdenes específicas; representante gubernamental, diplomático; embajador de Dios; administrador ejecutivo de los asuntos del Reino, Éx. 24:13; 1 Re. 19:21; Heb. 8:2.

Minivan o furgoneta: representa el deseo de establecerse y asumir las presiones y responsabilidades adicionales de formar una familia.

Minnesota: «La estrella del norte»; Explorar Minnesota; Estado de la estrella del norte; Estado de los topos; Tierra de los 10.000 lagos; Zapatilla de dama rosa y blanca; Lago Superior; Ágata.

Minnow o pez carpa: utilizar estos pequeños peces como cebo indica que será necesario mucho trabajo para tener éxito. Si los pescas con una red, tendrás un gran éxito. Si los sátrapas con la mano indica que tendrás que mantenerte manos a la obra en el proyecto todo el tiempo para asegurar su finalización y éxito.

Minueto: danza lenta y majestuosa en ¾ de tiempo para parejas, indica una vida hogareña feliz; adoración a Dios; Francia; minuto de tiempo; insignificante; recuento de reunión o encuentro; resumen que cubre puntos para recordar.

Miopes: sólo se centran en lo que tienen en frente, no tienen planes de futuro. Demasiado centrado en objetivos o situaciones a corto plazo, en lugar de mirar el panorama general desde una nueva perspectiva. Se necesita una visión profética para ver el futuro, 2 Pe. 1:9.

Mirador, espejo: placa de metal muy pulida, Éx. 38:8; Jb. 37:18. Una mujer que se mira a sí misma: estás desarrollando la confianza en ti misma; eres todo amor. Un hombre que se mira a sí mismo: está adquiriendo conocimientos para prosperar en los negocios. Un ejecutivo de negocios mirándose en un espejo: estás reflejando el éxito de un equipo de trabajadores dedicados. Una joven que se mira en un espejo: es hora de buscar una nueva relación; te mereces algo mejor.

Mirador: ver o soñar que estás en un mirador representa tu apertura y accesibilidad hacia una relación. También simboliza tu filosofía optimista que cubre a las personas con satisfacción, y el acuerdo con quienes te rodean. Visitar un punto de observación en un monte o una zona panorámica junto a una carretera, sugiere que has llegado a un lugar elevado para obtener una visión o el punto de vista de Dios para tu futuro.

Mirar fijamente: echa otro vistazo a una relación, situación u oportunidad, puede que no estés viendo las cosas con claridad, obtén otro punto de vista o perspectiva, advierte de un comportamiento ofensivo o grosero, no es educado mirar fijamente, esperando ser notado por alguien especial, centrándose u obsesionándose con alguien o algo.

Mirar las estrellas: Is. 47:13; implica delirar o soñar con las estrellas celestiales.

Mirar: estás dotado como profeta (o vidente) para mirar más allá de lo natural y ver en la dimensión sobrenatural de Dios.

Mirlo: mal augurio; maldición o desgracia; falta de motivación; necesidad de utilizar todo su potencial. El mirlo que se va o vuela representa un cambio positivo, aumento en lugar de carencia, buena fortuna. Un ladrón, la pobreza, la muerte, el impulso inconsciente o los aspectos negativos de una persona, un usurpador y no un dador.

Mirra: deshacerse el orgullo y la vanidad; perfume, Éx. 30:23, sustancia para embalsamar, el sufrimiento de la muerte, Mt. 2:11; Mc. 15:23.

Mirto: ver el hermoso mirto representa el amor; alegría y gozo; hermoso, Zc. 14:16; los planes y deseos exitosos se lograrán mediante la inteligencia y la habilidad; emblema hebreo del matrimonio, Is. 41:19; 55:13.

Misa: significa «despedida», pero también ha llegado a implicar una «misión» que expresa la naturaleza misionera de la Iglesia para llegar a los que están perdidos, sufriendo y no conocen a Jesús como su Salvador.

Miscelánea: ver una variedad de partes o ingredientes, características, habilidades o apariencias indica que te interesan diversos temas o asuntos.

Miserable: estar en un ambiente infeliz, desdichado o inestable, indica que hay que arrepentirse de algún tipo de actividad vergonzosa para que se produzca la restauración.

Misericordia: el propiciatorio de Dios; el amor, la gracia y la compasión del Señor; el trono de Dios.

Misil: objeto guiado o palabras poderosas disparadas, lanzadas, arrojadas o dirigidas a un objetivo. Un misil puede representar un mensaje o un sermón puntual, la Palabra de Dios, o un ataque verbal, un juicio o una aflicción, Ef. 6:16.

Misionero: viaja para llevar esperanza; ayuda y aliento a culturas extranjeras; conversos: renovación de la mente; salvación; seguridad eterna, Hch. 15:36. Tendrás muchos amigos en todo el mundo.

Misiva (carta): documento emitido por un monarca, cuerpo legislativo u otra autoridad proveniente de una corporación pública o privada; significa que tienes la capacidad de impactar en los ámbitos empresariales con el don de producir y hacer riqueza.

Misogamia: es el miedo u odio al matrimonio.

Misoginia: es la aversión extrema, la discriminación, la denigración y la violencia dirigidas a las mujeres para impedir que tengan éxito en la consecución de sus objetivos personales o en sus campos profesionales mediante el acoso sexual, el menosprecio, el control, la difamación y el sabotaje para arruinar la reputación de uno. Esto se da a menudo en organizaciones religiosas donde los hombres son más prominentes y aceptados socialmente que las mujeres.

Misógino: ser perseguida, victimizada u ofendida por alguien que odia a las mujeres y sus características femeninas o por alguien que es débil, blando o nutritivo; una influencia prepotente en la vida de uno; extremadamente masculino o dominante en su comportamiento; prejuicio; odiar al sexo débil; controlar a las mujeres mediante la ira o las palabras negativas.

Mississippi: «Por la virtud y las armas»; «Se siente como si llegara a casa»; «La más cálida bienvenida del sur»; Estado de las Magnolias; Estado de la hospitalidad; Magnolia.

Missouri: «Que el bien del pueblo sea la ley suprema»; «Donde corren los ríos»; «Estado del espectáculo»; «Estado del lingote»; «Estado del plomo»; «Estado de la meseta Ozark»; «Espino o majuelos»; «Uva Norton Cynthiana»; «Galena»; «Mozarquitas».

Misterio: verdad espiritual que no puede ser descubierta por la capacidad de razonamiento de una persona, sino que se revela a través del Espíritu Santo; está más allá de nuestra comprensión finita, Ef. 3:9; Cl. 1:26.

Místico: alguien que recibe secretos, conocimientos, misterios o verdades espirituales encubiertas u ocultas en Dios; no discernibles por medios naturales; incapaces de ser descubiertos por la mera razón; cosas reveladas a través del Espíritu Santo, pero que permanecen ocultas para los carnales.

Mitón: sugerir que se manejan asuntos delicados con «guantes de seda» o que se actúa de manera infantil.

Mobiliario: regalos, herencias, bienes materiales, promesas, decoraciones interiores o asuntos internos de cómo uno estructura su vida.

Mochila: Si sueñas que llevas una mochila o ves a alguien con una en su sueño indica que está cargando con algún peso o responsabilidades añadidas, puede sentir que tiene un gran peso sobre las espaldas. Tome algunas decisiones radicales y despréndase de cualquier pecado o mal hábito. Ver una bolsa de provisiones o de equipo atada a la espalda indica que estás preparado para viajar y que disfrutarás de un viaje divertido y sin preocupaciones; si la bolsa está vacía necesitas ahorrar para un futuro viaje.

Mochilero: Indica tu capacidad para sobrevivir con lo estrictamente necesario, autosuficiencia, tu necesidad de simplificar la vida o reducirla al máximo para facilitar el viaje, gran habilidad o capacidad para superar dificultades adversas, alcanzarás tu meta paso a paso.

Moco: ver mucosidad o escuchar una tos en un sueño indica que sientes que alguien te ha baboseado o ha tratado de infectarte con su enferma forma de pensar. No dejes que el comportamiento enfermizo de alguien o sus activaciones te desanimen.

Moda: la manera en que se forma o se hace algo, un estilo o costumbres actuales, ropa de clase alta, nuevos mantos, regalos, una unción está llegando a tu vida.

Modelo: llamado a vivir tu vida como un modelo a seguir por la gente; si está en la pasarela: caminar lo que estás llamado a hacer en la vida con gran estilo; un modelo a seguir.

Moho: ver un hongo formándose en una planta u otro objeto indica una creciente decepción en una relación amorosa o en un amigo de confianza, Am. 4:9.

Moisés: significa rescatado de las aguas, liberado, Ec. 3:11; Pentateuco, Leyes y escritos espirituales; gran amor; profeta, sacerdote y legislador, Dt. 18:18; Hch. 7:23-28.

Mojar la cama: el temor o la ansiedad resultan en una falta de confianza, el comportamiento inseguro se presenta como una falta de autocontrol.

Mojar: sumergir la comida en un líquido antes de comer indica que la prosperidad se desbordará, prueba y ve que el Señor es bueno, ha hecho que la bendición y los favores te sobrepasen y te sumerjan. Un bocado de comida, Jn. 13:26-27, 30; sumergir, remojar o empapar en un líquido, tomar líquido saturado, indica que hay que ceder a algo para calmar o aplacar a otros en un soborno. Ten cuidado de los Judas que comen de tu mano.

Mojón: ver en tu sueño una serie de mojones numerados colocados a lo largo de una carretera, en la mediana o en el límite a intervalos de una milla, indica que has alcanzado una meta, un poste o un hito en el viaje de la vida.

Moldear, por la mano de Dios: si la mano de Dios te está moldeando en una nueva creación, entonces alégrate, el Señor está demostrando su amor hacia ti y completando la buena obra que ha comenzado.

Moler: tener un hacha para moler, argumentos u opiniones opuestas en guerra entre sí, aplastar o pulir con fricción o conflicto, dar forma, afilar o refinar, el filo de la navaja, expresión cruda para las relaciones sexuales. Moler el grano, el maíz, el cacao o el trigo indica que su cosecha ha llegado y que prosperará gracias a su duro trabajo, considere el término «llegar a la molienda», la servidumbre, la opresión, o «trabajar en la molienda» que indica que las tareas diarias han sido muy duras y difíciles, Jb. 31:10; Jue. 16:21; Lm. 5:13; Is. 3:15.

Molestia: las situaciones de la vida te están frustrando; están afectando tu estado positivo de ser. Echa todas tus preocupaciones o ansiedades a Jesús, porque Él se preocupa por ti. Ver una molestia pública o privada, «común», indica que estás involucrado en alguna ofensa, molestia, problema o herida.

Molinero: el que está llamado a trabajar en la cosecha, preparador de grano, o la palabra de Dios; tu entorno se llenará de prosperidad y aumento.

Molino de agua: se dispone de un flujo constante de ideas, enseñanzas o recursos financieros; se está abierto a utilizar o emplear nuevas opciones; se procede a un ritmo constante para alcanzar los objetivos propios; se recibe el poder del Espíritu Santo.

Molino de viento: indica que cosecharás lo que has sembrado. Lo que va de un lado a otro, vuelve de un lado a otro. Ver un molino impulsado por el viento indica una temporada de productividad, cosecha y prosperidad; advierte de una amenaza imaginaria de maldad.

Molino: ver un molino con agua fluyendo en un sueño alude a un proceso pacífico y a la felicidad, cuanto más grande sea el molino mayor será su producción de alegría, riqueza y recursos, Ex. 11:5; Nm. 11:8; Mt. 24:41.

Molusco: las cosas que se han ocultado saldrán a la luz para traer gran riqueza y sabiduría; deja de callar, aprende a decir lo que piensas con amor.

Momia: lo muerto; sentimientos, recuerdos o emociones que hemos enterrado sobre una persona fallecida, un intento de preservar una vieja forma de vida, la propia madre, todavía envuelta en viejos sentimientos, remordimientos o dolor; la tentación de preservarse tal y como uno es en lugar de abrirse al renacimiento de la salvación y a los constantes cambios de la vida; da lugar a la momificación; las momias a menudo aparecen en los sueños cuando ha muerto una pareja o alguien cercano y todavía hay sentimientos difíciles de pena, dolor o pérdida.

Monarca: ver a un gobernante único, soberano y absoluto que preside un estado indica que usted o alguien cercano a usted tiene una propensión a querer superar o sobrepasar a los demás.

Monasterio: visitar un monasterio en sueños indica una llamada a la oración. Se te considera como intercesor y adorador de Dios. Es el momento de buscar su rostro para descubrir más sobre tu potencial oculto. Necesitas descubrir quién eres en Cristo para que puedas entrar en unidad con él.

Moneda: donde esté tu tesoro (dinero) estará también tu corazón. ¿En qué gastas tu dinero? ¿Das el diezmo de tus ganancias? ¿Estás al día en tu experiencia con Jesús o has permitido que su valor disminuya? Es importante honrar y favorecer a otros con cumplidos y buenas acciones para mantener tu cuenta bancaria llena. Si te falta efectivo es hora de invertir en tus relaciones. Dios tomará tus cenizas y te dará belleza y gracia en el cambio por ellas. El cambio de moneda representa la capacidad de aprender a tratar con otras culturas y personas para encontrar el favor, las bendiciones, la conversión espiritual. Pieza romana de cobre; Mt. 10:29; Lc. 12:6 que vale un centavo y medio. Si te dan una monedita de poco valor: revisa bien tus negocios, algo no cuadra.

Monedas de oro: has invertido mucho en la búsqueda de los reinos de gloria de Dios; promoción por haber superado tus pruebas; éxito y riqueza. Para tener visión o vista espiritual primero compramos el oro que fue probado en el fuego, luego las vestimentas blancas, después aplicamos el colirio para ver. *«Por eso te aconsejo que de mí compres oro refinado por el fuego, para que te hagas rico»*; Apo. 3:18; gran prosperidad a partir de recursos ocultos, éxito y riqueza.

Monedas que se tiran: representa una desapercibida falta de responsabilidad o una actitud irracional en la toma de decisiones.

Monedas apiladas: en tu sueño representa el poder masculino, la autoridad, la preeminencia y la energía.

Monedas de cobre: soñar con ellas indica una necesidad de curación o puede ser una referencia a la ofrenda de la viuda; desesperación; pobreza; carencia; preocupación; cargas insoportables; realización de malos negocios.

Monedas de plata: redención espiritual, conocimientos, moral, y tu sentido de confianza, prosperidad, esclavitud, rechazo; una relación será redimida o no dependiendo del contexto del sueño.

Monedas: ver monedas en un sueño indica que has perdido algunas oportunidades de oro. Eres bueno con las palabras y a menudo «acuñas» frases ingeniosas. Mc. 12:42; Mt. 18:28.

Monedero perdido: indica un sentimiento de pérdida de poder y control, necesitas ponerte en contacto con lo que realmente eres; has perdido tu monedero, pero has encontrado su contenido: céntrate en los asuntos internos importantes; mira más allá del envoltorio exterior.

Monedero: ver o llevar un monedero en un sueño representa tu identidad actual y el sentido de ti mismo; llevas deseos no revelados y pensamientos guardados; la condición del monedero: indica tu estado de ánimo y sentimientos; un monedero puede simbolizar los genitales femeninos y el útero; el tamaño del monedero: ayudará a determinar la dimensión

de las ideas creativas, la producción que estás llamado a dar a luz y producir, Pr. 7:20.

Monederos/carteras: representan asuntos con la identidad de una persona que se pierde o es robada; favor que se da o se vuelve a mover; se da licencia; propósitos de vida realizados.

Monitor de tobillo: Llevar un monitor de tobillo indica que te sientes atrapado, temes dar un paso en falso, cada paso es supervisado, vigilado minuciosamente, las decisiones son escrutadas.

Monja: persona consagrada a Dios y dedicada a una vida de ministerio, pureza, castidad y obediencia; alguien que está llamada a ser intercesora; abstinencia sexual; sentimientos morales religiosos; idealismo; Iglesia católica; oración; uno necesita vivir de acuerdo con sus votos y promesas; los deseos de ganancia material o fortuna están impidiendo tu crecimiento espiritual; si es una mujer: no se siente satisfecha en su situación actual, busca una vida segura y tranquila. Mujeres pertenecientes a una orden religiosa y dedicadas a la oración, la castidad, la pobreza, el servicio, la mediación, la santidad y la obediencia.

Monje: dedicado a la disciplina prescrita; soledad; esconderse de los amigos o de la sociedad; viajes desagradables; soledad; pobreza; carencia; pérdida personal, Mt. 5:15-16; 1 Ts. 5:17.

Mono: insensato; juego, picardía, espíritu burlón o demonio, chanza, picardía; engaño; deshonestidad que usa la adulación y su influencia falsamente, Hb. 1:9; adicción que se aferra a la espalda, «mono en la espalda»; «monería» o masturbación. *Alternativamente:* un imitador; alguien torpe, cursi, mal educado; no piensa por sí mismo, imita a los demás; evalúa a los que le rodean; falso amigo; humillación; engaño. Pasar por encima de alguien o actuar de manera inapropiada, ganar compostura, tener cuidado con el engaño, la actividad demoníaca, conducta pícara o traviesa o fuertes mentiras que fomentan la seducción sexual. 1 Re. 10:22.

Monociclo, montar: una vida empresarial, personal y social equilibrada; en completo control o ser unilateral.

Monociclo: ministerio individual que requiere equilibrar los asuntos del hogar, la familia y el trabajo; requiere esfuerzo para progresar; muy equilibrado en su enfoque, los movimientos hacia adelante y hacia atrás dificultan el progreso, vacilante, muy difícil de llevar a otros con uno, impulsado por la propia energía y fuerza.

Monóculo: ver a alguien con un este aparato de cristal de un solo ojo visor indica que estás bajo un severo escrutinio y una astuta observación, no pretendas ser alguien que no eres. Nadie puede ser tan bueno como tú. Tú eres el mejor de todos.

Monopatín: la agilidad, la destreza y la gracia equilibrada te aseguran el éxito, incluso en las circunstancias más adversas; te gusta la acción y la emoción; eres un artista del cambio rápido. Bajar la cuesta de la vida. Por ejemplo, en la vida personal o en el ministerio individual, representa un reto de subidas y bajadas; requiere un gran esfuerzo físico para mantener subidas y bajadas más emocionantes o desafiantes, asumiendo riesgos. Se necesita un gran equilibrio y habilidad para maniobrar adecuadamente sin sufrir una dolorosa caída; es un tipo de equipo deportivo formado por una tabla lisa con cuatro ruedas diseñadas para ser duraderas, que se propulsa empujándola con un pie, mientras el otro permanece en la tabla, mientras se desliza sincronizadamente por el medio tubo o la pista; también se puede utilizar poniéndose de pie en la pendiente descendente de una cubierta para permitir que la gravedad propulse la tabla y al corredor. Si el corredor coloca su pie derecho hacia delante, se dice que él o ella va «súper»; si el corredor coloca su pie izquierdo hacia delante, se dice que va «regular».

Monorriel: hay una dirección o camino a seguir que lleva al éxito o a la destrucción, la salvación, Jesús es el único camino al Padre, Jn. 14:6; un enemigo viene por un camino, pero huye por siete, Dt. 28:7; ejemplo de terror, Dt. 28:25; ir por caminos separados, 1 Re. 18:6; un corazón un camino, Jer. 32:39; ideas fijas, pensamientos únicos, enfoque o visión.

Monstruo: algo que ha crecido fuera de las proporciones y que te abruma; la expresión gráfica de los efectos de traumas pasados; representa el miedo personal, 2 Tm. 1: 7; temor, terror a la muerte, fracaso, impotencia; actitudes, odios o emociones monstruosas que se han vuelto contra uno mismo; algo que se teme y que debe ser desafiado y superado; comportamientos, formas, apariencias o deformidades extrañas, anormales o grotescas; Faraón, rey de Egipto, Ez. 29:3, 32:2; Jb. 7:12; Sal. 74:13; Is. 27:1; 51:9.

Montacargas: vehículos industriales motorizados que con sus púas accionadas por energía levantan cargas pesadas y las colocan donde se necesitan. Ver un montacargas en un sueño puede indicar que está tratando de asumir más de lo que puede manejar con seguridad.

Montana: «Oro y Plata»; Viajar a Montana; El Estado tesoro; parajes de cielo infinito; Lewisa rediva.

Montaña nevada: manos limpias y corazón puro; sin engaño; lugar santo; bendición; posición correcta; lugar elevado de visión; experiencia en la cima de la montaña.

Montaña rusa: los cambios rápidos en las subidas y bajadas inevitables de la vida; hay que aprender a recuperarse rápidamente y disfrutar del viaje rápido. Soñar que se está montando en la montaña rusa de un parque de atracciones representa la emoción y las alegrías de las frecuentes subidas de la vida y las decepciones de las bajadas. Usted está experimentando un comportamiento errático en una relación provocada por usted mismo o por una situación difícil; temporada de montar los altibajos de la vida; paseo rápido; ir en círculos; emoción corta; un desafío que no lleva a ninguna parte; ministerio que sobrevive en las señales y maravillas; orientado a la emoción.

Montaña: «experiencia en la cima de la montaña»; lugar para encontrarse con Dios, Mt. 21:21, hablar al monte para que sea removido; gran problema u obstáculo; oposición; fe; oración; ver las cosas desde una perspectiva celestial; estabilidad; majestuosidad; el reino de Dios; el reino del hombre o de Satanás, Sal. 72:3; Una elevación natural masiva de la superficie de la tierra que presenta un desafío para escalar o rodear puede ser indicativa de los problemas, obstáculos o dificultades de la vida, Mc. 11:23. Is. 2:2; Dn. 2:35; Jer. 51:25; Zc. 4:7.

Montar a caballo, cortarse: indica la necesidad de una circuncisión de la carne o de los deseos carnales que están reinando.

Montar a caballo, no poder controlar o parar: tu naturaleza carnal está impulsando tus pasiones.

Montar a caballo: encuentro espiritual que te llevará a un nivel superior de influencia, poder y autoría. El color y la raza del caballo son importantes, ¿occidental, inglés o a pelo? Su vida es equilibrada y desprende una capacidad de éxito segura. Los caballos pueden representar el sudor de hacer las cosas en la carne. La confianza y las habilidades exhibidas en el trabajo le sitúan en una posición de poder y autoridad. La integridad debe ser incorporada para lograr el verdadero éxito, mantén las cosas por encima de los límites, no te dejes llevar por tus pasiones.

Montar en un bronco: prepárate para un paseo duro y emocionante en el que habrá muchos corcoveos e intentos de despistarte; una competición atlética en la que el vaquero supera especímenes enormes y muy briosos. Este evento de rodeo implica que el participante monte en un caballo sin domar (llamado bronco), que intenta despistar al jinete. Originalmente se basaba en las habilidades necesarias que un vaquero debía tener para domar caballos, pero ahora es una competición muy estilizada en la que se utilizan caballos especialmente criados por su fuerza, agilidad y capacidad de corcovear.

Montar un toro: deporte de rodeo en el que el jinete se sube a un gran toro y trata de mantenerse montado mientras el animal intenta quitarse de encima al jinete. En la tradición americana, el jinete debe permanecer encima del toro durante ocho segundos. El jinete sujeta fuertemente con una mano al toro por medio de una larga cuerda trenzada. Es un deporte de riesgo y ha sido denominado como «los ocho segundos más peligrosos del deporte».

Montar: ¿qué se monta en el sueño? ¿un animal, un objeto o un vehículo? ¿Es autopropulsado, con motor, con gasolina o con viento? Si está cabalgando lejos, habrá distancia entre usted y una persona o situación. Si cabalga hacia alguien o algo, habrá una conexión o una confrontación. Determina tus objetivos y planes de vida. No te rindas ni sigas a ciegas a otra persona.

Monte Ebal: el monte de la maldición; Dn. 27:13; Js. 8:32-33.

Monte Gerizim: el monte de la bendición; Dt. 27:13; Js. 8:23-33.

Monte Moriah: representa el sacrificio, la sustitución, el lugar del Templo y la fundación, Gén. 22:2; 2 Cr. 3:1.

Monte Sinaí: representa la Ley de la Alianza, los Diez Mandamientos, el miedo, la esclavitud y el legalismo, Éx. 19:1-6; Heb. 12:18-21; Gál. 4:24-25.

Monte Sión: ver el Monte Sión en tu sueño representa el poder de gobernar; el Nuevo Pacto, el sacerdocio; el trono de David; la adoración y la alabanza del Tabernáculo de David, 1 Cap 15 y 16; Am. 9:9-15; Apo. 14:1; Heb. 12:22-24; Hch. 15: 15-18.

Montón: algo que le ocurre a un individuo, su destino o futuro en la vida, una selección o determinación por elección o por azar; riqueza, un lote de dinero.

Montón: ver cosas amontonadas en un sueño presagia negligencia por tu parte; no dejes para mañana lo que puedes hacer hoy. «*Un rato más de dormir, un poquito más de sueño, un breve descanso con los brazos cruzados, entonces la pobreza te asaltará como un bandido; la escasez te atacará como un ladrón armado*», Pr. 24:33-34.

Monumento: ver un monumento en un sueño representa tu autoestima y el valor de los logros de tu vida; cómo la gente recordará el legado que queda de la vida que viviste para los demás.

Monzón: estación de tormentas espirituales; una saturación o llenado.

Moño: el pelo de una mujer recogido en una bobina redonda o en un nudo retorcido en la nuca o en la parte superior de la cabeza en ciertos peinados; considere el dicho latino, «le falta pelo pa moño».

Moonshine (tipo de whisky): ver, hacer, probar o beber este whisky de alta graduación destilado ilegalmente indica que tienes algunas actividades nocturnas cuestionables que podrían traer muchos problemas a tu vida si no se controlan o se eliminan.

Mora: victorias oportunas de los adversarios Lc. 17:6; Dios está delante de ti 1 Cr. 14:14-15; avance 2 Sam. 5:23- 24; las desilusiones, la amargura y la falta de perdón pueden causar estorbos o enfermedades si no se tratan; retrasos en alcanzar las metas fijadas.

Morada, bloqueada: Su vida hogareña está en desorden.

Morada, no bienvenida: Si no te dan la entrada: no serás bien recibido, así que asegúrate de tener un plan B.

Morada nueva: Si se trata de un lugar nuevo y extraño, está dejando lo viejo para empezar algo nuevo.

Morada: Verse en una morada en un sueño indica que está ascendiendo a un reino superior de comprensión.

Moras: ver muchas moras en un arbusto indica gran abundancia, prosperidad y éxito, un tiempo de limpieza espiritual y fructificación. Ver moras en el suelo: las cosas se perderán o serán robadas; depresión; mala salud; un teléfono o aparato de comunicación: indica que hay que estar en contacto con los amigos más a menudo; se cultivan en Alabama y Kentucky.

Mordedura de espalda: Advertencia para dejar de hablar negativamente de los demás, no devores a tu prójimo o amigo con palabras poco amables o negativas, el daño que siembras cosecharás, considera la regla de oro: «Haz a los demás lo que quieras que te hagan a ti». Observar que los demás te devuelven la pelota indica que hay problemas de comunicación.

Mordedura: ver una mordedura en su sueño indica una pequeña porción o el más mínimo espacio de tiempo o un momento de decisión; una «parte de la mordedura» en un papel; una punta afilada de una herramienta; la parte de la llave que entra en la cerradura para engranar los bombines o el cerrojo; la boquilla de metal que controla un caballo o una mula: «*No seáis como el caballo, o como el mulo, sin entendimiento, Que han de ser sujetados con cabestro y con freno, Porque si no, no se acercan a ti*» Sal. 32:9. Algo que controla o frena; «*El Señor envió serpientes ardientes entre el pueblo y mordieron al pueblo, de modo que murió mucha gente de Israel... Y Moisés hizo una serpiente de bronce y la puso en el estandarte; y sucedió que si una serpiente mordía a algún hombre, cuando miraba a la serpiente de bronce, vivía*», Nm. 21:6, 9.

Mordeduras de hormiga: algunas irritaciones muy pequeñas, palabras urticantes o alguna persona insignificante te está royendo y te está poniendo de los nervios.

Mordeduras de serpiente: las mentiras afectarán a la persona causando un dolor terrible y un sufrimiento abismal; constriñe; simboliza a las mentiras o el lado oscuro que exprime la vida hasta consumir completamente a la persona.

Mordeduras, vampiro: elimina a los que te chupan la vida, abusadores de la confianza; ejerce la sabiduría y la discreción. Las mordeduras de vampiro representan a alguien a tu alrededor que desea chuparte la vida. Vuelve a la cruz para obtener la sabiduría y la fuerza necesarias.

Mordeduras: cuidado con las palabras mordaces de la gente, de oposición, calumnias, rumores, mentiras; el daño puede llegar a las relaciones físicas, espirituales o financieras cercanas; sometido a opiniones o comentarios negativos, llevar una carga más pesada de la que puede soportar; exceso de compromiso; un ataque Hch. 28:3; mordedura de espalda, Pr. 25:23; capacidad de recuerdo y memoria.

Morder a alguien: ira, amargura, exigencias o presiones indebidas, un devorador. Advertencia de que estás rodeado por un devorador que procura dañarte emocional, física o financieramente. Morder a alguien significa angustia o disgusto, ira oculta o resentimiento; has sido un lambón, por así decirlo.

Mordido: ser mordido por alguien o algo indica que habrá algún tipo de influencia negativa, enfermedad o control impartido. Por el contrario, es posible que hayas sido picado por el bicho del amor. Ser mordido significa que uno está expuesto o es susceptible de ser predispuesto a algo que está fuera de su control. Advierte que no hay que morder más de lo que se puede tragar.

Mordisquear: si alguien está mordisqueando tu comida: tiene el deseo de tener o tomar lo que es tuyo; devorará tu tiempo y energía tomando tus ideas y las reclamará como propias. Esta es una advertencia para que no compartas tus originales y sabrosos bocados o ideas creativas con las ratas. Si alguien te mordisquea la oreja, es un chismoso que desea difundir rumores o contar secretos. No les confíes ninguna información a menos que quieras que se la cuenten a otros.

Moretón: lesión causada por un golpe, golpear o aplastar, sin romper la piel, contusión, herir los sentimientos de alguien hablando mal de él. Is. 53:10; Gén. 3:15.

Morfina: ver o usar este derivado del opio como sedante, droga recreativa o anestesia indica que no estás dispuesto a enfrentar las situaciones actuales de tu vida; estás enmascarando tu dolor para retrasar el asumir la responsabilidad y hacer los cambios necesarios para mejorar tu vida.

Morgue: ver el lugar donde se almacenan los cadáveres indica que algunas relaciones especiales están llegando a su fin; los malos modales o los malos hábitos de salud deben terminar; esto es una advertencia para cuidarse mejor.

Morillos: Ver este marco de apoyo para quemar troncos en una chimenea en su sueño indica que tiene un buen sistema de apoyo que involucra a Dios primero, a la familia y a los amigos. Deja que tu luz interior de salvación brille para calentar a los que te rodean. También espera una visita del Hombre de Fuego, ya que todo está en su lugar para que el fuego del renacimiento arda con fuerza en su vida.

Morir de hambre: condición de gran carencia, privación o estar hambriento en muchas y variadas situaciones voraces de la vida, «morir»; estar hambriento de atención, amor o afecto; estar aislado o desvinculado, Éx. 16:3; toda una asamblea en un desierto, Jer. 38:9, el profeta Jeremías arrojado a una cisterna para morir de hambre, no más pan en la ciudad.

Morir, observar a una persona: los sentimientos hacia esa persona desaparecen; reprimir sus características en la vida personal.

Morir: soñar con morir en un sueño sugiere que está pasando por una fase de transición de la vida con algunos cambios internos significativos, con sorprendentes transformaciones espirituales que conducen a un reino superior de la iluminación, y una temporada de autodescubrimiento que conducirá a algún desarrollo positivo de sí mismo.

Morir: ver la muerte de uno en un sueño: una transformación o desarrollo positivo y espiritual; cambios importantes; nuevo comienzo, fin de un viejo hábito o forma de hacer las cosas; pasar página; relación extremadamente dolorosa; comportamiento insano, destructivo y depresivo; sentirse atrapado; querer salir de una situación o responsabilidad.

Mormón o mormonismo: culto religioso del movimiento de los Santos de los Últimos Días que fue iniciado por Joseph Smith en la década de 1820 cuando escribió el Libro de Mormón. Los mormones siguieron más tarde a Brigham Young en el territorio de Utah. Adoptan abiertamente la práctica de los matrimonios plurales o la poligamia religiosa.

Morral: Capacidad de llevar los suministros necesarios para aprender y lograr; capacidad de resistencia para escalar cordilleras, llevando un peso o carga pesada en la vida, Heb. 12:1

Morsa: ver una morsa en su sueño representa un despliegue de autoridad en alguna situación o relación; tenga cuidado con las personas que intentan superar su capacidad de maniobra, su poder, su rango o su ingenio. Una morsa puede representar su caparazón protector y su piel gruesa. No dejes que las declaraciones críticas o los coqueteos manipuladores de los demás te afecten. Una morsa no puede volar, así que ver una con alas puede simbolizar una habilidad sobrenatural y palabras poderosas que están siendo esparcidas para obtener una búsqueda o beneficio egoísta; si te está atacando ten cuidado con una fuerte presencia maligna.

Mortaja: ver un paño que se utiliza para envolver el cuerpo de un difunto para su entierro, significa ocultación, protección, cobijo o enmascaramiento.

Mortificar: dar muerte en sentido figurado; Rom. 8:13; Cl. 3:5.

Mortuorio: ver una funeraria que guarda cadáveres antes de enterrarlos, representa sentimientos o preocupaciones relacionados con la muerte; prefigura áreas de tu expresión personal que han muerto, morir al yo o al viejo hombre.

Mosaico: alude a los patrones, hábitos y eventos de la vida de uno; encajar las piezas del rompecabezas; la historia o el registro del trasegar de la vida de cada quien.

Mosca de drenaje: las mentiras, los chismes y los comentarios calumniosos están drenando tu energía y tu resistencia. La presencia de moscas de drenaje representa la necesidad de rodearse de personas positivas y refrescantes que te exhorten y te construyan; no de personas contaminadas, superficiales o de la escoria que a menudo se acumula alrededor de las personas negativas que drenan.

Mosca: mentira; maldición y molestia; Belcebú el señor de las moscas; demonios o seres satánicos; corrupción de la casa u opresión o posesión demoníaca; pensamientos, entorno, ambiente o atmósfera impuros; la basura se acumula; un corazón frío, sin pasión; simboliza sentimientos de culpa o una ruptura de la comunicación o de los planes; advierte de una enfermedad o dolencia contagiosa; o de estar rodeado de enemigos; infelicidad; exterminar las moscas significa recuperar el favor o el honor después de una caída; poner fin a las irritaciones o vejaciones negativas; capacidad de recuperar el corazón y el afecto de los seres queridos; Éx. 8: 21-22, 24, 29, 31; Sal. 78:45, 105:31; Ec. 10:1; Is. 7:18 y 51:6.

Mosquito: una situación o persona intrigante ha estado chupando secretamente tu energía o fuerza vital y drenando tus bienes; matar a los mosquitos denota que podrás contrarrestar tales ataques; superar los obstáculos, disfrutar de la satisfacción y el destino; oír un mosquito representa maldiciones de brujería que intentan posarse; si te pica: irritaciones de la vida diaria que dejan su marca temporal.

Mostaza: añade un poco de sabor a tu vida y espárcela a los demás; semilla de mostaza: Mt. 13:31, «Reino de los cielos», Mt. 17:20, fe; nada es imposible para ti; las cosas pequeñas pueden producir grandes resultados al esparcir la fe alrededor; éxito y riqueza, Mc. 4:31; Lc. 17:6; Lc. 13:19.

Mostrador de información: buscar la guía del Espíritu Santo, sentirse perdido o confundido, necesitar

una dirección clara para avanzar al encuentro de su vuelo antes de despegar.

Mostrador: verse a sí mismo o a otros trayendo mercaderías o parándose en el mostrador indica que están en el mercado para hacer negocios o cerrar un trato, conocer una devolución u ofrecer una respuesta.

Motel: lugar temporal de transición; una parada para pasar la noche en un viaje, un lugar para descansar y asearse.

Motero: aventurero, espíritu pionero, amante de las carreteras y autopistas, inconformista, miembro de una comunidad, dispuesto a tomar partido, rebelde, estilo de vida pandillero, Ángeles del Infierno, violento, guerrero.

Moto acuática: esta será una temporada de rápida aceleración y autodescubrimiento. Descubrirás dones, talentos y habilidades que han estado ocultos en tu subconsciente.

Motocicleta, chopper: disposición a pagar un alto precio para llegar a tu destino.

Motocicleta: capacidad de salir de la carretera, de escapar de los caminos habituales de la vida para experimentar la aventura, la libertad y explorar lo desconocido. Impulso juvenil, motivación y ambición, capacidad de superar rápidamente a los que le rodean, energía física, inquietud, audacia, aventura, demuestra la capacidad de mantener el control, aceleración rápida que impulsa a los demás; longevidad; ministerio personal, movimiento rápido; rebeldía; orgullo. 1 Re. 12:18; 2 Re. 2:11-12, 10:16; Sal. 104:3; Hch. 8:28-38; 17:28 a; 1 Ts. 2:18.

Motocicletas: (Harleys, Hogs, Choppers, etc. y motos deportivas) una gran habilidad para superar obstáculos y destreza física para ir fuera de la carretera a lugares apartados o para maniobrar a través del tráfico en las autopistas y carreteras; sentir el viento del Espíritu Santo y seguir su guía.

Motor: el corazón de la persona o del vehículo, la motivación que te impulsa al éxito, Ef. 1:19-20.

Motor: impulsado por una poderosa unción; estimulante; la motivación, la fuerza energética o el poder del Espíritu; respuesta fuerte y carnal, Hch. 1:8; 10:38; Ef. 3:7; Jd. 11; Zc. 4:6 Fuerza motriz, energía que da poder; muchas partes que funcionan juntas como un todo; poder del Espíritu Santo; tus órganos internos o metabolismo, el corazón.

Motos de nieve: este vehículo pequeño representa la oportunidad de viajar un tiempo de diversión altamente lúdico; una temporada de relajación y distención emocional te darán la ventaja que necesitas.

Motosierra: tienes la capacidad de evaluar rápidamente las situaciones y las personas cortando directamente de raíz cualquier asunto dañino y eliminando toda la madera muerta o la pelusa extraña; están a punto de producirse algunos drásticos recortes; ejerce tu fuerza de voluntad para superar una poda severa.

Muchacho: literalmente significa un chico o chicos jóvenes; también representa a los dones de liderazgo que están en proceso de crecimiento; desarrollo de un ministerio itinerante o gubernamental; un joven o niño varón; un hombre inmaduro o infantil; implica que se necesita tutoría especial; temporada de maduración.

Muchos: muchos son los llamados, pero pocos los elegidos, haz lo necesario para prepararte para ser elegido.

Mudanza: el aumento está llegando a un nuevo nivel, un cambio de ambiente o de trabajo te hará bien, una relación o situación está llegando a su fin, te estás moviendo, un nuevo círculo de influencia está llegando.

Mudar la piel: ver a una serpiente mudar su piel indica que las mentiras que tu enemigo está diciendo están creciendo.

Mudar: ver a un animal mudando: despojarse de una capa exterior o cubierta y reemplazarla por algo nuevo y mejor indica que estás en un proceso de metamorfosis de renovación de tu mente y cuerpo espiritual. Estás en el proceso de ampliación y estás listo para alzar las alas y volar.

Mudez: incapacidad de decir lo que se piensa, no hablar por uno mismo o por los demás; temor al hombre, al fracaso o al rechazo; no usar los dones verbales, petición no expresada; reflexión silenciosa; suavizar algo; labios mentirosos de los arrogantes y orgullosos, Sal 31:18; incredulidad, Lc. 1:19-22; demonio, Lc. 11:14; ídolo, 1 Cor. 12:2; parálisis producida por el temor; opresión demoníaca; defecto de nacimiento; intimidad de un corazón roto; maldición; ser abusado o controlado por una fuerza de opresión, Mt. 9:33; Mc. 9:17-29.

Mudo: guardarse las ideas y los negocios para uno mismo, Sal. 39:2, 9, no es el momento de compartir las empresas, carecer del poder del sonido o del habla, mudo, Mt. 15:30-31, enmudecer temporalmente debido al miedo o a la conmoción, Pr. 31:8 9, carecer de inteligencia, no estudiado, estúpido, ignorante, bobo, temor al hombre.

Muelle: embarcadero que significa «lanzado», quiere decir que algo es arrojado a un nuevo par de tablas de esquiar, (o estructuras) las cuales te llevarán lo suficientemente lejos como para encuentres lo que buscas en tu vida. Estás siendo empujado a tu destino para explorar un nuevo país y disfrutar de un viaje en una tierra costera. Significa que uno ha navegado con éxito por emociones turbulentas o tiempos difíciles; lugar que conecta; se necesita una temporada de descanso y reencuentro; inspecciona

y reevalúa las elecciones de la vida. Ver un muelle o un terraplén pavimentado para cargar y descargar barcos predice que «su barco está llegando», que la prosperidad, los viajes a nuevas tierras y muchas bendiciones se apoderarán de su vida. Ver un muelle, una estructura en la orilla de un puerto o en la ribera de un río o canal donde los barcos atracan para cargar y descargar la carga o los pasajeros indica que tu «barco ha llegado». Puedes esperar un cambio positivo en tu influencia y prosperidad.

Muérdago: besos de un nuevo o viejo amigo; bésame; cariño; celebraciones; alegría; afecto; amor; superar dificultades.

Muerte de la hija: las hijas representan tu fruto espiritual, la siguiente generación que continuará tu legado en la vida, una descendiente femenina que es un reflejo o una extensión de ti; representa una relación padre-hijo. Ver la muerte de su hija puede indicar una pérdida de relación o de influencia en tu vida. Este sueño no suele representar una muerte física, sino un cambio drástico en la forma en que ambos se relacionan. Es posible que ella haya pasado a la edad adulta y esté ejerciendo su propia independencia, comenzando su propia vida, tomando sus propias decisiones sin tu aportación o aprobación.

Muerte en la carretera: ver un animal muerto al lado de la carretera indica que es el momento de dejar ir algún aspecto negativo de tu vida, eliminar comportamientos ofensivos, ideas o malos hábitos que se asemejan a las características demostradas específicamente por ese animal muerto. Tus comportamientos animales van a morir o llegar a su fin. ¿Qué situación apestosa está obstaculizando tu momento de avance? Es hora de enfrentarse a la carnalidad y enterrarla de una vez por todas.

Muerte, cerca de la muerte: implica que estás volviendo a algunos viejos malos hábitos o maneras, experimentando con prácticas ocultas o experimentando algún tipo o recaída. Dios es misericordioso y te está dando una segunda oportunidad para arrepentirte y hacer las cosas bien con Él y con los demás.

Muerte, morir negativo: cuando se sueña que se muere puede indicar algún insano involucramiento en una relación extremadamente dolorosa con comportamientos cáusticos. Si estás deprimido o te sientes asfixiado por las circunstancias de tu vida, entonces morir a esos aspectos en tu vida es algo bueno. Nuestro subconsciente nos hará soñar con la muerte si pasamos tiempo visitando o pensando en un amigo o familiar que tiene una enfermedad terminal o que está muriendo. En casos extremos, algunos sienten que la única manera de rechazar una obligación o responsabilidad es no estar disponible, estar muerto en una relación o actuar como si las exigencias de tu vida te estuvieran matando.

Muerte, niño: indica la necesidad de eliminar de tu vida los comportamientos infantiles o inmaduros. Es hora de dejar de jugar y tomarse la vida más en serio. Cuando los niños o los adolescentes sueñan con morir, es parte del reconocimiento del hecho de que están creciendo, haciendo una transición, transformándose o alcanzando un hito de madurez en la vida.

Muerte, padres: si los padres están envejeciendo o su salud está fallando, podría ser una advertencia para expresarles tu amor pasando un tiempo precioso con ellos, ya que su vida está llegando a su fin y no los tendrás por mucho tiempo; puede indicar un deseo de más independencia y capacidad de decisión en tu vida. Si son autoritarios y controladores, este sueño indica que deseas liberarte de sus opiniones y aportes. Considera que también puedes tener dificultades financieras y sentir que una herencia sería la respuesta a tus deudas debido a un presupuesto pobre y a un gasto excesivo. Aprende a establecer buenos límites con tus padres si eres un adulto que vive solo. Solo mantenlos informados de lo esencial. También puede indicar que se producirán cambios importantes en tu vida y en la relación con tus padres. Estás llegando a la mayoría de edad o entrando en un nuevo nivel de independencia o autosuficiencia.

Muerte, pena: si sueñas que te condenan por un delito cometido, es el momento de asumir la responsabilidad, buscar el perdón de aquellos a los que perjudicó o dañó y arrepentirse. Encuentra la ayuda que necesitas para superar tus defectos.

Muerte, persona amada: indica que admiras ciertas cualidades que esta ella posee y que aún no has desarrollado en tu vida. ¿Por qué tienes a esta persona en alta estima? ¿Cuáles son sus cualidades positivas? Reconoces en ella cualidades y características que te gustaría incorporar a tu vida tal y como son en la actualidad.

Muerte, persona desconocida: indica que puedes sentirte desconectado de la alteración que se está produciendo a tu alrededor.

Muerte, persona: tienes el deseo de librarte o liberarte de la influencia de alguien, tus sentimientos de admiración, amor o amistad con esa persona han muerto, tu impulso, sueño o ambición de alcanzar una meta ha muerto; si estás interactuando con una persona muerta de alguna manera estás coqueteando con la muerte.

Muerte, sentencia: el tiempo es corto. Reexamina tus acciones, tus caminos y cambia de sendero. Busca la salvación de todo corazón, alega tu caso ante Dios y pide misericordia y restauración. Sal. 69:32-33; Jb. 8:5-6, 5:8.

Muerte, uno mismo: muerte por motivos o acciones egoístas; se predice la muerte literal o el fallecimiento de uno; salvación, iluminación, renovación espiritual, transición a un nivel superior o escapismo, si caminas, abrazas o bailas con una figura oscura o permites que la muerte te toque indica que estás abrazando tu propia muerte. Se acerca el fin de un trabajo, de una carrera o de una relación; sentimientos de malestar u odio hacia alguien; advertencia de que hay que orar para pedir protección; ir en contra de los deseos de alguien; muerte física o espiritual.

Muerte: hay muchas causas de muerte; entre las más comunes están el envejecimiento, la enfermedad, el suicidio, el homicidio y la deshidratación, los accidentes y los traumas que provocan lesiones terminales. La muerte se considera triste o desagradable si las personas implicadas no tienen ninguna esperanza de salvación o vida eterna después de la muerte. La muerte representa el fin de algo, la terminación de una relación, los vínculos afectivos, la pena, el dolor y el sufrimiento emocional, la depresión y la soledad. *Alternativamente:* Lo viejo está pasando la nueva herencia está llegando, los malos hábitos están siendo conquistados, la liberación de las reservas, la ansiedad y las incertidumbres, dependiendo del contexto algo bueno o malo en tu vida está llegando a su fin, el final de una relación; no operando en tus dones espirituales o naturales, recuperándose de una enfermedad. Ef. 2:5; Heb. 2:14. Ver a alguien muriendo en un sueño indica que los sentimientos que una vez tuvo por esa persona están perdiendo su pasión, se están produciendo cambios considerables en tu relación o está en su última etapa antes de morir. La persona moribunda puede representar uno de los rasgos negativos de tu personalidad que necesitas superar.

Muerto, cuerpo: indica que has dado por perdido a alguien; has rechazado o te has divorciado totalmente de él o de cualquiera de sus influencias o deseos; una invitación a orar por el poder de la resurrección para resucitar a los muertos.

Muerto, fin: no puedes ir más lejos; camino equivocado; has llegado al final de tus recursos o de tu yo; no hay más oportunidades.

Muerto de gato: tu naturaleza independiente está llegando a su fin; estás listo para entrar en una relación con alguien.

Muerto: uno está siendo influenciado por fuerzas negativas o personas pesimistas; pérdidas materiales, financieras o espirituales; emociones o sentimientos no resueltos por la pérdida de un ser querido; las relaciones actuales te recuerdan su característica o cualidades similares; decir adiós;

afrontar o poner fin a una relación, trabajo o capítulo de la vida.

Muertos, animales: torpeza, inercia, frialdad, indiferencia, pérdida de un amigo leal, algunos de sus atributos menos refinados o animales se están extinguiendo finalmente.

Muestra: ver muestras de productos o servicios en tus sueños indica que estás siendo más consciente de las oportunidades y experiencias que son fáciles de acceder. Tienes el deseo de experimentar y probar cosas nuevas.

Muffins: hornear muffins: diligencia; un trabajador duro; cosechar los frutos de tu trabajo; comer muffins: gusto caro por las cosas exquisitas y lujosas de la vida.

Mujer con barba: Una mujer con barba indica que lleva el mismo poder, autoridad, fuerza, unción o dones que un hombre.

Mujer sabia: representa el Espíritu Santo, el Espíritu del Señor, el Espíritu de Sabiduría, el Espíritu de Consejo, Poder y Entendimiento, el Espíritu de Conocimiento y el temor reverencial y obediente al Señor; representa la iglesia, la crianza, la gracia, puede representar a su madre, el poder de la feminidad, la fecundidad espiritual, los hijos y la riqueza abundante.

Mujer virgen: una hija o una virginidad interior; nueva fase en una relación, o un matrimonio; un nuevo trabajo, o un movimiento geográfico hacia un territorio virgen.

Mujer anciana: preocupaciones o inquietudes que uno tiene sobre el envejecimiento y la vejez, la sabiduría o el poder de la feminidad.

Mujer conocida: preocupaciones o sentimientos que uno tiene sobre ella.

Mujer, hablar: calumnias, chismes, compañerismo u oración; estar embarazada: nuevas ideas, fructificar espiritualmente, hijos, riqueza abundante; demonio; brujería.

Mujer: representa a la verdadera iglesia o Esposa de Cristo, Ef. 5:23-32; Apo. 12:1; ángel; compasión; poderosa; matrona; virgen o ramera; espíritu seductor; tu misma; nutrición, gracia, Espíritu Santo, pasividad, naturaleza cuidadosa y amor; los aspectos femeninos de uno, o puede representar a tu madre; tentación o culpa; Pr. 31:10-31 describe a una mujer modelo en sus entornos domésticos y sociales; Jn. 2:4; Jn. 19; 26-27; 20:13-15.

Mujeres: cualidad o aspectos femeninos, doncella, ama, esposa, mujer adulta, mujer, humanidad de las mujeres; movimiento de los derechos de las mujeres; mujeres populares; puede representar a la iglesia.

Mula: estéril; persona obstinada; de gran fuerza;

montada por reyes; sin entendimiento; Sal. 32:9. Cría que sale de cruzar un caballo y una burra, montada por hombres distinguidos, 2 Sam. 13:19; Gén. 36:24 significa «fuentes de calor».

Muleta: apoyo o ayuda que viene a apuntalar algo; incapacidades físicas que se eliminan; confiar en fuerzas externas para sostener o apuntalar.

Muletas: soñar que está con muletas significa que necesitas que te apuntalen o que te apoyas en otros para poder caminar mejor hacia tu destino. Tal vez estés fingiendo estar herido o indefenso para evitar alguna responsabilidad. Pr. 3:5; 2 Sam. 3:29.

Múltiples parejas sexuales: búsqueda de amistades íntimas con otras personas; inseguridad; búsqueda de amor; pobre, o falta de autoestima; incapaz de comprometerse; miedo a la intimidad; falta de habilidades de comunicación; emocionalmente herido por el abuso.

Multitud: gran número de algo, grande o indefinido en relación con la masa o población de personas o ángeles.

Multitud: sentirse abarrotado, perdido en una multitud o en un grupo grande de personas reunidas con un propósito común, o congregadas en un lugar, un grupo social o camarilla, sentirse presionado, empujado o presionado en una posición, opinión pública, sin dirección personal, un seguidor, llenarse hasta desbordarse, sentirse solo en una multitud, una incapacidad para destacar por uno mismo, seguir la corriente, ceder a la presión de los compañeros, complacer a la gente.

Multitud: un disturbio, un grupo de personas reunidas con un propósito común, o que se congregan en un lugar, un grupo social o camarilla; sentirse presionado, arrinconado o empujando a una posición, la opinión pública, sin dirección personal, un seguidor, llenar hasta desbordar, sentirse solo en una multitud, una incapacidad para sobresalir por uno mismo, ir a lo largo del paseo, ceder a la presión de los compañeros, complacer a la gente.

Mundo: el ámbito de las experiencias vitales de uno; su conciencia de las situaciones y actividades que ocurren a su alrededor; mundanidad; ansiedad; miedo a los acontecimientos catastróficos; nuevo paradigma; «en la cima del mundo»; «fuera de este mundo»; «lo mejor de ambos mundos»; «es un mundo pequeño» Sal. 33: 8, la tierra habitable, Is. 45:17; el tiempo, Lc. 2:1, las naciones sometidas a Roma, Jn. 3:16, toda la humanidad; el universo y todas las cosas visibles e invisibles, «cielo y tierra"», Gén. 1:1; todas las cosas, Jn. 1:3.

Munición: Otro término utilizado para las balas utilizadas en los rifles o las pistolas. Se trata de armarse con palabras para expresarse o defender un argumento. Utilizar tu capacidad de persuasión y tu poder para influir y proteger, evitar los enfoques destructivos para lograr los objetivos trazados.

Muñeca Barbie: representa la idea que la sociedad tiene de la perfección femenina y el atractivo sexual en una rubia de ojos azules. Puede sentir que es incapaz de cumplir las expectativas de los demás; un nuevo deseo de remodelar su vida, su cuerpo o su imagen; el anhelo de escapar de la norma o de las responsabilidades diarias, un deseo de volver a la inocencia y al juego de la infancia, donde la vida era mucho más sencilla y despreocupada. Una mujer que se llama o se parece a una «Barbie». Una persona llamada Barbie Breathitt que enseña sobre los sueños y las manifestaciones sobrenaturales de Dios; incapaz de cumplir las exigencias de perfección de la sociedad o las expectativas de los amigos; pretensión o deseo de escapar de las responsabilidades, o de vivir en un mundo imaginario.

Muñeca jugando: puede representar una actitud inmadura, fantasía, falta de comunicación real o vivir en un mundo de ensueños.

Muñeca viva: representa tus deseos de convertirte en otra persona para escapar de tus problemas actuales y de tus trabajos cotidianos.

Muñeca: La muñeca puede ser un medio para activar tus deseos personales. Las muñecas simbolizan la felicidad doméstica; la inocencia de la infancia, la imaginación, la creatividad y la diversión de la fantasía. «Muñeca» es una metáfora con la que llamas o te refieres a alguien pequeña o bonita. *(Miembro del cuerpo).* La unión entre la mano y el antebrazo; si está adornada con un brazalete simboliza la amistad del pacto, la riqueza, el favor; si está atada representa la esclavitud, los malos hábitos o las debilidades personales lo tienen a uno cautivo; el color naranja de la luz de la unción de Dios trae la curación a la muñeca. Debes ser consciente de que las relaciones están siendo bloqueadas por un espíritu religioso o mentiroso de acusación y amargura; estas manteniendo las cosas en tus propias fuerzas.

Muñecas antiguas: Por definición, su antigüedad excede los 100 años o más. Las muñecas muy valoradas como objetos de colección pueden representar una herencia que se transmite.

Murciélagos: temidos, habitantes de la noche; tormento; chupasangre; impuros; inestables; huidizos; criaturas a menudo relacionadas con la brujería y los vampiros; muerte; enfermedad; dolor; calamidades; miedo; devoran plagas e insectos. Dt. 14:18; Lev. 11:13-19.

Muro de roca: fuerte muro de protección también conocido como baluarte; un muro elevado de protección. *«Su fidelidad es escudo y baluarte».* Sal. 91:4 Jesús es nuestra roca y muro de protección, corremos a él como nuestra torre fuerte y estamos seguros.

Muro: fronteras o límites en los que uno vive o establece para evitar que la gente invada nuestra vida privada o nos haga daño, un código de conducta o comportamiento moral; sistema de bienestar o actitudes, miedo a viajar más allá de lo que se conoce o experimenta actualmente.

Muros: si sostienen un techo: uno recibirá el apoyo necesario de amigos, empleadores, vecinos o familia; una defensa; si obstaculizan el progreso de uno: las complicaciones intentarán frustrar el éxito, pide sabiduría para superar los problemas actuales; demoler: los planes del enemigo no tendrán éxito; construir un muro: la consideración cuidadosa trae victoria y logros, 1 Sam. 25:16; Jer. 5:10 Is. 26:1; 60:18; 2:15; 5:5; 49:16; Zc. 2:5; Sal. 51:18; 2 Cr. 8:5; Apo. 21, 22; Muros de la Ciudad de Dios.

Músculos: los músculos fuertes significan éxito y buena forma física, usar el esfuerzo físico y la fuerza para abrirse camino, Mt. 12:29; operar en un nivel natural, el movimiento es necesario, el poder, la autoridad; músculos débiles: el fracaso y las dificultades no serán superadas; un matón contratado o para forzar a alguien; músculos doloridos: angustia emocional; mostrar los músculos: frustración o intimidación.

Museo: lugar o institución segura que estudia y expone obras históricas y artísticas; colección de recuerdos familiares o culturales del pasado; herencias; cuestiones de linaje genético. Admirar la historia y los grandes logros de los que nos han precedido; rendir homenaje a la gran nube de testigos; un salón de la fama; una institución situada en las principales ciudades del mundo que cuida (conserva) una colección de artefactos y otros objetos de importancia científica, artística, cultural o histórica para ponerlos a disposición del público mediante exposiciones que pueden ser permanentes o temporales. Un lugar donde se guardan y exponen valiosos artefactos del pasado, una iglesia tradicional llena de ancianos que echaban de menos el mover de Dios.

Musgo: amor maternal; caridad; alguien se sostiene viviendo de ti o a través de ti.

Música: representa el placer; la prosperidad; la alabanza a Dios; el ruido de la guerra; la acción de gracias alegre; la preparación de la mente para la influencia espiritual, 2 Sam. 7:6; Lm. 3:63; Dn. 3:5-7; los banquetes; la inspiración; la curación; la fiesta; el duelo; la habilidad, 1 Sam. 18:6; Lc. 15:25-32.

Músico: estás aprendiendo a expresar tus sentimientos y emociones a través de las artes. La armonía y la convivencia son importantes para ti. El ritmo de la vida te resulta apasionante.

Muslo: promesa de bondad y fidelidad; fuerza; el hombre carnal; carne; lujuria; seducción; reproducción. Fe, lealtad y fidelidad; fuerza; la voluntad propia necesita someterse a Dios. Fuerza para mantenerse en pie o avanzar, hacer un juramento, mayor músculo del cuerpo Gén. 32:25-32; Nm. 5:21; Sal. 45:3; Is. 47:2; Gén. 24:9; 47:29. La unción de luz roja de Dios trae sanidad al muslo.

Musulmán: seguidor de la religión del islam basada en el Corán que fue revelado por el profeta islámico Mahoma indica que Dios te llama a orar para que Jesús, el Hombre de Blanco, se revele a esta nación para que su peregrinaje espiritual los lleve a la confianza; se salvarán y experimentarán la vida eterna con Cristo como su Salvador.

Mutilar: soñar que te mutilan es una advertencia de que un adversario está al acecho. Deja de ponerte en situaciones adversas donde abundan los problemas. La auto-mutilación es un grito desesperado de ayuda. Indica que te odias a ti mismo o te rechazas, que las decepciones y los dolores de la vida son demasiado para que puedas soportarlos solo. Buscas la atención de tus seres queridos.

N

Nabos: se acerca tu turno para el éxito; haz nuevos planes para prosperar; instituye los cambios necesarios; el amor te permite elevarte por encima de los problemas existentes; una actitud brillante traerá prosperidad y ganancias.

Nabos: ser comido por tener una actitud continua de celos, envidia y contienda; produce una raíz de amargura; hablar mal.

Nácar: ver nácar en un sueño sugiere que usted está saliendo de un tiempo de prueba y aflicción con una gran perla de victoria a través de la renovación de su mente con la Palabra de Dios. Eres fértil y nacerán nuevas ideas que te permitirán alcanzar tus objetivos en un periodo de tiempo más corto.

Nacer de nuevo: Jesús dijo: «*Respondió Jesús y le dijo: De cierto, de cierto te digo, que el que no naciere de nuevo, no puede ver el reino de Dios*», Jn. 3:3,7; 1 Pe. 1:3, 23; los símbolos del nuevo nacimiento incluyen un huevo o un pájaro en vuelo, la primavera, una semilla que crece hasta convertirse en un árbol, un brote verde que surge de una rama seca, el vientre materno, una cueva o una hermosa perla.

Nacer muerto: la oración es necesaria para evitar que algo nuevo y emocionante sea robado de tu vida; un enemigo quiere adelantarse a una empresa exitosa o deponer tu aumento. Perder la confianza en alguien o en algo, una pérdida de pureza o inocencia, un final repentino e inesperado de un sueño o una promesa, Is. 66:9.

Nachos: preparar o comer un plato caliente de nachos indica que debes encontrar algunos amigos con los que relajarse y disfrutar de algún tipo de ocio o entretenimiento.

Nacimiento, abortado: cortar las bendiciones, egoísmo; no dar el paso o el cuidado necesario para que lo nuevo nazca en su momento; planes abortados.

Nacimiento, aborto: pérdida; juicio injusto; fracaso.

Nacimiento, brecha: ver venir al bebé con los pies por delante indica que su idea despegará corriendo.

Nacimiento, concebir: en proceso de preparación.

Nacimiento, dos cabezas: dar a luz dos cabezas indica que se está involucrado en algo que requiere mucha meditación o pensamiento de grupo, gemelos, un monstruo, deformidad; renuncia o ser de doble mente.

Nacimiento, fecha de parto: cumplimiento de una promesa o esperanza realizada.

Nacimiento, madre, abuela: ver a una madre o a una abuela dando a luz indica que están transmitiendo un don similar a la siguiente generación.

Nacimiento: algo nuevo que viene; dones; Nuevo Pacto; fecundidad; trabajo o relación; reproducción; sanidad de la esterilidad. Un nuevo comienzo; un nuevo ministerio, trabajo, carrera o vocación, una nueva relación en desarrollo que necesitará mucha atención para tener éxito. Is. 42:9. Lugar de parto; trabajar para descubrir o encontrar las habilidades y talentos internos de uno; el valor de la iluminación o nacimiento espiritual como contraste a la riqueza material.

Nación: país extranjero; invitación a abrazar actitudes, vestimenta y cultura diferentes; una forma de pensar más «amplia»; nación real; soberanía; llamada a la intercesión o al trabajo misionero.

Nadar con delfines: por fin has descubierto y entrado en contacto con las profundidades de tu propósito vital - «marsopas».

Nadar, en manantiales: es el momento de sumergirte en un tiempo de refresco en la Palabra y de unción del Espíritu para obtener la claridad necesaria y una profundidad de conocimientos espirituales; algo nuevo y fresco está a punto de brotar en tu vida.

Nadar: el agua a menudo representa el nivel de unción de alguien o la inmersión en la Palabra de Dios; buscar apoyo en el subconsciente y en las emociones ocultas mientras se resuelve una situación difícil o se hace terapia, sentirse abrumado o rebosado por las tareas o los problemas que se presentan. Tiene que ver con las emociones conscientes o subconscientes que te rodean.

Nalgas o posaderas: felicidad; firmes: atléticas; significa que estás corriendo la carrera para ganar, trabajando en tu salvación; grandes o flácidas: perezoso, apático, no caminando en tu vocación o destino, a gusto. La curación viene a través de las luces amarillas y naranjas de la bondad y la unción de Dios. Dejar atrás el pecado; procrastinación; «sentarse en las cosas»; problemas del nervio ciático; dificultad en tu caminar espiritual; situación pasada que está detrás o encima; ir hacia atrás; retroceder; colocar, ocultar o mantener fuera de la vista.

Nan: Significa gracia, Sal. 145:9.

Nana: cuidadora de los hijos de otros, alguien que ayuda a otros a desarrollar sus dones y ministerios, una mujer llamada Nan que significa gracia, gracia Sal. 145:9.

Napa: soñar con el condado de Napa, California, o el valle de Napa, indica que necesita unas vacaciones relajantes. Puede que necesites una nueva bota de vino flexible para avanzar fuera de una vieja temporada o forma de hacer las cosas.

Napoleón: significa león audaz de los bosques, Pr. 28:1.

Naranja, la música Clave de D: la luz naranja de la unción de Dios ministra sanación a los riñones; intestinos; abdomen inferior; intestinos; intestinos inferiores; asma; juanetes; cataratas; problemas de articulaciones; problemas de riñón; problemas de rodilla; menopausia; fobias; psoriasis; esguinces; verrugas cuando se ministra junto con la música de adoración en la clave de D.

Naranja: Espíritu de la Sabiduría; Is. 11:2; perseverancia; fuerza poderosa; energía; equilibrio; calor; fuego; purificación; persecución; entusiasmo; extravagancia; jocosidad; terquedad; fuerza de voluntad; rebelión; brujería; budismo; peligro; daño; advertencia.

Naranjas: el amor, el beso del Hijo, Sal. 2:12, «naranjas besadas por el sol».

Narciso: caballerosidad, anuncio, consideración; regalar un narciso a alguien que no siente lo mismo representa un amor no correspondido, protege tu corazón y sigue adelante, primavera, pascua, el color amarillo indica alegría, esperanza, perspicacia y una renovación de la mente, para el crecimiento espiritual interno; vida de resurrección; el sol siempre brilla cuando estoy contigo; marzo; narciso o amor propio, un nuevo comienzo fresco, se reproduce cada año. Egoísmo; formalidad; manténgase tan dulce como es; narcisos: joven que suspiraba aman-

do su propia imagen; vanidad; engreimiento; egocentrismo; preocupación por el cuerpo; diciembre; deshielo intempestivo de la victoria; floraciones en primavera; reproducción.

Narcótico: soñar que se toma esta poderosa droga indica que se intenta adormecer algún dolor emocional sufrido por una ruptura o una gran decepción.

Nardo: la fragancia de Cristo a su Padre Celestial; oración; alabanza; antigüedad. Cnt. 1:12; 4:13; Mc. 14:13-14; Jn. 12:3. Planta aromática de la India con flores de color rosa-púrpura de la que se obtenía un costoso ungüento en la antigüedad. Ver esta flor representa los placeres peligrosos.

Narguile: soñar con un narguile, «shisha» o «pipa de agua», habla de una necesidad de socializar con personas de fe y estatus social similares para compartir ideas y compañerismo.

Nariz pequeña: debes ser más exigente y selectivo con tus amigos y socios.

Nariz tapada: interferencia con la capacidad de discernimiento de los espíritus, impedimento para descubrir obstáculos ocultos; personas o situaciones; meter la nariz donde no se debe; entrometerse; conflictos; entrometido. Una advertencia de que la gente está conspirando contra ti.

Nariz congelada: has sido infiel a un ser querido o a una relación; sientes sus frías emociones hacia tus acciones.

Nariz cortada: no ser capaz de discernir correctamente una situación o un personaje; no saber qué dirección tomar; sentirse perdido. Cuidado con la gente traicionera.

Nariz grande: eres capaz de olfatear y discernir a las personas y las buenas oportunidades de inversión; por el contrario, puede indicar que estás metiendo tu gran narizota en los asuntos de los demás; estás interfiriendo o entrometiéndote en los asuntos de los demás hasta causar conflictos; eres un entrometido, un curioso, un chismoso al que le gusta olfatear la controversia y difundir rumores. Si otras personas tienen la nariz grande, o son muy exigentes, entonces es una advertencia para evitar hacer negocios con ellas.

Nariz hermosa: persona de excelencia, de buen carácter, de integridad piadosa, segura de sí misma. Tendrás muchos buenos amigos en los que podrás confiar.

Nariz larga: se cuentan cuentos largos, mentiras, la gente no confía en usted.

Nariz respingada: advertencia contra el chismorreo, la calumnia o el rechazo; acciones arrogantes o comportamiento concedido.

Nariz, sonar: disminución de obligaciones no deseadas; ver la nariz: presagio de amigos y popularidad.

Nariz: la nariz tiene que ver con el correcto discernimiento y la toma de decisiones y elecciones buenas y piadosas es la vida. «*Puse joyas en tu nariz, y zarcillos en tus orejas, y una hermosa diadema en tu cabeza. Así fuiste adornada de oro y de plata, y tu vestido era de lino fino, seda y bordado; comiste flor de harina de trigo, miel y aceite; y fuiste hermoseada en extremo, prosperaste hasta llegar a reinar. Y salió tu renombre entre las naciones a causa de tu hermosura; porque era perfecta, a causa de mi hermosura que yo puse sobre ti, dice Jehová el Señor. Pero confiaste en tu hermosura, y te prostituiste a causa de tu renombre, y derramaste tus fornicaciones a cuantos pasaron; suya eras*», Ez. 16:12-15.

Nariz: representa el aliento, el discernimiento del bien y del mal, 1 Pe. 4:15; Pr. 30:30-33; Sal. 11:6; 18:8; 75:5; Jb. 4:9; 39:20; 2 Re. 19:28; Ez. 15:8; 2 Sam. 22:9, 16. El color índigo de la unción de Dios ministra sanidad a las regiones de la nariz. Oler la fragancia de las lilas del Señor, la miel, las rosas, el pan o la lluvia, indica su presencia continua; los olores desagradables representan la presencia demoníaca.

Narval: ballena conocida por su color blanquecino; mamífero acuático ártico con pelaje moteado, los machos tienen un largo colmillo de marfil retorcido en espiral.

NASA: representa la capacidad de superar todas las fronteras o limitaciones para alcanzar las metas más altas posibles para sobresalir y triunfar mientras se exploran los límites exteriores.

Natación sincronizada: forma híbrida de natación, danza y gimnasia, que consiste en que las nadadoras (solas, dúos, tríos, combos o equipos) realicen una rutina sincronizada de movimientos elaborados en el agua, acompañados de música; exige habilidades avanzadas en el agua y requiere gran fuerza, resistencia, flexibilidad, gracia, arte y sincronización precisa, así como un control excepcional de la respiración cuando se está boca abajo en el agua.

Natilla: entretenimiento; hospitalidad; visitas agradables de amigos; un fracaso que es definitivo.

Nativo americano: respeto por la naturaleza; amor a Dios, aspecto espiritual sensible; instintivo, salvaje y nativo del propio carácter; anhelar más libertad de las restricciones culturales o de la sociedad o tener reservas sobre los propios deseos.

Nativos: nuestros sentimientos naturales, actuando de forma incivilizada o grosera; los sentimientos naturales de uno sin ser modificados socialmente.

Natural: ser natural en un sueño indica que has encontrado tus dones inherentes y primarios y tu vocación vital. Usted es un líder nato que podrá avanzar con facilidad hacia la siguiente fase de éxito en la vida y el desarrollo. No te conformes con el curso habitual o natural de las cosas, más bien elige el más noble y elevado sendero que le lleve a una vida fiel de servicio.

Naturaleza: tiempo de libertad, paz y tranquilidad en el que puedes sentir la presencia de Dios y el toque que restaura tu alma y renueva tu mente.

Naufragio: pecado; ver tu vida caer en la ruina, desorden, tragedia producida por la desobediencia, una relación en las rocas. Ruina financiera; no seguir al Espíritu; apostasía; fracaso; división de la iglesia; persecución; descenso desastroso de los negocios o de una relación, el favor que se le quita totalmente; desgracia; la traición o el engaño te harán defender tu reputación empañada; no discernir los cambios en los tiempos o las estaciones, 1 Tm. 1:19.

Náufrago: algo que no tiene valor; 1 Cor. 9:27; los infantes eran abandonados en los campos para murieran, Ez. 16:5.

Nauseabundo: tener una marcada sensación de asco, o una fuerte aversión hacia alguien o algo, con el estómago revuelto, perturbado o vomitando, sugiere que detestas lo que está sucediendo en tu vida.

Náuseas: enfermarse del estómago en un sueño indica que los que te rodean quieren perjudicarte o engañarte; guarda tu corazón y actúa con integridad y carácter piadoso; no dejes que tu mal comportamiento te altere.

Navaja de muelle: problema con actividades ilegales, demanda; cortarse: advertencia; un descuido puede provocar que se corte el favor.

Navaja: una navaja de gran tamaño predice el corte de las relaciones carnales; una inmersión ejecutada doblando la cintura en el aire con las rodillas rectas indica que se sumergirá en aguas profundas para recibir conocimientos espirituales y de revelación.

Nave espacial: ver una nave espacial en un sueño simboliza tu mente creativa. Denota un viaje espiritual hacia lo desconocido y señala el autodesarrollo y la autoconciencia. Por otra parte, el sueño sugiere que debes adoptar una perspectiva diferente, por extraña o inusual que sea. Libertad, creatividad; superación de límites, desarrollo personal; se abren nuevas fronteras para su independencia, aventura y emoción; la experimentación tendrá éxito para aumentar, pensar más allá de los parámetros normales o naturales, pensar fuera de la caja; un viaje espiritual a lo desconocido; moverse en el Espíritu a un alto nivel, expandir su territorio espiritual, ver las cosas desde una perspectiva celestial, un espíritu pionero.

Nave extraterrstre: Interferencia demoníaca; falsificación; decepción; algo extraño.

Navegación: planea un período de viajes prolongados; debes concentrar tu atención en los pequeños detalles para poder sortear los múltiples problemas de la vida.

Navegar, agitado: indica que se están gestando problemas, se necesitará mucha sabiduría para superar los obstáculos; navegar contra el viento representa una gran oposición; aguas agitadas: manejo de los altibajos de la vida; nos esperan turbulencias, pruebas y desafíos. Navegar hacia un ataque brutal de vientos huracanados significa que serás criticado. Te enfrentas a muchas dificultades; vientos violentos y grandes desafíos. Estas luchas en la vida son insuperables en este momento.

Navegar, suave: representa que tu vida va bien, que tienes el control y que las cosas avanzan según lo previsto, «viento en popa». Destreza necesaria para captar el viento para navegar o manejar la embarcación; aguas tranquilas: navegación uniforme, que se mueve con rapidez o sin esfuerzo manejando los problemas de la vida con facilidad.

Navidad: fecha para celebrar el nacimiento de Jesús, la Luz del Mundo; un regalo espiritual; una sorpresa; buena voluntad; período de alegría y solidaridad; tradición de los hombres. Es importante considerar qué significa la Navidad para el soñador, pues la temporada decembrina puede revelar el dolor y la soledad ocultos para algunos que no tienen amigos o familia para visitar.

Nazareno: ver o ser un nazareno en un sueño indica un llamado de consagración y separación del mundo para Dios, Nm. 6:2-21; Am. 2:11-12; Jue. 16:5- 7.

Nazi: una forma de maldad diabólica; racistas odiosos, que asesinaron a millones de judíos; una fuerza irracional, despiadada y asesina; uno siente que los demás le hacen la vida insoportable, rompiendo su concentración o enfoque positivo.

NBA: Soñar con la NBA indica que usted es un entusiasta del deporte, un profesional de primera línea en su campo, un jugador de primera línea en el juego de la vida. Tus singulares habilidades serán recompensadas con un contrato seguro y un estupendo salario. La Asociación Nacional de Baloncesto (NBA) es la principal liga de baloncesto profesional masculina de Norteamérica, y es ampliamente reconocida como la principal liga de baloncesto profesional masculina del mundo. Cuenta con 30 clubes miembros franquiciados (29 en Estados Unidos y 1 en Canadá), y es miembro activo de la USA Basketball (USAB), reconocida por la FIBA (también conocida como la Federación Internacional de Baloncesto) además del organismo nacional que rige el baloncesto en Estados Unidos. La NBA es una de las cuatro grandes ligas deportivas profesionales norteamericanas. Los jugadores de la NBA son los deportistas mejor pagados del mundo.

Nebraska: «Igualdad ante la ley»; Posibilidades... Infinitas; Estado de los Cornhuskers, Estado de la carne de vacuno; Vara de oro; Ágata azul; Ágata de la pradera.

Necesidad: soñar que se está necesitado o que ve a otra persona muy necesitada indica que hay una carencia en su vida personal que necesita ser llenada por la gracia de Dios. Asegúrese de diezmar y ofrendar a los pobres para romper el espíritu de pobreza y carencia. Siembra compasión y simpatía hacia los que son menos afortunados que tú. Aprecia la bondad y las bendiciones que tienes en la vida. *«Y mi Dios suplirá todas vuestras necesidades según sus riquezas en gloria en Cristo Jesús»*, Fil. 4:19; 2 Cor. 11:30.

Necio: alguien que no acepta a Jesús como Salvador y Señor, incauto, infantil, rebelde, carente de buen sentido o juicio moral, incrédulo que desprecia la sabiduría de Dios y sigue a Satanás o sus propias ambiciones. Sal. 14:1; 1 Sam. 26:21; El que difunde la calumnia es un necio, Pr. 10:18; 17:7-28.

Néctar: disfrutarás de una buena temporada de gracia y favor, alegría, bendiciones, aumento y prosperidad.

Nectarinas: comer esta fruta de piel suave que es un cruce entre melocotones y ciruelas indica que serás elegido para ser celebrado porque tu vida está plagada de excelencia en tu trabajo e integridad en los asuntos de negocios. Prosperarás y serás amado. El favor de Dios brilla sobre ti.

Neftalí: significa lucha, buscador de la verdad, Gén. 32:24.

Negativo: ver imágenes negativas en un sueño sugiere que su relación está todavía en proceso de desarrollo. Por el contrario, puede sugerir que una persona en su vida tiene una influencia negativa sobre usted, y que usted está empezando a darse cuenta de sus malas actitudes. Lo negativo también puede ser un reflejo de imágenes, acontecimientos o recuerdos pasados de personas que estuvieron en su vida, pero que se desvanecieron.

Negocios: sueños que provienen de moverte con diligencia; haz un inventario de tus acciones y del tiempo que pasas en el trabajo o en proyectos laborales que podrían hacer que tu vida personal se resienta. Fíjate si no has estado «prestando suficiente atención a tus negocios» ni «ocupándote de tus propios asuntos»; significa estar metiendo siempre las narices donde no te llaman; es posible que «necesites ponerte manos a la obra» o anteponer «los negocios al placer». Fíjate en cómo estás actuando tú o los que te rodean en el sueño respecto a los negocios. ¿Hay manos debajo de la mesa o en el tarro de las galletas, por así decirlo? ¿Estás actuando con rectitud y honestidad ante la gente? Los sueños de negocios suelen ser advertencias que indican complicaciones, cuestiones o problemas ocultos que pueden surgir en la vida.

Negra, agua: agua sucia o hielo en la calle que hay que evitar, depresión profunda o momentos de desesperación por falta de visión o claridad para tomar decisiones.

Negra, camisa: desprovisto de luz, del tono más oscuro, opuesto al blanco, cobertura oscura, representa el mal, vestido elegante.

Negra, serpiente: ver una serpiente negra en un sueño indica que alguien está diciendo algunas mentiras muy oscuras sobre usted.

Negra, viuda: negra con marcas inferiores rojas; sus palabras son extremadamente venenosas y destructivas; destruye a través de una actitud sentenciosa o devora a su pareja o sus relaciones a través de la seducción, el temor o la incertidumbre; su ejercicio de control, poder femenino seductor y dominio sobre los hombres causa hostilidad; sentimientos de confinamiento, un ataque espiritual de atrapamiento o asfixia; advierte sobre la devastación o la muerte de todo lo que toca o de todo aquello en lo hunde sus dientes para devorarlo. Is. 59:4-5.

Negro, caballo: representa un juicio o una plaga de hambre. Lam. 5:10. *«Cuando rompió el tercer sello, oí al tercer ser viviente que decía: "Ven". Miré, y he aquí un caballo negro; y el que estaba sentado en él tenía un par de escamas en la mano. Y oí algo parecido a una voz en el centro de los cuatro seres vivientes que decía: "Un cuartillo de trigo por un denario, y tres cuartillos de cebada por un denario; y no dañéis el aceite y el vino»*, Apo. 6:5-6.

Negro, gato: suele representar a un personaje maligno y peligroso relacionado con el espíritu de brujería. Mi. 5:12; Apo. 21:8.

Negro, ojos: mala fama, reputación sucia, abuso violento, violencia doméstica, visión obstaculizada, moretones causados por la persecución del vidente o de la dotación profética, demarcación entre el bien y el mal, ver las cosas desde un punto de vista extremo como blanco y negro, como todo bueno o todo malo.

Negro, oveja: un individuo que actúa de forma contraria a los sistemas de creencias o estructuras de su familia; una persona marginada o rebelde. Gén. 30:35.

Negro, perro: suele representar a una persona malvada y peligrosa.

Negro, persona: si entra en el sueño de una persona blanca puede representar un amigo, lo desconocido, la opresión, el prejuicio o el racismo, el miedo a la oscuridad, una presencia demoníaca, su lado sombrío; un llamado air al contente africano. Si eres negro o marrón: exploración de tu herencia cultural.

Negro: neutro; crepúsculo; movido por la pasión; medianoche; sofisticación; formalidad; elegancia; riqueza; misterio; estilo; pecado; pena; muerte; aflicción física; luto y aflicción: Jb. 30:30; Jer. 8:21; 14:2; del alma; enemigo; hambre o plaga Éx. 10:15; carencia; en la oscuridad; juicio de Dios; maldad; ignorancia; luto; sombrío; maligno; demoníaco; ominoso. Lam. 4:8; Apo. 6:5.

Nehemías: significa que Dios consuela a los justos, 2 Cor. 1:4; gobernador; reconstructor de los muros de la ciudad. Soñar con Nehemías indica que usted es un restaurador y un constructor del reino.

Nenúfar: elocuencia y persuasión; prosperidad; aumento que viene hacia ti en cada ola; saturación de bendiciones y multiplicación; julio.

Neón: las luces fluorescentes indican que estás siendo deslumbrado por las sendas mundanas; algo que te dicen que no es verdadera luz; la luz negra hace que el blanco brille en la oscuridad.

Neptuno: Neptuno es el octavo planeta desde el Sol; el cuarto mayor diámetro del planeta; el tercero en masa aprox 17 veces la de la tierra; es un planeta gaseoso; el más denso; llamado así por el dios romano del mar simbolizado por el tridente; es considerado un gigante de hielo; tiene anillos planetarios; sistemas de tormenta extremadamente dinámicos, vientos 1340 mph alcanzando un flujo supersónico. Ver a Neptuno en un sueño indica que has permitido que tus emociones de ira se le vayan de las manos; tu temperamento está fuera de control. No eres consciente de las influencias negativas que están afectando tu vida. Necesitas desarrollar la paciencia, el autocontrol y la compasión para que tu imaginación no se desborde, sino que fomente una inspiración devota y una actitud cariñosa hacia los que te rodean.

Nerd: introvertido, pensador profundo, excelente con las computadoras, sentimientos de inferioridad o ineficacia, ha sido ignorado o rechazado; desea la popularidad.

Nervios: interconexiones, fibras que unen las cosas, un sistema de comunicación delicado; se mueven en función de las percepciones sensoriales, los impulsos naturales o los estímulos motores físicos; un punto o tema sensible; una fuente de energía o acción; paciencia, resistencia, contundencia, fortaleza, valor, descaro; nervioso: agitación causada por la ansiedad, el temor o el estrés; histeria.

Nervioso: si sueñas que estás nervioso por alguna cosa indica que tienes temor que nuevas situaciones o personas entran en tu vida. La duda y la inseguridad te paralizarán. Dios no te ha dado un espíritu de temor, así que ora para que el poder del amor y una mente sana calmen tus nervios. Deja que surja un nuevo entusiasmo y sé más atrevido.

Neumáticos: su función es permitir un contacto adecuado por adherencia y fricción con el pavimento; simboliza la condición espiritual; si esta desinflado, implica desánimo, Éx. 14:25; inflado, significa un fundamento evangélico completo, Ez. 1:20; Hch. 17:28 a.

Neumonía: ver una enfermedad aguda o crónica causada por virus, bacterias o agentes físicos y químicos que causa inflamación de los pulmones es una advertencia de que necesitas más del aliento del Espíritu Santo en tu vida.

Neuralgia: experimentar un dolor de los nervios sensitivos en un sueño indica que se necesitarás mucho coraje o nervios de tu parte para enfrentarte a las malas acciones de los demás.

Nevada: «Todo por nuestra patria»; Abierto de par en par; Estado de plata; Estado de la Artemisa; Estado nacido en la batalla; Artemisa; Azul y Plata; Arenisca; Ópalo de fuego negro del Valle de Virginia; Turquesa.

Nevera: conserva y almacena el alimento y la nutrición espiritual; la pasión se ha enfriado; los elegidos congelados. Ver una nevera en un sueño puede reflejar la necesidad de «mantenerse fresco». Puede indicar que las emociones se han enfriado o una persona que se retrae debido a conflictos emocionales pasados. Es posible que necesites enfriarte o que debas aprender a contener tus emociones. Snt. 1:19-20 dice: «*Por esto, mis amados hermanos, todo hombre sea pronto para oír, tardo para hablar, tardo para airarse; porque la ira del hombre no obra la justicia de Dios*». Indica que las cosas que Dios te ha concedido se conservan y se mantienen frescas; también puede indicar que necesitas enfriarte y dejar de sudar haciendo cosas en la carne; no seas un calentón o un perro caliente.

New Hampshire: «Vivir libre o morir»; recuperar el tiempo perdido; Estado de Granito; Estado escénico; Lila púrpura; Berilo; Granito; Cuarzo ahumado.

Nido de águila: el nido de aguiluchos jóvenes simboliza tu deseo de capacitar a otros para que avancen en su propósito.

Nido de cocodrilo: personas corporativas con autoridad con grandes bocas devoradoras que cuentan historias mentirosas destinadas a hundirte y destruir tu reputación.

Nido de escorpión: evita a los grupos de personas que son muy destructivos con sus comentarios punzantes, palabras venenosas e insultos negativos.

Nido de grillos: buena suerte y fortuna.

Nido, huevos rotos: alguien o algo ha destrozado tus esperanzas y sueños. Es hora de dar a luz una nueva visión; debes reagruparse y empezar de nuevo.

Nido, serpiente: «*Allí anidará el cuclillo, conservará sus huevos, y sacará sus pollos, y juntarálos debajo de sus alas: también se ayuntarán allí buitres, cada uno con su compañera*», Is. 34:15 (SRV-BRG). Un nido de víboras o de personas engañosas que planean deshonrar a la gente y que actúan en contra de los demás.

Nido: ver un pájaro o un nido de otro animal que está vacío puede representar que tus hijos han crecido y se han ido de casa y que te sientes solo o aislado en un «nido vacío», Sal. 27:8; Jb. 29:18. Un nido representa la seguridad, la seguridad, la riqueza, la ganancia y el aumento de la prosperidad; el honor y la tranquilidad doméstica, una morada, Pr. 27:8; Jb. 29:18; 39:27; Sal. 84:3; Is. 16:2; 34:15; Jer. 22:23.

Niebla: el Espíritu de Dios está presente en medio de ti. Fragancia o presencia espiritual que se desprende; velar; elemento o factor que oscurece u oculta; impresión oscura. A medida que la niebla se aclare, recibirás una gran claridad y sabiduría para resolver los problemas. No ver las cosas con claridad, confusión, cortina de humo. Visibilidad limitada que trata de obstaculizar tu camino; algo es vago o está siendo ocultado; una cortina de humo para oscurecer tu visión, confusión mental o desconcierto; incierto; poco claro; inmovilizado, mentalidad nublada que necesita ser renovada con la Palabra de Dios para ganar claridad y visión espiritual.

Nieto: bendición o iniquidad heredada; herencia o legado espiritual propio; nieto real; duplicación de tu ministerio; heredero; virtud en la familia; fruto espiritual, Éx. 34:7; 2 Re. 17:41; 1 Tm. 5:4.

Nieve, esquí: es necesaria una gran habilidad y coordinación para equilibrar el trabajo, la familia y las actividades sociales.

Nieve, globo: es una esfera transparente que suele ser de cristal y que encierra una escena en miniatura o un modelo de paisaje terrestre que suele parecerse a la historia de tu vida. También se le llama globo de agua, tormenta de nieve o cúpula de nieve. Ver un globo de nieve en tu sueño es una advertencia de que tu tranquila vida está a punto de ser sacudida y que pasarás por una violenta tormenta. Ora por la sabiduría.

Nieve, sucia: un lugar contaminado; ensuciado por el pecado; engañoso; astucia; corazón impuro.

Nieve: representa la pureza; blancura; translúcido o transparente; ángel; ropa blanca como la nieve; corazón limpio; refrescante; cambio de estación; abrumar con conversaciones poco sinceras; adular; nieve debajo; derrota; recepción débil, Jb. 38:22-23, Is. 55:10; Sal. 51:7; 147:16; Dn. 7:9; Mc. 9:3; Mt. 28:3; Apo. 1:14.

Nigromancia: es la práctica ocultista de la adivinación que intenta establecer contacto con los muertos; necesitas romper un poderoso lazo del alma con el pasado o una relación muerta; estás involucrado con un incrédulo; posees una obsesión con el mal o la oscuridad.

Nigromante: es aquel que se comunica mediante el arte de la magia negra con los espíritus de los muertos para predecir el futuro; brujería, hechicería o adivinación.

Nimrod: significa fuerte; hijo de Cus, hijo de Cam; Gén. 10:9, «poderoso cazador ante el Señor». Conquistador y fundador de Babilonia, Mi. 5:6.

Ninfa: un nuevo interés romántico; es necesario el autocontrol, la protección contra la lujuria; un espíritu femenino, o una chica hermosa utilizada para seducir y hacer caer en la inmoralidad.

Ninja: guerrero hábil con la espada de la Palabra para cortar la cabeza de los enemigos; las palabras cortantes asaltan tu carácter.

Niña de los ojos: «la chiquilla» o «niña des lo ojos». Dt. 32:10.

Niña: joven o niña; mujer inmadura, infantil o sin experiencia; se necesita tutoría; nena; sin ropa; hija; novia o compañera; sirvienta, empleada o empleada con múltiples responsabilidades; «Girl Scout».

Niñas: alguien que carece de madurez, inocencia, infantilidad, juventud, inexperiencia, nueva iglesia o negocio; que se aprovechan fácilmente, sentimientos de vulnerabilidad; una hija, un amor femenino, una empleada u oficinista, herencia espiritual; sexualidad joven e inocente; sueño masculino: emociones; sentimientos sexuales; hija; representa una nueva pauta, una nueva oportunidad de relacionarse con una mujer; un cambio de las viejas pautas de relación que uno ha desarrollado con su madre o una esposa; quizás alejarse de viejos y destructivos patrones; sueño de mujer: si es mayor o más joven representa a uno mismo a esa edad; sentimientos sobre tu hermana o hija; la característica de uno mismo demostrada por la chica, o un nuevo aspecto que surge.

Niñera: Las niñeras cuidan a los niños de otros y a menudo les permiten hacer cosas que los padres nunca permitirían. ¿Estás trabajando o cuidando del niño interior que llevas dentro? **Nana:** estás administrando la promesa que Dios te ha dado, ayudando a cuidar las promesas o dones de otros, eres un cuidador, alguien que cría y estás llamado a ayudar o a comenzar nuevas obras o ministerios.

Niñez: el futuro o la próxima generación; una persona entre el nacimiento y la pubertad, juvenil, vástago, bajo tutela; aumento, prosperidad, alegría, herencia o fruto espiritual, bendiciones, infantil o inmaduro, un hijo o hija, un descendiente, alguien o algo de lo que eres responsable. Ministerio itinerante o de gobierno que todavía está creciendo y desarrollándose; dones o algo que todavía está en proceso de crecimiento; niños actuales; ministerio a los niños; un legado físico y espiritual; herencia; bendición de Dios; algo nuevo que viene; simplicidad; inocencia; enseñable; ayuda a madurar. Sal. 127:3; 1 Cor. 13:11; 14:20; Ef. 4:14.

Niño, convertirse en niño: sentirse inmaduro o poco cualificado; fácilmente influenciable; vulnerable o inocente; ansioso por aprender cosas nuevas.

Niño: recuerdos de juventud, o las actitudes que uno mantiene mientras crece.

Niños: los niños en tus sueños suelen hablar de promesas o de tu fecundidad espiritual o natural, Gén. 45:10.

Níquel: «más falso que una moneda de cuero»: algo fraudulento o falso; resiste a la corrosión; término común para las drogas: «bolsa de níquel»; número atómico 28; permite que fluya la energía eléctrica; vale cinco centavos; gracia; favor; redención; pagar una cantidad muy pequeña; menor; insignificante; prudencia necesaria por falta de trabajo.

Nivel: es un llamado a mantener las cosas en el enfoque, ajuste, alineación y equilibrio adecuados; distribución uniforme; «todos los hombres son creados iguales»; aumento; promoción al siguiente nivel; inestable; inclinación hacia un lado más que hacia el otro.

Nixtamalizar: hacer planes para un futuro agradable y pacífico.

No casada: si una persona casada sueña que quiere volver a estar soltera, presagia que le va a doler el corazón, ya que la hierba no es más verde en el otro lado. Aprende a cuidar tu propio jardín.

No nacido: aún no ha nacido; aún no ha aparecido en escena; se están formando ideas nuevas o creativas; algo nuevo está por venir y está en camino; un nuevo desarrollo; el futuro o el destino que espera ser revelado; se está embarazada de un bebé no nacido.

No preparado: falta de oración y meditación, no estudiar en la Palabra de Dios, mala salud física, obesidad, pereza, ensimismamiento.

No puedo: soñar que no puedes hacer algo puede indicar que estás siendo influenciado por un espíritu de duda o incredulidad. Con Dios todo es posible. Todo lo puedes hacer por medio de Cristo que te fortalece.

No tener afición: ser despreocupado, no estar enamorado, no tener apego.

Noble: Soñar que se asocia con la nobleza indica que has estado renovando su hombre interior con la Palabra de Dios para desarrollar un carácter más íntegro. *«El noble, por el contrario, concibe nobles planes, y en sus nobles acciones se afirma»*, Is. 32:8; *«Hermanos, consideren su propio llamamiento: No muchos* *de ustedes son sabios, según criterios meramente humanos; ni son muchos los poderosos ni muchos los de noble cuna. Pero Dios escogió lo insensato del mundo para avergonzar a los sabios, y escogió lo débil del mundo para avergonzar a los poderosos. También escogió Dios lo más bajo y despreciado, y lo que no es nada, para anular lo que es, a fin de que en su presencia nadie pueda jactarse»,* 1 Cor. 1:26-29; *«Ciertamente no es bueno condenar al justo, Ni herir a los nobles que hacen lo recto. El que ahorra sus palabras tiene sabiduría; De espíritu prudente es el hombre entendido»,* Pr. 17:26- 27; Jn. 4:46-54.

Nobleza: de noble calidad o estado de ser, apartado por nacimiento, se prefiere el espectáculo, los placeres, el estatus o el rango, el gran favor y el prestigio que se ofrece sobre el trabajo duro o el cultivo del propio intelecto.

Noche, oscuridad: un sueño que tiene lugar en un escenario o contexto de noche oscura representa los recuerdos del pasado que se están desvaneciendo o se están olvidando; o «la oscura noche del alma» o algunos contratiempos importantes por la traición de una fuente oscura y maligna que erige obstáculos para impedirte alcanzar tus objetivos. Eres consciente de los planes ocultos que son secretos o encubiertos. Tu viejo yo está lleno de dudas e incredulidad, necesitas perseguir una relación activa con Jesús, la luz de la palabra, para vencer los planes y tácticas de la oscuridad. Permanece alerta para no tropezar y caer en un pozo o trampa profunda porque la recuperación será lenta o inexistente, Gén. 1:5; 1 Tes 5:5; Apo. 21:25; 22:5; Jn. 3:2; 9:4; Lc. 5:5; 17:34; 11:10; 2 Pe. 3:10; Rom. 13:12.

Noche: dificultad; prueba; falta de entendimiento; «en la oscuridad»; Egipto; Depresión, oscuridad espiritual, tribulación, traición, engaño, trampas ocultas, no hay tiempo para trabajar; fin de una temporada, la noche está amaneciendo, incredulidad, pecado. *«Me es necesario hacer las obras del que me envió, entre tanto que el día dura; la noche viene, cuando nadie puede trabajar»,* Jn. 9:4. Tener un sueño que tiene lugar por la noche representa algunos contratiempos y obstáculos importantes en la consecución de tus objetivos. Te enfrentas a un problema que no está tan claro. Tal vez debas dejar de lado los problemas para despejar la mente y volver a ellos más tarde. Por otra parte, la noche puede ser sinónimo de muerte, renacimiento, reflexión y nuevos comienzos. Soñar que es de noche, pero que sigue siendo tan brillante como el día, indica que ahora tienes claridad y visión de una situación que antes no estaba clara. Algo que antes estaba oculto se te revela ahora mismo. Los recuerdos del pasado se están desvaneciendo o están siendo olvidados.

Nodriza: mujer contratada para amamantar, nutrir o amamantar a los hijos de otros, tratar a los demás con gran cuidado y amabilidad para obtener la misma recompensa.

Noé: significa descanso en la seguridad de las tormentas; proveedor pacífico de consuelo, Nah. 1:7; constructor del Arca; hijo de Lamec; fue el noveno después de Adán, preservado con su familia en el arca cuando el mundo fue destruido por el diluvio, Ge 6:8, predicador de la justicia, 2 Pe. 2:5 construyó un altar para ofrecer sacrificios al Señor.

Nómada: gente que vaga y no tiene un hogar o morada permanente, siempre están deambulando en busca de comida y agua; no pierdas la calma.

Nombre de Jesús: el nombre más poderoso del mundo por el que uno se salva, se sana y se libera del enemigo al no amar su vida hasta la muerte; la sangre de Jesús y la palabra de nuestro testimonio.

Nombre nuevo: recibir u oír un nombre nuevo en tu sueño indica que estás recibiendo una revelación sacerdotal, una visión espiritual y conocimiento, Apo. 2:17; Éx. 28:21- 29.

Nombre, el tuyo: sugiere que estás recibiendo una llamada de atención; una buena noticia está en camino; recibes un regalo; aumentarás en favor y prominencia.

Nombre, incorrecto: deseas ser otra persona o aún no has descubierto tu completa identidad.

Nombre, persona amada: un compromiso más completo se afianzará; estás logrando obtener una respuesta a las preguntas que has hecho o por las que has orado.

Nombre: Identidad de algo; designar; rango o estatus; si se conoce el nombre de pila: ver EL LIBRO DE LOS NOMBRES en *www.BarbieBreathitt.com* para conocer su verso de vida y su connotación espiritual. Si el nombre está en las escrituras puede ser una profecía sobre lo que va a suceder a un pueblo. Nos convertimos o asumimos las características y atributos de lo que se nos nombra. Si alguien que conoces aparece en tu sueño, su nombre y sus atributos se aplican a ti de alguna manera. Fíjate en el carácter, el título, la posición, la ocupación, la distinción y los símbolos asociados a las personas que aparecen en tus sueños, Mt. 1:21; Mc. 14:61; Apo. 2:17.

Nomeolvides: ver esta flor azul: indica la intercesión reveladora o la oración que traerá la curación de los recuerdos y el temor al abandono. Un amor fiel hace que los demás te retengan en sus recuerdos. Una llamada a volver a tu primer amor y a recordar la bondad del Señor; acuérdate de mí para siempre; da gracias.

Noria: ver o montar en ella: estás dando vueltas en círculos, no vas a ninguna parte, no avanzas; plenitud y el círculo de la vida; altibajos; hacer cambios para romper viejos ciclos.

Norte, sur, este y oeste: representa los cuatro puntos cardinales de la tierra; viajar por todo el mundo; universal; los doce bueyes miran al norte, al sur, al este y al oeste, 1 Re. 7:25.

Norte: cielo; poder; exaltación; majestad; Dios. La promoción viene del norte o de Dios; el trono de Dios, los juicios; el aumento, la provisión; viaje a una región más fría en el norte, el Polo Norte, Santa Claus, los renos y los duendes, Sal. 75:6-7; Is. 14:12-14; Sal. 48: 1-3; Jer. 1:13-14; Jb. 37:9; 26:7; Sal. 48:2; 89:12; Pr. 25:23.

Nostalgia: en un sueño significa que se le necesita en el frente del hogar con los amigos y la familia, deje que su corazón le atraiga hacia las cosas importantes de la vida, aléjese del trabajo y ame a los más cercanos.

Nota: leer o escribir una nota en un sueño sugiere que hay un mensaje importante que necesitas transmitir. Hay algo que debes hacer saber a los demás. Soñar que estás pasando notas simboliza tu búsqueda de conocimiento e información.

Notario: toma nota de tu vida, rinde cuentas, pone los puntos sobre las íes para asegurarse de que todas tus finanzas y tu vida están en orden; verificación certificada de la autenticidad de los documentos y la identidad. Peticiones insatisfechas y probables demandas judiciales.

Notas musicales: un nuevo sonido para una nueva temporada; reanima la armonía; libera el movimiento de la vida, Rom. 12:16.

Notas: ver notas musicales: su sueño tiene que ver con varios tiempos y estaciones de realización.

Noticias: escuchar una buena noticia te dará ánimo y fuerza para seguir adelante en una temporada difícil de la vida; escuchar una mala noticia te llevará a un lugar de oración constante para que puedas experimentar un buen resultado.

Noticiero: transmisión de eventos o noticias por radio o televisión.

Novacaína: utilizar este preparado anestésico en un sueño aporta un efecto adormecedor a las dificultades actuales ofreciendo soluciones necesarias. El dolor permite a la persona saber que se necesitan cambios para encontrar la verdadera curación, la esperanza y la felicidad.

Novecientos noventa y nueve: Sodoma; el número del juicio.

Novela: escribir una novela indica que la historia de su vida va a impactar a mucha gente; leer una novela presagia el aprendizaje de las experiencias de otros. Eres una novedad única y especial.

Noventa y nueve: Jesús dejó a las noventa y nueve para ir a buscar a la oveja perdida y devolverla al re-

dil; hay algún error en una relación.

Noventa: *tzaddi*, justicia de Dios y hombre devoto; Sara tenía 90 años cuando ocurrió el prodigioso nacimiento de Isaac, Gén. 17:17.

Novia, disparo: Si la novia es disparada durante si boda indica que hay un montón de mujeres celosas murmurando en el público y criticándola.

Novia, fugitiva: una novia fugitiva indica que no estás preparada para una nueva fase de la vida o para el nivel de compromiso y los grandes cambios de vida que son necesarios para un matrimonio exitoso.

Novia, prometida: mujer comprometida para casarse, que se prepara para entrar en una relación de pacto matrimonial.

Novia: las novias son mujeres que representan la unión entre un hombre y una mujer en una alianza para dar lugar al amor y la fecundidad a través del nacimiento de sus hijos. Una soltera que sueña con ser novia representa un fuerte deseo de casarse con una persona amorosa. Las novias simbolizan la pureza, y las cualidades virginales; el deseo de casarse y encontrar un compañero de vida amoroso que te aprecie en una relación de pacto con fidelidad y cuidado. La Novia representa también al remanente de Cristo, la Iglesia, la esposa del Cordero; la fidelidad; la transformación milagrosa; la infidelidad. Ef. 5: 31-32; Os. 1: 2; 2 Cor. 6: 14; 11: 2; Apo. 19: 7-9, Apo. 21: 9; 20-22; Jn. 2: 1-10. Ver a tu novia en tu sueño representa tu real y cotidiana relación con ella y cómo estás expresando tus sentimientos hacia ella. Si actúas como si fuera la novia de alguien más en un sueño, indica que no estás comprometido y que no quiere estar limitado o atado a una sola relación. Sigues buscando a otra persona con la que establecerte en el futuro.

Novias en hebreo: Sara, Gén. 17; Rebeca, Gén. 24; Raquel, Gén. 29.

Novias gentiles: Asenat, Gén. 41:45; Rahab, Js. 2:1; Mt 1:5; Reina de Saba, 2 Cr. 9:1-12; Mt. 12:42; Rut, Rt. 4:13-15; Mt. 1:5; Mujer y moneda representa ser desposado Cristo, Lc. 15: 8-10; 2 Cor. 11:1-3; Séfora, Éx. 2:21.

Noviembre: Noviembre/Diciembre Alfabeto Kislev: Samekh. Tribu: Benjamín. Constelación: Sagitario. Color: Multicolor. Piedra: Ópalo y Jaspe Arco Iris. Kislev es un mes para desarrollar tus estrategias proféticas para avanzar y prosperar a través de la revelación de la guerra. Entra en un nuevo nivel de confianza y descanso. Kislev es un tiempo para declarar que las experiencias de la vida estarán llenas de tranquilidad y paz. No te enredes en conflictos ni dejes tu lugar de paz y descanso. Pide que el Río de la Vida siga fluyendo en tu vida para que puedas mantener la paz. Soñar con el mes de noviembre indica tu indiferencia ante una situación o problema.

Novio prometido: hombre comprometido para casarse, que se prepara para entrar en una relación de pacto matrimonial.

Novio viejo: demuestra los sentimientos de ansiedad, anhelos o temores que uno enfrenta sobre su nuevo novio. Está en proceso de descubrir cómo relacionarse con alguien nuevo, pero sigue añorando una antigua y confortable relación del pasado.

Novio: demuestra los sentimientos de ansiedad, los anhelos o los temores a los que uno se enfrenta con respecto a su novio. El Esposo; el matrimonio; la jefatura; Dios; Jesús, Jn. 3,29; Ez. 16,8-14.

Nube blanca: representa la gloria Shekinah de Dios, Éx. 14:19-20; Apo. 14:14.

Nube y columna de fuego: son símbolos de la guía divina y la cobertura sobrenatural de Dios, la supervisión y la provisión de sombra durante el día, el calor y la luz durante la noche, Éx. 13:21, 22; Sal. 18:11; 104:3; Is. 19:1; Ez. 1:4; Mt. 24:30; Apo. 1:7; 1 Tes. 4:17.

Nubes, gran nube de testigos: cobertura; protección; provisión; movimiento; oscuridad; elevarse por encima; aire; alturas espirituales; cielos abiertos; favor, Pr. 16:15; oscuridad y tinieblas, Jb. 3:5.

Nubes, oscuridad: oscuridad; dificultad; depresión; pesadez; obstáculos; falta de visión; problemas; tormentas; algo que oscurece; sospecha o algo que viene contra tu reputación; mancha; tacha; guerra espiritual. Jb. 3:5.

Nublado: te has extendido más allá de un punto saludable y ahora estás melancólico, sombrío, decaído en una bruma de olvido. Es hora de dejar de servir a los demás y centrarse en recuperar tu propia salud, vitalidad y energía. Planifica un tiempo para ti y cuídate. Te mereces que te mimen. Cuando te sientas más positiva contigo misma, el sol volverá a salir. Amanecerás un nuevo día y la vida te traerá una alegría renovada.

Nudillos de acero o manopla: golpear al enemigo o al agresor con una manopla indica que tienes mucha ira contenida en tu corazón y que has provocado odio con la intención de causar un gran daño.

Nudillos: ver nudillos en un sueño indica que eres un conector o una persona que trabaja en red con una tremenda habilidad para conectar, para ser una bisagra o unirse a otros para aportar productividad y generar los recursos requeridos.

Nudo: ver un nudo en un sueño indica que estás llegando al final de un tiempo difícil; aguanta, la ayuda está en camino.

Nudos celtas: cuentan una historia utilizando formas geométricas, animales y nudos decorativos en una hermosa forma de arte que simboliza la longevidad, la salud continua y muchos otros temas.

Nuera: sus acciones indicarán complacencia, felicidad, armonía, tristeza, división, Lc. 12:53, o dificultades, un enemigo en tu casa, Mi. 7:6.

Nueva Jersey: «Libertad y prosperidad»; ¿Nueva Jersey y tú? Perfectos Juntos; La Escapada Perfecta; el Estado jardín; Violeta; amarillo y Azul; arándanos de arbustos altos.

Nueva York: la gran manzana, las Torres Gemelas, las Torres de la Libertad, el One World Trade Center; la capital de los negocios, la vida de la gran ciudad, el lugar del ataque terrorista del 11 de septiembre, la capital de la banca financiera, la sede de la bolsa, Wall Street; «la más grande en todo»; I Love New York; Empire State; Rose; Apple; Granate.

Nueva Zelanda: un nuevo celo por la vida y las cosas de Dios, el kiwi y el pájaro Porkmore.

Nueve: tet, evangelista; movimiento perfecto del Espíritu Santo; fin o conclusión; plenitud de bendiciones; renovación; juicio; serpiente; tribulación; fruto del Espíritu y vientre, Gál. 5:22-23; dones del Espíritu, 1 Cor. 12:8-10; plenitud; finalidad. Mt. 20:5; Lc. 23:44; Je 25:4-6; Ez. 24:1-3.

Nuevo México: «Crece a medida que avanza»; Tierra del Encanto; el Estado de los Colores; Flor de Yucca; Rojo y Amarillo; Turquesa.

Nuevo: un nuevo comienzo, la alegría del descubrimiento, una nueva relación o trabajo, un nuevo bebé o una idea de negocio. Salvación: *«he aquí todas son hechas nuevas»*, 2 Cor. 5:17.

Nuez de Brasil: proviene de un árbol tropical de Brasil, Sudamérica, con una vaina redonda y dura que contiene de 20 a 30 nueces comestibles. Puede representar un grupo de personas que tienen un exterior duro y serán difíciles de romper. Pero si se les dedica suficiente tiempo, la recompensa será beneficiosa.

Nuez moscada: signo de prosperidad y de un próximo viaje; guarnición de comidas o bebidas; Navidad; Connecticut.

Nuez: pensamiento intelectual dedicado a una empresa difícil; alegría, favor y abundancia; riqueza y satisfacción; si se rompe la nuez: las oportunidades potenciales fracasarán.

Nuggets de pollo: considera el contenido de lo que estás comiendo. No es pollo y no son Nuggets. Recuerda que eres lo que comes. Alimentos para niños. Los alimentos pesados, fritos o cargados de grasa, no favorecen la salud ni la prosperidad. Deja de ir por la vida comiendo lo que se te presente. Haz mejores elecciones y prosperarás.

Números: indican gran detalle, ganancia material, dignidad y posesiones para que pueda analizar racionalmente, evaluar y llevar un control exhaustivo de los asuntos. Los números indican información personal de fechas de nacimiento, direcciones, números de teléfono, códigos postales, números de la seguridad social, edades, pesos, números comunican tiempos; estaciones; días, semanas; meses; años, pasajes escriturales de rhema palabras de sabiduría despierta; fechas; ubicaciones geográficas; edad; números de teléfono; fechas de nacimiento. Consulte la tarjeta de números o mi libro DREAM ENCOUNTERS para ver un capítulo sobre cómo interpretar los números.

Nutria: persona divertida y juguetona; necesitas disciplina en el ámbito financiero para no endeudarte.

Nutrición: soñar con una dieta nutritiva en un sueño puede indicar que son necesarios algunos cambios en su rutina alimenticia actual. Es posible que tengas que añadir ciertos grupos de alimentos y eliminar o limitar otros. Somos lo que comemos. Los alimentos buenos, como las verduras, las frutas y la carne, te ayudarán a crecer y a estar sano para que puedas reproducirte y ser productivo sin enfermedades.

O

Oasis: influencia espiritual, vivificante, en medio de una estación desértica o de desierto, Éx. 15:23.

Obama: Barack Hussein, Jr. nacido en África en 1961 de madre blanca y padre negro musulmán, es el 44º presidente de los Estados Unidos (el número 44 significa juicio del mundo). Es conocido por legalizar los matrimonios homosexuales y hacer obligatorios los baños para transexuales.

Obediencia: estar dispuesto a morir por nuestra fe; crucificar la carne, mejor que el sacrificio.

Obesidad: has engordado mucho por comer y no dar a los demás; motivación egoísta. No seas un tomador, aprende a dar con sacrificio; vive por el Espíritu y no por los deseos de la carne, Gál. 5:6.

Obesidad: los excesos mundanos te han hecho sentir indefenso. Has renunciado a tu poder y a tu autoridad y has asumido una imagen baja de ti mismo. Deja de intentar amurallarte para proteger o aislar tus sentimientos.

Obispo: Cristo supervisor, 1 Pe. 2:25; Heb. 13:20; cristiano, clérigo de alto rango; hombre devoto de oración y autoridad; dado al servicio; anciano; un supervisor; Fil. 1:1; gobierna una diócesis; ordenación más alta en la sucesión apostólica; pieza de ajedrez que se mueve en diagonal.

Obituario: ver noticia sobre la muerte de alguien publicada nos recuerda que hay que vivir la vida como si cada día fuera el último; marcar la diferencia en la vida del mayor número de personas posible; servir a la humanidad y dejar tu huella en esta tierra.

Objetivo: si sueñas con tus objetivos indica que hay algunos nuevos esfuerzos o acciones que debes realizar para obtener la consecución de tus propósitos o metas en la fecha prevista. Es posible que hayas malinterpretado algo debido a prejuicios o sentimientos personales no basados en hechos. Debe ser imparcial con la intención de tratar las cosas según la percepción del Espíritu y no con tus emociones. Deja que tus respuestas sean independientes del pensamiento para observar la realidad. *«Porque todos los que son guiados por el Espíritu de Dios, son hijos de Dios»,* Rom. 8:14; *«Si sois guiados por el Espíritu, no estáis bajo la Ley»,* Gál. 5:18-19. Tienes una meta fijada que se alcanzará si sigues avanzando, Lam. 3:12.

Objeto: ¿Cuál es su función o característica? Algo perceptible; sentido del tacto o de la vista; inteligente; un foco de atención, pensamiento, sentimiento, propósito o meta.

Objetos de mármol: ver una encimera, una estatua o un objeto de mármol indica calidad, lujo, opulencia o algo que es robusto e inamovible, que adopta una postura o una posición sólida en una disputa.

Obleas: comunión; sellar o sujetar juntas; dopado; multiplicidad; manejar la espontaneidad con cuidado; ganar percepción para incorporar varias facetas de la vida. Galleta delgada hecha de harina fina que se utiliza para las ofrendas cuando se unge con aceite, Éx. 29:2; Nm. 6:15,19.

Obligación: usted es una persona responsable que cumple con su palabra cuando se la dan. Es el momento de avanzar y ser promovido al siguiente nivel de éxito. No te obligues en exceso o no podrás cumplir tus objetivos en el momento oportuno.

Oblongo: que estira los límites o nuestras propias limitaciones, una realidad física obtenida a través de la experimentación.

Obra: el Espíritu Santo te está mostrando algo con respecto a tu vocación, carrera o línea de trabajo. Obras de la carne realizadas por medios propios, naturales o terrenales u obras divinas realizadas por el Espíritu Santo señales, maravillas y milagros, Sal. 66:5.

Obrero de la construcción: un carpintero; alguien que sabe cómo construir y edificar a otros; un planificador estratégico. Rom. 14:19.

Obreros: vale la pena tu contratación; dominio muy hábil; sea diligente para presentarse aprobado a Dios, 2 Tm. 2:15; satisfacción, felicidad; trabaje en la mejora de sí mismo; sea diligente; explore diferentes aspectos de sí mismo; experimente con sus dones, con el potencial desconocido y con nuevas oportunidades.

Obsceno: escuchar lenguaje grosero o ver películas R en un sueño, representa aspectos de la vida sexual de uno que han rechazado o se niegan a reconocer;

sentirse limitado o restringido; las reacciones de repulsión o desprecio pueden indicar arrepentimiento en la vida personal.

Observación de pájaros: observe el tipo y el color del pájaro que aparece en el sueño. Los pájaros representan mensajes, bendiciones, dones, visiones, pensamientos, líderes buenos o malos y maldiciones según la especie y las características del pájaro. (para más detalles, consulte las tarjetas de símbolos de colores y de pájaros en los sueños).

Observador: si usted sueña que es un observador pasivo el sueño no es sobre usted. Usted es sólo una persona que detalla y se fija en alguien o en algo; persona que presta mucha atención a algo y se considera un experto en eso que observa. Tiene que ver con alguien que está presente en algo (como una reunión) para observar y escuchar lo que ocurre, pero que no toma un papel activo ni ninguna parte del proceso de toma de decisiones.

Observar: si está en posición de observación mirando a alguien o algo en un sueño, el sueño no se refiere a usted; un espectador; cumplir con la ley, la costumbre, la regla o los mandatos, celebrar una ocasión ritual o una fiesta; vivir la vida a través de los demás. Si siempre estás observando pasivamente en un sueño, esto refleja tu postura actual en la vida. Sólo le gusta ver y observar lo que hacen los demás. Estás presente en algo, pero sólo miras y escuchas lo que sucede, pero nunca tomas un papel activo ni participas en el proceso de toma de decisiones.

Observatorio: edificio diseñado para poder ver los planetas girando a gran distancia; este símbolo nos recuerda que debemos observar a las personas que se acercan a nosotros para ver si son de verdad quienes dicen ser antes de dejarlas entrar en nuestro círculo de influencia.

Obsesionado: el que tu mente esté preocupada u obsesionada con una sola emoción, persona, evento o tema en tu sueño puede indicar que estás obsesionado con un ídolo o que algún tipo de atadura te tiene cautivo. La única persona con la que deberías estar obsesionado u obsesionada es Dios.

Obstáculos en las vías del tren: los objetivos no se obtendrán fácilmente, mantén la concentración y persevera.

Obstáculos: estás orientado a la meta, pero alguien te tienta a erigir barreras y obstáculos para dificultar tu progreso, no te preocupes, pues se superan fácilmente con un paso de gigante, alístate para aumentar y potenciar, corre la carrera con excelencia; la integridad y el buen juicio harán que cumplas tus metas. Este sueño es una advertencia sobre cómo adquirir sabiduría para superar los problemas o las oposiciones que se interponen entre tú y la realiza-

ción de tus anhelos. Busca la sabiduría y renuncia al temor, la duda y la incredulidad. Necesidad de superar los obstáculos en su vida personal.

Obstinado: actuar de manera obstinada en un sueño predice tu voluntad indebidamente determinada y tu naturaleza terca; eres de los que cuando algo se le mete en la cabeza no hay poder humano que te haga cambiar de opinión haciendo que los que están a tu alrededor tengan dificultades para relacionarse contigo. *Alternativamente:* te has aferrado tercamente a tu propia opinión, actitud o manera de actuar como si fueran los únicos que importan. No está dispuesto a ceder ni a aprender de los demás.

Obstrucción: un obstáculo, un impedimento, una obstrucción corporal, una interferencia legal, un jugador del equipo contrario que despeja un camino, la interrupción o el cese repentino de un proceso de pensamiento, detener o impedir el paso, una demarcación geográfica.

Ocarina: soñar que toca este pequeño instrumento de viento de terracota o plástico, también llamado «batata» por su forma ovoide, con seis a ocho orificios para los dedos, una boquilla externa, que produce un tono casi puro, indica que usted es un salmista que está lleno del Espíritu de alabanza y adoración.

Ocaso: el final de un día, la noche se acerca, un nuevo día amanece, el romance está en el horizonte, tiempo de reflexión y oración, Sal. 113:3. Para ver la puesta de sol: espera que se aten algunos cabos sueltos para que se pueda completar un negocio o una relación; una fase de tu vida está terminando y algo nuevo comenzará pronto.

Océano: grandes grupos, humanidad o naciones de personas; misión; viaje a costas lejanas; una gran unción que cubre el 72% de la tierra; insondable; una cantidad o extensión sobrecogedora; inquieta; profundidades Sal. 148:7; Ez. 26:19. Sal. 36:6; Ef. 4:14.

Ochenta: *peh*, boca; discurso, someter para traer la paz, Jue. 3:30.

Ocho: chet, maestro, capacidad del hombre para trascender los límites de la existencia física; resurrección; nuevo nacimiento o nacimiento, 1 Pe. 3:20; abunda en fuerza; pacto de circuncisión, Gén. 21:4; consagración a Dios, Éx. 22:30; engordar Sal. 119: para el poder, la autoridad, el éxito, el destino, la provincia, el aumento de la sustancia, el renacimiento y la riqueza, confía en tus instintos e intuición; un juego de palabras con «comió» necesidad de digerir nueva información o nuevas percepciones.

Ochocientos ochenta y ocho: Jesús; primera resurrección de los santos; Espíritu Santo; suma del Árbol de la Vida.

Ociosidad: verte sentado pasando el tiempo sin hacer nada, desempleado sin trabajo, sin horario, siendo perezoso, indica que has perdido las esperanzas, arrepiéntete y pon tu confianza en Dios. Deja de depender de los demás para que te saquen de apuros o te convertirás en un peso demasiado grande como para ser soportado. *«Trabajarás seis días, pero el séptimo día descansarás»*, Éx. 34:21a.

Ocioso: advertencia de no dejar que la pereza o el sueño se apoderen de ti, las manos ociosas conducen a la pobreza y a la carencia; no centrarse en las oportunidades presentes; no perder las citas diarias que Dios ha programado.

Octógono: ver un polígono de ocho lados y un octógono de ocho ángulos en un sueño indica un nuevo comienzo, un despertar espiritual, la vida eterna o la resurrección.

Octubre: Octubre/Noviembre Alfabeto de Cheshvan: Simboliza al Mesías. Tribu: Manasés. Constelación: Escorpio. Color: Negro. Piedra: Ónix negro o Ágata. Cheshvan es el mes del Mesías. El número 8 significa revelación eterna, poder de resurrección y nuevos comienzos. El diluvio comenzó en Jeshván y terminó al año siguiente en Jeshván. Noé llevó su sacrificio a Dios. Dios reveló su signo de alianza el arco iris (Los siete espíritus de Dios en Is. 11:2) que representa su promesa de no volver a inundar la tierra. Tómate tu tiempo para digerir lo que el Espíritu de Dios está diciendo a la iglesia y a ti personalmente. Soñar con el mes de octubre significa un éxito gratificante en todos tus esfuerzos.

Ocultación: miedo a enfrentarse a alguien o a una situación, negación de la realidad, intento de mantener los sentimientos en secreto, retención de información o afecto, sentimientos de culpa o vergüenza que hacen que te retraigas, la confesión es buena para el alma, busca a Dios para que te limpie y te cure, Sal. 9:15; 32:5; 35:7-8; 119:11; Is. 28:15; 49:2; 59,2; Mt. 13:33-34; Jn. 8:39.

Ocultar: cambiar la manera o tu apariencia para evitar que te reconozcan, esconderte en la oscuridad o tergiversar para engañar con un discurso poco ético. Dios no te oculta las cosas, sino que las busca para ti, Pr. 25:2, lo que está oculto sale a la luz, la revelación, la iluminación espiritual, los secretos serán revelados, las mentiras serán expuestas.

Ocultismo: si sueñas que utiliza cualquier forma de conocimiento oculto relacionado con influencias mágicas sobrenaturales, agencias o sucesos de poderes astrológicos que están más allá del ámbito humano, indica que estás buscando respuestas o sabiduría de demonios, ángeles caídos que están ocultos o escondidos en la oscuridad. Lo oculto libera maldiciones de muerte, pobreza, enfermedad, desasosiego y locura.

Ocultista: una visión, palabra o estrategia de control falsa; algo malo se está ocultando o encubriendo, oración por sabiduría y revelación divina, Pr. 26:2; soñar con un ocultista indica que estás buscando información en un área muy peligrosa. La verdadera sabiduría y el conocimiento provienen de Dios, que es el Espíritu de la Verdad. El ocultismo opera desde el Árbol del Conocimiento del Bien y del Mal y está prohibido por Dios.

Oculto: Dios esconde misterios y secretos para el hambriento buscador de la verdad. Descubrirás mucho en el camino para resolver la oscuridad. *«Gloria de Dios es ocultar un asunto, y gloria de los reyes el investigarlo»*, Pr. 25:2. Ver algo que alguien trata de ocultar o mantener fuera de la vista, impedir que se reconozca o revele, ocultar como intentando impedir que la verdad salga a la luz cortándola de la vista o cubriéndola. Alguien que aparta su mirada no quiere que veas en sus ojos que son las ventanas del alma. No se puede confiar en ellos ni contar con su integridad, pues ocasionarán vergüenza y dolor.

Ocupación: ver una nueva ocupación o vocación en un sueño indica que pronto habrá un cambio de empleo. Ver un antiguo empleo indica que puedes estar cometiendo algunos de los mismos errores del pasado y necesitas corregir el rumbo de tus acciones. Estás realizando actividades que le ayudan a pasar el tiempo hasta que aparezca algo mejor. También puede indicar que estás tomando un nuevo territorio, como en una ocupación militar, etc.

Ocurrencia: escuchar un comentario ingenioso, sarcástico o extraño, que nos llevará a una interesante invitación para conocer nuevos amigos y viajar a lugares emocionantes.

Odelia: significa alabaré a Dios con espíritu agradecido, Lc. 19:40.

Odio: verse actuando con gran hostilidad, juicio o animosidad hacia otro con un sentimiento de desagrado o aversión, generará odio en tu corazón. A nivel espiritual, el odio es lo mismo que el asesinato. *«Pero a ustedes que me escuchan les digo: Amen a sus enemigos, hagan bien a quienes los odian, bendigan a quienes los maldicen, oren por quienes los maltratan...»*, Lc. 6:27-28; Lc. 14:26.

Odre: el corazón de alguien que contiene o bien el bien de Dios y es flexible, enseñable y ungido para hacer las obras más grandes o el corazón malvado y pecaminoso que sirve a los deseos egoístas, Lc. 5:37-39; Mt. 9:17; Apo. 17.

Oeste americano: Soñar que se es un vaquero en el oeste americano representa tu espíritu pionero y audacia que se nutre de un desafío para demostrar tu ingenio en lo referente a las habilidades de supervivencia. Si estás luchando o participando en una guerra espiritual, sea directo con su oponente. No muestres piedad con tus sentimientos o intenciones de éxito. Utiliza un enfoque simple y directo para alcanzar tus objetivos. El trabajo duro está asegurado si uno planea y aprovecha al máximo las grandes oportunidades de crecimiento y expansión. No dejes que tus sueños mueran porque sientas que eres demasiado viejo.

Oeste: puesta de sol; atardecer; fin; ocaso, Is. 59:19; Sal. 103:12; 75:6; 107:3; Mt. 8:11; 24:27; muerte; última; gracia de Dios para eliminar una maldición; representa la desaparición de la gloria de Dios, el caminar hacia el ocaso lejos de Dios, el final de un día y el comienzo de una noche oscura, la terminación, la muerte, la vejez. El sol se pone en el oeste. Prepárate para un largo y arduo viaje; un espíritu pionero o un precursor. El este está ante el rostro de Dios; el oeste está detrás de Él; el sur está a su derecha y el norte está a la izquierda de Dios.

Ofender: soñar que se hieren tus sentimientos o que se hiere tu dignidad de una manera desagradable y repugnante, indica que debes cuidarte de ser agraviado. Dios puede estar corrigiendo tu comportamiento. De seguro conviene que se diga a Dios: «*He llevado ya castigo, no ofenderé ya más; Enséñame tú lo que yo no veo; Si hice mal, ¿no lo haré más?*» Jb. 34:31-32? Mt. 17:27

Ofensa: soñar que alguien te ofende, te causa un enojo, disgusto, resentimiento o una afrenta indica que tendrás la oportunidad de convertir a un enemigo en amigo. Si usted es el ofensor arrepiéntase o perderá muchos amigos y alejará a la gente.

Oferta: presentar un plan para que sea aceptado o rechazado augura una gran capacidad de negociación; prosperarás si te mantienes abierto, honesto y diligente.

Offshoot (personaje): se refiere al personaje «Firebolt» que es el compañero de Targetmaster de Hot Rod o Rodimus, otro personaje de Transformer. El fuego de Dios va a ser liberado en tu vida para transformarte en un superhéroe.

Oficial/oficial: control de un área particular de uno mismo; controlado por fuertes emociones de amor por la gente y la familia; deseos de disfrutar de los demás y encajar en un grupo; el temor a la intrascendencia produce planes ambiciosos para superar la pereza; necesidad de disciplina, dirección y guía espiritual; liberación de una nueva confianza o plenitud que trae un equilibrio y perspectiva adecuados sobre la autoridad y lo que invoca en ti; el oficial muestra cómo uno «ejerce autoridad», juzga sus propias acciones o habilidades de liderazgo.

Oficina de correos: lugar para enviar y recibir cartas, regalos, paquetes, correo y estaciones, la exhibición de los carteles más buscados.

Oficina, trabajo oficina: dejar el trabajo en la oficina; sentirse abrumado o con exceso de trabajo; demasiadas cosas en la cabeza; simboliza: el prestigio, la conveniencia, el estatus, los logros o encontrar el lugar de uno; desconocido o extraño: compararse constantemente con los demás; tener un cargo público: sugiere que uno acepta las consecuencias o la responsabilidad de sus acciones, 2 Tm. 2:15.

Ofrenda por el pecado: Jesucristo fue hecho una ofrenda por el pecado a Dios para redimirnos de la pena del pecado, 1 Pe. 2:24; 2 Cor. 5:21; Gál. 3:13; Ef. 5:2; Is. 53:1-10.

Ofrenda quemada: una ofrenda voluntaria representa la voluntad de servir; Heb. 9:11-13; 10:5-7; Sal. 40:6-8; Fil. 2:8; Ro 12:1-2; Gál. 2:8. 2:8; Rom. 12:1-2.

Ofrendas: tratar de resolver pacíficamente un conflicto o una mala acción, ofrecerse uno mismo o servir a los demás, hacer un sacrificio, entregarse, rendir la voluntad, someterse a los demás. Cristo nuestro sacrificio, Le Ch. 1-7; Ef. 5:1-2; 2 Cor. 5:19-21.

Ogro: temperamento, cólera, rabia y falta de simpatía o comprensión que devora o aplasta a las personas; la forma en que uno ve a sus padres o figuras de autoridad.

Ohio: «Con Dios, todo es posible»; Mucho por descubrir; Estado de Buckeye; Clavel escarlata; Flint.

Oído: capacidad de oír y escuchar atentamente la voz de Dios; limpiado, Lev. 14:14, 17, 25; siervo; hablar; cantar, Neh. 1:6, 11; probar las palabras, Jb. 12:11; instrucción, sabiduría, entendimiento, Pr. 5:1, 13; Apo. 2:17; Sal. 116:2; Mc. 4:9.

Oídos tapados: una incapacidad para escuchar la pequeña y tranquila voz de Dios; demasiados ruidos, distracciones y voces del mundo; necesitas arrepentirte, limpiar tu conciencia y buscar consejo piadoso. Un espíritu sordo y mudo.

Oídos, calentando: indica que tienes oídos para oír; una habilidad para escuchar atentamente la voz de Dios; sabiduría espiritual; es importante que pongas a prueba las cosas que oyes; reconocer el Espíritu de la Verdad; dar o ganar instrucción; entendimiento; una enfermedad o espíritu sordo y mudo que lleva a la confusión.

Oídos, grandes: la ayuda viene de otras fuentes.

Oídos, limpieza: estás eliminando los obstáculos, las falsas enseñanzas y las cosas que han obstaculizado tu capacidad de escuchar la verdad o de obtener sabiduría piadosa.

Oídos, pitidos o zumbidos: como un mosquito indica brujería, enseñanzas erróneas; palabras negativas o maldiciones pronunciadas; algo no suena bien; una infección al interior del oído.

Oídos, problemas que se acumulan: indica que estás profundamente involucrado o demasiado comprometido.

Oídos, tocando de oído: improvisar, prestar mucha atención para observar las tendencias o los acontecimientos venideros.

Oídos todo: que una persona sea todo oídos indica la necesidad de estar muy atento a tu situación.

Oídos, vértigo: se debe a que tus oídos están obstruidos por pus o algún tipo de infección; has sido expuesto a lenguaje abusivo o enseñanzas equivocadas, palabras negativas que te han causado duda e incredulidad.

Oídos: representan al profeta y al vidente que tienen oídos afinados para escuchar la voz de Dios, mantener el equilibrio, percibir los sonidos; oído agudo para construir o derribar para reconstruir correctamente; atención favorable, publicidad o información meteorológica; dolor de oídos: amigos infieles, chismes y puñaladas traperas. Tener oídos para oír: indica que hay que prestar atención a lo que está a la mano, Mt. 11:15. La luz amarilla de la unción de Dios produce sanidad.

Oír, hijos: prosperidad y riqueza.

Oír, parientes: puedes esperar cambios repentinos.

Oír por un oído: ver o escuchar algo que entra por un oído y sale por el otro: indica que has escuchado, pero no ha prestado atención a la revelación o al consejo sabio.

Oír: estar espiritualmente en sintonía con la revelación; los oídos para oír liberan los ojos para ver; si no hay capacidad para oír: indica que tal vez no se está escuchando la voz correcta, puede faltar el favor por lo que se está pasando por alto o se está eclipsando por alguien con más claridad.

Ojo de buey: considere el juego de palabras, «portal», espere tener una experiencia de trasposición o transporte; es el momento de reencontrarse con amigos en alta mar para unas vacaciones divertidas y relajantes. *Alternativamente:* un tiro centrado que da en el blanco o en la pequeña parte central de un círculo, que se consigue mediante la precisión, la pericia y la habilidad para lograr un objetivo deseado, un trozo de caramelo redondo y duro.

Ojo de la tormenta: paz antes de que la tormenta pase de nuevo, una zona de protección.

Ojo negro, otra persona: Ponerle un ojo negro a alguien indica que se es intransigente debido a que sus decisiones difieren de las tuyas, que no encaras las cosas con cordura. Que eres una persona tenebrosa, sin iluminación espiritual.

Ojo negro, propio: Tener o recibir un ojo negro indica un conflicto no resuelto.

Ojo, servicio: servicio realizado bajo la supervisión de otro, Ef 6:6.

Ojo, tercer: indica algún tipo de participación oculta; masonería libre; religiones falsas u orientales; amor al dinero.

Ojo, uno solo: enfoque único en el propósito y el destino, no eres capaz de ver otras oportunidades o soluciones, visión limitada.

Ojos altivos: Dios abatirá, Sal 18:27; el Señor odia el ojo altivo, Pr. 6:17; *«Los ojos altivos y el corazón orgulloso, lámpara de los malvados, es el pecado»*, Pr 21:4.

Ojos cerrados: ceguera espiritual o física, sueño, oración o descanso, falta de conocimiento, miedo o falta de deseo de iluminación, desconocimiento del propio estado físico, mental o financiero, timidez o introversión, evitar el contacto con el mundo, cerrarse y aislarse; ceguera, adormecimiento; negarse a ver; incredulidad; ignorancia voluntaria.

Ojos oscuros: deseos malignos por las pertenencias o propiedades de otros, siendo codicioso o lujurioso; espiritualmente débil, inadecuado, incompetente; acuerdo mundano tácito; pena; resentido, envidia; deseo de venganza: «ojo por ojo»; débil; inadecuado; impuro; resentimiento; espíritu de estupor; ceguera; duda e incredulidad; ignorancia *voluntaria; el tercer ojo: representa la participación oculta; masonería libre; religiones falsas u orientales. «Pero si tu ojo es malo, todo tu cuerpo estará lleno de oscuridad. Si, pues, la luz que hay en ti es oscuridad, ¡qué grandes son las tinieblas!»*, Mt. 6:23.

Ojos rojos: un espíritu demoníaco enviado para traer terror; miedo a la oscuridad; embriaguez; una fuerza hipnótica; un espíritu de cansancio, Pr. 23:29.

Ojos abiertos: advertencia para que estés atento a tus negocios, a tus amigos y a tu familia; mira de nuevo para ver más allá de lo natural; te estás perdiendo alguna información importante.

Ojos azules: Jesús; curación; revelación; belleza, felicidad y alegría.

Ojos bizcos: no saber qué camino tomar; buscar, pero no encontrar lo que se busca; la visión es débil y necesita una nueva estructura para enfocarla.

Ojos grandes: ver o asumir una visión muy grande; el ojo de Dios que todo lo ve; una habilidad para administrar una gran finca, negocio, ministerio o corporación; unción profética; una cosa de belleza; un supervisor de una gran herencia.

Ojos guiñando: fascinación coqueta por el pecado; deshonestidad, astucia; maquinación; apartarse; odiar a Dios sin causa.

Ojos, guiño: guiño de ojos: engaño, astucia, picardía, coquetería, *«no dejes que se guiñen el ojo los que me odian sin motivo»*, Sal. 35:19.

Ojos hermosos: Jesús; amor y alegría; un amigo bondadoso; seducción, manipulación y tentación; *«Cuando Jehú llegó a Jezreel, Jezabel se enteró, y se pintó los ojos y se adornó la cabeza y se asomó a la ventana»*, 2 Re. 9:30-31.

Ojos iluminados: recepción de la sabiduría piadosa, conocimiento revelador y perspicacia; ilumina mis ojos o moriré, Sal. 13:3; los puros mandatos del Señor, Sal. 19:8.

Ojos, llama de fuego: los penetrantes y hermosos ojos azules de Jesús que escudriñan tu corazón, Dn. 10:6; Apo. 1:14.

Ojos llenos de: ver una criatura celestial llena de ojos indica la perfección de las percepciones espirituales, Ez. 1:18; 2 Cr. 16:19; Apo. 4:6.

Ojos, luz: un deseo de que Dios te guíe y proteja; la ventana del alma; la puerta para la entrada de la luz del cielo o la oscuridad mundana, la vista, la perspicacia, la previsión y la iluminación de la revelación con el conocimiento, la comprensión y la iluminación revelados; la profundidad, la visión y la madurez espirituales; el comportamiento virtuoso y noble revelado; la unción de los profetas; una perspectiva celestial; Jesús enjugará toda lágrima. La luz de la añil unción de Dios trae la sanidad a los ojos. *«El ojo es la lámpara del cuerpo; así que si tu ojo está limpio, todo tu cuerpo estará lleno de luz»*, Mt. 6:22.

Ojos marrones: una visión humilde y compasiva de la vida traerá gran felicidad.

Ojos negros: opacidad de la vista; opresión demoníaca, una mala confrontación; alguien está tratando de impedir que logres tu destino mediante la imposición de la miseria y el abuso.

Ojos de niños: necesitas una nueva visión de la vida; pureza e inocencia; una expectativa de descubrir cosas nuevas; encontrar la alegría en las cosas sencillas de la vida.

Ojos pequeños: visión pequeña o miope; un ámbito de influencia estrecho; no ver el cuadro completo; enfoque estrecho; ambición insuficiente o falta de impulso; un niño inocente que es muy querido.

Ojos rojos: si tus ojos están rojos: sugiere que estás cansado de buscar respuestas, estás esforzándote por la claridad; una enfermedad o infección «ojos enrojecidos»; una influencia demoníaca.

Ojos sanos: tienes la capacidad de obtener, supervisar y administrar; visión clara; buenas percepciones; claridad; sabiduría y un corazón generoso para dar.

Ojos verdes: la posibilidad de una gran riqueza está a la vista; la codicia, los celos, la envidia y la contienda.

Ojos: omnisciencia, conocimiento, visión natural y espiritual; previsión; el vidente o profeta, Pr. 29:18 una habilidad para ver más allá de los asuntos superficiales o de la superficie, visión; habilidad para enfocar; buen ojo para el carácter, juicios intelectuales, punto de vista, para vigilar y orar, Cl. 4: 2; vigilar de cerca, concentrarse en, detectar; ojo por ojo: castigar una ofensa semejante; ojo por ojo: acuerdo; dar a alguien el ojo: mirar con admiración o invitación; en el ojo de

un cerdo: nunca, bajo ninguna condición. Sal. 101:6; 66:7; 12:15; Pr. 16:2,30; 20:8; 19:8 25:15; Apo. 4:6.

Oklahoma: «El trabajo lo vence todo»; América nativa; Estado de los Sooner, Estado de los Boomer; Rosa de Oklahoma, manta india; verde y blanco; fresa; cristal de barita de roca rosa.

Ola del océano: ver el ondulante oleaje del mar entrar y salir sugiere el flujo y reflujo de las estaciones de la vida. Si las olas están chocando indica que sientes que las circunstancias de la vida están chocando contra ti.

Olas: el flujo y reflujo del movimiento de Dios; las olas del Espíritu que se mueven hacia arriba y hacia abajo, hacia adelante y hacia atrás en un movimiento oscilante; sucesión de eventos; patrón; aumento rápido y repentino; una necesidad de sembrar o el retorno de lo sembrado, 2 Sam. 22:5; Sal. 42:7-8. Estar cubierto o abrumado por las emociones.

Oleoducto: estás abierto y receptivo a novedosas ideas ungidas que fluirán cuando estés conectado con los que te rodean y firmemente plantado.

Olivo: simboliza la tribu de Aser; unción; Sal 128:3 hijos, o niños Sal. 144:12; alimento importante y fuente de aceite; Israel natural o la iglesia, Éx. 30:24; Rom. 11:17-24.

Olla de presión: estás en una situación difícil que te presiona por todos lados; la ira se acumula; estás a punto de estallar, Jb. 33:7.

Olmo: árbol de hoja caduca con ramas arqueadas o curvadas que se utiliza como árbol de sombra. Vivirás una vida cómoda y despreocupada si te sientas a la sombra de este gran árbol. Os. 4:13 Roble.

Olor a hogar geriátrico: seguir adelante; enfermedad crónica; descanso o convalecencia.

Olor: aroma desagradable emitido por una persona impura u ofensiva, un demonio o una situación apestosa. Cuando la nariz percibe olores desagradables, nauseabundos, apestosos y sucios, puede representar espíritus malignos, por lo que es necesario el discernimiento espiritual para determinar con qué se está tratando a nivel espiritual. Oler un olor o una fragancia particular en un sueño sugiere que estás recordando una experiencia pasada en la que asociaste este aroma particular con esa ocasión, Jb. 14:9.

Olvidadizo: donde dejaste a un bebé o a un niño sugiere que estás abrumado por las presiones o las responsabilidades de cuidar a alguien, el miedo al fracaso, el estrés va en aumento. Necesitas ajustar tus obligaciones y buscar la paz y el descanso; tu inconsciente te está recordando una cita. Olvidar dónde se ha aparcado el coche o se ha dejado la cartera o el bolso tiene que ver con cuestiones de identidad y de quién es uno o hacia dónde va en la vida.

Ombligo: egocéntrico o ensimismado, engreído; se

avecina un nuevo próspero emprendimiento, una oportunidad de negocio o una relación; dependencia de los demás, especialmente de tu madre, la forma en que conectas tu yo interior con el mundo exterior. Si dejas de estar centrado en ti mismo tendrás un mayor impacto en la humanidad. Hacia adentro: depresión; hacia afuera: salida o protuberancia; cicatriz en el abdomen desde el nacimiento; centro de gravedad; sexualidad cuando el vientre está desnudo; tentación o seducción; la sociedad lo percibe como bello y deseable.

Onar: es la palabra griega para designar el sueño, donde tienen lugar los encuentros espirituales con los ángeles. Te invito a abrir un diario de sueños en línea GRATUITO y a enviar todos tus sueños para su interpretación profesional en *www.decodeMydream.com.*

Once, profeta: revelación; transición; José vivía en casa de Potifar; juicio; desorden; desorganización, imperfección, incompleto, Hch. 1:26; confusión; anarquía o litigio.

Ónice: significa «garra» o «uña», José: añadirá; Manasés: el que hace olvidar el sufrimiento; Efraín doblemente fructífero; racimo de uvas, multiplicar, sustituir, ganarás equilibrio interior en circunstancias difíciles, separación de la vida familiar, perdonar un rencor, uña del hombre, segunda piedra en la cuarta fila, piedra del hombro, sabiduría inestimable, rechazo, nueva vida, decir adiós a las cosas queridas, organizadores, leal, amigo fiel, palmera real, un pilar, justo, florecer, fructífero, bendecido, crece en el desierto, se dobla con la tormenta, flexible en las dificultades, toque del Maestro en el corte, pulido y tallado de una obra maestra, Gén. 48:17-20, Gén. 2:12; Éx. 25:7, 28:9, 20, 35:9, 27, 39:6, 13; 1 Cr. 29:2; Jb. 28:16; Ez. 28:13.

Ópalo: es una hermosa piedra de fuego que brilla o resplandece con colores que simbolizan el multifacético amor perfecto de Dios que resalta nuestra belleza interior para reflejar Su gloria, prosperidad, rica bendición y Su divino poder sobrenatural para manifestar milagros, sanidades y llevarnos a la dimensión del Espíritu. El ópalo es la piedra preciosa nacional de Australia, un mineral iridiscente translúcido de varios colores que se utiliza como gema, la cualidad o el estado de mostrar una iridiscencia lechosa, impenetrable, que no refleja la luz, energía radiante distinta de la luz, difracta la luz; dependiendo de las condiciones en las que se formó, varía en densidad óptica de opaco a semitransparente. Los ópalos preciosos van desde el blanco hasta el gris, pasando por el rojo, el naranja, el amarillo, el verde, el azul, el magenta, el rosa, la pizarra, la oliva, el marrón y el negro. De estas tonalidades, los rojos frente al negro son los más raros, mientras que los blancos y los verdes son los más comunes.

Ópera: dramatización de los sentimientos en una situación de la vida.

Operación: ¿Eres plenamente operativo o funcionas a plena capacidad? ¿Necesitas ser más verbal o directo para sacar algo de tu sistema? ¿Necesita cortar algunas relaciones o ideas dañinas o negativas? Es posible que tengas algún pecado o problema muy arraigado que deba ser eliminado de tu vida. Ejerce la disciplina, la precisión y la planificación estratégica para lanzar un ataque a los malos hábitos. El temor a la muerte o a la enfermedad, los recuerdos de una operación real, tu cuerpo te está comunicando una necesidad, sé consciente de que un ventajoso intenta aprovecharse de ti, una necesidad de operar en el Espíritu y no en la carne.

Operar: se te ha dado una gran habilidad para cortar el exceso o el desperdicio para descubrir la raíz del problema; don de sanidad; dones administrativos para reparar situaciones dolorosas y traer la integridad.

Opio: es una droga amarga altamente adictiva con fuertes propiedades anestésicas por lo que advierte de las personas que hablan bien pero no caminan bien. Aléjate de las personas que se divierten con sustancias peligrosas, ya que esperan adormecer tus sentimientos para poder aprovecharse de ti moral, intelectual y financieramente, llevándote a la ruina.

Oponente: actuar contra una fuerza opuesta o antagónica en un sueño indica que estás discerniendo los problemas antes de que puedan manifestarse o hacer algún daño. Las oraciones de una persona justa sirven de mucho.

Oporto: beber este vino tinto rico, dulce y fortificado indica que se va a celebrar en un ambiente o ámbito social prominente.

Oprah: mujer de gran riqueza e influencia en la sociedad. Puede ser el momento de buscar sus raíces generacionales o su herencia; un icono de esperanza e inspiración.

Óptica: unción profética, visión profética, Espíritu Santo, ojos de fe, creencia en Dios, sabiduría para ver más allá de la situación actual.

Oración del Señor: oración enseñada por Jesús a sus discípulos; estás amenazado por un mal encubierto; necesitas la oración y el apoyo emocional de amigos fieles para traer la voluntad de Dios y Su Reino a tu vida y puedas superar una situación en particular.

Oración: llamada a la intimidad con dependencia implícita de Dios; limpieza o comunicación espiritual; peticiones reverentes dadas a conocer a Dios; con necesidad de sabiduría y consejo; ligera oportunidad o esperanza; amenazado de fracaso; disciplina diaria de amistad; hablar con y para; suplicar una relación con la Divinidad, 1 Tes. 5:17.

Oráculo: intuición espiritual; sabiduría escrita o hablada; alguien que habla en nombre de Dios, un profeta o vidente, un predicador, un sabio, intuición espiritual o conocimientos de sabiduría, 1 Re. 6:5, 19-23; 2 Cr. 3:16.

Orador: tienes algo muy importante que decir; un llamado a gobernar a ser «el portavoz del hogar», un profeta o vidente: un vocero de Dios que tiene el don de la palabra; un predicador, pastor o maestro.

Oral Roberts: nació el 24 de enero de 1918 y murió el 15 de diciembre de 2009. Oral fue un conocido televangelista pentecostal carismático-metodista estadounidense, sanador, impartidor de milagros y líder religioso, que predicó la fe en la semilla y fundó la Oral Roberts Evangelistic As- sociation y la Oral Roberts University, ORU en Tulsa, Oklahoma. Ver a Oral Roberts en un sueño puede indicar un llamado a asistir a su universidad para recibir entrenamiento espiritual. También puede indicar una llamada al campo de la sanación y la evangelización.

Oral: comunicar con palabras habladas en lugar de un lenguaje escrito; relativo a, utilizado o administrado a o a través de la boca; acuerdo oral, un contrato verbal; Universidad de Oral Roberts; una escuela o universidad, un examen donde las preguntas se responden verbalmente; la gratificación o estimulación viene a través de la boca o los labios; «un bocón».

Orbe: el término orbe se utiliza para representar una esfera o un planeta. Dios creó el sol, la luna y los planetas, son sus obras creativas. El rey Josías hizo un pacto con el Señor e hizo que se retiraran del templo todos los sacerdotes y objetos utilizados por Baal en la adoración idolátrica, incluyendo la quema de incienso al sol, la luna y los planetas, 2 Re. 23:5 Una esfera sobrenatural de seres de luz celestial que vienen a traer un nivel superior de unción, Hch. 20:7-8, las luces estaban presentes a medianoche y Eutiquio resucitó de entre los muertos.

Órbita: el viaje que hace la vida para alcanzar el propio destino, la alineación planetaria alrededor del sol, aquello alrededor de lo que gira tu mundo.

Orca: mamífero marino depredador de color blanco y negro que habita en aguas frías. Debes estar atento a una persona organizada o corporativa muy poderosa que busca devorar o hacer trizas tu reputación. Alternativamente: una orca es un animal muy social y familiar que viaja en manadas. Este símbolo indica que puedes estar necesitando ser más social. La orca se comunica a través de cantos y chasquidos; ha llegado el momento de ser más expresivo en cuanto a tus deseos y necesidades. Este símbolo blanco y negro puede representar la necesidad de una guía espiritual más profunda. Estás preparado para sanar tus emociones, pero necesitas establecer una conexión más profunda con Dios. La orca es una ballena cazadora, blanca y negra, que habita en los mares fríos.

Orden de arresto: tendrá que tomar decisiones importantes muy rápidamente para mantener tu libertad.

Orden de registro: obtener o ver una orden de registro en sueños indica que necesitas obtener alguna prueba para demostrar algo a usted mismo o a otros. Por el contrario, es posible que estés ocultando algo y que no desees ser juzgado por tus acciones equivocadas. Estás evitando a las figuras de autoridad en tu vida porque no quieres que confisquen tus bienes ni usufructúen tus talentos.

Orden judicial, cumplir: si estás cumpliendo una orden de arresto contra alguien, entonces le guardas rencor, no le perdonas o le culpas.

Orden judicial: es el momento de buscar los motivos y los motivos de tu corazón.

Orden: el deseo de Dios para la iglesia; *«Que todo se haga decentemente y en orden»*, 1 Cor. 14:40; Es posible que necesites corregir algún aspecto de tu caminar espiritual; *«Los pasos del hombre bueno son ordenados por el Señor, y Él se deleita en su camino»*, Sal. 37:23; solicitar un servicio de comida, directrices militares que se dan. Demandar algo con unción. Colocar o poner en una condición específica de norma o arreglo prescrito entre varios componentes.

Orden: se trata de una autorización, certificación o sanción por parte de un poder superior que justificará tus acciones, dará fe o responderá por ti garantizando los resultados de un evento. Que un agente tenga una orden judicial indica que tiene jurisdicción para ejecutar una sentencia, registrar una propiedad o realizar una detención.

Ordenado: verse ordenando en un sueño indica que hay aspectos de tu vida que necesitan ser limpiados o eliminados ya que no están teniendo un efecto positivo. O bien, quizás eres una persona limpia y ordenada cuya vida puede ayudar a otros a organizarse mejor.

Ordeñar una vaca: ver a alguien ordeñando una vaca indica que alguien está tratando de «ordeñarte» por todo lo que vales. A la inversa, si estás ordeñando una vaca busca el favor y las oportunidades para prosperar en una vida feliz.

Oregón: «Vuela con tus propias alas»; We Love Dreamers (Amamos a los soñadores); Estado del castor; Uva de Oregón; Azul marino y dorado; Pera; Tunderegg (huevo detrueno).

Oreja horadada: oreja de un esclavo de enlace, prenda de amor y servidumbre imperecederos, embellecimiento, deseo de oír la voz del Señor.

Orejas largas: te han pillado diciendo mentiras, lo que te ha provocado vergüenza pública y mucho dolor.

Orejas pequeñas: tener las orejas pequeñas: no se está oyendo correctamente; es necesario orar para obtener sabiduría y comprensión antes de avanzar.

Orejeras: algo está tratando de bloquear tu capacidad de escuchar lo que el Espíritu de Dios te está diciendo; sordera espiritual, un espíritu sordo y mudo, Zc. 7:11.

Orfanato: soñar con una institución para el cuidado de huérfanos y niños abandonados puede ser un reflejo de tus propios sentimientos subconscientes de abandono o negligencia. Es posible que necesites amor y afecto con un sentimiento de pertenencia a algo más grande que tú mismo. Considera también la posibilidad de hacer una llamada para apoyar o adoptar niños huérfanos.

Orgánico: orgánico se refiere a los organismos vivos y a las plantas que se cultivan con fertilizantes naturales, no químicos, que ayudan a los órganos del cuerpo; simboliza el desarrollo de una vida sencilla, organizada y básica en armonía con la naturaleza o con las leyes y principios fundamentales de un gobierno u organización. Este símbolo apunta a un don de administración, curación y nutrición.

Organizado: ver un sueño en el que tiene que organizar o ensamblar en un conjunto funcional estructurado y ordenado, para dar una forma coherente a algo, para componer un patrón, para gestionar o establecer algo, indica que su vida puede carecer actualmente de orden o significado. Es hora de aprovechar el tiempo que se le ha concedido.

Organizar: busca una nueva estructura o sistema de orden en tu vida, elimina los pensamientos desordenados y elimina las distracciones.

Órgano: soplar; un instrumento de viento; tubo perforado; dirige el flujo de aire; adaptado para una específica función especializada; Consejo de Seguridad; organismo vivo; comunicación; organizado; grandes himnos; amistades duraderas; bien fundado; comodidad, Gén. 4:21; la «flauta de Pan», un conjunto de cañas de longitud desigual, cerradas en un extremo y sopladas con la boca.

Órganos internos: puedes estar preocupado por tu salud y bienestar general. También se refiere al actuar dentro del cuerpo de Cristo u otras organizaciones o asuntos internos del país.

Órganos: parte de un ser vivo adaptada para una función básica o específica; estar en armonía con la naturaleza; organización; desarrollo; ser una parte integral; leyes y principios fundamentales de un gobierno; un cuerpo vivo; juego de palabras para un instrumento musical; una burda referencia a los genitales.

Orgasmo: hincharse o excitarse; la presencia de un espíritu íncubo; el clímax de la excitación sexual marcado por diversos cambios fisiológicos; uno necesita relajarse y liberarse del estrés y la tensión.

Orgía: rito secreto en las sectas; comportamientos sexuales frenéticos; no usar el juicio claro; perversión; pérdida total de control; inmoralidad; jolgorio; indulgencias desenfrenadas; lujuria excesiva, una mente reprobada, desprecio total de los valores o la autoestima; sexo en grupo, 1 Cor. 6:9; 1 Pe. 4:3; Gál. 5:21.

Orgullo: el orgullo y la arrogancia preceden a la caída, pero Dios da gracia a los humildes; enorgullécete de tu trabajo, muestra siempre un espíritu de excelencia; defiende tu trabajo y tu carácter; vale la pena luchar por el buen nombre y la buena reputación. La soberbia va delante de la destrucción, y la altivez de espíritu antes de la caída, Pr. 16:18.

Orgulloso: si tu corazón se vuelve orgulloso te olvidarás del Señor Dt. 8:14; forma de actuar con jactancia o corrupción; burlón altanero que esconde trampas para capturar y dañar a otros; Dios se opone a los orgullosos, pero da gran gracia a los humildes, Snt. 4:6.

Oriente: soñar que se visita Oriente indica que se busca la sabiduría antigua o el despertar espiritual, pero esto sólo se encuentra en Dios.

Orilla del mar: llamado al mar de la humanidad; las masas; un tiempo o situación potencialmente turbulenta, como pescador de hombres o para llegar al mar como una misión. Tierra que bordea o está cerca del mar o tierra que se encuentra entre la pleamar y la bajamar.

Orilla del océano: ver o estar parado en la orilla de un océano indica un llamado a viajar para impactar a los diferentes grupos de personas del mundo; llamado misionero; le espera una aventura y un viaje a costas lejanas.

Orilla del río: camino para fluir en el movimiento de Dios. La necesidad de entrar, comprometerse a estar en el mover de Dios. La gente pesca desde la orilla del río. Si te quedas en la orilla demasiado tiempo te caerás.

Orilla: ver la línea de la costa en un sueño indica que tienes un llamado de vida para alcanzar muchos grupos de personas diferentes como parte de la gran cosecha. Considera una aventura misionera y visite otras tierras costeras. La orilla es el lugar donde tus emociones están vinculadas a la actividad física. La parte subconsciente de ti ayuda a encender la mente consciente para avanzar en una nueva aventura. Las costas son lugares pacíficos para caminar, reconfortarse, meditar y hablar con el Señor o con un amigo especial o con un ser querido. La larga orilla sugiere que sólo estás restringido por las limitaciones que te impones a ti mismo. Desarrolla tu imaginación y explora el mundo. Siéntete libre para viajar a tantas tierras extranjeras como sea posible. Con Dios nada es imposible.

Orina de gato: plan erróneo, independiente o lascivo; marcar el propio territorio.

Orina: limpieza de toxinas espirituales, irritaciones, preocupaciones o tensiones; excreción de desechos; nueva fuerza y creatividad, dificultades con los amigos y los seres queridos; renovación del espíritu correcto mediante la limpieza de toxinas y desechos.

Orinar: si la vejiga está llena, hay una necesidad imperiosa de librarse o limpiarse de presiones o expresiones tóxicas; si se experimenta dolor durante la expulsión, se considera una advertencia de una infección o enfermedad de la vejiga.

Orión: una de las constelaciones con unas ochenta estrellas; Jb. 9:9; 38:31; Am. 5:8.

Ornamento: alguien o algo que es admirado o considerado como fuente de crédito, honor u orgullo debido a su belleza; adornar o embellecer la casa, el árbol o una mujer hermosa del brazo de un hombre. Regalos; honores; aumento de la fortuna en las empresas; regalar: extravagancia o imprudencia generosa y pródiga; pérdida de: disminución de una buena situación o herencia, Is. 3:18- 23; 1 Pe. 3:4.

Oro de los tontos: ser engañado para creer que se ha encontrado lo verdadero; una falsificación; todo lo que brilla no es oro; creer una mentira en lugar de la verdad, Cl. 2:23.

Oro probado en el fuego: ver el oro fundido o probado en el fuego representa que tu fe es probada y probada como el oro puro para adquirir una naturaleza divina de pureza y santidad que es agradable al Señor, 2 Pe. 1:7; Apo. 3:18.

Oro, descubierto: si en tu sueño descubres oro en cualquiera de sus formas, estás viendo un conocimiento, un talento nuevo y valioso o una parte oculta de ti mismo. Te han puesto a prueba y han descubierto que no lo quieres.

Oro, enterrar: si se entierra el oro, entonces se intenta ocultar los dones, los talentos y el verdadero valor a causa del temor. Mt 25:14-30, La parábola de los talentos.

Oro: representa la naturaleza divina de Dios, la gloria y la fe de los santos; la pureza; el fuego; el tesoro precioso; la riqueza, la prosperidad, el favor, una herencia; los falsos dioses o ídolos. Éx. 25,3; Hch. 17:29; Apo. 21:21-22; 1 Pe. 1:7; 2 Pe. 1:4; Jb. 23:10.

Oropel: ver estas tiras brillantes de metal en tus sueños es una advertencia de que no debes agarrar todo lo que brilla, pues, aunque sea vistoso, no todo lo que brilla es oro; «ciudad de oropel», sé exigente y selectivo al elegir a los amigos.

Orquesta: armonía de habilidades, dones y talento,

unidad entre los de espíritu o naturaleza similares, una sola voz que libera un nuevo sonido de alabanza y adoración, unidad social o relacional, resolver tus diferencias con los demás, un equipo que persigue un objetivo. Un grupo grande que actúa al unísono; organizado en secciones; piso principal; frente al escenario; componer o arreglar; lograr un efecto deseado; producir un sonido determinado; armonía; favor.

Orquídea: belleza delicada; magnificencia; amor; refinamiento; muchos hijos.

Ortigas: entrar en contacto con una ortiga indica que algunos compañeros de trabajo tienen un plan engañoso para sacarte del programa; es un llamado a protegerte contra la exposición innecesaria.

Ortografía: ver y deletrear las palabras correctamente indica un alto nivel de inteligencia y una mente perspicaz para los detalles; la ortografía incorrecta, por el contrario, indica la necesidad de estudio, educación y acumulación de conocimiento o el descubrimiento de cómo lograr que las cosas encajen en una determinada relación o estructura de negocios.

Oruga, mariposa: belleza; mezcla de polinización; palabras dulces como el néctar.

Oruga, polilla: simboliza desgracia si la oruga en el sueño es una polilla: devorador; ladrón roba la cosecha; Sal. 78:46; 105: 34; tiempo de problemas; Is. 33:2-4; poderes destructivos, 1 Re. 8:37; Jl. 1:4; 2:25; 2 Cro. 6:28; Jer. 51:1.

Oruga: significa una nueva etapa en tu propio crecimiento y desarrollo personal; estás escondido en el camino y en el proceso de un gran cambio, pero aún no has alcanzado la meta deseada; representa el potencial para lograr una hermosa bendición, o una situación que se desarrollará. Larva consumida en el capullo; aunque posee seis pares de ojos, su visión es muy limitada; avanza en la dirección equivocada; metamorfosis; se avecina un gran cambio muy favorable.

Oscuridad, búsqueda: aprender a mantener las emociones, la ira o el temperamento bajo control.

Oscuridad, perdida o a tientas: miedo, desesperación, depresión, inseguridad; falta de conocimiento o de formación para tomar una decisión con juicio; necesidad de iluminación.

Oscuridad: «la ignorancia es una bendición», estar en la oscuridad, miedo a lo desconocido; fracaso; pecado; maldad.

Oscuro: te sientes como si te hubieran dejado en la oscuridad sin tener suficiente luz o visión espiritual de una situación para avanzar. Sólo recibe impresiones débiles que no son realmente evidentes, sino que siguen siendo ambiguas. Te falta una clara delimitación y sabiduría. Busca a Dios y ora hasta que llegue la sabiduría, el conocimiento o la inspiración.

Ositos de goma: los osos de goma son golosinas masticables y una recompensa, tanto para los niños como para los adultos. También pueden simbolizar la poderosa fuerza de la influencia rusa [como el oso] que se alimenta a los demás como la estratagema engañosa del socialismo que avanza sin previo aviso. ora e intercede para que los planes que Dios tiene para los Estados Unidos se mantengan y los planes de los enemigos se pongan de manifiesto para que puedan ser superados.

Oso de peluche: lo llevan los niños cuando buscan la comodidad; ver a un adulto con un oso de peluche en la mano o que actúe como el oso de peluche de alguien (papá grande) indica que puedes tener mucha gente a tu alrededor, pero no tienes un verdadero amigo. Un oso de peluche representa un amigo falso atiborrado de relleno, pero sin sustancia real, un falso profeta, una persona enfadada que parece dócil.

Oso hormiguero: Falta de discernimiento; se alimenta de cosas bajas; se cuentan largas historias; chismes; calumnias.

Oso polar: puede ser un símbolo positivo y de mejora debido al color blanco; pero podría ser una persona de corazón frío y enfadada.

Oso: luchador feroz; se aleja de cualquier enredo posterior; ignora los problemas por hibernación; es abrumadoramente competitivo; está maldecido por el pecado; pérdida económica; ruina financiera. 1 Sam. 17:34-36; 2 Sam. 7:8.

Osos grizzly: es cualquier especie norteamericana del oso pardo, (catalogada como amenazada y en peligro de extinción) incluyendo el grizzly continental, el oso de Kodiak, apodado el oso de punta plateada, que está tan extendido que es representativo y arquetípico de todo el grupo. También están el oso pardo peninsular, el recientemente extinguido oso pardo de California y el oso pardo mexicano. El oso pardo norteamericano, el grizzly y el oso pardo, son una sola especie en dos continentes, por lo que pueden representar una fuerza unificada. A excepción de las hembras protectoras (cerdas) que sienten que sus cachorros están siendo amenazados, los osos pardos son normalmente solitarios. Los osos pardos sólo muestran un comportamiento agresivo cuando se defienden a sí mismos o a sus crías. Normalmente evitan el contacto con las personas, por lo que rara vez cazan activamente a los humanos. Ver a un oso pardo cazándote en un sueño puede indicar que has estado amenazando a alguien, que ahora está muy enfadado, que te han arrinconado y que salen a luchar. En las zonas cos-

teras, los osos pardos se activan y se reúnen alrededor de los arroyos, lagos, ríos y estanques (lo que representa la unción o el movimiento de Dios) durante el desove del salmón (pez: almas). Las hembras producen de una a cuatro crías cada dos años. La palabra «grizzly» significa «canoso», es decir, con las puntas del pelo doradas y grises. Ver un oso grizzly también puede indicar que te encuentras en una «situación peliaguda o demasiado dura de soportar». La vida del macho es de 22 años, la de la hembra de 26. Los osos pardos hibernan entre 5 y 7 meses al año. Los osos pardos tienen una de las tasas de reproducción más bajas de todos los mamíferos terrestres de Norteamérica. Los osos pardos no alcanzan la madurez sexual hasta que tienen al menos cinco años. Normalmente son omnívoros: su dieta se compone tanto de plantas (los osos pardos son importantes distribuidores de semillas en su hábitat) como de animales.

Osos: destructores; hombres malvados, astutos y crueles; peligro; Rusia; «mercado del oso»; juicio; ira y amargura; individuo astuto y cruel, gente fuerte y feroz, centrada en situaciones pasadas y perjudiciales; «antepasado»: un ancestro; vivir en la derrota; luchadores feroces; alejarse de cualquier otro enredo; ignorar los problemas mediante la hibernación; abrumadoramente competitivo; maldito debido al pecado; pérdida económica; ruina financiera. 2 Sam. 7:8. El temor reverencial al Señor; el respeto 2 Re. 2:24; Pr. 17:12; Os. 13:8.

Ostra: cultivar perlas a través de pruebas y dificultades; bivalva comestible de agua dulce y marina; argot: «persona de boca cerrada»; pequeña bolsa de carne considerada un manjar, Mt. 7:6.

Ostras: rebajar el nivel de exigencia para buscar tesoros ocultos en lugares equivocados; inmoralidad; quedarse en los lugares poco profundos de la vida; superficialidad; capacidad de convertir un problema intrusivo en una perla de belleza, sabiduría y riqueza.

Otomano: siéntese, quítese un peso de encima y relájese hasta que llegue un momento más favorable para presentar su propuesta.

Otoño: Fin de una estación y comienzo de otra, los colores cambian, una caída, estación de descanso para un nuevo crecimiento, transición entre el verano y el invierno, preparación para una estación de invierno, sensación de suavidad, un período de madurez o desarrollo que roza la decadencia, «el otoño de la propia vida», Jer. 8:20; Is. 64:6.

Otorgado por Dios: la obra del Espíritu Santo en la convicción, la liberación, la sanidad, la salvación, etc., Dt. 9:10; Lc. 11:20, 46; Éx. 8:19.

Otorgar: poner a salvo; 2 Re. 5:24; Lc. 12:17.

Ovarios

Ovarios: representan el sentido de propósito o valor de la mujer, su capacidad de aportar validez al mundo, la semilla de la mujer para la reproducción.

Oveja adulta: oveja madura utilizada para la cría; prosperidad, riqueza, alegría y abundancia; pueblo Ewe que habita en partes de Togo, Ghana, Benín y el Congo; cuello delgado y defectuoso de un caballo o un perro.

Oveja: forma en que eres conducido a una situación; seguidores; conocen la voz del Espíritu Santo; son gentiles. Jn. 10:15, 27. Gén. 4:4; el número de ovejas indicaba la riqueza de una persona; sacrificio anímico; son cuidadas por el Pastor día y noche, Lc. 2:8; 15:4-6.

Overol: cubierta protectora; trabajador; oculta problemas de carácter subyacentes.

OVNI: utilizar el discernimiento espiritual para no ser descubierto por una fuerza demoníaca cuando se busca la verdad; buscar un encuentro espiritual superior en los lugares equivocados; sentirse alejado de la familia o los amigos; actuar como un cadete del espacio, distanciado, actuando de forma distante; centrarse en una nueva realidad; necesidad de estar espiritualmente conectado a tierra, dejar de ser distante, buscar un encuentro espiritual; sentirse distanciado; juego de palabras: «estar elevado» o «andar en las nubes»; controlarse o estar conectado a tierra; no ver la vida de forma realista.

Oxford: estudio; ven las cosas en blanco y negro; mantienen el paso.

Óxido: el pecado, la lujuria, la envidia, los huesos podridos, el cáncer, los problemas de la vejez, el no diezmar, la decadencia y las polillas han entrado para devorar tu riqueza terrenal, tu salud y tu sustento. El sentimiento de ser demasiado viejo o desgastado para cumplir con tu llamado. Te deteriorarás por la negligencia o la inactividad. Es tiempo de cosecha, los campos están blancos para la cosecha, pero los trabajadores son pocos. Desempólvate y ponte a trabajar en la obra del Padre. *«Entonces Pedro, abriendo la boca, dijo: En verdad comprendo que Dios no hace acepción de personas»*, Hch. 10:34. *«Los muchachos se fatigan y se cansan, los jóvenes flaquean y caen; pero los que esperan a Jehová tendrán nuevas fuerzas; levantarán alas como las águilas; correrán, y no se cansarán; caminarán, y no se fatigarán...»*, Is. 40:30-31. ¿Dónde están tus tesoros? *«No almacenes tesoros aquí en la tierra, donde las polillas se los comen y el óxido los destruye, y donde los ladrones entran y roban»*, Mt. 6:19 NTV. Puede que necesites un poco de aceite de la unción para volver a ponerte en marcha y continuar con lo que Dios te ha llamado a hacer.

Oxígeno: soñar con oxígeno indica que has entrado en un nuevo nivel espiritual donde obtendrás una nueva claridad y energía creativa. tu mente será renovada y vigorizada por la Palabra de Dios. Si sueña que no puede respirar libremente y que le falta oxígeno, entonces tus situaciones o relaciones en la vida le están estrangulando o asfixiando.

P

Pabellón: carpa ornamentada, una estructura temporal ligera utilizada en parques o ferias para la diversión o el refugio de los expositores. La superficie de una gema de talla brillante que se inclina hacia afuera desde la faja hasta el culet o parte interior.

Paca: llevar alimentos, ropa u otros elementos esenciales en paquetes indica que estás cargando con mucha responsabilidad en un proceso de preparación para mudarte a una nueva vivienda o ascender en la escala corporativa; «empacar las maletas», ¡se va a ir de aquí! «Empaquetar un arma de fuego» o «empaquetarlas para ir a la cárcel».

Paca: Ver en su sueño un gran paquete atado, a menudo envuelto, de materia prima o terminada, indica que tiene a mano grandes recursos para hacer un buen y provechoso negocio.

Paciencia: virtud que se desarrolla a punta de pruebas y errores; se te dará la oportunidad de desarrollar una nueva habilidad u oficio con un paciente, cuidador o maestro para que puedas devolver el dinero que se te debe, Éx. 34:6; Rom. 2:4.

Pacificar: como líder, es importante mantener la paz y la tranquilidad en situaciones difíciles para lograr tu objetivo o tus intenciones; la gente esperará que te hagas cargo en un momento crítico.

Pacto: Pacto (derecho), promesa de realizar o abstenerse de realizar una acción determinada. Pacto restrictivo, una restricción en el uso de la propiedad. Pacto (religión), alianza o acuerdo formal hecho por Dios con una comunidad religiosa o con la humanidad en general. Pacto (bíblico), acuerdo sagrado entre Dios y una persona o grupo de personas.

Pádelball: considera que estás jugando y que necesitas perseguir algo más sustancial en la vida. Elimina el aspecto travieso de tus esfuerzos para obtener un plan más centrado.

Padrastro: el marido de la madre y no el padre natural, pariente, relación, conflicto o sustituto; debes observar tu comportamiento.

Padre Abraham: padre espiritual de muchas naciones. No te limites por tu edad; Abraham fue llamado por Dios a una edad avanzada. Un amigo de Dios. Se movió con gran fe para obtener sus promesas. originalmente Abram, fue el primero de los tres patriotas bíblicos. Su historia, contada en el libro del Génesis, capítulos 11-25, gira en torno a la posteridad y la tierra. Desempeña un papel destacado en el judaísmo, el cristianismo y el islam. Fue llamado por Dios para dejar la casa de su padre Taré y establecerse en una tierra que ya estaba poblada por los descendientes de Canaán. Dios prometió a Abraham un hijo de sus propios lomos, Isaac, que recibió «todos los bienes de Abraham», mientras que los demás hijos sólo recibieron «regalos». La cronología bíblica sitúa a Abraham en torno al año 2000 a.C.

Padre Dios: la figura paterna por excelencia; autoridad suprema, protección o sabiduría omnisciente.

Padre, golpear: si sueñas que golpeas a su padre estás mostrando frustración por la separación, desesperación por estar cerca; falta de comunicación, no le estás escuchando; las palabras o acciones de uno están rebotando.

Padre muerto: Si tu padre ha muerto y sueñas con él: todavía estás pasando por el proceso de duelo; corte de la relación con uno, una advertencia para proceder con precaución en la conducción de los negocios; un gran desastre.

Padre: Padre Dios; autoridad natural o espiritual; derecho de nacimiento; tradición; Satanás. Soñar con tu padre natural: significa felicidad, sabiduría y una herencia; suple las necesidades; un entrenador; un consejero; un protector y jefe proveedor del hogar. Jn. 8:44, 54; Os. 11:1-3; Mt. 7:8-11; Is. 1:2. Soñar con un padre indica que hay que ser más autosuficiente; recuerda que se es como él en algunos aspectos.

Padres adoptivos: madrastra o padrastro, pariente, relación, conflicto.

Padres de la novia: conocer a los padres de tu novia significa que está preparado para llevar tu relación al siguiente nivel, estás practicando para cuando tenga lugar el verdadero encuentro. Los sueños lúcidos ayudan a eliminar la ansiedad y la preocupación por los encuentros reales. Te ayuda a trabajar con todo lo que hay que hacer y lo que no hay que hacer, para que no estés nervioso durante la ceremonia nupcial. Si ya has conocido a los padres o a los amigos, el sueño te anima a estar atento, a dar lo mejor de ti, a ser un caballero y a cuidar tus modales.

Padres muertos: comienzo de la vida independiente, Dt. 5:16; Heb. 12:10-11.

Padres: madre, padre físico o espiritual, antepasados, guardián o protector, sabiduría general, información, maestros de la experiencia de la vida, disciplina inculcada, reglas y procesos de toma de decisiones, una causa original o una fuente, alguien a quien se está subordinado hasta que se adquiere la madurez.

Padrino: una gran satisfacción vendrá de la mano de los demás.

Pagano: un no creyente en Jesús, Jer. 10:25 Gentil.

Pagar: dar dinero a cambio de bienes y servicios prestados, vengarse de alguien, cargar con el costo o pagar las consecuencias de las acciones de alguien; recompensa o salario ganado. Tienes la capacidad de bendecir a otros, también indica un espíritu generoso, uno podría estar pagando el precio de una mala decisión o un error por descuido.

Página: hoja en blanco para completar; una oportunidad para escribir tus propios planes.

Páginas amarillas: listado alfabético de empresas, servicios o productos según su campo de especialización. «Deja que tus dedos hagan el camino».

Páginas: estás en el proceso de pasar una nueva página en la vida. Lo viejo se ha acabado, cierra ese libro. Estás listo para escribir un nuevo capítulo. Estás resumiendo las cosas que han sucedido y haciendo un nuevo plan mejor. ¿Qué hay en la agenda? Haz una lista de lo que quieres de la vida, el trabajo y las relaciones. No te rebotes por una relación rota, es el momento de escribir en un diario tus sentimientos hasta que tengas un plan claro y una nueva perspectiva de la vida. Si la página está en blanco, tu pizarra ha sido limpiada, estás perdonado. Es hora de llenar la página con aventuras emocionantes y vivir tus sueños siendo productivo. Escribe tu propia historia y deja de vivir exclusivamente para los demás.

Pago: recibir lo que tus labores y tiempo de trabajo han acumulado; gran favor si puedes escribir tu propio cheque, Rom. 6:23; Mt. 10:10.

Pagoda: augura un viaje corto.

País extranjero: representa un gran cambio en tu vida. ¿Cómo se siente en tu último entorno? Si tienes miedo o te siente perdido: indica que no estás dispuesto a empezar en un lugar nuevo o a dejar atrás el pasado; no estás preparado para el cambio. Si está emocionado o contento en esta nueva tierra, entonces implica que estás listo para el cambio. Es posible que en el futuro te llamen para visitar la tierra de tus sueños para una misión, una empresa o un viaje de placer.

País nativo: volver a las raíces culturales, ancestrales o familiares de su origen; aprehender una rica herencia generacional para realizar tu propósito.

País extranjero: atributos culturales, características o estereotipos que se asocian a una nación o a su gente; estar en un lugar extranjero o extraño; literal: una llamada a dar testimonio a la gente de esa nación; podría ser una llamada a la oración; llamada a beneficiar a esa gente en particular en su propia nación; herencia cultural, particularmente si la herencia del soñador es de ese país.

Paisaje: ver un paisaje sano, verde y exuberante indica una época de bendición y prosperidad. Ver un campo estéril, tostado y reseco por el caluroso sol y el viento, indica una temporada de carencia, de dificultad donde serás excluido.

Paja comprada: puede indicar que estás tratando de comprar el favor para acelerar tu agenda, proyectos o una relación. Serán como la paja delante del viento, Y como el tamo que arrebata el torbellino», Jb. 21:18. ¿Has construido tu vida o tu carrera sobre principios piadosos? *«Y si sobre este fundamento alguno edificare oro, plata, piedras preciosas, madera, heno, hojarasca, la obra de cada uno se hará manifiesta; porque el día la declarará, pues por el fuego será revelada; y la obra de cada uno cuál sea, el fuego la probará»,* 1 Cor. 3:12-13.

Paja: en un tejado significa protección, cobertura y seguridad que vienen con una mayor atención del entorno; la cobertura del suelo: ahoga la hierba (crecimiento y prosperidad) necesita ser eliminada. Los esfuerzos son echados al viento; algo sin valor; vacíos; sin fruto; enfermedad; miedo; chismes ociosos; Sal. 1:4, 35:5; malvados separados de los justos; Is. 29:5, hordas despiadadas de enemigos; Mt. 3:12. No tomes las cosas buenas de la vida por concesión. La paja era utilizada por los esclavos para formar ladrillos que representan la conformidad con un patrón establecido que es exactamente el mismo para cada individuo. 1 Cor. 3:12, significa una construcción hecha por el hombre que no considera la singularidad de cada persona. La paja es pisoteada, así que ten en cuenta cómo tratas a los demás y cómo te tratan a ti. Fue la paja lo que rompió la espalda de los camellos. ¿Te estás comportando de una manera que podría considerarse «la gota que colmó el vaso» ¿Estás en tu punto de ruptura o estás en el proceso de romper la espalda de otros? ¿Tienen ellos que soportar tus cargas excesivas? El trigo o la cebada se utilizan como forraje, Gén. 24:25, 32. Significa esparcir o dispersar, Mt. 21:8, 25:24.

Pajar: ver un pajar en tu sueño indica que es hora de eliminar todas las distracciones mundanas que se han acumulado en tu vida para que puedas localizar la aguja o la verdadera «necesidad» espiritual en tu vida.

Pajarera: Una gran jaula para atrapar pájaros, una estructura que alberga a pequeñas avecillas, una fortaleza que limita el vuelo, un entorno controlado, Sal. 91:3a; 124:7; Is. 40:31.

Pájaro amarillo: ver un pájaro amarillo posado sobre ti, significa: nuevas ideas y conocimientos para resolver algunos problemas que están llegando para aumentar tus asuntos financieros.

Pájaro carpintero: advertencia de no pasar por alto algo que está oculto bajo la superficie; diligencia y conciencia; meticuloso; molestia. Guarda tu lengua de los continuos chismes o calumnias. Deja de golpearte la cabeza contra la pared; el avance está en camino.

Pájaro: Espíritu Santo; un mensajero alegre (el color es importante); santos; Reino de Dios; el amor de una madre; escapar de una trampa Sal. 124:7; si es impuro u oscuro en color o carácter: espíritus malignos; gobernantes malvados; naciones hostiles; líderes.

Pájaros, cantando, gorjeando o volando: representan los frutos del Espíritu, especialmente la alegría, la paz y el amor. La armonía, la unidad y el equilibrio aportarán una visión brillante de la vida. Recibe el mensaje de nueva libertad y de libertad espiritual. Elimina las cargas y los pesos que llevas; echa tus preocupaciones sobre Jesús.

Pájaros, eclosión: representa nuevos amigos, comienzos exitosos que requerirán tiempo, esfuerzo y trabajo para hacer crecer una empresa.

Pájaros enjaulados: ver pájaros en una jaula puede representar la mascota de alguien; o espíritus inmundos, «aves de corral». Apo. 18:2.

Pájaros, huevos: nuevos comienzos que se avecinan, empezar de nuevo, tiempo de incubación de nuevas ideas, resultados prósperos, dinero; crianza, cuidado o protección de las crías.

Pájaros muertos o moribundos: dificultades, desilusiones, pesadumbre, tristeza, enfermedad, desesperación, preocupaciones que perturban la mente; maldiciones.

Pájaros, nido: con huevos simboliza la seguridad, el refugio en el que confiar o el hogar, una empresa próspera o la oportunidad de desarrollar una fortuna. Un nido vacío representa soledad, independencia o un nuevo capítulo que comienza con grandes posibilidades.

Pájaros: representan mensajeros; bendiciones, regalos o maldiciones; «pensamientos que emprenden el vuelo»; líderes buenos o malos según los colores que muestren y su naturaleza o características (véase la carta de colores); visiones o percepciones estratégicas para el éxito futuro.

Paje: muchacho que se entrena para la valentía y el valor, hace recados y lleva mensajes, para actuar como guía, lleva la cola de la novia en una boda.

Pala: exponer la verdad; grandes cantidades de bendición en tu camino; «desenterrar» misterios, verdades o algo del pasado que ha sido enterrado; enterrar a los muertos. Excavar en los recuerdos de tu persona interna para comprender el subconsciente, descubrir el pasado, cavar en busca de un tesoro enterrado que yace en lo más profundo. Ver o utilizar una pala en un sueño simboliza el deseo de sacar lo mejor de los demás, una actitud natural y juguetona; también representa a una persona intrigante que ejerce su influencia para ganarse el corazón de los demás. Indica que prefieres el enfoque directo, franco y veraz «para llamar a las cosas por su nombre».

Palabra de Dios: Mc. 7:13; Lc. 5:1; Jn. 10:35; Hch. 4:31.

Palabra de vida: 1 Jn. 1:1 el evangelio.

Palabra del Señor: Hch. 8:25; 1 Tes. 1:8; el evangelio.

Palabra: la palabra hablada tiene poder, pero la palabra escrita deja un legado que marca la historia. Las palabras crearon el mundo y el universo en el que vivimos hoy. Dios habló y se hizo la luz. Las palabras que pronunciamos crean una atmósfera positiva o negativa por las frecuencias que liberan. Las palabras construyen y edifican o derriban y destruyen. Se nos dice que «tomemos la palabra» o «sobre mi palabra». Jesús es la Palabra viva, el logos las Escrituras o el Evangelio. Nos enteramos de los acontecimientos «por las palabras». Los comentarios favorables se hacen con «¡buena palabra!» o «habla bien de mí». Los comentarios hostiles o de enojo, «tuvimos una discusión». Cuando no podemos describir o hablar de algo, «en resumidas cuentas» o «no hay palabras para». Contar una historia real tal y como se cuenta, «palabra por palabra». El Hijo eterno de Dios, 1 Jn. 1:14.

Palacio de justicia: defenderse a sí mismo; luchar con la culpa, la condena y la vergüenza, temer que alguien descubra tus debilidades o pecados; los juicios críticos te tienen angustiado, ansioso y preocupado.

Palacio: grandeza y majestuosidad indican un aumento de la productividad, perspectivas de prosperidad y conexiones inminentes; dignatario de alto rango; entretenimiento o exposiciones; desarrollar todo el potencial de uno; el propietario: el éxito está cerca. Representa la colina del Palatino, en Roma, Italia, lugares donde los emperadores, reyes, dignatarios de alto rango, obispos o arzobispos construyeron sus vistosas residencias oficiales y que fueron utilizados para el entretenimiento o exposiciones. Ver o ser invitado a un palacio indica un aumento de tu exposición social; permanece humilde, no intentes promocionarte; toma el camino bajo y serás exaltado con el tiempo, Fil. 1:13; Mt. 26:3; Lc. 11:21.

Palafrenero: en el pasado, un palafrenero era un mozo de cuadra o un empleado que cuidaba de los caballos en una posada. Hoy en día es un tipo de maquinista de ferrocarril que conduce locomotoras o trenes a las estaciones designadas en las naves ferroviarias para su limpieza, mantenimiento y reparación.

Palanca: habilidad para abrir con cuñas o fuerza los secretos que están ocultos; arma letal.

Paletero: llevar o asistir a un ataúd en un funeral, algo está llegando a su fin, y será enterrado en breve; favorecido, honrado por los amigos; alguien le ha provocado o enfadado; mantener el control del propio temperamento; el cambio está llegando, Ec. 12:5.

Palidez: estar extremadamente o mortalmente pálido indica algunos problemas con su conteo sanguíneo o enfermedad; pensamientos alarmantes de miedo y ansiedad, Dn. 5:6, 10; angustia, Jl. 2:6; ser saqueado por su riqueza, Neh. 2:10, haga una contabilidad financiera para descubrir quién le está robando.

Pálido: ser de color pálido indica miedo, enfermedad, peligro o un gran riesgo o muerte.

Palillo de dientes: soñar que se usa un palillo de dientes sugiere que estás en proceso de eliminar pequeñas irritaciones u obstáculos que le han estado privando de la sabiduría necesaria para tomar una buena decisión.

Palillos: te gusta la cultura asiática y te relacionas bien con otros grupos de personas. Puede que te encuentres en una situación complicada en la que necesite cambiar o manipular las cosas para poder pedir ayuda a los demás.

Palito de helado: ver o comer una paleta en un sueño sugiere que, si eres capaz de mantener la calma, aplicar la sabiduría de Dios y decir palabras amables y dulces en una situación candente o acalorada, podrás alejar la ira de alguien. *«La blanda respuesta quita la ira; Mas la palabra áspera hace subir el furor. La lengua de los sabios adornará la sabiduría; Mas la boca de los necios hablará sandeces»*, Pr. 15:1-2.

Palma: fiel; superficie interior de la mano, guante o manopla; hoja de un remo o pala; parte aplanada de un cuerno; engaño; ocultar algo; recoger; violación al sostener la pelota; emblema de victoria; éxito o alegría, Is. 49:16.

Palmera: la palmera es el árbol erguido y fructífero, Sal. 92: 12; Jer. 10:5; importante histórica y culturalmente, económicamente próspera, las palmeras eran símbolos de victoria, paz y fertilidad, de paisajismo de los trópicos y de vacaciones exóticas. Las palmeras son las familias de plantas más conocidas y cultivadas. Muchos productos y alimentos comunes se derivan de las palmas, Sal. 92:12.

Palo de billar: dar en el blanco con una poderosa Palabra directa.

Palo de Mayo: ver o decorar un palo de mayo indica un tiempo de celebración, baile, alegría y grandes beneficios en los ámbitos sociales de la vida.

Paloma: Espíritu Santo que desciende con un mensaje de amor, aboga por la paz, medidas de reconciliación en lugar de la guerra; liberación y bendiciones, Hijo amado de Dios, Jesús; amor; único centrado; nueva vida, una persona tierna, gentil o inocente; aumento y paz, tranquilidad, armonía e inocencia; las palomas blancas simbolizan el romance, la unidad, la lealtad y las amistades; limpieza, misericordia y eliminación de sus pensamientos de odio y venganza; una ofrenda por el pecado. Ofrecida en sacrificio por los pobres; reconciliación con Dios; afecto tierno y devoto; luto. La constelación Columba; fácil de engañar, tonto sin sentido, Os. 7:11; Jn. 1:32; Sal. 55:6.

Palomas apareándose: soñar que las palomas se aparean y construyen un nido, simboliza una vida hogareña alegre, llena de tranquilidad, placer, favor y niños obedientes.

Palomitas de maíz: lleno de ideas; promesas explosivas; estallido; expansión; revelación espiritual; se le dan a conocer verdades y hechos naturales.

Palpitaciones: las palpitaciones son una anormalidad de los latidos del corazón que se estremecen o aletean, caracterizada por la conciencia simultánea de que el pulso aumenta o se salta los latidos o el malestar; acompañada de mareos o dificultad para respirar. Si siente esta sensación pulsante en un sueño: indica excitación, miedo o un ritmo cardíaco anormal.

Palustre: se utiliza para difundir buenas noticias, desenterrar verdades, nivelar argumentos, formar el carácter y colocar a las personas en sus lugares y funciones adecuadas.

Pamela: significa miel justa, Mt. 13:43.

Pampers: soñar que lleva pañales de bebé o Pampers indica que está dando pasos de bebé con un fondo acolchado para amortiguar una caída, en las fases infantiles o de inicio de formación o aprendizaje de algo nuevo, inmadurez. Los Pampers también pueden representar buen trato, mucho cuidado y atención positiva.

Pan (dios griego): era el dios griego de la naturaleza en las antiguas religiones paganas; a menudo se le representaba tocando un instrumento de viento llamado flauta de pan. Este espíritu de Pan provoca un terror abrumador, miedo y pandemónium que lleva a ataques de pánico crónicos en las personas.

Pan de jengibre: palabras agradables y apetitosas; se puede moldear como la arcilla.

Pan de maíz: necesidad de superar el discurso negativo y los obstáculos autoimpuestos.

Pan, cortar: soñar que se corta la corteza de un pan caliente indica que te darás un festín diario con la palabra fresca de Dios.

Pan, enmohecido: usted todavía vive en la Palabra de ayer y necesita buscar en las Escrituras una nueva Palabra fresca, Js. 9:12; Jn. 6:51.

Pan, quitando la corteza: representa romper el hielo para revelar tus necesidades emocionales o pasar cualquier obstáculo para obtener una palabra fresca de Dios.

Pan: simboliza el báculo de la vida; la trituración; el amasado la «necesidad»; la Palabra de Dios; el cuerpo de Jesús, Lc. 22:19; la vida; la provisión, Jn. 6:51; la palabra fresca, Lc. 4:4; 11:3; Jn. 6:33; dinero, Pr. 12:11.

Panadería: Cosas buenas para comer formadas por palabras agradables; la justicia que se establece; el horno de la aflicción; la persecución seguida de la promoción; las pruebas ardientes, las pruebas y los escollos; la pobreza, Gén. 40:1-22, El jefe de los panaderos fue colgado de un árbol, perdió la cabeza y las aves se comieron su carne; Os. 7:4 los adúlteros, un horno de fuego; un panadero no necesita removerse del amasado de la masa, Le 7:9; Snt. 1:3

Panadero: Prepara alimentos espirituales; sirviente; preparación hábil de cosas dulces para comer; ideas originales. Persona que cocina con el calor seco de un horno, mezclar levadura (el pecado) con la masa para que suba; fariseo; el que siembra para la carne, Gén. 40: Os. 7:4,6; una panadería puede representar tu corazón.

Panal: rodeado de la dulzura del Señor, la revelación de Dios, su bondad y misericordia te siguen, el placer está a tu derecha para siempre, fuerte deseo de unidad, armonía, afectos amorosos. Una ética de trabajo diligente traerá la admiración de los demás. La unción del profeta aporta claridad a la propia visión.

Páncreas: glándula cercana al estómago que segrega enzimas digestivas para descomponer las proteínas, los carbohidratos y las grasas; produce insulina; puede indicar dietas o la necesidad de ajustar la ingesta de alimentos espirituales o físicos para lograr un equilibrio adecuado de nutrición o curación.

Panda: criatura amante de la paz que te anima a no preocuparte; es como un bebé; ataca cuando está irritado; panda rojo: indica lo exótico.

Pandereta: timbales; tabor; alabanza; un tambor cargado, golpeado y agitado; disfrutar, Sal. 81:2; Jer. 31:4.

Pandilla: grupo de personas que andan juntas para hacer que otros se conformen a sus planes y deseos mediante tácticas de miedo e intimidación. Guerra espiritual: lucha contra un hombre fuerte o espíritus demoníacos que gobiernan en una zona geográfica específica, Os. 7:1.

Pandora: significa dotada y hábil, 1 Cor. 12:4-5.

Panel solar: ver un panel solar conectado a celdas solares o instalar un panel solar en un sueño indica que tú estás conectado con Dios. Eres muy receptivo al Espíritu Santo y al consejo y la guía espiritual de

Dios. Si te mantienes conectado a él, estarás capacitado para explorar una nueva y emocionante frontera más allá de cualquier límite natural. Pero si te desconectas de Dios, la fuente de toda la vida, te agotarás física y emocionalmente y finalmente morirás.

Panfleto: un panfleto es un folleto sin encuadernar, sin tapa dura ni encuadernación. Consiste en una sola hoja de papel impresa por ambas caras, doblada por la mitad, en tercios o en cuartos, lo que se denomina folleto, o puede consistir en unas cuantas páginas que se doblan por la mitad para formar un simple libro. Este símbolo representa una necesidad de simplificar tu vida; encontrar un atajo para asimilar mucha información en muy poco tiempo. Puede que necesites escribir tu visión o estrategia empresarial para dejarla clara y que los demás puedan seguirla.

Pánico: es el resultado del miedo debido a la falta de conocimiento, poder o control de las situaciones. Ora para que la sabiduría, la fe de Dios y su paz entren y habiten en tu corazón, de modo que aquieten tu mente y tus emociones. Te sientes temeroso o intimidado por una situación o relación difícil. No creas las mentiras del enemigo, no todo es como parece; pide la verdad y la sabiduría de Dios para tomar buenas decisiones. Controla tus emociones y entra en paz para recuperar tu poder. No eres una víctima indefensa.

Panquecas: habrá una acumulación del éxito y la prosperidad; el dinero y la influencia de los favores se acumulan; flapjack; intento de disimular o cubrir manchas o defectos de carácter.

Pantalla enmallada: ver una pantalla enmallada representa un sistema de evaluación y selección. Una pantalla de malla en un sueño implica que estás siendo cautelosamente optimista en el sentido de recibir buenas noticias. Por otro lado, una pantalla de cine en blanco sugiere que estás distanciando tus emociones mientras esperas ver la presentación de alguien. Una pantalla en blanco también puede simbolizar un nuevo comienzo o un nuevo inicio en el que todo es posible; además puede ser una falta de logros al no tener nada que mirar detrás de uno.

Pantalones Capri o pescadores: estás preparado para adentrarte en aguas más profundas y experimentar más el mover de Dios. Por el contrario, es posible que te sientas corto y mal equipado para hacer el trabajo que Dios te ha llamado a hacer.

Pantalones, agujero: un agujero en los pantalones representa la pobreza.

Pantalones, bolsillo: soñar con el bolsillo de su pantalón indica que sólo puede llevar lo esencial, lo estrictamente necesario, en su viaje. Es hora de simplificar tu vida y deshacerte de pesos añadidos y responsabilidades innecesarias. Si tu bolsillo está vacío, has llegado al final de tus recursos. La pobreza y la carencia te están soplando en el cuello.

Pantalones embarrados: se avecinan dificultades, mucho trabajo duro, no te hundas en el barro de la calumnia, mantén tus palabras positivas.

Pantalones, negros: representan un vestido o una ocasión formal en la que tendrás que caminar con mucho garbo habilidad y elegancia entre intelectuales o un ámbito superior de personas sociales. Compórtate lo mejor posible; el negro es un color que adelgaza, así que recuerde ser humilde, espere a que le inviten, no se precipite. La promoción viene de arriba, de Dios.

Pantalones, puestos: la prosperidad vendrá.

Pantalones, quitarse: está descansando en sus relaciones.

Pantalones: capaces o con poder para cumplir con su destino o caminar en la vida. Hombre de negocios o profesional, fuerza masculina, proveedor, protección de la familia, de los amigos o de la carrera, «lleva las riendas» o toma las decisiones, «pillado con los pantalones abajo», una situación embarazosa o impropia.

Pantano: estás en el camino equivocado, los obstáculos seguirás aumentando hasta que estés completamente empantanado o te detengas, te sientes asfixiado con tantas normativas, falsas responsabilidades o sobrecargas emocionales, culpas y vergüenza. Simboliza estar sobrecargado de trabajo o responsabilidades; sensación de estar atascado con demasiadas cosas; estar empantanado y estresado. Te han sobrecargado de trabajo para un ascenso, por lo que te sientes como si estuvieras en la arena que se hunde sin poder pisar, perdiendo terreno. Las emociones negativas te han restado confianza en ti mismo y capacidad de decisión, por lo que carece de una base firme y no eres incapaz de avanzar.

Pantera (felino): brujería de alto nivel; influencia o fuerza poderosa y adversa que trata de deshonrar su reputación, un equipo de fútbol; animal de zoológico; el mal se acerca, Pr. 26:13; 29:25. (grupo de rock): fue una banda de heavy metal de Arlington, Texas, formada en 1981 por Vinne Paul y Dimebag 'Diamond' Darrell y Terry Glaze, Rex Brown. El vocalista Phil Anselmo, adicto a la heroína, sustituyó a Glaze en 1987. Títulos de los álbumes: Cowboys from Hell; Vulgar Display of Power; Far Beyond Driven; The Great Southern Trendkill; y Reinventing the Steel. Pantera se disolvió en 2003 para formar Damage-plan. Dimebag Darrell recibió un disparo en la cabeza y el pecho por parte de un fan desquiciado durante un concierto en Columbus, Ohio, en 2004. Soñar con bandas de heavy metal indica falta de estabilidad mental, comportamiento adictivo, abuso de drogas, desviación social, deseo de autodestrucción o de escapar de la realidad.

Pantera, atacado por: superarás una enfermedad y tendrás gran éxito en los negocios y en tus asuntos personales, especialmente si matas a la pantera.

Pantera, escuchar a: superarás una pena y serás muy feliz.

Pantera, sorprender a: si sorprendes a una pantera dormida habrás destapado o descubierto a un amigo engañoso que pretendía hacerte daño.

Pantorrillas: ver la parte muscular de la pierna de una persona por debajo de la rodilla y por encima del tobillo representa el caminar físico o espiritual de alguien. Si es de oro, puede representar que existe un «becerro de oro» o un ídolo en tu vida. El becerro puede representar el aumento de la riqueza y la prosperidad de las labores en tu campo de acción o un gran trozo de hielo o témpano flotante.

Pantuflas: comodidad; relajación; enfermedad o advertencia de un camino resbaladizo.

Panza: la barriga también se conoce como el rumen, por lo que representa la tranquilidad, la falta de acción cuando se necesita, la riqueza, pero sin sofisticación ni elegancia.

Pañal, cambio de: indica la necesidad de crecer, de limpiar tus comportamientos negativos o inapropiados. Es hora de cambiar tus formas infantiles, tus malas actitudes y actuar como un adulto autosuficiente. Deshazte de los viejos enfoques sucios y prueba algo nuevo. Ef. 4:14.

Pañal: representa a alguien inmaduro, infantil o con necesidades especiales, ya que depende totalmente de otra persona para que se ocupe de sus necesidades rutinarias de baño.

Paño de cocina: sugiere que te sientes como si te hubieran restregado, te hubiesen colgado y te hubiesen puesto a secar. Tu vida puede estar llena de situaciones difíciles o sucias que te hacen sentir como si te hubieran metido en una olla de agua caliente. Reflexiona durante la noche y piensa bien las cosas antes de tomar decisiones apresuradas. Te llevará tiempo y mucho trabajo limpiar este desastre. Ten cuidado en los negocios para que no te laven, escurran o tiren por el desagüe.

Paño de limpieza: está pasando por un proceso de limpieza o se encuentra en la posición de un sirviente que trabaja para otros. Estás limpiando tu conciencia o preocupado por las opiniones sociales «tratando de limpiarte la cara».

Paño: el paño se usa para limpiar y pulir cosas.

Pañuelo roto: los celos arruinarán una relación.

Pañuelo alrededor del cuello: curación.

Pañuelo de lino: coquetería de una dama.

Pañuelo de seda: decoración de un caballero excéntrico, denota una personalidad magnética.

Pañuelo, limpiando el sudor: el trabajo duro dará sus frutos.

Pañuelo, perdido: se va a romper un compromiso.

Pañuelo, sonarse la nariz: padecer una enfermedad o un resfriado.

Pañuelo: indica que serás deshonrado o avergonzado por no haber hecho buen uso de los dineros, talentos o recursos que se te han dado, por lo que te serán quitados o despojados y entregados a otro que sea productivo Lc. 19:20-22, 26. Un pañuelo también puede representar un artículo para sostener y transferir unciones para la sanidad. Además, los pañuelos se utilizan en los funerales o en momentos de dolor y tristeza, por lo que representan una gran pérdida de amor o el dolor por el fin de una relación. Durante los avivamientos pueden agitarse en el aire para demostrar emoción o acuerdo.

Papá Noel: hay que cambiar y ser más dadivoso, aceptar y perdonar, no querer recibir siempre; hazle a los demás lo que quieras que te hagan a ti; camina una milla extra en sus zapatos, Hch. 20:35, trabaja a favor de los débiles, no los explotes, es mejor dar que recibir.

Papa: cargo o vocación; obispo de Roma; jefe de la Iglesia Católica romana; autoridad incuestionable; reivindicación de la sucesión apostólica de Pedro; representante de la iglesia en la tierra.

Papá: el término papá indica un deseo sincero de tener una relación íntima con tu padre.

Papada: fortuna, excesos, exceso de indulgencia.

Paparazzi: tu tiempo de ocultación está llegando a su fin; un aumento de favor y popularidad; guarda tu corazón; permanece humilde y enseñable con un corazón de siervo para ayudar a los demás, Hch. 10:34.

Papas fritas: las patatas fritas se consideran poco saludables, comida basura o rápida, así que presta atención a lo que le das de comer a tu hombre de espíritu.

Papaya: árbol tropical americano de hoja perenne, que produce grandes frutos amarillos comestibles; puede ser un juego de palabras con PaPa, puede que necesites resolver algunos asuntos con tu Padre o hacerle una visita.

Papel aluminio: estás tratando de acolchonar, proteger o aislarte de las realidades crueles de la vida, puedes estar tratando de encubrir alguna ira reprimida y emociones negativas. Alguien o algo está tratando de «frustrarte» o alterar tus futuros planes.

Papel carbón: alguien está duplicando tus acciones o robando tus ideas; protégete contra el fraude o el robo de propiedades intelectuales.

Papel de burbujas: es un material plástico transparente y flexible que se utiliza para embalar y proteger objetos frágiles para su traslado o transporte.

Ver o utilizar este material en un sueño representa la necesidad de manejar una situación o persona delicada con mucho cuidado. Es posible que intente aislar o protegerte con un amortiguador o una protección adicional que implica algún tipo de impacto o enfrentamiento.

Papel de lija: alisar o eliminar los bordes ásperos de algo para conseguir un ajuste exacto; colocación adecuada; «el hierro afila el hierro»; «frotar de la manera incorrecta».

Papel de seda: este papel ligero se utiliza para envolver u ocultar los regalos o las compras para mantenerlos a salvo; uno puede esperar un aumento de favor si ve papel de seda en un sueño.

Papel higiénico: papel para limpiarse después de un tiempo de liberación o limpieza espiritual. Limpiar un desorden que se tira fácilmente por el retrete.

Papel pintado: ¿actúas como una flor de pared, simplemente escuchando, pero sin involucrarte en lo que sucede en la habitación? ¿Has levantado barreras o muros entre tú y los demás en tu casa u oficina? ¿Intentas ocultar o encubrir algo? ¿Tienes un secreto tras el que te escondes, una bonita fachada? ¿Has levantado un muro de ofensas que intentas encubrir? ¿Cuál es el color o el dibujo del papel pintado? Si estás quitando el papel pintado de la pared, indica que estás eliminando barreras para revelar aspectos ocultos de tu personalidad, y que estás bajando la guardia poco a poco, capa por capa.

Papel: indica que tienes una unción para escribir y comunicarte a través de la escritura; pon tus pensamientos en papel; registra tu vida en un diario para compartirla en una biografía; los esquemas estratégicos y la planificación te resultarán fáciles.

Papelera de reciclaje: reutilizar cosas del pasado; o volver a regalar un presente que no se ajusta a tus necesidades actuales; tener en cuenta la ecología o un nuevo comienzo.

Papelera: recipiente utilizado para recoger los pensamientos, modos, mentalidades o actitudes impuras para su eliminación.

Papeleta: ver una papeleta de votación con tu nombre en ella indica que eres un firme candidato a un ascenso. Si estás votando, quiere decir que estás tratando de tomar una decisión respecto una persona u oportunidad que se ha presentado. ¿Buscas el apoyo, la aceptación o la aprobación de los demás? No seas un hombre o mujer complaciente porque eso conlleva una trampa.

Papi: ver a tu papá en un sueño indica un gran amor. Expresión cariñosa o informal para referirse al padre. Alguien que tiene la habilidad de traer algo nuevo a la existencia y luego nutrirlo, protegerlo y guardarlo hasta que sea completamente funcional y autosuficiente. (Ver padre)

Paquete: recibir o abrir un paquete en un sueño predice un nuevo don espiritual que has recibido. Es señal de que aprenderás una nueva habilidad a medida que operas en esta nueva unción o manto. Si estás regalando un paquete, estás cediendo algunas de tus responsabilidades a otros.

Paquete: significa que pronto llegará una gran bendición o una suma de dinero o un paquete.

Parábola: historia simbólica que ilustra una lección moral o espiritual; la vida de uno; la mayoría de los sueños son parabólicas.

Parabrisas: protege de la fuerza del viento, de los insectos o de otros objetos que entran en el coche. Si el parabrisas está agrietado estás en peligro si no se repara. Si el parabrisas está sucio, tu visión está bloqueada o limitada, por lo que no sabrás cómo conducir tu coche (vida, ministerio, trabajo).

Paracaídas, dificultades: si experimentas dificultades con tu paracaídas, es señal de que serás defraudado por alguien en quien confiaba; un deporte emocionante, ver las cosas desde una perspectiva celestial, sorprenderse a sí mismo en un error o salir de una situación difícil.

Paracaídas, llevar: llevar un paracaídas: estar protegido, a salvo o seguro durante un tiempo tumultuoso y arriesgado; abandonar una vieja idea o hábito; capacidad de atrapar el viento; su caída libre se retrasará al salir en paracaídas; intentar caer de pie durante transiciones rápidas.

Paracaídas, saltar desde un avión: saltar de un avión o de un rascacielos: rescatar o saltar del barco; un rescate; huir; salir o escapar de una relación o situación de la mejor manera posible; una necesidad de un escape inmediato de la carrera, Sal. 144:7.

Paracaidismo, descenso rápido: si estás experimentando un descenso rápido: indica que estás siendo retirado de una empresa; prepárate para ser despedido o expulsado por la fuerza de una situación. Si estás saltando: está dando un salto de fe; o está siendo defraudado por una fuente fiable o un amigo. Si el paracaídas está desplegado: estarás «desempleado», experimentarás la ruina financiera y la bancarrota; una experiencia humillante; se avecina la pérdida del empleo o un descenso de categoría. Debes prepararte para un rápido descenso de la posición que ocupas; te quitan el favor o el éxito, se te humilla, vienen cambios drásticos en tu vida.

Paracaidismo: establece objetivos elevados en la vida; el cielo es el límite, llega alto y lejos para tener éxito, mira a Dios de quien viene tu ayuda, la promoción viene del norte, el orgullo viene antes de la caída, Gál. 5:13.

Paracaidista: persona que salta desde un avión y ejecuta varios movimientos corporales antes de tirar de la cuerda de seguridad de un paracaídas. Te sientes cómodo moviéndote en las dimensiones superiores del Espíritu. No tienes miedo y estás dispuesto o dispuesta a arriesgarse en cualquier momento. te gusta aventurarse y cambiar.

Parada de autobús: lugar de entrada o salida durante una temporada de transición en la vida de uno. Te encuentras entre otras personas que se encuentran en la misma situación de aglomeración que estás experimentando actualmente. Mudarse a un nuevo vecindario o sentirse como un extraño entre gente infiel.

Parada: se trata de un acontecimiento único o de un momento de celebración con la familia y los amigos que representa una época o fase especialmente feliz de su vida, en la que tiene una dirección clara, una meta y un destino en mente. Discierne las carrozas, las bandas, los animales o los disfraces que lleva la gente en el desfile o parada. ¿Necesitas descartar o incluir sus características o atributos en tu vida personal? Mirar un desfile muestra que no estás participando en la vida, sino que permites que la vida te pase por encima. tu falta de concentración ha permitido que tu atención se desvíe de tu vocación u objetivo principal; esto suele deberse al miedo al fracaso. Si estás en el desfile, determina hacia dónde te lleva tu vida. ¿Estás desfilando tu éxito o actuando como un simple intérprete en la vida? ¿Está tomando el camino más fácil y siguiendo la corriente de la multitud? ¿Te dejas llevar por la presión de tus compañeros? ¿O simplemente flotas en la vida?, 2 Cor. 2:14.

Parado de manos: eres bueno para equilibrar las relaciones, pero debes asegurarte de mantenerte arraigado y con los pies en la tierra en el amor. No puedes mantener esta posición incómoda durante mucho tiempo. Usa la cabeza y toma mejores decisiones o tu vida seguirá dando vueltas.

Paraguas: refrescante; tranquilidad; calor; oposición; mundo; natural; prueba o tentación; degenerado; moralmente impuro; cobertura tradicional; disipa la lluvia y el sol espiritual. Dispositivo protector que impide que la «lluvia» (enseñanzas) o el sol (Sol de Justicia - Jesús) te toquen; tormentas; problemas y molestias, Sal. 27:5.

Paraíso: amigos leales; esperanzas deslumbrantes que se realizan; hijos obedientes; pronta recuperación; riqueza; plenitud de fe; perfección; belleza; belleza ideal; complejo; fortuna en las empresas; el Jardín del Edén; el Cielo; lugar de descanso para las almas justas, Lc. 23: 43; 2 Cor. 12:2-4; Apo. 2:7.

Paralímpicos: soñar con los Juegos Paralímpicos, que son una serie de competiciones internacionales para atletas discapacitados que se asocian y se celebran después de los Juegos Olímpicos de verano e invierno, indica que el trabajo duro, la diligencia y la dedicación le permitirán superar cualquier obstáculo que se interponga en su camino para completar sus objetivos vitales. Eres un campeón, un vencedor y no una víctima.

Parálisis: miedo, temor a tomar decisiones; experiencia emocional traumática; presencia demoníaca; lucha contra la conciencia, Jn. 5:8.

Paralizar: soñar que estás paralizado y eres incapaz de moverte, indica que estás lidiando con un espíritu de temor, desesperanza e impotencia que está afectando tu capacidad de tomar decisiones en la vida real. No puede compartir tus sentimientos o comunicar afectivamente tus emociones por temor a ser rechazado. Una presencia infernal también provocará una parálisis onírica.

Paramédico: persona que interviene en una situación de emergencia que requiere atención inmediata; tiene que ver con que se quiere salvar una relación o recuperar la salud, Sal. 147:3.

Paranoia: el temor y la ansiedad aparecen cuando se desconoce algún desenlace en particular. Es posible que experimentes paranoia porque estás entrando en un territorio desconocido en un trabajo o una relación. Da un paso atrás y reevalúa por qué tienes el paso de dar el siguiente paso.

Parapeto: verse en un muro al borde de un tejado o balcón, o en un terraplén de piedra, indica que te estás protegiendo de tomar riesgos innecesarios o de dar saltos de fe infundados.

Parapléjico: es una condición médica en la que usted es permanentemente incapaz de mover o sentir sus piernas y la mitad inferior de su cuerpo debido a una lesión o enfermedad. Se trata de un sueño de advertencia que presagia alguna actividad negativa o pecado que le dejará inmovilizado o que paralizará su capacidad para cuidarse o avanzar sin grandes molestias e incapacidades.

Parar: dejar de hacer lo que se está haciendo, estar en paz, contemplar para tomar una decisión, no moverse.

Pararse: tomar partido por tus creencias, después de haber hecho todo lo que está en manos de uno, una obra inacabada, estar de pie, defendiendo tus opiniones e ideas, estar orgulloso y ser audaz, hacer una «apuesta» por la justicia o el derecho, defensor de los débiles, destacar en una multitud para sobresalir, rebelarse, mantenerse al margen o solo. Am. 9:1; Ef. 6:13; Zc. 6:15; Hch. 7:55-56; Heb. 10:11.

Parásito: persona que es un demandador y no un dador; demasiado necesitado; se adhiere a ti causando una pérdida de vivacidad o energía, produciendo un drenaje continuo y sentimientos de agotamiento físico. Demonio, chupador de sangre; personas que usa y abusa de los demás para su propio beneficio; criminales o personas que se rehúsan a dar a la sociedad; los parásitos reales son un verdadero problema de salud.

Paravelismo: ser movido por el viento del Espíritu Santo; también conocido como parascending, o parakiting es una actividad recreativa de kite en la que una persona es remolcada detrás de un vehículo (normalmente un barco) mientras se está sujeto a un ala de dosel especialmente diseñada como un paracaídas, mejor conocida como ala de parasail. El arnés sujeta al piloto al parasail, que está conectado a la embarcación, o al vehículo terrestre a través de la cuerda de remolque. El vehículo se pone en marcha, llevando el parascender (o ala) y la persona en el aire, dos o tres personas pueden paravelear detrás al mismo tiempo. El paracaidista tiene poco o ningún control sobre el paracaídas. La actividad es, en primer lugar, un paseo divertido.

Parca o la Muerte: ver a la Parca en una visión o encuentro, advierte de una muerte prematura si el espíritu de la muerte te toca, 1 Cor. 15:55.

Parcela: ver un pequeño trozo de tierra indica que tu valor personal se expandirá y subirá de valor; ver a alguien conspirando contra ti o contra otros indica que necesitas tomar el papel de defensor de la viuda y de los huérfanos para proteger a los débiles que no tienen voz propia.

Parcela: ver una porción o parcela de tierra indica que se avecina una herencia; estás en una temporada de cosechar bendiciones; también es el momento de expandirte y construir; recibir un paquete en el correo o de alguien predice prosperidad, favor y un incremento de las bendiciones. Se te ha dado un nuevo don espiritual, aprende a desenvolverlo y a utilizarlo sabiamente.

Parche: carencia; necesidad; pobreza; miseria; cubrir un rasgo de carácter desagradable; intentar «remendar» una relación. Si ve parches en un sueño, el dinero y los amigos vendrán a ayudarte en muchas situaciones diferentes.

Pared de cristal: ver una pared de cristal en un sueño indica que hay algo que intenta impedirte avanzar. Como el cristal es a menudo transparente, puedes ver cómo superar los obstáculos que hay. Una pared de cristal también permite que otros miren tu vida para ver lo que está pasando y cómo estás respondiendo a diversas situaciones e interactuando con la gente. ¿Cómo vives tu vida a puerta cerrada? ¿Es diferente a la que vivirías si vivieras en una casa de cristal a la vista de todo el mundo? La pared de cristal es una película de cine negro en blanco y ne-

gro de 1953 dirigida por Maxwell Shane y protagonizada por Vittorio Gassman y Gloria Grahame.

Pareja de casados: relación de alianza de amor, intimidad y admiración mutua; un amigo constante y un sistema de apoyo; un mejor amigo para compartir las alegrías, las decepciones en el camino de la vida.

Pareja sexual sin rostro: lidiar con un espíritu de íncubo; miedo a la intimidad; problemas de vergüenza o culpa; no querer enfrentarse a su cónyuge; fantasear con otros amantes.

Pareja: matrimonio, padres, o una relación que puede faltar; fíjate en tus acciones, en tu ropa.

Pares: representan a dos personas correspondientes (gemelos, amigos o almas gemelas) o elementos similares en forma y función que dependen el uno del otro. Dos pueden calentarse mutuamente, Ec. 4:11, Poder del acuerdo, *«Además les digo que, si dos de ustedes en la tierra se ponen de acuerdo sobre cualquier cosa que pidan, les será concedida por mi Padre que está en el cielo. Porque donde dos o tres se reúnen en mi nombre, allí estoy yo en medio de ellos»*, Mt. 18:19-20.

Pariente fallecido: cierre; cuestiones generacionales, maldiciones, bendiciones o herencias que se transmiten, el padre terrenal puede representar al Padre Dios; la madre puede representar al Espíritu Santo.

Pariente político: representa una relación efectiva que tiene muchas y diversas promesas. Ejerce más comprensión. Esté dispuesto a ceder ante otros en algunas circunstancias para mantener la paz. Implicar ser reflexivo, cuidadoso y cumplir las reglas o respetar la ley o las tradiciones familiares.

Pariente Redentor: Jesucristo, nuestro Redentor por nacimiento virginal; Jer. 32:6-12; Apo. 5:9-10.

Parientes: elegidos por Dios para ayudar a desarrollar el carácter; prosperidad, Gén. 32:9; hablan en su favor Jue. 9:3; no luchan contra 1 Re. 12:24; sin honor, Mc. 6:4; traición, Lc. 21: 16; las experiencias de la infancia con las relaciones cercanas o los parientes difíciles forman lo que esa persona es hoy; sentimientos y respuestas extremadamente poderosas desarrolladas para ayudar a uno a hacer frente a sus necesidades, deseos, anhelos y lo que realmente sucedió en tu vida; los parientes representan cuestiones familiares, sentimientos o valores, una forma de vida o sentimientos o respuestas particulares; un aspecto de uno mismo; muestra aspectos de inseguridad o dependencia, así como seguridad e independencia en lo que estás haciendo ahora en tus relaciones de atracción o repulsión masculina o femenina o actividades introvertidas o extrovertidas en la vida; tus múltiples niveles de aumento o logro; la irritación por la enfermedad como medio de conseguir amor; padres muertos: sueño en un momento de aprendizaje del autogobierno, uno está iniciando su propio poder de decisión en la vida creciendo en independencia.

París: ver esta hermosa ciudad francesa predice un mar de romance, viajes de vacaciones, visitas turísticas, actividades culturales y sociales. Significa atractivo y piadoso, Sal. 27:4.

Parlamento: alude a la capacidad de liderazgo de una persona; ser un orador, expresar una opinión; buscar una plataforma; tomar decisiones ejecutivas o gubernamentales en la vida; reunión de sabios o de sabias; tener poder de paz y de guerra.

Parlante: indica que las palabras que dices serán amplificadas y magnificadas para llegar a una masa de gente más grande.

Párpados: si están cerrados: abre los ojos a los problemas, tienes la voluntad de ayudar, asistes a los demás; cubiertos de sombra de ojos: ten cuidado con la seducción de Jezabel. Si son hermosos: felicidad y satisfacción.

Parque de aventuras: Tu vida se prepara para dar un giro emocionante; disfruta tu jornada con amigos y familiares.

Parque de patinaje: ves los obstáculos de la vida como diversión, retos y aventuras.

Parque: lugar de descanso tranquilo y apacible; terreno reservado para el recreo, la caza y el uso público; estado natural; estadio; campo de juego; colocar, poner o situar un objeto o vehículo durante un periodo de tiempo. Disfrutar; placer; relajación; libertad; si se camina o se está sentado con otros: relación satisfactoria; tierra real apartada para uso público o recreativo, Ec. 2:5; Ge 24:63. Significa árbol de Chipre bendito, Is. 41:19-20.

Parques acuáticos: aprender a operar en diferentes profundidades de la unción; disfrutar ministrando fuera de las cuatro paredes de la iglesia; evangelismo; recreación al aire libre.

Parques de atracciones: Puede que te hayas aburrido de las luchas cotidianas de la vida, por lo que intentas recuperar algo de alegría en tu vida. Sonreír hace bien como una medicina. Es el momento de conectar con un nuevo grupo de amigos que sepan disfrutar del entretenimiento, de un ambiente despreocupado y de las atracciones, de dar el gran paseo de tu vida, de aprender a jugar y de recuperar una actitud infantil, de hacer las delicias de un gran número de personas y de grupos de edad. Éx. 32:25.

Parques temáticos: encontrar un nuevo enfoque o una afición, habilidad o clase de formación de temáticas complejas que se relaciona con un determinado grupo de temas para estimular la diversión y superar el aburrimiento.

Parquímetro: dispositivo que funciona con monedas (representa grados de favor) y que registra la cantidad de tiempo adquirida para el estacionamiento de un vehículo para descansar en la presencia del Señor y recibir sabiduría para la dirección que necesitas seguir. Las bendiciones que recibas superarán con creces los costos de seguir el rumbo equivocado.

Parricidio: cometer el acto de parricidio (el asesinato de tu padre) o matricidio (el asesinato de tu madre) en un sueño indica que deseas eliminar todas las figuras de autoridad de tu vida o cualquier otra persona que se parezca vagamente a tu padre. Es señal de que rechazas cualquier influencia de una figura paterna. También puede representar el auto-rechazo o los juicios de raíces de amargura, si temes crecer y ser igual que tu padre.

Parrilla: sacrificios que se ofrecen; asar la carne; limpieza por el fuego; preparar la carne de la Palabra para su consumo; compañerismo; gente que «te asa».

Parroquia: vivir en una parroquia en tu sueño indica que Dios ha suplido todas tus necesidades según sus riquezas en gloria. Estás en un lugar seguro y protegido en el Señor. Prosperarás todos los días de tu vida como prospera tu alma.

Parte delantera: armadura espiritual que se lleva en la parte delantera; escudo de la fe, pechera. Ef. 6:10-17; Apo. 1:19; cinturón de la verdad.

Parte: tienes una parte en el cumplimiento del plan maestro de Dios. Nadie más puede hacer lo que tú estás llamado a hacer. Eres único ya que estás especialmente diseñado para cumplir tu parte o porción en el destino. Participa de la bondad del Señor y avanza. Prueba y ve que el Señor es bueno. Verte separado de los demás indica una temporada de ayuno y oración para acercarte a Dios.

Partera: alguien que ayuda a otros a dar a luz o que les enseña cómo madurar sus ministerios, negocios o ideas creativas, como los dones de misericordia o sanidad, Éx. 1:15; Gén. 35:17; 38:28. Ver una comadrona en un sueño indica que vas a empezar algo nuevo.

Partes de animales: Ver diferentes partes del cuerpo de un animal representa las partes internas o el funcionamiento del cuerpo humano. Sal. 51:6; Lev. 1:8-9; 3:14-17; Éx. 29:22.

Partes del cuerpo: piensa en la función y el uso característico de esa parte del cuerpo; interna o externa; exagerado, normal o anormal.

Partida: ver a alguien partir representa sentimientos de abandono o rechazo, ser dejado atrás, el fin de una relación, es hora de seguir adelante y explorar futuras oportunidades.

Partir: puede referirse a dejar esta tierra natural o

carnal para entrar en el reino espiritual; puede indicar que alguien está pasando a la muerte si se aleja de nosotros «los queridos difuntos», destierros, «dejados a la buena de Dios», divorcio o situación difícil, abandonados, una salida a un nuevo destino.

Parto de bebé grande: un bebé grande y pesado indica que se está cargando con las necesidades y la responsabilidad de otros, el niño o la persona es independiente o depende totalmente de usted. Temor a no satisfacer las necesidades de los demás.

Parto de bebé moribundo: temor a criar correctamente o la mujer tiene dificultades para quedarse embarazada.

Parto de cuatrillizos: Si da a luz a cuatrillizos, el sueño insinúa que está experimentando una transformación positiva en la que la nueva creatividad le hará volver a estar centrado o completa. Expresa tus más profundas añoranzas o el temor que te produce el dar a luz.

Parto de gemelos: su niño interior puede necesitar atención para crecer y alcanzar su máximo potencial, dar a luz a gemelos representa ideas conflictivas.

Parto de madre moribunda: las madres que sueñan que mueren, representa el fin de sus vidas sin haber ejercido la maternidad y la transformación en la paternidad.

Parto no humano: miedo abrumador a dar a luz a un bebé no saludable, tullido o con malformaciones, intentar superar nuevas dificultades para lograr la paz interior.

Parto prematuro: revela o represente un proyecto parcial o una idea incompleta; que no está preparado.

Parto: dar a luz una nueva idea o proyecto, una nueva actitud, nuevos comienzos o un acontecimiento importante, espiritualmente fructífero.

Pasadizo: nuevas oportunidades, relaciones, o un acontecimiento emocionante estimulan una nueva perspectiva o actitud hacia la vida; exploración parcial: busca la sabiduría y el consejo de Dios para recibir el conocimiento completo para beneficiarse al máximo. Indica que estás pasando a una nueva dimensión de sabiduría o exposición y a grandes oportunidades en los negocios o en el campo de las relaciones. Un pasadizo también puede referirse a una porción de las Escrituras que le dará sabiduría y visión espiritual para ganar entendimiento y entrar en un nuevo nivel de conocimiento, Hch. 8:32; Heb. 4:5, 5:6.

Pasado, atascado: si se encuentra atascado o paralizado mirando siempre hacia atrás, este sueño predice los cambios necesarios para avanzar, renunciar al sentimiento de fracaso y avanzar para vivir en el presente y no seguir lamentándose por el pasado.

Permita que su esperanza reviva, su futuro es brillante si así lo decide.

Pasado negativo: si el resultado en el pasado fue negativo, responda de manera opuesta para asegurar un resultado positivo esta vez.

Pasado: una situación de tu vida actual está reflejando algo de tu historia pasada. Obtén la sabiduría de éxitos o fracasos anteriores y aplica el conocimiento a tu situación actual para prosperar. Aprende de la historia para no repetir errores. Resuelve los viejos contratiempos o las relaciones rotas y avanza hacia un futuro brillante. Soñar con el pasado indica que estás recordando una situación similar que es paralela a los acontecimientos actuales de tu vida. Adapta la sabiduría que recogió del pasado y aplícala a tus circunstancias actuales para tener éxito esta vez. Los errores y las desgracias son excelentes maestros.

Pasador: llevar un hermoso pasador, pinza para el pelo, resbalón o broche para sujetar el cabello en su sueño indica que ha adquirido cierta sabiduría o ideas creativas que está dispuesto a mostrar abiertamente.

Pasaje: en su sueño un pasaje puede referirse a una escritura o sección dentro de un libro o material de referencia. También puede ser un camino hecho a través de un área geográfica o un desafío espiritual que podrás atravesarlo con seguridad. El pasaje también puede *referirse a la autoridad permitida o negada como un rito dado o negado,* Nm. 20:20-21 *nos dice: «Pero él respondió: No pasarás. Y salió Edom contra él con mucho pueblo, y mano fuerte. No quiso, pues, Edom dejar pasar a Israel por su territorio, y se desvió Israel de él».*

Pasajero de crucero: viaje emocional que estás realizando.

Pasajero en el coche: estar motivado por las creencias, opiniones o puntos de vista de otra persona; depender demasiado de los juicios, el poder o el impulso de otros; seguir el liderazgo o la dirección de los demás; tomar una dirección mutuamente cooperativa o beneficiosa en una empresa o relación comercial.

Pasajero: sin autoridad, control o dirección; estudiante en formación; ser llevado a través de todo el trayecto; relajarse y disfrutar del paseo, dejar que las preocupaciones se alejen; vacaciones; sentirse fuera de control, dejarse llevar por otros o por las circunstancias; ser pasivo en la toma de decisiones, sentirse impotente para cambiar.

Pasajeros, otros: gastar el tiempo o la energía en complacer a aquellos que se están aprovechando de usted.

Pasaporte perdido: perder o extraviar un pasaporte, indica que aún estás tratando de encontrar tu verdadera identidad o de establecer un sentido de lo

que deseas ser antes de que las oportunidades pasen de largo.

Pasaporte: la identidad de una persona se da a conocer a nivel internacional, la nacionalidad o la genealogía familiar; un llamado internacional a las misiones o a los viajes. Documento oficial del gobierno que certifica la identidad y la ciudadanía de una persona que viaja o lleva mercancías al extranjero. Un pasaporte indica la capacidad de una persona para cruzar fronteras, ampliar sus horizontes educativos y disfrutar de la libertad de experimentar oportunidades únicas sin limitaciones en diversas culturas del mundo. Cuando uno posee y utiliza un pasaporte descubrirá mucho sobre sus miedos, deseos y fortalezas, Éx. 13:21.

Pasar agua: puede ser un juego de palabras que indica que ha pasado demasiada agua o tiempo bajo el puente. Por otro lado, es posible que los riñones o el hígado no funcionen correctamente y que debas hacerte un análisis de sangre para detectar un problema de filtración corporal.

Pasar de largo: en un sueño puede representar una pérdida de conciencia o que tu espíritu abandona tu cuerpo para morir o dejar este mundo. Una advertencia de algún problema de salud o un deseo de ignorar alguna situación temible. Rechazar un trato en el juego de bridge porque no se puede jugar debido a que todo el mundo ha pasado en la primera ronda de ofertas indica que has perdido una oportunidad divertida.

Pasar el rato: te gusta pasar tu tiempo libre en un lugar con amigos, familia o solo para recargar las pilas; quedar colgando de la brocha. Heb. 6:15.

Pasar la noche o pernoctar: pasar la noche reflexionando o en un lugar nuevo indica que puedes sentirte abrumado en algún área de tu vida. Necesitas una solución pacífica. Enviar un paquete exprés durante la noche indica una necesidad urgente de entregar alguna información o mercancía rápidamente.

Pasarela elevada: intercomunicador elevado y cerrado que conecta dos edificios muy altos. Tienes la habilidad de relacionarte con personas que tienen un alto perfil o un gran estatus social. Estás acostumbrado a caminar por los ámbitos de la revelación para obtener conocimientos estratégicos.

Pasarela: representa visión más elevada; una vida de emoción y facilidad; confianza en la propia apariencia o belleza exterior; reconocimiento del propio talento y creatividad; se disfruta de mucha atención en el escenario.

Pasarela: ver un pasaje a través de una multitud o a lo largo de cualquiera de los lados de la cubierta superior de un crucero, representa un periodo de transición de un nivel de compromiso social a otro

dependiendo de si se está subiendo (un aumento) o bajando (una disminución).

Pasas: fruta conservada por la exposición al «Sol de justicia»; comentarios pesimistas y desalentadores, disminuyen las esperanzas antes de que se realicen los objetivos.

Pascua: fiesta judía en la que el ángel de la muerte pasaba por encima del primogénito de los israelitas, si los postes de las puertas estaban pintados con la sangre del cordero. La fiesta de Eostre, una diosa anglosajona, Hch. 12:4; ahora se conmemora la resurrección de Jesús por los cristianos que ocurre después de la Pascua; el renacimiento espiritual, la salvación y el poder de la resurrección te ayudarán a salir de una temporada de pérdida, oscuridad y gran dolor. El amanecer de un nuevo día. La resurrección de Cristo Jesús de entre los muertos se celebra el primer domingo después de la luna llena que ocurre en o después del 21 de marzo.

Pase: recibir un pase es conceder permiso para entrar o viajar a través de un lugar donde la entrada está limitada o donde se cobra una tarifa o peaje. El acto de conseguir una determinada puntuación en un examen o serie de exámenes para pasar al siguiente nivel. Enhorabuena, ¡has superado la prueba!

Pasear a los perros, liderar al perro: Cuando un perro camina al frente no está relajado y no drena su energía mental; la angustia puede acumularse al tener la gran responsabilidad de liderar la manada.

Paseos con perros: paseos con amigos y familiares: ¿es usted el líder alfa o es su perro el que lidera la manada? Caminar delante de su perro como líder dominante: le permite ser visto como el líder de la manada; camine con su perro; no deje que su perro lo lleve a usted. Utilice una correa corta. Premie al perro.

Paseos de carnaval: la vida de uno va en círculos o ciclos de subida y bajada con emociones baratas.

Pasillo con puertas: transición de una situación a otra; normalmente para aumentar; durante un corto período de tiempo; habrá muchas decisiones que tomar, elecciones que hacer y oportunidades disponibles para elegir, 1 Cor. 16:9; Sal. 25:12; Cl. 4:5.

Pasillo sin puertas: Te encuentras en un período de transición de la vida, esperando encontrar un camino claro, una vocación vital o una dirección. La dirección del viaje, el camino o el destino de tu vida se está desplegando ante ti. Tus decisiones están limitadas para asegurarte de que haces las mejores elecciones posibles para obtener tu vocación más elevada. Los pasillos representan el paso del tiempo.

Pasillo: Ver un pasillo indica que se está formando un nuevo camino que permitirá a las personas cercanas caminar juntas en armonía. Si el pasillo termina en la oscuridad, alguien está llegando al final de una línea o su vida necesita ser salvada para que no permanezca en la oscuridad para siempre.

Pasillos: transición o viaje hacia lo desconocido; autoexploración el comienzo de un nuevo camino de vida; iluminación espiritual, curación emocional, paso físico o mental hacia nuevas oportunidades.

Pasión: Hch. 1:3; sufrimiento final y muerte de Cristo, Hch. 14:15; Snt. 5:17; tener los mismos sentimientos y propensiones que la gente.

Paso de montaña: ver un paso de montaña en un sueño indica que has descubierto un cruce que hará que tu camino actual en la vida sea mucho más fácil de recorrer. Un camino logrado por otros que permite viajar a través o alrededor de una montaña. Es posible que tengas que dejar de recorrer el mismo camino alrededor de tu montaña u objeto que te limita para lograr tu objetivo y hablarle como en Mt. 21:21 NTV, *«Entonces Jesús les dijo: —Les digo la verdad, si tienen fe y no dudan, pueden hacer cosas como esa y mucho más. Hasta pueden decirle a esta montaña: "Levántate y échate al mar", y sucederá».*

Pasos, ascender: el éxito será lento pero constante; paso o ritmo fijo; dar un paso a la vez para alcanzar una meta.

Pasos, caer: intento del enemigo de poner una zancadilla, estar alerta y vigilante.

Pasos, descender: las dificultades seguirán drenando la energía de uno con dificultades o adversidades.

Pasos: seguir los pasos de tu padre indica que continúas una tradición u oficio familiar. «Así que ten mucho cuidado; no los provoques, porque no te daré nada de su tierra, ni siquiera un paso, porque he dado el monte Seir a Esaú como posesión», Dt. 2:4-5. Caminar detrás de alguien es seguir su ejemplo; caminar detrás o al lado de Cristo es ser su discípulo.

Pasos: sigue los pasos de Jesús, camina por el sendero estrecho menos transitado y toma siempre el camino más alto cuando trates con los demás. Camina por la vida con un espíritu humilde y manso. Cuando las cosas sean demasiado intimidantes o las dificultades te sobrepasen, debes saber que Jesús te llevará paso a paso hasta que puedas volver a valerte por ti mismo y dar un paso en la fe creyendo que Él siempre está contigo, 1 Pe. 2:21; Sal. 37:23; 18:36; 2 Cor. 12:18; Rom. 4:12.

Pasta de dientes: las palabras que pronuncias enmarcan tu mundo; eliminar el discurso negativo o las maldiciones, Mt. 15:11.

Pasta, cabello de ángel: indica que tus palabras serán ungidas y doradas al recibir un mensaje celestial y aplicarlo a tu situación actual.

Pasta, codo: representan decisiones que deben tomarse en las relaciones, por lo que es necesario orar para obtener sabiduría y discernimiento.

Pasta, espaguetis: los espaguetis son largos y enmarañados, por lo que pueden advertir de una trampa o de una red que se está tejiendo para atrapar o captar tu atención.

Pasta, pene: el pene es delgado y fino, por lo que las oportunidades son limitadas o estrechas.

Pasta, tornillos: indica que hay algunas decisiones que deben ser ajustadas o fijadas a una nueva estructura antes de avanzar. También puede advertir de que alguien está intentando apretarte las tuercas en un acuerdo fraudulento; está retorciendo sus palabras para su propio beneficio.

Pasta: masa hecha de harina, agua o almidón y huevos, por lo que representa la capacidad de levantarse y cumplir con la tarea.

Pastel de ángeles: Mensajeros angélicos que traen comida celestial de alegría y celebración; Ez. 3:3.

Pastel de boda, comer: significa su sensualidad.

Pastel de bodas: ver o cortar el pastel de bodas en un sueño simboliza la armonía y la felicidad doméstica. Usted está disfrutando de la vida y tiene un futuro brillante y feliz por delante.

Pastel de cumpleaños: celebración de la vida; compartir cariñosamente los deseos con la familia y los amigos.

Pastel de peca: ver, plantar o comer una nuez en tu sueño es un llamado a orar por Estados Unidos y México. También considere las veces que comes un pastel de nuez con amigos y miembros de la familia que representa un tiempo de celebración y regocijo con seres queridos cuando se reúnen para festejar.

Pastel del diablo: poderoso señuelo o tentación para pecar; orgullo; gratificación de los deseos carnales.

Pastel, comprado en la tienda: ver un pastel comprado en la tienda indica que se te está destacando por tu excelencia. Es el momento de aceptar el honorable reconocimiento o la recompensa por todo su duro trabajo.

Pastel, parcialmente comido: un pastel parcialmente comido representa la pérdida o el desaprovechamiento de algunas oportunidades dulces; «¡no puedes tener tu pastel y comerlo también!». Algo dulce y delicado para comer; celebración.

Pastel: belleza; riqueza; realeza; fama; éxito; esplendor, Ez. 16:13; Pr. 18:8. Un conjunto o un trozo de algo que se ofrece; soñar con un gran «pastel en el cielo». Vida pura consagrada y ofrecida al servicio de Dios, Éx. 12: 39; Jue. 7:13. Alimento divino, barco de trabajo; Lev. 7:12-13; Nm. 15:20; Os. 7:8; Jer. 7:18; 44:19. Si eliges el trozo más grande del pastel representa la autocomplacencia en el interés por las cosas vanas, implica que eres egocéntrico o egoísta a la hora de asegurarse de obtener más de lo que te corresponde. Es un llamado a aprender a delegar, compartir y asignar trabajo a otros en lugar de intentar hacerlo todo por ti mismo, bajo la premisa de que quieres lograr más en menos tiempo. Debes aprender a simplificar y hacer la vida lo más simple o fácil posible, a concentrarte solo «un pedazo de pastel».

Pastillas para la tos: tomar pastillas para la tos en un sueño sugiere que necesitas ayuda para discutir o enfrentar un asunto en tu vida cotidiana. A veces es difícil hablar de ciertos asuntos, así que es hora de toser.

Pasto: ver un campo de vegetación o hierba comido por los animales que pastan indica que se tiene acceso a los recursos cuando se necesitan. A la inversa, puede ser un juego de palabras para «Pastor», o para envejecer o sentirse inútil, como «estar fuera de los pastos» o retirado, Sal. 23; 95:7.

Pastor alemán, entrenar: soñar que entrenas a un pastor alemán sugiere que eres precavido con tus emociones ante los demás y que buscas seguridad, apoyo o protección. Eres una persona receptiva a las ideas innovadoras y fácilmente influenciable.

Pastor alemán: ver un pastor alemán en un sueño destaca tus instintos protectores que te hacen estar muy atento a tu entorno y a tu capacidad para controlar las circunstancias de la vida. Sugiere que estás está vigilado emocionalmente. El pastor alemán es un popular perro de exhibición y compañero de la familia. La raza más noble y versátil, el Pastor Alemán es un perro de guardia y pastoreo atlético, ágil y musculoso, de cabeza fuerte y cincelada, más largo que alto, con un contorno suavemente curvado. La larga cola de sable es tupida y cuelga al menos hasta el corvejón. Las orejas son erectas, moderadamente puntiagudas y abiertas hacia el frente. Su nariz es negra y su hocico alargado. Su fina nariz puede olfatear drogas e intrusos, y alertar a los adiestradores de la presencia de minas subterráneas a tiempo para evitar su detonación, o de fugas de gas en tuberías enterradas a 15 pies bajo tierra. Los ojos oscuros son de tamaño medio y tienen forma de almendra. Los dientes deben juntarse en una mordida de tijera. La raza es tan inteligente y aprende con tanta facilidad que se ha utilizado como perro pastor, como guardián, en labores policiales, como guía de ciegos, en el servicio de búsqueda y rescate, y en el ejército como perro de guerra. El pastor alemán también destaca en muchas otras actividades caninas, como el Schutzhund, el rastreo, la obediencia, la agilidad, el flyball (o bola al aire) y el deporte de pista. Ataque del pastor alemán: Soñar que le asalta un pastor alemán significa que has dejado caer tus sistemas de salvaguarda o seguridad y que es hora de reforzarlos y volver a ponerlos en marcha.

Pastor: el tierno cuidado de Dios hacia su pueblo; manto; bastón; aleja los ataques; guía; apoya; defiende. Jesús es el buen pastor que da su vida por las ovejas, Is. 40:11; Dios, un pastor o un asalariado que sólo trabaja por una paga, un verdadero pastor que cuida los rebaños, Sal. 23:1. Oficio o vocación, Ef. 4:11; un pastor, padre espiritual o cuidador lleno de compasión y misericordia; llamado a enseñar y supervisar a la gente; representante de la Iglesia. Casado con la iglesia; supervisor; compasivo; persona misericordiosa.

Pata: ser tratado con rudeza, torpeza o demasiada familiaridad indica que la compañía que has tenido no te tiene en alta estima y te desacreditará a través de la vergüenza y culpa; aléjate de esta relación o perderás.

Patada al balón: indica que estás aprendiendo a manejar, controlar y maniobrar las cosas en la vida; una época más sencilla de la vida, una libertad juvenil con menos responsabilidades; dejar un mal hábito.

Patada: soñar que se le da una patada a alguien o a algo puede indicar que se está adquiriendo la fuerza o el ánimo necesarios para dejar un mal hábito o apartarse de una relación destructiva. Patear los talones indica que está eufórico, lleno de alegría o entusiasmado por tu nueva libertad.

Patata frita: comportamiento excesivo, excesivo; comida particular.

Patata: «flojera»; la ociosidad, la falta de motivación o la falta de sentido común darán lugar a la pobreza; puré: asuntos financieros difíciles; siembra: el trabajo duro dará lugar a planes de prosperidad; desenterrar patatas: éxito en la consecución de tus objetivos; visión espiritual (ojos); Idaho.

Patatas fritas: ver o comer patatas fritas en un sueño sugiere que no debe dejar de notar las alegrías ligeras y aparentemente insignificantes de la vida.

Patear: dar una patada en contra de los impulsos, negarse a avanzar, rebelarse, expresar la ira, ir en contra de la corriente, espíritu independiente, sentirse como una víctima o ser forzado a una situación no deseada Hch. 26:14; necesitas una patada rápida o una sacudida para iniciar un nuevo camino, dejar de ser pasivo, un mal hábito que necesita ser pateado.

Patente: obtener una subvención del gobierno para asegurarse los derechos exclusivos de hacer, usar y vender una invención durante un período de tiempo indica que tiene un don creativo y empresarial, y la capacidad de hacer y atraer la riqueza. Ha llegado el momento de comercializar las ideas que te han sido dadas en tus sueños.

Pátina: ver esta fina capa verdosa que se forma en el cobre debido a la corrosión natural, la edad o la negligencia indica que puede haber desarrollado algunas capas superficiales externas o revestimientos protectores que han alterado tu aspecto y la forma en que los demás han percibido tu comportamiento, tus prácticas y tus motivaciones.

Patinaje sobre hielo: movimiento en la belleza de la gracia, movimiento fluido, un desafío que se supera equilibrando la habilidad, la gracia y la belleza interior. Libertad de movimiento y gracia; hay una línea muy fina que recorrer cuando se equilibra la confianza entre tú y los demás; ten cuidado de no resbalar en los asuntos relacionales; procede con precaución. Campo de juego; emprender un nuevo comienzo; empezar; gracia; belleza; habilidad; competencia; un reto. Rozando la superficie del propósito de Dios en tu vida; apenas rascando la superficie de lo que Dios ha planeado para tu vida; estás moviéndote a través de la vida con gracia y facilidad; si patinas con un compañero, los dos harán una hermosa música juntos si puedes establecer un flujo positivo.

Patinaje: capacidad de mantener una perspectiva equilibrada de la vida. Permanece firme, afronta los obstáculos de frente, no pasa por encima de las responsabilidades; sigue rodando hasta que consigas tus objetivos; deslizarse sobre el hielo: las cosas te resultan fáciles, te mueves con soltura, o puede ser una alusión a que estás «pisando hielo frágil»; toma precauciones para mantenerte a salvo. Es una advertencia de que puedes estar patinando alrededor de estados que deben ser manejados con honestidad y pulcritud.

Patinar, perder el equilibrio: verse a sí mismo o a alguien perder el equilibrio: puede indicar que alguien está tratando de patinar alrededor de algún problema importante de la vida, o que necesita redirigir sus energías en una dirección más productiva.

Patinar: rodar tranquilamente por la vida; la existencia, el ministerio o el trabajo de un individuo que requiere esfuerzo físico y equilibrio para mantenerse; equipado con habilidades libres de cuidado para rodar o deslizarse a través de las situaciones trepidantes en un nivel, el rápido avance del progreso, habilidad para caminar con Dios;

Patines: ministerio individual que requiere mucho esfuerzo físico, equilibrio, habilidad y fuerza.

Patines: rodar por la vida al filo de la navaja; la vida, el ministerio o el trabajo de un individuo que requiere esfuerzo físico y equilibrio para mantenerse, dotado de habilidades para rodar o deslizarse por las situaciones rápidamente en un nivel, avance rápido del progreso, caminar hábilmente con Dios.

Patio de comidas: verte en un patio de comidas revela tu deseo de alimentar a otros. Tienes un corazón bondadoso o el deseo de un ministerio de misericordia o alcance para las almas perdidas que necesitan ser alimentadas con la Palabra de Dios. Las diferentes variedades de comida representan todos los diferentes grupos culturales y gustos en el mundo. Pablo dijo: *«Me he hecho débil a los débiles, para ganar a los débiles; a todos me he hecho de todo, para que de todos modos salve a algunos»*, 1 Cor. 9:22

Patio de recreo: lugar en el que las madres enseñan a sus hijos a socializar, compartir y turnarse; inmadurez, comportamiento infantil, no tomarse la vida en serio, juego de niños, 1 Cor. 13:11.

Patio trasero: Significa que se está manteniendo aspectos de la vida pasada secretos u ocultos a la vista de las personas; una falta de apertura llevará a la pobreza emocional; vivir en el pasado. Acontecimientos pasados.

Patio delantero: parte visible y pública de tu vida personal.

Patio: abierto de par en par a nuevas situaciones u oportunidades; puertas abiertas: abierto a nuevas ideas o forma de pensar, mentalidad accesible, abordable; cerrado: no abierto, cerrado, no quiere ver una situación; unir la mente y la voluntad de uno.

Patios: los patios son áreas cerradas al interior de un edificio que está abierto al cielo. Estas áreas dentro de un edificio público eran a menudo los principales lugares de reunión para algunos propósitos, incluyendo cocinar, dormir, trabajar, jugar, cultivar un huerto, e incluso lugares para mantener a los animales. Antes de que existieran los patios, los fuegos abiertos se mantenían encendidos en un lugar central dentro de una casa, con sólo un pequeño agujero en el techo para permitir la salida del humo. Con el tiempo, estas pequeñas aberturas se ampliaron. Un patio representa un lugar de comunión y nutrición espiritual donde el fuego de Dios produce una nueva obra en los individuos y las familias.

Patito de goma: ver el famoso «Patito de goma, tú eres el indicado, haces que la hora del baño sea muy divertida». Indica que te divertirás mucho pasando por un proceso de limpieza y refresco espiritual como el de los niños. Un pato de goma en tu sueño te está diciendo que los juguetes que una vez disfrutaste deben ser dejados de lado. Abre tu mente y tu corazón para recibir la visión espiritual y las bendiciones que te traerán una alegría duradera del Señor y llenarán tu corazón de fuerza y agradecimiento.

Pato blanco: ver un pato blanco en un sueño puede representar la pureza, la inocencia o la santidad, el ahorro y una buena cosecha, pero en algún contexto aislado también puede representar alguna falsedad, el engaño o el juego de las aves.

Pato nadando: un futuro brillante o representa el inconsciente o su subconsciente.

Pato volando: representa la libertad espiritual, la

libertad o un viaje entre el mundo físico y los reinos espirituales.

Patos: pájaros acuáticos muy comunes en los afluentes de aguas, los problemas se van y las palabras ofensivas parecen rodar por la espalda de estos individuos sin un impacto aparente. A la inversa, los patos también pueden representar el descontento; no poder recibir bendiciones espirituales o ser desagradecido. Los patos indican una correlación entre el reino espiritual, por su capacidad de volar y vivir en el agua, y el mundo físico, porque se sienten a gusto en la tierra. Un pato indica flexibilidad, ya que tiene múltiples talentos o dones porque puede caminar, correr, nadar y volar. Los patos son versátiles en diversos hábitats en los que pueden mezclarse o adaptarse en la naturaleza. Sin embargo, los patos no son tan inteligentes, así que considera el término «un graznido» o «un pato sentado». Sé consciente de que alguien puede estar tratando de engañarte o de convertirte en un blanco fácil. ¿Estás intentando tú o alguien más «esquivar» alguna responsabilidad? ¿Te están utilizando como señuelo o como «pato de madera» en una persiana? «Si parece un pato, camina como un pato y grazna como un pato, es porque es un pato». A veces las cosas parecen demasiado buenas para ser verdad, y en esos casos no suelen serlo. Hay que ser muy perspicaz.

Patriarca: jefe de una casa o linaje; Abraham, Isaac y Jacob son los tres patriarcas del pueblo de Israel. Ver a un patriarca en un sueño significa un llamado a ser padre de otros.

Patriótico: verte saludando una bandera nacional o teniendo un apego cultural a tu patria con una devoción a la geografía y a la ideología política de tu país, sugiere que apoyas fielmente una causa superior basada en la libertad individual y colectiva.

Patrón: administrador; persona a cargo de algo; autoridad buena o mala según su carácter y acciones; Pastor; Satanás. Cl. 4:1; Persona que contrata, contrata o retiene a personas cualificadas en su empleo para realizar determinadas tareas o servicios. Seguir un plano, un diagrama, una estrategia celestial o un plan, repetir una idea, un ciclo o un sistema que se muestra. Un diseño de origen celestial o natural, una forma o estilo de arte u obra, hacer, moldear o crear siguiendo un dibujo o patrón. Discipulado, formación o tutoría. Pablo dijo: «Sed imitadores de mí como yo imito a Cristo». Conceptos, información o experiencia que conforman los hábitos o características propias, las creencias o las percepciones espirituales en el ciclo de la vida o la función humana.

Patrones de costura: es importante seguir un patrón, un plan, un diseño y una plantilla o esquema específicos (dirección bíblica y del Espíritu Santo) para obtener el producto a medida deseado. En la costura y el diseño de moda, un patrón se hace con un patrón de papel o una plantilla de cartón, a partir del cual se trazan las partes de una prenda en la tela antes de cortarla y ensamblarla. El patronaje o corte de patrones es la disciplina de diseño de patrones. Un patrón básico a medida a partir del cual se pueden crear patrones para muchos estilos diferentes se denomina sloper (costura doméstica) o bloque (producción industrial).

Patrulla de la carretera: autoridad que gobierna la velocidad a la que viajamos por las carreteras para mantenernos a salvo, ángeles, mensajeros de Dios, vela por nuestra preparación para la Carretera de la Santidad, Is. 35.

Patrulla: ver una patrulla indica que una nueva estructura, poder y autoridad está entrando en tu vida de forma positiva.

Patrullero: ver a un oficial de la ley patrullando una región específica listo para hacer una redada indica que no has estado usando los modales apropiados y que tu naturaleza animalista y bruta ha vuelto a aflorar.

Pauperizado: uno necesita desarrollar su fuerza interior, los dones que Dios le ha dado, los talentos para reconocer su propia estima o valor y alcanzar su pleno potencial; un espíritu de pobreza está en el trabajo.

Pavimento: la excelente percepción de uno extiende de un buen asidero, agarre o comprensión en una situación de la vida; estás de pie en un terreno sólido; pagó el precio para establecer una base firme, la vida de uno está construida sobre un buen carácter, sabiduría piadosa e integridad.

Pavo real: exhibición de orgullo de una persona vanidosa que se esfuerza por hacerse notar por los demás; representa la primavera, el nacimiento y el nuevo crecimiento; un buen símbolo, que señala prestigio, mucho éxito y satisfacción con su carrera; habla de ineficacia debido al orgullo o la altanería, Pr. 16:18; ostenta un exceso de confianza; e incluso arrogancia o amor propio. Una de las aves voladoras más grandes; típicamente azul y verde; ostenta coloridos «ojos» de color azul, dorado, rojo y otros tonos. Posible pérdida de estatus debido al orgullo; extravagancia; exhibición de sí mismo; exceso de confianza y vanidad, 1 Re. 10:22.

Pavo, caza: la caza de pavos requiere camuflaje para cazar debido a su aguda visión y rapidez; cazar un pavo significa que posees habilidades para adquirir riqueza a través de negocios deshonestos.

Pavo, disparando a: si sueña que dispara a un pavo adquirirá el éxito a través de medios engañosos y desviados, siendo tonto, actuando como un pavo.

Pavo enfermo o muerto: un pavo enfermo o muerto denota un ataque a tu ego u orgullo.

Pavo volando: ver un pavo volando predice un rápido ascenso desde la insignificancia a una posición de distinción y alto rango; escapar de una relación, volar del gallinero.

Pavo: el pavo representa a una persona de voluntad muy fuerte; no entrenada o indisciplinada; de cuello rígido que expresa rudeza, irreflexión y necedad, sin pensar con claridad; son discutidores; indomables y obstinados; un pecador lleno de dudas e incredulidad, argumentativo y a menudo culpado por el mal de otros, operan su vida en total confusión e inestabilidad emocional actuando siempre como un pavo. Acción de Gracias: tiempo de dar gracias a Dios con la familia y los amigos; una peregrinación, Navidad, Pascua, un tiempo de celebración con la familia y los amigos.

Payaso, miedo a: si temes a los payasos, estos pueden representar a alguien que quiere dañarte. Los payasos esconden su rostro bajo la fachada de pintura para aparentar estar felices cuando en realidad están tristes, o tristes cuando realmente están contentos. Representan el misterio y la simulación. Pr. 1:26.

Payaso: la vieja naturaleza carnal; jugar con Dios; travesuras; infantilismo; obra de la carne, payasadas. Pr 1:26.

Payasos: personas que bromean o se burlan y actúa como tontos; se esconden detrás de una máscara, no toma a Dios ni a nadie en serio, son infantiles. Fíjate en los rasgos faciales de los payasos, ya que pueden reflejar tus sentimientos y emociones personales alegres o tristes. A menudo los payasos vienen a guiarte o a persuadirte para que actúes cuando estás deprimido. Las acciones del payaso representan la vieja naturaleza carnal o desinhibida o el trabajo de la carne. ¿Estás jugando con Dios, siendo travieso, desconsiderado y con dos caras o haciendo payasadas como un niño parlanchín? Los payasos pueden representar la diversión, una farsa o una tontería, alguien que actúa de forma absurda. Un payaso representa a una persona que bromea o se burla y actúa de forma tonta, se esconde detrás de una máscara, no se toma a Dios ni a la vida en serio.

Paz: se ha tomado una decisión definitiva, el fin de un desacuerdo, un espíritu de revelación conducirá a la prosperidad, la calma que precede a la tormenta, una tranquila confianza en uno mismo, seguridad y constancia, el fin de una estación y el comienzo de otra, Is. 26:3.

Peatón: caminar por la vida como espectador, sentirse insignificante, no participar.

Pecado: observarse a sí mismo participando voluntariamente en el pecado mientras se sueña es una advertencia para no llevar a cabo los deseos erróneos de tu corazón; arrepiéntete y ora para obtener el poder de superar la tentación; el peligro, la depresión, la enfermedad que lleva a la muerte te alcanzarán, Rom. 6:16; 1 Jn. 5:16 transgresiones, 1 Jn. 5:17; Os. 4:8; Rom. 8:3; 2 Cor. 5:21.

Pecana: sur; la diligencia y el trabajo duro tendrán una dulce recompensa.

Pecas: besadas por el Hijo o el sol, inmadurez, parecido a un niño, popularidad.

Pecera: vivir la vida en el ojo público, falta de privacidad, rango limitado de influencia, evangelizar en la iglesia. Ver o contemplar una pecera limpia en su sueño indica que estás en paz mostrando tus emociones tranquilas. No tienes ningún tipo de complejos o malos hábitos que te hayan enganchado de forma negativa. Si te sientes como si estuvieras viviendo en una pecera a la vista de los demás y sin privacidad, entonces necesitas construir algunos refugios sociales para ganar tu necesaria privacidad. A nadie le gusta vivir bajo la presión constante del escrutinio público viviendo en una pecera.

Peces ángeles: Peces rayados de colores brillantes (almas) que viven en los ríos (movimiento de Dios) y en el mar (humanidad); ángeles que trabajan con el hombre para lograr la salvación y la sanación.

Peces, fondo: los peces del fondo hablan de tender la mano a los de abajo y a los marginados.

Peces: evangelismo, Mc. 1:17, almas de los hombres; recién salvados; provisión; alimento; Ez. 4:19; 29:4-5; Lev. 11:9-12; Mt. 4:19; 17:24, 27. Gracia; almas; evangelismo; hablar con los peces significa estar informado, Jb. 12:8; gobernar sobre, Gén. 1:26; oler a pescado es una palabra falsa o una profecía, algo está «picho»; ver peces en aguas claras: la claridad viene a traer éxito y prosperidad; aguas turbias: confusión, pena y dificultad para lograr tus objetivos.

Pecho femenino: belleza, comodidad, sexualidad, compasión; expuesto o vulnerable. Restringido o vendado, indica: rebeldía; afecciones del corazón; espíritu de pesadez; afecciones respiratorias; espíritu enfermo.

Pecho inflamado y adolorido: significa la adulteración de las enseñanzas elementales «leche adulterada», 1 Pe. 2:2; parte superior: angustia; decepción; dolor; heridas o lesiones.

Pecho, masculino: apertura o transparencia; acercarse para dar fuerza, seguridad, comodidad o protección, sexualidad.

Pecho: masculinidad, sexualidad, madurez. Protección de los órganos vitales; el corazón de un asunto. Una luz de unción de color índigo cura la zona superior del cuerpo del temor; timidez; vergüenza; provoca el mal funcionamiento de la tiroides.

Pedalero: estás siendo apoyado por la Palabra y la unción del Espíritu Santo, pero sigues intentando avanzar o progresar utilizando tus propias obras y esfuerzos físicos.

Pedestal: colocar a alguien por encima de otros en un lugar de alto honor, adoración de héroes, idolatría.

Pedicura: cuidarse, embellecerse, prepararse a tener unos pies bonitos para predicar el evangelio.

Pedo: las emociones de uno están sofocadas o reprimidas; una explosión de comportamiento pasivo-agresivo; uno necesita expresarse o comunicarse de manera más apropiada y frontal en lugar de escabullirse.

Pedorreta: difundir chismes o enredos estresantes, crueles y traicioneros.

Pedrería: imitación, gema artificial de pasta o vidrio o diamante, es una simulación de diamante hecha de cristal de roca, vidrio o acrílico con facetas que brillan, pero no es la verdadera o real, es falsa o fingida, 2 Cor. 13:8.

Pedro: significa piedra o roca; poderoso y fiel; Simón, Mt. 16:18; Jn. 1:42.

Pegamento: amistad, un hermano que se pega más que un amigo, lazos del alma, una unión de dos vidas o entidades separadas, sujetar, atar, cortejar una situación pegajosa, pecado que fácilmente atrapa, una fortaleza.

Peinado: llevar un nuevo estilo de corte de pelo que se arregla o se lleva de forma elaborada o peinarse de forma diferente puede indicar que necesitas buscar la sabiduría para que venga de una dirección diferente o de otra fuente. La sabiduría o la cobertura que tienes ahora no te servirá. Cambiar de peinado indica que necesitas presentarte de una manera diferente para conseguir la aceptación de los demás cuando presentas una nueva idea o plan. Es el momento de actualizar tu apariencia, cambiar tu forma de hacer las cosas y permitir que se forme una nueva identidad.

Peinar: peinar el cabello indica que se está alisando, arreglando y buscando la sabiduría; sujetar o volver a mover los enredos, o los enredos personales que han anidado o han estado colgando sobre la cabeza. Peinarse indica la necesidad de organizar, reorganizar u ordenar los pensamientos. Es el momento de obtener algo de claridad en las situaciones del trabajo, del hogar y en las diversas relaciones. ¿Estás peinando la zona en busca de nuevas oportunidades? También puedes considerar que eres propenso a la vanidad, o que pasas demasiado tiempo frente a los espejos acicalándote y pendiente de tu apariencia física en lugar de ocuparte de aquellos que te rodean y que necesitan tu ayuda y toda tu atención.

Peine de curry: utilizar un peine de curry de metal para acicalar a un caballo en un sueño indica que gozarás de gran salud para correr la carrera que te espera. Los negocios se acelerarán, así que asegúrate de tener todos los suministros que necesitas para hacer avanzar su empresa.

Pelar: quitar lo viejo y dura corteza para participar del fruto de un asunto, oír un repique de campanas representa una alegre llamada de atención o una propuesta de matrimonio; actos de la carne que rozan a alguien en el camino equivocado, una irritación o una quemadura de sol.

Peleador de premio, gancho de mentón: puñetazo vertical y ascendente lanzado con la mano trasera; estos tres últimos se consideran puñetazos de poder; ten cuidado con alguien que intente tomar la ventaja en una situación actual para cortarte o noquearte.

Peleador de premio: un boxeador es hábil en las estrategias de lucha para rechazar a los oponentes; hay cuatro golpes básicos en el boxeo.

Peleas: verse a sí mismo iniciando una pelea en un sueño indica que sientes que no eres capaz de cambiar o superar algo negativo en tu vida. Puede que sientas que tu trabajo o una relación se va al garete. Si los demás se enfadan, puede que tengas que andar con pies de plomo durante un tiempo hasta que las cosas cambien para bien.

Pelícano: representa la soledad, Sal. 102:6-7; pájaro acuático; representa la crianza y el cuidado de los demás; el evangelismo atrapa peces con la boca; el aprendizaje de las amenazas, los errores del pasado y las decepciones; el avance y el éxito; la purificación.

Película, ver: podría indicar que no estás tomando un papel activo en la vida o que la vida está pasando de largo. Deja de vivir a través de la vida de los demás y participa en lo que ocurre a tu alrededor. Alude a cómo te relacionas con las partes que funcionan unidas como un todo; el poder del Espíritu Santo; tus órganos internos o el metabolismo, el corazón. ¿Cómo te relacionas con los de la película? ¿Qué necesitas cambiar y hacer de forma diferente para ser más eficaz?, Cl. 1:26.

Película: soñar que tu vida es como una película puede representar los recuerdos del pasado que cobran vida, las oportunidades del presente aún no realizadas o los capítulos o episodios futuros que se desarrollarán en el tiempo. Tu subconsciente te está dando una visión de tu potencial para que puedas prepararte para adoptar nuevos roles en la vida.

Películas: verse a sí mismo o a otros en películas representa una temporada de gran exposición. Es importante cuidar tu reputación actuando con integridad para que no te avergüences cuando la gente vea tus actos y acciones. *«Este es el juicio, que la Luz ha* *venido al mundo, y los hombres amaron más las tinieblas que la Luz, porque sus obras eran malas. Porque todo el que hace el mal odia la Luz, y no viene a la Luz por miedo a que sus obras sean expuestas. Pero el que practica la verdad viene a la Luz, para que sus obras se manifiesten como realizadas en Dios», Jn. 3:19-21.*

Peligro: miedo a lo desconocido, ansiedad, una advertencia para detenerse y buscar la sabiduría de Dios en las relaciones, el dinero y las finanzas; preocupación por el bienestar de los seres queridos, temor a ser atacado, controlado o vencido por alguien o algo. Uno se expone a posibles males, lesiones o daños, peligros, riesgos o pérdidas en los negocios, las relaciones o el amor; hay que ser cauteloso a la hora de tomar decisiones o aventurarse en cosas nuevas; para evitar el peligro: uno tendrá éxito, será honrado y tendrá logros en el comercio o en los círculos sociales. Sentirse o estar en una situación de peligro en un sueño indica que hay un riesgo inminente al acecho. Ora por sabiduría y seguridad. Ver o evitar un peligro en un sueño es una advertencia de que se está produciendo un cambio en tu vida; es importante realizar la transición sin problemas para evitar un accidente o cualquier peligro imprevisto. Hay algunos obstáculos que hay que superar, de modo que puedas mantenerte a salvo y seguro.

Peligroso: soñar con una posible lesión, daño o posible muerte es una advertencia para cambiar de dirección, romper ciertas relaciones o tomar otras decisiones cuando estás en el camino equivocado.

Pellizcar: pellizcar a alguien indica que estás tratando de corregir su comportamiento o acciones carnales, una ofensa o una acción de coqueteo en el día de San Patricio; puedes estar verde de la envidia o celoso de la relación de otra persona.

Pelo canoso: vejez coronada por la gracia y la sabiduría, Pr. 16:31; no cuidarse o dejar que su apariencia se desvanezca. Soñar con canas representa la prosperidad después de una larga temporada de trabajo duro.

Pelo fino: si en su sueño se le cae el pelo o se le afloja, es que no sabe qué hacer, o que se estás tirando de los pelos. Demasiado estrés, ansiedad y temor por la pérdida de un amigo te causará mala salud y tristeza.

Pelo marrón: El cabello castaño suele representar a una persona que se cubre de compasión. A las personas de pelo castaño o negro comúnmente se les denomina brunette, que en francés es la forma femenina de brunet, o brun (marrón, de pelo castaño o de pelo oscuro).

Pelo rubio: «Las rubias se divierten más»; diversión o amistad.

Pelo afeitado: eliminación de la impureza, la tosquedad y la naturaleza carnal.

Pelo, apretado: ver el pelo tirado indica que eres una persona disciplinada o con autocontrol.

Pelo cola de caballo o trenzas: simplicidad infantil; está pensando en la necesidad de que se junten muchos cabos sueltos.

Pelo, corte: no pensar, negarse a sí mismo, quitarse la sabiduría o el consejo; una falta de beneficio, alguien intenta engañarte o sacarte de un trato; infelicidad.

Pelo corto en la mujer: masculino; marimacho; rebeldía; no sometida; buscas tener el control, estilo, pobreza.

Pelo enredado: tener un enredo en el pelo que estás intentando peinar indica que estás en algún tipo de lío legal, ya sea de negocios o familiar que requerirá mucho de tu tiempo y energía para desenredarlo.

Pelo, moño: ver o llevar el pelo en un moño puede sugerir que hay que dejar de actuar de forma infantil. Aplica la sabiduría de Dios a las situaciones de la vida para que puedas obtener un resultado favorable.

Pelo, nuevo estilo: cambiar de opinión o de actitud.

Pelo, pasador: usar un pasador en un sueño indica que necesitas asegurar la sabiduría; puede haber un giro brusco no previsto en tu futuro próximo, así que prepárate para lo inesperado y no perder la compostura.

Pelo, rociado: tratar de mantener tu reputación; dejarse llevar; no estar dispuesto a dejar tu estilo particular; estar fijado en tus vanas costumbres; atascado en una forma de sabiduría mundana.

Pelo, secador: fíjese en el estado del pelo en el sueño. ¿Es largo, corto, teñido o despeinado? El viento suele representar al Espíritu Santo y el cabello representa la sabiduría. Ora para que el Espíritu Santo sople para que puedas ganar sabiduría. Es el momento de lucir un nuevo estilo o un nuevo look en una nueva temporada.

Pelo, sin cortar: pacto, Jue. 13:5; Pr. 16:3; Sal. 40:12; 1 Cor. 11:14-15; 1 Sam. 14:45; Is. 3:17, 24.

Pelota brinca-brinca: puede representar inestabilidad, inseguridad o indecisión; significa estar rebotando entre decisiones, claudicando entre dos pensamientos, siendo fácilmente movido o influenciado por fuerzas externas, Ef. 4:14.

Pelota, pasar la: Pasar la pelota: pasar la pelota sin asumir la responsabilidad o llevar a cabo su parte del trato.

Pelota: Jugar, tener una oportunidad deportiva de éxito; jugar según las reglas, la palabra de Dios o la revelación, estar bien equilibrado. Al hacer un jonrón, tus palabras han dado en el punto o en el blanco correcto y servirán de gran utilidad.

Pelotillero: persona que no tiene la fortaleza moral

ni el coraje para enfrentarse a nadie, sino que acepta tímidamente todo lo que su superior quiere o dice, incluso en su propio perjuicio. Deja que tu sí sea sí y que tu no sea no; deja de ser un pelele.

Pelotón: grupo de guerreros unidos y entrenados en la guerra y la oración, Apo. 19:19.

Peluca: cuida tu emoción para que no te «desvíes» en momentos de dificultad, Jn. 16:13.

Peludo: soñar que estás cubierto de pelo o de un material parecido al pelo en un sueño puede indicar que tienes temor de actuar de forma brusca, incontrolada o salvaje.

Peluquero: el que corta y arregla el cabello para embellecerlo, el cabello representa la sabiduría, alineándose con, ganando o perdiendo sabiduría. Ir a un peluquero representa el conocimiento de la revelación y la visión espiritual que viene, nuevos amigos y expectativas de éxito en el futuro.

Peluquín: un tupé o peluca parcial que se usa para cubrir la calvicie parcial, con fines cosméticos o teatrales, debido a un prejuicio cultural contra la calvicie. En un sueño también puede indicar que estás buscando una sabiduría adicional, apoyo o cobertura, pero que sólo encuentras lo falso en lugar de lo verdadero.

Pelvis: sensualidad, sexualidad, reproducción.

Pena, tristeza: *«Porque la tristeza que es según Dios produce arrepentimiento para salvación, de que no hay que arrepentirse; pero la tristeza del mundo produce muerte»*, 2 Cor. 7:10.

Penacho: Eres una persona de altos logros, honor y rango. Los demás te mirarán y admirarán por tu espíritu de excelencia y valor.

Pendiente: inclinarse hacia arriba o ascender, indica que un gran ascenso llegará con un trabajo duro y un esfuerzo constante. Declinar o descender indica que la mayor parte de tu trabajo está hecho y que estás en la parte descendente y que sigues avanzando hacia tu objetivo.

Pendientes, comprados: una declaración de estilo y preferencia personal, deseo de afecto y aceptación personal.

Pendientes, perdidos: significa que estás escuchando las voces equivocadas o recibiendo malos consejos.

Pendientes, perla: representan perlas de sabiduría o una herencia.

Pendientes, plata: redención.

Pendientes, rotos: alguien es como un chorro de agua que siempre está hablando.

Pendientes: un bello adorno de plata significa reducción, si es de oro: la voz de Dios o joyas preciosas; los pendientes atraen la atención a los oídos: habilidad dotada para oír en el reino del espíritu, un

don profético, y un siervo, uno necesita desarrollar el arte de oír a Dios, escuchar lo que otros están diciendo; sabiduría y consejo, Pr. 25:12; Éx. 32:2.

Péndulo: ver un objeto suspendido de un soporte fijo que se balancea libremente hacia adelante y hacia atrás bajo la influencia de la gravedad indica algún tipo de cambio repentino, regulación o limitación, una condición de cambiar de opinión hacia adelante y hacia atrás de una opinión o condición; ser de doble ánimo.

Pene: la masculinidad del hombre, el apetito o el deseo sexual, su impulso en la vida, las expresiones creativas, la personalidad, la re producción, la virilidad, la semilla de la paternidad y de un marido cariñoso, la satisfacción de las necesidades de una familia, los temores sexuales, la impotencia, los sentimientos o los problemas. El órgano sexual masculino para la copulación o el placer; la reproducción; la fertilidad; la virilidad; la masculinidad; la atracción sexual; la energía; la libido; el impulso sexual; el tamaño suele estar ligado al ego masculino.

Península: verse en una península o trozo de tierra que limita con el agua por tres lados, pero que está conectada a tierra firme, indica que los amigos le ayudarán a llegar al punto principal para que pueda continuar su viaje y descubrir su verdadera identidad y destino.

Penny, contar: «ser tacaño» en los tratos económicos.

Penny: una denominación pequeña; «un dineral», una gran suma de dinero o un favor que viene en camino; «una baja apuesta», la apuesta más alta se está limitando a algo pequeño; «daría lo que fuera por saber en qué piensas»; Mc. 12:42; afectos pequeños; ahorrar tus peniques indica un proceso lento y largo; no de mucho valor; el ácaro de la viuda, pobreza; cobre: es un buen conductor de la luz o del poder curativo; transmite el calor y el sonido; actividades insatisfactorias; perder: el negocio sufrirá o fracasará; encontrar: buena suerte, avance; en inglés Penny es un nombre de mujer que significa espíritu creativo, tejedora laboriosa, Dt. 28:12.

Pensilvania: «Virtud, Libertad e Independencia»; el Estado de la Independencia; Los recuerdos duran toda la vida; Tienes un amigo en Pensilvania; Estado de Keystone; Estado de los cuáqueros; Laurel de la montaña; Azul y Oro; Trilobita.

Pensión de mala muerte: hotelucho barato u hostal en decadencia en un sueño indican grandes cambios, tus planes han fracasado, vas a experimentar una disminución y pérdida considerable, pérdida de la residencia debido a un fracasado matrimonial o una relación importante.

Pensión: suma regular de dinero que se paga como

beneficio de retribución o forma de patrocinio para mantener a alguien bajo una deuda de gratitud o servidumbre a través del miedo indica que tienes una preocupación por tu seguridad y bienestar futuros; toma un papel más activo en los procesos de toma de decisiones con respecto a tus asuntos personales; deja de dejar que otros te dicten.

Pentagrama: símbolo utilizado en la adoración de Satanás y otras prácticas ocultas de las artes ocultas, Mi. 5:12.

Peonía (flor): curación; vida feliz y matrimonio; vergüenza.

Peonza: verse con una peonza indica que se está subiendo a una posición más alta. Si ves una peonza: estás en un estado de confusión dando vueltas y vueltas sin avanzar.

Pepinillo: situación difícil, problemática; ansiedad, miedo; encontrarse en aprietos o inmerso en un lento proceso de cambio.

Pepino: vigor; aptitud; afluencia; confianza; «me importa un pepino»; enseñanzas mundanas, pérdida de aptitud, Nm. 11:5.

Pepita: encontrar un metal precioso o una pepita de oro en un sueño augura prosperidad y bendiciones en tu camino; también tienes el don de la sabiduría, el consejo y el conocimiento, así que cuando surjan oportunidades comparte tus pepitas elegidas con otros cuando busquen tu ad- vicio sobre su futuro.

Pepperoni: ver en sueños un salchichón de ternera o de cerdo muy condimentado indica la necesidad de condimentar los acontecimientos de la vida y mezclar un poco de dinamismo o emoción.

Pequeño libro abierto: representa el libro bíblico de Daniel, Dn. 12: Apo. 10:1-7.

Pequeño, otro: ver a alguien como pequeño puede representar que sientes que tiene menos valor que tú, o que es insignificante, indefenso o indigno. Puede que estés intentando disminuir a alguien para tú aparentar que eres más grande y mejor. Por otro lado, puede que estés sobreestimando a alguien y viéndolo como su fuera grande que la propia vida.

Pequeño: lo nueva grandeza está en las cosas pequeñas. Los más grandes movimientos espirituales vendrán de las pequeñas islas del mundo.

Pera: paciencia; el color indica el nivel de desarrollo o madurez; salud y esperanza.

Percebes: se alimentan y chupan la energía del cuerpo de su huésped. No tienen un verdadero corazón ni branquias, su principal sentido es el tacto y tienen un solo ojo para diferenciar entre la luz y la oscuridad. Los percebes viven en aguas poco profundas donde filtran su comida. Si pisas los percebes, te cortarán los pies.

Percha: ver a alguien en una percha indica que lo has elevado a un estatus alto en tu vida del que se-

guramente caerá dejándote decepcionado. Verse encaramado en un lugar, sentado, inspeccionando una situación o descansando, indica que se está posicionando para obtener un favor y un avance.

Perchas: ver perchas indica que estás operando o aprendiendo a dominar un nuevo don espiritual, manto, talento o tarea. También puede indicar que simplemente estás pasando el rato, o que algunos se te han «enganchado» o que estás «rodeado» de personas equivocadas.

Perder dientes: morder demasiadas cosas a la vez; indecisión; preocupación por su apariencia en una determinada situación; falta de sabiduría o comprensión; no darse cuenta de los asuntos relevantes.

Perder los pantalones: considere que puede haber sido flojo, falto de diligencia o negligente en sus responsabilidades, por lo que ahora tu impulso o capacidad para salir o avanzar se han visto obstaculizados. Es posible que no seas apto para la vocación o la carrera en la que te encuentras actualmente.

Perder peso: perder el favor o la influencia; ser descrédito, tus opiniones o aportaciones no se consideran muy importantes o se miran como insignificantes; problema físico que está bloqueando la capacidad de tu cuerpo para absorber los alimentos.

Perder una partida: perder una cita u oportunidad divina por falta de tiempo o por no estar suficientemente preparado.

Perder: sea consciente de sus actividades y amigos. Puede estar preparándose para una situación perjudicial en la que otros le quitarán para beneficiarse a sí mismos.

Pérdida de sentimientos: perder tus sentimientos den un sueño indica que tienes inseguridad y preocupación respecto al camino que estás tomando en la vida; si pides ayuda, significa que estás buscando consuelo, apoyo de sabiduría o alguien en quien apoyarte durante los momentos difíciles de transición. Las nuevas circunstancias no son familiares, las cosas están en pleno proceso de cambio, las nuevas reglas y las condiciones inusuales hacen que tu inseguridad suba hasta lo más alto.

Perdida, persona: puede haber problemas no resueltos en la relación, problemas de ira o la amistad se está deteriorando; sus atributos podrían reflejar características que has perdido en tu vida personal.

Pérdida: una falta de atención o negligencia puede llevar a una pérdida; Dios quitando algo permanente o temporalmente; advertencia del plan del enemigo para robarte o hurtarte; resultado de una decisión negativa o equivocada; pide sabiduría para evitar todas las pérdidas; indica una necesidad de restauración de situaciones pasadas de pérdida. Asegúrate de dar, diezmar y hacer ofrendas.

Perdido, amigo: si un amigo o conocido se pierde, representa algunos asuntos no resueltos, prejuicios o sentimientos desfavorables hacia esa persona; se está perdiendo para ti o puede que hayas cortado ese aspecto de ti mismo; explora la necesidad de recuperar la comunicación o restaurar esos atributos en tu propia vida.

Perdido, teléfono: estás desconectado de los que te rodean y te puede resultar complicado conectar o comunicar tus deseos o anhelos en un foro abierto.

Perdido: al perder de vista tus objetivos y propósitos en la vida, has perdido también tu dirección y vagas por el camino equivocado; llama al Espíritu Santo en la oración, puedes apoyarte en Él, pídele sabiduría y dirección de modo que puedas dejar de lado la preocupación, el temor y la inseguridad provocados por los constantes cambios.

Perdiz: pájaro de caza; significa capacidad para ganar influencia, posesiones, éxito y propiedades; independencia; destaca su capacidad de liderazgo. Alternativamente, representa el engaño y la tentación.

Perdón: el perdón llegará si sigues perseverando en una situación difícil o desfavorable, Sal. 103:12; Sal. 85:2; Sal. 51:9.

Perdonar: excusarse por una falta o una ofensa, reanudar la cólera o el resentimiento contra otro predice la restauración de una relación pacífica. *«Porque, si perdonan a otros sus ofensas, también los perdonará a ustedes su Padre celestial. Pero, si no perdonan a otros sus ofensas, tampoco su Padre les perdonará a ustedes las suyas»*, Mt. 6:14-15.

Peregrino: ser pionero en un nuevo trabajo o empres; tendrás éxito con el trabajo duro; estar agradecido por los amigos y las provisiones de Dios; nueva oportunidad; la búsqueda de la comprensión de uno mismo; llamado a viajar a un lugar sagrado; Tierra Santa; Israel; devoción espiritual; puritano inglés; pionero; explorar nuevas cosas.

Perejil: el éxito y la prosperidad llegarán a través del trabajo duro y la diligencia; se disfrutará de buena salud.

Pereza: lentitud; letargo; falta de vida; modorra; desmotivación; familia de osos, Pr 18:9.

Perforado: el resultado de ser apuñalado o agujereado por un objeto afilado en la piel o el corazón que causará un dolor duradero.

Perforar: hacer un agujero en o a través de un objeto, cavando, taladrando o perforando como en una madriguera; desgastar a través de la repetición constante y tediosa, la monotonía y el aburrimiento te asediarán; palidecer, cansar o desgastar, fatigar; un maremoto alto y a menudo peligroso.

Perfume, hombros blancos: buen gobierno.

Perfume, lino blanco: revestido de su justicia.

Perfume rancio: espíritu religioso o pensamiento anticuado y tradicional, Pr. 27:9.

Perfume: fragancia del Señor, 2 Cor. 2:14-15; Ef 5:2.

Perfumes, hacer: indica que estás recibiendo una nueva unción, Éx. 30:25. El aceite y el perfume alegran el corazón, Pr. 27:9; preparan para el entierro, Mt. 26:12; indican un corazón codicioso, Jn. 25:12.

Perfumes, olor: oler o llevar un nuevo perfume en el sueño indica que se quiere atraer o seducir a alguien.

Pergamino: te llega el conocimiento de la revelación; es el momento de devorar la Palabra de Dios para que quede escrita en la tabla de tu corazón, Ez. 3:1.

Pergamino: ver o recibir la piel de una cabra o de una oveja preparada con escritura indica que recibirás un premio académico o una revelación espiritual y una visión, 2 Tm. 4:13.

Pérgola: soñar con un refugio o arco de jardín sombreado, a menudo de obra rústica o enrejado con plantas trepadoras o árboles frondosos, indica mayor favor, prosperidad financiera y crecimiento espiritual. Usted es un plantío del Señor; un árbol de justicia.

Peridoto: piedra de nacimiento del mes de agosto, una especie de ópalo, es más que «gema»; esta cualidad del peridoto es bastante rara debido a la inestabilidad química del mineral en la superficie de la tierra. El peridoto se presenta en un solo color, el más apreciado es el verde oliva oscuro. La intensidad y el matiz del verde, desde el amarillo hasta el verde oliva, pasando por el marrón, dependen de la cantidad de hierro que contenga la estructura del cristal. Ver un peridoto en sueños indica que eres un raro hallazgo o una joya de persona con una gran riqueza de conocimientos y gracia para compartir con los demás.

Perilla o chivera: llevar una pequeña barba puntiaguda en la barbilla indica que hay que prestar mucha atención a las palabras que se pronuncian para no tener que «recibir un golpe en la barbilla», por así decirlo, por soltar una ofensa, este símbolo advierte al portador que debe elegir sus palabras con cuidado.

Periódico: publicación diaria o semanal que contiene noticias recientes, artículos destacados, editoriales y publicidad, Is. 33:13.

Periquito: sugiere que se está transmitiendo un mensaje desde tu subconsciente y se está transmitiendo a tu mente consciente; falta de pensamiento espiritual.

Periscopio: ser capaz de observar una situación desde un lugar oculto le dará la ventaja o la ventaja en un negocio visionario o en una nueva relación. El conocimiento es poder.

Perjurio: verse a sí mismo dando deliberadamente

un testimonio incompleto, engañoso o falso bajo juramento, indica un gran defecto de carácter que le hará desacreditarse vergonzosamente y arruinar su reputación durante muchos años. Los mentirosos no prosperan.

Perla negra: las perlas negras, aunque son hermosas, pueden representar una fortaleza negativa u oscura en el pensamiento de uno.

Perla, anillo: un anillo de perlas es delicado, por lo que representa afectos tiernos o el comienzo de una relación romántica.

Perla, collar: un collar de perlas indica la recompensa obtenida por superar la adversidad, dar o recibir un consejo sabio o conformarse con ser como los demás. Las perlas también pueden representar los dones espirituales o las herencias que se transmiten o heredan.

Perla: pureza, brillo, no eches tus perlas a los cerdos, consagración accidental, sustancia extraña introducida natural o artificialmente. Vendió todo por una sola perla de gran valor Mt. 7:6; 13:45, 46, una de las puertas era una sola perla Apo. 21:21. Un objeto duro producido dentro del manto de tejido blando de un molusco vivo con cáscara. La perla ideal es perfectamente redonda y lisa, pero existen muchas otras formas (perlas barrocas). Las perlas naturales de mayor calidad han sido muy valoradas como piedras preciosas y objetos de belleza durante muchos siglos. La perla se ha convertido en una metáfora de algo raro, fino, admirable y valioso. Ver perlas en un sueño simboliza el tesoro de un alma humana por el que Jesús pagó el precio definitivo, la belleza interior, la perfección, la pureza y la castidad. Una perla también puede representar la gloria o la fe en Cristo, la revelación de la Palabra de Dios, las puertas del cielo en Jerusalén, el Reino de Dios, la arrogancia y el orgullo. Por otro lado, las perlas pueden representar un proceso doloroso, lágrimas y tristeza.

Permanente o alisado: rizado permanente, comúnmente llamada «perm» o «permanente», implica el uso de productos químicos para romper y reformar los rizos del cabello. El cabello se lava y se envuelve en una barra de permanente y se aplica la loción ondulante con una base. Además, para alisar químicamente el pelo o relajarlo, se aplica una crema y se peina el pelo recto en lugar de envolverlo en barras de permanente. Soñar que se alisa el cabello puede indicar que no está contento con la forma en que fue creado y que no está demostrando amor por sí mismo. O puede que busques mejorar tu belleza sometiéndote a tratamientos capilares. El cabello representa la sabiduría, el adorno o la atracción. Es posible que desee un aumento permanente de la sabiduría que cambie su vida.

Permiso: Dar permiso, pagar por las tareas, hacer un favor limitado, extender la gracia o el favor.

Perno de expansión: llamado a generar una ampliación y sanidad de los problemas superficiales.

Peroné: es el más pequeño de los dos huesos de la pierna o pata trasera de un animal que se encuentra entre la rodilla y el tobillo. Ten cuidado con alguien que quiera coartar tu paso hacia el éxito o limitar tu capacidad de caminar hacia tu destino haciéndote tropezar o caer en el pecado.

Peróxido: una herida necesita ser lavada; para que las heridas del pasado dejen de supurar, Jb. 5:18.

Perrera: refugio para un amigo leal o desleal; enemigo, «en desgracia»; «en la perrera».

Perrera: tomar un descanso o apartar a un amigo leal durante una temporada; sentirse no querido o no amado por los amigos; ser excluido de alguna situación o relación.

Perro caliente: expresión de entusiasmo o satisfacción, acrobacia en el surf o el esquí, hacer lo imposible, no ser exigente con la comida, comida basura.

Perro de caza: lograrás tus objetivos o darás en el blanco y recuperarás todo lo que has perdido en la última temporada. Sigues buscando tu propósito o destino en la vida.

Perro guardián: amigo leal que vela por tu bienestar; alguien que te alerta cuando el ladrón viene a matar, robar o destruir; tu ángel guardián, Éx 28:14.

Perro muerto o moribundo: ten en cuenta el dicho: «Deja que los perros muertos mientan», confíe en tus sentimientos o instintos, no trate de desenterrar o discutir un viejo asunto u ofensa o perderás un amigo o una relación. Puedes sentir que alguien te ha tratado como un perro. maldición; 2 Re. 8:13, cosas malas y groseras; siervo; Sal. 59:6,14.

Perro pastor: un pastor; un amigo leal que te guiará en la dirección correcta; un protector; una mascota; un evangelista que busca a la oveja perdida, Jn. 10:16.

Perro que ladra: puede representar una alarma sobre un intruso, un compañero enojado, o un amigo infeliz; un ladrón o un enemigo está en la propiedad o entrando en tu vida. También puede significar que tienes la mala costumbre de tratar a tus amigos de forma controladora, mezquina, arrevesada, malhumorada o cortante ladrando órdenes y ordenando que se cumplan tus deseos, en lugar de comunicarte de forma dulce y suave. *«para que sepáis que Jehová hace diferencia entre los egipcios y los israelitas»*, Éx. 11:7; *«Sus atalayas son ciegos, todos ellos ignorantes; todos ellos perros mudos, no pueden ladrar; soñolientos, echados, aman el dormir. Y esos perros comilones son insaciables; y los pastores mismos no saben entender; todos ellos siguen sus propios caminos, cada uno* *busca su propio provecho, cada uno por su lado»*, Is. 56:10-11. Si el ladrido es alegre o excitado: los amigos o nuevos conocidos se alegran de que te incorpores a su círculo social.

Perro rabioso: las acusaciones infundadas de un conocido o amigo se demostrarán como incorrectas y se desenmascararán.

Perro salchicha: soñar con un perro salchicha indica que estás bien cimentado en el amor, siempre cariñoso y entregado a quienes te relacionas. Eres capaz de llegar a los demás y levantarlos cuando se sienten mal. Eres una persona equilibrada.

Perro y gato: Considera el dicho «llueve a cántaros», un fuerte aguacero de bendición celestial que viene de fuentes inesperadas. Puede que alguien se comporte como un gato o que te esté dando gato por liebre a tus espaldas. Personas que son opuestas y que están en contraposición natural. Disputas relacionales.

Perro, alimentación: si estás alimentando a un perro, sugiere que estás alimentando una vieja amistad o fomentando una nueva; quizás estés desarrollando algunos de tus talentos o habilidades ocultos o perdidos.

Perro amistoso: ver un perro feliz o amistoso en un sueño sugiere que tienes excelentes amigos que te aportan alegría en la vida. Para tener amigos hay que mostrarse amistoso.

Perro, atropellar: atropellar a un perro en su sueño sugiere que estás arando sobre los sentimientos o consejos de tus amigos. Puede sentir que un amigo te traiciona por ser demasiado controlador. No te fías de su falta de apoyo ni de sus modales confrontativos y de sus intenciones negativas.

Perro, aullido: oír el constante aullido de un perro es una advertencia que indica que el peligro acecha.

Perro, baño: significa tu deseo de ser leal, cariñoso y fiel a tus amigos. Eres una persona generosa y dadivosa que nutre a los que están en tu compañía. Tienes un alto nivel de excelencia moral.

Perro blanco: amigo y compañero fiel, justo y santo; pureza de corazón.

Perro bulldog: ver en un sueño a un perro fuerte, robusto, fornido, de cabeza grande, bulldog, sugiere que un amigo tenaz, con un amor furioso por usted, va a abrirse paso en tu vida para ayudarle a defenderse de los que pretenden hacerte daño.

Perro cachorros: si ves a una perra pariendo cachorros te encontrarás con un montón de nuevos amigos apareciendo en el horizonte que necesitarán tu tiempo y tus atenciones.

Perro, comprando: búsqueda de amor y compañía. Soñar que compras un perro indica que no tienes verdaderos amigos. Augura que tienes la mala costumbre de comprar a la gente para salirse con la tuya; y que haces falsos cumplidos a tus pocos amigos para conseguir favores.

Perro de carrera: estar atrapado en un mundo de juegos y competición de perros, «la oportunidad de un perro» escasa posibilidad de éxito; «vida de perros» una existencia muy infeliz, corriendo de un lado a otro persiguiendo pistas de conejos salvajes que nunca serán atrapados ni obtenidos.

Perro durmiendo: ten en cuenta el refrán «Deja que los perros adormilados se acuesten». Puede que necesites despertar a algo negativo que está ocurriendo en tu entorno de vida, relación o negocios y del que no eres consciente en este momento.

Perro egoísta: humillación.

Perro enfermizo: ver un perro enfermizo en un sueño puede indicar que un amigo cercano necesita algún tipo de sanidad. También puede ser una advertencia para que vigiles a tu propio perro.

Perro enfermo: se te ha ignorado, se te ha pasado por alto o se te ha negado una buena amistad; es hora de volver a conectar. Puede sentir que alguien te ha tratado como un perro.

Perro galgo: un amigo silencioso, tranquilo, elegante y reservado que se lanza a rescatarte cuando te ve desviado persiguiendo conejos.

Perro grande: tienes muchos amigos verdaderos con los que puedes contar. Te apoyarán y protegerán en los momentos difíciles.

Perro gris: un viejo amigo que está lleno de sabiduría y gracia.

Perro gruñidor: un protector o alguien que vela por tu bienestar; un perro guardián; un amigo o conocido que está enfadado o enojado. Sal. 22:16, Un ataque maligno; una falsa enseñanza; una traición de una persona que no es de fiar; una tontería o una locura; un espíritu de venganza o un espíritu religioso experto en devorar. Un conflicto interno con el que estás luchando. Palabras gruñonas de un enemigo; Pr. 26:11, 17, la imprudencia de un tonto, entrometerse en los asuntos de otros; «perseguir» a alguien, seguir todos sus movimientos; falsos maestros 2 Pe. 2:22.

Perro, guía: indica que tienes un amigo sabio que está tratando de ayudarte a atravesar una situación difícil que tiene muchos peligros a los que puedes estar ciego en ese momento. Si alejas o enjaulas al perro guía: estás rechazando la sabiduría divina y tomando decisiones imprudentes que terminarán por hacerte caer en la ruina financiera o moral.

Perro, joroba: ver a un perro montar, jorobar o intentar violarte, indica que alguien de tu círculo de confianza es un odiador de mujeres que intenta aprovecharse de ti de la peor manera, usurpando tu idea como propia, traicionando una confianza o trayendo pública y abierta vergüenza sobre ti sin ninguna razón.

Perro lamiendo: Tú y un amigo o socio han llegado a un acuerdo mutuo en asuntos sociales o de negocios.

Perro loco: ver a un perro rabioso ladrándole en su sueño sugiere que alguien está echando espuma y abusando de usted verbalmente, ladrando órdenes sin tener en cuenta tus sentimientos. Si matas a un perro rabioso: podrá llegar a un compromiso pacífico y superar la adversidad.

Perro marrón: un compañero humilde que compartirá tus labores y te hará compañía en los momentos difíciles.

Perro mascota: amigo o compañero verdadero y leal; un guía; protección; amor incondicional; felicidad; fiel, protector.

Perro matando serpiente: ver a un perro matando o comiendo una serpiente indica que un amigo perspicaz está impidiendo que creas una mentira, que tomes una mala decisión o inversión comercial. Está impidiendo que se extienda un mal rumor o una acusación venenosa contra ti.

Perro mojado: espíritu homosexual; 2 Sam. 9:8 y 16:9.

Perro, morder: ser traicionado por un amigo de confianza. Si muerde o gruñe: advierte de un ataque maligno; falsos maestros; insensatez; espíritu de represalia o espíritu religioso que devora; 1 Re. 21; impuro; animal salvaje que se alimenta de cadáveres; reproche; enemigos feroces y crueles; persona impura o profana; objeto de aversión; gentil; falsos apóstoles, impureza y amor al lucro; excluidos del Reino de los cielos por su vileza. Si te muerden en la pierna: un amigo de confianza y muy cercano te pilla desprevenido y te traiciona por medio de chismes y calumnias. Su deslealtad y sus acciones de doble sentido han afectado tu equilibrio personal y tienes miedo de avanzar en la vida.

Perro negro: cuidado con una persona malvada que es engañosa y traicionera.

Perro, ojo vidente: un amigo, profeta o vidente que está ahí para ayudarte a ver la luz en una situación oscura. Sabe cómo agitarte y dirigirte de forma que no te perjudique ni te haga tropezar cuando no sabes qué camino tomar.

Perro, orina: espíritu territorial; defensa de los intrusos; señalización de una región geográfica; establecimiento o traslado de fronteras.

Perro, pájaro: uno que observa de cerca, para buscar o seguir algo por otro; un perro de caza; un perro utilizado para cazar aves de caza. Persona que tiene un agudo discernimiento y puede interpretar los mensajes y la comunicación que recibe de los demás.

Perro pastor alemán: un amigo fuerte, que viene a tomar el control ante una mala situación. Son muy exigentes, protectores y atentos a los detalles y a las reglas del juego injustas, siempre exponiendo a las personas que tratan de aprovecharse de los que son fácilmente influenciables. Si está entrenando a un Pastor Alemán: sugiere que estás abierto a nuevas ideas a las que ha estado ciego en el pasado. Si estás siendo atacado por un Pastor Alemán: significa que puedes haber bajado la guardia para buscar seguridad en un asunto y es hora de volver a ponerte en guardia.

Perro, pelea: los amigos están enfrentados entre sí. Un enemigo que busca hacer un gran daño.

Perro de montaña: amigo fuerte y fiel que siempre acude a rescatarte cuando te sientes rechazado o cercado por una persona odiosa y de corazón frío.

Perro guardián: amigo, guardián de confianza o protector fiel contra el despilfarro, la pérdida o las prácticas ilegales.

Perro, perro pastor inglés: un pastor que aleja a las personas engañosas que aparecen como ovejas pero que en realidad son lobos con piel de oveja que tratan de devorarte a ti y a tus finanzas. Un amigo espiritual cercano y con discernimiento que te ayuda a protegerte, rescatarte y dirigirte hacia el camino correcto de la vida para que tengas éxito en tu viaje.

Perro persiguiendo la cola: ver a un perro corriendo en círculos, o persiguiendo su cola, indica que no vas a ninguna parte rápidamente. Replantea tu situación, toma decisiones diferentes y deja de hacer las cosas como siempre las has hecho en el pasado. Estás perdiendo mucho tiempo y esfuerzo y no tienes nada que mostrar por tu trabajo duro y tus energías gastadas. Si te persigue un perro: un enemigo quiere difamar o arruinar tu reputación.

Perro policía: alguien que tiene mucha autoridad y que está entrenado para acudir en tu ayuda o defensa cuando aparece el peligro repentino.

Perro, rasgar las vestiduras: un chismoso vicioso traerá calumnias y acusaciones hirientes para destrozar a un amigo.

Perro, trineo: un trineo tirado por uno o varios perros, indica que el camino que estás recorriendo requerirá de muchos amigos leales para sacarte adelante.

Perro, vientre: indica que tienes un amigo leal que confía su vida y su bienestar a tus manos. Un amigo está dispuesto a apoyarte sometiéndose a tus ideas y planes.

Perros: simboliza que tú eres alguien que exhibe las cualidades de: intuición, generosidad y fidelidad; el mejor amigo del hombre; un compañero leal; fuertes valores morales; un guía; protección; buenas intenciones; amor incondicional; si es una mascota personal: fiel, leal, protector. Si es un perro que muerde o gruñe: es una advertencia de ataque maligno, falsos maestros; espíritu de represalia sembrado por Jezabel, 1 Re. 21; un espíritu impuro, vil, irredento, Apo. 22:15; Fil. 3:2; mentir o ser maltratado.

Persa: relacionado con el mundo de habla persa que incluye, pero no se limita, a Irán, Afganistán y Tayikistán. Oremos por un despertar espiritual y un renacimiento en estos países.

Persecución: eres una persona muy deseada; muchos buscan tu atención, tu amistad y tu tiempo; ver a alguien o algo persiguiéndote: representa tu negativa a aceptar una determinada filosofía, visión o agenda a la que intentan persuadir o coaccionar mientras te niegan tu propia identidad, autoridad o influencia. Céntrate en tus puntos fuertes para lograr emprendimientos significativos.

Perseguido por alguien: eres una presa deseable o el objeto del afecto de alguien; busca una nueva conexión o la formación de una relación.

Perseguido por Dios: o por sus mensajeros o agentes angélicos, representa un alto llamado a tu vida para cumplir con tu destino; soñar que se es perseguido por un enemigo, por asuntos del pasado, por consecuencia de algunas acciones cometidas, por la propia conciencia, por la culpa o la vergüenza o por cualquier otra emoción, representa la necesidad de perdonarse a sí mismo y de avanzar hacia un futuro próspero. *«El malvado huye cuando nadie lo persigue...»*, Pr. 28:1.

Perseguido por un animal: observa la naturaleza, las características y los rasgos del animal y luego determina si estás proyectando esos mismos comportamientos, sentimientos o experimentando esas emociones. Dt. 1:44.

Perseguido: ser perseguido revela que tal vez debas separarte de tus amigos o actividades actuales. *«El mal perseguirá a los pecadores, Mas los justos serán premiados con el bien»*, Pr. 13:21. Estar en persecución de alguien o de algo indica la necesidad de *«Huir de las lujurias juveniles; pero perseguir la justicia, la fe, el amor, la paz con los que invocan al Señor de corazón puro»*, 2 Tm. 2:22; *«Seguid la paz con todos, y la santidad, sin la cual nadie verá al Señor»*, Heb. 12:14.

Perseguir a alguien: indica que intentas agarrarte, aferrarte o alcanzar un propósito, una meta o un deseo. Tu inseguridad te hace huir o evadirte de alguien, algo o una situación que no crees que se pueda conquistar.

Perseguir detrás de: correr para alcanzar el premio; correr detrás de una meta conocida o desconocida; perseguir (anhelar)una relación con una persona, sustancia o cosa; correr una carrera de resistencia; perseguir las cosas de Dios o del mundo; esperar el afecto, la aprobación o buscar reconciliarse con alguien.

Perseguir: verse perseguido en un sueño indica que estás sufriendo por la justicia, así que alégrate. «Dichosos los perseguidos por causa de la justicia, porque el reino de los cielos les pertenece», Mt 5:10.

Persianas venecianas: sé circunspecto en todos tus tratos en público y en privado; nada de lo que se haga en la oscuridad permanecerá oculto, sino que saldrá a la luz a su debido tiempo. «Pues todo el que hace lo malo aborrece la luz, y no se acerca a ella por temor a que sus obras queden al descubierto», Jn. 3:20.

Persona famosa: ¿Cuál es la importancia o la ocupación de la persona que ves? ¿Qué contribución favorable ha hecho a la sociedad? ¿Qué obstáculos negativos han superado en la vida? Pueden ser cuestiones que necesites imitar o eliminar de tus pensamientos o de tu personalidad. Los personajes famosos pueden relacionarse con otros individuos a tu alrededor que poseen los mismos rasgos o cualidades similares.

Persona gorda: alguien que está ungido o que vive la vida a lo grande; demasiado énfasis en los valores materiales; agobiado por las preocupaciones o la depresión, la jovialidad o la sensualidad; defensas utilizadas contra la ansiedad o los sentimientos de inadecuación; un apetito no tan saludable, la lujuria, la glotonería. Si una mujer sueña con estar gorda, debería hacer dieta antes de que pierda el afecto o la atención de su marido o novio.

Persona sin hogar: un sentimiento desesperado de inseguridad, descontento y temor ha abrumado tu capacidad de acceder a posibles soluciones para los problemas actuales. Orar y buscar a Dios para obtener sabiduría, buscar en la Palabra las estrategias y recursos necesarios para superar la duda y la incredulidad. Poner la confianza en Dios para obtener conocimientos y respuestas. Arrepentirse y dar la vuelta, se han perdido cruces vitales o puntos de inflexión en la vida. Espíritu de pobreza, una llamada a ejercitar el buen juicio o la pasión, maldecido por la carencia, caído en tiempos difíciles, entreteniendo a un ángel. Un espíritu maligno en busca de una persona anfitriona en la que fijar su residencia, Lc. 8:27.

Persona: si no puedes ver a la persona con claridad puede tratarse de un hecho ocurrido en el pasado, ser un ángel o un demonio. Si te conviertes en otra persona: tienes compasión. Si ves que otra persona se convierte en una nueva persona tu alma desea ser esa persona o alguien más. Si tú o alguien más cambia su apariencia: esa persona es inestable. Si no conoces a la persona discierne el motivo de su presencia según su semblante (si es claro: suele ser bueno (a no ser que sea un ángel de luz engañoso) o si es oscuro: es malvado) esa persona podría haberte echado una bendición o una maldición.

Personaje de dibujos animados: preste atención a los detalles exagerados.

Personajes famosos: el propio potencial y talento no reconocidos, tu necesidad de aceptarse, amarse y respetarse a ti mismo; proyectar nuestras debilidades o fortalezas no vividas o no reconocidas en personajes de ensueño que representan una cualidad o debilidad particular; el propio potencial; el deseo de hacerse notar o recibir atención.

Personas complacientes: objetivos elevados e impracticables; demasiado irrealistas en sus creencias y pensamientos.

Personas del pasado: ver a conocidos de una época anterior indica que usted admira sus influencias, su carácter, sus cualidades, sus virtudes o sus dones. Los sueños del pasado suelen tener un matiz más oscuro que los sueños de la época actual, por lo que puede ser un reflejo de un aspecto sombrío o tenebroso de ti mismo que viene a visitarte. También es posible que ahora estés viviendo una experiencia similar a la que te visitó en el pasado, por lo que tu memoria te está alertando de las similitudes existentes.

Personas mayores: Ver a personas mayores o ancianas acercándose a ti en un sueño indica que se ganará mucha sabiduría; una herencia está en camino; si parecen frágiles o débiles: puedes experimentar algunos problemas de salud o necesitarán tu ayuda muy pronto.

Personas: el significado de sus nombres, posiciones de autoridad, edades, asociaciones, influencia y sus formas de relacionarse con usted son importantes; elije tres adjetivos para describirlas. Ver personas en un sueño indica que no te gusta sentirte solo, sino que te gusta socializar y relacionarte con los demás.

Perspectiva: ¿Tienes un punto de vista positivo o negativo sobre la vida? Ver o utilizar el correo electrónico o el servicio de noticias de Microsoft Windows indica una necesidad de comunicación o de aclaración de una situación.

Perturbar: perturbar las emociones de alguien o destruir la tranquilidad o la serenidad de un entorno indica que habrá una temporada de inquietud y pruebas personales para volver a ganar la paz y la compostura.

Pervertir: hacer que se desvíe de lo que es moralmente correcto, corromper, reducir a un nivel inferior de función o condición, degradar o hacer un mal uso a través de aplicaciones incorrectas, malinterpretar o interpretar erróneamente; alguien que está practicando la perversión sexual, una desviación de la forma correcta o el uso incorrecto de algo; los problemas ocultos en las relaciones están haciendo que uno se mantenga a distancia con el fin de protegerse del daño.

Pesada carga: si llevas una carga pesada, entonces es el momento de orar a Dios y liberar tus cargas.

Pesadilla: acontecimiento onírico intenso que provoca miedo, terror, fuertes sentimientos emocionales y/o angustia; (yegua) espíritu demoníaco que accede al alma, que se sienta sobre el soñador o lo asfixia, un atormentador de la noche; se necesitan cambios en la vida de uno; usted no ha comprendido los mensajes espirituales de sus sueños, por lo que se necesita una interpretación profesional de los sueños. Un sueño que provoca fuertes sentimientos emocionales de miedo, terror, ansiedad y angustia; un demonio que atormenta al que duerme sentándose sobre él para provocarle una sensación de asfixia.

Pesadillas: las pesadillas indican que no has prestado ninguna atención a tu vida onírica, por lo que las cosas se intensifican hasta un estado de alarma para llamar tu atención. ¿Te dejas llevar por los excesos de la vida o juegas con el lado oscuro? Considera también que tu cuerpo necesita menos estrés, más descanso, completar un proceso de curación o superar algún trauma. ¿Estás pasando por algún retraso o contratiempo importante en tu vida personal? Deja de preocuparte, eso no cambiará nada; echa todas tus ansiedades sobre Jesús, porque Él cuida de ti. Dios puede tomar los aspectos negativos de la vida y convertirlos en positivos si los sometes a Él. Lee mi libro DREAM INTERPRETER para una extensa revelación sobre pesadillas y terrores nocturnos.

Pesado paquete: si te llega un paquete pesado, entonces estás recibiendo una bendición o un nuevo regalo que te traerá mucha alegría y felicidad.

Pesar: sentir lástima por los demás, «simpatía» y «empatía», una tristeza o pena por su enfermedad, dolencia o mala fortuna, indica que tienes un don de sanidad y un don de misericordia y compasión, Mc. 9:22

Pesca con arco: se necesita mucha paz, paciencia, destreza y precisión para dar en el blanco.

Pesca de marlín: pez de caza de gran tamaño y hocico puntiagudo llamado también pez vela o pez aguja, que se encuentra en el océano Atlántico y Pacífico; soñar con este pez significa que para obtener tus objetivos necesitarás un trabajo duro; una planificación decisiva, habilidad y un costo económico alto; ve al grano y deja de pescar cumplidos; sé directo con tus declaraciones.

Pesca de truchas: comer: significa prosperidad, fortuna y una actitud alegre, pescar: representa la alegría y el placer, si la trucha se suelta del anzuelo tu felicidad se desvanecerá, vivir en la duda/trucha.

Pesca en alta mar: implica un llamado a ir a las profundidades del mar de la humanidad para encontrar a los «peces gordos» o a los «hombres y mujeres exitosos» que tienen verdadera sustancia o profundidad para impactar al mundo.

Pesca en el hielo: atravesar corazones duros y fríos para capturar los peces o «almas» que nadan bajo la superficie del hielo.

Pescadería: disponer de muchos recursos y opciones personales para tener éxito.

Pescador: discípulo de Cristo, evangelista, felicidad, aumento de prosperidad y fortuna, ganador de almas que lleva las buenas noticias; tratando de atrapar o conseguir un gran trabajo o relación.

Pescar en la orilla: echar la red o el sedal en el mar para conseguir un gran botín de peces; tener cuidado con algo que pueda ser sospechoso; llegar a un lugar donde se pueda tocar e impactar el mar de la humanidad.

Pescar: evangelismo, Mc. 1:17, buscar ganar almas; tratar de ser el centro de atención, «pescar cumplidos», algo es sospechoso o alguien está tramando algo malo; pescar en el hielo: atravesar algunos sentimientos duros y fríos para liberar las emociones ocultas que yacen bajo la superficie, necesidad de relajación o vacaciones. Pescar significa echar una red o poner un anzuelo para atrapar a alguien o algo; la persona en la que has puesto tus afectos tiene algunos hábitos apestosos que necesitan ser limpiados, «no intentes limpiar el pescado antes de atraparlo», pescar un cumplido, buscar respuestas, intentar atrapar a alguien que es esquivo o no es fácil de retener, atrapar el «pez gordo», sacar tus sentimientos emocionales a la superficie, romper el hielo. Buscar un nuevo amor o amigo.

Pesebre o posada: cuna o abrevadero donde se acostó al niño Jesús, Lc. 2:7. 12. 16.

Peso: representa llevar una carga pesada, un gran peso, un espíritu de pesadez, Jb. 28:25; 31:6; Ez. 4:10-16; Heb. 12:1; Mt. 23:23; 2 Cor. 10:10; Dt. 5:27. Echa todas tus preocupaciones sobre Jesús, porque Él cuida de ti.

Pesos libres: «No cometan injusticias falseando las medidas de longitud, de peso y de capacidad», Lev. 19:35; Entrenamiento con pesas, incluyendo barras, mancuernas y pesas rusas. *«Más bien, tendrás pesas y medidas precisas y justas, para que vivas mucho tiempo en la tierra que te da el SEÑOR tu Dios»*, Dt. 25:15.

Pestañas: hermosas y largas pestañas: felicidad y éxito; pestañas postizas: se revelará un encubrimiento, busque el consejo de un asesor de confianza; sin pestañas: una advertencia de engaño, traición y desprotección.

Pestilencia: plagas; enfermedades; los patrones climáticos están cambiando para traer tormentas, alimañas; plagas, bichos e insectos; langostas devoradoras, Sal. 91:6; Hb 3:5.

Petaca: ver o beber de una petaca en un sueño: indica que está tratando de embotar su dolor emocional cerrándote a los amigos y seres queridos.

Pétalo: jugar al juego de sacar pétalos de una flor de «me quiere, no me quiere», predice la ruptura del corazón y una decepción en tu vida amorosa; aprende de tus errores pasados, crece y tus futuras relaciones se beneficiarán de la sabiduría y las experiencias adquiridas.

Petardo: pequeña carga explosiva en un cilindro de papel grueso que se utiliza para hacer ruido en una celebración. Alguien que viene en un paquete pequeño, de baja estatura, pero que hace mucho ruido con un temperamento explosivo que es difícil de manejar.

Petición: oír que solicitas o pides un favor o algo a alguien en tu sueño sugiere que necesitas las habilidades o conocimientos que ellos tienen para resolver un problema en tu vida.

Petirrojo: representa los nuevos comienzos y el tiempo de crecimiento o el recuerdo de las ideas; la primavera; un juego de palabras con alguien llamado Petirrojo: fama brillante o espíritu victorioso; pájaro del estado de Wisconsin; Michigan; Virginia; Connecticut; Kentucky; Carolina del Norte.

Petróleo, pozo: gran riqueza y prosperidad económica; combustible Mt. 25:3-8, un «barón del petróleo»; «herencia». Ver petróleo crudo: indica la abundancia de Dios que hay que aprovechar, Fil. 4:19.

Petróleo: capacidad de hacer que las cosas se muevan; hacer que las cosas funcionen sin problemas; el amor y la compasión liberarán la unción y el favor; alguien que es un operador hábil o suave; una sustancia para cocinar; ver petróleo crudo en sueños significa prosperidad, gran riqueza y bienestar; cuídate del consumo excesivo, conserva y sé más consciente del medio ambiente; fertilidad; prosperidad, Dt. 32:13; alimento básico; esencia de la vida; bendición y favor de Dios; alimento; cosmético; medicina, sanidad, Sal. 23:5; Snt. 5:14; indulgencia; honor; Éx. 29:7; 1 Sam. 16:13; combustible; Mt. 25:3-8.

Petróleo: ver o comprar petróleo en un sueño indica un área explosiva o volátil en tu vida si no estás en la industria del petróleo. Por el contrario, el petróleo indica una unción para ministrar «el aceite de la unción» energía para arder, y gran pasión o entusiasmo.

Petting (practica sexual sin penetración): permitir que permanezcan los pecados domésticos y los malos hábitos, coquetear con la excitación sexual y los juegos preliminares; invitar a la exploración sexual o entablar una relación íntima sin ningún compromiso.

Petunia (flor): tu presencia me tranquiliza; ira y resentimiento.

Pez bagre: los planes no tendrán el éxito esperado.

Pez dorado: gran éxito y prosperidad; personalidad poderosa; aventuras agradables y favor. Si está muerto: grandes decepciones.

Pez espada: persona que hace un juego de palabras poderosas.

Pez gato: ver en sueños este pez de agua dulce que habita en los lechos acuáticos, sin escamas y bigotudo, advierte que ha estado rodeado de gente poco deseable o de la escoria de la sociedad que se alimenta de la suciedad.

Pez globo: un creyente orgulloso o arrogante que está lleno de sí mismo y un montón de aire caliente; alude a un exterior muy espinoso e intocable.

Pez león: salvación de una persona prestigiosa muy influyente que será un testigo audaz de Cristo.

Pez vela, azul (Marlín): persona valiente que explora nuevos territorios y experiencias; alguien de naturaleza evangelizadora. El nombre de hombre Marlan (por Marlin en inglés) significa de la tierra del lago, destinado, Ef. 2:10. El nombre de hombre Marlin significa de la colina junto al mar, espíritu victorioso, Sal 8:6.

Pez arenque: señal de que tendrás que superar una experiencia u obstáculos «angustioso» antes de tener éxito.

Pez, captura: ganar almas; los peces de caza mayor hablan de influir o ganar personas importantes, alegría y prosperidad. Serás amado por alguien especial.

Pez, cocción: llevar a alguien a un proceso de limpieza de su vida para que sea útil; beneficiar a otros; un potencial matrimonio.

Pez, comiendo: tus labores producirán comunión y gran alegría.

Pez dorado: prosperidad, aumento y éxito, persona muy influyente con poder y riqueza.

Pez, eclosión o incubación: se presentarán muchas nuevas opciones y oportunidades; tratar de quedar embarazada o producir descendencia.

Pez muerto: pérdida de la esperanza, disminución, problemas y desilusiones; un negocio que se va a pique.

Pez, natación: ver un banco de peces nadando indica una época de favor, prosperidad y aumento. Si está en aguas poco profundas: tiene miedo de invertir en una relación.

Pez, no atrapar: sus esfuerzos no tendrán éxito.

Pez salmón: hacer un esfuerzo por ir a contracorriente. Insatisfacción después de un largo y duro viaje.

Pez tiburón: un enemigo encubierto y aterrador está al acecho, esperando para atacar y devorar con palabras maliciosas, temor emocional o resentimiento.

Pez trucha: felicidad, prosperidad, aumento y promesas de plenitud vienen «truchas arco iris».

Pezón: adulto que mama: madura, asume la res-

ponsabilidad de tus finanzas y decisiones de la vida; la intimidad con Dios es necesaria para ganar sabiduría.

Pezuña: ascenso a nuevas alturas espirituales, emocionales y financieras de éxito, gran gracia, equilibrio de los diferentes aspectos o departamentos de la vida: familia, profesional, social, disciplinas espirituales. Si el casco está roto, seco o agrietado, hay que reestructurar los componentes básicos de la vida para correr la carrera y ganar.

Phlox (planta): dulces sueños.

Phymata erosa (insecto emboscador): Un enemigo se esconde o se ha camuflado como un depredador al acecho para inmovilizar a su presa inyectándole palabras odiosas y venenosas. Su protección es limitada. Un personaje de cómic ficticio llamado Irwin Schwab; puede tele transportarse a cualquier lugar de la tierra; sufre problemas mentales que le impiden comprender la realidad, su verdadera identidad es una fabulación.

Pian: epidemia infecciosa que es una enfermedad tropical de la piel marcada por múltiples granos o pústulas rojas.

Piano de cola para conciertos: piano de cola más grande, de aproximadamente 2,7 metros de longitud; puede ser de cola o vertical; acuerdo de planos.

Piano: instrumento musical de teclado; ser de gran tamaño o vertical; suave; silencioso; utilizado como dirección; produce sonido; pasaje marcado; en sintonía indica éxito y salud; un piano destemplado indica decepción o insatisfacción.

Picar: atravesar o herir con un objeto largo o afilado que causa dolor, causar sufrimiento o angustia mental, irritación aguda, engañar o cobrar de más, abeja, avispa u otro insecto que pica, agente encubierto que persigue a los delincuentes.

Picar: cortar o dividir los problemas en tamaños más pequeños y controlables, resolver los problemas de uno en uno.

Pícaro: un sinvergüenza o persona sin principios, un pícaro, un bribón, alguien que es vicioso o que se separa de los demás, una variación indeseable de la norma.

Pichi: ver esta prenda de vestir informal, jersey o vestido sin mangas que se lleva encima de una blusa indica los beneficios de la simplicidad y la felicidad.

Pichón: asumir la responsabilidad de las acciones de los demás; chismes o noticias; sentir o expresar el deseo de volver a casa; se está centrando en un problema que debe ser resuelto. El arrullo suele representar una paz tranquilizadora que llega a su casa o negocio; mientras que dispararles representa un deseo de herir o ser cruel cuando se trata de un conflicto. Las noticias y la información que llegan para ayudarle a tomar decisiones y a realizar cambios; se pavonea con orgullo; es fácil de estafar o engañar. Una ofrenda por el pecado, Lev. 1:14.

Picnic: momentos de placer y disfrute con amigos y familiares; las cosas difíciles se resolverán al pasar a un tiempo de tranquilidad.

Pico: ver el pico de un pájaro, de una tortuga, de un insecto o de un pez en forma de cono duro indica que hay que discernir, ya que estas partes se parecen a la nariz del hombre en su función. Alguien puede estar tratando de meterse en tus negocios o de presionar su nariz dura en tus asuntos personales. Gén. 8:11; Is. 10:14.

Picor: sensación cutánea contagiosa, enfermedad de intensa irritación o erupciones que provoca el deseo de rascarse intensamente. Se tiene un deseo o ansia nerviosa e inquieta de «rascarse el escozor». Considera la afirmación «Te pican los problemas» como una advertencia para obtener un remedio sabio antes de avanzar o actuar de forma impulsiva.

Pide disculpas: busca el perdón. Es el momento de corregir los errores, revelar la verdad y dejar de lado los rencores o las traiciones del pasado. Haz borrón y cuenta nueva y busca la restauración con amigos o familiares.

Pie hendido: ciervo, camello, ganado, dividido, diabólico, satánico, malvado.

Pie: vigilar por dónde se va o se camina. Ver tu pie en un sueño puede indicar que estás en el camino correcto o equivocado. También hay que tener en cuenta el dicho: «meter la pata».

Piedra blanca: diamante resplandeciente, el Urim, consulta de la verdad y la luz de Dios, prueba, nombre conocido por Dios. *«El que tiene oído, oiga lo que el Espíritu dice a las iglesias. Al que venciere, daré a comer del maná escondido, y le daré una piedrecita blanca, y en la piedrecita escrito un nombre nuevo, el cual ninguno conoce sino aquel que lo recibe»,* Apo. 2:17.

Piedra blanca: ver una piedra blanca en tu sueño representa la revelación y el conocimiento sacerdotal que llega a ti, Apo. 2:17; Éx. 28:15-28.

Piedra de afilar: ver esta piedra en uso en un sueño indica que estás siendo pulido o afilado para una nueva carrera o tarea, asegúrese de prestar atención a los detalles para tener éxito.

Piedra de luna: la luna es un símbolo que representa a la iglesia, un reflejo de la gloria de Dios que brilla en un mundo oscuro. Es hora de restablecer la relación con una comunidad de creyentes cristianos. Tu aislamiento ha provocado que tu glándula pineal esté estresada originando que tus ciclos hormonales internos no estén en el equilibrio adecuado. *«¿Está alguno enfermo entre vosotros? Llame a los ancianos de la iglesia, y oren por él, ungiéndole con aceite en el nombre del Señor. 15 Y la oración de fe salvará al enfermo, y el Señor lo levantará; y si hubiere come-*

tido pecados, le serán perdonados», Snt. 5:14-15. Tu amor pasional por Dios traerá una mayor medida de bendición; la armonía y la unidad que hay en tu vida producirá una pronta restauración de las relaciones. El Espíritu Santo le dará sabiduría y perspicacia espiritual para que pueda alinearte para prosperar en los negocios en el futuro. Dios es una poderosa fortaleza y un escudo de protección para aquellos que ponen su confianza en Él.

Piedra de molino: aplastar la cabeza de alguien, Jue. 9:53; duro de corazón, Jb. 41:24; hacer tropezar a un creyente, Mt. 18:6; pecado, Heb. 12:1; Babilonia derribada, Apo. 18:21; Llevas una carga pesada que te desgasta.

Piedra de pedernal: circuncisión, corte de la carne, considerar los argumentos del cómic Los Picapiedra una familia de la edad de piedra.

Piedra de sangre: aplique la preciosa sangre de Jesús a cada situación y condición de su vida para experimentar una limpieza y una poderosa revitalización a medida que su sistema circulatorio es sanado y llevado a un nuevo nivel de funcionamiento. *«Pero ahora en Cristo Jesús, vosotros que antes estabais lejos, habéis sido acercados por la sangre de Cristo»,* Ef. 2:13; *«¿Cuánto más la sangre de Cristo, que por el Espíritu eterno se ofreció a sí mismo sin mancha a Dios, limpiará vuestra conciencia de las obras muertas para servir al Dios vivo?»* Heb. 9:14 *«¿No es la copa de bendición que bendecimos una participación en la sangre de Cristo? ¿No es el pan que partimos una participación en el cuerpo de Cristo?»,* 1 Cor. 10:16.

Piedra de tropiezo: obstáculo que puede hacerte tropezar, hacer que tropieces y caigas o que te atrape los pasos. 1 Pe. 2:8; 1 Cor. 1:23; 8:9; Rom. 11:9; Pr. 2:32; 4:12, 19; Dn. 11:19.

Piedra viva: cristiano, templo espiritual. *«Acercándoos a él, piedra viva, desechada ciertamente por los hombres, mas para Dios escogida y preciosa, vosotros también, como piedras vivas, sed edificados como casa espiritual y sacerdocio santo, para ofrecer sacrificios espirituales aceptables a Dios por medio de Jesucristo»* 1 Pe. 2:4-5.

Piedras de granizo: una de las plagas egipcias, Éx. 9:23-26; Js. 10:12.

Piedras preciosas: dones espirituales, talentos, habilidades, sabiduría de Cristo, creyentes, fundamento del cielo, adorna la iglesia ramera y Lucifer.

Piedras preciosas: mira los distintos significados de la piedra de nacimiento que aparece en tu sueño según los meses de tu nacimiento o las doce tribus de Israel o la pechera del sacerdote.

Piedras que se convierten en: terco, inamovible, en una rutina, atrapado en un mal hábito, no vivir la vida al máximo, conformarse con los deseos de los demás, no vivir para el propósito para el que se ha diseñado, sentirse atrapado en una relación sin salida.

Piedras que se tiran: predisposición a mirar los defectos y carencias de los demás sin mirarse a sí mismo.

Piedras, ásperas: algunos de sus bordes ásperos todavía necesitan ser eliminados, una búsqueda para reconocer o desarrollar la identidad de uno mismo.

Piedras, preciosas: en la Biblia se nombran veinte piedras preciosas, por ejemplo, «cristal» significa hielo o cristal de roca (cuarzo transparente). Las gemas son muy valoradas y se usan en el pectoral del sumo sacerdote, Éx. 25:7; 28:15-21; las piedras significan valor precioso, y la belleza de la gloria de Cristo en sus santos y su durabilidad, Is. 54:11-12; Apo. 4:3; 21:11, 18-20; Ma. 3:7; Pr. 17:8.

Piedras: David mató a Goliat con una sola piedra lisa, pero llevaba cinco más para matar a los hermanos del gigante, llevando un saco de piedras: se refiere a la fuerza interior de uno, a la unidad, a las creencias inquebrantables o a la fortaleza que aún debe desatarse sobre los demás, a la longevidad, a las piedras del recuerdo, a la construcción de un altar. Fíjate en la forma, la textura y el color de la piedra para obtener un significado adicional; contemplar una decisión importante, «grabado en piedra» sugiere durabilidad y una actitud fija, una metáfora para «ser apedreado», juzgado con palabras duras de gran impacto, o bajo la influencia de las drogas, Is. 8:14; Sal. 118:22; 1 Pe. 2:1-7; Mt. 21:4; Ef. 2:20.

Piel de gallina: es una breve aspereza de la piel causada por la erección de la papila en respuesta a una presencia espiritual divina o demoníaca, el frío o el miedo. Eres sensible a tu entorno y una persona muy perceptiva.

Piel de vaca: piel de una vaca convertida en un cuero fuerte y flexible; representa la dureza exterior de una persona, que no permite que las palabras hirientes penetren o hieran sus sentimientos.

Piel áspera: exterior áspero.

Piel descamada: cambiar las costumbres, curarse de las quemaduras, la felicidad está en camino.

Piel manchada: problemas en las relaciones.

Piel quemada: herida o devastada en una relación.

Piel: el contacto de uno con el mundo, la sensación o los sentidos que uno utiliza para interactuar con la gente; suavidad: felicidad; parte de un animal utilizada para confeccionar prendas de vestir, Gén. 3:21, Éx. 26:14, Nm. 31:20 coberturas para escudos.

Pieles de tejón: Representan la protección contra las tormentas y las pruebas de la vida, Éx. 25: 5; Ez. 16:10.

Pieles: la piel de un animal capturado y despojado por los tramperos. Golpear repetidamente, asaltar con golpes o proyectiles, bombardear, lanzar, arrojar o arrojarse. Lluvia de palabras o asaltos furibundos.

Pierna coja: si sueñas que tienes una pierna coja puede indicar que eres parte de un remanente, que Dios mismo te sanará y se ocupará de tus opresores. *«y pondré a la coja como remanente...»* Mi. 4:7; *«en aquel tiempo yo apremiaré a todos tus opresores; y salvaré a la que cojea...»*, Sof. 3:19; *«Y vinieron a Jesús grandes multitudes, trayendo consigo cojos, lisiados, ciegos, mudos y muchos otros, y los pusieron a sus pies; y él los sanó»*, Mt. 15:30-31. Las piernas representan tu camino físico y espiritual. Si te has desviado del camino de la vida, entonces el enemigo puede herir o entorpecer tu caminar, Ef. 6:13.

Piernas cruzadas: sentarse con las piernas cruzadas en el suelo o en un mueble es adoptar una posición de distención y confort. Por lo general, los jefes y los dirigentes se sentaban con las piernas cruzadas para pasar el tiempo libre juntos discutiendo asuntos críticos o resolviendo problemas de la comunidad.

Piernas cojas: las piernas cojas representan a los tontos o a las decisiones insensatas que causan destrucción. Cnt. 5:15; Sal. 147:10; Pr. 26:7; Dn. 2:33, 40.

Piernas, cortadas: si se cortan o amputan las piernas: representa la ruina financiera, la pérdida de amigos, la pena insoportable en el hogar.

Piernas, femeninas: belleza; elegancia; fuerza; seducción; andar natural o espiritual.

Piernas: camino natural o espiritual del hombre; pilar; apoyo del cuerpo de Cristo; fuerza; las piernas te llevan a través de situaciones difíciles, para hacer frente, te permiten caminar por la vida, sistemas de apoyo; motivación; piernas de mujer: gracia, belleza, seducción; la luz roja de la unción de Dios trae sanidad a las piernas, Dt. 28:15, 35; Éx. 29:17; Pr. 26:7; Dn. 2:33; Jn. 19:31; Gén. 18:4; Sal. 147:10.

Pies de bronce: ver finos pies de bronce representa el juicio contra el pecado, Dt. 28:23; Apo. 1:15.

Pies enfermos: las ofensas, la falta de perdón y la amargura están afectando tu caminar.

Pies, besando: serás humillado por un superior.

Pies cojos: falta de fe en el caminar; escéptico; error; inseguridad y duda.

Pies cortados: dificultad en los viajes o en un viaje; cirugía.

Pies descalzos: belleza de los mensajeros del Evangelio; pisando tierra sagrada como Moisés, Éx. 3:5; sin preparación ni protección; de fácil ofensa; tierno. Los pies descalzos indican que habrá que superar obstáculos para avanzar.

Pies, dolor: problemas en las relaciones.

Pies fríos: indica que se avecina una decepción o el temor a avanzar, alguien se prepara para echarse para atrás en lo referente a una promesa.

Pies, lavado de: acto de humildad y servicio, Jn. 13:5.

Pies malolientes: indica que el soñador se salió del camino estrecho o de la norma aceptada por la sociedad y pasó por algunas situaciones adversas o zonas negativas que han causado malestar.

Pies, pateando: resistencia o rebelión contra la autoridad y las estructuras, 1 Sam. 2:29; Hch. 9:5; 26:14.

Pies rotos: si tus pies están rotos puedes esperar que el juego sucio intente detener tu progreso.

Pies sucios: ver los pies sucios es una advertencia para cuidar tu reputación; ten cuidado por dónde caminas. Evita las situaciones dudosas.

Pies: cuestiones fundamentales en la vida, conducta, estar bien o mal cimentado, los pies en la tierra; portador de buenas noticias o del evangelio, Is. 52:7; picazón: viaje o cambios que se avecinan; baño: humildad o lavado del temor. La luz roja de la unción de Dios trae sanación a los pies. Paseo natural o espiritual; mensajero del evangelio de Dios; comportamiento; ofensa; pisar serpientes y escorpiones; actitud del corazón de uno; inamovible; terco; dolor en la planta del pie: espíritu obstaculizador, paralizante; calor: preparación para viajar con el evangelio de la paz. Paseo natural o espiritual; comportamiento; ofensa; pisar serpientes y escorpiones; actitud del corazón de uno; obstinado cuando está quieto; mensajero de Dios; paseo humilde; postura humilde; Gál. 2:14; Sal. 35:15; 40:2; Ef. 6:15; Heb. 12:13, 15; Jn. 13:14; Js. 1:3.

Pieza de dinero: Gén. 33:19; Jb. 42:11; Mt. 17:27 piezas de plata, un siclo.

Pífano: similar a una flauta, pero con un rango de viento más alto; acompaña a los tambores en la guerra; llama a defender tu honor o el de un amigo.

Pigmeo: trauma emocional o angustia debido a conflictos o desacuerdos relacionales; los pequeños problemas se intensificarán si no se resuelven rápidamente.

Pijama: dormirse en la guardia; holgazanear; descansar; prepararse para la intimidad.

Pila: ver un montón de paja, forraje o una pila ordenada de periódicos u otros objetos indica que tendrá que dedicar mucho tiempo a buscar un asunto para encontrar la información o lo que busca. Considera también que algo ha sido preparado o apilado en tu contra o a tu favor (baraja) para disminuir o aumentar tus posibilidades de ganar o tener éxito.

Pilar del Templo: ver los pilares en el templo representa una posición inamovible en Cristo; estabilidad y permanencia, Apo. 3:12; Gál. 2:19.

Píldora anticonceptiva: intento rutinario e intencionado de evitar la fecundidad o el aumento de la producción; temor al embarazo; no querer reproducirse; racionalizar el uso de los recursos; un anticonceptivo oral; esterilidad; juego de palabras.

Píldora: ser una píldora o una persona desagradable en tu sueño indica que has almacenado amargura «trago amargo» por circunstancias pasadas. No hay «píldoras mágicas», así que hay que perdonar.

Píldoras anticonceptivas: necesidad de tener el control en todo momento; no confiar en Dios para que dé fruto; limitar el potencial o la capacidad de producir; Sal. 127:3; Pr. 16:9.

Pileta: lugar para limpiar los recipientes del servicio; lavarse las manos de una situación; eliminar las manchas, los restos y las sobras; depresión; «hundirse en la desesperación».

Piloto: alguien hábil en la oración; se mueve en los dones reveladores; lleva a otros a las alturas. Jesús, Espíritu Santo, alguien con licencia o empleado para operar aviones o conducir un barco hacia y desde el puerto o a través de aguas peligrosas, alguien que guía, dirige o encamina a otros, un prototipo o modelo tentativo para un futuro experimento o desarrollo. Un capitán de barco Hechos 27:11; *«Podemos hacer que un caballo vaya adonde queramos si le ponemos un pequeño freno en la boca. También un pequeño timón hace que un enorme barco gire adonde desee el capitán, por fuertes que sean los vientos. De la misma manera, la lengua es algo pequeño que pronuncia grandes discursos»*, Snt. 3:3-5. Pilato preguntó a Jesús qué es la verdad, Jn. 18:38.

Pimentón: especia roja húngara hecha de pimientos rojos representa el deseo de condimentar la vida de uno, pero cuidado con los excesos, demasiado de algo no es bueno para la salud.

Pimienta de Jamaica: Compasión; oler, saborear o verse cocinando con pimienta de Jamaica indica que todas las áreas de su vida se van a volver picantes o emocionantes.

Pimienta: supera el aburrimiento y el desánimo añadiendo más especias y variedad a la vida; las irritaciones aleatorias provocan una reacción violenta; liberación.

Pináculo: Mt. 4:5; Lc. 4,9; un ala o elevación en el pórtico de Salomón con vistas al valle del Cedrón.

Pincel: colorear el mundo de alguien; brillar, rozar o cubrir.

Pinchar: ver o ser pinchado en un sueño significa que estás siendo espoleado, no te quedes en el mismo lugar o condición en la que estás actualmente, termina la carrera.

Pinchazo: ver que el neumático de su vehículo se pincha debido a un pinchazo indica que su progreso se verá obstaculizado a menos que empiece a aceptar la ayuda y las ideas de los demás.

Ping pong: el juego es veloz y exige reacciones rápidas, pero augura una fácil consecución de los objetivos actuales si está igualado. Si se está en desigualdad o en desventaja, al hacer girar la pelota se altera su trayectoria y se limitan las opciones del adversario, lo que da al golpeador una gran ventaja y una buena oportunidad de marcar o alcanzar sus objetivos.

Pingüinos: pájaro que no vuela; se niega a sí mismo en beneficio de los jóvenes; se justifica con actos de martirio; ve las cosas en blanco y negro; «mantiene la calma»; no exagera los problemas; mantiene la cabeza fría; mantiene sus emociones, su equilibrio y su hostilidad interior. Persona que se niega a sí misma por el bien de los jóvenes; cree que el martirio trae la justificación; tener una perspectiva de las cosas en blanco y negro, Rom. 6:23.

Pino: siempre verde: esperanza; líder recto; unción curativa; éxito; fragancia; belleza; prosperidad perpetua; nuevo crecimiento; educación; crece bajo el sol; alta visión; capaz de ver; sufrimiento anhelo o anhelo extremo; piedad; Maine; Estado de Washington, Neh. 8:15; Is. 41:19; 60:13.

Pintar la pared: quieres un nuevo comienzo; eres creativo; intentas tapar algunos errores del pasado.

Pintor: ver a un pintor pintando tu casa representa una nueva unción o manto que cubrirá toda tu vida. Estás siendo restaurado o renovado para una nueva temporada de prosperidad.

Pintura corporal: tu cuerpo es el templo del Espíritu Santo. Verte cubierto de pintura corporal puede indicar que tienes una nueva unción en tu vida.

Pintura de guerra: ver tu cara cubierta de pintura de guerra indica que todavía llevas las marcas de la ira y la amargura de una discusión o infracción pasada.

Pintura, cobertura: protección; doctrina; belleza; decepción. Pintar: aplicar color sobre algo con una herramienta de trabajo; forma de retocar algo que está defectuoso; añadir retoques a un terminado. Pintar una casa: es el momento de cubrir el pecado de alguien con amor, de permitirle ser remodelado o renovado en la vida, Jer. 22:14; Ez. 23:14. Un tipo de caballo de dos tonos.

Pintura, un artista: la pintura representa a alguien que es articulado, humorístico o elocuente en su forma de ser; fluido en sus expresiones y capaz de crear una nueva imagen para mostrar a los demás.

Pintura: representa numerosas formas y modos de imaginación, inspiración, una autoexpresión de la propia percepción, perspicacia y conciencia interior, un medio para comunicar tus pensamientos inspirados en la imaginación, las pinturas pueden ser naturalistas y representativas (como en una naturaleza muerta o una pintura de paisaje), fotográficas, abstractas, cargadas de contenido narrativo, simbolismo, emoción o pueden ser de naturaleza política. «Una imagen dice más que mil palabras». La pintura al óleo indica la obra del Espíritu Santo, en medio acuoso indica la obra del Verbo; presta atención a los colores, a quién pinta y a lo que se pinta. ¿Es en papel o en lienzo? Dar rienda suelta al propio ímpetu creativo.

Pinzas: podrás arrancar y eliminar las pequeñas irritaciones de las relaciones rotas del pasado.

Piña: muestra el potencial de situaciones favorables si sigues perseverando; dulces recompensas esperan tu diligencia; hospitalidad; Hawái; equilibrado en el Espíritu.

Piñón de pino: contiene muchas semillas, por lo que es un signo de fructificación en tus dotes de liderazgo. Aprende a mantenerte fuerte y erguido cuando expresas tus opiniones y te diriges a los demás.

Piojos: acusaciones que causan preocupación, angustia y vergüenza; plaga, enfermedad, vejación de la cabeza y el cuerpo, enfermedad; molestia; significa frustraciones, angustia, miseria y sentimientos de culpa, carece de limpieza; falta, polvo, Éx. 8:16-18, Sal. 105:31 plaga, hambre y pérdida; aflicción; remordimiento; infectado emocional o físicamente; simboliza aquella personalidad, circunstancias o asociaciones que deseas desprender de ti.

Pionero: pionero que se adelanta a los demás para encontrar el mejor camino; liderazgo en situaciones difíciles; siempre avanzando hacia territorios inexplorados, Nm. 33:1.

Pipa: comodidad tranquilizadora, relajación, placer y acuerdos pacíficos se harán con los amigos; las cortinas de humo te están impidiendo ver una situación con claridad.

Piqueta: herramienta con un ángulo recto que se utiliza con un movimiento hacia abajo para cavar la tierra.

Piqueta: ver una piqueta siendo usada indica un proceso lento que implicará largas y duras horas de trabajo para conseguir un avance; también se considera el término, «ser demasiado quisquilloso».

Piragüismo, aguas turbulentas: se necesita confianza y gran habilidad para sortear los desafíos.

Piragüismo: remar a lo largo de la vida a un ritmo lento y constante; ocio; paz y tranquilidad; el esfuerzo físico es necesario para avanzar. Piragüismo, aguas tranquilas: paseo de paz, alegría, serenidad y reflexión, sencillez.

Pirámide: obstáculos y cambios grandes y monumentales; sabiduría necesaria para resolver problemas y misterios; esquemas piramidales.

Piraña: ver un pez que come la carne de los vivos y de los muertos; representa los pecados devoradores de la carne, una persona codiciosa que destruye o consume a los demás con palabras viciosas que difaman y destrozan la propia reputación.

Piratas: una nueva empresa; investiga a tus socios antes de asumir compromisos financieros; alguien o algo que amenaza tu bienestar emocional o se te está enfrentando; distracciones no deseadas te están robando el tiempo, Jn. 10:10; sentimientos de ser saqueado, el deseo de saquear a los ladrones en la vida; los propios impulsos de saqueo, de merodeo, o lo que hace que uno se sienta saqueado o aprovechado; alguien está robando lo que es importante para ti.

Pirueta: verse girando sobre un pie mientras se baila indica gran alegría y felicidad de un nuevo amor encontrado; salud, riqueza o un incremento de las finanzas.

Pisada: la palabra pisada tiene varios significados: fundamento en la arquitectura, en la ciencia (teoría de la traducción), en la contabilidad, en el acto sexual y en el jogging. En un sueño, verse a sí mismo perdiendo el equilibrio indica que le espera una mala caída. Prepárese para una caída o haga los cambios necesarios para evitar magulladuras emocionales, físicas o financieras. Verse a sí mismo ganando terreno significa que será capaz de sobresalir y ascender a una nueva altura de influencia o riqueza con cada paso que dé.

Piscina: lugar o condición espiritual; iglesia; familia; la medida de la unción de una persona; la piscina de unción o dones de un individuo; dar un salto de fe; saltar a lo profundo representa ir por encima de tus probabilidades en una situación; representa aquellos sentimiento o problemas de raíz profunda que se deben superar; permanecer en lo superficial representa tomar las cosas con calma y considerar cada paso del camino; hacerle frente a las cosas superficiales y a los problemas fáciles de superar; tomar las cosas con calma, relajarse y tomar un descanso de las actividades cotidianas; el agua representa sentimientos o emociones; nota el estado del agua: ¿es tranquila o turbulenta? Reconoce tu estado actual o tu condición emocional; el agua tiene propiedades limpiadoras y refrescantes; lava las heridas, las decepciones y las penas del pasado; nadar sin agua indica que estás totalmente sumergido en tus sentimientos o en los efectos de una situación.

Piscinas: indican el nivel de dones individuales, la unción o la esfera de influencia de una persona. Es hora de sumergirse en el reconocimiento, entrar en contacto con sus emociones y comprender sus sentimientos. El agua de las piscinas es clara, limpia y refrescante para lavar el pasado o limpiar el alma del dolor.

Piso superior: ir más alto en el Espíritu; promoción;

Pentecostés en el Cenáculo; aumento de la unción y del favor; buenos pensamientos; oración.

Piso: vivir en un piso o apartamento en Australia, los países de la riqueza común, Gran Bretaña, Irlanda y las ciudades americanas indica que estás en un momento de transición.

Pisos de madera: centrarse en los pisos de madera en un sueño indica que estás a la defensiva o en guardia sobre cuestiones fundamentales en la vida. Los tablones sueltos sugieren que el suelo que pisas es inestable o que estás cediendo a los argumentos de los demás. Presione y descubra nuevas verdades para poder recuperar tu ventaja o seguridad.

Pisos: ver una zona lisa y nivelada indica una temporada de viaje o impulso suave e ininterrumpido.

Pisotear: si compartes la preciosa revelación de Dios y las ideas espirituales con un incrédulo, se burlarán de ti y te pisotearán. «*No deis lo santo a los perros, ni echéis vuestras perlas delante de los cerdos, no sea que las pisoteen, y se vuelvan y os despedacen*», Mt. 7:6; «*Por medio de ti sacudiremos a nuestros enemigos; En tu nombre hollaremos a nuestros adversarios*», Sal. 44:5; Autoridad dada por Dios para vencer al enemigo.

Pista atlética: Dejar que tu ventaja competitiva se eleve para ayudarte a afrontar los retos de la vida.

Pista de atletismo: es necesario un tiempo de planificación y de formación estratégica para acotar tu ámbito de interés; correr en círculos no te llevará a ninguna parte; perfeccionar tus habilidades para convertirte en un experto en un campo o área; localizar a personas que puedan ayudarte en tu campo de trabajo; entrar en contacto con un espíritu de excelencia para tener éxito; has perdido la pista de tu meta o destino.

Pista de carreras: ¿sientes que necesitas alejarte de las presiones de la vida? ¿El estrés te ha hundido? ¿Eres un pródigo que ha gastado su herencia y no le queda nada para vivir? Verse a sí mismo huyendo indica que desea escapar de tu situación o relación actual. Estás evitando las responsabilidades, rebelándote contra las estructuras para hacer las cosas a tu manera o por tu propia cuenta.

Pista de carreras: Correr la carrera o el curso de la vida que se ha puesto ante ti de manera que ganes. Has estado viviendo la vida en el carril rápido compitiendo con otros tratando de salir adelante, pero tu vida parece ir en círculos en un camino establecido haciendo las cosas de una manera repetitiva sin querer desviarse de la norma, las cosas parecen seguir repitiéndose en un ciclo repetitivo, Gál. 2:2, 2 Tm. 4:7, Heb. 12:1-2. Dar vueltas y más vueltas sin ganar terreno; estás en el «carril rápido» de la vida tratando de adelantarte cortando el paso a los demás;

aprende a cambiar de velocidad, renueva tu mente con la Palabra de Dios; cambia de carril o mira las cosas desde un nuevo ángulo; toma el camino más alto que es menos transitado; sal de la carrera de ratas.

Pista de patinaje: aunque el patinaje es un deporte elegante o un divertimento con los amigos, en un sueño puede representar que te encuentras en una situación muy resbaladiza. Tu éxito requerirá gran habilidad y equilibrio entre la interacción social, la confianza en sí mismo y el aplomo ético. Mantente firme, y sólo sigue la corriente hasta cierto punto o te encontrará comprometiendo tu moral, resbalando o teniendo una crisis. No te dejes llevar por los fríos ideales de otra persona. No quisieras encontrarte con que has perdido tu filón y que sólo patinas por la vida dando vueltas y vueltas en los mismos círculos viciosos.

Pista: camino apenas utilizado, no convencional; «fuera de la pista»; «historial»; «en la pista de»; «perder la pista de algo»; «duro en la pista de alguien»; «hacer pistas para»; «en el camino correcto/equivocado», 1 Cor. 9:25.

Pistola de aire: cuando te sientes amenazado tiendes a disparar por la boca y a soltar mucho aire caliente cuando estás bajo presión.

Pistola de clavos: hablar proféticamente con gran precisión; dar en la raíz de un problema; construir o edificar a un individuo; alguien que dispara por la boca palabras muy hirientes; palabras duras y penetrantes que dan en el blanco.

Pistola, cargar: advertencia para no perder los nervios; peligro potencial; agresividad pasiva.

Pistola, disparar a alguien: verse disparando a alguien en un sueño indica que tienes ira o rabia ocultas.

Pistola, no dispara: impotente para protegerse o cambiar; una actitud explosiva que mata.

Pistola: arma de fuego en la mano, actuar de manera inapropiada «es una pistola»; alguien cercano a ti está disparando son su boca palabras airadas o hirientes.

Pistolero: acusador, tirador agudo, persona que habla mal de los demás y dispara por la boca.

Pit bull: individuo tenaz que muerde y no suelta; guerrero furioso; compañero leal; defensor de fuerte voluntad.

Pitón: ver una pitón en un sueño representa el espíritu de la adivinación, el espíritu adivinatorio oculto, el sometimiento al control o a la voluntad de otros, el peligro acechante, el pecado, la falta de libertad y la sexualidad manifiesta. Te sientes estrangulado, sofocado, atenazado o confinado, Is. 59:4-5, Si ves que la pitón mata a su presa, entonces te sientes emocionalmente paralizado, asfixiado, acosado y aprensivo, Hch. 16:16.

Pitotoy (pájaro): ave zancuda norteamericana con patas amarillas y un pico largo y estrecho, indica temor a adentrarse en las cosas más profundas de Dios. Prefieres quedarte en las aguas poco profundas y chapotear siempre con precaución y nunca obtener tus verdaderos deseos.

Pizarra: podrás recoger la información necesaria para aprender lo que necesitas saber sobre las personas o las situaciones actuales, estarás preparado para hacer los cambios necesarios. Ver una pizarra en un sueño indica que tus fracasos pasados están siendo borrados, por lo que tendrá un nuevo comienzo con nueva sabiduría para afrontar los retos de la vida; escribir en ella: tendrá planes exitosos con una vida larga y próspera.

Pizza: abundancia, variedad de opciones y diversidad de selecciones; ser estirado y arrojado en una situación caliente.

Placa de circuito: manejar un tablero de circuitos en un sueño indica que necesitas hacerte cargo de un proyecto de trabajo e incentivar cierta unidad de cohesión con sus compañeros de trabajo para que todo comience a caer en su lugar apropiado para una eficiencia más productiva.

Placa de matrícula: la placa de un vehículo, si está personalizada, indica la identidad de una persona; se refiere al propietario, a la identificación, a la matriculación o a la autorización para circular.

Placa fúnebre: uno ha olvidado o enterrado los talentos o el potencial, poniendo a descansar algún área de dones. La inscripción dará una valiosa visión de cómo la gente ve tu vida, aprovecha cada momento y vive la vida al máximo. Zc. 4:7, piedra principal.

Placa, de hierro: señal de que serás bloqueado o asediado por un enemigo, Ez. 4:3.

Placenta posparto: Otro nombre para la placenta que sale del canal de parto después de dar a luz. Ver la placenta de un bebé en su sueño indica que ha nacido una promesa. Tendrá que pasar por el proceso de limpieza de algunos desórdenes y cabos sueltos para llevar este nuevo comienzo a la madurez y garantizar tu salud.

Placenta: órgano vascular membranoso que se desarrolla en las hembras de los mamíferos durante la gestación y que recubre la pared uterina y envuelve parcialmente al bebé unido a un cordón umbilical que se expulsa tras el parto. Tu cuerpo se está preparando para dar a luz a un bebé y suministrarle los nutrientes necesarios. La nueva idea o empresa que has puesto en marcha está siendo protegida, alimentada, financiada o dotada de los recursos necesarios. La placenta podría representar el hecho de depender totalmente de otra persona para su protección, bienestar y crecimiento; usted obtiene su salud espiritual, física y mental de otra persona; tome las riendas de su propia vida. Contiene agua, símbolo de la unción o del Espíritu Santo, que protege el nuevo nacimiento dentro del vientre. Cuando el agua se rompe, limpia el canal de parto para que la creación de Dios sea liberada en los brazos de su madre.

Plaga: juicio o maldición que proviene del pecado y la desobediencia, Sal. 106:29.

Planchar: el trabajo duro ayudará a resolver una situación acalorada, sentirse presionado para planchar algunos baches en una relación, el aburrimiento de las actividades mundanas y la repetición, si te quemas es señal de que estás acosando demasiado a alguien.

Planchas: relaciones que trabajan nuestras arrugas y debilidades; «el hierro se afila con el hierro» Pr. 27:17; presionar con calor intenso o juicio. El lado material de la vida, la fuerza inflexible, las emociones fuertes, gobernar con puño de hierro en guante de terciopelo, el telón de acero, el hombre de hierro, las competiciones de Iron Man; gobernar con puño de hierro.

Planeador: ser llevado por el viento del Espíritu Santo, libre albedrío, salto de fe, altos niveles de confianza, dispuesto a hacer cambios, ser llevado de una cosa a otra e inestable, de corta duración, de transición; ver o montar un planeador: tendencia a ir con la corriente de las cosas; sin iniciativa para hacer cambios en la vida; las cosas son una brisa para ti.

Planeta: no te acomodes a los límites de este mundo tienes mucho que descubrir. La creatividad y la inmensidad inexplorada de Dios no tienen límites en Él. Eres un espíritu creativo que no se limita al razonamiento terrenal. Unas influencias abstractas o extrañas en tu vida, unos deseos extraños están saliendo a la superficie. Deja de ser supersticioso y cree en el Dios que creó los planetas y el universo.

Planta de aloe: Bálsamo curativo de consuelo por ser quemado en las relaciones; sabiduría e integridad. Un perfume relacionado con «la mirra, la casia y la canela», una especia utilizada para embalsamar a los muertos Jn. 19:39; utilizada por Balaam Nm. 24:6 para ilustrar la noble situación de Israel plantado en una tierra selecta.

Planta en maceta: las plantas de interior se cultivan para obtener efectos positivos para la salud o psicológicos, para fines decorativos o para purificar la atmósfera interior de gérmenes. Si ve estos símbolos, considere qué cambios constructivos deben producirse en su entorno.

Plantación: zona de plantas y árboles en cultivo en una gran finca o granja que cultiva con trabajadores residenciales. Te estás convirtiendo en un cosechador, una plantación del Señor y de su justicia, una iglesia o el Reino de Dios.

Plantas verdes: nueva vida; prosperidad; aumento; salud.

Plantas y flores: representan la vida, el crecimiento, el aumento, la fecundidad, la abundancia, el comercio y la prosperidad si están verdes y sanas; la decadencia, el declive, la esterilidad, la pobreza o la muerte si están secas, marrones o quemadas. Presta atención a los tiempos de siembra y cosecha, y al fruto que produce. La poda significa que se avecina un gran crecimiento. El color de las flores, los frutos o las hortalizas es importante (consulte la carta de símbolos de los sueños de color), Sal. 107:37-38; 128:3; Mc. 4.

Plástico: las cosas hechas de plástico están hechas por el hombre y no tienen valor eterno. Una naturaleza de plástico no es genuina; necesitas darte cuenta de quién eres en Cristo Jesús. Deja de ser falso. Si no te gusta lo que eres actualmente haz los cambios necesarios para ser una mejor versión de ti mismo. No hay nadie más como el genuino tú. Persona fingida, superficial que se da aires o una máscara para cubrir su verdadero carácter, alguien que es falso o artificioso, barato o fingido, no real.

Plastilina: utilizar plastilina en un sueño puede hablar de tu capacidad de moldear y de tu disposición a doblarte y ser flexible en determinadas situaciones. También puede indicar que estás actuando de forma infantil y que no te responsabilizas de tus propios actos y que necesitas actuar de forma adulta en lugar de jugar.

Plata, color: redención; salvación; poder; amor; gracia; misericordia; vida; cordón de plata; Ec. 12:6; legalismo; esclavitud; dominación; traición.

Plata, monedas de: si la plata se da de buena gana: la redención, la gracia, el favor, la misericordia y la salvación se darán en una situación relacional; si la plata se toma o se retiene: el legalismo, la esclavitud, la dominación y la traición junto con la disensión entrarán en la relación.

Plata, peces de: «escarabajos de fuego»; personas que se alimentan de viejas tradiciones secas; reúnen información desde detrás de las paredes vacías, escuchando a escondidas, sin dejar ninguna piedra sin remover; prefiriendo los lugares sombríos, son más activos por la noche en lugares ocultos del ático; acechando desde sus pensamientos altos y huecos, brillan cuando excavan chismes de armarios oscuros, estanterías y almacenes. Se hundirán hasta los niveles más bajos de la base para desenterrar las faltas o debilidades fundacionales; lavando los pecados de sus víctimas en lavabos y bañeras.

Plata, vajilla: vajilla hecha o bañada en plata. Uno es lo que come. La plata habla de redención. Es posible que tengas que retractarte o tratar de redimir algunas palabras que has dicho fuera de lugar.

Plata: la plata representa el precio o la expiación de la redención del alma por medio de Jesucristo nuestro Redentor. Justicia; dinero; medio de cambio; ídolos; adornos; trompetas; escoria que se purifica en el fuego del refinador; imagen de Dios reflejada; riqueza; esclavitud. Pr. 2:3-4; Ma. 3:3. Metal precioso utilizado como medio común de comercio, Gén. 23:16; utilizado en la construcción del Tabernáculo y los muebles, Éx. 26:19, 1 Cr. 28:14-17, instrumentos musicales, Nm. 10:2; adornaba los ídolos, Is. 40:19. Abundante 1 Re. 10:22, 27; 2 Cr. 9:14, alude a la belleza, Éx. 25:3, 30:11-16; Zc. 11:12-13; Mt. 27:3-9; 1 Pe. 1:18.

Plataforma: verte en una plataforma indica que tienes el don de orador o que eres un hábil comunicador. Estás llamado a los medios de comunicación de alguna forma o manera. Es señal de que tienes una gran responsabilidad de guiar a la gente en la dirección correcta tomando una posición de excelencia. Ellos te seguirán y tú seguirás a Dios.

Plátano maduro: ha llegado la plenitud del tiempo para que compartas la dulce y buena noticia que llevas dentro. Tu espíritu y enfoque suaves serán bien recibidos a medida que vayas pelando las capas de la revelación para compartir lo que se te ha dado para impartir.

Plátano: persona gentil que se abre a la gente con mucha facilidad y comparte su suavidad, su dulzura, su interior.

Platillos voladores: vehículo demoníaco de engaño, las fuerzas alienígenas están trabajando para engañar, un ángel de luz.

Platino: ver un elemento metálico blanco plateado resistente a la corrosión que se utiliza en componentes eléctricos de joyería, odontología y como catalizador en tus sueños indica que tendrás éxito en tus relaciones personales o en tus negocios, incluso si crees que has puesto el listón demasiado alto. Si eres una rubia platinada, ¡espera divertirte más!

Plato dorado: determinada cosa que se debe dedicar al Señor como algo sagrado, Éx. 28:36; 39:30; Lev. 8:9.

Plato sucio: ver un plato sucio usado en un sueño indica que sientes que los demás se aprovechan de ti y sólo te dejan sus desechos y restos de comida.

Plato: lo que uno se sirve, comida o provisiones proporcionales a su hambre o gusto.

Platos apilados: las pilas de platos limpios o las estanterías que muestran platos elegantes indican que te estás preparando para tu futuro y alineando las cosas ordenadamente en tu vida.

Platos rotos: los platos rotos o destrozados representan un corazón roto, emociones afligidas, sentimientos de falta de calidad o escasez. Mt. 23:25.

Platos sucios: la vajilla sucia necesita ser lavada y limpiada antes de volver a ser utilizada. Es el momento de volver a mover las viejas decepciones y las promesas rotas y participar en el consumo de los nuevos alimentos apetitosos que se están sirviendo. Enfréntate a tus emociones problemáticas de frente, deja de evitarlas. Limpia lo viejo para poder salir de la rutina diaria hacia la nueva aventura que te espera.

Platos: indica nuevas ideas, conceptos diferentes y actitudes que estás repartiendo o que otros te están sirviendo. Es el momento de explorar para ver qué nos depara esa nueva relación.

Playa: ver una playa en tu sueño significa que puedes tener un llamado a tocar a la gente del mundo a través de la evangelización o las misiones, flujo y reflujo de las olas del Espíritu, lugar de relajación y vacaciones del trabajo.

Plazoleta: es una zona abierta delante de la entrada de una estructura o edificio. Este símbolo indica que estás en el umbral de una nueva oportunidad, trabajo o relación. Asegúrese de utilizar su buen juicio a la hora de tomar decisiones sobre cómo avanzar en tu carrera y mejorar tu vida.

Plomada: «siete ojos del Señor»; medición por la norma divina de justicia y verdad de Dios; «alineación»; desolación; revela lo torcido, Am. 7:7-8.

Plomo: peso; una carga o cosa pesada que uno lleva; engañar a alguien o actuar de manera insensata; juicio; maldad o pecado.

Pluma: ver o que te entreguen una pluma en tu sueño indica una unción de escriba; tienes una habilidad para comunicarte a través de la palabra escrita. Sacar la pluma de un puercoespín o de un erizo de tu cuerpo indica un retraso doloroso que hará que estés en el lugar y el momento adecuados para el ascenso.

Plumas: protección; escudo; capacidad de volar, consuelo; cobertura; representa la unción. Sal. 91:4; Dt. 4:33; Mt. 23:37.

Plumero: ver o usar un plumero en su sueño sugiere que está revelando algunas aptitudes no empleadas que pondrán un nuevo brillo en su situación de vida actual.

Plumilla: ver o usar un esfero de plumilla indica que tienes una unción de escritor y las habilidades de un autor dotado.

Plutón: Plutón está clasificado como el noveno planeta; es el objeto más grande del cinturón de Kuiper; se le conoce como planeta enano; está formado por roca y hielo; su masa es 1/6 de la de la Luna; gira cerca del Sol. Ver el planeta Plutón en un sueño representa la muerte y la destrucción provocadas por el diablo, el infierno o el Hades; ora para que Dios te proteja; reprende la maldición en el nombre de

Jesús. Personaje de perro de Disney; no eres consciente de tu gran ego y necesitas morir al yo y sufrir una transformación espiritual a través de un renacimiento en Cristo. La salvación es tu respuesta. Una vez que hayas nacido de nuevo, descubrirás tu potencial oculto y un nuevo tú será desvelado.

Pobres: bienaventurados los pobres de espíritu porque el reino de Dios es de ellos, Mt. 5:3; Sal. 40:17; 74:19; 86:1; Mc. 12:42-43; humildad; la preocupación, el desasosiego, la ansiedad y el temor lo llevarán a la pérdida; amigos desleales y egoístas que te utilizarán para su propio beneficio; angustia, pena y fracaso.

Pobreza: estar en un estado de pobreza en un sueño indica una escasez o carencia, una falta de posesiones materiales o de dinero. ¿Qué alcance tuvo la pobreza? ¿Afectaba a tu vida social, económica, política y familiar? ¿Era crónica o temporal? La mayoría de las veces los sueños de pobreza indican que te sientes subordinado o menos valioso que los demás. Tu sentimiento de desigualdad te frena. Considera también que si no diezmas sufrirás pobreza en alguna o en todas las áreas de tu vida porque estás robando a Dios. *«¿Robará el hombre a Dios? Pues vosotros me habéis robado. Y dijisteis: ¿En qué te hemos robado? En vuestros diezmos y ofrendas. Malditos sois (la pobreza es una maldición) con maldición, porque vosotros, la nación toda, me habéis robado»*, Ma. 3:8- 9 (énfasis añadido); *«El que desprecia la disciplina sufre pobreza y deshonra; el que atiende la corrección recibe grandes honores»*, Pr. 13:18; *«¡y te asaltará la pobreza como un bandido, y la escasez como un hombre armado!»*, Pr. 6:11.

Poco: si eres fiel con lo poco, Dios te hará gobernante de lo mucho. No desprecies los comienzos pequeños, lo nuevo grande es pequeño. No te compares con los demás, pues te sentirás insignificante o sin valor. Construye a los demás, no los derribes. Mantente humilde y enseñable y llegarás lejos. Dios te ve como su hijo o hija, así que no te menosprecies. No te han pasado por alto, así que levanta la cabeza y avanza hacia un futuro brillante.

Poda: estar en presencia del «Hijo» produce un corazón limpio y un flujo libre; elimina las emociones indeseables o los bloqueos creativos; corta o elimina las partes muertas de lo vivo; mejora la forma; estimula el crecimiento.

Podador: podar y dar forma para eliminar la madera muerta; aumentar la cosecha y la capacidad de uno para dar más fruto; un decreto traerá un cambio que producirá un in- cremento; autocontrol y disciplina; la eliminación del pecado y las obras muertas a través del arrepentimiento.

Podadora: proceso de poda, de dar forma para eli-minar las ramas y los miembros secos y muertos; arrepentimiento; cambio; diciplinamiento; recorte para aumentar la cosecha y los frutos.

Podar el césped: cortar un montón de heno, hierba o alimento con una guadaña o dispositivo mecánico; destruir a la gente en gran número como en una batalla. Se avecina un corte o poda importante en tu vida; cambio importante en los objetivos o el camino de la vida.

Podar: una temporada de poda o recorte dará como resultado un gran aumento y fructificación. Eliminar los malos hábitos destructivos o las mentalidades improductivas, Jn. 15:2.

Poder legal: ver una autorización escrita para representar o actuar en nombre de otra persona en asuntos privados, negocios o algún otro asunto legal, a veces en contra de los deseos de la otra persona, sugiere que es hora de poner en orden tu vida y tus asuntos. Jesús es el abogado que dio su vida por nosotros, por lo que actúa en nuestro nombre para asegurarse de que somos capaces de alcanzar nuestro máximo potencial y ser lo mejor que podemos ser.

Poder, perder: puede que la vida te haya puesto en una situación difícil y que no te sientas preparado para manejarla. Ora por sabiduría y para saber cómo salir adelante.

Poder: la posesión de un determinado poder, derecho o privilegio, una habilidad mental, física o espiritual, *«Sé que puedes hacer todas las cosas, y que ningún propósito tuyo puede ser frustrado»*, Jb. 42:2; *«Puedo hacer todas las cosas por medio de Aquel que me fortalece»*, Fil. 4:13;

Poder: poder o capacidad sobrenatural para superar obstáculos o montañas de oposición, una confianza en la unción del Espíritu Santo o poder dunamis para realizar milagros, señales y maravillas. Se está dotado o tiene un talento superior al de una persona ordinaria que posee un alto nivel de autoestima y grandes habilidades para superarse en la vida.

Poderes: gobernantes espirituales en lugares celestiales sobre regiones, ciudades y naciones; habilidad o capacidad de actuar o realizar; autoridad; influencia; control; fuerza o vigor; magnificar; voltaje o corriente; Rom. 8:38.

Poesía: escribir, leer o escuchar estas hermosas palabras de rima indican una temporada de romance.

Póker: la vida no es una apuesta; no vivas al azar; juega con las cartas que te han tocado en la vida; ora por sabiduría.

Policía: autoridad; de la iglesia, o del gobierno civil; pastor o ancianos; protección; autoridad natural; ángeles o demonios; ejecutor de la ley, 1 Pe. 2:13; necesidad de ordenar, renovar o vigilar los pensamientos de la mente; tomar autoridad sobre los miedos o los intrusos no deseados; mantener cautivos los pensamientos negativos, hablar de paz a las tormentas de la vida. Necesidad de vigilar o proteger los límites personales; protección proporcionada; ejercer tu autoridad; aplicación de la ley; legalismo; letra de la ley. Representa una figura de autoridad cuyo trabajo es ayudar a proteger tus libertades y mantenerte a salvo de peligros y daños. Si sigues la ley no tienes que temer a los guardianes de la ley. Si no cumples con la ley, la policía puede aparecer en tu sueño como una advertencia para que cambies tus costumbres antes de que sea demasiado tarde.

Polilla gitana (insecto): banda de vagabundos que vienen a despojar rápidamente a los líderes de la unción sanadora y de los testimonios discretos de sanación; trae estrés para matar el movimiento de Dios; una molestia extrema que se arrastra por todas partes, dejando sus terribles excrementos olorosos; bolas de naftalina: conservan antiguos mantos y unciones.

Polilla: insecto de la noche; devorador invisible atraído por la luz; deterioro o disputa en las relaciones; engaño; problemas no detectados o destrucción oculta; corrupción en la oscuridad; Sal. 39:11 que consume la riqueza; Mt. 6:19-20 destructor que deja huecos; Is. 51:7-8 reproche del hombre, insultos; debilidades y defectos de carácter; se descubrirá el daño, el robo y el perjuicio; prestar atención a los detalles insignificantes, Jb. 4:19; Os. 5:12; Lc. 12:33.

Polio: el camino espiritual de uno se ha paralizado o deteriorado.

Política: espíritu político en los gobiernos mundiales y eclesiásticos, tradiciones de los hombres, confesionalismo, alguien que dice lo correcto en cada situación, pero que sólo hace lo que le sirve para salir adelante, espíritu mentiroso, engaño, escalador social que utiliza a la gente para su propio beneficio.

Político: gobierno de la vida exterior o del entorno, distinto de la vida interior o de los sistemas de creencias; actitudes subyacentes que producen estos sentimientos o ideas; astucia corrupta, o intentos de maniobrar o influir; influir haciendo o diciendo las cosas que otros apoyarán.

Polka: baile animado y en redondel que se hace en pareja; diversión; excitación en la vida; ritmo acelerado.

Polla, gallina: protección; una recolectora; para ser madre; Israel; temor; chismes; cobardía, patas de gallina, corazón de gallina, alimento de gallina, Mt. 23:37.

Pollito: ver un pollito en un sueño puede representar a un niño, mujer o chica joven; «¡Mira ese pollito!». Un pollito también puede representar a alguien que es nuevo en Cristo.

Pollo descabezado: comportamiento histérico sin usar la cabeza; sin sentido común.

Pollo, gallo: un gallo representa la agresividad masculina o la confianza extrema, una actitud «arrogante».

Polluelo: presta atención y toma conciencia de tu vocación y dones únicos, ya que algo especial está a punto de ocurrir en tu vida.

Polo: jugar: significa una vida de afluencia, derecho de entrada y estatus; un mundo dominado por los hombres y gobernado por el patriarca.

Polvo: descuido; falta de uso; pereza o inactividad, olvido, vejez o antigüedad; actividad confusa o desilusionante; numerosa; humillación; fragilidad del hombre; maldición; camino hacia la muerte.

Polvo: empolvarse la cara en un sueño indica que estás intentando dar tu mejor impresión o mostrar tu mejor cara. Las primeras impresiones significan mucho. Por el contrario, el polvo puede indicar que te sientes defectuoso o que tienes algo que ocultar, tal vez sientes que has cometido un error y quieres cubrirlo para que los demás no lo vean.

Pólvora: la mecha de uno es corta y su temperamento está a punto de estallar o arder sin control; estallar o explotar, investigar un estado de cosas; advertencia para abordar una situación negativa con mucha precaución.

Pómulos: Dios te está protegiendo de los planes del enemigo, Sal. 3:7.

Ponche, bebida: soñar que se está bebiendo ponche representa un semblante alegre, fuerza y una renovación de la energía vital; a menos que el ponche sea *kool-aid* aderezado con el veneno de Jim Jones.

Poner huevos: ver que se ponen huevos indica que un nuevo comienzo está en proceso; preparar lo necesario para completar el proceso como en un período de incubación antes de la eclosión. Determina qué tipo de huevos están siendo incubados. Los huevos también pueden ser el nacimiento o la propagación del mal si los huevos son de una serpiente, un caimán o un tiburón.

Ponerse las pilas: tus planes tendrán éxito con mucho trabajo y esfuerzo.

Pontón: embarcación de fondo plano, de movimiento lento, flotante, utilizada para llevar a la familia y a los amigos a pasar un día de recreo, diversión y compañerismo.

Pony: sigue siendo pequeño de estatura cuando es adulto, pero tiene una gran potencia; jerga: «aflojar el codo»; pagar el dinero que se debe o que se tiene que pagar; traducción de un texto en lengua extranjera utilizado a escondidas por los estudiantes.

Pool: juego de azar; agrupación de recursos, dones y habilidades para el bien común.

Popa: ver la parte trasera de la popa de un barco sugiere que sus relaciones siguen navegando hacia el ancho azul. Aprenda a cooperar, dé un poco para vivir un poco.

Por encima, viendo: Verte a ti mismo desde arriba significa que eres un observador y te sientes más introspectivo y en control de tus acciones.

Por encima: eres una persona de excelencia que siempre hace más de lo que se espera de ti. Subir por encima de un objeto o de un muro indica que vas a superar tu situación actual; no subir por encima indica el fin de un trabajo o de una relación, el compromiso ha terminado, tu tiempo de obligación ha terminado.

Por la borda: Verse saltando por la borda de un barco o crucero indica que quiere salir de una relación y que no se detendrá ante nada para escapar. Este símbolo advierte de los excesos.

Porcelana: cerámica dura, blanca y translúcida que se hace cociendo arcilla pura y luego se esmalta; indica una gran ocasión social o una celebración.

Porche, delantero: se está dando una visión actual o futura; construir: aumento, algo nuevo; presente o futuro; más público, visto; enfrentado; entendido; alcance, o parte expresada de la propia naturaleza; «ser de dientes para afuera» o fachada.

Porche, trasero: recuerdos del pasado, historia o acontecimientos ya transcurridos.

Porche: algo está ocurriendo en tu vida ahora o en un futuro próximo que será visto por los que están cerca de ti, 2 Cor. 15:8.

Porno: no pongas ninguna cosa impura ante tus ojos, Sal. 101:3, un espíritu mentiroso y engañoso que seducirá y robará tu familia, tu riqueza y tu salud; engaño; perversión; lujuria sexual que no puede ser satisfecha.

Pornografía: escritos, imágenes o prescripciones visuales de prostitutas masculinas o femeninas en comportamientos sexualmente explícitos; perversión diseñada para excitar o excitarse sexualmente a través de espíritus impuros o íncubos o imágenes falsas que producen expectativas irreales al vivir en un mundo de fantasía; temor a las mujeres o a entablar relaciones en la vida real.

Porrismo: competencia y victoria, ofrecer más elogios y ánimos a la gente «animarlos», deporte basado en la confianza y un buen liderazgo, ser popular; una persona de alta autoestima, es el momento de tomar más acciones positivas.

Porrista: competencia y victoria; ofrecer más alabanzas y ánimo a la gente, «animarlos»; líder que tiene gran confianza en sí mismo; popular; alta estima; realizar más acciones positivas. Jn. 16:33.

Portaaviones: Gran barco naval con instalaciones de servicio y almacenamiento; una gran pista de aterrizaje permite que las aeronaves despeguen y

aterricen; lanzamiento de nuevas obras; iglesias con mentalidad misionera; enormes oficinas corporativas con satélites o negocios subsidiarios; iglesia o negocio grande con mentalidad misionera.

Portada, entrada: futuro; ahora; presente; actual; profecía; preceder; después; tiempo.

Portal: un cielo abierto creado mediante el ayuno, la oración y la adoración.

Portal: una abertura o una estructura que enmarca una abertura que está cerrada por una puerta indica que vas a entrar en un territorio inexplorado o en nuevos reinos espirituales. Los ángeles vigilan los portales para dar o negar el acceso. Si está abierta: se concede el acceso; si está cerrada: se niega el acceso. Tamar se sentó en la puerta para acceder a su suegro, Gén. 38:14; Éx. 40:33; Dt. 21:19; Ez. 26:2; 40:3, 11, 40; Mt. 26:71.

Portapapeles: tus opiniones y puntos de vista son valorados por otros; estás bajo evaluación, inspección, siendo juzgado, calificado o examinado, criticado o alabado por tus acciones y elecciones.

Portátil, robado: soñar que te falta o te roban el portátil indica que dependes demasiado de tu red de interacción social. Es necesario que intentes triunfar por tus propias capacidades y méritos.

Portero: el que se emplea para llevar el equipaje de un viajero, para atender a los pasajeros, hace la limpieza y el mantenimiento rutinarios, un portero o un guardián. Ver a un porteador llevando tus maletas indica una temporada de viajes a lugares nuevos e inexplorados.

Portero: esperas recibir un regalo o un paquete. Siempre hay alguien cerca para atender tus necesidades.

Portero: soñar que contratas a un portero indica que necesitas a alguien que te ayude a controlar quién tiene acceso a tu vida.

Pórtico de Salomón: claustro o columnata con una doble hilera de columnas corintias que sostienen el techo amueblado con cedro en el lado este del Templo.

Posada: bonita y pintoresca: indica un tiempo agradable con la familia y los amigos; si está desordenada: mala calidad, o descuidada; un viaje temporal sin éxito, Éx. 4:24; Gén. 42:27.

Poseer: tener o poseer una propiedad; tener como cualidad, característica o atributo. Poseer lo que ve o desea poseer en un sueño habla de cosas que apuntan a su autoestima. Es posible que te aferres demasiado a alguien o a algo, que seas posesivo y que necesites liberarlo.

Posición fetal: verse a sí mismo o a otra persona en posición fetal indica que tú o él están siendo sobrepasados por circunstancias traumáticas. Te has rendido y has adoptado la posición de menor resistencia. Te sientes impotente y sin esperanza. Deja de ensimismarte y busca en Dios las respuestas y la sabiduría que necesitas.

Posición: verte en una posición indica que estás llamado y destinado a prosperar; a estar en el lugar correcto en el momento adecuado si sigues la guía del Espíritu Santo. Estás posicionado o posicionada para el éxito.

Poste de barbero: ver un poste de barbero en su sueño indica que usted es la necesidad de limpiar sus malas acciones.

Poste de electricidad: ver un poste de electricidad indica que tienes una estructura de apoyo y un conducto que te capacitará para obtener la visión y la iluminación.

Poste de luz: ver un poste de luz brillando en la esquina de una calle oscura, indica que estás en un cruce de caminos en la vida y necesitas un poco de claridad o luz adicional que brille en tu camino para que puedas ver claramente qué camino y decisiones tomar para que amanezca un nuevo día. Ver un poste de luz en tu sueño está indicando tu necesidad de mantenerte firme, como un «poste» en tu creencia en Dios como el Padre de la Luz y permitirle que derrame su luz en tu vida. *«Lámpara es a mis pies tu palabra y lumbrera a mi camino»*, Sal. 119:105.

Postrarse: inclinarse o arrodillarse en adoración o humildad para honrar o reverenciar con temor a Dios; indica la necesidad de superar algún tipo de oposición o resistencia en su vida; puede estar agotado o incapacitado física o mentalmente; abandonar un sentimiento de impotencia.

Postre: representa el placer con moderación; la celebración, el pago, la justicia, la tentación; disfrutar de los lujos de la vida.

Potaje: Gén. 25:29; lentejas hervidas o guisadas con ajo y aceite, 2 Re. 4:39.

Pote: contiene plantas que pueden enraizarse o limitarse en su crecimiento y alimento para el pensamiento por lo que puede representar de lo que te estás alimentando, las frustraciones o tus actitudes actuales. ¿Qué estás cocinando? Una olla hirviendo indica que se está gestando un enfado o un problema difícil de manejar, puede que estés «furioso» por una situación, o excitado por una nueva idea que se está filtrando. En inglés pot es una expresión informal para la marihuana.

Potencia: ministerio rápido, poderoso y pequeño; dones de poder.

Potenciador: promotor entusiasta que aumenta el poder o la eficacia de alguien, un amplificador, para impulsar el avance hacia adelante o hacia arriba; una dosis suplementaria de una vacuna inyectada para promover la inmunidad continua; un ladrón.

Potente: tienes una fuerte influencia; poderosa presencia; posees una fuerza interior o física.

Potro: cría de un caballo de menos de un año de edad. Estás desarrollando un nuevo don de poder para aprender a correr con él. Si un potro está mamando la leche de su madre: la prosperidad y las bendiciones están en camino. Ver a un potro de pie después de su nacimiento: indica que eres rápido con tus pies y que triunfarás fácilmente sobre las dificultades. Joven varón que lleva la carga de otros; terquedad; el potencial de una descendencia masculina. Gén. 49:11; Jb. 11:21; Zc. 9:9; Mt. 21:1-7; Jn. 12:15.

Pozas de marea: son el hogar de muchas criaturas marinas como las estrellas de mar, las almejas y los mejillones. Una poza de marea representa un entorno en el que sus habitantes deben ser capaces de enfrentarse a cambios frecuentes para sobrevivir o prosperar. A menudo hay fuertes olas y corrientes que desalojan a las criaturas y las arrastran al mar. Están expuestas a depredadores como los osos o las gaviotas durante la marea baja, lo que permite que el sol del mediodía las reseque o las deshidrate.

Pozo de extracción: ver o soñar que está bajando por un pozo de extracción en un sueño indica que la profundidad del Espíritu Santo de Dios está llamando a la profundidad que está dentro de ti. Hay tesoros en la oscuridad que deben ser encontrados y desenterrados. Es el momento de descubrir los misterios de Dios.

Pozo negro: se necesita una limpieza emocional, física o espiritual, perdonar todas las ofensas y liberar toda la amargura

Pozo: recipiente o depósito; brotar: unción, aumento, conocimiento, recursos, provisión, abundancia, refresco; caer en un pozo vacío: estar abrumado, sin esperanza, desesperado, cautivo, traición, atrapado, Gén. 26:17-35; Jn. 4:12; Pr. 10:11; 16:22; 18:4; 5:15; 2 Pe. 2:17; Is. 12:3.

Pradera: si en su sueño ves un prado o un hábitat de campo con hierba y flores silvestres, indica que estás en una época de polinización cruzada y de obtención de nuevos conocimientos de los demás. Está abierto a nuevas ideas. Estás lo suficientemente seguro de tus conocimientos y habilidades como para apreciar los logros y las aportaciones de personas con más experiencia que tú. Los prados representan un tiempo de reflexión y meditación pacífica.

Preboste: ver a un preboste o funcionario académico, guardián de una prisión, más alto funcionario de una iglesia o catedral, o una persona de gran honor en un sueño indica que tienes un llamado muy alto como un líder. Tienes un llamado a desenvolverte en un círculo social de élite donde se forman las influencias de la sociedad.

Precio: símbolo de valor; Jesús pagó el precio máximo por tu alma al dar su vida en la cruz para comprar tu perdón y salvación, 1 Cor. 6:20; 7:23; 1 Pe. 3:4; Mt. 13:46; 27:6,9; Pr. 31:10.

Precipicio: estar al borde del precipicio; problema; colgar de un hilo; estar al borde del precipicio; estar a punto de sufrir un desastre o destrucción; estar al borde de una situación peligrosa.

Precursor: la entrada de Cristo dentro del velo; uno que va delante para guiar y preparar el camino, Heb. 6:20.

Predestinado: Rom. 8:29-30; Ef. 1:5, 11, preordenado o elegido por Dios para recibir la vida eterna por medio de Jesucristo.

Predicador: mensajero de Dios; Jesús; si es una esposa podría ser la iglesia; autoridad espiritual, Heb. 13:20. Tus caminos no son irreprochables; arrepiéntete, recibe la salvación y las buenas noticias; cuidador que proclama públicamente el evangelio.

Predicar: anunciar, exponer o proclamar las bondades del evangelio de Cristo; dar moral o entregar instrucción espiritual; alguien que arenga o regaña durante largos intervalos de tiempo.

Preguntas: si estás haciendo preguntas, predice la recepción de hechos, el conocimiento de la revelación y la comprensión para que pueda seguir avanzando, Mt. 22:46, si alguien le está haciendo preguntas, entonces indica un retraso frustrante.

Prematuro: ocurrir, crecer o existir antes del tiempo esperado, correcto o asignado, nacer prematuramente o inesperadamente después de un período de gestación inferior al tiempo normal en un sueño indica que debes ser paciente, ir más despacio y planificar completamente antes de intentar ejecutar una empresa. Advierte de la posibilidad de abortar un proyecto, una relación o un acontecimiento antes de que se haya desarrollado por completo.

Premio al luchador, jab: puñetazo rápido y recto; ten cuidado con alguien que te lance jabs justo delante de tu cara.

Premio de consolación: ser el competidor al que se le da un premio por perder o no quedar en primer lugar indica que se te consolará por una pérdida. Anímate, eres un buen perdedor que sabe que es más importante cómo juegas el juego de la vida que salir victorioso. Tu integridad hará que siempre seas un ganador.

Premio gordo: ganar la apuesta acumulada en una partida de póquer con una pareja de jotas; significa que ganarás el premio gordo, que se te concederá el favor ganando una recompensa muy buscada.

Premio Nobel: cualquiera de los premios internacionales concedidos anualmente por la Fundación Nobel a los logros más destacados en los campos de la física, la química, la fisiología y la medicina, la literatura y la economía, así como a la promoción de la paz mundial.

Premio: recompensa por la superioridad obtenida en la competencia, valorar o estimar a alguien por encima de los demás, algo por lo que vale la pena esforzarse, merecer el primer lugar. *«¡Adquirir sabiduría es lo más sabio que puedes hacer! Y en todo lo demás que hagas, desarrolla buen juicio. Si valoras la sabiduría, ella te engrandecerá. Abrázala, y te honrará»*, Pr. 4:7-8 NTV. Vive la vida de forma tan excelente que seas un ganador. 1 Cor. 9:24 *«sigo avanzando hacia la meta para ganar el premio que Dios ofrece mediante su llamamiento celestial en Cristo Jesús»*, Fil. 3:14.

Premios de la Academia: ganar un Oscar, la gente celebra tu éxito, la popularidad te ha encontrado, buscas la admiración de tus compañeros, y el glamour es necesario para animar una vida rutinaria y aburrida.

Prenda hasta los pies: si la prenda llega hasta los pies simboliza la vestimenta sacerdotal, Apo. 1:3; Éx. 28:2.

Prenda manchada: si se ven prendas manchadas o contaminadas representa las obras de la carne. Jd. 23; Apo. 3:4.

Prendas de joyería: aumenta la prominencia, la herencia, se eleva a una alta posición de honor y gracia.

Prendas de vestir: representa la capacidad de cubrir tu desnudez con la unción de Dios; un calor, una protección, y el oficio ministerial llamado como sacerdote ante Dios. Éx. 28:1-4; Heb. 3:1; 4:14-15; 9:24; belleza o desfloración; Sal. 73:6; 104:2; 109:19; Is. 64:6; Jer. 43:12. La ropa son prendas de fibra o material textil que se lleva sobre el cuerpo. El uso de prendas de vestir es una característica de casi todas las sociedades humanas. La cantidad y el tipo de ropa que se lleva depende de la estatura física, del sexo y de consideraciones sociales y geográficas. Desde el punto de vista físico y espiritual, la ropa tiene muchas funciones: puede servir para protegerse de las inclemencias del tiempo y mejorar la seguridad en actividades peligrosas como el senderismo o la cocina. Protegen al usuario de las superficies ásperas, de las plantas que provocan sarpullidos, de las picaduras de insectos, de las astillas, de las espinas y de los pinchazos, al proporcionar una barrera entre la piel y el entorno. La ropa puede aislar contra el frío o el calor. Además, pueden proporcionar una barrera higiénica, manteniendo los materiales infecciosos y tóxicos alejados del cuerpo. La ropa también protege de las radiaciones UV perjudiciales. Hay que tener en cuenta el estilo, el color y el estado de las prendas. Las prendas de vestir representan regalos, mantos y unciones que un individuo lleva o intercambia.

Prensa: te gusta avanzar para impresionar a los demás y ganar influencia ejerciendo una presión constante para sacarles un cumplido.

Preocupación: el miedo; las inquietudes o las ansiedades de la vida cotidiana se trasladan a la vida de los sueños.

Preocuparse: verse a sí mismo actuando de manera ansiosa o temerosa en un sueño indica que no has puesto tu confianza en Jesús. Arrepiéntete porque Él no nos ha dado un espíritu de temor, sino de amor y de dominio propio. «*Pues Dios no nos ha dado un espíritu de timidez, sino de poder, de amor y de dominio propio*», 2 Tm. 1:7.

Presa: genera poder; el movimiento de Dios está siendo bloqueado a través de la oposición y los obstáculos. Alguien o algo está impidiendo que tu unción, don o potencial fluya, una presa. Dt. 22:7; Pr. 17:14.

Presbiteriano: soñar que se es presbiteriano o que perteneces a esta forma de calvinismo que se rige por el gobierno eclesiástico de los presbíteros indica que disfrutas de un servicio eclesiástico tranquilo y reservado, pero que puedes estar hambriento de una forma más expresiva de mostrar su amor a Dios, en la que el Espíritu Santo sea bienvenido y tenga libertad para moverse entre la gente en forma de señales, prodigios y milagros.

Presbiterio: una asamblea de ancianos, Lc. 22:66; Hch. 22:5; 1 Tm. 4:14.

Presciencia: saber de antemano atribuido a un acto de Dios, Hch. 2:23; 1 Pe. 1:2.

Prescripción: Rx para la vida; medicina curativa, obtendrás lo que necesitas en cada situación, «justo lo que el doctor ordenó».

Presentación: soñar que haces una presentación ante los demás puede simbolizar una actuación o un drama presente en tu vida. Buscas «portarte» bien para mantener una imagen pública positiva.

Preservativo: estar protegido; una funda de plástico o contraceptivo que se utiliza para evitar el embarazo o las enfermedades durante el coito; practicar el «sexo seguro»; el punto de vista unilateral y obstinado impide la creatividad; la reproducción en las relaciones; el miedo al embarazo o a las enfermedades de transmisión sexual; la frustración sexual; proteger o contener las emociones; juego de palabras: «condonar», «condenar» o «condena».

Presidente de la Corte: juez que preside un alto tribunal, suplido por varios jueces del Tribunal Supremo de un país en particular, se necesita un alto nivel de sabiduría y discernimiento para resolver problemas difíciles.

Presidente: oficial que preside una asamblea o un grupo de personas, una reunión y un comité, o una junta, las acciones de justicia y misericordia bondadosa te llevarán a una posición de alto perfil, de confianza y favor. Persona altamente elegida o designada que preside un grupo específico de personas, el principal funcionario ejecutivo de cualquier república o de los Estados Unidos, un gobierno, una corporación o una universidad, el cargo más alto del país, el poder y la autoridad más elevados: Dios.

Preso: verse como un preso en un edificio o vivienda, en un hospital o confinado en una institución o presidio sugiere que necesitas aprender a llevarte bien con los de tu entorno cercano. Debes aprender a compartir y a saber escuchar. Dos cabezas piensan mejor que una cuando trabajan juntas en un objetivo común. Libérate del aislamiento y sé más social.

Prestamista: ayuda en un momento de necesidad estará disponible; vivir por encima de sus posibilidades; carencia y pérdida; Pr. 22:7, el rico domina al pobre y el prestatario es siervo del prestamista. Dificultad para hacer frente al pago de las deudas; las influencias negativas se aprovechan de tu generosidad; Pr. 22:7, el prestatario es un siervo del prestamista; Is. 24:1- 3, devastación, saqueo y despilfarro.

Préstamo: los ricos dan alivio a los pobres; Éx. 22:25; Lev. 25:35-37; no se toman intereses, Éx. 22:25; Dt. 23:19.

Presumir: representa la necesidad de promocionarse, los sentimientos de inseguridad apuntan a la insuficiencia.

Presupuesto: soñar que crea un presupuesto indica que está sintiendo las presiones de los gastos excesivos en su vida cotidiana. Su atención se centra en asuntos de dinero, deudas e intereses por pagar. Aprenda a ahorrar para evitar necesidades; no compre a crédito por impulsividad. Un presupuesto también puede indicar que necesitas encontrar una manera de distribuir tu tiempo personal de manera más uniforme y en equilibrio con Dios, los seres queridos, los miembros de la familia y los amigos; la vida no es todo trabajo. «*Buscad primero el reino de Dios y su justicia, y todas estas cosas os serán añadidas*», Mt. 6:33.

Pretendiente: alguien está interesado en ti románticamente o está deseando una relación íntima; Jesús es el novio que busca una novia santa y pura.

Pretzels: galletas de trigo saladas hechas en forma de nudo pueden indicar que tus emociones están anudadas o que te encuentras en una relación retorcida o en un aprieto físico. Una persona que se dedica a ayudar a los demás; abraza los enredos de la vida; se preocupa por cuestiones complejas; no sabe cómo manejar las dificultades.

Primavera: tiempo de siembra. Preparar los campos para la siembra de la Palabra. Una poderosa liberación del Espíritu del Señor que se ve y se siente. Una unción que brota y que será esparcida por el viento del Espíritu. Expresa la necesidad de ser liberado de una situación en la vida que ha producido un gran estrés o que te ha atado. Jesús vino a liberar a los cautivos, Lc. 4:18; Zc. 10:1. Un nuevo comienzo, las cosas están floreciendo y cobrando vida, una nueva cosecha, los animales jóvenes nacen, un tiempo para entrar en una nueva estación de la vida; la fecundidad.

Primaveral: tierra nueva o crecimiento fresco, algo nuevo está surgiendo, un nuevo comienzo, saltar o avanzar, infancia o juventud, rejuvenecimiento, energía y belleza.

Primer ministro: Jesús, un pastor de alto rango, funcionario del gobierno, presidente, director general, el primer ministro literal.

Primer piso: el primer piso representa las necesidades y funciones básicas del cuerpo. Estás saliendo de los deseos y motivaciones carnales. te encuentras en el punto inicial o fundacional de algo.

Primera clase: verse sentado en la sección de primera clase de un edificio, de un auditorio o de un avión implica que se te ofrecerá un servicio de alto nivel, importancia o calidad superior. Se está cosechando la recompensa de haber alcanzado los objetivos, habiendo pagado un alto precio para estar entre los demás de la élite.

Primera Dama: las esposas o parejas de los jefes de Estado elegidos o de las organizaciones religiosas representan a una persona con aplomo, influencia y gracia. Abrazar, estrechar la mano o estar en presencia de una primera dama indica que posees las mismas cualidades de liderazgo. Serás una de las primeras mujeres en ser pionera o avanzar en un determinado ámbito social o de influencia.

Primero: véase el número ordinal uno, primer grado de la educación primaria; un pionero o precursor.

Primeros auxilios: tratamiento de emergencia administrado a víctimas o personas heridas antes de que se disponga de atención médica profesional. Se activan los dones de ayuda y curación.

Primicias: ofrendas a Dios traídas en obediencia a la ley de Moisés, Dt. 26:1-11; expresión de agradecimiento del dador.

Primo: opiniones o sentimientos sobre esa persona; las preocupaciones se irán pronto; un pariente de sangre o matrimonio que desciende de un ancestro común, un hijo de la tía o el tío de uno, un miembro de un grupo o país afín, utilizado para dirigirse a un noble o soberano, los cambios son necesarios en la vida para lograr la estabilidad.

Primogénito: los primogénitos varones debían ser consagrados a Dios; los primogénitos de Egipto murieron.

Primogenitura: privilegios de ser el primogénito.

Prímula: el comportamiento primitivo y adecuado te llevará a una vida llena de armonía, alegría, tranquilidad, seguridad y favor; flor de cinco lóbulos; gracia; febrero; amor joven, no puedo vivir sin ti; inconstancia.

Prímulas o primaveras: ver esta flor silvestre traerá una buena noticia no esperada; baba de vaca; rosa de primera; caléndula de pantano; las relaciones se encuentran en un terreno resbaladizo debido a los chismes y rumores que corren a raudales; es necesario volver a resolver una situación de crisis.

Princesa: verse a sí misma como una princesa indica que estás abrazando tu llamado como embajadora de Cristo y que estás realizando todo tu potencial y autoridad, eres totalmente encantadora. Se te ha dado un gran privilegio y oportunidad, así que permanece humilde y enseñable. Evita el orgullo y la arrogancia o las exigencias egoístas. Que un hombre sueñe con una princesa representa su deseo de casarse con la mujer perfecta o de ser el caballero que rescata a la damisela en apuros.

Principados: gobernantes humanos, angélicos y demoníacos que están investidos de poder; superados a través de Cristo; magistrado; regla principal; lugar en el rango, Ef. 6:12; Cl. 2:15.

Principal: la parte o punto principal o más importante, los niños que se portan bien, un conducto en un sistema para transmitir una utilidad. Es necesario entrar en el flujo de algo, centrarse y equilibrarse para estar en la corriente principal o en el punto de mayor ventaja disponible.

Príncipe: Jesús es el Mesías, Príncipe de la Paz y de la Vida, real, noble; señorial; regio; gobernante; hereda el reino; Satanás es el príncipe caído de la potestad del aire, Dn. 10:13, principado sentado en los lugares celestiales, gobernante terrenal de un principado, miembro masculino de la realeza, noble u hombre destacado en su clase que satisface los sueños románticos de una mujer «Príncipe Encantador», Mt. 12:24, Ef. 2:2, 3:10.

Prisa: «de la prisa no queda sino el cansancio», la rapidez o el exceso de prisa hace que uno se precipite y sea impetuoso, tómate tu tiempo para planificar, «Mas vale prevenir que lamentar».

Prisa: el tiempo se acaba para cumplir un objetivo o una fecha límite, prepárate y planifica el éxito, estudia para mostrarte aprobado, encuentra tu lugar en Dios, no intentes encajar en este mundo, deja que Dios ordene tus pasos, sube a un camino más alto, aprende a descansar en Dios, vuelve a priorizar, abandona las obligaciones innecesarias, aprende a decir ¡No!

Prisión: esclavitud al pecado del mundo, ser ayudado cautivo por malos hábitos o adicciones, fortaleza de la mente, patrones de pensamiento erróneos, ser castigado por malas acciones, odio a sí mismo o auto-afligirse. Sin ley: esclavitud al pecado; confinado; Is. 42:7, cautivo; alma perdida; Seol o Hades. Sentimientos de estar cautivo y no poder escapar de una situación o relación negativa y limitante, Hch. 5:18-23; 1 Pe. 3:19; Sal. 79:11; 120:20; 142:7; Is. 61:1; Apo. 20:7.

Prisionero: sentirse cautivo de emociones de ansiedad, estados de ánimo o ideas, negando la libertad de expresión o los talentos, o el propio potencial está bloqueado.

Prismáticos: capacidad de ampliar la visión, de lograr ver el futuro, unción profética capaz de ver más allá de lo natural hacia el reino espiritual sublime y sobrenatural, previsión, visión profética, claridad de visión.

Privado: intimidad individual o entrenamiento por el Espíritu Santo, aislado de la vista, presencia o intrusión de otros. No está disponible para el control, el uso o la participación pública, es íntimo con Dios, un amigo o un compañero.

Problemas: *«El que perturba su casa no hereda más que el viento, y el necio termina sirviendo al sabio»*, Pr. 11:29; *«De seis aflicciones te rescatará, y la séptima no te causará ningún daño»*, Jb. 5:19; *«Crecen las angustias de mi corazón; líbrame de mis tribulaciones»*, Sal. 25:17; *«Este pobre clamó, y el SEÑOR le oyó y lo libró de todas sus angustias»*, Sal. 34:6; *«Los justos claman, y el SEÑOR los oye; los libra de todas sus angustias»*, Sal. 34:17.

Proceso: estás avanzando a través de una serie sistemática de acciones, cambios o funciones para lograr un resultado final positivo. El paso del tiempo te permitirá progresar y alcanzar tus metas. Estás siendo cambiado de gloria en gloria.

Producción: ¿Qué estás produciendo? ¿Traerá honor al Señor? Las producciones musicales y teatrales son representadas por personas para transmitir lo que hay en sus corazones. Una línea de producción puede producir grandes cantidades de artículos para el bien o el mal. Deja de hacer una gran producción de cosas pequeñas. Aprende a elegir bien los temas. No vale la pena pelear por todo.

Productor: ver un productor en un sueño, dependiendo del tipo que sea, suele indicar que estás llamado a algún tipo de medio de comunicación. Puede que tengas un don o talento que será descubierto y desarrollado. O quizás eres bueno para hacer tratos; la producción del día a día o puedes administrar el teatro, la industria musical o las operaciones agrícolas.

Productos lácteos: «leche» de la Palabra; alguien está actuando de forma inmadura o «cursi».

Profano: palabra maldita; el uso de profanidades demuestra una grave falta de dominio del inglés o de cualquier otro idioma; falta de inteligencia; ausencia de autocontrol.

Profesor: maestro o instructor de más alto rango en una institución de enseñanza superior; alguien que profesa; las circunstancias mejorarán con el conocimiento y las percepciones espirituales, el aprendizaje de una nueva ocupación, afición o intereses

Profesora de escuela: ver a la maestra de tu anterior escuela o de la actual en un sueño indica que necesitas aprender una nueva habilidad u oficio, o que estás buscando la sabiduría para resolver un determinado problema. Deseas adquirir el conocimiento necesario para orientarte a través de una temporada de adversidad. ¿Amabas, disfrutabas y te gustaba esta profesora? ¿O, por el contrario, la odiabas, te disgustaba y no confiaban en ella? ¿La obedecías de buena gana o te comportabas de forma disruptiva en clase? ¿ella era maleducada o amable? Si tú eres el profesor o la profesora, entonces en una señal de que tienes valiosas habilidades y la sabiduría suficiente como para bendecir a los demás. Si te ves como alguien severo o enfadado, puede ser que tengas el deseo de «dar una lección a la gente».

Profeta: Cristo, la Palabra de Dios; portavoz de Dios, Jn. 1:1-3, 14-18; 1 Jn. 5:7; Heb. 1:1-2; burbujear como una fuente; orador inspirado; vidente; observador; contempla las visiones de Dios; amigo; intérprete de la verdad; portavoz de la voluntad de Dios, Dt. 18:19, oráculo; predicciones; testimonio de Jesús; Juan el Bautista. Oficio o vocación, Ef. 4:11; orador inspirado, portavoz de Dios; predictor; representa a Dios ante el hombre; amigo de Dios; oye la voz de Dios; recibe revelación a través de sueños y visiones; llamado a demostrar señales, maravillas y milagros.

Profundidad: abismo donde los espíritus de los incrédulos en Cristo esperan su condena final; Lc 8:31; Ro 10:7; pozo sin fondo, Apo. 9:1; 11:7; 20:1,3.

Programa de citas: observarse a sí mismo en un espectáculo de citas indica que tu relación actual está siendo sometida a un gran escrutinio público, exhibida o puesta «en evidencia». Deseas una relación amorosa, pero estás «buscando el amor en todos los lugares equivocados». ¿Cuál es el nombre del programa y de su presentador? ¿Quién más está en el programa? ¿Ganaste o perdiste?

Programa de entrevistas: soñar que es un invitado en un programa de entrevistas indica que tienes buenas noticias que necesitan ser escuchadas. Tienes un mensaje que requiere ser difundido. Busca formas creativas de hacer llegar tu mensaje a las personas que quieres y que te importan.

Programa de juegos: encontrarse en un programa de juegos puede indicar que no se está tomando la vida en serio. Puede que corras muchos riesgos innecesarios y que dejes de lado el sentido común. Deja de arriesgar tu vida. Piensa en el nombre y el tipo de concurso al que te acoges. ¿Cuál es el premio? ¿Tuviste éxito o fracasaste?

Programador informático: alguien muy calculador y exacto, que programa la forma de pensar o intenta controlar la forma de actuar de alguien.

Prójimo: la relación con otras personas o las cualidades que vemos y admiramos en nuestro prójimo; vivir cerca o al lado de alguien en proximidad; buen prójimo: disfrutar de la tranquilidad en casa, alguien que está cerca de tu corazón; un recordatorio a tratar a los demás con respeto y ser amable, Lc. 10:29-37.

Promesa: sé leal, mantén tu palabra y cumple con todas tus obligaciones o compromisos; «¡Que tu sí sea sí y tu no sea no!». Recibir una promesa en un sueño presagia un largo y arduo proceso para conseguir el premio, como en el caso de Abram en Gén. 17.

Prometido: ha dado su promesa de casarse con alguien.

Promoción: espera que el avance venga con una nueva responsabilidad o rango de logro. Ser alentado con su promoción, publicidad y relaciones públicas.

Pronto: el segundo regreso de Cristo *«Vengo pronto; retén lo que tienes, para que nadie te quite la corona»*, Apo. 3:11; *«He aquí que vengo pronto, y mi recompensa está conmigo, para dar a cada uno según lo que haya hecho»*, Apo. 22:12. Hacer algo sin pensar ni orar, actuar por impulso.

Propaganda: escupir metódicamente una doctrina particular o una alegación que refleje ciertos puntos de vista e intereses; soñar que la «la propaganda comunista o socialista» está difundiendo material en el extranjero indica que estás tratando de influir en los demás para que apoyen tu ideología en contra de sus propios deseos; prepárate para un ataque contra tu carácter y reputación.

Propano: gas incoloro presente en el gas natural y el petróleo que se utiliza como combustible para cocinar y calentar superficies. Ver un tanque de propano indica que te sientes presionado a realizar una tarea servil con suministros limitados. Si el tanque está vacío eres consciente de tu gran carencia o pobreza. En inglés «Pro-pain» (pro-dolor) es un juego de palabras que puede indicar que estás en una temporada dolorosa de tu vida en la que todo lo que tocas parece quemarse o convertirse en cenizas.

Propiciatorio: representa la expiación del pecado; el apaciguamiento de la ira de Dios; el lugar de mediación donde se encuentran Dios y el hombre, Éx. 25:22; 29:42-43; Nm. 7:89; Rom. 3:24-25.

Propiedad: soñar con casas, tierras y propiedades significa que heredarás grandes riquezas, Mt. 19:29; *«Respondió Jesús y dijo: De cierto os digo que no hay ninguno que haya dejado casa, o hermanos, o hermanas, o padre, o madre, o mujer, o hijos, o tierras, por causa de mí y del evangelio, que no reciba cien veces más ahora en este tiempo; casas, hermanos, hermanas, madres, hijos, y tierras, con persecuciones; y en el siglo venidero la vida eterna. Pero muchos primeros serán postreros, y los postreros, primeros»*, Mc. 10:29-31.

Proponer: sugerir, recomendar o exponer tu intención en un sueño indica que estás en el proceso de planificación de una nueva empresa; está siendo nominado para un nuevo puesto; uno puede esperar algún tipo de transición en su vida, una posible propuesta de matrimonio para dejar la soltería y comprometerse en matrimonio.

Propuesta: oír una propuesta de trabajo, plan o una oferta de matrimonio en un sueño indica una época de gran favor con el sexo opuesto o una promoción en el trabajo.

Prospecto: soñar con algo que está a punto de ocurrir suele ser un sueño de tipo profético que te permite prever posibilidades.

Próstata: próstata significa «el que está delante», un «protector», un «guardián». Esta glándula compuesta forma parte del sistema reproductor masculino. Soñar con este órgano puede indicar que permaneces sentado demasiado y que necesita más ejercicio físico y sexual. Además, puede necesitar una revisión por parte de un médico para asegurarte de que gozas de buena salud.

Prostitución: venderse por dinero, fama o poción; explotación sexual ilegal de hombres, mujeres y niños.

Prostituta/ramera: seducción; pecado sexual; busca el placer; adulterio; tentación; trampa; codicia; iglesia o seducción mundana; seducción; Israel infiel; anticristo; extraña, extranjera, prostitución espiritual.

Prostituta: sé selectiva con los favores; protégete contra la comercialización de tus dones y talentos; miedo al fracaso sexual debido a las inhibiciones; desesperación por el sexo, ausencia de sentimientos, de cuidado o de respeto, ausencia de límites morales, al rebajarte para que te usen o abusen de ti; baja autoestima, sin valor; advierte de un comportamiento inmoral o indecente, uso corrupto o tentador de la adulación.

Prostitutas: falta de carácter expuesta, trae desprecio a la familia y a los amigos; falta de pureza, el engaño lleva a la sospecha y a la falta de confianza, las acusaciones llevan a la división o al divorcio, Is. 57:3, hechicera, descendiente de un adúltero y de una prostituta.

Protector pélvico: tu sistema de alerta está en guardia por una experiencia negativa en la que no tuviste chance en una competencia deportiva, lo cual te dejó emocionalmente débil, en riesgo y vulnerable; es una señal de que necesitas apoyo para protegerte de un mayor impacto emocional o daño.

Proteger: si usted está siendo protegido en un sueño, entonces se siente controlado, impotente o temeroso en algún área de su vida. Si está protegiendo a otras personas o algún objeto, puede tener miedo de perder ese objeto o persona. Pero, también podrías estar ocultando un secreto de ellos o una parte de ti mismo que aún no estás dispuesto a compartir.

Prótesis: aspectos de tu vida espiritual pueden haber sido destruidos o arrebatados. Consulta la tarjeta de símbolos de las partes del cuerpo para conocer las funciones específicas. Necesitas recibir la sanidad restauradora sobrenatural de Dios a través de la oración. Si te has colocado un miembro artificial, indica que tendrá que empezar a hacer las cosas de una manera nueva. Tienes una nueva curva de aprendizaje frente a ti. A medida que avanzas por diferentes procesos de descubrimiento de esta parte innovadora de ti mismo en su trasegar por la vida, tendrás que ir aprendiendo a cambiar la forma en que te conectas o te relacionas con los demás.

Protesta: es una expresión de una declaración individual o una manifestación masiva para hacer una objeción mediante palabras o acciones a un evento, política o situación en particular. Una protesta es una forma de hacer oír públicamente una opinión en un intento de influir en la opinión pública o en la política gubernamental que implica el uso de la presión y la persuasión. Ver o formar parte de una protesta en un sueño indica que tú o alguien cercano a ti está utilizando un enfoque sistemático o una campaña pacífica para influenciarte a ti o a otros hacia su objetivo o punto de vista particular. Defiende tus derechos y haz que se conozcan tus opiniones.

Protocolo: seguir las formas de ceremonia y etiqueta utilizadas por los diplomáticos y jefes de estado en un sueño significa que estás dotado o datada en habilidades en diversas formas de comunicación. La gente se siente a gusto y cómoda en tu presencia porque eres muy amable y correcto. Eres un profesional en todo lo que haces.

Proveer: eres muy detallista, dadivoso y concienzudo; siempre estás presto y preparado para ayudar y proveer a otros de medios de subsistencia. Un proveedor se preocupa por la gente.

Provocar: soñar que provocó o causó enojo, resentimiento o sentimientos profundos, o incitó a alguien a una acción hostil indica que tienes un rencor contra ellos o algún tipo de falta de perdón que ha causado una raíz de amargura en usted. Si alguien te está provocando considera que puedes tener malos sentimientos hacia ellos que necesitan ser resueltos.

Proyecto: verse involucrado en una empresa de colaboración, que implica la investigación o el diseño, que se planifica cuidadosamente para lograr un objetivo concreto con un sistema social o laboral temporal constituido por equipos dentro de una organización para realizar una tarea con limitaciones de tiempo; indica que eres una persona orientada a los objetivos y que te gusta tomar la iniciativa y hacer las cosas a tiempo. Como personalidad alfa, la aportación de los demás suele irritarte si no ves su valor. Permanece abierto a nuevas sugerencias y desarrolla tus habilidades para formar equipos. Todos necesitamos los unos de los otros.

Proyector: necesidad de «proyectar» una imagen más ligera de ti mismo; hacer que tu presencia se conozca bajo una luz más positiva, ser una voz positiva.

Prueba de alcoholemia: dispositivo para estimar el contenido de alcohol en sangre a partir de una muestra de aliento tomada por los agentes de la ley cuando se sospecha que un conductor ha bebido y conducido un vehículo. Este es un fuerte sueño de advertencia para corregir sus malos caminos antes de que sea demasiado tarde. Los conductores ebrios son asesinos en potencia. Si bebes y conduces serás atrapado y llevado ante la justicia. Este símbolo también puede indicar que estás borracho o fuera de control en muchas áreas diferentes de tu vida. Algo muy negativo está influyendo en su decisión o en su impulso en la vida.

Prueba de embarazo: prueba para saber si uno está listo para los cambios al entrar en una nueva fase de la vida, un nuevo trabajo, carrera o relación; puede significar literalmente que se necesita una prueba de embarazo.

Prueba de piel: verse sometido a una prueba de alergia o enfermedad infecciosa indica que le está dando rienda suelta a los deseos carnales más de lo normal.

Prueba: experimentar la incertidumbre o poner a prueba la determinación, la paciencia o el carácter de un individuo para determinar su fiabilidad. *«Bienaventurado el varón que soporta la tentación; porque cuando haya resistido la prueba, recibirá la corona de vida, que Dios ha prometido a los que le aman»*, Snt. 1:12. Hacer un examen indica que estás tratando de probar tus conocimientos, inteligencia, dones y habilidades a los demás; las pruebas siempre vienen antes de los ascensos, 2 Cor. 8:22; Sal. 119:71. Una corta temporada de pruebas te impulsará a un tiempo de promoción y aumento.

Psiquiatra: encargado de dar el diagnóstico, cuidado y tratamiento de las personas afectadas con trastornos mentales y emocionales, extrasensoriales, y procesos no físicos como la percepción extrasensorial o la telepatía mental; necesitas renovar tu mente con la Palabra de Dios, el consejo vendrá a guiarte más allá de alguna confusión emocional.

Psíquicos: ver a un médium oculto en tu sueño indica que el reino de las tinieblas está tratando de guiarte por el camino equivocado soltando mentiras, engaños y destrucción. Un espíritu mentiroso está tendiendo una trampa para atrapar tu vida, 1 Sam. 28:3-24.

Púas: flecos o barbas, puntas que sobresalen hacia afuera; Jb. 41:7.

Pub: visitar un pub indica que necesitas sacar tiempo de tu apretada agenda para relajarte y visitar a viejos amigos y hacer algunos nuevos.

Publicar: dar a conocer las revelaciones del Señor en forma impresa para que otros compartan o participen del conocimiento revelado. Es posible que tengas que escribir y publicar un libro.

Publicidad: Aviso destinado a atraer la atención o el patrocinio del público. Si estás mirando los anuncios, representa un mensaje subconsciente que te anima a prestar atención, a reconocer o aceptar la necesidad de actuar frente a una oportunidad de oro, resolver un problema o tomar una decisión. Si una persona aparece destacada en el anuncio, sus habilidades serán útiles, así que pida su ayuda. Poner un anuncio publicitario representa el crecimiento y prosperidad que se avecinan.

Publicidad: cuando compartes información concerniente a una persona, sobre ti mismo, a un grupo o a un evento en un ambiente público asegúrate de usar el mayor de los cuidados; elige tus palabras cuidadosamente y siempre usa la diplomacia.

Publicitar: No te jactes de ti mismo, deja que otro te elogie, solo así experimentarás el verdadero éxito y prosperarás en todo lo que emprendas. *«Que otro te alabe, y no tu propia boca; un extraño, y no tus propios labios».* Pr. 27:2.

Público: Positivo: respuesta positiva del público: aceptación de uno mismo.

Pudín: las palabras que suenan dulces no tendrán ninguna fundamento o profundidad para construir una relación.

Pudrición: dejar que los frutos de tu trabajo se desperdicien plenamente; aprende a utilizar el tiempo que se te ha dado sabiamente, redime el tiempo para alcanzar todo tu potencial y aprovechar al máximo cada oportunidad que se te da, y deja de procrastinar, Lc. 6:43.

Pueblo fantasma: aislarse de los amigos, de la familia o de la sociedad, sentirse rechazado; los demonios o los pecados del pasado son una tentación para volver a visitarlos.

Pueblo natal: se puede estar explorando algunos sentimientos reprimidos, arrepentimientos o recuerdos del pasado. Evalúe sus sentimientos y valores actuales en comparación con lo que era y lo que creía en el pasado. Es posible que tenga que revisar algunos rasgos de carácter positivos que has abandonado.

Pueblo, desierto, fantasma o solitario: se siente rechazado, descartado, solitario o aislado por la sociedad.

Pueblo: centro popular más grande que un poblado, más pequeño que una ciudad; jerga: «¡Ir a pueblear!» -- ir a por todas; ir de juerga; el nombre del pueblo suele ser importante; el momento en que se vivió allí apuntará a la resolución de esos asuntos.

Puente levadizo: un puente que se puede levantar, bajar o apartar para dejar o impedir el acceso o permitir el paso por debajo de él. Si el puente está bajado, te conectarás con un montón de nuevas relaciones emocionantes y prosperarás. Si el puente está levantado habrá una interrupción en el flujo de comunicación, trabaja para restaurar tus conexiones.

Puente: transición de un nivel a otro, superación de situaciones difíciles u obstáculos; proporcionar un pasaje; dejar lo viejo para entrar en lo nuevo; restauración de relaciones o establecimiento de nuevas amistades; unión de dos asuntos o transición de un lugar a otro; construcción de una relación; superación de obstáculos cambiando la forma de pensar. Eres un conector que une una situación, un tiempo o un lugar con otro; el Espíritu Santo permite a las personas pasar de lo natural a lo sobrenatural; de lo viejo a lo nuevo, guiando a las personas a una transición exitosa hacia la presencia de Dios; trayendo reconciliación; tendiendo un puente entre malentendidos y generaciones. Dt. 3:18.

Puénting: dar un salto de fe; probar cosas nuevas y emocionantes, superar el miedo; gran flexibilidad, capacidad de recuperarse de las desgracias y los contratiempos de la vida.

Puerca: representa la ignorancia, la hipocresía, la gente impura que comerá o creerá cualquier cosa que le den; los incrédulos religiosos, Mt. 7:6; 2 Pe. 2:22; Pr. 11:22; Is. 66:3.

Puerco: bien alimentado, pero con comida de mala calidad; egoísta; centrado en sí mismo; traicionero; astuto; arraigado en la amargura y la astucia.

Puercoespín: persona de corazón frío que lanza púas o flechas con sus palabras o acciones que no se abre a nuevas aventuras; suele repeler a los demás con palabras afiladas; situación espinosa, Is. 14:23; Mt. 6:34.

Puerros, ajos, cebollas: la comida de Egipto o del sistema mundial, Nm. 11:5.

Puerros: fruto mundano, necesitas la llenura del Espíritu Santo; vanidad. Nm. 11:5; hierba o hierba.

Puerta abierta: una puerta abierta significa que estás preparado, dispuesto y capaz de aceptar nuevas ideas, y recibir otras estrategias u opiniones.

Puerta cerrada: si la puerta está cerrada o trabada, entonces es hora de llamar a otra puerta; esa oportunidad está sellada o está siendo negada por un tiempo. No pierdas tu tiempo lamentándote, ese proyecto está terminado, alguien está bloqueando tu progreso, sigue adelante o perderás la nueva oportunidad que está esperando tu descubrimiento. La oposición intenta obstaculizar tu avance o no es una puerta beneficiosa.

Puerta de cristal: transparente, una oportunidad abierta, para ver en el propio corazón con claridad.

Puerta de la ciudad: si te dan las llaves que abren la puerta de una ciudad ganarás notoriedad, fama, gran riqueza y prestigio.

Puerta de las ovejas: puerta que conduce a Jerusalén, Neh. 3:1; 12:39.

Puerta del atrio: lugar de entrada y salida, entrar y salir del Espíritu en y por Jesucristo la única puerta de entrada a Dios Padre, Éx. 27: 16; Jn. 14:1, 6.

Puerta del Tabernáculo: de un lugar de entrada y salida para entrar y salir del Espíritu a través de Jesucristo la única puerta de entrada a Dios Padre. Éx. 26:26; Jn. 10:9; 14:1,6.

Puerta delantera: oportunidad para el futuro, su corazón está abierto para la comunicación y un acercamiento íntimo, Jesús es la puerta eterna, si está abierta una invitación permanente, la salvación, si está cerrada no está abierta para la visitación, pero está a la puerta.

Puerta doble: Dios está abriendo puertas en el cielo y en la tierra para que puedas avanzar; espera ver un gran aumento de promociones e influencia, Is. 45:1.

Puerta en el cielo: ver una puerta abierta en el cielo indica que se te está dando acceso espiritual a los reinos celestiales en Cristo Jesús. Apo. 4:1; Jn. 1:51.

Puerta giratoria: ver cuatro puertas conectadas en la entrada de un edificio, lo que indica que sólo estarás en ese lugar de trabajo durante un corto periodo de tiempo; mantén las maletas hechas, pronto te irás.

Puerta que se abre hacia el exterior: indica la necesidad de ser más accesible.

Puerta trasera: Ver a alguien entrando por una puerta trasera presagia que se es solapado, que entra o sale a hurtadillas, astuto, encubierto y clandestino, el pasado, encubierto o que ha retrocedido, Gén. 4:7.

Puerta, apertura hacia el interior: buscarás y descubrirás nuevos aspectos de ti mismo.

Puerta, bloqueada: sigue llamando; hay nuevas opciones disponibles; se ofrece una dirección diferente; evita la especulación en los negocios; obtendrás una entrada inesperada; disfruta de nuevas experiencias; deja atrás lo viejo; transita hacia lo nuevo; da un paso adelante.

Puerta castillo: indica que habrá mucho trabajo para lograr entrar en los tesoros que se guardan detrás. También puede representar que no has llegado a tiempo, que has soñado demasiado y que la falta de esfuerzo te ha hecho perder una gran oportunidad. Si está detrás de las puertas del castillo, entonces has erigido una fuerte defensa contra los que le rodean. Tu éxito ha sido frenado por tu ego sobredimensionado que te hace imaginar que eres superior a la gente común.

Puerta cerrada de golpe: si la puerta se cierra en tu cara, indica el fin de una relación, el rechazo, la negación de la entrada, y tu influencia ha sido excluida, ignorada o eliminada definitivamente.

Puerta cerrada detrás: si estás detrás de puertas cerradas estás procesando alguna lección difícil en la vida. Si te ve a ti mismo cerrando una puerta con llave, entonces te está alejando de una situación dañina o hiriente, te has aislado de los demás abrazando sus comportamientos antisociales, eres lento para confiar en tus sentimientos a los demás; temes exponerte o tienes una baja autoestima.

Puerta, derribar: si rompes la puerta de alguien, estás violando sus deseos y su intimidad. El «allanamiento de morada» se castiga con una pena de prisión. No te impongas a los demás o experimentarás un gran dolor y rechazo.

Puerta, entrando: significa nuevas oportunidades, una nueva etapa en la vida y ascensos que te esperan.

Puerta giratoria: las puertas giratorias dan vueltas y vueltas en círculos, las malas elecciones no llevan a ninguna parte rápidamente, has entrado en un ciclo de decisiones sin salida. Demasiadas elecciones te llevarán a la confusión y a la pérdida.

Puerta, luz brillante: representa la iluminación espiritual. 1 Cor. 16:9; Apo. 3:8.

Puerta, rojo: indica la pasión del amor, la necesidad de sabiduría o de poder. A la inversa, el rojo representa la ira que está encerrada en ti.

Puerta: entrada; umbral; paso de un capítulo de la vida a otro; aumento de los niveles de madurez, poder y autoridad; entrada en el destino; algo nuevo y diferente; retenciones en el interior; obstáculo; infierno; puerta del cielo; portal Sal. 24:7, 122:2, 100:4, 107:16; oportunidad; ciudades; reinos; promoción; vida; salvación; muerte, Gén. 19:1; Heb. 13:12; Mt. 16:18.

Puerta: soñar que entra por una puerta significa nuevas oportunidades, una nueva etapa en la vida y ascensos que le esperan.

Puertas: aperturas a portales celestiales para señales, victorias, milagros, reino creativo; una puerta; Apo. 3:8, 20; 4:1, se te ha extendido una invitación; cosecha; oportunidades.

Puertas: vías de acceso a tu corazón, oídos y ojos; cierres; casas, edificios, palacios, ciudades, países o naciones; puertas celestiales; ricamente ornamentadas; lugar de grandes asambleas; deliberación pública; criminales castigados fuera de la puerta; posición de gran importancia cuidadosamente vigilada. *«Alzad, oh puertas, vuestras cabezas, Y alzaos vosotras, puertas eternas, Y entrará el Rey de gloria»*, Sal. 24:7.

Puerto: un puerto o refugio es una masa de agua donde los barcos, las embarcaciones y las barcazas se refugian de las tormentas o se almacenan para su uso futuro. Ver un puerto en su sueño indica que los vientos de la adversidad han hecho estallar las tormentas de la vida. Busca el refugio de amigos que le apoyen y el sabio consejo de personas piadosas. No albergues ninguna falta de perdón o malos sentimientos o tu sanidad se retrasará. Renueva tu espíritu para que puedas navegar al amanecer.

Puesta del sol: la noche o la oscuridad se acerca. ¿Estás donde Dios quiere que estés? También puede referirse al tiempo y a la necesidad de completar la tarea. El tiempo se acaba. Siempre se está más oscuro justo antes del amanecer. Tu respuesta está en camino, no te rindas.

Pulcritud: ver tu mundo como limpio y ordenado indica que vives una vida estructurada y disciplinada y que es capaz de servir y cuidar a los demás.

Pulga: no es un problema sustancial, sino una molestia o inconveniente; un chupasangre. Alguien quiere provocar o manipularte para que tomes represalias en ira. Una infestación de picaduras de pulga indica que los falsos amigos iniciarán rumores perniciosos para calumniar tu carácter; «murmuración»; 1 Sam. 24:14, 26:20.

Pulgar: apostólico, aferrarse o agarrar las cosas; toca los cinco cargos ministeriales, director general, dones administrativos, supervisor, presidente, líder fuerte o supuestamente; la oposición es necesaria para la fuerza y la estabilidad; la correspondencia, desordenar o deteriorar por un manejo inadecuad; solicitar o pedir un aventón, hacer autostop; tocarse la nariz en señal de desprecio o burla, hojear las páginas de una publicación, poder del alma.

Pulimentar: verse puliendo algo indica que aprecias un don valioso, una herencia y que serás un buen administrador de las cosas que Dios le ha dado; trabaja hasta que brille; demuestra un espíritu de excelen-cia; por otro lado, si está puliendo una lámpara puede estar deseando que tu vida sea diferente y esperando pedir un deseo a un genio, Ez. 21:11; Fil. 4:8.

Pulir: verse puliendo un objeto o frotando algo para quitarle una capa exterior indica que está en proceso de eliminar defectos, de ser refinado, perfeccionado o completado en algún área de tu vida. Los problemas y las abrasiones se están suavizando para que brilles con un nuevo resplandor.

Pulmones llenos de aire: representa estar lleno del Espíritu Santo, respirar profundamente, inhalar las cosas profundas del Espíritu, Gén. 2:7; Sal. 150:6.

Pulmones sin aire: circunstancia asfixiante, pánico, miedo, no ser guiado por el Espíritu Santo; dolor o dificultad para respirar: enfermedad o dolencia, ver al médico.

Púlpito: plataforma elevada, atril o estrado utilizado para predicar el evangelio, Neh. 8:4-6. Una plataforma para hacer discípulos para Cristo, entrenando a la gente y equipando a los creyentes.

Pulpo: el espíritu diabólico de Jezabel que enreda a otras personas; opera con un fuerte espíritu de control y manipulación. Mentiras engañosas que calumnian y destruyen la reputación de un individuo, inflige confusión que causa desesperación y depresión; un espíritu de muerte que lleva a la víctima a contemplar el suicidio.

Pulseras de lujo: ver, regalar o llevar un brazalete de lujo en un sueño es una expresión de los dones, talentos, gracias y posesiones preciadas que el portador ha reunido a lo largo de la vida.

Pulso: sentir el pulso indica que se está tratando de manejar o conectar con el corazón o las emociones de una situación o persona. Si tu pulso sube, indica que tienes miedo o ansiedad por dar el siguiente paso en una situación o relación.

Puma: león de montaña, puma, pantera, pintor, gato de montaña, es un gran gato de la familia es nativo de la América. Mide unos dos metros de largo, es el mayor de los grandes mamíferos terrestres salvajes del hemisferio occidental. Es el segundo gato más pesado del Nuevo Mundo, después del jaguar. Reservado y en gran medida solitario por naturaleza, el puma se considera propiamente nocturno y activo entre el crepúsculo y el atardecer, aunque se producen avistamientos durante las horas del día. El puma, que es un excelente depredador de tallos y arbustos, persigue una gran variedad de presas. Sus principales fuentes de alimento son animales como el ciervo, el alce y el borrego cimarrón, así como el ganado doméstico, los caballos y las ovejas. Su larga cola les proporciona un gran equilibrio y agilidad en las cordilleras y acantilados. Término utilizado para designar a una mujer mayor y adinerada que disfruta de la compañía de hombres jóvenes y guapos. Ten cuidado de que alguien mayor y más sabio no se aproveche de ti.

Punta de flecha encontrada: Redescubrimiento de objetivos perdidos o abandonados que nunca se alcanzaron.

Punta de flecha, rota: Fuerzas externas tratarán de desviarte de tu camino, por lo que el fracaso está garantizado y continuará.

Punta de flecha: Determina apuntar tu vida en una dirección sólida para alcanzar un objetivo específico; tus sendas serán habilitadas para dar en el «blanco».

Puntadas: verse cosiendo o cosiendo algo, sujetando, uniendo o decorando telas o materiales con puntadas indica que encontrarás un gran éxito cuando juntes tus talentos y habilidades creativas con otros.

Puntas abiertas: ver tu pelo con las puntas abiertas indica que necesitas un buen consejo en lugar de escuchar a alguien que te ofrece dos opciones. Córtalas para no sentirte agotada y ora por la sabiduría de Dios.

Punto ciego: no eres capaz de ver tus propias debilidades o faltas. Sal. 19:12.

Punto de cruz: soñar con el bordado punto de cruz sugiere que se tiene la paciencia, la dedicación y la disciplina necesarias para crear un hogar y una relación hermosa, dando pequeños pasos y sembrando acciones amables cada día hasta alcanzar la meta deseada. Alternativamente, el punto de cruz puede ser un juego de palabras que indica que usted está continuamente pinchando a alguien, o a la inversa, con la intención conseguir algo en especial.

Punto de cruz: un punto de aguja doble que forma una X para marcar el lugar, comprobar dos veces lo que se pretende hacer, cruzar cada T y poner el punto de cada I para asegurarse de que todas las bases están cubiertas.

Puntos cardinales de N.S.E.O.: alojamiento o lugar de vivienda; buscar un área; alcance cercano; representación del águila y George Washington; plata: redención.

Puntuación: no lleves la cuenta de las faltas o la relación se desmoronará pronto; el amor no tiene en cuenta los agravios sufridos.

Puñetazo: recibir un puñetazo en la boca indica que necesitas poner una guardia en tu boca y prestar atención a las palabras que les dices a los demás. Las palabras producen muerte, la vida o algunos puñetazos en la boca en algunos casos.

Puñetazo: soñar que se da un puñetazo a alguien o a algo representa la liberación de la ira reprimida, la rabia oculta y la agresividad. Si le golpean o le dan un puñetazo, indica su incapacidad para protegerse de los demás que le imponen su influencia, sus opiniones o sus ideas. La incapacidad de devolver el puñetazo o de protegerse a sí mismo indica que le falta autoestima, que se siente abatido o impotente.

Puño: cólera, ira, rebelión, una amenaza o retruécano violento, ignorancia en las relaciones o en la comunicación.

Pupila: si ves la pupila del ojo representa el don de un profeta. Se te está dando una nueva perspectiva espiritual de la vida. El ojo es la ventana del alma. Prosperarás a medida que tu alma prospere, así que vigila la puerta de los ojos.

Pupilo: ser un alumno en un sueño indica que estás en una temporada de aprendizaje o que está siendo guiado por otros en tus dones y talentos. Es una temporada de crecimiento y expansión para que puedas ser promovido.

Puré de patatas: amor oculto, unión para un propósito, alimento suave para los bebés o los inmaduros, fácil de tragar. La patata representa el amor oculto porque crece bajo tierra y permanece escondido para que sólo el Padre pueda verlo. Ahora, prepárate para que este amor oculto sea revelado. Hay una revelación del amor del Padre en Su Cuerpo, y el puré de patatas es la koinonía.

Purgar: liberarse de las impurezas; eliminar la culpa, el pecado y la contaminación mediante el arrepentimiento; librarse de algo indeseable; vaciar las entrañas.

Purgatorio: soñar con el purgatorio católico, que es el estado intermedio después de la muerte física, en el que los destinados al cielo se purifican para alcanzar la santidad y entrar en las alegrías del cielo, indica que estás tratando de trabajar por tu salvación. Recuerda que somos salvos por la gracia. *«Sabiendo que el hombre no es justificado por las obras de la ley, sino por la fe de Jesucristo, nosotros también hemos creído en Jesucristo, para ser justificados por la fe de Cristo y no por las obras de la ley, por cuanto por las obras de la ley nadie será justificado»,* Gál. 2:16.

Púrpura, música en clave de B: la luz púrpura de Dios ministra sanidad al cerebro; cuero cabelludo; coronilla; vientre medio hacia arriba; Alzheimer; epilepsia; problemas de vientre.

Púrpura: representa a Dios, nuestro rey eterno; la autoridad; la realeza; la intercesión; el apóstol; la realeza; la majestuosidad; la nobleza; el príncipe; la princesa; la reina; el poder político; la espiritualidad; la creatividad; una mezcla de azul y escarlata; las vestimentas de la riqueza y la prosperidad; la ceremonia; el misterio; el gobierno del bien o del mal; la arrogancia; la ostentación; la ostentación; el luto; la exageración; la falsa autoridad; la deshonestidad; el libertinaje; la sensualidad; Jezabel, Jn. 19:2; Éx. 25:4; Mc. 15:17; Jue. 8:26; Lc. 16:19; Apo. 18:12-16.

Pus: ver una herida infectada en tu sueño indica que todavía estás sufriendo un trauma emocional o físico. Es importante que tomes las medidas necesarias para liberarte del dolor del abuso, perdonar y buscar la restauración y curación total.

Q

Quejarse: expresar sentimientos de insatisfacción, resentimiento o dolor, una acusación formal o un cargo contra el liderazgo o el statu quo actual. Hablar con angustia de espíritu y amargura de alma, Jb. 7:11.

Quelpo: variedad muy grande de algas marinas, el polvo de quelpo se utiliza como fuente de potasio y yodo necesarios para sintetizar las hormonas tiroideas.

Quemado, bueno: el fuego de la unción y la gloria de Dios, un corazón purificador de la pasión; una profunda sensibilidad hacia algo; las emociones o los sentimientos apasionados están ardiendo en tu corazón; una situación está saliendo a la superficie.

Quemado: una circunstancia caliente o tóxica está succionando todo el oxígeno de la habitación dejándote con la sensación de perder el aliento; te han puesto en una lista negra, te han fumado, te han quemado o se han aprovechado de ti; una combustión emocional o un trauma a causa de una situación acalorada en la vida. Si te han quemado una vez, aprende del pasado y no permitas que alguien te vuelva a quemar.

Quemarse al sol: exponerse demasiado, holgazanear bajo el sol, tener demasiado tiempo libre, sentirse quemado por los arranques de ira de alguien, falta de protección, Mt. 17:2.

Quentin: significa del pueblo de la Reina, perdonado, Rom. 8:1.

Querer: los sueños te muestran cómo alcanzar tu destino o satisfacer los deseos de tu corazón. Los deseos que tienes pueden ser parte de un cuadro mayor.

Querido: término cariñoso o saludo; la comunicación abierta es importante en una relación.

Querit: desfiladero, arroyo o torrente que desemboca en el Jordán cerca de Jericó; allí Elías fue alimentado por los cuervos, 1 Re. 17:3-5.

Querubín: alegría distintiva; bien duradero; orar o bendecir; lleva las oraciones del hombre ante Dios; lleva espadas encendidas; guarda el Árbol de la Vida; Arca de la Alianza; Asiento de la Misericordia; lleva el trono de Dios en la guerra; «Ofanim» rueda dentro de una rueda; «Criaturas vivas», Merkabá o «El Carro de Dios». Éx. 25:18; 37:8; 2 Cr. 3:10-13; no son ángeles, pero tienen alas. Guardián o mensajero celestial; gran fuerza o poder; intervención divina, Gén. 3:24; este ser celestial custodió el Edén después de que Adán y Eva pecaran y fueran expulsados.

Queso crema: queso blando y blanquecino para untar hecho de leche y nata, que madura desde la comprensión infantil, pasando por un proceso de batido.

Queso suizo: los agujeros de tu vida se rellenarán con propiedades, riqueza y prosperidad que se compartirán con los más allegados.

Queso: el centro de atención «el gran queso»; buscar la importancia; reflexionar continuamente sobre las palabras; sazonado y envejecido; se están poniendo trampas; actuar sobre la Palabra: tomar acción sobre la «leche» de la Palabra; lo nuevo es suave; lo viejo es duro; Jb. 10:10; 1 Sam. 17:18.

Quijada: Sansón la hizo famosa cuando masacró a mil hombres con su fuerza sobrenatural dada por Dios, Jue. 15:15-16. La capacidad de volver las palabras de un tonto contra los que han persuadido a dudar de tus capacidades, para que puedas conquistar la situación y ganar gran influencia, Is. 30:28; Jb. 29:17; Ez. 29:4.

Quilla, raspada: estás en estado de reparación y preparación para un futuro viaje.

Quilla: ver en tu sueño la quilla o viga central y estructural que proporciona la mayor fuente de fuerza alrededor de la cual se construye el casco del barco, indica que tu vida es feliz y está bien equilibrada entre lo natural y lo divino o sobrenatural de Dios. Viajarás a muchas tierras extranjeras.

Quimera: criatura mitológica griega conocida como monstruo que respira fuego y que se representa como una combinación de león, cabra y serpiente. Esta criatura advierte de la fantasía insensata compuesta por dos opiniones o vetas de pensamiento opuestas e incompatibles.

Química: es el estudio de la composición o estructura de las partículas o compuestos de la naturaleza. Los deseos o atracciones agradables o simpáticas que se sienten por otra persona. Las emociones o los sentimientos de dos personas que pueden crecer o evolucionar hasta convertirse en una relación amorosa.

Químico: se refiere a la salud, la perspicacia, la sabiduría o la sanidad.

Quince: energía de la gracia divina; deidad; descanso; misericordia; resurrección en la gloria; libertad o liberación de la muerte; novia de Cristo; indulto; perdón; restauración, añadir, entregar, defender, Is. 38:5.

Quincy: significa del estado del quinto hijo, libertad en Cristo, Rom. 8:2.

Quinientos cincuenta y cinco: triple gracia.

Quinientos: medición y división entre lo santo y lo profano, Ez. 42:20; edad de Noé cuando fue padre, Gén. 5:32; deuda contraída, Lc. 7:41; Jesús se presentó ante 500 hermanos, 1 Cor. 15:6.

Quinina: beber este amargo brebaje presagia la necesidad de liberarse de los pensamientos negativos, de las malas influencias y de las personas que te tienen esclavizado.

Quinn: significa visión inteligente de Dios, 1 Jn. 3:2.

Quíntupla: representa la unión de los cinco sentidos esenciales naturales y los cinco espirituales de la vista, el olfato, el gusto, el oído y el tacto.

Quiromántico: visitar o ver a alguien que practica el arte oculto de la quiromancia, que dice la fortuna a partir de las líneas, marcas y patrones de las manos, indica que te has desviado de la verdad y serás engañado; la pobreza está en el horizonte si no te arrepientes.

Quiropráctico: se necesitan ajustes para una alineación adecuada en la vida o en las relaciones; ten cuidado con las actitudes manipuladoras o controladoras; sigue buscando apoyo, sabiduría y consejo piadoso.

Quiste: soñar que tiene un quiste en tu cuerpo indica que tienes alguna ira oculta, amargura o falta de perdón que necesita ser expuesta, sacada a la luz o un promontorio tumoral que requiere ser cortado o extraído para que la infección tóxica pueda ser eliminada de tu cuerpo.

R

Rábano: cultivo de asociaciones afluentes, de producción floreciente y de corazones tiernos; comer un rábano: indica que su forma de pensar se verá perjudicada por la insensibilidad; plantar rábanos: los deseos y los planes se hacen realidad.

Rábanos picantes: ascenso al poder; prosperar con personas inteligentes, maduras y sociales.

Rabia: ver esta enfermedad vírica aguda e infecciosa, a menudo mortal, de la mayoría de los mamíferos, que ataca el sistema nervioso central y se transmite por la mordedura de animales infectados, advierte de un enemigo que está en tu círculo íntimo y que busca sacarte de circulación.

Rabino: el favor de Dios te apoyará e influirá; tu trabajo y esfuerzos sociales prosperarán; los amigos y la familia te ayudarán a lograr tus objetivos; Jesús; la actitud espiritual de uno; o las tendencias religiosas a las costumbres, ideas o enseñanzas judías. El oficio de un maestro, por delante o con autoridad, la capacidad de tutelar y discipular.

Racionalizar: ver que algo se racionaliza indica que un nuevo modelo o diseño de edificio mejorará la eficiencia y traerá la modernización a un sistema antiguo.

Racismo: abrazar el racismo en un sueño indica que eres de mente estrecha, prejuiciosa y motivada por el odio. Tiendes a ser sentencioso, orgulloso y a discriminar a las personas debido a sus ideologías retorcidas y a sus creencias erróneas. No olvides la voz de tus adversarios, el alboroto de los que se levantan contra ti que asciende continuamente, Sal. 74:23. Jesús advirtió que, en el último día, se levantará nación contra nación, y reino contra reino y en varios lugares habrá hambres y terremotos. Pero todas estas cosas son sólo el comienzo de los dolores de parto, Mt. 24:7-8. Habrá terrores y grandes señales del cielo. *«Pero antes de todas estas cosas os echarán mano, y os perseguirán, y os entregarán a las sinagogas y a las cárceles, y seréis llevados ante reyes y ante gobernadores por causa de mi nombre. [13] Y esto os será ocasión para dar testimonio»*, Lc. 21:12-13. Jesús nos mandó amar al prójimo como a nosotros mismos, Mt. 22:39.

Racista: si sueñas que eres racista indica que eres justo en tu enfoque de la vida, pero que por dentro estás lleno de hipocresía, odio y anarquía, Mt. 23:28. No amas a Dios ni a la gente porque practicas pecados de odio, Mt. 24:12; 1 Jn. 3:4.

Radar: ver, utilizar o ser detectado por un radar en un sueño indica que eres capaz de discernir las cosas, los fenómenos espirituales y determinar la información como su valor, posición e influencia espiritual o fuente desde una gran distancia.

Radiador: el arrepentimiento y el remordimiento se han calentado al compartir los recuerdos de un amigo perdido. Si el radiador está parado y se sobrecalienta hay que reabrir los canales de comunicación con los amigos y seres queridos antes de que la situación explote.

Radio: a medida que uno extiende su esfera de comunicación, el radio o rango de influencia continuará aumentando o ampliándose; alcance de la experiencia o influencia con cualquier punto de referencia.

Radio: capacidad de recibir frecuencias de las vías respiratorias, sensibilidad espiritual, 1Cor. 14:5-9; Ef. 2:2; dones proféticos para escuchar la tenue voz del Espíritu Santo, oración que activa a los ángeles y al Espíritu del Señor.

Radiografía: ver tu funcionamiento interno indica que has sido maravillosamente creado y tejido para funcionar como estás diseñado; eres capaz de ver en las profundidades del alma de alguien para discernir los pensamientos y las intenciones de su corazón, Sal. 119:125.

Rahab: significa violencia; una mujer cananea de Jericó que recibió y ocultó a dos espías enviados por Josué; nombre simbólico de Egipto, Mt. 1:5; Js. 2:1-23; 6:17-25; su fe se menciona en Heb. 11:31; Sal. 87:4; 89:10; Is. 51:9.

Raíces: fuente; fundamento que va a lo profundo; superficial; gordo o marchito; raíz de amargura; resentimiento; arraigado y cimentado en el amor.

Raimundo: significa santificado, poderoso protector, Fil. 1:6.

Raíz de David: representa la deidad de Jesucristo y su preexistencia como Señor, Apo. 22:16; Is. 11:1-4; Sal. 110:1.

Raíz: ver raíces de plantas o árboles en un sueño simboliza las profundidades de tus valores fundamentales, sistemas de creencias, genealogía familiar, lazos de ascendencia, vínculos y la sustancia de tu mente y alma subconsciente. Es hora de llegar a la «raíz del problema». Verse arrancando raíces indica que el pasado ha terminado. Has trabajado un problema y estás listo para desarraigar y pasar a mejores circunstancias. Estás listo o lista para dejar ir una relación destructiva o limitante y recibir estímulo para construir o hacer crecer nuevos frutos en tu vida, Sal. 1:3; 80:9.

Rama de olivo: Israel; injerto de los creyentes cristianos, Ro 11:17; unión de la paz, Lev. 7:12; esperanza y resolución de conflictos en las relaciones; rectitud; Israel; Árbol de la Vida.

Rama del árbol: usted se está ramificando en nuevas relaciones y dimensiones familiares y de amistad; está aumentando sus habilidades de comunicación; está desarrollando algo emocionante que le dará nueva vida y aumentará su crecimiento espiritual.

Rama, marchita: indica que no se puede recibir lo que necesita.

Rama, palma: es símbolo de regocijo y victoria.

Rama, rota: aislamiento, desconexión, dolor; Lev. 23:40; Jn. 12:13; Cnt. 7:8; 12:13.

Rama: parte de un cuerpo más grande y complejo que se extiende hacia ti; campo académico, vocacional, de negocios; división o grupo; tribu o familia; extenderse, expandirse; aumento del flujo de ríos de la unción, arroyo y afluentes de arroyos; un producto de la fuente; desviación de la norma; iglesia local; un creyente; Fiesta de los Tabernáculos.

Ramera: mujer abandonada; ama mucho a Dios cuando es perdonada; algo que tienta o apela a la naturaleza carnal, deseos mundanos, lujuria, seducción, trampa, adulterio, muerte, Pr. 7:10, viejas costumbres o hábitos que intentan volver, maltrato hacia tu hermana, Gén. 34: 31, jugar a la ramera, seguir a otros dioses, adulterio espiritual; ser esclavizado, corromper la tierra con la inmoralidad, fracaso, pérdida, advierte de problemas con enemigos, dolor, angustia, pena, robo, enfermedad, depresiones, ganancias mal habidas, reveses financieros, adulterio, pozo, destrucción, ser jugado, astucia de corazón, prostíbulo, desobediente, mujeres seduc-

toras que destruyen una vida preciosa. *Alternativamente:* representa la inmoralidad sexual; la idolatría espiritual, las prácticas impuras de la falsa doctrina; el pecado y el abuso, Os. 1:2; Ez. 6:9; 16:20-36; Éx. 34:15-16; Dt. 31:16; Lev. 20:5-6; Sal 106:39; Apo. 17; Pr. 7:6-23.

Ramillete: ver un ramillete, arreglo floral, o un pequeño ramo de flores indica que recibirás un regalo de favor y gracia; tus esperanzas se harán realidad.

Ramo: conjunto de talentos y dones espirituales que se unen para producir un legado; fragancia del Señor; gentileza; favor; gracia; riqueza; celebración agradable; admiradores; atrapar: esperar cosas buenas; si se marchita sugiere que ha sido rechazado en el amor. Estar en el salón o dormitorio privado de una mujer indica que se desea una relación íntima.

Ramos: representan la victoria, el Domingo de Ramos, los Tabernáculos de regocijo, Apo. 7:9; Le 23:39-44; Jn. 12:13.

Rampa, bajando: tomar el camino más fácil, pasar por la vida, buscar el camino de menor resistencia, una vida inestable.

Rampa, no llegar a la cima: no ser capaz de superar las propias carencias o dificultades.

Rampa, subiendo: uno necesita lograr que los esfuerzos personales «asciendan», determinación o ambición para superar los obstáculos en las luchas de la vida.

Ramsés: hijo del sol, Gén. 47:11; Éx. 12:37; Éx. 1:11.

Rana de toro: oírla croar indica que te vas a despertar al hecho de que te están dando de comer un motón de sapos. Considera la expresión «tragarse el sapo».

Rana: espíritus demoníacos; brujería; palabras malignas; hinchazón; espíritus inmundos; hablar de maldiciones y hechizos, plaga, devastación, lujuria e inmundicia; apariencia engañosa, boca fuerte, una voz susurrante que lleva al chisme, Apo. 16:13; Éx. 8:1-15; Sal. 78:45.

Randy: significa escudo protegido, guardado, Sal. 3:3.

Rango: en su sueño observe el rango de la persona en relación con su estatus social, posición de jerarquía o nivel de autoridad en el ejército o en las fuerzas del orden. Determina si ha estado actuando de manera poco legal o irrespetuosa. El rango también puede significar un olor desagradable y punzante. A veces el comportamiento negativo es desagradable y apestoso.

Ranúnculo (tipo de flor): infantilismo; naturaleza juguetona de alguien que te está tomando del pelo.

Ranúnculo: ver esta planta en flor indica que te sentirás radiante.

Rapé: poner una pizca de una mezcla de tabaco finamente pulverizado en la boca indica que tus palabras no están a la altura de las circunstancias; inhalar: indica que necesitas ser más exigente con las cosas que inhalas o con las que te involucras.

Rapeo: intentar un enfoque más poético, sincopado o más relevante y actualizado para comunicar tus sentimientos o deseos.

Rapero: alguien que se comunica en rima con la razón para promover una filosofía personal. Advertencia de que otros intentan involucrarte en sus agendas; para que caigas o pagues las consecuencias de sus malas acciones.

Rapidez: aceleración; una aceleración muy rápida en el Espíritu; moverse; actuar en obediencia con gran velocidad causada por una humillación de uno mismo, Sal. 46:2-4; Is. 43:2.

Rapto: ser llevado a los lugares celestiales por el Espíritu del Señor; el arrebatamiento de los creyentes en los últimos tiempos. Ver la segunda venida de Jesús predicha en la Biblia, el arrebatamiento de los creyentes cristianos al cielo; orar por la salvación de los no creyentes, 1 Tes. 4:17.

Raquear (también llamado shelling en inglés o peinar la playa): actividad recreativa practicada por algunos individuos que consiste en «peinar» (o buscar) la playa y las zonas intermareales para buscar de cosas de valor, interés o utilidad, encontrando diversas curiosidades que han sido arrastradas por la marea: conchas marinas de todo tipo, fósiles, fragmentos de cerámica, artefactos históricos, (vidrio de mar o de playa) y madera a la deriva. Los bañistas recogen objetos decorativos o útiles perdidos o desechados por las embarcaciones. La gente peina la playa en busca de tesoros porque la actividad les ofrece una receta natural para lograr una mejor salud emocional, física y espiritual. Una persona que dependía de la pesca costera para su sustento, o que abandonaba su cultura originaria y su conjunto de valores, era denominada «raquero» y era sinónimo de delincuente, vagabundo o vago, marineros desempleados que se enfrentaban a peligrosas penurias para abandonar un barco.

Raquel: significa inocencia, cordero, Os. 14:9.

Raqueta: tener cuidado con alguien que intenta engañarte o atraerte en una raqueta o estafa.

Raquetas de nieve: tienes un camino difícil por recorrer que requerirá mucho trabajo y esfuerzo físico. Tu camino ha sido especialmente equipado con un calzado para caminar sobre la nieve que funciona distribuyendo el peso de la persona sobre un área mayor para que el pie de la persona no se hunda completamente en la nieve; su máxima cualidad es que pueden flotar. Son herramientas esenciales para los comerciantes de pieles, los tramperos y cualquier persona cuya vida dependa de la capacidad de desplazarse por zonas con nevadas profundas y frecuentes; son utilizadas para el ocio, sobre todo por los excursionistas y corredores a los que les gusta cultivar esta afición en invierno. Las raquetas de nieve son fáciles de aprender y, en condiciones adecuadas, son una actividad recreativa relativamente segura y de bajo costo. Sin embargo, las raquetas de nieve en terrenos helados y escarpados son más peligrosas.

Raro: ver o poseer un objeto raro en tu sueño significa tu gran valía y valor. Usted es un tesoro raro y hermoso.

Rascacielos: edificio excepcionalmente alto dotado de ascensores que permiten un rápido ascenso. Uno puede esperar recibir ascensos en muy poco tiempo que le permitan estar en un lugar elevado de prominencia. Iglesia reveladora; visión celestial; gran impacto; cosas espirituales más elevadas. El cielo es el límite con Dios.

Rascacielos: soñar con un edificio de muchos pisos equipado con elevadores indica la posibilidad de ascender muy rápidamente a la popularidad o a un lugar de visibilidad.

Rascador de pintura: elimina lo viejo; prepara, limpia y alisa una superficie para lo nuevo; elimina las astillas y las escamas, y las falsas creencias.

Rascarse: esto puede ser un reflejo de cómo te sientes con tu vida en este momento. ¿Estás simplemente arañando tu existencia? Rascar es un término popular para referirse al dinero. Sin embargo, el plan de Dios para ti es de prosperidad y abundancia, que seas cabeza y no cola, que estés por encima y no por debajo. Es posible que tus alergias estén aumentando, así que busca la curación y libérate de una vez por todas de esta molestia. Puede que el éxito te sorprenda por casualidad, pero Dios desea que este sea tuyo cada día. Así que deja de luchar contra los demás y empieza a orar para que tu vida cambie radicalmente.

Rasgos: recordar los rasgos especiales de una persona o de un ser espiritual indica que normalmente tendrás una presentación o una visita en un futuro próximo.

Raspar: rasguñar a la fuerza, luchar, empujar, cavar o sacar un pequeño sustento de una situación de empleo, rozar a duras penas es una advertencia para revisar tus finanzas, sembrar limosnas y dar. ¿Está usted diezmando? Si no es así, estás bajo una maldición. Hasta que no dejes de robarle a Dios seguirás teniendo agujeros en los bolsillos, Mal. 3:8.

Raspar: raspar o moler con aspereza; pronunciar con voz chirriante; puntos conflictivos agudos.

Rastas: en la cultura jamaiquina, los rastafaris popularizaron las largas y finas trenzas o mechones naturales de pelo enmarañado del cuero cabelludo,

Todd White. Una revuelta o rebelión creciente; se decía que el portador vivía una vida «temerosa» o una vida en la que temía a Dios, lo que dio origen al nombre moderno de «rastas» para este estilo antiguo de vida.

Rastra: arrastrar una rastra por el suelo o utilizar las púas o discos de una rastra como herramienta o implemento agrícola indica que se está arando profundamente para romper cualquier terreno en barbecho y así poder recoger una mayor cosecha en el futuro.

Rastrillar: quitar las hojas viejas y muertas de la temporada anterior; preparar el nuevo crecimiento.

Rastrillo de tractor: pesado rastrillo agrícola utilizado para romper o aplastar terrones de tierra y facilitar la siembra; demuestra la capacidad o la acción de frenar, reducir la velocidad o el movimiento hacia adelante, llegar a una parada completa.

Rastrillo: predice que hay que moverse entre un montón de madera, heno y rastrojos para encontrar la «aguja» o lo que se busca encontrar. Tirar un rastrillo indica que estás dando una esperanzadora «puñalada en la oscuridad», pero que no tienes una dirección clara.

Rastrillo: se necesita un trabajo duro y una planificación diligente para lograr un determinado objetivo o empresa. Ser «rastrillado» sobre las brasas indica que se están aprovechando de ti en una situación de la vida o en una relación. Es necesario un nuevo plan o dirección en la vida para prosperar y tener éxito.

Rastrojo: representa algo que no sirve para nada, un material sin valor que hay que quemar y desechar; Jh. 21:18; Jl. 2:5; Mal. 4:1; 1 Cor. 3:2; Is. 5:24.

Rata: enfermedad; ansiedad; te engaña y desensibiliza; se alimenta de la basura y del pensamiento erróneo; desperdicia tu vida en búsquedas sin sentido; viene a robar; «robar a alguien»; «carrera de ratas». Obras de la mente; falsa sabiduría; abominación; informante despreciable que traiciona a amigos o socios; devorador; enfermedad o plaga.

Ratón: pequeñas irritaciones que devoran tu confianza; miedos molestos; ansiedad y preocupaciones; tímido; ladrón; roedor; pecados impuros, Lev. 11:29.

Ratones: devoradores; destruyen tus frutos; maldición; plaga; tímidos, Mal. 3:11 a; 2 Tm. 1:7; roban; irritan; temen; discordia. Ver ratones indica que hay un ladrón a tu alrededor que devorará lo que se encuentre a su paso. Si tú, un gato, un perro o una trampa atrapa o mata a los ratones tendrás la victoria.

Ravioli: soñar con un pequeño trozo de pasta en forma de almohada relleno de carne, queso o verduras indica que tiene un problema con la comida reconfortante.

Rayas horizontales: indican que tu conducta está más orientada a los ámbitos terrenales y que es precisa, directa e inquebrantable.

Rayas en blanco y negro: indican que ves las cosas como algo muy simple. Es posible que tengas una mentalidad demasiado cerrada como para embarcarte en nuevas posibilidades o ideas, por lo que siempre te encuentras en una situación sin salida o luchando con tu indecisión.

Rayas, verticales: indican que tomas tus direcciones del cielo, marchando a un sonido diferente que la tierra consideraría como inconformista.

Rayo: descubrir una delgada línea de radiación: advierte de un problema de salud; ver una luz visible pronosticar el conocimiento que viene a revelar algunos hechos ocultos, dando un «rayo de esperanza».

Rayo: símbolo de fuerza; Mt. 7:3; ver o llevar un rayo pesado indica que llevarás o tendrás una gran carga que soportar, asegúrate de no juzgar a los demás. *«La sabiduría del hombre ilumina su rostro, y la tosquedad de su semblante se mudará», Ec. 8:1".*

Rayuela: necesidad de equilibrarse; aprender a jugar limpio; saltar de una cosa a otra sin terminar la tarea que se tiene entre manos; inmadurez lúdica; intentar salir adelante en la vida mientras se lanzan piedras a los demás de forma infantil.

Razorback: cerdo semisalvaje del sureste de Estados Unidos que tiene un cuerpo estrecho con un lomo estriado de aproximadamente tres pies en el hombro. Un espíritu no limpio o una persona con una lengua engañosa que está tratando de introducirse en tu vida para hacerte retroceder impidiéndote estar a la vanguardia.

Reacomodar los muebles: estás haciendo espacio para un aumento de favores, nuevas relaciones o actualización, potenciando tus dones y habilidades; estás aburrido o aburrida de cómo va tu vida en la actualidad por lo que buscas un cambio de ambiente.

Reality show: formar parte del reparto de un *reality show* indica que sientes que tu vida está abierta a la opinión popular y al escrutinio público. Esto también puede ser un sueño de advertencia que sugiere que debes respetarte a ti mismo y dejar de permitir que las críticas y los juicios de la gente afecten a tu visión de la vida. Ha llegado el momento de comprobar la realidad.

Reanimación cardiopulmonar: ver que se realiza esta acción para salvar la vida indica que se está en una situación peligrosa. Este procedimiento de emergencia manual se realiza a una persona que ha sufrió un paro cardíaco. La reanimación cardiopulmonar se realiza para restablecer el flujo espontáneo de sangre y la circulación de oxígeno para asegurar el correcto funcionamiento del cerebro y los órganos hasta que la persona pueda ser transportada y estabilizada. Esto significa que es muy importante que recuperes tu capacidad de movimiento, que aprendas a caminar a tu propio ritmo y compás, que te mantengas cohesionado y en una verdadera sincronización vital contigo y tu entorno.

Rebanadas de pan: representan el alimento celestial, el bastón de la vida, la salud, el alimento, la comunión, los judíos y los gentiles; Cristo; Lev. 23:15-22; Éx 16:33; 25:23-30; Jn. 6:32-51; 1 Cor. 10: 16-17; 12:13; Ef. 2:11-12; ahorrativo o económico; es un elemento básico en la vida; panes rotos: representa el quebranto, el dolor o el sufrimiento en el cuerpo; multiplicación: indica gran éxito, prosperidad, y sobrará abundancia para compartir con los demás.

Rebaño: representa a los creyentes en Jesús. Son sus corderos y las ovejas de sus prados; las cabras representan a los no creyentes y pecadores que están en el mundo, Is. 40:11; Jn. 10:16; Sal. 100:1-5.

Rebelde: deje de seguir la corriente; defiéndete; sé más genuino; ve en contra de la opinión popular cuando el grupo esté equivocado; sé un pensador independiente; presta atención a los asuntos importantes y a los pequeños detalles de la vida; sé más asertivo; huye del espíritu de rebeldía, que es brujería.

Rebobinar: echar un segundo vistazo a algo del pasado para ver cuánto has avanzado con el tiempo; retroceder las manecillas del reloj para obtener sabiduría y conocimientos de experiencias pasadas, arrepentimientos o remordimientos de errores pasados; desearías poder retractarse de alguna declaración o acción; deja de vivir en el pasado; céntrate en un futuro fructífero. Agradece a quienes te han ayudado a conseguir tus objetivos.

Rebosar: agitado, revolver, muy excitado, reducir el volumen, hervir a fuego lento, guisar, hervir, arder, calentado hasta el punto de humear, ira que hierve, infección dolorosa, prueba, juicio, sufrimiento físico. Dt. 28:27; Éx. 9:11; Jb. 7:5.

Rebuznar: escuchar o emitir un grito fuerte y áspero de burro indica que has estado haciendo el ridículo o actuando como un burro obstinado.

Recado: viaje corto que se hace para realizar una determinada tarea o superar un obstáculo de carencia, ser enviado en una misión para otro, un apóstol o un enviado de Dios para el avance de su reino.

Recapturar: recapturar para recuperar o retomar un botín, bienes o el afecto de una persona en un sueño indica que prosperarás y te beneficiarás al recordar los buenos recuerdos de éxitos pasados.

Recepcionista: persona cálida y acogedora que atiende los teléfonos y toma los mensajes, que te saluda al entrar en una oficina, puede representar a un ángel, a un creyente o a un profeta.

Receta: estrategia, plan o los componentes o ingredientes necesarios para llegar al corazón de una persona.

Rechazar: rechazar una oferta en un sueño indica que has rechazado la aceptación de una responsabilidad o de un ofrecimiento que te han hecho. Está cansado de hacer lo habido y lo por hacer para conseguir la aprobación de la gente.

Rechazo: se te está imponiendo una situación negativa o hay una relación de la que quieres desvincularte que te está provocando fuertes sentimientos de rabia o de odio a ti mismo causados por una falta de autoestima que te está haciendo distanciarte de los demás. Deja de ser una víctima y afirma tu valor como persona. El rechazo de un amante conlleva un gran dolor.

Rechinar: rechinar los dientes con angustia o desesperación, Sal. 112:10; Mt. 8:12.

Recibir joyas: bendiciones, aumento, dones espirituales o impartición; herencia, favor, placer, valor y deseo cumplido.

Recibo: firmar o recibir un recibo indica que tus finanzas están mejorando y que pronto volverás a estar nuevamente en circulación.

Recién nacido: se refiere a un nacimiento natural o espiritual (nacido de nuevo). Ambos requieren la crianza y la guía de nuestra madre física y o espiritualmente del Espíritu Santo.

Recipiente: un recipiente puede representar a una persona o a su cuerpo. Algunos recipientes son para honra y otros para el servicio innoble o el uso común, Rom. 9:21. Los recipientes contienen diversos artículos, encierran tesoros, guardan diversos objetos, fluidos y objetos de valor, contenerse significa vivir en castidad o con autocontrol.

Recluta: persona de bajo rango, sin formación, alistada y confinada en la base para realizar tareas de poca importancia. Puedes estar viéndote a ti mismo o a otros como de poco valor.

Reclutas: ver a los soldados siendo reclutados para la guerra indica que las almas están siendo salvadas para el avance del reino o que los hombres se están preparando para la guerra civil.

Recogida de equipaje: Lugar para recuperar el equipaje, llevar suministros y provisiones para satisfacer las necesidades temporales, asumir la responsabilidad de la propiedad o los problemas de uno mismo, el equipaje que uno lleva a través de la vida, las cargas o las alturas.

Recogida de frutos: es el momento de recoger la cosecha de todas las semillas físicas, obras y bendiciones espirituales que has sembrado; la recogida de manzanas suele ser un ritual de cita muy popular en Estados Unidos. En los estados del sur o agrícolas se suele recurrir a los trabajadores inmigrantes para recoger la fruta, ya que se les puede pagar un sueldo relativamente bajo y suelen hacer el trabajo bastante bien. Se están diseñando robots que pueden sustituir a los humanos para este tipo de trabajo representado las tradiciones mecánicas que anulan el poder de la bendición.

Recompensa: vigilar a alguien o algo o recibir dinero por servicios especiales indica que las cosas están cambiando para bien.

Reconciliación: Heb. 2:17; restauración del hombre al favor de Dios; expiación Rom. 5:11. Una relación que perdiste en el pasado será restaurada si te humillas y acudes a la persona para pedir perdón.

Reconocer: reconocer a alguien en su sueño indica que podrías prosperar si incorporas sus modales, sabiduría, dones y acciones en tu propia vida. Si en el sueño usted es el reconocido por otros, entonces puedes esperar una promoción y un aumento de favor en tu vida.

Récord de pista: un récord de rendimiento. Estás llamado a mantener un alto nivel en la vida. Nunca pongas en peligro tu carácter o tu integridad para salir adelante. Alguien lleva la cuenta de todo lo que dices y haces. La zona que se encuentra junto a la pista de atletismo suele ser una zona llena de hierba donde los participantes se estiran para prepararse para correr la carrera. Corre la carrera con diligencia porque será la que ganes.

Récord: si siempre marcas la pauta en la vida, es posible que establezcas nuevos récords o rompas los existentes como creador de tendencias.

Recordar: que te llamen, te pidan u ordenen que vuelvas en un sueño puede indicar que necesitas prestar mucha atención y estar atento a una preocupación con un tema o situación que está a la mano. Necesitas cuidar tu puesto. Se te está dando una segunda oportunidad de realizar una tarea para que puedas remediar cualquier defecto o falla que haya estado presente en el pasado. Es el momento de hacer ajustes para que puedas tener éxito en todos los ámbitos de la vida.

Recorte: una temporada de poda, recorte de hábitos, relaciones negativas o insanas indica la capacidad de hacer surgir un nuevo crecimiento, un aumento y una plenitud de frutos.

Recreación: volver a crear, verte disfrutando del juego y la recreación indica que tu mente y tu cuerpo están en proceso o necesitan experimentar un tiempo de refresco, relajación y diversión para ser más creativos, ingeniosos e imaginativos a través de algunas actividades estimulantes. (Consulte los folletos de tarjetas de símbolos de deportes y recreación para obtener más información *www.decodeMydream.com*)

Rectángulo: ver un rectángulo en un sueño indica

que estás siendo ampliado en dos áreas de tu vida (social, espiritual, física o emocional). Esto traerá más puertas abiertas de oportunidades y una mayor capacidad creativa. Tu base se está ampliando para añadir más estabilidad a tu vida. Los ascensos aumentarán tu estatura e influencia. Está siendo arraigado y cimentado en el amor. *«Para que por fe Cristo habite en sus corazones. Y pido que, arraigados y cimentados en amor, puedan comprender, junto con todos los santos, cuán ancho y largo, alto y profundo es el amor de Cristo; en fin, que conozcan ese amor que sobrepasa nuestro conocimiento, para que sean llenos de la plenitud de Dios.»*, Ef. 3:17-19; «arraigados y edificados en él, confirmados en la fe como se les enseñó, y llenos de gratitud», Cl. 2:7; *«Plantaré a Israel en su propia tierra, para que nunca más sea arrancado de la tierra que yo le di»*, Am. 9:15.

Recto: progresión espiritual con humildad, Jn. 1,23; Is. 40,3-4; Lc. 3,4-5. Cuando tus caminos son justos y rectos y tus sendas son obedientes y rectas ante Dios podrás caminar en la perfecta voluntad de Dios. Él prosperará todo lo que pongas en tus manos y te protegerá de tus enemigos. *«SEÑOR, por causa de mis enemigos, dirígeme en tu justicia; empareja delante de mí tu senda»*, Sal. 5:8; *«Reconócelo en todos tus caminos, y él allanará tus sendas»*, Pr. 3:6; «Por tanto, renueven las fuerzas de sus manos cansadas y de sus rodillas debilitadas. *«Hagan sendas derechas para sus pies»*,[a] para que la pierna coja no se disloque, sino que se sane», Heb. 12:12-13

Recuerdos o suvenir: soñar que te regalan un recuerdo o suvenir significa que ocupas un lugar especial en el corazón de alguien, así que deja atrás las discusiones y desacuerdos del pasado y acepta su generoso gesto.

Recuperar: verte en un proceso de recuperación indica que tu cuerpo físico, tus procesos emocionales o mentales están siendo restaurados de un trauma pasado.

Recuperarse: verse a sí mismo o a otro recuperándose en un sueño indica que una temporada de traumas o pruebas está llegando a su fin y que el proceso de curación ha comenzado. Busca un nuevo día de fuerza y sabiduría que surja de las cenizas.

Recurrente: los sueños recurrentes indican que aún no has entendido su mensaje; Dios está tratando de llamar tu atención para comunicarte sus cartas de amor de forma visual.

Red, siendo arrojada: representa una trampa que se tiende, o un alcance evangelístico para ganar almas, el internet, la red de conexión con otros para avanzar en sus relaciones o carreras, algo que mantiene tu cabeza o sabiduría en su lugar; hacer dinero y ganancias financieras.

Red: expandir tu esfera de influencia o capacidad de

alcance, construir tu red o valor neto; formar conexiones en internet; hacer algo que nunca has hecho antes, «echar las redes al otro lado», atrapado en un lazo o atrapado por alguien en una relación o situación de vida complicada; ser atrapado o atrapar, Lc. 5:2-4; Sal. 141:10; 10:9; 9:15; 25:15; 31:4; 35:7-8; 57:6; 66:11.

Red-C: la luz roja de la unción de Dios ministra sanidad a estas áreas del cuerpo: sangre; genitales; piernas; músculos; intestinos; bajos intestinos; problemas de pies; problemas de ovarios; sobrepeso; enfermedades venéreas. Tocar música en la tonalidad de Do ayudará a la resituación.

Redentor: Cristo pagó el precio de nuestra libertad; volver a pagar una deuda, Éx. 6,6; Gál. 3,13; Tt. 2,14.

Redil: lugar cercado de protección, Jn. 10:1; 2 Sa. 7:8. Los creyentes son llamados ovejas si son obedientes a la voz del Espíritu Santo, Mt. 25:33; Jn. 10:16; Cristo, «el cordero de Dios», Jn. 1:29.

Redondo: ser redondo o equilibrado; la naturaleza eterna de Dios entre los tres en uno; eterno, sin principio ni fin; esférico; estrategias; gracia; misericordia; compasión; perdón; los ciclos de la vida; rodear a alguien.

Reducción de seno: disminución de la capacidad de amar y consolar.

Reducir: ver una nueva figura esbelta por la reducción de peso indica que podrás ejercitarte con un compañero de tu elección.

Reductores de velocidad: mecanismo de engranaje de un motor de automóvil que reduce la potencia necesaria para mantener la velocidad de conducción en un rango específico aumentando la relación entre el eje de transmisión y la velocidad del motor. Trabaja demasiadas horas y se esfuerza demasiado. Está trabajando demasiadas horas y necesita un período de descanso y recarga de combustible. Desbordamiento: tener un gran favor o una abundancia o re manar lo suficiente para sembrar en toda obra buena.

Reembolso: verte dando o recibiendo un reembolso en un sueño indica que otros se han volcado hacia ti. Tienes algo muy valioso que devolver al mundo. Se está pagando una deuda u obligación. Tu vida ha sido comprada y salvada por Jesús porque Él murió en la cruz ofreciendo su vida, el mayor precio de todos. Se te está dando una segunda oportunidad.

Reemplazar: soñar con ser reemplazado indica que te sientes ansioso por una relación, inseguro en su matrimonio o con dificultades en el trabajo. Recuerda que debes ser la mejor versión de ti mismo, eres un ser único y especial. Nadie puede reemplazar tu verdadero yo, sé auténtico.

Refinador: persona que lleva la materia prima a través de un proceso de refinamiento para transfor-

marla en algo de valor, la plata y el oro reflejan la imagen del refinador cuando se ha eliminado la escoria del metal, Mal. 3:3; Is. 48:10; Zc. 13:9.

Refinar: caminos y pruebas que traen purificación; Jer. 9:7; Mal. 2:2-3; 1 Cr. 28:17-18; Is. 48:10.

Reflejar: se está prestando demasiada atención a uno mismo; preocupándose por las opiniones populares de los demás; los creyentes deben reflejar a Cristo en sus acciones para reflejar su gloria, Pr. 27:19.

Reflejo: responder sin pensar en las propias acciones; reflexionar sobre algunos pensamientos, imágenes o estados; girar, lanzarse o inclinarse hacia atrás; acción involuntaria o respuesta no aprendida a una situación o estímulo.

Reforma: verte mejorando o alterando algo en un sueño para corregir errores pasados en la doctrina o los bienes, eliminando defectos y falsedades, indica que estás en proceso de recuperarte de abusos o malas prácticas pasadas. Es el momento de abandonar las acciones irresponsables o inmorales y enmendar tus caminos. Vuelve a las cosas de antes.

Refresco: verte ofreciendo refrescos en un sueño indica el don de la hospitalidad y la servidumbre. Tienes el deseo de bendecir a los demás con alimentos y bebidas espirituales o naturales.

Refugiarse: descansa en Dios; antepone las necesidades de los demás a las tuyas, la benevolencia generosa es de suma importancia; cosecharás lo que siembres; bendice al extranjero; intenta escapar en lugar de enfrentarse a los problemas; te sientes socialmente rechazado, emocionalmente aislado o que no perteneces.

Refugio antibombas: miedo a la exposición; ser demasiado proactivo; enterrar las propias emociones o sentimientos; miedo al conflicto; esconderse de la confrontación.

Refugio seguro: soñar que está en un lugar seguro indica una perspectiva optimista en una situación posiblemente negativa o que estás deseando que haya una manera de escapar de tus circunstancias de vida actuales. Un refugio seguro es donde se envía a las personas cuando necesitan protección.

Refugio: Dios es una fuerte torre de defensa y un lugar seguro de refugio en los días de angustia al que podemos correr para escondernos de los vengadores y las guerras que se desatan a nuestro alrededor. Tu generosidad aportará cobertura, consuelo, refugio o protección a los menos afortunados; si buscas: el daño será desviado si uno permanece honesto y confiable, Sal. 61:4.

Refugios: soñar con refugios, lugares o estados de seguridad indica que te sientes vulnerable o temeroso de una situación o persona actual. Quieres huir, esconderte o aislarte emocionalmente. Ora y busca la sabiduría de Dios para resolver tus dificultades. Deja de esconder la cabeza en la arena y afronta la realidad. *«El temor del SEÑOR es un baluarte seguro que sirve de refugio a los hijos»*, Pr. 14:26.

Regalar joyas: favorecer a otros; influir o impartir regalos a los demás; no valorar los tesoros y regalos espirituales; pagar una deuda; auto deterioro o pérdida de favor.

Regalar: necesidad de compartir o dar de sí mismo, ser flexible y considerado; si en un sueño le hacen un regalo, es que hay una nueva oportunidad, una herencia o un regalo, un aumento y un favor. Recibir un convite de comida o entretenimiento que fue pagado por otra persona como una bendición o favor indica que estás siendo recompensado por un cierto comportamiento en tu relación de amistad o de trabajo por un trabajo bien hecho.

Regaliz: palabras dulces y refrescantes que limpian el alma con alabanzas.

Regalo de cumpleaños: llegan nuevos regalos para celebrar otro año de madurez espiritual; Snt. 1:17; 1 Cor. 12:1- 11.

Regalo, dote: ahorrar o recibir una dote indica que te casarás pronto.

Regalo, soborno: dar o ver a alguien dar un soborno indica que estás tratando de escapar de tu justo castigo.

Regalo: dones espirituales, 1 Cor. 12:1, o dones naturales y habilitados «para dar»; honor; una gratificación; una herencia; agradecimiento. Recibir dones es una indicación de favor, seguridad y prosperidad; gracia extendida; talentos y aptitudes.

Regalos: recibir varios regalos de una persona de honor representa la transferencia de riqueza o fortuna. Se te está dando poder para dar e invertir en los demás. Ver un regalo o un presente en un sueño puede ser un juego de palabras sobre estar «presente» en el aquí y el ahora. ¿Estás centrado en el pasado, en el presente o en el futuro? No hay tiempo como el presente. Considera también la aparición de un regalo en tu sueño como un recordatorio para utilizar todos tus dones y talentos. ¿Podría haber olvidado el cumpleaños de alguien o una ocasión especial? ¿Son los regalos o los obsequios tu lenguaje de amor?

Regañar: la repetición innecesaria de palabrerías no está produciendo los resultados deseados; utiliza un enfoque positivo, no un espíritu acusador de tormento, Jue. 16:16. Ser abusivo en tu forma de reprimir o criticar con severidad la opinión de alguien hará que se rompan los lazos de comunión; pide disculpas antes de que te encuentres viviendo solo.

Regaño: ver u oír un regaño en un sueño sugiere que se necesitan cambios desde hace mucho tiempo, así como nuevas percepciones y actitudes en la vida personal.

Regata: ver o participar en una regata o regata indica que tienes el deseo de influir en mucha gente de forma evangelizadora con fines del reino.

Regatear: ¿Por qué estás regateando? Si la gente intenta regatear por ti, representa que no te estás tomando en serio. Da lo mejor de ti en cada cosa que hagas. No permitas que los demás te subestimen. Da siempre lo mejor de ti.

Regazo: sentarse en el regazo de alguien indica un momento de afecto, el desarrollo de una relación estrecha o íntima, el «baile de regazo» o la capacidad de pedir lo que se desea.

Regeneración: renacimiento de un alma perdida en el pecado; inicio de una vida espiritual con el Espíritu Santo; Mt. 19:28; la restauración de todas las cosas en la segunda venida de Jesús, Tt. 3:5 nuevo nacimiento en Cristo; Jn. 3:3; 1 Pe. 1:23.

Regimiento: verte destinado a un orden sistemático específicamente impuesto, uniforme y rígido, en una unidad militar de tropas terrestres o aéreas, bajo un único líder, sugiere que estás en un estricto proceso de entrenamiento que requerirá mucha concentración, disciplina, desarrollo de habilidades y dedicación.

Registros: tu sueño te está diciendo que hay fuentes de información almacenadas que son relativas a este momento de tu vida. Revisa lo que se ha registrado para que puedas actuar en consecuencia. Ora para que el Espíritu Santo te dé sabiduría.

Regla: la distancia más corta entre dos lugares es una línea recta; verte usando una regla indica buena planificación y estrategias de tu parte; calcula el costo antes de financiar un nuevo proyecto. Puede que estés gobernando demasiado; recuerda que es mejor ser el servidor de todos que el gobernante, 1 Sam. 16:7.

Regocijo: hacer una fiesta o participar en un jolgorio en un sueño indica una vida feliz llena de alegría y prosperidad. *«El corazón alegre constituye buen remedio; Mas el espíritu triste seca los huesos»*, Pr. 17:22.

Regordete: aparecer regordete en un sueño es una advertencia de que no has sido diligente ni en la palabra ni en los hechos; por lo tanto, tienes que hablar menos y hacer más.

Rehén: abrazar una mentalidad de víctima, la desesperanza te ha robado el poder para salir de una situación negativa o hiriente, el miedo ha paralizado tu impulso hacia adelante, sentirte atrapado en una relación asfixiante, no hablar o comunicar tus verdaderos sentimientos o deseos.

Reina del cielo: Jer. 7:18; 44:17-19, 25, la luna.

Reina Esther: hermosa; pura; muy favorecida.

Reina: autoridad; gobernante; regente; poderosa; Jezabel; posición fija de dignidad; La Reina del Cielo una religión ocultista, Jer. 7:18, Esd. 7:1; 1 Re. 15:13; monarca gobernante; gran influencia y poder.

Reincidir: Volver a recorrer el mismo camino buscando nuevas respuestas, revertir una opinión o creencia, retractarse de una decisión, volver a un mal hábito o pecado, volver a una posición pasada o peor.

Reingresar: soñar con volver o con el regreso a un lugar específico o con la experiencia de un evento recurrente sugiere que no ha llegado a la comprensión correcta que el sueño está tratando de comunicar. Sigues reviviendo la experiencia una y otra vez porque no ha sintonizado con la información detallada o la revelación que se está revelando. Es el momento de buscar la ayuda de un intérprete de sueños profesional para obtener la visión espiritual necesaria.

Reino de los Cielos: es invisible y está dentro de cada quien; es como un hombre que siembra, una semilla de mostaza que crece, levadura o fermento que se multiplica, tesoro escondido en el campo, mercader que busca perlas finas, una red para pescar toda clase de peces, dueño de una casa que saca tesoros antiguos y nuevos.

Reír: Gén. 18:13, 15, Gén. 21:6; Jb. 5:22 te reirás de la violencia y del hambre; y no tendrás miedo de las fieras. Sal. 52:6; Sal. 59:8; Sal. 80:6; Pr. 1:26; Ec. 3:4 hay un tiempo para reír; Heb. 1:10; Lc. 6:21 bienaventurados los que ahora lloran, porque reirán; Lc. 6:24, ay de los que ahora reís porque lloraréis.

Rejilla: ver una rejilla en un sueño puede indicar que te sientes reducido a un pequeño fragmento; alguien está siendo abrasivo o te molesta. Una rejilla también puede servir de recordatorio para agradecer las cosas buenas de la vida. Cuenta tus bendiciones a diario. Pasarás de ser «grande» a ser «grandioso» cuando liberes al Cristo que hay en ti, Col. 1:27.

Relación: *«Le dijeron sus discípulos: Si así es la condición del hombre con su mujer, no conviene casarse. Entonces él les dijo: No todos son capaces de recibir esto, sino aquellos a quienes es dado»*, Mt. 19:10-11.

Relación: interacción íntima y penetrante; intercambio o comunicación entre personas o grupos; coito entre parejas casadas; amante; deseo de tener una familia y expresar los sentimientos íntimos de amor a otra persona; unirse o entrelazarse con alguien.

Relajación: necesidad de ser menos estricto o severo; reducir el nivel de intensidad y relajarse para disfrutar de la vida; dejar de esforzarse, aprender a estar a gusto consigo mismo y con los demás; ser menos formal en su enfoque; más distante menos tenso; puedes estar actuando de forma demasiado laxa o floja.

Relajante: soñar con usar un relajante, o cualquier otro tipo de loción alcalina o crema de tioglicolato de amonio y que es generalmente utilizado por personas con rizos apretados o cabello muy rizado, pues hace que el cabello sea más fácil de alisar al «relajar» químicamente los rizos naturales, puede ser un indicativo de que te sientes demasiado tensa o intensa y desees aflojar, ser menos estricta, o severa. Sin embargo, debes tener cuidado de no volverte floja o flojo en tu vida de pensamiento y no descuidar la sabiduría que Dios te ha dado. No te vuelvas indiferente o distante con los demás, pero prepárate para recuperar tu encanto natural. Recuerda que has sido creado de forma maravillosa y temerosa. Eres, en definitiva, encantador, Cnt. 5:16; Cnt. 6:5.

Relámpago: cambio inesperado, iluminación que viene a través del Espíritu, visión y conocimiento de la revelación, conciencia espiritual, intuición o perspicacia espiritual, juicio o destrucción repentina. Las manos de Dios están cubiertas de relámpagos; la majestuosidad de Dios; viene del este, destella hacia el oeste; Dios interactuando con la tierra; iluminación; juicio; la caída de Satanás; ángel; espíritu vivificante; poder empleado; poder explosivo; iluminación, conocimiento de la revelación, aumento de la verdad, limpieza o purificación, poder y gran energía, un giro de los acontecimientos que amenaza la vida o que está fuera de nuestro control, cambio repentino o transformación espiritual, asociado con voces, truenos y terremotos, Ez. 1: 14, Dn. 10:6; Apo. 8:5; 11:19; 16:18; Éx. 19:16; Ez. 1:14; Mt. 24:27; 28:3; Lc. 10:18.

Relámpagos, voces y truenos: ver los relámpagos de Dios y oír las voces de los truenos en tu sueño representa los juicios de Dios en la tierra, Éx. 19:16; Apo. 4:5.

Religión: creer y venerar a Dios y su poder sobrenatural para intervenir en los problemas de la vida indica que tu fe te hará superar todas las pruebas con gracia.

Religioso: soñar con ser religioso representa el deseo de cambiar tu vida para mejorar; de encontrar a Jesús como su Salvador y desarrollar una relación personal con Dios. También puede advertir que has adoptado una forma de piedad pero que estás negando el poder de Dios en tu vida al abrazar las formas y tradiciones del hombre. Puede que tengas algunos hábitos malos o buenos que realizas «religiosamente». Soñar con la religión indica que estás buscando las respuestas a la vida que sólo se encuentran en el conocimiento de Jesucristo.

Reloj de arena: el tiempo se agota, sé un buen administrador del tiempo que queda, redime el pasado, los plazos se acercan rápidamente, es hora de poner la nariz en la piedra de afilar y producir y entregar lo que se ha prometido, la vida de uno ha dado un vuelco y se necesita sabiduría para ordenar las cosas correctamente, Sal. 39:4.

Reloj de bolsillo: es el momento de observar el tiempo muy de cerca para no perder la oportunidad que se le está presentando ahora mismo. Si tomas las decisiones correctas y asumes el riesgo necesario, te embolsarás el éxito y obtendrás las bendiciones de Dios. Restricciones, deberes o tiempos autoimpuestos. El tic-tac de un reloj puede representar los latidos del corazón. Si no dejas de mirar el reloj de bolsillo, estás inquieto, aburrido o ansioso por la vida.

Reloj de pie: el tiempo se acaba, marca que el final de la vida se acerca, historia pasada, tic-tac de un tiempo establecido, herencia generacional.

Reloj de pulsera: el tiempo es esencial, se está acabando el tiempo, es la hora, a tiempo, mirar y ver, demasiado tarde, tiempo pasado, presente o futuro, ver el tiempo volar.

Reloj de sol: ver los rayos del sol poniéndose en un reloj de sol indica que las manos de Dios se posan sobre ti y ha determinado que el favor se posará y las bendiciones cubrirán tus días. Una medida de progreso o movimiento.

Reloj: plenitud del tiempo; el tiempo de Dios; 2 Pe. 3:9; un imprevisto que se libera repentinamente; llamada de atención; cita divina; el tiempo es importante; el tiempo es significativo; se acaba; tarde; temprano; últimos días; fin de los tiempos; salvación; última oportunidad; ahora; decisiones; cambio; fin o principio; hora duodécima; justo a tiempo; «trabajo de reloj» o puntualidad. Ver un instrumento que se utiliza para recordar, medir o registrar el tiempo indica que el tiempo es esencial; tome una decisión sabia antes de que pierda una fecha límite y una oportunidad de avanzar van- sideralmente. Ten cuidado con los engaños o el juego sucio; muévete en paz, no por el impulso.

Relojes: el tiempo es esencial, se acaba el tiempo, es la hora, a tiempo, mira y ve, demasiado tarde, tiempo pasado, presente o futuro, ver el tiempo volar. Hay un apunte divino en tu futuro cercano. Hay un tiempo para todo bajo el cielo, un tiempo para vivir, morir, luchar, derribar y reconstruir, Ec. 3:2. Orar o buscar a Dios a través de las vigilias de la noche.

Remache: ver un remache en un sueño indica que estás permanentemente unido a alguien o a algo que es capaz de absorber o mantener tu atención.

Remar: tratar de mantener la cabeza por encima del agua para no ser abrumado; disciplinar mediante azotes para eliminar la rebeldía. Dt. 23:13. Viaje espiritual; es necesario un gran esfuerzo físico para forjar su camino; hacer las cosas paso a paso; avanzar hacia el éxito, pero haciendo las cosas de forma difícil. Se necesita mucho esfuerzo físico para lograr

un objetivo. El viaje de tu vida puede ser difícil o duro durante este mar, ya que soplan vientos de oposición. La persistencia y la dedicación le permitirán progresar espiritual y emocionalmente, Mc. 6:48.

Remedio: encontrar un remedio en un sueño indica que estás buscando sabiduría para resolver los problemas de la vida. Tienes el deseo de curar las heridas del pasado, aliviar o curar enfermedades o trastornos y eliminar el dolor de los traumas, las faltas y los errores.

Remo: el remo a dos manos puede ser competitivo como recreativo, consiste en que una embarcación es impulsada por uno o más remeros que manejan dos palas sostenidas por los dedos de cada mano para propulsar dicha embarcación; los remos tocan el agua tanto a babor como a estribor de la embarcación, o sobre la popa. Los remos mismos también se denominan a menudo sculls cuando se usan de esta manera, y la embarcación misma puede denominarse scull.

Remo: sacrificio propio por los demás, tener demasiado trabajo duro entre manos; la búsqueda constante y diligente causará progreso, Hch. 17:28; Ez. 27:29.

Remo: tu enfoque estrecho o aerodinámico en la vida te permitirá rescatar a aquellos que se encuentran abrumados y atrapados en la superficie siendo golpeados por las olas de la oposición.

Remodelar: proceso continuo de ser formado o moldeado a la imagen de Cristo. Tu vida está en construcción o experimentando nuevas actualizaciones y cambios. Estás eliminando las viejas estructuras de la temporada pasada y construyendo una nueva estructura que te dará mayor apoyo y alineación para el éxito.

Remolacha: rendimiento abundante que proviene de una buena raíz; fundamento de paz; ánimo.

Remolcador: ministerio de ayuda; asiste a organizaciones más grandes; da dirección y apoyo; indica que se enorgullece de su trabajo, aunque sea un trabajo menor.

Remolcar: remolcar un vehículo u objeto indica una grave limitación o impedimento; se está tirando de más de su propio peso.

Remolino: fuerza impulsora, hacia delante, espiritual, en la que uno puede ser arrastrado; movimiento giratorio rápido con una espiral o vórtice hacia abajo; convergencia de dos lados; peligro de ser absorbido.

Remolque: ser rescatado de una situación difícil o de un naufragio relacional; seguir «a remolque»; llevar cargas pesadas o ser un rescatador.

Remonte: un tiempo de refresco te ayudará a despejar la cabeza para alcanzar nuevas cotas de éxito; un tiempo de relajación te llevará a la cima; mantén los ojos abiertos para saber cuándo entrar y salir.

Rencor: ser rencoroso con alguien, indica un gran ultraje, un insulto o una mala voluntad maliciosa, un impulso o una intención, un deseo de herir o humillar. El perdón es necesario para evitar que el rencor se apodere de tu corazón.

Rendición: verte a ti mismo rindiéndote en un sueño indica que estás renunciando a tu propia voluntad a un poder superior. Ahora Dios puede moverse de una manera más poderosa en tu vida.

Reno: superar las dificultades y los obstáculos compartiendo con los amigos. Un transportador de regalos a través de los ojos de un niño.

Renovación: es el momento de renovar su mente con la Palabra de Dios, reconstruir lo que se ha perdido y adaptar nuevas habilidades o técnicas en su vida diaria.

Renunciar: renunciar a algo en un sueño haciendo un anuncio formal de rechazo o desapropiación significa que estás dispuesto a olvidar el pasado y avanzar hacia un futuro exitoso sin que ese dolor del pasado, y los malos estorbos te sigan.

Renunciar: soñar que se libera de una obligación, cargo o pena representa el deseo de liberarse de responsabilidades.

Reñir: reprender, acusar, atacar o calumniar; el lenguaje amargo de un enemigo intenta obstaculizar las relaciones comerciales o personales.

Reparación: proceso por el cual se hace o completa algo. Es el acto de restaurar algo para que funcione correctamente. Indica que estás experimentando la curación de una pérdida difícil, una situación o una relación rota. Fíjate en lo que se está reparando para obtener una visión específica de las áreas personales que necesitas restaurar en tu vida.

Reparador: significa una curación emocional, psicológica, espiritual o física; se necesita reparar una brecha en una relación.

Reparar: arreglar o corregir, reparar o mejorar algo en un sueño indica que tu salud y bienestar mejorarán.

Reparar: examinar todas las opciones y elegir un nuevo enfoque, las circunstancias o las relaciones necesitan una segunda mirada para lograr una solución adecuada.

Repeler: repeler a alguien o algo en un sueño significa que estás tratando de alejar, rechazar o luchar contra las fuerzas negativas que están tratando de bloquear tu progreso causando disgusto o aversión en los demás. Es una advertencia para que cambies tus comportamientos negativos y no repelas o rechaces a los demás.

Repetición: si el sueño se repite dos veces en una noche, Dios está estableciendo algo que sucederá en tu vida; *«Y el suceder el sueño a Faraón dos veces, sig-*

nifica que la cosa es firme de parte de Dios, y que Dios se apresura a hacerla», Gén. 41:32.

Repetidamente: Dios traerá a colación ciertos sueños, preocupaciones o relaciones con la intención de que ocurran, siempre y cuando sea positivo para ti. Si es negativo ora contra lo que estás soñando para que el enemigo no pueda causar destrucción o pérdida en tu vida. Presta atención a lo que sucede a tu alrededor para que las mismas personas no te molesten una y otra vez.

Repollo: perder la cabeza en los negocios, relaciones tóxicas; expresión de argot popular «más ordinario que un repollo en un florero» o «cabeza de repollo»; sin embargo, el término cariñoso «mi repollito»; infiere ternura y aprecio.

Reportero de periódico: hacer una observación consciente de la vida; compartir las buenas noticias del evangelio; evangelizar, evitar la exageración, contar los hechos de forma verídica.

Reposar: aquietar el corazón, dejar de trabajar, esforzarse o realizar actividades, encontrar un lugar para reflexionar en silencio sobre la gloriosa presencia de Dios, Is. 11:10; una dependencia total de Dios para hallar la paz, la tranquilidad o el restablecimiento, Sal. 132:8; dormir, serenidad emocional y espiritual, relajarse para un tiempo de descanso; Jesús toma nuestro cansancio y nos da descanso, Mt. 11:28; no motivado, una vida de tranquilidad. Soñar con el reposo indica que necesita descansar y relajarse para recibir conocimientos de revelación para avanzar. Estás en una temporada de descanso y reflexión para obtener nuevos conocimientos espirituales.

Reposo: entrar en el descanso del Señor, relajarse; refrescarse, paz, tranquilidad; dejar de trabajar. Is. 14:3,7; 63:14; Heb. 4:9; Mt. 11:28-30.

Reprender: severa advertencia para evitar que tomes el camino equivocado o que tomes malas decisiones, si ves a tu hermano pecar repréndelo, Lc. 17:3.

Reprimenda: recibir una reprobación o reprimenda severa, formal u oficial en un sueño indica que te verás involucrado en algún tipo de procedimiento legal con un empleador o en el estudio.

Reptiles: de sangre fría; personas traicioneras; difamadores; murmuradores; cambian de color para su propio beneficio; tergiversan y distorsionan los hechos, espíritu demoníaco.

Res: representa la prosperidad, la riqueza, la leche y el alimento, Gén. 32:15; 41:2-27; Dt. 7:13; 28:4; Am. 4:1; 2 Sam. 17:29.

Resaca: advierte de las malas decisiones, de la exhibición tonta en público y de la falta de juicio moral debido a la ingesta de alcohol, alguien de quien se aprovecha fácilmente debido a la falta de autocontrol o de control sexual. Aprende a disciplinarte y a usar el autocontrol, que es una virtud.

Resbalón: verse a sí mismo perdiendo el equilibrio en un sueño advierte que hay que estar más atento a los caminos que se eligen en la vida; hay que tomar el camino menos transitado para asegurar el éxito; el camino ancho lleva a la destrucción.

Rescate: ver la liberación de una persona o de una propiedad cuando se pide un rescate predice una disculpa que se debe para aclarar las cosas entre buenos amigos. Dinero pagado para comprar la libertad de un cautivo o esclavo; Mt. 20:28; Mc. 10:45. Verse rescatado de un peligro, de un encarcelamiento o liberado de una custodia legal por la fuerza indica que la gracia y la mano de la misericordia de Dios se posa sobre ti; arrepiéntete y no peques más.

Reseco: si te sientes reseco o ves un terreno reseco indica que has estado pasando por una temporada de desierto personal y necesitas pasar tiempo refrescándote con la sabiduría que se encuentra en la Palabra de Dios, Os. 13:5.

Resequedad: indica la falta de agua (natural o espiritual). El Salmo 63:1 dice: «Oh, Dios, tú eres mi Dios; de pronto te buscaré; mi alma tiene sed de ti; mi carne te anhela en una tierra seca y sedienta donde no hay agua». Confusión, desorden.

Reservación: en un sueño una reservación es un espacio de tiempo que has seleccionado previamente en un restaurante, hotel u otra instalación. Considera en oración dónde reservas tu tiempo y con quién.

Reservado: está ejercitando la autocontención; siendo reservado o puesto a un lado para un propósito especial; comportamiento digno; eres distinguido en tus expresiones.

Residencia: ver una residencia, una casa, una mansión, una cabaña o incluso un gran castillo, un palacio o un establecimiento utilizado por usted, por un invitado o por un anfitrión como su principal lugar de residencia o hogar, representa a la persona que tiene el sueño o a la persona que usted ve ocupando la residencia en este. Estás descubriendo algunos aspectos ocultos de ti mismo de los que no era consciente hasta ese momento.

Resignación: espera grandes cambios que harán realidad los deseos de tu corazón, ya que tu vida cambia de rumbo, hay cosas nuevas en el horizonte, es el momento de explorar todas tus posibilidades. Implica que tendrás que aceptar una situación que no puedes cambiar.

Resistirse: verte resistiendo a alguien o a algo en un sueño indica que estás poniendo límites buenos y seguros. Humíllate sometiéndote a Dios, resiste al diablo y huirá de ti, Snt. 4:7. Resiste al devorador, 1 Pe. 5:9. No resistas al malvado, sino pon la otra mejilla, Mt. 5:39.

Resonancia magnética: la resonancia magnética (RM) es una técnica de imagen médica utilizada en radiología para investigar la fisiología de la anatomía del cuerpo para comprobar el estado de salud y diagnosticar posibles enfermedades. Someterse a una resonancia magnética en un sueño indica que necesitas descubrir el funcionamiento interno de tus sentimientos y emociones. Si has estado acumulando rabia y amargura, esto secará tus huesos y causará enfermedades. *«El corazón alegre es buena medicina, Pero el espíritu quebrantado seca los huesos.»,* Pr. 17:22 NBLA. Es posible que también necesites perdonarte a ti mismo y a los demás y tratar de desarrollar una imagen más sana de ti mismo.

Resort: juego de palabras: «un último recurso»; pedir ayuda; escaparte a un tiempo de relajación, tomarse unas vacaciones para recargar baterías.

Respeto: ganar respeto en un sueño sugiere que tu autoestima aumentará con el tiempo. Estimas o tiene una deferencia especial por una persona o entidad. Posiblemente admiras sus acciones o su conducta caballeresca.

Respiración, mala: juego sucio, detractor, repulsión, enfermedad, trampa; perder el aliento: falta del Espíritu Santo, juicio, incapacidad de funcionar o seguir adelante, sin viento, fracaso.

Responsable: verte siendo responsable en un sueño sugiere que eres alguien cabal o éticamente activo para el bienestar o el cuidado de los demás. Eres un dador capaz de guiar a otros con un alto nivel de autoridad. Tienes la habilidad de tomar decisiones morales o racionales por sí mismo que beneficiarán a los demás. Eres digno de confianza y fiable.

Respuesta: oírte responder en un sueño indica que estás dando una respuesta y respondiendo a una acción o gesto subconsciente en tu vida personal.

Restaurante: lugar público y social de servicio de la Palabra y de las cosas espirituales; hambre de compañía y de realización, 1 Cor. 10:3.

Restitución: restaurar la posición correcta después de una lesión o accidente intencional.

Restos: ver restos en un sueño representa a los pocos que son fieles; o restos, lo que queda atrás.

Restricción: pérdida de la libertad, la creatividad o la influencia de uno; alguien está imponiendo limitaciones que están obstaculizando o suprimiendo tu progreso.

Restringido: te sientes controlado o limitado en tus expresiones o en tu creatividad, es el momento de afrontar y superar las barreras y los límites insanos.

Resucitar: traer esperanza a alguien que ha perdido la esperanza impartiendo el aliento del Espíritu de Dios en sus vidas.

Resurrección: Jesús es la resurrección y la vida Jn. 11:25, Resurrección. Cristo resucitó al tercer día después de la crucifixión. La resurrección de los muertos en el Juicio Final, la vuelta a la vida tiene una renovación o resurgimiento, el acto de devolver la vida a algo o a alguien. Ser como Cristo Rom. 6:5. Resucitar de entre los muertos a la vida; volver a poner en práctica; notar o usar; revivir; sanar y restaurar. La resurrección de los muertos justos e injustos; Lázaro después de cuatro días.

Retaguardia: soñar con ver la retaguardia de algo o de alguien indica que tu atención se está centrando en asuntos del pasado que no se han resuelto o llevado a una conclusión final o saludable.

Retapizar: quitar una cubierta o unción vieja y desgastada o anticuada, para dar lugar a una nueva cubierta más lustrosa para el futuro, actualizada, a la moda, moderna o relevante para tu tiempo o situación actual, Lc. 5:36.

Retardar: indica que algo está trabajando en tu contra para frenar tu progreso. Puede que tengas conocimientos limitados, fuerza física o deficiencia financiera, o desarrollo emocional en una relación u otra empresa. Puedes estar actuando de forma ofensiva o infantil.

Retiros bancarios: riesgo de quiebra si se agotan los fondos; falta de favor; ha estado recurriendo demasiado a los favores de los demás sin dar nada a cambio. Retiro de intereses; quiebra; «romper la alcancía».

Retrasar: aplazar, posponer hasta un momento posterior, demorarse hasta llegar tarde, procrastinar. Si tu vuelo, taxi u otras citas se retrasan, ora pidiendo la intervención y la gracia de Dios para superar los obstáculos.

Retraso: es una dilación notable entre la acción de los jugadores y la reacción del servidor. Aunque el retraso o lag (como se conoce en inglés) puede ser causado por una alta latencia, también puede ocurrir debido a una insuficiente capacidad de procesamiento en el cliente.

Retrato personal: representa cómo quieres que el mundo te vea. ¿Estabas sonriendo? ¿Estabas triste? ¿Eras serio o misterioso?

Retrato, familia: muestra los valores y creencias fundamentales de tu familia. La familia es lo que más te importa en la vida.

Retrato: un retrato muestra o capta el parecido, la personalidad e incluso el estado de ánimo de la persona que fue pintada. Un retrato es una imagen compuesta de una persona en una posición fija. Una imagen o un retrato dicen más que mil palabras ya que dicen cómo se siente una persona sobre sí misma.

Retrete: limpieza o liberación de las cosas que envenenan o dañan el cuerpo, el alma o el espíritu, Jb. 36:7.

Retretes: sentarse en un retrete expuesto en público indica que la limpieza, la purificación o la liberación tendrán lugar a la vista de todos, donde todos verán los cambios en tu vida.

Retroceder en el tiempo: Pasado; historia; anterior; antes; aislado; solitario; oscuro; reverso; una necesidad de volver atrás para completar alguna tarea no hecha o restaurar algunas relaciones; una incapacidad de volver al pasado para hacer las cosas de manera diferente, arrepentimiento, «¡nunca podré volver atrás!»

Retroceder: Verte a ti mismo moviéndote hacia atrás indica que necesitas reenfocarte, volver al camino que Dios tiene para tu vida. Estás retrocediendo o alejándote de Dios. Tus esfuerzos son contraproducentes o te alejan de tu destino. Esto podría ser una advertencia para que usted se detenga, retroceda y ore para recibir una nueva visión para su vida. No tomes decisiones precipitadas.

Retroceso: No estás creciendo en favor e intimidad con Dios a diario ni avanzando; estás parado o perdiendo terreno espiritual. Pr. 14:14. Retroceder, retirarse o apostatar. Jer. 3:6-22; Heb. 10:38-39.

Reubicación: verse establecido en un nuevo lugar, residencia o negocio indica que se avecinan grandes cambios para bien. Prepárate para crecer y prosperar. Limpia lo viejo para hacer espacio a las nuevas estructuras, amigos y socios.

Reumatismo: ver o desarrollar reumatismo en un sueño indica que tienes dificultades para conectarte con los demás. Tus sentimientos suelen estar desarticulados y fuera de lugar.

Reunión, ausencia: puede indicar que no estás preparado para enfrentarte a la oposición o para aceptar las ideas de los demás.

Reunión: dos o más personas que se reúnen para discutir uno o más temas en un entorno formal para buscar soluciones a los problemas. Es el momento de concentrar tus energías de forma productiva. Formar parte de una reunión de miembros de un grupo que previamente han estado separados, indica que tendrás viejos amigos que te ayudarán en los proyectos actuales, Jer. 3:18.

Reunir: reponerse o controlar las emociones, incorporar los atributos positivos y los puntos fuertes de los demás a tu carácter, necesitas adquirir más información antes de tomar una decisión.

Revelación: algo revelado que no se conoce o se realiza formalmente; manifestación de la verdad y la voluntad divina; espera un aumento de la sabiduría, la comprensión, la habilidad y la comprensión en los negocios, las relaciones y el amor con una perspectiva brillante para el futuro; una gran revelación produce celos y persecución.

Reversar o amilanarse: Es necesario mirar, tratar y enfrentar las emociones de frente, en lugar de retroceder o negarlas.

Reversar: ir en la dirección equivocada; retroceder por miedo; no usar tus dones, talentos y habilidades; estás actuando hacia atrás; perder terreno; retroceder para corregir una decisión equivocada o una oportunidad perdida. Devolver algo al dador o a la dirección de la que vino, moverse de forma contraria a la tradición; si sus finanzas se invierten busque a Dios para que le dé sabiduría y le proporcione una nueva vía de ingresos; asegúrate de estar al día con tus diezmos o la inversión financiera permanecerá hasta que se solucione.

Revés: Te falta favor y honor, eres castigado o rechazado por una declaración o acción equivocada.

Revisión por pares: correcciones o modificaciones realizadas en el trabajo de uno'por parte de aquellos que tienen una posición o estatus similar.

Revista: fíjate si el tipo de revista que estás leyendo es sobre el hogar, la comida, los caballos, el deportes o la moda, etc. Algunas revistas sirven para educar o abrir a la gente a nuevas ideas mientras que otras entretienen o difunden mentiras y chismes en sus columnas. Tú eres lo que lees y lo que alimenta tu alma. Es importante vigilar la puerta de tus ojos.

Revolver: indica desorden y caos; es un llamado a emplear tu tiempo en mejores esfuerzos o búsquedas significativas; debes convertir la grasa de la tierra en mantequilla o prosperidad. No tomes una decisión hasta que llegue la paz.

Revólver: ver un revólver o pistola de cilindro, o un revólver con varias cámaras de cartuchos llenas de balas indica que alguien que está cerca de ti está terriblemente ofendido y está listo para descargar su furia.

Revolver: verse revolviendo en un sueño indica que hay que despertar y oler las rosas antes de que la vida pase de largo. Es hora de investigar y provocar nuevas emociones en tus relaciones. Es hora de mezclar las cosas.

Revuelo: verse en un revuelo o pelea entre bandos es una advertencia para no tomar partido en una discusión familiar; te verás superado en número y sufrirá grandes bajas.

Revuelta: Eres un individuo importante; deje de seguir a las masas; rechace la presión de tus compañeros; toma tus propias decisiones y marcha al ritmo de tu propio tambor.

Rey y Sacerdote: ver a un rey y a un sacerdote juntos en un sueño representa el orden de Melquisedec, Heb. 7:1-3; Apo. 5:10; 1:6.

Rey: Jesucristo es el Rey de reyes, gobernante y legislador, Mt. 2:2-6; Apo. 19:16; autoridad suprema, soberanía, dominio, legislador; autoridad; gobernante; poderoso; consejero; sabiduría; dignatario; Dios rechazado; orgullo; exaltado, Dt. 2:37. 1 Tm. 1:17

Reyezuelo: ver estos pequeños pájaros marrones predice acontecimientos buenos o felices, algo nuevo está por llegar.

Rhode Island: «Esperanza»; Estado del Océano; Estado de la Plantación; Pequeño Rhody; Violeta; Azul, Blanco y Oro; Manzanas Verdes de Rhode Island; Bowenita; Cumberlandita.

Riachuelo, secado: uno está aislado o fuera de contacto con su ser espiritual; agotado física o emocionalmente.

Riachuelo: flujo personal de energía o un pequeño y liberación constante de emociones; puede indicar algún tipo de problema o dificultad; estar «en un riachuelo sin remos»; los límites de una propiedad, la paz y la tranquilidad, un viaje refrescante, algo que es viejo haciendo un ruido chirriante. Una pequeña contribución, corriente o influencia que se añade a algo más grande; enseñanzas superficiales e intermitentes.

Rickshaw: modo de transporte o vehículo de tracción humana, un corredor tira de un carro de dos ruedas en el que caben una o dos personas; asiático utilizado como medio de transporte para la élite social; se ha prohibido debido a los numerosos accidentes y se ha sustituido por unas especies de bicicletas con cabinas, también conocidos como pedicabs o bicitaxis.

Rieles: ver una barra de apoyo o carril que sirve de guardia o barrera indica que estás intentando protegerte o limitando el acceso de la gente a tu alrededor.

Rienda: tiro de caballo que se utiliza para dirigir a un animal; puede que estés actuando de forma insensata o que estés dando demasiadas vueltas y necesites que te refrenen durante una temporada.

Riendas: significa los riñones o los impulsos internos, la sede de nuestros afectos, emociones y pasión, Sal. 7:9; 16:7.

Riesgo: ten cuidado de no presionarte o impulsarte demasiado, utiliza la sabiduría y el equilibrio en la toma de decisiones. Aprovecha la oportunidad cuando llames a la puerta; no permitas que el miedo te impida avanzar o tener éxito.

Rifle: un objetivo que se ha fijado; dar en el blanco; centrarse en alcanzar una aspiración lejana y elevada; ordenar una gran cantidad de información o procesos de pensamiento.

Rígio: verse a sí mismo actuando de forma rígida y reservada en un sueño sugiere que puedes estar pensando que eres mejor que los demás. Por el contrario, puede que necesites superar un ataque de timidez y aprender a codearse e interactuar en un entorno público. Deje de ser un recluso que actúa como un extraño. Relájate, aprende a ser parte y encaja de la mejor manera posible. Sólo los muertos deben ser rígidos.

Rigor mortis: ver la rigidez muscular que se produce en el cuerpo de una persona después de la muerte indica que puedes estar actuando demasiado rígido con tus amigos y familiares. Necesitas aflojar y ser más flexible.

Rima: hacer o escuchar una rima en un sueño sugiere que usted es un amante de la belleza y la elegancia rítmica. Usted domina el lenguaje y tiene una visión equilibrada de la vida. Usted es una persona que disfruta estudiando la rima es una buena manera de recordar las respuestas a las preguntas. También reflexiona sobre el juego de palabras: «sin ton ni son». A veces ocurren cosas malas; pero Dios es capaz de transformarlas para tu bien.

Rinoceronte: poder de la tradición; «poner los cuernos» a su manera; intimidación; ser amenazado por una gran pérdida; cruel; crítico; juzgador; extremadamente duro; persona que pone los cuernos con juicios severos; hipercrítico; búsqueda de faltas; palabras que hieren. Puede que estés considerando la posibilidad de someterte a una rinoplastia para reducir el tamaño, corregir una disfunción, resolver un traumatismo o remodelar su nariz.

Riña: advertencia de que hay que alejarse especialmente de los que complacen a la carne en sus deseos corruptos y desprecian la autoridad 2 Pe. 2:10, de las fiestas ruidosas y de las personas ruidosas que discuten o maldicen.

Riñonera, canguro: comodidad; ocultación; viaje; recreo.

Riñones: representa los deseos y anhelos internos del corazón; Pr. 23:16; disposición, temperamentos, necesidad de mantener el equilibrio, excretar o eliminar desechos y toxinas para prevenir enfermedades, riendas del corazón, sentir las emociones con el corazón; aléjate de la especulación; la luz anaranjada de la unción de Dios ministra sanidad a esta parte del cuerpo, espíritu de verdad; falta de vitamina C; deshidratación; maldiciones de brujería; no discernir adecuadamente los espíritus o filtrar las enseñanzas equivocadas, Jb. 16:13; 19:27; Éx. 29:13; Sal. 16:7; Dt. 32:14.

Río de agua de vida: ver los ríos de agua de vida representa la capacidad de fluir y seguir la guía del Espíritu Santo.

Río Jordán: descendente; principal río de Palestina con cuatro fuentes; morir a sí mismo por el bautismo. 2 Re. 5:10; Mc. 1:9.

Río que fluye: representa el mover de Dios; la capacidad de moverse libremente y con fluidez; el poder que se descarga; la armonía; el flujo constante y elegante; la liberación y la efusión continua del Espíritu.

Río desbordante: aumento; derramamiento; cosecha; fértil; prosperidad; avivamiento; juicio.

Río: movimiento poderoso de Dios que impactará a un gran número de personas; formado por una convergencia de factores unificadores; abundancia, Sal. 105:41; Is. 48:18; Jn. 7:38.

Ríos/corrientes: flujo rápido de la unción con poder como se ve en un movimiento de Dios; si está represado algo está tratando de detener, obstaculizar u oponerse a un movimiento de Dios; el río de la Vida, Apo. 22:1.

Riqueza: *«Honra al Señor con tus riquezas y con los primeros frutos de tus cosechas. Así tus graneros se llenarán a reventar y tus bodegas rebosarán de vino nuevo»*, Pr. 3:9-10 *«Bienes y riquezas hay en su casa, Y su justicia permanece para siempre»*, Sal. 112:3. Ver la opulencia, la recompensa por el trabajo duro; la riqueza y las riquezas denotan que se dará mucho favor, gracia y honor a medida que se asciende a la prominencia y la fama, Fil. 4:19.

Risas: Jb 39:18 el avestruz se ríe del caballo y del jinete; Jb. 39:22 el caballo se ríe del miedo; Jb. 41:29 el Leviatán se ríe del traqueteo de la jabalina; Sal. 2:4 el que está sentado en el cielo se ríe; Sal 37:13 el Señor se ríe de él porque ve llegar su día; Pr. 29:9 el insensato se enfurece o se ríe, y no hay descanso.

Risotada: risa aguda y espasmódica con repetidas y cortas respiraciones, ser tonto. El llanto puede durar una noche, pero la alegría llega por la mañana. El gozo del Señor es tu fortaleza. Estás siendo fortalecido para atravesar un período de prueba o de luchas. El Señor está sentado en el cielo y se ríe de los planes de sus enemigos porque sabe que ningún arma formada contra su pueblo prosperará.

Ritmo: caminar con pasos largos y deliberados o correr al ritmo de un movimiento, para entrenar el paso de un caballo, lo que se llama poner la marca y ganar la carrera. Lento y constante se gana la carrera; la impaciencia será tu perdición.

Rival: alguien que intenta superar o igualar a otro que persigue lo mismo, una persona competitiva.

Rizar: cooperar con los demás construyendo una fuerte dinámica de equipo te dará poder; significa que ayudarás a los demás a cumplir sus objetivos y a tener éxito en la realización de su destino.

Rizos: pueden indicar el deseo de mejorar la apariencia de uno mismo. *Curl* es un software u operador vectorial que muestra la tasa de rotación de los campos vectoriales; un lenguaje de programación orientado a objetos que está diseñado para contenidos web interactivos; una biblioteca de aplicaciones para realizar peticiones en la web o descargar varios archivos; o un ejercicio específico de entrenamiento con pesas.

Rob: nombre de hombre que significa brillante en el consejo; permanecer en Dios, 1 Jn. 4:13.

Robado: algo que ha sido robado indica una pérdida en la vida, sufrir una crisis de identidad, alguien ha robado una idea o se ha llevado el mérito de tus logros, un trato injusto.

Robado: has perdido tu identidad en algún punto del camino; estar sufriendo una pérdida emocional, física o financiera en la vida. La gente ha robado tus ideas, ha tomado el crédito por el trabajo que has hecho y ha tomado injustamente tu éxito como propio.

Roble: justicia; fuerza; vida próspera; engrandecer; promoción; lugar de enterramiento; lugar de encuentro de los ángeles; la cabeza de Absalón se clavó en él; el joven profeta se sentó debajo; sagrado; quemar ofrendas debajo; bellotas: fructificación incrementada, Is. 1:29-30; la vergüenza y la desgracia acabarán con tu trabajo, Am. 2:9; Sal. 29:9; 2 Sam. 18:9-14.

Robo: ¿dónde tuvo lugar el robo? ¿Qué se ha robado? Las acciones ilegales o inapropiadas llevarán a una gran pérdida, incapacidad de lograr una meta, pobreza, depravación y carencia, pérdida de un trabajo o promoción, ser pasado por alto, falta de atención querer robar unos momentos del tiempo de alguien, falta de identidad o propósito, pérdida de amor o relación, de alguna manera están tomando el crédito por su trabajo o ideas. Atrapa al ladrón, tiene que pagar siete veces más. El Señor se lo devolverá. *Alternativamente*: resentimiento; ser aprovechado, robo de pensamientos o ideas. El diablo es un ladrón y un asaltante que viene a matar, robar y destruir la vida de las personas, alguien que no da a Dios la décima parte de sus ingresos y vive bajo una continua maldición de pobreza. Sentirse ignorado, rechazado, privado de tus necesidades emocionales o deseos físicos, falta de amor, tener la sensación de que no tienes el deber de pagar el precio. Un ladrón se presenta en la noche para entrar en una propiedad ajena sin permiso o consentimiento con la intención de usurpar los bienes del legítimo dueño. *«Apenas amanece, se levanta el asesino y mata al pobre y al necesitado; apenas cae la noche, actúa como ladrón»*, Jb. 24:14; *«El ladrón no viene sino para hurtar y matar y destruir; yo he venido para que tengan vida, y para que la tengan en abundancia»*, Jn. 10:10; si atrapas a un ladrón en sueños, este debe pagar al menos el doble, Éx. 22:7.

Robot: aparato mecánico que se asemeja a un ser hu-

mano, capaz de realizar tareas humanas o de serlo, de trabajar mecánicamente según lo programado sin expresión ni pensamiento alguno. Vas por la vida en un camino o curso establecido sin desviarte, pero moviéndote metódicamente en un patrón o manera rutinaria rígida. No comunicas tus sentimientos abiertamente, sino que sólo respondes cuando se te habla.

Robusto: ver algo robusto indica que tienes una gran capacidad para resistir el cambio sin adaptarte a los planteamientos de otro.

Roca: Jesucristo; *«Él es la Roca, cuya obra es perfecta, Porque todos sus caminos son rectitud; Dios de verdad, y sin ninguna iniquidad en él; Es justo y recto»*, Dt. 32:4. Un fundamento firme, sólido y estable, un refugio: *«Un hombre sabio que construyó su casa sobre la roca»*, Mt. 7:24. Un obstáculo, una ofensa o una piedra de tropiezo, Rom. 9:33; apedrear a alguien con tus palabras, 1 Cor. 10:4. Apocalipsis: *«Y yo también te digo, que tú eres Pedro,[a] y sobre esta roca[b] edificaré mi iglesia; y las puertas del Hades no prevalecerán contra ella»*, Mt. 16:18.

Rocas encajadas: ver un montón de rocas encajadas puede indicar que se están poniendo los cimientos firmes de una nueva relación sólida o de una empresa firme.

Rocas, escalada: si estás escalando rocas tienes un gran reto por delante, avanzas paso a paso hasta llegar a la cima; ten cuidado con las serpientes y otros animales que se esconden en las rocas. Si las rocas son imposibles de escalar, te esperan grandes obstáculos, luchas y decepciones.

Rocas: Jesús es la Roca. *«Proclamaré el nombre del SEÑOR. ¡Alaben la grandeza de nuestro Dios! Él es la Roca, sus obras son perfectas, y todos sus caminos son justos. Dios es fiel; no practica la injusticia. Él es recto y justo»*, Dt. 32:3-4. La unción viene de la roca, Dt. 32:13. *«El hombre sabio construye su casa sobre la roca»*, Mt. 7:24. La confesión Pedro fue la roca de la revelación sobre la que Dios edificará su iglesia, Mt. 16:18. Las rocas simbolizan firmeza y fuerza, una permanencia de estabilidad e integridad «sólida como una roca».

Rocío: refresco espiritual que llega por la noche; pureza; enfriamiento.

Rodar: verse a sí mismo rodando indica que estás aprendiendo a «rodar a los golpes», algunas de tus asperezas están siendo eliminadas para que puedas aprovechar algunas de las oportunidades que se te presentan. Estás aprendiendo a avanzar, a cooperar y a seguir la corriente, a seguir «rodando» hasta que finalmente llegues.

Rodeado: cuando el enemigo venga como una inundación, Dios levantará un estandarte para derrotar a tu enemigo, Is. 59:19; Sal. 109:3; Jb. 27:20; Sal. 90:5.

Rodilla: el asiento de la fuerza; Dt. 28:35; Is. 35:3;

signo de sujeción; 2 Re. 1:13; Is. 45:23; la luz naranja de la unción de Dios ministra sanidad a la rodilla. Ver a uno mismo o a otros de rodillas indica necesidad de oración; humildad; servicio; honor; reverencia; obediencia, Fil. 2:19; Ef. 3:14; Rom. 11:4.

Rodillas: humildad; oración; obediencia; escarnio; adorar ídolos; reservado para adorar a Dios; reverencia; acatamiento; conformidad; servicio; honor; sometimiento a la crueldad; reverencia, Rom. 11:4; 14:11; Is. 45:23; Mt. 27:29; Ef. 3:14; Dn. 6:10; Ez. 47:4.

Rodillo: ver o utilizar un rodillo predice que los problemas relacionales se solucionarán para que el hogar sea un lugar feliz y tranquilo.

Rododendro (flor): cuidado con los problemas de crecimiento.

Roedores: representan el cuarenta por ciento de los mamíferos y se encuentran en gran número en todos los continentes, excepto en la Antártida. Se caracterizan por tener incisivos superiores e inferiores que crecen continuamente y devoran. Los roedores escarban, son semiacuáticos e incluyen ratas, ratones, ardillas, perros de la pradera, castores, cobayas, cerdos y puercoespines. Son animales sociales con complejos sistemas de comunicación. Los roedores se han utilizado como animales de laboratorio, por lo que pueden representar la experimentación o la investigación cuando se ven en un sueño.

Roer: ocuparse de las pequeñas molestias aparentemente insignificantes o causarán problemas y pérdidas; Éx. 8:16- 18; Sal. 105:31.

Rojo: el Espíritu del Señor, Is. 11:2; unción; poder; unción profética; 1 Jn. 5: 6; oración; evangelista; acción de gracias; la sangre de Jesús; la expiación de la sangre sanadora de Jesús; el sufrimiento como sacrificio por el pecado; la pasión; la emoción; la fuerza; la energía; el fuego; el amor; el sexo; la excitación; el entusiasmo; el celo; la velocidad; el calor; el liderazgo; la masculinidad; el guerrero; la guerra; el pecado; la muerte; la ira; la rabia; la lucha; la lujuria; el odio; el derramamiento de sangre; 2 Re. 3:22; Apo. 6:4; 12:3; Is. 1:18-19.

Rolls-Royce: símbolo de estatus internacional de los aristócratas, de la fama, de la opulencia, de la notoriedad, de la gran riqueza y de la prosperidad; ver, conducir, montar en uno o poseer uno predice la llegada de un plan, una empresa o un proyecto sorprendente.

Romance: deseas conectarte con alguien abriéndote afectivamente de una manera más profunda, personal e íntima; buscas conectarte con Jesús, el Amado de tu alma.

Romero: rocío del mar; coronado; advertencia de dificultades y penurias donde parece haber paz y felicidad; recuerda el Sal. 121,1-2, *«Mi ayuda viene del Señor».*

Rompecabezas: confusión en tu vida; no estás seguro de hacia dónde te diriges. Estás tratando de recomponer las piezas de tu vida tras una relación o un negocio destructivo. Un sueño simbólico que necesita ser interpretado. Ver este rompecabezas en un sueño predice una masa de personas o proyectos irregulares que se unen para lograr una gran hazaña, cada uno tendrá su parte en el esquema de las cosas.

Romper: ver que algo se rompe o se quiebra indica que necesitas cuidar mejor tus bienes o tu persona. Reduzca la velocidad, relájese y deje de presionar tanto.

Ron: extraño; afluencia sin carácter ni integridad; tambalearse en la gratificación, la gula y la intemperancia; piratas.

Roncar: despierta y toma tu lugar como vigilante en el muro, abraza un nuevo día de oportunidades, toma acción sobre tus sueños, elimina el espíritu de precariedad que te ha impedido encontrar tu lugar en el Señor. *«Un poco de sueño, un poco de dormitar, Y cruzar por un poco las manos para reposo; Así vendrá tu necesidad como caminante, Y tu pobreza como hombre armado»*, Pr. 6:10- 11; *«Sus atalayas son ciegos, todos ellos ignorantes; todos ellos perros mudos, no pueden ladrar; soñolientos, echados, aman el dormir. Y esos perros comilones son insaciables»*, Is. 56:10-11.

Ronco: deja de hablar tanto y empieza a orar. Tus muchas palabras te están agotando sin resultados positivos.

Ropa anticuada: no estás abierto a las tendencias actuales ni a las ideas modernas y progresistas; está anclado en la tradición.

Ropa blanca: representa la santidad, la pureza, la inocencia o la posición correcta con Dios, una novia o una virgen.

Ropa de trabajo: estás tratando diligentemente de resolver las situaciones de tu vida, tus relaciones y tu carrera. Tu manto o cobertura que indica el estilo de trabajo del Reino que estás destinado a seguir.

Ropa deportiva: cómoda; informal; activa; agilidad; habilidad física.

Ropa desgastada de adentro hacia afuera: si sueñas que tu ropa está desgastada de adentro hacia afuera sugiere que tienes una actitud poco conforme y que eres una persona que actúa en contravía de la norma social. Disfrutas de un buen reto y de ir siempre a contracorriente de lo que todo el mundo dice o piensa. Si en tu sueño te pones la ropa al revés, es un indicador de que estás tratando de protegerte o yendo contra alguna fuerza exterior.

Ropa harapienta: la ropa andrajosa o hecha jirones representa alguna fortaleza mental, lugares donde has creído algunas mentiras o patrones de pensamientos negativos. Procura renovar tu mente aplicando la Palabra de Dios para que tus pensamientos estén en concordancia con las promesas de prosperidad.

Ropa interior, confiada: si eres audaz y confiado cuando llevas tu ropa interior frente a los demás, indica que no tienes nada que ocultar. Estás abierto a los demás y seguro de ti mismo. Estás seguro de tu camino y de tus decisiones.

Ropa interior, ninguna: si no llevas ropa interior, pero vas en plan comando te sientes como si estuvieras al mando de la situación y no tienes miedo o aprensión.

Ropa interior, otros: ver a los demás sin ropa interior indica que tienes una buena visión de la persona real y de sus verdaderos motivos. Nada se oculta a tu agudo discernimiento. Puede que se hayan avergonzado a sí mismos y necesiten consuelo.

Ropa interior, sucia: ver ropa interior sucia, manchada, arrugada o rota indica que hay pecado, malos hábitos o fortalezas negativas. Debemos ser sin mancha ni arruga, Ef. 5:27.

Ropa interior: cobertura humilde; protege la intimidad; mantiene las cosas privadas y protegidas.

Ropa interior: en la Biblia el sacerdote usaba ropa interior de lino para cubrir sus lomos debajo de su túnica o manto sagrado para evitar que su carne sudara o tocara algo sagrado, Lev. 6:10; 16:4; Is. 3:23; Ez. 44:18. Soñar con ropa interior puede indicar que sientes que has perdido el respeto, que te han desnudado en público y que has quedado vulnerable, indefenso o expuesto. La ropa interior también puede representar los aspectos privados ocultos de tu personalidad que sólo comparte con tus amigos más íntimos; mantener cosas o emociones ocultas, escondidas o cerca del corazón; un miedo al rechazo o a quedar expuesto por lo que realmente es en la vida.

Ropa limpia, nueva o elegante: Prosperidad.

Ropa sucia: tratar de limpiar la ropa sucia indica un intento de arrepentirse o cambiar algo de tus malos hábitos personales o formas de pensar equivocadas. Si tu ropa es nueva, es señal de que estás trabajando para cambiar tu mentalidad y adoptando una forma de expresarte diferente. Ver las etiquetas de precio significa que has tomado nota y has considerado el costo del cambio. Estás aprendiendo a mirar, actuar y sentir de forma diferente durante este periodo de ajuste y transición del viejo yo al nuevo tú.

Ropa ajustada: Si la ropa te ha quedado pequeña o te queda apretada, has crecido en tus talentos, dones y unción. Espera una promoción y una expansión de la autoridad en nuevas áreas de tu vida. Por otro lado, puedes que sientas que los demás han puesto límites o restricciones demasiado estrictos a tu al-

rededor, lo que limita tu capacidad de expandirse y aceptar nuevos retos.

Ropa, cambio de: una nueva estación en la vida, al igual que una nueva estación del año, significa un cambio de vestuario para afrontar los retos del ambiente y del mundo que nos rodea. Si te cambias constantemente de ropa, estás respondiendo a las necesidades y retos de la vida a medida que se presentan. Tienes una extraña habilidad para estar a la altura de cada ocasión. Es fácil que cambies de papel para demostrar las distintas dimensiones de tus dones y habilidades.

Ropa, comprando: representa los nuevos dones y la unción que te llegan. La mujer virtuosa era una experta compradora que podía vestir a toda su familia. Por otro lado, puede que sientas que no eres adecuada ni «bien adaptada» a tu situación de vida actual.

Ropa holgada: si tu ropa parece holgada o le cuelga del cuerpo, entonces pronto experimentarás una nueva temporada de crecimiento. Espera una expansión en todos los niveles, una nueva dimensión de reconocimiento o estatura. Por otro lado, es posible que te sientas insuficiente o que no seas suficiente para hacer frente a los desafíos que se te presentan. Considera la posibilidad de acudir a otras personas que puedan ayudarle a adaptar sus habilidades para que pueda crecer y desarrollar su potencial.

Ropa nueva: indica que estás caminando en un nuevo don, unción, más favor, una nueva sabiduría o que la prosperidad te está vistiendo.

Ropa rota o sucia: Engaño, daño al carácter o a la virtud; almidonada o raída: muy usada, trabajadora.

Ropa, secadora: sensación de sequedad por el calor y la presión de la limpieza del desierto; proceso de preparación de la prueba.

Ropa completamente blanca: sugiere que eres puro y limpio de corazón, casi un santo. Vive una vida muy transparente y tiende a ser duro contigo mismo, considera tu necesidad de aligerarte.

Ropa completamente negra: sugiere que intentas pasar desapercibido, reconociendo tus estados de ánimo o pensamientos inconscientes, o actuando de forma sombría. Si te gusta vestir de negro en tu vida diaria, el sueño está reflejando parte de tu personalidad. Si todo el mundo lleva exactamente el mismo estilo y color de ropa, excepto tú, sugiere que eres un individuo único porque destacas entre la multitud. tu capacidad de liderazgo y tu voluntad de oponerse a la opinión popular en los asuntos en los que cree le han hecho merecedor de una promoción.

Ropa: la ropa representa tu imagen pública, cómo te percibes y cómo quieres que te vean los demás. La ropa es una cobertura con la que podemos ocultar nuestro verdadero yo tras ella o utilizarla para resaltar y acentuar nuestros mejores atributos. Piensa en llevar un «traje de poder» para una reunión de negocios o en la frase «el hábito hace al monje». Si te vistes para agradar o engañar a los demás dándote aires, no estás siendo fiel a ti mismo. Aunque es importante vestirse adecuadamente para cada ocasión presentarse con aires falsos es «inadecuado». Si bien cada quien debe decidir cuánto quiere mostrar de su verdadero yo, no es aceptable fingir lo que no se es. La ropa nueva puede revelar una dimensión oculta de la propia personalidad para que la gente que nos rodea nos vea bajo una nueva luz. Is. 64:6; Apo. 3:5.

Ropa: unción, manto o la gloria de Dios que te cubre, los dones, los talentos y las habilidades: adulterio si tu ropa está ardiendo; los diversos colores de la ropa cambiarán los significados del símbolo del sueño, así como la condición de la prenda y el contexto de cómo se lleva en el sueño. Is. 64:6; Apo. 3:5.

Ropaje: es un término del argot para referirse a un estilo específico de vestimenta o tipo de ropa que alguien usa. Observe el color y la funcionalidad de tu ropa. Las ropas representan unciones, mantos y coberturas, que nos preparan para ciertas habilidades, talentos y capacidades para lograr trabajos, esfuerzos o eventos específicos.

Ropas blancas: representan la vestimenta sacerdotal, Éx. 28:40- 41; Apo. 7:9, 13-14.

Rosa anaranjada: esta flor representa el amor que es firme y perseverante, un beso del Hijo.

Rosa Tudor: unidad; flor emblema de Inglaterra.

Rosa, flamenco: vadeando inocentemente en los bajíos; infantil en la comprensión de las cosas profundas; tomando el sol; flexible y cálido.

Rosado, vestido: llevar un bonito vestido rosa en un sueño indica que te sientes muy femenina o que deseas recuperar tu inocencia infantil.

Rosado: casto; inocencia; pureza; infantil; inmaduro e inexperto; fe; femenino; infantil femenino; falta de pasión; aguado; inmoral; carne; sensual.

Rosario: significa «corona de rosas» o «guirnalda de rosas», comúnmente conocido como el rosario dominicano, una cadena de cuentas de oración que se utiliza para contar las los componentes de las oraciones especialmente en la Iglesia Católica. Ver a alguien rezando el rosario indica devoción a la fe católica y a la Virgen María. Para obtener mejores resultados y más respuestas a la oración, ora en el nombre de Jesucristo.

Rosas amarillas y naranjas: pensamientos apasionados.

Rosas amarillas: infidelidad; disminución del amor; alegría; felicidad; amistad; celos; bienvenida; acuérdate de mí; trata de cuidar; celo; rosa de Texas.

Rosas blancas secas: la muerte es preferible a la pérdida de la virtud.

Rosas blancas: niñez inocente, pureza; encanto; secreto; silencio; eres celestial; reverencia; humildad; juventud; inocencia; soy digno de ti.

Rosas, capullo de rosa: belleza y juventud; un corazón inocente de amor.

Rosas carmesíes oscuro: luto.

Rosas, carolina: el amor es peligroso.

Rosas coral o naranja: perseverancia; extravagancia; entusiasmo; deseo.

Rosas de color rojo: propuesta de matrimonio; esperanzas y deseos cumplidos; gran felicidad.

Rosas melocotón: vamos a juntarnos; cerrar un trato.

Rosas, Navidad: paz y tranquilidad.

Rosas nupciales: amor feliz.

Rosas rojas y amarillas: felicitaciones.

Rosas rojas y blancas: unidad.

Rosas rojas: pureza y encanto; amor apasionado; te quiero; deseo; respeto; valor; trabajo bien hecho.

Rosas rosa claro: admiración. Rosas, musgo: confesión de amor. Rosas, almizcle: belleza caprichosa. Rosas, pálidas: amistad.

Rosas, rosa oscuro: agradecimiento.

Rosas, rosa y blanco: te quiero y siempre te querré.

Rosas rosadas: amor; gracia; gentileza; eres tan encantadora; felicidad perfecta; por favor, créeme; amistad.

Rosas sin espinas: amor a primera vista.

Rosas, té: lo recordaré siempre.

Rosas: la Rosa de Sarón de Jesús; cariño; romance; favor; fidelidad; aniversario; acontecimiento agradable; gracias; Iowa; Nueva York; junio. Cnt. 2:1, Is. 35:1; «rosa», se refiere al polyanthus narcissus, una hermosa flor fragante que crece en las llanuras de Sharon.

Rosquilla: se refiere a un proceso de crecimiento y desarrollo en la búsqueda de la plenitud de uno mismo; representa el cultivo de una identidad, una personalidad y un carácter que se están formando; es posible que te sientas perdido y que aún estés tratando de encontrarte a ti mismo y tu propósito en la vida.

Rostro, claro: luz en un rostro, un santo, o presencia angélica. *«Porque les digo que en el cielo los ángeles de ellos contemplan siempre el rostro de mi Padre celestial»,* Mt. 18:10.

Rostro, sin rasgos: si no puedes recordar los rasgos faciales de la persona, sugiere que es un extraño, un ángel o el Espíritu Santo.

Rostro: semblante; carácter; apariencia; corazón; reflejo, aspecto; los rasgos transmiten un mensaje y una posición, un sentimiento, una expresión o un estado de ánimo; mirada; aguas profundas; firmamento; tierra; hermano; Dios; Israel; intimidad cara a cara; ocultar; apartarse o rechazar; confianza, Gén. 1:2, 20, 29; 33:10; Éx. 14:25; Nm. 12:8. Identidad o imagen de una persona, características de cómo se le conoce y reconoce, reflejo del corazón; cara; notar que la expresión, los rasgos y el semblante transmitirán un mensaje, la apariencia externa exhibirá tu disposición, sentimientos o estado de ánimo; intimidad cara a cara; confrontación; dar la cara: cambiar de aspecto o dirección, Pr. 21:29; Apo. 4:7.

Roto: pérdida de fuerza, autoridad o influencia debido a un corazón roto o herido. *«Los sacrificios de Dios son el espíritu quebrantado; Al corazón contrito y humillado no despreciarás tú, oh Dios».* Sal. 51:17.

Rotonda: ver en un sueño una rotonda o un edificio de planta circular, a menudo cubierto por una cúpula, sugiere que te encuentras en un lugar temporal de confusión en el que sientes que camina en círculos.

Rubí: es un tesoro muy valorado, la amistad, la realeza, la vitalidad, el amor, la sabiduría es más preciosa que los rubíes, una esposa piadosa debe ser valorada por encima de los rubíes, los labios del saber, las mercancías y los pináculos. El color rojo sangre representa el poder de la sangre de Jesús y las rayas que llevó para nuestra curación. Los rubíes son símbolo de satisfacción y paz. *«Pero gran ganancia es la piedad acompañada de contentamiento»,* 1 Tm. 6:6; *«Hijo mío, no te olvides de mi ley, Y tu corazón guarde mis mandamientos; Porque largura de días y años de vida Y paz te aumentarán»,* Pr. 3:1-2,15; *«Sus caminos son caminos deleitosos, Y todas sus veredas paz»,* Pr. 3:17; Éx. 28:13, 17; 39:10. Batallas de rubíes Is. 54:12. Abundancia de bienes Ez. 27:16. *«No se hará mención de coral ni de perlas; La sabiduría es mejor que las piedras preciosas»,* Jb. 28:18; Pr. 8:11, 20:15, 31:10, Lam. 4:7. El rubí se considera una de las cuatro piedras preciosas, junto con el zafiro, la esmeralda y el diamante. Junto al diamante en dureza, belleza y valor; «coral rojo», «perla».

Rubia: una persona hermosa; pon tu mejor cara; tómate un tiempo para mejorar tu aspecto; ten en cuenta los «chistes sobre las rubias»; alguien que se burla o menosprecia; aprende a disfrutar de la vida «las rubias se divierten más». Teñirte de rubio significa la necesidad de aligerar tus cargas o iluminar tu estado emocional, sonríe dejando brillar tu luz.

Rueda de la fortuna: soñar con la rueda de la fortuna girando indica que estás haciendo una apuesta importante o que dejas tus decisiones vitales al azar y al riesgo. No dejes que el lanzamiento de los dados determine tu destino. Busca a Dios para que te dé una dirección sólida y te permita tomar decisiones de modo que puedas prosperar en todos tus caminos.

Rueda, del alfarero: algo nuevo o útil que se forma.

Rueda, grande: alguien con gran influencia, prestigio o poder

Rueda: tomar la rueda, poner las ruedas en movimiento, hacer rueda y repartir, una rueda dentro de la rueda, aceitar la rueda, un radio en la propia rueda. La rueda de los carros podría indicar que las conspiraciones o maquinaciones de la guerra están en marcha. Si los carros están en reposo: las maniobras se han detenido, Ez. 1; Is. 5:28.

Ruedas, girar: nuevos pensamientos y percepciones, ideas creativas; «girar las ruedas», no está sucediendo nada, no se está haciendo ningún progreso; las cosas tienen que girar en ciertas situaciones, centrarse o estar bien redondeado, conectado a un centro o fuerza que proporciona energía para impulsar o dirigir; ruleta: juego de azar;

Rufián: ver a un rufián o a un tipo rudo, matón o *gángster* en un sueño es una advertencia de que puedes haber estado tratando a los demás de una manera poco amable o desconsiderada. Recuerda que debes hacerle a los demás lo que te gustaría que te hicieran a ti.

Rugby: deporte exclusivo para hombres varoniles; espera una gran cantidad de contacto contundente cuerpo a cuerpo, sin equipo de protección o equipamiento; competición agresiva y activa.

Rugidos: discierne de dónde o de qué proviene el rugido. Un león ruge cuando tiene hambre y está al acecho. ¿Es un león devorador (Satanás) o un león guerrero (Jesús, el León de Judá)? La gente ruge cuando está enfadada o actúa de forma excesivamente agresiva. El rugido de un tigre indica que eres un campeón.

Ruibarbo: verlo crecer: significa aumento de los placeres y de la prosperidad; cocinarlo: las opiniones fuertes llevarán a una discusión acalorada; comerlo: tu situación no es gratificante; la frustración llevará a un cambio de trabajo. Comer esta verdura amarga indica que los tiempos difíciles están mejorando y que serán dulces dentro de poco.

Ruido: sonido que atrae tu atención para distraerte de un buen enfoque; irritación que es intrusiva. Hablar para oírse a sí mismo, parloteo sin sentido.

Ruinas, antiguas: indica que estás atascado en la rutina haciendo las cosas a la vieja usanza o de forma anticuada, lo que puede llevarte a la ruina financiera.

Ruinas: el pecado de la soberbia lleva a la caída, una boca aduladora es engañosa y pone muchas trampas, muestra tu condición espiritual actual.

Ruiseñor: mensaje de amor, caridad y alegría que entra en la vida de uno; comunicación poética melodiosa; significa pequeños malentendidos entre los amigos; el canto armonioso indica un ambiente pacífico, próspero y saludable.

Ruleta: si estás jugando a la ruleta en un sueño indica que eres un tomador de riesgos. Asegúrate de calcular bien el costo de tus acciones y pide a Dios su sabiduría antes de avanzar para estar seguro de que tu proceder es lo que Dios desea para tu destino, o podrías encontrarte rodeado por una pérdida devastadora.

Rulos o rizos: llevar rulos indica que te sientes feliz y libre. Por otro lado, puede indicar que te sientes emocionalmente desbordada por todas las tensiones de la vida.

Rumor: es una declaración extrajudicial que se introduce como prueba judicial inadmisible para demostrar la verdad de un asunto. Oír rumores en un sueño significa que alguien está chismorreando o haciendo acusaciones calumniosas contra ti. También advierte que hay que decir siempre la verdad, pase lo que pase.

Ruptura: frena, vas demasiado rápido y haces demasiadas cosas, a este ritmo vas a reventar. Ver que algo se rompe, estalla o se desgarra en un sueño presagia el fin repentino de una relación, la desunión de un grupo o la separación de las personas. Sientes como si tu corazón se hubiera desgarrado.

Rut: significa una amiga o hermosura; una moabita, nuera de Noemí que regresó a Belén para convertirse en la esposa de Booz, Rt. 1:4; Mt. 1:5.

Ruta: una ruta en un sueño es la presencia de un curso o camino que uno tiene la oportunidad de utilizar para poder alcanzar o lograr una meta física o llegar al destino propuesto. Una vía o camino para llegar de un lugar a otro. Enrutar un paquete es seleccionar un proceso de pasos a seguir por una empresa de mensajería o envío para entregar tu paquete dentro de un plazo determinado por una tarifa establecida o acordada. Espiritualmente sabemos que Dios tiene una ruta o mejor camino; *«Como son más altos los cielos que la tierra, así son mis caminos más altos que vuestros caminos, y mis pensamientos más que vuestros pensamientos»,* Is. 55:9. Ora por la ruta o camino de Dios como la mejor manera de alcanzar las metas y el destino que Él tiene para ti.

Rutina de ejercicios: su sueño le dice que debe cuidar mejor su cuerpo. Esto también puede indicarle que debe «ejercitar» sus relaciones personales y su vida espiritual, trabajando en su salvación con temor y temblor, pasando más tiempo en oración o leyendo su Biblia.

S

S.E.M.: tipo de servicio de emergencia; un servicio paramédico; escuadrón de primeros auxilios, de emergencia, de rescate, ambulancia, paramédicos, escuadrón de vida dedicado a proporcionar atención médica aguda extrahospitalaria, transporte y atención definitiva y otros transportes médicos a pacientes con enfermedades y lesiones que impiden al paciente transportarse por sí mismo. El objetivo de la mayoría de los servicios médicos de emergencia es proporcionar tratamiento a quienes necesitan atención médica urgente, tratando satisfactoriamente las condiciones previas, u organizando el traslado oportuno del paciente al siguiente punto de atención especializado, probablemente el servicio de urgencias de un hospital. Soñar con un servicio de emergencias médica significa que estás en graves problemas y que necesitas atención médica inmediata.

Sábado: séptimo día de la semana en el calendario hebreo, significa descanso, Gén. 2:2. Soñar con el sábado significa que necesitas tener un día de descanso constante para reflexionar y servir a Dios.

Sábanas: el color de las sábanas puede indicar qué tipo de unción ha entrado en tu tiempo de intimidad con Dios o con otros. Fíjese en el arte o el diseño para obtener más información.

Sábanas: indica que necesitas tiempo de intimidad con el Señor o con tu pareja. Considera también el dicho «hojas al viento». ¿Estás actuando de manera poco usual?

Sabandija: persona ofensiva o despreciable con hábitos destructivos y molestos; que socava tu influencia en las relaciones; perjudicial para la salud; enfermedad; dolencia; dificultades; confusión; problemas.

Sabiduría: es la capacidad de usar o aplicar el conocimiento que uno ha adquirido de Dios. Proverbios es un libro de sabiduría divina.

Sabio: el padre o uno mismo; pelo blanco y barba larga: Espíritu Santo; místico, vidente o profeta. Ser un sabio en un sueño indica que eres una persona culta o que te gustan las actividades académicas. Demuestras capacidades o habilidades profundas y prodigiosas que superan con creces el promedio normal. Puede que no obtengas una puntuación alta en los exámenes, pero eres excepcionalmente hábil y brillante en áreas específicas como el cálculo, el arte, la memoria o las habilidades musicales.

Sabor a metal: discernimiento; algo desagradable y artificial.

Sabotaje: un miedo o ansiedad abrumadores te hacen amenazar o violar los límites normales; hay un conflicto entre el bien y el mal, lo correcto y lo incorrecto; puede que estés evitando una situación, pasando por alto lo obvio o tomando el asunto en tus manos en lugar de acudir a la oración para obtener sabiduría; deshazte de los sentimientos de venganza y revancha, deja que lo pasado sea pasado, renueva tu mente con la Palabra, la energía positiva refresca y fortalece mientras que la energía negativa drena y destruye.

Sabueso afgano: El lebrel afgano es una de las razas más antiguas que existen; el lebrel es elegante, alto y esbelto con una cabeza larga, estrecha y refinada;

nudo superior sedoso y mandíbulas poderosas con un porte aristocrático. De constitución cuadrada, el afgano se mueve con la cabeza y la cola en alto. En Europa y América, se ha convertido en una mascota de lujo por su belleza aristocrática. Como se trata de corredor extremadamente rápido y ágil, el sabueso afgano persigue la caza por la vista. Su grueso pelaje le protege de las temperaturas extremas. El afgano se utilizaba como cazador nato en muchos tipos de caza, como la liebre, la gacela y el leopardo de las nieves, en el accidentado terreno de Afganistán. También era utilizado por los pastores como ayudante pastoril y perro guardián.

Sabueso: perro de caza criado en Escandinavia con un pelaje grisáceo y la cola enroscada sobre el lomo. Busca un buen amigo o compañero que tenga gran estatura, fuerza e influencia.

Sacacorchos: significa liberar de un estado constreñido o sellado; permitir que lo viejo fluya o sea atraído por lo nuevo; moverse en un curso espiralado o sinuoso.

Sacerdote: Jesús es el sumo sacerdote, mediador e intercesor, Heb. 3:1; 5:1-5; 1 Tm. 2:5; líder espiritual en el hogar, podría ser alguien en un puesto de liderazgo espiritual que ha abusado de la autoridad de manera violenta; actitud religiosa o aspiraciones espirituales; tradiciones o absuelto de pecado; Iglesia católica o episcopal. Representa al hombre ante Dios; por debajo de un obispo, pero por encima de un diácono; autoridad para pronunciar la absolución y administrar los sacramentos; ordenar; «anciano, mayor». Advierte de un engaño que trata de alcanzarte; de haber pecado, infringido la ley o hecho alguna cosa vergonzosa, necesitado de arrepentimiento y confesión; molestia para ti, tu familia o tus amigos.

Saco de dormir: juego de palabras para referirse a una anciana durmiendo: «un saco de dormir». El deseo de soledad mientras se busca la presencia del Señor; descansar en el calor y el confort de su presencia. Las pruebas o los traumas de la vida de uno lo han llevado al aislamiento; buscar tranquilidad mientras se está solo en un estado o condición remota fuera de su zona de confort, Jer. 10:17.

Saco: si la bolsa está llena, la prosperidad continuará; si la bolsa está rota o vacía, serás despedido de tu trabajo, así que empieza a buscar otro empleo.

Sacrificio: Jesús fue el máximo sacrificio que entregó su vida en el cielo para darla por la salvación del hombre; su sangre elimina el pecado y produce la vida eterna. «Pero vayan y aprendan lo que esto significa: «*Pero vayan y aprendan qué significa esto: "Lo que pido de ustedes es misericordia y no sacrificios". Porque no he venido a llamar a justos, sino a pecado-*

res», Mt. 9:13. 1 Jn. 4:10; un llamado a dar la vida por los demás, Rom. 5:7.

Sacrilegio: las malas compañías corrompen las buenas costumbres; deja a los amigos que te arrastran hacia las influencias mundanas. Violar o robar el templo o profanar las cosas sagradas, Rom. 2:22; retener los diezmos y las ofrendas, Mal. 3:8:10.

Sacudir, como una hoja: si te ves siendo sacudido como una hoja indica que tienes miedo, Is. 52:2; Ez. 27:28; Hg. 2:6,7; 2:21; Heb. 12:26.

Sacudir: verse a sí mismo o a otros siendo sacudidos indica que se les está probando. Cuando la unción llegó a Sansón, éste tembló bajo la poderosa presencia de Dios, Jue. 16:20. Todo lo que puede ser sacudido será sacudido y lo que no puede ser sacudido (el Reino de Dios) permanecerá.

Sadismo: abuso; sentimientos o emociones tristes; depresión; la satisfacción sexual y la liberación vienen a través de infligir dolor o sufrimiento a otros; mostrar placer en la crueldad extrema; ira infantil reprimida; castigos autoinfligidos por el pecado o los errores del pasado.

Sadoc: significa recompensado por la justicia, Mt. 25:34; sacerdocio; Ez. 44:15-18; Heb. 5, 6, 7.

Sadrac: significa real; Hananías fue arrojado al horno de fuego con Mesac y Abednego sin ser tocados por las llamas, Dn. 1:7; 3:20-27.

Safari: es el momento de explorar tu lado salvaje; un viaje por tierra o un viaje turístico a África para una caza mayor o una oportunidad de fotografiar la vida salvaje, hacer senderismo, un viaje en jeep o una ocasión para hacer turismo. Un safari representa una nueva cultura, libre de normas sociales y reglas preestablecidas, en la que se puede experimentar una libertad fuera de los confines de la civilización. Un programa informático que opera en Internet para obtener sabiduría y comprensión.

Sal: luz; verdad; influencia, Mt. 5:13, *«vosotros sois la sal de la tierra»;* conservante; longevidad; condimento; saborizante; da sabor; ingenio agudo y vivo; volver a los errores del pasado; curación, 2 Re. 2:21; discurso elegante, Cl. 4:6; laxante; catártico; juicio «columna de sal» Gén. 19:26; curar heridas, efectos medicinales; gran valor; pacto; digno de salario y valor: «vales lo que pesas»; ofrenda; luz, Lev. 2:13; los recién nacidos se frotaban con sal, Ez. 16:4. Un pacto de sal, Nm. 18:19; 2 Cr. 13:5; comer sal: promesa de amistad mutua; empleo.

Sala de audiencia: justicia; autoridad; tiempo de juicios; prueba; ley y orden; crítica; juicio; sentencia; persecución.

Sala de calderas: usted está haciendo todo lo posible para gestionar una gran cantidad de ira y rabia contenida.

Sala de conferencias: una reunión de sabios, una discusión para resolver problemas, una reunión para conferir con otros para obtener sabiduría, un intercambio de opiniones. Un lugar de aprendizaje y comunicación, un diálogo espiritual, planificación y estrategias para los negocios.

Sala de espera: se esperan buenas o malas noticias; transición entre lo viejo y lo nuevo; paciencia y resolución tranquila; la capacidad de aguantar a través de la crisis; indica que la resolución tranquila es necesaria durante una crisis; tu paciencia y largo sufrimiento serán recompensados; el lugar entre dos reinos. Tome nota del tipo de sala de espera arquitectónica que estás viendo. ¿Es una sala VIP de aeropuerto, de negocios, médica, pública o de hotel? ¿Va a comprar comida y bebida para entretenerse? ¿O se lo toma con calma, descansando en casa? Una sala VIP representa un momento de relajación y comunicación social mientras esperas que se produzca un evento. Por otro lado, si todo lo que haces es descansar, el sueño está señalando el hecho de que eres perezoso.

Sala de estar: vida cotidiana; uso general; comunión; compañerismo de la familia, la iglesia y los amigos.

Sala de música: estar en un auditorio para escuchar un concierto de adoración o por placer indica que estás en armonía con tu espíritu y disfrutas de momentos de alabanza y adoración con personas que son de tu mismo espíritu. Esperas recibir noticias maravillosas y agradables de amistades renovadas.

Sala del trono: sueñas con una experiencia de translación celestial, un encuentro con Dios y sus santos ángeles que cambia la vida, como Juan el Revelador o el apóstol Pablo. *«Conozco a un hombre en Cristo, que hace catorce años (si en el cuerpo, no lo sé; si fuera del cuerpo, no lo sé; Dios lo sabe) fue arrebatado hasta el tercer cielo. Y conozco al tal hombre (si en el cuerpo, o fuera del cuerpo, no lo sé; Dios lo sabe), que fue arrebatado al paraíso, donde oyó palabras inefables que no le es dado al hombre expresar. De tal hombre me gloriaré; pero de mí mismo en nada me gloriaré, sino en mis debilidades»*, 2 Cor. 12:2-5; *«Y miré, y oí la voz de muchos ángeles alrededor del trono, y de los seres vivientes, y de los ancianos; y su número era millones de millones, que decían a gran voz: El Cordero que fue inmolado es digno de tomar el poder, las riquezas, la sabiduría, la fortaleza, la honra, la gloria y la alabanza»*, Apo. 5:11-12; *«Después me mostró un río limpio de agua de vida, resplandeciente como cristal, que salía del trono de Dios y del Cordero. ² En medio de la calle de la ciudad, y a uno y otro lado del río, estaba el árbol de la vida, que produce doce frutos, dando cada mes su fruto; y las hojas del árbol eran para la sanidad de las naciones»*, Apo. 22:1-2; Esd. 5:1.

Salamandra: ver una salamandra en un sueño indica que eres es muy versátil y puedes transformarte o hacer cambios que te permiten levantarte y enfrentar con éxito cualquier reto o adversidad. Claramente eres una persona de carácter con una fuerte fibra moral lo que te permite resistir la tentación de hacer el mal.

Salami: comer salami en un sueño indica que deseas condimentar tu vida y mejorar tu autoestima con una nueva combinación de amigos y actividades.

Salario, pagar: sugiere un sentimiento de deuda; dar más de lo que se recibe a cambio; una relación unilateral le está costando mucho.

Salario, recibir: indica obtener amor, favor y pago por cumplir un objetivo o completar un trabajo.

Salchicha: capaz de integrarse en muchos entornos y personas diferentes; humildad; ingenio, «sin un centavo»; pene masculino.

Salida de incendios: estructura o dispositivo adosado al exterior de un edificio para las salidas de emergencia en caso de incendio. Ten cuidado con estirar demasiado tus finanzas, las deudas te harán salir o escapar de muchas relaciones.

Salir con dos o más: soñar que estás saliendo con dos o más personas al mismo tiempo significa una ferviente necesidad de descubrir nuevas formas de hacer las cosas en tu relación actual, puedes estar sintiendo miedo con los cambios clave.

Salir: dejar o alejarse del curso o dirección regular. *«Y entonces les declararé: "Nunca os conocí; apartaos de mí, los que practicáis la anarquía"»*, Mt. 7:23.

Saliva: verse salivar en un sueño indica una buena noticia que le producirá una gran felicidad; sus deseos se verán satisfechos; ver a otra persona salivando: indica que está hablando mal y quiere desprestigiar su reputación con chismes o calumnias, no mastique sus palabras sino ate y revierta sus maldiciones. Saliva de perro: los amigos verdaderos y leales te defenderán y aconsejarán. Saliva de caballo: un compañero irá a la guerra y luchará en tu favor.

Sally: significa princesa amada, 1 Pe. 2:9.

Salmón: nadar río arriba contra la opinión o la corriente popular, dispuesto a dar su vida para alcanzar su destino; capacidad de navegar río arriba contra grandes probabilidades y obstáculos; amigo leal que avanza dondequiera que se le coloque; gran pez de caza y alimento; trabajador; nada desde el agua salada hasta el agua dulce para desovar; carne rosada y delicada, Fil. 4:13.

Salmos: la presencia de los Salmos en un sueño te está diciendo que busques una mayor influencia espiritual en tu vida, o que la respuesta para cumplir algún aspecto de tu vida se haya en el libro de los Salmos.

Salomé: significa apacible o descansado, Mc. 4:39.

Salomón: significa pacífico; rey de la paz; hijo de David y Betsabé; sucedió a David como rey de Israel; reinó cuarenta años; se destacó por su prodigiosa sabiduría, fuel el autor de los Proverbios; construyó el Templo de Jerusalén; fue famoso por sus enormes riquezas, 1 Re. 10, adoró a los ídolos, 1 Re. 11; Mt. 16:15-20; Ef. 2:19-22.

Salón de belleza: preparación; adorno; obtención de sabiduría; santidad; cambios permanentes; realces; unción; chismes.

Salón: soñar con un salón de belleza sugiere que deseas mejorar tu apariencia. Tienes en alta estima la belleza y las cosas finas de la vida. Buscas un nuevo enfoque para ganarte el afecto o la aprobación de los demás. Para ganar amigos e influenciar a la gente de la manera correcta primero debes reflejar los caminos de Dios.

Salsa de tomate: representa la sencillez, la juventud y la felicidad.

Salsa picante: la vida de uno carece de celo o pasión, es hora de añadir algo de picante a tu vida, comprar un nuevo traje, cambiar o vestir su imagen, ajustar tu velocidad a otro ritmo, permitir que la pasión entre en sobremarcha durante una temporada para ponerse al día con algo de pasión o emoción necesaria.

Salsa: ver o comer salsa en un sueño puede indicar un juego de palabras: ¿Estás siendo o actuando de manera «coquetona»? Sé directo y audaz cuando te acerques a los demás.

Saltamontes: problemas y devastación de las cosechas; una multitud; un enemigo busca perjudicarle a ti y a tus intereses; mala imagen de sí mismo, te ves pequeño e insignificante; un destructor de oportunidades de negocio; simboliza la libertad temeraria o el espíritu independiente; incapacidad para establecerse o comprometerse con una decisión o relación; doble ánimo; saltar de una cosa a otra; llamar la atención sobre un saltamontes indica la necesidad de discreción y sabiduría para manejar problemas difíciles o delicados; langosta, un instrumento del juicio de Dios sobre las naciones rebeldes, Lev. 11: 22; Sal. 78:46; Ec. 12:5. Ver una plaga de la cosecha, comúnmente conocida como langosta, cigarra de los arbustos o mosca del tiempo seco, en un sueño indica un tiempo de pérdidas y desgracias, carencia y hambruna donde tu cosecha es devorada por un enemigo o pestilencia.

Saltar la cuerda: una gran habilidad o destreza para coordinar varios esfuerzos con destreza, equilibrio, precisión y exactitud con el menor esfuerzo.

Saltar: dar un salto de fe, dar un paso al frente, arriesgarse, evaluar las opciones antes de saltar a una nueva situación o tomar una decisión precipitada; advertencia contra los comportamientos impulsivos, «saltar de alegría»; negarse a saltar indica temor o inseguridad. Impulsarse hacia adelante, dar un gran salto de fe, superar un obstáculo, tomar autoridad sobre una situación negativa o destructiva, dar un paso adelante, alcanzar el éxito; avanzar con gran determinación; acelerar hacia la consecución de un objetivo; una fuerza motriz; una actuación estelar; impulsarse por encima de cualquier obstáculo o dificultad; superar con fuerza, confianza y voluntad. Saltar sobre los obstáculos en un sueño indica que llegarás a tu destino mucho antes de la hora prevista. El nombre de un hombre significa capitán de la nave, líder, Sal. 104:26. Un espíritu libre como el de un niño, Jb. 21:11.

Salterio: instrumento de viento utilizado para regocijarse en la alabanza y la adoración a Dios; Sal. 33:2; 71:22; 81:2; 91:3; 144:9; 150:3.

Saltines: nombre de empresa para las galletas saladas; pan sin levadura; comunión; cracker es una jerga para un «vaquero»; «cracker de Georgia»; considere el expreso de los loros que repiten todo lo que oyen: «Polly quiere una galleta».

Salto con pértiga: tomar las riendas de una situación difícil, intentar superar un obstáculo precario, poner el listón alto, levantarse con las propias fuerzas o talentos, superar los problemas de intimidad.

Salto de esquí de altura: paracaídas preparado para dar un impulso gigante, un salto o salto de fe realizado por un esquiador para llevarlo a un nivel superior de fe, confianza o creencia en Dios.

Salto de esquí: un salto hábil o un salto de fe realizado por el soñador; facultado para volar con seguridad a un nuevo nivel o lugar, estás siendo lanzado por la revelación para elevarse, volar y ver como un águila profética.

Salto: estás superando obstáculos y limitaciones, consiguiendo grandes logros a pasos agigantados, alcanzando tus objetivos con gran facilidad. Da un salto de fe, expresa entusiasmo o alegría; lanzarse a una nueva relación o un nuevo oficio.

Saltos de alegría: los altibajos de la vida hacen que te equilibres ayudándote a desarrollar una buena sincronización, coordinación, fuerza y resistencia a través de un estilo de vida metódico, constante y disciplinado. Las cosas están cayendo en su lugar en una secuencia lógica.

Salud: Sal. 67:2; la salud que salva significa la salvación. Tener mala salud: enfermedad, muerte o dolencia.

Saludable: ver que estás saludable indica que estás haciendo un esfuerzo para mejorar o promover tu salud a través de una dieta sana y ejercicio.

Saludar con la mano: deseo de llamar la atención de alguien o de conectarse relacionalmente; un saludo o una despedida.

Saludo: es un acto de comunicación en el que las personas se dan a conocer intencionadamente, para mostrar atención y sugerir un tipo de relación (normalmente cordial) o estatus social (formal o informal) entre individuos o grupos de personas que entran en contacto. A veces, los saludos se utilizan justo antes de una conversación o para saludar de paso, como en una acera o un camino. Aunque las costumbres de saludo dependen en gran medida de la cultura y de la situación, y pueden cambiar dentro de una misma cultura según el estatus social y la relación, existen en todas las culturas conocidas. Los saludos pueden expresarse tanto de forma audible como física, y a menudo implican una combinación de ambas. Las sociedades secretas tienen a menudo gestos y rituales de saludos furtivos u ocultos, como un apretón de manos secreto, que permite a los miembros reconocerse entre sí. «Al entrar en la casa, dale tu saludo. *«Y al entrar en la casa, saludadla. Y si la casa fuere digna, vuestra paz vendrá sobre ella; mas si no fuere digna, vuestra paz se volverá a vosotros»*, Mt. 10:12-13.

Saludo: rendir honores y respeto a alguien en un sueño indica que tienes en alta estima a esa persona, su posición de autoridad o el cargo que ocupa. Podrías aprender o ser asesorado por esta persona o por otra de su talla.

Salutación: oír o dar un saludo a alguien en su sueño sugiere que usted sabe y entiende cómo vivir y operar bajo la autoridad espiritual. Usted vuelve a saludar a aquellos que tienen más sabiduría y conocimiento en diferentes áreas de experiencia.

Salva: ver u oír una salva, es decir, una descarga simultánea de armas de fuego o el lanzamiento de un arsenal de bombas o proyectiles, así como escuchar un repentino estallido de vítores o aplauso, indica que te recuperarás de un corto periodo de enfermedad y que recobrará tu salud y bienestar.

Salvación: liberación de la muerte y de una vida de pecado; recibir el don de la vida eterna porque Jesús murió por nuestros pecados en la cruz, pues fue sepultado y al tercer día se levantó de entre los muertos para llevar cautiva la cautividad y dar el don de la vida eterna a todos los que invoquen su nombre para ser salvados de sus pecados y de la destrucción eterna.

Salvador: ver a Jesús, el Salvador, en un sueño indica que el Espíritu Santo te ha honrado con el más alto llamado. Tienes la habilidad de guiar a otros hacia el Señor Jesucristo para su salvación y sanación. *«Y nosotros hemos visto y testificamos que el Padre ha enviado al Hijo, el Salvador del mundo»*, 1 Jn. 4:14.

Salvaje: soñar que uno es salvaje indica que puede librarse fácilmente de los chismes injustos de alguien; ver una tribu entera de salvajes indica que la calumnia se ha extendido por toda la oficina o tu entorno cercano convirtiéndote en el tema de discu-

sión; busca corregir todos los errores o tu reputación será vuelta añicos.

Salvamento: ver que salvas o rescatas a alguien o algo en un sueño indica que puedes ver el valor de los artículos usados y que eres un dador, protector y que posees un fuerte don de misericordia.

Salvavidas: alude a alguien que posee grandes habilidades o una capacidad para hacer frente a las tormentas emocionales; temor a ser ahogado o rebasado por tus problemas.

Salvia: experiencia; sabiduría; buen juicio; persona sabia; calma, significa prudencia y sensatez; la extravagancia, el exceso y la mala planificación conducen a la pobreza. Hojas aromáticas de color verde grisáceo que se utilizan en la cocina.

Sam: significa un oyente atento a la voz de Dios, Jb. 22:28.

Samuel: significa Dios ha oído o Instruido de Dios; oyó de Dios; un noble profeta; el último de los Jue; 1 Sam. 20; ungió a Saúl y a David como reyes; 1 Sam. 3:20-21; 25:1; Jer. 15:1; 1 Cr. 6:33, lo llama Shemuel.

Samurai: un samurái es un guerrero de alto calibre que pertenece a la clase de élite de la aristocracia militar feudal japonesa. Son leales, honestos, disciplinados y hábiles para cumplir con su deber. Hacen un juramento vinculante para proteger a la persona que se les asigna, incluso si eso significa sacrificar su propia vida. Los samuráis también son conocidos como asesinos. En su sueño, esto indica un oponente potencial que puede encontrar en su vida cuyas habilidades profesionales en el combate están más allá de su capacidad para superar en lo natural. O puede relacionarse con un don ancestral que has heredado. Dado que son hábiles con las espadas, este símbolo indica que necesitas estar bien versado en la aplicación adecuada de las Escrituras, Ef. 6:17; 2 Cor. 10:4.

San Diego: la cuna de California. Esta ciudad costera es la octava ciudad más grande de los Estados Unidos y la segunda más grande de California. San Diego es conocida por su clima templado durante todo el año, su maravilloso puerto y la asociación naval de Estados Unidos, además de sus hermosas extensiones de playa.

San Valentín: recibir una tarjeta de felicitación sentimental de su pareja el día de San Valentín o en un sueño indica que un nuevo regalo se deposita en tu vida; espera recibir una lluvia de amor y afecto.

Sanatorio: verse en un sanatorio indica que has estado luchando contra algunos problemas de salud crónicos y que necesita supervisión médica y ayuda para alcanzar una recuperación completa. Si sueñas que eres un paciente en un balneario indica que está en marcha un chequeo de cuello para arriba; elimina algunas formas erróneas de pensar para que tu vida comience a prosperar de una manera nueva.

Sanción: ver una sanción en un sueño puede representar un permiso concedido o una restricción, dependiendo del entorno y el contexto del sueño.

Sandalias puestas: ver o llevar sandalias en un sueño significa apertura de entendimiento, calma reconfortante y facilidad en una situación relajante. Camina con cuidado alrededor de las personas influyentes o tu relajada franqueza podría ser interpretada como demasiado casual u ofensiva. Calzar los pies con sandalias indica que te encontrarás caminando por el desierto y fuera de los círculos internos habituales.

Sandalias rotas: si las sandalias se rompen en un sueño es que te has movido con demasiada brusquedad y sin una medida correcta de favor lo protección.

Sandalias: representan una cobertura limitada de la planta del pie, del «alma» en lugares calurosos o desérticos.

Sandía: palabras del Espíritu Santo que traen un cambio de redención. Estás dejando una temporada de sed y entrando en una temporada de refresco.

Sándwich: inserción entre diferentes caracteres y cualidades; hacer espacio o tiempo para algo; presión y estrés; capacidad de hacer varias cosas a la vez; emparedado.

Saneamiento: es el proceso de mantener los lugares libres de suciedad, infecciones, enfermedades, etc., por medio de la eliminación de desechos, basura y desperdicios o manteniendo las calles limpias, etc. Si sueñas que estás en una instalación de saneamiento indica que deseas un corazón puro y unas manos limpias para poder ver a Dios. También puede ser un juego de palabras para la santificación que conduce a la perfecta santidad. Por otro lado, es posible que te gusten los ambientes estériles y aburridos.

Sanedrín: asamblea ejecutiva y legislativa formada por setenta y un miembros.

Sangrado de la nariz: conflicto; desacuerdo; desilusión, confrontación; problema; choque, torcerse, lucha, necesidad de afinar su discernimiento espiritual, intuición, un desastre, pérdida o ruina financiera; ataque espiritual o físico; problema con los senos paranasales: espíritu religioso; duda e incredulidad, Pr. 30:33.

Sangrado vaginal, la menstruación después de la menopausia: si estás en la menopausia, pero sueñas que está menstruando, el sueño significa juventud renovada, fuerza, vigor y energía.

Sangrado vaginal, menstruación inoportuna: si no es la hora de tu ciclo menstrual entonces puedes tener miedo, ansiedad de que una determinada situación embarazosa tenga lugar antes de que estés preparada para afrontarla, o puede indicar que tu ciclo se adelantará este mes, así que prepárate.

Sangrado vaginal, menstruación interminable: si sueña que su ciclo es interminable, significa que estás atrapada en una situación destructiva o que te drena la vida y necesitas buscar un remedio. Deja ir las heridas del pasado en la vida, renuévate y sigue adelante para comenzar un nuevo ciclo de vida saludable.

Sangrado vaginal, menstruación: las mujeres sueñan más lúcidamente sobre estos aspectos durante sus ciclos menstruales. Durante el ciclo de ovulación se producen más sueños de embarazo, de parto o de convertirse en madre. Cuando estás embarazada y sueñas con tu ciclo menstrual, te advierte que debes bajar el ritmo, descansar y tomarte las cosas con calma, ya que estás exigiéndole demasiado a tu cuerpo. Tu ciclo mensual representa una limpieza y renovación natural del útero para preparar el embarazo. Te estás preparando para ser más creativa o reproductiva. También libera la tensión, el dolor, el estrés o la ansiedad acumulados para que puedas relajarte. Es importante que aceptes todos los aspectos de tu cuerpo, incluso los menos deseados.

Sangrar: expiación curativa a través de la Sangre de Jesucristo; sueño de advertencia: herido, dolorido, se le está exigiendo la sangre de su vida, pérdida de posicionamiento espiritual o físico, abuso verbal o acusación, trauma, asesinato, remordimiento, venganza y represalia, limpieza, se necesitará diligencia y oración para restaurarse. Dt. 21:8; Pr. 30:33.

Sangre en las manos: sangre en las manos: indica que se es culpable de algún juego sucio, que se juzga, que se asesina la reputación de alguien y que se engaña.

Sangre fluyendo: ver sangre fluyendo en un sueño significa limpieza de alguna enfermedad, herida, dolor, muerte espiritual, traumas, ofensa, acusación verbal, chismes, enfermedad, anemia, muerte o asesinato.

Sangre: la vida está en la sangre, la redención, el poder curativo, la limpieza, la expiación y la salvación de Jesús para la vida eterna, el sacrificio de Dios para apaciguar, perdonar y superar el pecado y llevarnos a la Nueva Alianza; el nacimiento, el ciclo menstrual, la propia energía y el sentido de la existencia.

Sanguijuela: ser mordido por sanguijuelas significa que algo (pensamientos o emociones negativas y egoístas, personas, malos hábitos) está exigiendo o chupando tu fuerza vital, tu energía y tu vigor; holgazán carente de autoestima o de responsabilidad; Pr. 30:15 «dame, dame»; estar cubierto de sanguijuelas significa sentimientos negativos de estar «con el agua hasta el cuello», acciones desagradables, actitudes venenosas o que se está procesando una enfermedad. Alguien que se agarra y no te suelta hasta que te haya chupado toda la energía y los recursos de tu vida. Un gusano acuático chupasangre carnívoro predice que alguien intenta aprovechar tus recursos para su propio beneficio. Establece límites firmes y no permitas que te desvíen tu energía, tu fuente de vida o tus finanzas.

Sanidad: la curación emocional, física, financiera o relacional se realizará con el perdón.

Sanitario: soñar con un ambiente sanitario puede indicar que te sientes aislado, solo y sin ninguna interacción con la gente. Puede relacionarse con la buena salud o la autoprotección frente a chismes o enfermedades.

Sansón: significa «parecido al sol; fuerza de espíritu como el sol», Sal. 33:16; un poderoso libertador; juez; la tribu de Dan; juez de Israel durante veinte años; fuerza sobrenatural dada por Dios para liberar a su pueblo de los filisteos; Jue. 13:24 - 16:31; Heb. 11:32, un héroe de la fe.

Santa Comunión: tomar los elementos indica la necesidad de arrepentimiento, recuerdo de los actos de Dios, sanación, impartición divina y poder de resurrección; comunión; unión común; compañerismo.

Santiago: significa suplantador; fue un primo de Jesús y uno de los tres apóstoles favoritos.

Santificar: preparar o apartar, Éx. 13:2; Rom. 15:16; 1 Cor. 2; 6:11.

Santo: renueva tu esperanza, tus oraciones han sido escuchadas, la ayuda está en camino; la perseverancia te llevará a la superación y al éxito, la confesión y el perdón son buenos para el alma; un mensaje espiritual de ayuda para ti o para otra persona. Persona apartada o separada por Dios para el servicio sagrado, cristianos, Rom. 1:7; 15:26; Fil. 1:1.

Santuario: el espíritu de una persona necesita un tiempo de tranquilidad para buscar a Dios, un lugar donde el alma de las personas reflexiona sobre la vida, recibe revelación, ora y adora; busca seguridad; fe restaurada. Un lugar santo, santificado, Sal. 20:2.

Sapo: pérdida; dificultades; hinchazón; falsos amigos que saltan de persona en persona graznando calumnias y chismes; muy territorial; te abandonarán; brujería; maldiciones; enfermedades; una persona repugnante con un exterior duro y seco.

Saqueo: observar cómo se saquea o registra minuciosamente tu casa u oficina indica que un ladrón está revisando tus bienes para examinarlos con detenimiento y cuidado con el fin de cometer un robo. Verse despojado; saquear, despojar, desolar o saquear indiscriminadamente tomando los bienes de un individuo por la fuerza como parte de una victoria militar o política. *«Porque ¿cómo puede alguno entrar en la casa del hombre fuerte, y saquear sus bienes, si primero no le ata? Y entonces podrá saquear su casa»*, Mt. 12:29; Mc. 3:27; Lc. 11:22.

Sara: princesa; madre de Isaac, Gén. 17:15; murió a los ciento veintisiete años, Gén. 31:1; promesas especiales, Gén. 17:16; elogiada por su fe, Heb. 11:11; 1 Pe. 3:6; Gén. 11:29; 49:31.

Sarampión: soñar que se contrae esta infección vírica altamente contagiosa que afecta a las vías respiratorias, al sistema inmunitario y a la piel, indica que te pica el gusanillo de conocer los asuntos de los demás. Se transmite a través de los fluidos de la nariz y la boca de la persona infectada. Te encanta reunir chismes y contarlos a los que conoces. Ver a otros con sarampión te hace cargar constantemente con los problemas y preocupaciones de los demás sobre tus hombros. El estrés se ha extendido por todo tu cuerpo.

Sardio: Rubén, nueva unción, comienzo, nueva vida y belleza que surge, sol naciente, esperanza, mostrar sangre, sonrojarse o volverse rojo rosado, bendición y cobertura a través de la sangre de Jesús, Apo. 4:3, Éx. 28:17, 39:10, Ez. 28:13, Apo. 21:20.

Sari: significa princesa amada, Sal. 45:13. Ver o llevar un sari en un sueño significa filiación religiosa, dominación, control, sensualidad encubierta y connotaciones exóticas, o que estás tratando de ocultar tu verdadera identidad. Por otra parte, un sari puede ser un juego de palabras sobre el estar «arrepentido».

Sarmiento: ver esta planta indica que alguien está diciendo palabras venenosas; cuidado, un enemigo mortal está cerca.

Sarpullido: si su cuerpo o el de otra persona tiene un sarpullido, usted o ellos están actuando precipitadamente, lidiando con la frustración y los problemas de ira reprimidos. Considera también el juego de palabras sobre no tomar decisiones «precipitadas», sino que primero entra en paz y busca la sabiduría y la guía de Dios.

Sartén: ver sartenes en un sueño indica que tienes el don de la hospitalidad y que recibirá a tus amigos en un ambiente cálido y acogedor. Ver una sartén en un sueño representa que se está cocinando un amor fragoroso y apasionado. Recuerde la regla de oro de tratar a los demás como deseas que te traten a ti, atiende a tus deseos porque toda acción tiene un precio. Si te encuentras en una situación imprevisible, puede que tengas que saltar de la sartén a la olla, enfrentando mucho calor en poco tiempo.

Sastre: alude a la capacidad de una persona para alterar actitudes u opiniones; el poder de alterar o confeccionar, hacer el contacto con los demás, o modelar una nueva imagen pública, Lc. 22:9.

Satanás: «el acusador»; ladrón; mentiroso; engañador; ángel caído; Lucifer; daño; destrucción; los propios placeres; tendrás algunas aventuras peligrosas y usarás estratagemas para aparentar honorabilidad; advertencia de promiscuidad; enfermedad;

detractor; su plan es matar, robar y destruir; algún pecado, maldad u obra maligna siniestra en tu vida o entorno provocará destrucción, carencia o pobreza, Hch. 26:18; Lc. 10:17-19. Significa adversario; el diablo es el autor del mal; «el príncipe de este mundo», el «malvado»; el «tentador», «la serpiente antigua».

Satén: ver este material de alto lustre, superficie brillante y dorso opaco indica que participarás en algún tipo de actividad física. El satén se utiliza comúnmente en prendas de vestir como chaquetas de béisbol, pantalones cortos deportivos, vestidos de noche para mujeres, zapatillas de ballet, lencería o blusas y calzoncillos, camisas y corbatas para hombres.

Satín: llevar satín en un sueño indica que asistirás a una encantadora ocasión social con amigos, familiares o asociados.

Sátiro: ver un sátiro o este dios mitológico griego de la tierra del bosque que se representa con orejas puntiagudas, patas y cuernos cortos de cabra, indica que estás actuando como un depredador sexual altamente lujurioso. Tus apetitos sexuales están desequilibrados ya que estás permitiendo que tus deseos carnales te controlen. Has dejado de lado la cautela. Tu naturaleza despreocupada está causando muchos problemas.

Satisfacción: estar satisfecho o contenta en un sueño sugiere que has llegado a una época de paz, de gratificación de tus necesidades y deseos. Ha encontrado placer y satisfacción en lo que está haciendo actualmente en tu vida personal.

Satisfacer: soñar con el acto de proporcionar lo que se necesita o se desea, *«De mañana sácianos de tu misericordia...»*, Sal. 90:14. Un sentimiento de felicidad o satisfacción por algo que hizo o algo que le sucedió. *«Lo saciaré de larga vida, Y le mostraré mi salvación»*, Sal. 91:16. *«Bendeciré abundantemente su provisión; A sus pobres saciaré de pan»*, Sal. 132:15. *«Abres tu mano, Y colmas de bendición a todo ser viviente»*, Sal. 145:16. Un resultado que resuelve un problema o una queja de forma aceptable.

Saturar: ver algo saturado en un sueño sugiere que te estás impregnando de nuevas ideas o avasallando tu mente con algo. Eres incapaz de retener o contener más bendiciones. Estás lleno y fortalecido con la presencia del Espíritu Santo y desbordándote sobre otros con Su alegría y poder.

Saturno: es el sexto planeta anillado desde el Sol; es el segundo más grande del sistema solar; lleva el nombre del dios romano de la agricultura; su símbolo representa la hoz de Dios; es un gigante gaseoso con un radio nueve veces mayor que la Tierra; su interior es de hierro, níquel y roca. Ver a Saturno en un sueño indica que estás destinado o destinada a ganar sabiduría y lucidez al ver las experiencias pasadas, persona con un halo de piedad. Recogerás lo que has sembrado si es que has sembrado el bien: representa el tiempo de la cosecha con un nuevo ciclo de prosperidad. Si has sembrado el mal: arrepiéntete, elimina la actitud fría y las emociones negativas o te encontrarás con restricciones, limitaciones, destrucción, pobreza y carencia.

Sauce llorón: una plantación del Señor en un lugar fructífero; *«Tomó también de la simiente de la tierra, y la puso en un campo bueno para sembrar, la plantó junto a aguas abundantes, la puso como un sauce»*, Ez. 17:5; Tristeza y dolor; sentimiento de soledad; lleno de pena; espíritu abatido; espíritu de llanto; y depresión.

Sauce: es el signo más temprano de la primavera, del crecimiento y de la prosperidad que se avecina. Su pelaje blanco o grisáceo recuerda al de un gato pequeño. Es la flor favorita que representa el Año Nuevo chino. Una abundancia *«Tomó también de la simiente de la tierra, y la puso en un campo bueno para sembrar, la plantó junto a aguas abundantes, la puso como un sauce»*, Ez. 17:5; ver un sauce llorón en tu sueño indica una temporada de desilusión, tristeza o dolor. La pena de llorar la pérdida de uno a través de una temporada de tristeza. Sobrevivir hasta llegar a un lugar de renacimiento espiritual o emocional.

Saxofón: viento del Espíritu, voz reveladora, calmante.

Scrabble (juego de mesa): tratar de dar sentido a las cosas, intentar encajar las piezas del rompecabezas, observar las palabras del tablero y las emociones que ellas evocan.

Sebo: ver el sebo, que se obtiene de la grasa de la carne vacuna o del cordero, y se procesa a partir del sebo (grasa dura de alrededor de los lomos y los riñones), en un sueño indica que la grasura de las bendiciones del Señor se está conservando en tu vida durante un largo período de tiempo, Gén. 45:18. Comerás la grasura de la tierra.

Secarse el pelo: secarse el pelo indica que está en proceso de explorar o explorando (desmadejando) algunas ideas creativas nuevas que le han dejado boquiabierto.

Seco: prohibición del alcohol como en un condado seco, sequedad un sabor, la falta de azúcar en una bebida especialmente una alcohólica, humor muerto o seco, «seco» un estilo de escritura, sequedad o sequía, sequedad como término médico. Estar seco en un sueño indica que el soñador no ha estado en remojo en la presencia de Dios o no ha pasado suficiente tiempo sumergido en Su Palabra para alimentar o nutrir su alma. Su vida espiritual es aburrida y seca.

Secretaria: habilidades de organización administrativa, sentido práctico de los negocios, la creatividad es necesaria para romper con los patrones o hábitos preestablecidos, la otra mujer o el segundo interés; el fondo de la actividad sobre el que puede tener lugar el trabajo creativo; los aspectos convencionales de uno mismo o las tradiciones que apoyan la expansión de su creatividad o los aspectos espirituales, Dn. 10:13; Rom. 16:22.

Secreto: Dios comparte sus secretos con sus amigos, los profetas. «*Más bien, cuando des a los necesitados, que no se entere tu mano izquierda de lo que hace la derecha, para que tu limosna sea en secreto. Así tu Padre, que ve lo que se hace en secreto, te recompensará*», Mt. 6:3-4.

Secuestro: abortar el futuro de uno por la facilidad del presente, agendas engañosas, individuos egoístas que se aprovechan de ti; una presencia demoníaca que busca descarrilarte. Apoderarse de una persona y retenerla ilegalmente para pedir un rescate indica que has estado en compañía de personas equivocadas, Jn. 10:10; así que guárdate a ti mismo y a tus posesiones de aquellos que son menos afortunados; ellos desaparecerán.

Sed: un fuerte anhelo o deseo; un anhelo de beber de las cosas profundas de la presencia de Dios; Is. 48:21 no hay sed cuando Dios guía en el desierto; Dt. 28:48 estar sirviendo a tus enemigos; hambre; muerte; discurso obstaculizado; esterilidad. Un deseo emocional que no se ha realizado, deshidratación física, saciar tu sed indica que una meta o deseo se cumplirá o se realizará. Tener sed en un sueño indica que necesitas una mayor interacción espiritual con Dios. También puede ser una advertencia de que tu cuerpo se está deshidratado. «*Bienaventurados los que tienen hambre y sed de justicia, porque serán saciados*», Mt. 5:6; «*Respondió Jesús y le dijo: Cualquiera que bebiere de esta agua, volverá a tener sed; mas el que bebiere del agua que yo le daré, no tendrá sed jamás; sino que el agua que yo le daré será en él una fuente de agua que salte para vida eterna*», Jn. 4:13-14.

Seda: ver, llevar o sentir la seda en un sueño representa la elegancia con clase, el lujo suave y el prestigio. La vida te ha tratado bien, las cosas van tan bien como la seda.

Sedado: los efectos de los placeres mundanos influyen en tus decisiones. El deseo de alejarse de una decisión que debe tomarse o de una situación que debe resolverse. Necesitas abrazar la tranquilidad para estar calmado; serenidad para tener un enfoque relajante y digno de la vida.

Seductor: el que es capaz de convencer o influenciar fácilmente a los demás; una persona ostentosa; advertencia de falsa acusación o calumnia por parte de los enemigos.

Segadores diligentes: uno cosechará lo que siembra en la vida; el trabajo duro dará sus frutos, denota un tiempo de cosecha, prosperidad y placer; sem-

brar con miras a la justicia, cosechar de acuerdo con la bondad, Os. 10: 12; «*Si nosotros sembramos entre vosotros lo espiritual, ¿es gran cosa si segáremos de vosotros lo material?*», 1 Cor. 9:11; «*No os engañéis; Dios no puede ser burlado: pues todo lo que el hombre sembrare, eso también segará. Porque el que siembra para su carne, de la carne segará corrupción; mas el que siembra para el Espíritu, del Espíritu segará vida eterna. No nos cansemos, pues, de hacer bien; porque a su tiempo segaremos, si no desmayamos. Así que, según tengamos oportunidad, hagamos bien a todos, y mayormente a los de la familia de la fe.*», Gál. 6:7-10.

Segadores, ociosos: un acontecimiento desalentador interrumpirá tus tiempos de prosperidad; el que siembra iniquidad cosechará vanidad, Pr. 22:8; quien siembra viento cosecha torbellino, Os. 8:7.

Seguir: los cristianos son llamados seguidores porque siguen a Jesús como sus discípulos. Si alguien o algo te sigue, sugiere que eres un líder que está levantando a otros creyentes. Si persigues o sigues a alguien o algo, entonces ellos son los líderes y tú has sido privado, tus puntos de vista o tu limitada influencia han sido negados.

Segunda bestia: ver que la segunda bestia representa al falso profeta, Apo. 19:20; Apo. 13:11.

Segundo piso: pasar del primer piso que representa (el cuerpo), al segundo piso que representa un aumento de las actividades carnales del cuerpo, para moverse en el reino del alma (mente, voluntad y emociones). Hay que seguir ascendiendo hasta llegar al tercer piso (la dimensión del espíritu), y luego moverse por los distintos niveles superiores de la sabiduría.

Seguridad: soñar que te liberas del peligro, del daño, del riesgo o de la pérdida, de la duda, de la ansiedad o del miedo, tener una confianza o seguridad audaz puede indicar que lo opuesto es cierto y que éstas son sólo algunas cosas que esperas lograr poseer en tu vida. Puede que te sientas muy inseguro, desprotegido y venerable emocional y físicamente. «*Toda palabra de Dios es limpia; Él es escudo a los que en él esperan*», Pr. 30:5; «*Mi misericordia y mi fortaleza, mi baluarte y mi libertador, mi escudo y Aquel en quien me refugio, que somete a mi pueblo debajo de mí*» Sal. 144:2.

Seguro de coche: verse asegurando tu vehículo en un sueño indica que estás tratando de proporcionarte protección financiera contra cualquier responsabilidad por daños personales, físicos o corporales resultantes de colisiones de tráfico o personales, conflictos o desacuerdos con otras organizaciones, negocios, iglesias o personas.

Seguro, comprar: soñar que se está comprando un seguro se refiere a ajustarse al Sistema Público de Salud o a las nuevas leyes aprobadas por el gobierno.

Es una señal de que temes perder tu salud o algo que significa mucho para ti. También representa tu necesidad de seguridad y la falta de confianza. *«...fíjate en la hormiga ¡Fíjate en lo que hace, y adquiere sabiduría! No tiene quien la mande, ni quien la vigile ni gobierne; con todo, en el verano almacena provisiones y durante la cosecha recoge alimentos»*, Pr. 6:6-8.

Seguro: se trata del acto de negociar o asegurar mediante una cobertura contractual que obliga a una parte a cubrir a otra contra una pérdida específica a cambio del pago de primas, la protección contra pérdidas, Ec. 7:12.

Seis mil: engaño del anticristo; segundo advenimiento.

Seis: vav, debilidad del hombre; esfuerzo o trabajo, Éx. 20:9; lucha con las naturalezas carnal y espiritual; interés; serpiente; humanidad del mundo físico; hora de las tinieblas, Mt. 27:45; vasijas de agua convertidas en vino; apoyo, ayuda, equilibrio, serenidad, excelencia, calor, unión, matrimonio, familia y amor felicidad doméstica; el estados físico, emocional y espiritual están en armonía, una buena obra ética.

Seiscientos sesenta y seis: anticristo; Satanás; ausencia total de la ley; orgullo humano; condenados; adoración del diablo; número o marca de la bestia, Apo. 13:18; unir todo en un todo; Goliat 6 codos de altura, 6 piezas de armadura, la punta de la lanza pesaba 600 siclos de hierro; la imagen de Nabucodonosor 60 codos de alto x 6 de ancho; música con 6 instrumentos.

Seiscientos: guerra.

Sello de Dios: la marca redentora de la plenitud del pacto del Espíritu Santo que descansa en una vida, Apo. 7:2; Ef. 4:30.

Sello de pasaporte: recibir un sello de pasaporte significa entrar en una nueva aventura o capítulo de la vida. Has obtenido la aprobación de los responsables de la toma de decisiones. Es el momento de avanzar con tus planes y lograr el éxito en un nuevo territorio o relación.

Sello: es una marca oficial o una serie de marcas que se colocan en artículos hechos de metales preciosos como el platino, el oro o la plata. Soñar con un sello distintivo indica que tienes una característica o rasgo distintivo que es muy deseable y te hace extremadamente valioso como individuo.

Sellos: diversión en el descubrimiento de tesoros profundos y ocultos; tendrá dificultades para mantener el poder o la posición.

Selva tropical: puede representar la lluvia tardía del derramamiento del Espíritu Santo sobre los líderes para facilitar una mayor medida de unción o pro-ducción de frutos durante los tiempos de avivamiento y cosecha, Is. 35:1, Sal. 147:8. La lluvia a menudo representa la Palabra o la presencia de Dios, Sal 68. Es posible que te preocupe el que se talen o corten árboles en la selva tropical por razones ambientales.

Semáforo amarillo: reduzca la velocidad y tenga cuidado.

Semáforo rojo: deténgase.

Semáforo verde: siga adelante.

Semáforo, en amarillo: avanza lentamente con mucha precaución, el peligro está cerca, usa el discernimiento y mantén los ojos abiertos para estar pendiente del tráfico que viene y de cualquier impacto inesperado de los vecinos.

Semáforo, en rojo: ¡¡¡DETENTE!!! No avance hasta que la confusión o el exceso de tráfico se hayan eliminado dejando el camino libre; espere nuevas instrucciones; el momento no es el adecuado;

Semáforo, en verde: verde: prosigue, pero mantente dentro de los límites de velocidad; avanza en el viaje de la vida; procede, pues tu camino es amplio y próspero; ahora es el momento de seguir adelante con los planes.

Semáforo: ejerce un breve tiempo de contención antes de avanzar, no te dejes arrastrar por algo que se mueve demasiado rápido para tu comodidad; estar retenido por fuerzas externas, no perseguir tus objetivos, estar controlado por alguien, no tienes el control de tu propia vida, sentir la presión del tiempo para tener éxito.

Semáforo: preste atención al color que aparece en su sueño.

Semana: si no usas tu tiempo de silencio sabiamente tu vida espiritual se volverá «débil». Un período del calendario de siete días designados al trabajo, la familia, los negocios o la escuela. Tiempo de celebración de un acontecimiento especial, fiesta o vacaciones, el paso del tiempo.

Sembrador: agricultor, Dios, Jesús, ministro, creyente en Cristo, demonio, persona buena o mala según sus acciones.

Semen: fluido masculino indispensable para la fecundación; esperma; semilla; nuevas ideas; multiplicación; masculinidad; productividad; reproducción; potencial de crecimiento y desarrollo; virilidad. Masculinidad, semillas para reproducirse, gran potencial de vida y prosperidad. Necesidad de abrir los ojos para examinar de cerca los motivos y las acciones de un hombre.

Semental: simboliza la gran capacidad reproductiva, la independencia poderosa, la fuerza masculina y coraje; montar el semental: uno necesita desarrollar más autoridad, influencia y audacia; capaz de reproducir los dones de poder en otros; evangelista; líder fuerte; lidera con el ejemplo; defiende a los más débiles y entrena a los más jóvenes.

Semilla de mostaza: la pureza de una pequeña fe puede mover grandes montañas de oposición, Mt. 13:31-32, 17:12.

Semillas: las buenas semillas son los Hijos del Reino; el que siembra las semillas es el Hijo del Hombre; deben caer a la tierra y morir para producir el crecimiento. Producción de algo nuevo; comienzo; fuente; origen; descendencia; tronco familiar; esperma; semen; ascendencia; aumento de la prosperidad si se planta adecuadamente en buena tierra y se cuida Jn. 12:24; contienen promesas; muerte de una promesa antes de que aparezcan la vida y el fruto; las semillas comestibles indican promesas intrínsecas, Mt. 13:32; Reino de los cielos; Mt. 13:38 hijos del Reino; Heb. 2:16 ayuda a la semilla de Abraham; Gál. 3:16 semilla: Cristo; la Palabra de Dios; Jl. 1:17 el mal ambiente hace que las semillas mueran; competidor clasificado; ostra; capaz de propagarse; dispensar o inducir la nube de lluvia; ir o correr a la semilla; volverse inútil, deteriorarse; desvitalizarse. Vigilar tus inversiones, Mc. 4:31-32.

Seminario: ver o asistir a un seminario en un sueño indica un alto llamado espiritual en tu vida. Asistir a la universidad teológica o a la escuela de divinidades sugiere que necesitas estudiar la Biblia para mostrarte aprobado como obrero de Dios. Debes buscar la ordenación para servir en el ministerio, 2 Tm. 2:15; es necesario aprender a dividir correctamente la Palabra de Dios.

Semirremolque: ser utilizado o aprovechado; tirar demasiado o soportar más que el propio peso o responsabilidad; sobrecargado de miedo, preocupación o ansiedad; el tamaño indica grandeza, poder o gran capacidad de bendición, ser superado por el aumento o el juicio; camión de 18 ruedas; traer un barco grande y parcial de bendición o juicio.

Senador: ser presentado a un senador indica que estás llamado a un alto lugar de visibilidad social, estatus o autoridad; se pedirán favores. La honestidad y la conducta veraz son esenciales en todo momento.

Senda: dirección que uno elige en la vida; actitud; enfoque relacional; hábito bien establecido; proceso de crecimiento en las experiencias, Sal. 27:11.

Senderismo: tu perseverancia te permitirá avanzar continuamente en la consecución de tus objetivos vitales. Avanzarás paso a paso si te mantienes en el camino correcto. Un aumento lento y constante producirá éxito; ser levantado o atrapado, una experiencia en la cima del monte representa una visitación con el Señor, una caminata prolongada por placer, entrenamiento o ejercicio, continuar subiendo más y más alto, movimiento ascendente, caminar por el camino de la santidad, Is. 35.

Sendero: la presencia de un sendero en un sueño puede representar el caminar a través de áreas de maleza, hierbas y otras trampas desafiantes, o bien se refiere a la capacidad general de llegar a su destino. Escoge tu camino sabiamente, Pr. 12:28 nos dice: *«En el camino de la justicia está la vida; Y en sus caminos no hay muerte»*.

Senilidad: renueva tu mente con la Palabra de Dios; concéntrate en las cosas buenas, puras y virtuosas; no es tiempo de retirarse sino de reanimarse; busca una nueva salida, aprende un nuevo oficio, desarrolla un nuevo hobby; ofrécete como voluntario para un ministerio.

Seno: amor, nutrición, afecto; sanidad a través de la luz de unción índigo de Dios; nutrición; globo de la shekinah; morada; habitación; presencia; consuelo; fecundidad; fertilidad; nacimiento; una nueva vida; alimentador; sustentador; El Shaddai; el de muchos senos; Dios todopoderoso; destructor; Sal. 18:24-27; Zc. 2:8-11. Consuelo, nutrición, don maternal; descanso, gracia, amor, romance, amistad, consejo, gloria, seducción; regordete y lleno: las relaciones y los negocios prosperarán; pequeño o plano: fracaso, vergüenza y decepción.

Senos: sede del afecto y la emoción; dependencia infantil; crianza, cuidado, amamantamiento; alimentación; ser cuidado; maternidad; hijos; excitación y placer sexual; sensación de exposición; invasión de la intimidad; ansiedades por convertirse en mujer, esposa o madre; El Shaddai, el de muchos pechos; Dios todopoderoso; destructor; gloria de la Shekinah, morada permanente, habitación, presencia, consuelo, fecundidad; fertilidad; nacimiento; sustentador de la nueva vida; destete; Jer. 31:19, pecho golpeado: avergonzado, humillado, desgracia; Is. 49:15, no puede olvidar, compasión.

Sensualidad: cuida la salud de tu cuerpo; haz ejercicio; pierde peso y tonifícate; nútrete con algo de tiempo para ti, preocupado por el placer.

Sentado: presta atención a tu entorno, aprieta las cosas en las relaciones, enorgullécete de tu trabajo y de tu aspecto, ejercita tu confianza en tus habilidades y capacidades.

Sentarse: adopta una postura de aprendizaje a los pies de un mentor, la indecisión ahogará tu prosperidad, discierne lo que es necesario y avanza en los planes, deja de ser un bulto en el tronco o un recostado.

Sentencia: si sueñas que te condenan por haber cometido algún delito, es el momento de asumir la responsabilidad, arrepentirse y buscar el perdón de aquellos a los que perjudicó o dañó. Busca la ayuda que necesitas para superar cualquier falencia. Si recibes una sentencia de muerte, el tiempo es corto. Reexamina tus acciones, caminos y cambia de rumbo. Busca la salvación de todo corazón, alega tu caso ante Dios y pide misericordia y restauración, Sal. 69:32-33; Jb. 8:5-6; Jb. 5:8.

Sentir: sensación comunicada por el tacto y la percepción. Suele experimentarse en un sueño lúcido o en el nivel de la visión, donde hay sentidos y emociones elevados.

Señal de pare: es el momento de aplicar los frenos a tu situación. Reduzca la velocidad hasta detenerse. Mira hacia todas las direcciones para obtener una mejor perspectiva. No continúes ni avance hasta que hayas orado y recibido una dirección o instrucciones claras. Las señales de pare pueden ser una señal de advertencia de que se acerca un peligro. Por otra parte, una señal de pare también puede significar un obstáculo, una barrera o alguien que intenta bloquear tu camino. Si te ves a ti mismo saltándote una señal de pare, significa que estás tomando decisiones imprudentes, que te desenvuelves en una relación sin límites o que no prestas atención a la penalización de tus acciones.

Señal de vuelta en U: ver una señal de vuelta en U puede indicar que estás tomando una elección o decisión equivocada. Si no hay señales de vuelta en U, entonces estás en un camino sin retorno. No hay vuelta atrás o retracción de las acciones, declaraciones o elecciones; necesitas hacer un cambio de dirección que altere tu vida; ir en la dirección opuesta; hacer un cambio de 180 grados; corregir una decisión equivocada.

Señal, ceda: someta su voluntad y espere.

Señal, luz verde: se concede el permiso para ir a la sala o para avanzar.

Señal: observar los indicadores que funcionan como medios de transmisión de impulsos emocionales que comunican acciones que incitan o movilizan a las personas; prestar atención a las señales para obtener un resultado positivo; si se ignoran pueden producirse pérdidas o problemas.

Señales de tráfico: qué dice el mensaje de la señal: ceda el paso, tenga precaución, deténgase, siga, no gire a la derecha, gire en U, dé la vuelta, Jer. 31:21; las señales y los prodigios y las comunicaciones espirituales se indican con estas señales. Toma siempre el camino correcto.

Señales: testigo, señal o maravilla; presagio del futuro; una señal llama la atención sobre algo. Discierne el mensaje y el significado de cada signo y luego sigue las indicaciones que te da. Mt. 12:39 una generación que anhela una señal, Mt. 24:30 la señal del Hijo del Hombre aparecerá en el cielo, Apo. 12:1,3.

Señalización: indicación o guía en los asuntos domésticos, espirituales y de negocios; amigos fieles; superar la deshonra y el daño; si se hace caso a su dirección el éxito está asegurado.

Señuelo: ver un señuelo de pesca para recuperar a los que se alimentan del fondo predice una llamada como evangelista; limpiar o separar; guiar; mantener en su lugar.

Separación: soñar con una separación sugiere que usted está experimentando algún tipo de ansiedad por una posible separación. Tienes temor de sentirse irrelevante, abandonado o desechado. Puedes estar temiendo la ruptura de alguna relación o sentir que estás perdiendo el control sobre una situación en particular.

Septiembre: septiembre/octubre, alfabeto Tishrei: Lamed Aspiración a volver a tu fuente absoluta. Tribu: Efraín. Constelación: Libra. Color: Negro. Piedra: Ónix negro o Ágata. Tishrei es el mes en el que todos los sietes son importantes, pues representan la culminación y la plenitud de Dios. Es un mes de los tiempos propicios de Dios y de la Fiesta de Otoño que significa el regreso de Dios y nuestra capacidad de experimentar su gloria. Es un mes para tocar a Jesús de una manera nueva, *«Y he aquí una mujer enferma de flujo de sangre desde hacía doce años, se le acercó por detrás y tocó el borde de su manto; porque decía dentro de sí: Si tocare solamente su manto, seré salva»*, Mt. 9:20-21. Tishrei es también un tiempo que se relaciona con el despertar y con retornar a aquello que te impedía volver a Dios. Soñar con el mes de septiembre significa una perspectiva positiva con buena suerte y fortuna. Soñar con los acontecimientos del 11 de septiembre de 2001 representa tu ira y tus temores, pues te retrotrae aquel tiempo en que te sentiste vulnerable, desamparado, es el recordatorio solemne de la cólera estresante, traición, vulnerabilidad, desesperanza producida por la enorme y trágica pérdida que provocaron los atentados del 911; 11 de septiembre de 2001. Alternativamente, el sueño denota un momento altamente estresante en tu vida. Noveno mes del calendario romano; en algunos países es el mes donde los niños vuelven a la escuela; Francis Scott Key escribió el Star Spangled Banner 9-14; Septembrista: un revolucionario terrorista sanguinario; comienzo del año eclesiástico en la Iglesia Ortodoxa Oriental; investigue las fechas históricas según su nación.

Sepulcro: ver un sepulcro, depósito o cámara funeraria para los restos de los muertos en un sueño indica que algo en tu vida ha muerto. Puede tratarse de una relación que está emocionalmente muerta, el fin de un trabajo, el cierre de un capítulo de la vida, o la ruptura de un mal hábito. Un sepulcro también puede representar una pena, un dolor, una decepción, una miseria, o una época de mucho sufrimiento, así como pérdidas, malas noticias o incluso la muerte.

Sepultado: tratar de encubrir algo que has hecho o dicho; ocultar tus verdaderos sentimientos a ti mismo o a una persona importante. Los problemas y el estrés de la vida te abruman hasta el punto de que te sientes atrapado o enterrado en vida.

Sequía: período prolongado y extenso de lluvia espiritual o natural; falta o escasez; escasez de agua. Los recursos naturales o el suministro de uno se están secando; es tiempo de reubicarse o moverse para encontrar una nueva visión con provisión sobrenatural; una falta de la bendición o presencia de Dios; falta de escuchar o ver la Palabra de Dios; estar seco o afectado por la pobreza, hambruna, 1 Re. 17:1-7.

Ser amado: el objeto del afecto de uno, muy favorecido, alegría u orgullo de celebrar la compañía; un cortejo amoroso.

Serafín: fuego; ministros en el ardiente altar del cielo; mensajero celestial; alabanzas, guardan, adoran y cantan por encima del trono de Dios noche y día; criaturas nobles que provocan reconciliación; tienen seis alas; continuamente proclaman la santidad del Señor; preparan nuestra boca con fuego purificador para hablar la palabra de Dios, Is. 6:1-3, 6. Un ser angélico.

Serenata: expresa amor y honra por una persona; composición para un pequeño ensamble; características de una suite o sonata; interpretar.

Sermón: escuchar un discurso interminable durante un servicio religioso indica que no se ha escuchado a los amigos de confianza; espera retrasos hasta que tengas oídos para escuchar.

Serpiente blanca: por más banca que sea, sigue siendo un animal ponzoñoso. Las serpientes blancas suelen representar la magia blanca. También puede representar una mentira blanca que se está diciendo.

Serpiente cascabel: ser sacudido por un enemigo, esta serpiente puede representar la confusión ya que hace sonar a su víctima antes de morder, palabras venenosas de acusación o mentiras venenosas. Se trata de una advertencia antes de un ataque.

Serpiente de bronce: imagen preparada por Moisés instalada en el campamento del desierto de los israelitas; Nm. 21:6-9; Ezequías la rompió en pedazos porque la habían conservado para el culto; un tipo de Cristo, Jn. 3:14-15.

Serpiente real: es una serpiente de modales suaves ya que no es propensa a morder al hombre, ni es venenosa, es hermosa, se le conoce como el gran rey de las serpientes, debido a que es capaz de tragarse enteras a otras serpientes venenosas y ratas. Soñar con la serpiente real representa el poder que mostró la serpiente de Moisés cuando se tragó las serpientes malignas del mago en la corte del Faraón. Dios utilizó a la Serpiente Real para mostrar que su poder era superior al de los falsos dioses de Egipto.

Serpiente, ardiente: Nm. 21:6; Dt. 8:15. Serpientes ardientes que vuelan, Is. 14:29; 30:6.

Serpiente, botas: tus pies han sido preparados para pisotear las mentiras venenosas, los cuentos chinos y pisar los informes malignos bajo tu pie para que las vanas imaginaciones de los demás no puedan causarte daño, dolor o muerte.

Serpiente, colmillos: indica que se están inyectando palabras venenosas en una situación o en algunas circunstancias de tu vida para que surjan problemas o enfermedades.

Serpiente, constrictor: ver un constrictor en un sueño indica que estás tratando con las mentiras de un espíritu de Pitón que revela el lado oscuro y oculto que exprime la vida de su víctima y luego la aplasta hasta la muerte.

Serpiente, encantada: música rítmica y movimientos corporales para controlar a las serpientes que representan las mentiras venenosas del maligno.

Serpiente, huevos: ver un nido de huevos de serpiente indica que se está desatando toda una nueva tanda de mentiras que eclosionará un nuevo nivel de engaño y que se pondrá en marcha pronto, Is. 34:15; 59:5.

Serpiente, mordedura: ser mordido por una serpiente en un sueño indica que algunas mentiras afectarán a la persona causándole dolor y un extenso sufrimiento.

Serpiente, mordedura: ver que una serpiente te engulle significa que estás totalmente consumido por una persona peligrosa que miente para aprovecharse de ti. Si ves que se come a un niño, a un amigo o a un familiar, hay adivinación, daño o engaño acechando su camino. ¿La serpiente es venenosa (palabras envenenadas) o constrictora? Las serpientes representan el pecado, la mentira, la desobediencia, la falta de protección que hace que el enemigo tenga acceso a tu vida, las palabras venenosas de calumnia o acusación, el conflicto y el juicio. Consulta mi libro «DREAM INTERPRETER» para tratar las mordeduras de serpiente en sueños o visita *www.decodeMydream.com*

Serpiente, pequeña: una pequeña mentira se está convirtiendo en un gran cuento para ser contado; recuerda que una mentira es una mentira, por más pequeña o blanca que sea, sigue siendo una mentira. Enfréntate a ella ahora antes de que se desborde y cause más daño.

Serpiente, piel: el enemigo con el que has estado luchando está creciendo, tomando una nueva imagen, cambiando de forma para aparentar ser un ángel de luz o moviéndose a un nuevo territorio o área en tu vida; ver la piel de una serpiente puede indicar que la has despellejado, que has sido librado de su influencia, o que esta se vuelto inofensiva.

Serpiente: maldición; engaño; peligro; odio; brujería; sabiduría; «cuentos» interminables que se cuentan; acciones venenosas; calumnia; maldad; intención de destruir; mordeduras; mentiras que causan mucho sufrimiento; constrictor o pitón: presión extrema; intimidación; revela el lado oscuro; exprime la vida; curación y sabiduría, Apo. 12:9; 20:2; 2 Cor. 11:3; Sal. 58:4; 91:13; Mt. 23:33; Lc. 10:19. Mentiras generacionales, maldiciones, el pecado favorito de alguien, mentiras blancas, una persona malvada que busca destruirte con palabras venenosas e insidiosas habladurías; Satanás, espíritus malignos, demonios, engaño o serpiente en la hierba, engaño, espíritu de seducción, muerte, falso maestro o profeta, adivinación, sortilegio, brujería, Pr. 23:32; Gén. 3:14a.; Sal. 140:3.

Serpientes, demonio: Satanás; maldad; mentiras; engaño; constricción; astucia; conspirador; tentó a Eva en el Jardín del Edén; maldecida por Dios; una que es sutil, astuta o traicionera, Gén. 3:1-14; serpiente, sutileza, sabiduría para evitar el peligro; inspira temor al hombre y a los animales; maldad, Mt. 10:16; 23:33, crueldad, Pr. 23:32; sabiduría; Cristo se hizo pecado a favor de la sabiduría de los creyentes, Apo. 12:9; 20:2; Jn. 3:14.

Serpientes: mentiras; «patrañas» que se cuentan; acciones venenosas; si muerde, las palabras amenazantes afectarán negativamente a la persona. Corta la cabeza de la serpiente; rompe la maldición y activa el poder de la bendición; podría representar la curación Nm. 21:8-9; constrictor/ pitón: mentiras o revelación del lado oscuro (brujería) que exprime la vida de la víctima; el tipo, tamaño, color y características de la serpiente son importantes.

Servicio secreto: paciente y de largo sufrimiento; permanecer manso en el servicio del Señor. *«Pero los desposeídos heredarán la tierra y disfrutarán de gran bienestar»,* Sal. 37:11. Los intercesores a menudo se recluyen en su ministerio. Sirven entre bastidores. Tienes un corazón de siervo para servir y proteger a otros en la primera línea a través del ministerio de ayuda. Eres una persona bastante reservada que tiene muchos secretos que intenta proteger.

Servilletas arrugadas: si se arruga la servilleta predice un insulto que lleva a la ofensa.

Servilletas limpias: habla de una vida ordenada, pulcra, prístina.

Servilletas sucias: representa problemas en las relaciones o dificultades matrimoniales.

Servilleta: doblar una servilleta en el regazo después de la cena indica un momento de gran deleite y plenitud en una reunión social; Lc. 19:20; Jn. 11:44; 20:7; un pañito, Hch. 19:12. Puede esperar agasajar a visitantes importantes o prominentes.

Servir: servir a alguien en un sueño indica que trabajas en beneficio de otra persona, pero también que estás dispuesto a ofrecer tus servicios y habilidades por un salario que te beneficie. Te gusta prestar ayuda a los que necesitan tus dones y habilidades, Sal. 100:2; estamos llamados a servir al Señor con júbilo y cantos de alegría, Éx. 23:25, Dios quitará tu enfermedad y bendecirá tu pan cuando le sirvas.

Sesenta y cinco: fruto doble; número asociado a la apostasía de Efraín.

Sesenta y seis: adoración de ídolos.

Sesenta: orgullo, plenitud asociada al tiempo, sesenta segundos en un minuto; sesenta minutos en una hora; plenitud; el tiempo se acaba o la longevidad, la plenitud del tiempo.

Sesión de espiritismo: buscar a los vivos entre los muertos, práctica oculta que consiste en intentar comunicarse con los muertos a través de espíritus familiares o impuros, demonios o guías espirituales; la Biblia prohíbe estrictamente esta práctica, ya que los participantes suelen ser poseídos o acosados por espíritus demoníacos durante la noche, Is. 54:17.

Seta: algo carnoso que crece repentinamente en la oscuridad; vas a crecer para ser reconocido fuera de un lugar oscuro y apartado.

Setecientos setenta y siete: Cristo.

Setenta palmas: representa a los setenta discípulos de Jesucristo, Éx. 15:27; Lc. 10:10-20.

Setenta y cinco: separación; limpieza; purificación.

Setenta: ayin, orden espiritual perfecto llevado a cabo con un poder espiritual significativo; enviados a las naciones, Lc. 10:1; comités humanos; juicio del pueblo de Dios; Dios administrando el mundo; ojo; perspicacia; aumentar un legado, Gén. 46:27; ministerio perfeccionado; comités humanos y juicio; Moisés junto a 70 ancianos vieron a Dios, Éx. 24:9-11; Sanedrín; multitud antes de la multiplicación; Jerusalén; restauración de Israel; discípulos del Señor.

Sexo anal: Puede representar la dominación, el control o la sumisión errónea a través de la humillación o el abuso. Desarrollo psicosexual infantil: la satisfacción sexual viene a través de la estimulación del ano; rasgos de personalidad desarrollados durante el entrenamiento para ir al baño: tendencias anales-retentivas o anosexuales-expulsivas; juego de palabras: un enfoque intelectual del sexo.

Sexo extramatrimonial: el sexo con otra persona que no sea el cónyuge es una advertencia de que las contemplaciones son erróneas y conducen a la desgracia o a la vergüenza de llegar a cumplirse; hay que romper los lazos del alma; insatisfacción; regreso a los malos hábitos del pasado; resurgen viejas emociones o sentimientos; fantasía dañina; adultez emocional; reservas o problemas de confianza; aburrimiento; inseguridad.

Sexo gay: actividad sexual entre dos personas del mismo sexo. Actividad sexual fuera de la voluntad de Dios. Un estudio federal muestra que uno de cada cinco hombres que tienen relaciones sexuales con hombres es seropositivo y casi la mitad no se da cuenta. La infección por el VIH está aumentando a un ritmo del 12% anual entre los hombres estadounidenses de 13 a 24 años que tienen relaciones sexuales con hombres. Las tasas de infección por VIH se han caracterizado por dispararse entre los HSH. (HSH = Hombres que tienen relaciones sexuales con hombres) (la prevalencia del VIH en la población de HSH de EE.UU. varía mucho según la etnia). Hasta el 46% de los HSH negros tienen el VIH, mientras que «la tasa de VIH se estima en un 21% para los HSH blancos y un 17% para los hispanos».

Sexo opuesto: soñar que se es del sexo opuesto: necesidad de entrar en contacto con las cualidades positivas de la pareja; o alguien intenta hacer que uno actúe como alguien o algo que no es; tener talentos, dones, rasgos o debilidades normalmente asociados con el sexo opuesto.

Sexo oral: necesidad de una comunicación libre y abierta sobre los propios deseos y necesidades con el marido o la mujer; dar y recibir placer sexual, estímulo o alegría; juegos preliminares; expresión creativa; alguien quiere imponer su poder sobre usted; juego de palabras: hablar de sexo, pero sin pasar a la acción.

Sexo, mismo sexo: amor propio o aceptación; no productivo; narcisismo.

Sexo, observación: capacidad limitada para mantener una relación exitosa.

Sexo: regalo de Dios para un hombre y una mujer que están casados. Atracción física; felicidad, satisfacción en las relaciones; función reproductiva del hombre o la mujer; impulso o instinto sexual; genitales; relaciones sexuales; definir el sexo de; necesidad de intimidad física, emocional y amor espiritual, 1 Jn. 3:3.

Sexualidad: condición de ver la propia valía o valor a través del rendimiento sexual; interés en la actividad sexual saludable; potencia; cuestiones sexuales de nacimiento, vida, matrimonio y muerte; preocupación por perder la apariencia física, el atractivo y el atractivo sexual.

Sheraton: cadena de hoteles de lujo; un tiempo de transición temporal. Es posible que necesites abrirte y comunicarte.

Sí: afirmación positiva, aceptación, dar el visto bueno en el proceso de toma de decisiones, conceder una misión en una relación, dar el siguiente paso, avanzar.

Siamés: una doble unción; dos cabezas son mejores que una cuando se trata de resolver un problema; sabiduría de una cultura antigua; prosperidad.

Sicómoro: higuera, un gran árbol común en Egipto; da frutos durante la mitad del año, madera duradera, por lo que se construyeron cajas de momias con ella; 1 Re. 10:27; 2 Cr. 1:15; 9:27; Lc. 19:4.

SIDA: Síndrome de Inmunodeficiencia Adquirida; tú o tu pareja tiene SIDA; necesitas protegerte de las acusaciones; la integridad emocional está siendo atacada; incapacidad para defenderse; una relación destructiva y mortal. Juego de palabras: recibir ayuda o auxilio de fuentes celestiales o provisiones terrenales.

Sideswipe: es un personaje ficticio de G. I. Joe Universo; un evento de Gladiator; un personaje de Transformers.

Sidra: el paso del tiempo conservará los frutos de tu trabajo y te traerá mayor favor y prosperidad si sigues avanzando a través de la adversidad.

Siembra: nuevas ideas están brotando, nuevo comienzo, nueva temporada de aumento, las cosas se están multiplicando a tu favor, una cosecha de bendición está en camino, el trabajo duro dará sus frutos.

Siéntate: vivirás una vida cómoda y descansada, llena de ganancias; tienes excelentes habilidades para relacionarte con la gente; los amigos te honrarán, Sal. 110:1; Heb. 10:11-18.

Sierra de cinta: poder para tomar decisiones cortantes y sabias; «cinta metálica dentada» acoplada a dos ruedas y accionada continuamente.

Sierra: cortar en pedazos; quitar lo que sobra; precisión; visión, «vi al Señor»; trabajo manual de la carne; herramienta eléctrica; liberación con motosierra para romper cadenas de esclavitud, Is. 10:34. Aserradero: se refiere a alguien con una lengua afilada que devora a los líderes y corta a las personas en pedazos.

Siervo: dones de ayuda, felicidad y alegría; sentirse sumiso como un desvalido, esclavo de las ideas o ambiciones de otra persona, ser maltratado o despreciado, perder la independencia económica; ceder o ser sumiso; levantarse y hablar para ofrecer sus ideas; si se tiene un siervo: es el momento de tomar la autoridad o el mando en una situación en particular, Gén. 49:15, estar bajo la autoridad de otra persona; un oficial, Mt. 26:58; Mc. 14:54, 65; Jn. 18:36.

Siesta: despierta dormilón y levántate de entre los muertos, sé fuerte para que Cristo brille sobre ti. Aprecia la ocasión que se presenta, todo lo que se hace es secreto será expuesto a la luz. También considera que tu cuerpo puede necesitar más sueño y relajación, así que toma más siestas.

Siete cabezas: representa los siete reinos de Satanás en el mundo, Mt. 4:9; Apo. 11:15; 12:3.

Siete cuernos: ver los siete cuernos representa la plenitud del poder; y la omnipotencia de Dios, Sal. 92:10; Apo. 5:6.

Siete estrellas: Am. 5:8, las Pléyades.

Siete lámparas de fuego: representa la plenitud de la manifestación del Espíritu Santo en siete dimensiones diferentes, Apo. 4:5, Zc. 4:2.

Siete lámparas: representa la perfección del Espíritu Santo. La luz de las velas representa el espíritu del hombre.

Siete mil: juicio final; Sadoc.

Siete montes: ver siete montes puede representar una llamada al liderazgo en uno de los siete montes sociales de influencia en el mundo: negocios, gobierno, medios de comunicación, arte y entretenimiento, educación, familia y religión. Pero también puede representar los siete reinos mundiales de Satanás, Lc. 4:5-8; Apo. 17:9-10.

Siete ojos: ver los siete ojos representa la omnisciencia y la visión espiritual de Dios, Zc. 3:9; Apo. 5:6.

Siete trompetas: representan la Fiesta de las Trompetas y de los juicios, Js. 6: Nm. 10:1-10; Apo. 8:2:6.

Siete truenos: representan los secretos de Dios y los misterios ocultos que han de ser revelados, Jn. 12:27-30; Sal. 29:3-9; Apo. 10:3-4.

Siete: días de la semana, un número redondo o perfecto, Gén. 7:2; Mt. 12:45; siete veces siete significa a menudo y abundantemente, mientras que setenta veces siete indica un grado mucho mayor, Gén. 4:15; Mt. 18:21-22. El siete es el número de la vulnerabilidad; siete eran los hijos de Esceva, Hch. 19:14-16; el número del mal que vuelve, Lc. 11:26. Siete copas: ver siete copas representa las copas del templo que se derraman, 1 Re. 7:50; Apo. 15:7.

Sífilis: se transmite de persona a persona a través del contacto diario con una llaga de sífilis en los genitales externos, en la vagina, el ano o el recto, en los labios y en la boca. La transmisión del organismo se produce durante el sexo vaginal, anal u oral. En 2006, el 64% de los casos notificados en Estados Unidos se produjeron entre hombres que mantenían relaciones sexuales con otros hombres. Hay un aumento de la incidencia de la sífilis entre los hombres que tienen relaciones sexuales con hombres en otros países debido al aumento de las tasas de relaciones sexuales sin preservativo entre los hombres que tienen relaciones sexuales con hombres.

Sifón: eres capaz de canalizar mucha energía, talento y finanzas en un proyecto del Reino para ayudar a otros. Algo o alguien que tira de ti.

Significado: soñar que eres malo con los demás indica que tienes problemas de ira no resueltos o que no has perdonado a esa persona. También puede significar que estás buscando el «sentido» de la vida. Si los demás son malos contigo indica que es necesa-

rio hacer cambios en tu forma de relacionarte con los demás y puede que tengas que distanciarte de ciertas personas y así poder mantener tu bienestar emocional.

Signo de Cáncer: el cangrejo con sus garras y pinzas es el signo de Cáncer. Estos individuos tienen mucho poder e influencia. Están orientados a la familia, son muy sensibles, malhumorados y muy emocionales, agarran las cosas con ambas manos y se aferran a todo.

Signo de parada: deja de hacer lo que estás haciendo y ora para que te guíen.

Signos astrológicos: Seguir al Dios que creó los cielos y las estrellas, *«No aprendas el camino de las naciones, y no te asustes por los signos del cielo, aunque las naciones se asusten por ellos; porque las costumbres de los pueblos son un engaño».* Jer. 10:2-3; Is. 42:8; Dt. 4:19.

Siguiendo: estás siendo influenciado o atraído por aquello que estás siguiendo, seguir al Espíritu Santo indica que eres un creyente caminando hacia tu salvación con temor y temblor; seguirte a ti mismo indica que eres autosuficiente, independiente y egoísta, seguir a un animal indica que no estás sometido a Dios, carnal, siguiendo tu naturaleza pecaminosa básica. Si te siguen, eres un líder nato que toma la iniciativa para ayudar a los demás.

Silbar: «silbar mientras se trabaja», habla de una sociedad feliz o de relaciones laborales alegres. Una llamada de atención, una advertencia de peligro, el comienzo o el final de una temporada, un chivato o informante que sopla el silbato sobre un amigo o colega.

Silencio: la tranquilidad también puede representar tu estado emocional actual como si estuvieras tranquilo o necesitaras tranquilidad; paz o silencio en tu vida. «Calla como un ratón de iglesia». Ver silencio. Tu ubicación o situación puede requerir silencio ante o en la presencia del Señor. La necesidad de silencio en tu vida personal te permitirá escuchar al Espíritu Santo. Usted puede ser responsable de cada palabra hablada. Aprende a escuchar más y a hablar menos. El silencio es oro.

Silla de montar: ver un caballo ensillado indica que estás listo para cabalgar hacia el triunfo o la victoria; si llevas la silla de montar predice que hay demasiadas personas dando órdenes, cargas indebidas y responsabilidades que cabalgan sobre tu espalda.

Silla de oficina: tienes un llamado ministerial quíntuple; asiento profesional de autoridad; un obrero que vale su salario.

Silla de ruedas: algo está paralizando tu caminar espiritual; una aflicción, una discapacidad; quizás estás incapacitado o incapacitada con una enfermedad, y eres incapaz de caminar por la fe; estás lleno de dudas, miedos, incredulidad o estás afligido por el pecado o por una maldición generacional. También puede indicar que dependes de otros para llegar a cualquier lugar, o que necesitas un milagro de sanidad para volver a estar completo. La persona que se ve en el sueño está discapacitada, enferma, lisiada por fuerzas externas o internas, limitada, obstaculizada, restringida y, por lo tanto, es incapaz de llevar a cabo su propósito en su totalidad, Hch. 3:6.

Silla mecedora: soñar con una mecedora indica que no tienes preocupaciones. Estás retirado o descansando. tu vida está llena de confort y relajación. Si ves una mecedora vacía, te siente solo o triste, reflexionando sobre el amor que tuvo por alguien especial. Además, considera el movimiento de vaivén de la silla que no le lleva a ninguna parte; puede indicar que eres sedentario, indeciso o de doble ánimo; te balanceas hacia adelante y hacia atrás respecto a una decisión en particular.

Silla, comedor o cocina: indica que estás posicionado para recibir alimento y nutrición espiritual.

Silla mecedora: retiro, reflexión, indecisión, ir de un lado a otro.

Silla reclinable: sentarse, descansar en la comodidad, la visita y el compañerismo.

Silla: lugar cómodo de descanso; permite que una persona se comunique desde una posición relajada; unirse o confraternizar; una invitación a dirigir, como en la presidencia de una reunión; una posición de autoridad; asiento de un cargo, favor o posición. Sal. 107:32; 2 Sam. 23:8.

Sillón reclinable: no te apoyes en tu propio entendimiento, sino que en todos tus caminos reconoce a Dios y Él dirigirá tu camino hacia la prosperidad y te hará entrar en una posición de descanso y confianza; recuéstate o distiéndete en un estado de completa paz.

Sillón reclinable: significa estar acomodado para el largo plazo; con los pies extendidos y relajado; ser perezoso cuando se debería estar trabajando o siendo productivo; recuperarse de una enfermedad, Ec. 10:18.

Sillón: Comodidad, un lugar de descanso, de relajación, para disfrutar de los amigos y la familia.

Silo: guardar el dinero, los recursos y la energía para el futuro; almacenar o prepararse para los tiempos difíciles que se avecinan. Ver un pozo para almacenar grano indica que estás almacenando para el futuro, pero viviendo en el ahora; asegúrate de que estás sembrando en el avance del Reino o lo que tienes irá a parar otro lugar. *«y diré a mi alma: Alma, muchos bienes tienes guardados para muchos años; repósate, come, bebe, regocíjate. Pero Dios le dijo: Necio, esta noche vienen a pedirte tu alma; y lo que has provisto, ¿de quién será? Así es el que hace para sí tesoro, y no es rico para con Dios»*, Lc. 12:19-21.

Silueta: verde manera perfilada a alguien indica una temporada de satisfacción y paz en el hogar.

Símbolos de los estados de Estados Unidos: lemas de los estados; flores; piedras; los colores son importantes para resolver los sueños y orar con precisión por los diferentes estados, países y naciones.

Símbolos: ver un símbolo desconocido en un sueño indica incertidumbre, confusión, duda o ignorancia sobre algo en tu vida personal. Es el momento de orar para obtener sabiduría y conocimiento. Recuerda que tus pasos son ordenados por el Señor. El Espíritu Santo tiene todas las respuestas.

Simiente de la mujer: ver un remanente de la simiente de la mujer representa a los santos que quedan en la tierra, Mt. 25:1-13; las vírgenes necias quedarán fuera cuando vuelva el Esposo.

Sin amueblar: verse en una casa o apartamento sin amueblar indica que te falta algo de lo esencial en la vida. También puede indicar que estás en un lugar nuevo, listo para empezar una nueva perspectiva de la vida. Puedes reconstruir y diseñar tu vida de la manera que desees.

Sin esperanza: verse desesperado sin una solución posible en una situación que parece imposible indica que no tienes idea y tampoco tienes un remedio para tus circunstancias o relación actuales. Tienes que enfocarte en Cristo y hacer de Él el centro de tu vida. Sólo Él tiene las respuestas a la vida.

Sin hogar: un sentimiento desesperado de inseguridad, desconcierto y temor ha abrumado tu capacidad de acceder a posibles soluciones para los problemas actuales. Ora y busca a Dios para obtener sabiduría, busca en la Palabra las estrategias y los recursos necesarios para superar la duda y la incredulidad. Llamado a poner la confianza en Dios para obtener conocimientos y respuestas; es tiempo de arrepentirse y dar la vuelta, pues algunos puntos de inflexión o cruces vitales en la vida se han perdido.

Sin levadura: la pureza de Jesús y la impecabilidad de Cristo nuestro Salvador; una ofrenda de comida, Mt. 13:33.

Sin rostro: un ángel; el Espíritu Santo; una persona humilde sin reputación, alguien que no conoces, o una persona que no sabe quién es pero que sigue buscando su verdadera identidad.

Sinagoga: la fortuna te espera si se superan los obstáculos; lugar de culto judío, Apo. 2:9; 3:9; gran sinagoga compuesta por un consejo de ciento veinte hombres.

Síndrome de Down: ver o soñar con un niño con síndrome de Down indica que no eres consciente del amor puro que alguien tiene para ofrecerte.

Síndrome: notar un conjunto de síntomas o signos médicos que indican una «ocurrencia» específica de una enfermedad o trastorno, como el síndrome de Down, el síndrome de Wolf-Hirschhorn o el síndrome de Andersen, indica que hay algún tipo de causa tóxica subyacente en la vida de alguien.

Sinfonía: composición; cuatro movimientos relacionados; interludio; concierto; armonía de sonido o de color; de luz; combinación armoniosa de elementos.

Sinsonte: imitador; franco, exigente, para burlarse y reírse de las cosas que no entiende; falta de expresión individualizada; reprimenda; representa el orgullo y la arrogancia, la astucia, la audacia para asumir un gran reto o la independencia; tomar el crédito por el trabajo o las ideas de los demás; tendencia a perseguir y conseguir lo que se quiere; Lc. 22:63; pájaro del estado de Florida; Texas; Tennessee y Arkansas.

Sion: fortaleza soleada; monte del trono y del tabernáculo de David; colina de Jerusalén, residencia del rey David y de sus sucesores, lugar del templo de Salomón, lugar de culto hebreo y espiritual de los peregrinos, 2 Sam. 5:7; Heb. 12:22; Sal. 2:6; 48:1-2; 102:16; 100:2; Is. 1:27; 4:4-5; Jer. 26:18; Jl. 3:17; Apo. 14:1-4; Sal. 48:1-3.

Sirena: vínculo entre el subconsciente y la vida real, sentido de una feminidad idealizada; amar la imagen de alguien en lugar de la persona real; el impulso inconsciente e insano hacia el amor, la reproducción o la seducción; puede indicar que te estás enamorado de la falsa imagen de una persona en lugar de su verdadero ser.

Sirenas: escuchar sirenas es una advertencia de que la muerte o la destrucción están tratando de alcanzarte; considera un examen físico; revisa la seguridad de tu casa y tus finanzas, una mujer seductora puede estar tratando de atraer a tu pareja, Nm. 10:9.

Sirvienta: advertencia de practicar la abstinencia, guardarse de la inmoralidad sexual, de los consejos mundanos, de la seducción, del espíritu de lujuria. Demasiado dependiente de los demás, sé más independiente y autónomo o cuida de ti mismo; limpia el desorden o el desorden emocional de tu vida.

Sirviente: si en su sueño ha contratado a un sirviente masculino para su casa para que sirva la mesa, atienda la puerta y haga varios recados, indica que estás prosperando abundantemente. Prepárate para recibir algunos regalos y paquetes inesperados de amigos lejanos.

Siseo: oír el siseo de una serpiente indica que alguien está diciendo mentiras sobre ti, Ez. 27:36, cuídate del engaño que trata de atrapar, Jb. 27:13, controla tu temperamento o tus acciones improvisadas te traerán vergüenza.

Sistema circulatorio: la sangre de Jesús trae limpieza, vida, salvación, sanidad, liberación, protección, cobertura, lavado del pecado.

Sistema digestivo: capaz de asimilar la Palabra, el alimento espiritual y físico para aportar fuerza, salud y plenitud.

Sistema endocrino: energía, adrenalina, limpieza y purificación de toxinas espirituales o físicas.

Sistema nervioso: soñar con el sistema nervioso indica que algo te perturba o te hace sentir temor. Tómate un tiempo para calmarte, relajarte y orar. Busca respuestas en Dios y deja de darle rienda suelta a tus pensamientos o imaginación. El sistema nervioso es la parte del cuerpo de un animal o de un ser humano que coordina sus acciones voluntarias e involuntarias y transmite señales hacia y desde diferentes partes de su cuerpo. El sistema nervioso central contiene el cerebro y la médula espinal. El sistema nervioso periférico está formado principalmente por los nervios, que son haces cerrados de fibras largas o axones que conectan el SNC con cualquier otra parte del cuerpo. Los nervios que transmiten señales desde el cerebro se denominan nervios motores o eferentes, mientras que los que transmiten señales desde el cuerpo al SNC se denominan sensitivos o aferentes. La mayoría de los nervios cumplen ambas funciones y se denominan nervios mixtos. El SNP se divide en a) Los nervios somáticos median el movimiento voluntario. b) el sistema nervioso autónomo se subdivide en sistema nervioso simpático y parasimpático. El sistema nervioso simpático se activa en casos de emergencia para movilizar la energía, mientras que el sistema nervioso parasimpático se activa cuando los organismos están en un estado relajado. c) el sistema nervioso entérico funciona para controlar el sistema gastrointestinal. Tanto el sistema nervioso autónomo como el entérico funcionan de forma involuntaria. Los nervios que salen del cráneo se llaman nervios craneales, mientras que los que salen de la médula espinal se llaman nervios espinales.

Sistema reproductor: aumento, reproducción en el trabajo, en el hogar y en las relaciones, nuevas ideas creativas, un bebé, salvación, evangelismo.

Sistema solar: ver el sol («tipología del Hijo»), junto con los nueve planetas, y todos los demás cuerpos celestes que orbitan en el sistema solar en un sueño indica que estás buscando algunas respuestas muy significativas para ti en el Dios que creó todo el universo. Puede que te sientas pequeño o insignificante, pero Dios sabe exactamente dónde estás en todo momento. Es importante encontrar tu órbita o alinearte con un nuevo sistema o «ciclo», para que puedas prosperar en esta nueva temporada.

Situación: si es grave: experimentarás tristeza, si no evitas a un rival; tendrá que soportar grandes dificultades hasta que se resuelva el conflicto; complejo: largas horas de trabajo para ganar sabiduría en los negocios y en los asuntos personales.

Skijöring o esquí de arrastre: deporte en el que un esquiador es arrastrado sobre el hielo o la nieve por un caballo o un vehículo a motor, indica que una nueva fuente de energía va a llegar para llevarte más lejos y más rápido de lo que nunca has ido por tu propia cuenta.

Skinboarding (deporte): quitar lo superficial que no importa; caminar, deslizarse o rebotar sobre una fachada personal; dar una lectura rápida o superficial.

Skittle: jugar a este juego de nueve bolos indica que un enemigo admirará o deseará a alguien cercano a usted; tenga cuidado con los altibajos de la vida. No dejes que te depriman.

Sky link: enlace entre las terminales de los aeropuertos que ayuda a conectar a los viajeros con su destino, capacidad de moverse por encima de los obstáculos en tierra.

Slacks (tipo de pantalón): hay poca actividad en el avance de tus propósitos; estás actuando de una manera informal, alejada de las reglas de etiqueta; falta; disminución; ser negligente o negada.

Slalom (esquiar en pendiente): te espera un difícil recorrido en zigzag; se requiere una gran habilidad y entrenamiento para tener éxito; ten en cuenta las banderas rojas que marcan las líneas fronterizas y no las sobrepases.

Sloppy Joe (sándwich americano): «manwich» es un acrónimo de hombre y sándwich; representa a alguien sencillo; «descuidado»; servicial «a cara descubierta»; aspecto más bien desordenado; «Joe» es un nombre que sugeriría, a un estadounidense, una persona de carácter popular y genuino incuestionable; de la misma forma tomar una taza de «joe» se refiere al café.

Snooker (billar inglés): es un deporte de taco que se juega con 22 bolas en una mesa cubierta de verde con troneras en cada una de las cuatro esquinas y en el centro de cada uno de los extremos. Hay una bola blanca, 15 bolas rojas y 6 bolas de diferentes colores amarillo, verde, marrón, azul, rosa y negro. Ver este juego en un sueño indica que estás haciendo una gran apuesta o una oportunidad que, quizás, no va a resultar como esperabas. Te están engañando o se están aprovechando de ti en una situación en particular. Es un llamado a que salgas del agujero de la mejor manera posible.

Snorkel: ir por debajo de la superficie para explorar las propias emociones y comprender por qué te sientes o reaccionas de la manera en que lo haces ante determinadas circunstancias e interacciones personales. Es un llamado a volver a ver situaciones

pasadas para obtener la información necesaria para así puedas superar las cosas que han intentado agobiarte.

Soberano: el jefe de estado en una monarquía, supremo con rango, fuerza superlativa y poder, autogobierno, independiente.

Soborno: pide sabiduría en tu sencillez; podrías ser fácilmente engañado o influenciado de forma negativa, guarda los valores de tu corazón. No exijas a los demás más de lo que te exiges a ti mismo. Sé honesto en tu evaluación de los demás. Sobornar a un juez, a la policía o a un funcionario representa el engaño, la astucia y una ambición dañina que le llevará al fracaso.

Sobre cerrado: si el sobre está sellado: tienes órdenes selladas, un destino no descubierto o un amor secreto que aún está oculto o escondido. Dolor por una oportunidad perdida.

Sobre, abierto: abrir un sobre: las buenas noticias que contiene aliviarán todas tus preocupaciones actuales; alguien está intentando comunicarte su amor o su preocupación.

Sobre, enviado por correo: enviar un sobre por correo: tienes la necesidad de comunicar tus necesidades y deseos a una persona importante, pero tienes miedo al rechazo.

Sobre: ver un sobre en un sueño indica que te espera una oportunidad de oro. Los sobres también pueden significar que tu paciencia o la otra persona está siendo puesta a prueba; también hace referencia a los límites o las fronteras de seguridad de alguien.

Sobregiro: el sobregiro de una cuenta bancaria indica que te estás quedando sin favor y que la gente no tiene más gracia para ofrecerte. Observa la cantidad excesiva de dinero que estás retirando con cargo a tu crédito.

Sobrepelliz: ver o llevar un sobrepelliz, es decir, una túnica blanca de lino o tela de algodón que se usa en una ceremonia religiosa, sugiere que estás siguiendo una forma de religión y necesitas desarrollar más una relación personal con el Señor. Estás buscando paz y solución a los problemas de la vida, pero no la encontrarás en las tradiciones del hombre. Abre tu corazón y busca el rostro de Dios. Él te encontrará en ese lugar santo, Éx. 35:19

Sobrina: hija del hermano, del cuñado, de la hermana o de la cuñada; Esther; los parientes vienen de visita; se necesita gran paciencia durante las pruebas; aspecto de uno mismo relevante para la persona soñada.

Sobrino: hijo del hermano, cuñado, hermana o cuñada; los familiares vienen de visita, se necesita paciencia durante las pruebas, aspecto de uno mismo que es relevante para la persona soñada. Nieto o descendiente, Jb. 18:19; Is. 14:22.

Socavar: debilitar, dañar o perjudicar, desgastar el apoyo de alguien a través de la calumnia u otros medios tortuosos indica un corazón egoísta e impío que sólo se preocupa por la construcción de su propio reino, y que cosechará su justo castigo. Eventualmente, una persona cosechará lo que sembró.

Socio: persona asociada a usted o a otros en una actividad común o en un negocio; éxito personal y financiero; si se sospecha de: el juego sucio está a la mano; la comunicación abierta es necesaria para resolver conflictos y revelar agendas ocultas; relación con la propia pareja o un cónyuge, bailar juntos; un equipo en un juego o deporte, reunir para el beneficio mutuo, un asociado, relación o colega; cooperar en una empresa para la prosperidad y la multiplicación, trabajar juntos o buscar la ayuda de otros para lograr un objetivo en común; la dualidad de la propia personalidad.

Soda: el agua carbonatada o un refresco con helado y aromatizante puede indicar un gran tiempo de ocio, diversión y celebraciones con los amigos o la familia.

Sodoma: inmoralidad vil, pecado, idolatría, orgullo, Gomorra, homosexualidad y perversión. Is. 3:9; Mt. 11:23- 24; Ez. 16:49; Jd. 7; Gén. 13:10-13; 18:16-28.

Sofá o poltrona: sentarse a gusto; relajarse con los amigos y la familia; estar «apoltronado», o refundido en la complacencia. Ez 23:41.

Sofá: un entorno cálido, cómodo y acogedor para entablar una conversación con la familia y los amigos. Si sigues observando tu entorno desde un asiento como un teleadicto la vida pasará de largo.

Softball: bateador que necesita tres strikes para estar fuera; es el momento de hacer un swing en la vida y anotar un jonrón.

Sol, lámpara: ver o usar una lámpara de sol en un sueño habla de que necesitas más de la luz reveladora de Jesús (el Sol de Justicia) en tu vida. Necesitas sumergirte en la Palabra de Dios para obtener sabiduría e iluminación. Deja que Su luz brille en tu camino e ilumine el camino que debes seguir. Una lámpara de sol también puede indicar que te sientes en la oscuridad sufriendo de depresión. Deja que Su rostro brille sobre ti para que puedas levantarte y brillar porque Su luz ha llegado, Sal. 80:1, 3, 7, 19; Sal. 119:135; Mt. 5:16; Mt. 13: 43; 2 Cor. 4:6.

Sol, luna y estrellas: ver el sol, la luna y las estrellas representa la gloria de la Trinidad en la resurrección; Gén. 1:14-19; 1 Cor. 15:41; Apo. 12:1.

Sol, rayos: «El sol en mi hombro me hace feliz». Soñar con los rayos de sol indica que estás experimentando la presencia del Sol de Justicia, Jesús, en tus sueños. El gozo del Señor es tu fuerza. Expresa una aceleración, un aumento del conocimiento espiritual y una multiplicación de la revelación. El favor está brillando sobre ti para que tengas un avance emocional y espiritual. Todo lo que ha estado oculto en la oscuridad está saliendo a la luz en esta temporada. Si el sol brilla, tendrás una vida larga, feliz y próspera. Si el sol brilla sobre una casa: es el momento de comprar un inmueble.

Sol: cuerpo luminoso alrededor del cual giran la Tierra y los demás planetas. Jesús es el Sol de justicia. Jesús, la gloria el astro rey. Jesús es la fuente de vida vital o la fuerza energética sustentadora, la conciencia de la vida en torno a la cual se centra todo, Mal. 4:2. Gran fuente de luz y calor, objeto de culto idolátrico, 2 Re. 23:5; Ez. 8:16. Ver el sol en un sueño representa la gloria de Dios Padre, Mt. 13:43; 17:2; Apo. 1:16; 10:1; Sal. 84:11; 19:7; Mal. 4:2; Hch. 26:13.

Solar: sentir o discernir la energía solar en un sueño indica que la luz de la revelación de Dios está siendo irradiada desde lo alto para potenciar tu visión de vida y guiarte con su luz potente a través de tu diario caminar.

Soldado: guerra espiritual; la capacidad de Dios para guardarnos; ángel; valiente; coraje; guerra en el Espíritu; guerra contra los demonios; persecución; trabajar para el Señor. Cristiano, creyente en Cristo, un guerrero.

Soldados enemigos: si son creyentes terrestres entonces tienen autoridad sobre ellos, si no son terrenales, oren por «apoyo aéreo» y dejen que los ángeles de Dios se encarguen, 2 Tm. 2:3; 1 Cor. 9:7; Mc. 6:27.

Soldados: cristianos, creyentes fuertes y valientes, individuos robustos que son entrenados para la guerra; un creyente, que participa en la guerra espiritual con armas espirituales bajo el mando del Espíritu de Dios; sus líderes ungidos.

Soldar: verte soldando dos objetos sugiere que no quieres perder el afecto de alguien que está en tu vida. Es posible que sientan que se están distanciando, por lo que estás tomando medidas para que la relación perdure. Soldar algo también puede significar que necesitas incorporar algunas cualidades positivas en tu vida para que se peguen a ti y el vínculo sea irrompible.

Soledad: soñar que se está solo indica sentimientos de rechazo. Puede que sientas que nadie te entiende. Jesús nunca te dejará ni te abandonará. Sonríe y muéstrate amigable para ganar la compañía que requieres.

Solitario, juego: jugar a este juego de cartas en un sueño significa que tienes demasiado tiempo para el ocio; deja de perder el tiempo; únete a un club de servicio, o hazte voluntario en una iglesia o ministerio.

Sollozar: llorar de forma convulsiva e incontrolable augura el advenimiento de una gran alegría. *«Mas si no oyereis esto, en secreto llorará mi alma a causa de vuestra soberbia; y llorando amargamente se desha-*

rán mis ojos en lágrimas, porque el rebaño de Jehová fue hecho cautivo», Jer. 13:17.

Solos: Sentimientos de aislamiento, abandono, pena y rechazo; pensar que nadie entiende ni aprecia lo que uno hace.

Soltar: abandonar una relación, una empresa, una estrategia, una responsabilidad o una idea. Determina por qué se abandonan las cosas: ¿decepción, rechazo, negligencia, imprudencia, problemas de abandono? ¿Está dejando que las cosas se te escapen de las manos?

Soltero, anciano: La integridad es fundamental para mantener las amistades; alguien que se mantiene en sus costumbres.

Soltero, casado: Si un hombre casado sueña que vuelve a ser soltero: representa un deseo de libertad e independencia pasadas, comparando los pensamientos y sentimientos de su vida pasada de soltero con su matrimonio anterior; un deseo de libertad; el estado de alguien antes del matrimonio; un joven caballero feudal sirviendo a su mayor, un título obtenido en el colegio o en la universidad significando la finalización de los estudios y la graduación, soltero.

Soltero, joven: Sus situaciones serán prósperas.

Soltero, mujer casada: Una mujer casada que sueña con un soltero es una advertencia para que se distancie de sus conocidos masculinos.

Soltero, mujer soltera: Una nueva relación se asoma en el horizonte; deseos o sentimientos sobre una posible pareja matrimonial; reconocer a un amigo varón soltero como posible candidato; desear que un hombre casado esté soltero o disponible para una relación sexual.

Soltero, soltero: Si un soltero sueña con un soltero puede significar un sueño sobre uno mismo; las acciones que hacen aflorar aspectos importantes de los propios sentimientos.

Soltero: enfoque de soltería o amor por Dios; una persona casada que sueña con ser soltera es una advertencia para evitar tomar una mala decisión que traerá división, separación, divorcio y soledad.

Soltero: indica las actitudes y cualidades que se manifiestan en el sueño; un hombre alejado de la procreación.

Solterona: sabiduría, tener gracia en los asuntos sociales, evitar comportamientos vergonzosos o imprudentes, se avecinan acontecimientos o cambios inesperados.

Solterona: temes no casarte al verte envejecer mientras otras a tu alrededor se casan.

Sombra: bajar una sombra en un sueño indica que estás excluyendo a los demás de tu vida y que quieres mantenerlos marginado o desinformados. Si la sombra se levanta, indica que serás iluminado o ilu-

minada con una buena noticia y una visión espiritual, Sal. 121:5.

Sombras: estar en una sombra puede representar la presunción de la muerte; la confianza y la protección; o la curación. *«Aunque ande en valle de sombra de muerte, No temeré mal alguno, porque tú estarás conmigo; Tu vara y tu cayado me infundirán aliento»*, Sal. 23:4; *«¡Cuán preciosa, oh Dios, es tu misericordia! Por eso los hijos de los hombres se amparan bajo la sombra de tus alas»*, Sal. 36:7; *«tanto que sacaban los enfermos a las calles, y los ponían en camas y lechos, para que al pasar Pedro, a lo menos su sombra cayese sobre alguno de ellos. Y aun de las ciudades vecinas muchos venían a Jerusalén, trayendo enfermos y atormentados de espíritus inmundos; y todos eran sanados»*, Hch. 5:15-16; Sal. 91, 36:7, 44:19, 23:4.

Sombrerera: ver una nueva caja de sombreros en tu sueño indica que pronto tendrás una nueva idea creativa o que tu vida de pensamiento será renovada, una nueva unción o cobertura está en camino.

Sombrerero: ver o ser un sombrerero o sombrerera que firma, hace, recorta o vende sombreros en un sueño indica que usted es una persona que disfruta cubriendo a los demás y haciéndolos lucir hermosos. Un sombrerero representa la necesidad de tener pensamientos elevados. *«Porque todos mis caminos están delante de ti»*, Sal. 119:168; *«Mis pensamientos no son vuestros pensamientos»*, Is 55:8.

Sombrero de copa: ocasión formal de elegancia para influir en los caballeros de la sociedad.

Sombrero de vaquero: protección contra las inclemencias del tiempo.

Sombrero: salvación, conciencia y cobertura Éx. 39:28; protección; resguardado de los elementos que afectarían las emociones; sombrero nuevo: cambio de lugar o negocio; habilidades variadas, ganar riqueza. 1 Cor. 11:6. Un sombrero elegante: gran admiración. Un sombrero cubierto o turbante, Dn. 3:21. Un sombrero viejo: pobreza o una forma de pensar anticuada. Que alguien te quite el sombrero: humillación abierta o pública.

Sombrilla: que una dama lleve una sombrilla abierta indica que es amada, protegida y cubierta; serás honrada y recibirá muchos regalos.

Sombrío: estar rodeado de una atmósfera oscura y lúgubre en un sueño, indica que necesitas que el Padre de las Luces invada tu situación con su sabiduría, dirección y claridad. Las personas o las circunstancias negativas te están causando ansiedad y depresión. *«Con todo, no logran acallarme las tinieblas ni la densa oscuridad que cubre mi rostro»*, Jb. 23:17; *«En aquel tiempo los sordos oirán las palabras del libro, y los ojos de los ciegos verán en medio de la oscuridad y de las tinieblas. Entonces los humildes crecerán en* *alegría en Jehová, y aun los más pobres de los hombres se gozarán en el Santo de Israel»*, Is. 29:18-19; *«y si dieres tu pan al hambriento, y saciares al alma afligida, en las tinieblas nacerá tu luz, y tu oscuridad será como el mediodía»*, Is. 58:10.

Someterse o darse por vencido: ceder, rendirse o ceder a la presión externa indica que necesitas fortificar tu vida de oración; tu autoestima es débil.

Sonámbulo: el sonambulismo o noctambulismo es un trastorno del sueño en el que la persona se levanta de un estado de baja conciencia durante un período de treinta segundos a treinta minutos, para realizar actividades benignas como sentarse en la cama, caminar hasta el baño, limpiar, o algo más peligroso como cocinar, conducir o hacer gestos violentos u homicidas. Los sonámbulos recuerdan poco o nada de sus aventuras nocturnas, ya que su conciencia está alterada en un estado que les impide recordar. Si usted es sonámbulo (o un noctámbulo) le sugiero que busque la liberación y la curación. Dios promete a sus amados un dulce sueño y descanso, Pr. 3:24; Sal. 127:2. Para un estudio en profundidad y soluciones consulta mi libro DREAM INTERPRETER en *www.decodeMydream.com*

Sonido: capacidad de oír la voz de Dios; espíritu de adoración y alabanza; red espiritual; amplifica la palabra. Oír música y voces de niños: la felicidad y la gran alegría llenarán tu vida; oír una trompeta: una alarma, un despertar o una llamada a la guerra por la justicia. El nuevo sonido del cielo es la formulación de declaraciones y decretos que Dios establecerá en la tierra, Jb. 22:28.

Sonidos de caballo: relinchar o golpear los cascos significa prepararse para la guerra.

Sonrisa: una invitación de calidez y amistad, armonía, indica atracción o acuerdo; recompensa y favor. Ver a otra persona sonreír indica que estás abierta a una nueva amistad. Si una mujer sonríe a un hombre le está dando la bienvenida para que la invite a salir.

Sonrojo: vergüenza, pudor, timidez, coqueteo, engaño descubierto y cotilleo.

Soñador: profeta, vidente, alguien que sueña, un vidente, una persona poco práctica, una persona que ve los planes de Dios en su sueño.

Soñar: experimentar una secuencia de sueños mientras se duerme que están llena de imágenes mentales, pensamientos, acciones, emociones o impresiones indica un mensaje divino de los ángeles, Mt. 1:20 o la revelación del pasado, presente o futuro dentro del sueño o una magnificación de la imaginación a modo de advertencia con el fin de que el soñador desarrolle nuevo plan de acción que facilite su prosperidad y expansión personal, Hch. 2:17.

Sopa de pollo: curación, consuelo y cuidado amoroso.

Sopa: produce salud y restauración; calienta el corazón; una niebla densa; una situación caótica o desafortunada: «una mosca en la sopa», en problemas; aumenta el rendimiento: «ensopado».

Sopesar: tratar de determinar la importancia de algo intentando «sopesar» tus opciones para tomar decisiones sabias o hacer justicia. Considerar la importancia de lo que se sopesa. Juzgar las palabras proféticas, 2 Tm. 2:15; 1 Cor. 14:29.

Soplador de vidrio: ver a un soplador de vidrio en tu sueño significa que las cosas se están calentando a tu alrededor para permitir que se dé forma o se modele algo hermoso pero frágil en tu vida.

Soplador: ver un soplador en su sueño puede ser una fuerte advertencia, «para no arruinar» un trato o relación.

Soplete: usar un soplete en tu sueño indica que tienes un deseo apasionado de encender el amor de otros por Cristo a través de la ardiente predicación del mensaje del evangelio del amor.

Sordo, amigo: si sueña que tu amigo es sordo indica que es introvertido y necesita salir de su caparazón.

Sordos: si no eres sordo en la vida real y sueñas que eres sordo, esto sugiere que tienes la alta tendencia a sentirte relegado, aislado o cerrado y de espaldas al mundo. Tal vez te niegues a escuchar las críticas constructivas. Considera también que tal vez necesites dedicarte un tiempo de soledad para disfrutar de un poco de paz y tranquilidad.

Sorority (hermandad de mujeres): significa «hermanas». Ver o unirse a esta organización social fraternal, principalmente para estudiantes universitarias de los Estados Unidos, indica que estás buscando a otras mujeres para que te guíen en la vida.

Sorpresa: ser sorprendido o tomado por sorpresa en un sueño predice una visita repentina o un encuentro espiritual inesperado que se manifestará. Prepara tu corazón para saber cómo actuar y qué pedir a Dios, 1 Re. 3:9.

Sorteo: es hora de aprovechar el momento, realinear para el éxito, eliminar toda la basura, desordenar y romper los malos hábitos. Pon todas tus cartas sobre la mesa y muestra tu mano. Eres un verdadero premio y cualquiera estaría encantado de tener una relación contigo. Deja de apostar por tu vida, pues sabes que nada ocurre por casualidad. Dios siempre es intencional. Él tiene un buen plan para ti.

Sospechoso: Si eres un sospechoso en un sueño, entonces necesitas cambiar tu forma de actuar y tratar a los demás de una manera ética y veraz. Deja de hacer el mal y de aprovecharte de los que son más débiles que tú. Si otra persona es sospechosa de un crimen, es una advertencia para que te cuides cuando estés cerca de ella. No se puede confiar en ellos.

Sostén: prenda interior de la mujer que sostiene y contornea el pecho, para los hombres este símbolo significa guardar sus afectos y emociones, no desviarse de sus promesas de pacto con su cónyuge; para las mujeres indica que su corazón está abierto para nutrir una relación.

Sótano de la infancia: un lugar en el que se establecieron las cuestiones fundamentales y los principios de la vida en las etapas de desarrollo más tempranas de la vida; regreso a los fundamentos de la vida; naturaleza carnal, oscuros secretos familiares ocultos; depresión, vergüenza, represiones de culpa de acontecimientos traumáticos de la vida.

Sótano, almacenamiento: el vino o las posesiones aumentarán de valor; simboliza seguridad, protección, una base firme.

Sótano, oscuro y húmedo: depresión, desesperación, opresión y duda, pérdida.

Sótano: cuestiones fundacionales; lugar de almacenamiento; desprestigio; bajeza, Fil. 4:12; humildad, Mt. 23:12; Esd. 9:5; secretos ocultos; naturaleza carnal; vergüenza; culpa; represión de acontecimientos vitales traumáticos.

Souvenir: una baratija o un pequeño recuerdo de una experiencia o lugar que quieres conservar. Los recuerdos del pasado tienen valor, pasas tiempo reflexionando sobre las cosas divertidas que has hecho en la vida.

Spa: un lugar para refrescarse, para ser mimado, renovación por el Espíritu Santo.

Spaniel: ver un cocker en tus sueños habla de un compañero leal y una vida hogareña feliz.

Spray: ver un bote de spray en un sueño sugiere que necesitas desahogarte muy lentamente, has estado bajo mucha presión y necesitas sacudirte de algunas cosas. Puede que haya una o varias áreas en tu vida que necesiten retoques «cosméticos» para evitar que el óxido corrompa tu carácter.

Starburst (marca de golosina): comer Starburst indica que te esperan dulces.

Statice (tipo de flor): éxito; belleza duradera.

Striptease: verte bailando un striptease indica que te gusta ser abierto con tus coqueteos y expresiones sexuales. Te gusta revelarte a los demás poco a poco hasta que seas capaz de crear confianza para revelar tu verdadero yo, lo que realmente eres, completamente y sin vergüenza.

Suave: sentir algo suave en tus sueños indica que te aproximas a una nueva temporada de confort en medio de una situación posiblemente hostil. Recuerda que la suave respuesta aleja la ira. *«y la lengua suave quebranta los huesos»*, Pr. 25:15 LBLA; *«He aquí, los que llevan vestiduras delicadas, en las casas de los reyes están»*, Mt. 11:8; *«La suave respuesta aparta el furor, mas la palabra hiriente hace subir la ira»*, Pr. 15:1 LBLA.

Subasta: Está dispuesto a vender al mejor postor, liberando materiales o artefactos antiguos o inusuales por azar, asumiendo un riesgo al sobrevalorar o subvalorar las posesiones, si se sobrepuja, perderá algo muy valioso o se le negará una oportunidad; si no recibe ofertas indica que no se valoran sus opiniones.

Subir: subir por las escaleras, un árbol, una escalera o una cuerda, representa una victoria paso a paso; se está superando una gran lucha. Subir a un nivel de protagonismo. La meta está al alcance de la mano. Por el contrario, bajar indica una sumisión, una humillación o el hecho de caminar en un estado inferior de la existencia emocional. Jl. 2:7; Is 14:14.

Submarino: opera en las profundidades fuera de la vista de los demás, entre bastidores o encubierto; oración; intercesión; rescatado de los problemas, 2 Sam. 22:17; Rom. 13:1; eliminación de los enemigos: las aguas profundas los han cubierto al hundirse en las profundidades; enterrar o sumergir los sentimientos más profundos o las verdaderas emociones de uno; indica que necesitas comprender más a fondo ciertos problemas o situaciones.

Subterráneo: perder el estatus o el favor, superado por situaciones negativas; estrés, rodeado; enterrado vivo por obstáculos insuperables; oculto a la vista; bajo la superficie; conducta en secreto; iglesias subterráneas.

Suciedad: tierra para abonar, madurar y desarrollar los frutos; carne; suciedad o inmundicia; excremento; despreciable o vil; lenguaje o materia obscena y maliciosa; chismes escandalosos; comportamiento o práctica poco ética; corrupción.

Sucio: si tú, o alguien, o algo está sucio, representa la actitud temerosa de uno hacia el sexo que es sucio, la baja autoestima, la indignidad; el asesoramiento puede ser necesario para limpiar, purificar o renovar la perspectiva del sexo como un hermoso regalo de Dios para ser disfrutado en el matrimonio.

Súcubo: un súcubo es un espíritu demoníaco seductor, que disimula su apariencia aterradora y se presenta como un ente sobrenatural muy atractivo. Adopta la forma de una mujer para seducir sexualmente a los hombres. La contraparte masculina es el íncubo. La persona que participa en juegos preliminares o actividades sexuales con un espíritu súcubo o íncubo se topará con un deterioro de la salud, experimentará enfermedades, dolencias y finalmente morirá.

Sudadera con capucha: Llevar una sudadera con capucha en un sueño significa calor y comodidad. Por otro lado, llevar una capucha implica que te estás escondiendo de algo o de alguien. Usted es un rebelde o tiene malas intenciones, tratando de encubrir sus verdaderos sentimientos sobre algún asunto.

Sudadera: verse con este atuendo cómodo e informal indica que el trabajo duro y el sudor de tu frente te han hecho merecedor de algo de tiempo libre para relajarte y disfrutar de la vida.

Sudar: no te preocupes por las cosas pequeñas, más bien ora fervientemente para obtener sabiduría sobre cómo manejar los enormes desafíos; escoge tus batallas, aprende a dejar que la adversidad y los desacuerdos te afecten, no te alteres por cosas que no puedes cambiar. El miedo paraliza, así que busca la sabiduría y el consejo de Dios; el trabajo duro te asegurará el éxito. *«Y estando en agonía, oraba más intensamente; y era su sudor como grandes gotas de sangre que caían hasta la tierra»,* Lc. 22:44; *«Con el sudor de tu rostro comerás el pan...»,* Gén. 3:19; *«no se ceñirán cosa que los haga sudar»,* Ez. 44:18.

Sudor: es señal de un intenso trabajo de la carne; eficiencia humana; trabajos, Gén. 3:19; un sacerdote se viste de lino para no sudar mientras sirve a Dios, Ez. 14:8; 44:8; Jesús sudó grandes gotas de sangre mientras agonizaba por las dificultades que implicaba morir en la cruz para salvar al mundo del pecado, Lc. 22:44.

Sudores: hay que trabajar las cosas; ejercitar la autoridad.

Suegra: la madre de la esposa o del marido. Una iglesia legalista o ilegítima, alguien que se entromete en los asuntos de otros dando consejos no deseados; entrometida; suegra real; falsos maestros; iglesia apóstata.

Suegro: padre bajo la ley; legalismo; un suegro propiamente dicho; consejero; relación de autoridad. Su comportamiento y conducta presagian relaciones familiares agradables o difíciles; ocasiones festivas con los amigos.

Suelas de hombre: manténgase firme en una discusión; sea seguro de sí mismo, plántate firme y gana la partida.

Suelas: ver las suelas de un zapato de cuero te recuerda que no debes ofenderte ni incomodarte por las palabras de los demás; suelas de mujer: guárdate de las insinuaciones de coquetería; un enfoque solitario o único en un proyecto te asegurará un gran éxito. Algunas personas pueden entirse como una suela vieja abandonada en el piso a la que todo el mundo pisotea.

Sueldo: significa que tu remuneración laboral ha sido fijada sin posibilidad de aumento o promoción. Es hora de buscar otro trabajo; has llegado a un callejón sin salida.

Suelo: ¿qué tipo de suelo pisas, pedregoso y duro o rico y fértil? Construye tu vida sobre la roca de Jesús y sus enseñanzas. Puede que necesites estar arraigado y cimentado en Cristo Jesús. A la inversa, usted puede estar arraigado y cimentado en la Palabra y ser capaz de alcanzar a otros para que estén firmemente cimentados en Cristo también. *Alternativamente:* cimiento firme, material que se pisa, lugar de trillar o clasificar las cosas, humillar o dejar sin esperanza a una persona; caminar afectado por actitudes; creencias y confianza; apoyo; también simboliza la tierra, Lc. 3:17; Os. 9:2; Lam. 2:10; Mt. 3:12; Jl. 2:22-27.

Sueño: una sucesión de imágenes, pensamientos o emociones y diálogos que una persona recibe o experimenta durante el estado de inconsciencia similar al sueño; revelación del discurso simbólico, misterioso y oscuro de Dios; tipos, sombras y lenguaje parabólico que se comunica a nuestra alma para ser interpretado por el Espíritu Santo; Hch. 2:17. Mensaje o parábola de la noche; revelación del futuro o del pasado; protección; verdades espirituales; visión; dirección; liberación.

Sueños húmedos: emisión nocturna de semen tras un sueño sexual o no sexual. Las mujeres también tienen sueños húmedos; puede indicar que la vida sexual de uno necesita incrementarse o es inexistente; avanzar en las ideas de forma prematura.

Suero de leche: líquido agrio que queda después de eliminar la grasa butírica de la leche entera o la nata mediante el batido, indica que se han producido algunos pequeños trastornos o problemas, pero que las cosas se suavizarán en breve.

Suéter: alude al que está ansioso, se preocupa o «suda» la situación; consuelo.

Suicida: total y completa desesperación y falta de esperanza, renuncia a la vida, muerte a sí mismo, miseria, espíritu de pesadez, depresión, ira auto infligida, odio a sí mismo.

Suicidio: gran depresión, desesperación o devastación que ha dejado a la persona sin esperanza de futuro, odio a sí mismo, pena o remordimiento, un espíritu de asesinato que lleva a la autodestrucción; un acto egoísta que causa un gran dolor a los demás. Sentimientos de derrota; abandono de un objetivo; renuncia, furiosa contra sí mismo, asesinato, Ec. 7:17.

Suite: verse en una suite sugiere que tendrás que ayudar a formar a algún personal, asistentes o seguidores que se reunirán para un plan o trabajo específico. Ver una serie de habitaciones conectadas que funcionan como espacio vital indica que tu personalidad y tus talentos se están expandiendo.

Suiza: este país es la cuna de la Cruz Roja. Es un país sin salida al mar, geográficamente dividido entre los Alpes, la meseta suiza, con una población de 8 millones de personas, y el Jura. Zúrich y Ginebra os dos centros económicos mundiales. El país tiene una larga historia de neutralidad armada -no ha estado involucrado en una guerra a nivel internacional desde 1815- y no entró en las Naciones Unidas hasta 2002. Lleva a cabo una política exterior activa y participa con frecuencia en procesos de consolidación de la paz en todo el mundo.

Sujetador: llevar un sujetador puede indicar que se necesita protección, apoyo o protección, o que se está elevando, es una demostración de los instintos maternales de la persona; contiene la gloria; comodidad; sin sujetador: no hay apoyo, control o protección, la naturaleza sexual abierta de la persona, deseos íntimos, comportamiento seductor.

Sujetar: si algo te sujeta en un sueño presagia algún tipo de atadura que debe ser superada para que puedas caminar en total libertad sin ataduras. Si alguien te sostiene en sus brazos indica una relación feliz de intercambio y confort.

Sumergido: poner algo en un líquido de manera que todas las partes queden completamente cubiertas; hacerse totalmente partícipe de alguna actividad o interés, estar inmerso en el Espíritu de Dios, sumergirse en algo que rodea o cubre; especialmente sumergirse o sumergir en un fluido o en el agua de la Palabra.

Sumergir: estar inmerso en el Espíritu Santo o en la Palabra de Dios; sensación de estar inundado; oculto o inadvertido a la vista; sumergido y completamente cubierto bajo el agua; los problemas te están enterrando.

Sumergirse en el agua: indica una evaluación de los sentimientos emocionales.

Sumergirse en un baile: muestra un interés romántico por esa persona; fuerza y seguridad en sí mismo.

Sumergirse en la comida: significa que se quiere condimentar las cosas, añadir algo de sabor a la vida.

Sumergirse doblemente: exceso de indulgencia, comportamiento irreflexivo, descuidado o egoísta.

Sumisión: es un arma poderosa que te doblega a la autoridad de Dios; resiste al diablo y huirá de ti.

Sumo: exceso de indulgencia, dejarse llevar por la carne y los apetitos de la vida; usar el exceso de poder; alguien está lanzando su peso alrededor; mostrando quién está a cargo; luchando con un enorme problema abrumador; alguien te está dominando; te sientes agobiado o agobiada; no ponderar un asunto.

Sumos sacerdotes: Jesús; un sumo sacerdote; orden de Melquisedec; proponente; movimiento o doctrina; representaba al hombre ante Dios.

Sundae (helado con frutas): comer un plato de helado con varios aderezos indica una temporada de dulce deleite en las relaciones, simboliza la alegría, el placer, la unión y la satisfacción. Se te recompensa por un trabajo bien hecho. Un juego de palabras para «domingo» (por su similitud fonética en el inglés «Sunday»).

Superación: verse a sí mismo superando algo o alguna fuerza indica que está en el proceso de someter, dominar o superar a su oponente o a cualquier situación a la que te enfrentes actualmente. Estás ganando en unción, sabiduría y conocimiento de Dios.

Superar: superar a los demás en un sueño indica que has superado el límite y cualquier obstáculo más allá de lo que se esperaba de ti. Ha trascendido el rango normal de excelencia y has ofrecido un rendimiento superior. Estás completamente dotado y sobresaldrá en todo lo que te propongas. Serás más grande y mejor en el futuro si continúas confiando en Dios para que te guíe y dirija. *«De hecho, ¡lo que había oído no refleja ni la mitad de tu sabiduría! Supera ampliamente lo que me habían dicho»*, 2 Cr. 9:6 NTV.

Superficial: actuar de forma superficial en un sueño sugiere que sólo te preocupa lo que está cerca de la superficie y lo que es aparente, u obvio, en lugar de lo real o sustancial. Deja de centrarte en lo trivial e insignificante. Necesitas una visión clara para avanzar; nadie puede construir sobre un plano incompleto. Te falta profundidad intelectual o rigor.

Superhéroe: dones sobrenaturales dados por Dios, talentos, percepciones espirituales, ideas y otras habilidades ocultas que te hacen especial y único. El Espíritu Santo que hace hazañas sobrenaturales divinas, un hombre o mujer ungido por Dios que hace milagros, señales y maravillas, 2 Cor. 10:4-5.

Superintendente: usted está en un lugar de estar súper atento a algo, manténgase enfocado en sus metas para que pueda lograrlas a su debido tiempo. Tienes una autoridad o habilidad dada por Dios para supervisar a otros u hacer que sean capaces de alcanzar su destino.

Superior: actuar de manera superior en un sueño indica que sabes quién eres en Cristo. Jesús es grande y poderoso, el ser más supremo de todo el universo. Cuando estás en Cristo tienes una naturaleza superior a los demás que te capacita para aprovechar tu autoridad, poder, rango y estación celestial.

Supermercado: alimentar las necesidades emocionales o físicas que a uno le faltan en la vida; determinar los artículos que uno busca; el ahorro; si el mercado es estéril escaso: pobreza, falta de finanzas, vacío o depresión en la vida de uno.

Supermercado: las tiendas de comestibles a menudo ofrecen alimentos no perecederos, y algunas también tienen productos frescos, carnicerías, charcuterías y panaderías. Los grandes supermercados son grandes tiendas de comestibles que almacenan cantidades significativas de productos alimenticios, además de ropa y artículos para el hogar. Significa que tendrá la capacidad de suministrar ungüentos, regalos y alimentos espirituales a un gran número de personas en el mercado.

Supersticioso: Hch. 17:22; muy religioso; usar la sabiduría, Pablo llevó a los supersticiosos a adorar al Dios «no conocido».

Supervisor: se te ha dado una gran visión espiritual para ayudar a otros a alcanzar sus metas y su destino. Utiliza tus habilidades administrativas para motivar a las personas hacia la grandeza, Hch. 20:17,28. Verse a sí mismo con la capacidad de supervisión en un sueño indica que tienes habilidades administrativas y que eres capaz de ver el panorama completo. Tu discernimiento te permite delegar trabajos a otros de acuerdo a sus habilidades y experiencia para hacer avanzar un proyecto de manera oportuna.

Supervivencia: verse en una lucha por seguir vivo o en modo de autoconservación indica que se está en una época de gran carencia y pobreza. Es importante someter cada área de tu vida a Dios y seguir sus mandamientos para prosperar. *«El SEÑOR nuestro Dios nos mandó temerle y obedecer estos preceptos, para que siempre nos vaya bien y sigamos con vida. Y así ha sido hasta hoy»*, Dt. 6:24. Él es capaz de hacer bastante o muchísimo más de lo que puedas pedir o pensar.

Suplantación: verse a sí mismo o a otros actuando como otra persona, asumiendo su carácter, encarnando su personalidad, indica que necesitas desarrollar tu discernimiento, a menos que estuvieran actuando como Jesús. *«Si alguien quiere venir en pos de mí, que se niegue a sí mismo, que tome su cruz cada día y me siga»*, Lc. 9:23-24.

Suplantador: ver o ser un suplantador indica que alguien está imitando la voz, los modales o los rasgos de carácter de otra persona para engañarla. Este sueño advierte que hay que ejercer el discernimiento con las personas que le prometen favor o estatus, especialmente los extraños que pueden ser lobos con piel de oveja. Cuídate de los falsos profetas, que vienen a ti vestidos de oveja, pero que por dentro son lobos rapaces. Por sus frutos los conoceréis, Mt. 7:15-16. Mt. 10:16; Lc. 10:3; Hch. 20:29; Sof. 3:3; Ez. 22:27.

Suplantar: funcionario del gobierno que es sorprendido en mentiras, traición a la patria o actos de traición, rebelión que desafía o se niega a someterse a la autoridad, estar dispuesto a enfrentarse a las opiniones populares, nadar contra la marea social de la injusticia.

Suplantar: soñar con ser un suplantador indica que hay algún engaño, artimaña, deshonestidad en tu vida o alrededor de ella. Debes estar en guardia, pues este es un sueño de advertencia. *«Guárdese cada uno de su compañero, y en ningún hermano tenga confianza; porque todo hermano engaña con falacia, y todo compañero anda calumniando»*, Jer. 9:4.

Suplementario: Ser flexible o humilde en un sueño indica que eres enseñable, flexible y fácil de moldear o fácilmente adaptable a la influencia y al cambio positivo.

Suplemento: ver que se añade un suplemento para completar una cosa, indica que tienes una deficiencia que necesita ser tratada o compensada, para que toda tu persona pueda ser fortalecida. Estás en proceso de apuntalar tus debilidades, corregir errores y descubrir nuevos ángulos para que puedas alcanzar el éxito.

Suplente: ambición de emular a alguien a quien se admira; un discípulo; ser uno mismo y no otro; buscar un mentor para modelar la vida o el carácter de uno.

Suplicar: verse a sí mismo ofreciendo súplicas a Dios en su sueño indica que te estás humillando seriamente y haciendo peticiones de oración para buscar la sabiduría divina, de modo que puedas hallar repuestas y soluciones a los problemas de la vida.

Supremacía: si sueñas con aquellos que viven con una filosofía de supremacía, (es decir, que uno es superior a los demás, porque han aprendido a dominar, controlar y gobernar a los que están en su esfera de influencia), es una advertencia para no imitar sus acciones. Estamos llamados a servir y ayudar a los demás con un espíritu de amor y delicadeza. «Si alguno quiere ser el primero, será el postrero de todos, y el servidor de todos», Mc. 9:35.

Suprimir: ser suprimido en un sueño advierte que alguien está tratando de restringir o limitar el progreso de tus actividades. No quieren que seas revelado, publicado o difundido. Quieren mantenerte fuera de la conciencia de la gente, retenerte o controlarte para que otros no celebren tus dones y talentos. Ora contra la falsa acusación, los celos y el espíritu de control.

Sur: tranquilidad de la tierra; opuesto al viento del norte; *«Y cuando sopla el viento del sur, decís: Hará calor; y lo hace».* Lc. 12:55; Felicidad; éxito; amor; buenos tiempos; lugar de refresco, Sal. 126:4; Cnt. 4:14; Jb. 37:17; Lc. 12:55.

Surco: te has metido en un espiral de rutina, callejón sin salida o un mal hábito que no te llevará a ningún sitio bueno. Llamado a salir de tu estancamiento y empezar de nuevo. Ver un surco en la tierra indica que las semillas que has plantado darán una buena cosecha si mantienes la mano en el arado.

Surf de cometa: deporte de superficie que combina aspectos del wakeboard, el windsurf, el surf, el parapente y la gimnasia en un solo deporte extremo. Un surfista de cometa aprovecha la fuerza del viento (Espíritu Santo) con una gran cometa de potencia controlable para ser impulsado a través del agua en un kiteboard similar a una tabla de wakeboard o una pequeña tabla de surf, con o sin correas de pie o fijaciones. Los términos *kiteboarding y kitesurfing* son intercambiables, aunque kiteboarding también puede referirse a surfear sobre la arena o la nieve.

Surfear: este deporte de gran exigencia significa que las olas de tus emociones suben y bajan a un ritmo imprevisible, te controlas y descontrolas con facilidad, te sienten como atascado en un tubo, te sientes abrumado o ahogado por tantas responsabilidades; es un llamado a esforzarte al máximo y a dejarte guiar por la corriente hasta que llegues a la cima. También puede significar que debes buscar un empleo mejor remunerado o adquirir información en Internet; Debes subirte a la ola del Espíritu y empoderarte.

Suricata: habita en el desierto; grupo denominado «turba» o «pandilla»; se le conoce como el ángel del sol; protege del «demonio de la luna» o del «hombre lobo»; se cree que ataca a los gatos o a los miembros de las tribus; escarba en busca de presas; come insectos, lagartos, serpientes, arañas, aguijones de escorpión; es inmune a los venenos; no le teme a la enfermedad, el veneno o la muerte.

Susana de ojos negros: elegante; la pureza y el ánimo están por llegar.

Suspendido: hay una clara desconexión con el favor y la prosperidad; el autosabotaje ha hecho que te quedes corto; la falta de respeto por las reglas y la autoridad han limitado tu capacidad de avanzar; la identidad cuestionable necesita ajustes de carácter; los sentimientos de rechazo, insuficiencia, vergüenza y culpa te han puesto en espera. Ora por el perdón y la limpieza de tu conciencia y luego retoma la marcha.

Suspiro: suspirar en un sueño indica que se acerca el alivio; la alegría y los buenos tiempos están a la vuelta de la esquina.

Susto: ver algo muy alarmante, antiestético o extraño que simula miedo, o terror horroroso con miedo repentino, puede indicar que estás entrando en un territorio nuevo por primera vez por lo que no estás tranquilo, confía en Dios y vencerás, Él no te ha dado un espíritu de temor. *«Porque Dios no nos ha dado un espíritu de timidez, sino de poder, amor y dominio propio»,* 2 Tm. 1:7.

Susurrar: no prestar atención al consejo o a la sabiduría de alguien, hablar a espaldas de alguien, difundir rumores o chismes causa inseguridad, miedo a hablar o a expresar una opinión, falta de convicción, escuchar la pequeña y tranquila voz interior del Espíritu Santo, Ez. 33:30; Is. 45:19; Lam. 3:62.

T

Tabaco: fumar; significa la comunión con amigos cordiales, de buen carácter y sociales; alude a una adicción o una incapacidad para ver las cosas con claridad; confusión debida a una cortina de humo; las cosas no aparecen como son en realidad; las hojas verdes que florecen representan una cosecha próspera de hábitos negativos.

Tabasco: ver la marca comercial de esta salsa picante de chiles dulces indica que una relación especial en tu vida está a punto de calentarse; disfruta del nuevo sabor y de la emoción condimentando tu visión de la vida.

Taberna: una taberna o un salón grande donde se venden bebidas y comida para recepciones, entretenimiento público o exhibiciones. Verse a sí mismo mezclado entre otros indica que tienes el deseo de ser más social y estrechar lazos con amigos, familia o un nuevo interés amoroso.

Tabernáculo: tienda de campaña, Nm. 24:5; Jb. 11:14; Moisés lo construyó bajo las instrucciones divinas, Éx. 26, 36:8- 38; el Tabernáculo de David.

Tabla de boogie: montar en una tabla de boogie en su sueño indica que está preparado para capturar una nueva y emocionante ola de cambio en tu vida. Significa que eres capaz de bailar sobre las dificultades y saltar por la vida con una canción en tu corazón.

Tabla de planchar: ver o utilizar una tabla de planchar en un sueño indica que tienes algunas tareas de mantenimiento de la casa que deben ser atendidas o algunos problemas personales o relacionales que deben ser planchados.

Tabla de surf larga: es universalmente común, tanto entre los principiantes como entre los surfistas expertos, porque el tamaño de la tabla facilita la frecuencia de coger olas; tabla de surf de una sola aleta con una nariz grande y redondeada y una longitud de 9 a 12 pies, es una tabla de surf ligera y fuerte, más gruesa y ancha, que es estable, boyante y maniobrable. Los «noseriders» son una clase de surfistas expertos en el uso de tablas largas que pueden caminar hasta la punta y colgar ligeramente los dedos de los pies sobre el borde de la tabla y dejar «colgando los diez dedos».

Tabla de surf: posicionado para coger una gran ola del Espíritu, divirtiéndose al sol, surfea hacia arriba, rodeado de almas; hacer piruetas, tiempo de vacaciones, se mantiene a flote con dificultad sobre la superficie; aburrido de la vida, Sal. 118:25; 51:15.

Tabla de vela: mástil y vela sostenidos por una persona para atrapar el viento, se necesita equilibrio y habilidad para la navegación.

Table ouija: participación en lo oculto; actividad demoníaca que dirige su vida; liberación de maldiciones, Lev. 19:31.

Tablero de anuncios: un tablón de anuncios puede ser una advertencia de que tus asuntos personales se están haciendo públicos. Considera la posibilidad de limitar lo que comparte con los demás o lo que publicas en redes sociales. Quizás se te esté valorando solo por tus logros o por tus hechos altruistas en favor de otros.

Tablilla: memoriza la Palabra y escríbela en la tablilla de tu corazón para experimentar la transformación, Pr. 7:3.

Tablón: pagar una deuda inmediatamente; un trozo de madera más grueso que una tabla utilizado como cubierta o cimiento de un puerto; tablón un tipo de ejercicio utilizado para fortalecer los músculos centrales, el abdomen y la espalda; poner o asentar con fuerza; cocinar un pescado en un tablón; uno de los artículos para una plataforma política.

Taburete: ver o sentarse en un taburete en un sueño indica que necesitas tomarte unas vacaciones para aliviar alguna presión y recuperar el positivismo.

Tacaño: verte como un tacaño en un sueño indica que eres reacio o no quieres ofrecerte a los demás. Si no aprendes a compartir, tendrás una existencia solitaria y exigua en la vida. Para tener amigos hay que mostrarse amable.

Tachuelas: es posible que estés apegado a alguien o a algo que no te conviene; asegúrate de usar el «tacto» en tu discurso cuando «abordes a personas o situaciones difíciles».

Tackle: ver este movimiento contundente en un sueño indica que estás en un nuevo movimiento agresivo hacia adelante en el que estás eliminando todo obstáculo que intente frenar tu avance hacia el éxito. Agarra y gruñe. No permita que la oposición se interponga en tu camino. Afronta los proyectos que se te han encomendado con todas tus fuerzas y capacidades.

Taco: te arreglas con lo que tienes.

Tacones altos: elevado; elevado; seductor; seguir; «subirse a los tacones»: huir.

Tacto, actuar con: actuar con tacto indica que eres una persona muy discreta y honesta que espera el mismo respeto de los demás en los negocios y en los asuntos personales.

Tafetán: ver o llevar este tejido retorcido de alta gama en tus sueños indica que un baile o una boda está en tu futuro cercano.

Taladro: «herramienta de poder»; taladrar la verdad de la palabra en los corazones y en las vidas; en construcción; entrenamiento y práctica de taladros. Excavando profundamente; abriéndote a un cambio que traerá una visión, nuevas experiencias, una ampliación y una nueva dirección en la vida. Agujerea los fríos corazones de las personas; ídolos de madera, religiosos, de falsas creencias; agujerea los vasos de barro.

Talega: llevar una talega o un bolso en su sueño puede indicar que estás buscando tu verdadera identidad o que te siente como si llevara mucho equipaje. Si te gusta tu talega entonces sientes que tienes todo lo que necesitas a mano para triunfar en la vida.

Talento: representa la responsabilidad, el don y la capacidad de acción, Mt. 25:24-28; 18:24.

Talismán: un talismán es un objeto que se cree que contiene ciertas propiedades mágicas o sacramentales que proporcionarán buena suerte a quien lo posea o posiblemente ofrecerán protección contra el mal o el daño. Un talismán debe ser cargado con poderes mágicos para un objetivo específico por un creador; es este acto de consagración o «carga» el que da al talismán sus supuestos poderes mágicos. Las ideas o creencias de uno en un poder sobrenatural; ser persuadido emocionalmente falsos intentos de eliminar el miedo por una influencia dominante de la maldad; dar un punto de acceso, o puerta de entrada a los propios recursos naturales, la perspicacia, o las fuerzas naturales.

Tallado: La madera o algún otro material simboliza la fabricación o transformación de algo bello o útil a partir de otro objeto mediante el uso de ideas creativas espirituales. ¿El objeto es meramente decorativo o útil para alguna actividad específica? Tallar o macerar un trozo de carne indica la madurez del pensamiento y la eliminación de los sentimientos o emociones carnales. Pero también puede indicar que Dios le está dando una nueva y poderosa revelación en la Palabra (carne de la Palabra).

Taller: poseer las habilidades o herramientas especializadas necesarias para tener éxito en cada tarea; el trabajo duro resultará beneficioso, Heb. 11:10.

Tallo: ver un tallo en un sueño indica que estás en proceso de crecimiento o florecimiento en un nuevo aspecto de tu desarrollo personal. Este avance puede provenir de algunos nuevos asociados o habilidades que ha estado trabajando en tu vida diaria. Puedes esperar dar muchos frutos con una mayor visibilidad.

Talón de Aquiles: Ver que un área de debilidad o vulnerabilidad está expuesta; se necesita protección para asegurar el éxito; fracaso inminente si no se toman las precauciones adecuadas; debilidad mortal a pesar de la fuerza general, puede llevar a la propia caída.

Talonario: ver un talonario de cheques en tu sueño indica que Jesús ha pagado el precio de tu libertad, tu nueva vida y tu salvación. Eres una nueva creación en Cristo, así que empieza de nuevo y haz las cosas de forma novedosa. Es el momento de emprender un camino y un viaje innovadores hasta alcanzar tus metas y aspiraciones deseadas.

Talones: poder para aplastar o herir a Satanás bajo tu pie; mordido por la serpiente; crucificado; Dios de la paz; la semilla de la mujer; los malvados están atrapados; traicionado por un amigo; triunfo. Gén. 3:15; 49:17; Rom. 16:20; Sal. 41:9; Jb. 18:5-9. La luz roja de la unción de Dios sanará los talones.

Tamal: comer este plato mexicano o latino muy condimentado de carne picada guisada envuelta en harina de maíz indica que te gusta estar en compañía de distintos trasfondos.

Tamaños: pequeño: sentirse insignificante o pequeño; mediano: una persona promedio; grande: altanero, orgulloso, gran ego; super grande: en los extremos, llamativo, extravagante, fanfarrón.

Tambalearse: evaluar lo que influye en tus decisiones vitales; demasiado vino nubla tus pensamientos y embota tus sentidos, haciendo que uno se tambalee como un borracho; la adulación hace que tu orgullo vaya en caída libre. *«Deteneos y maravillaos; ofuscaos y cegaos; embriagaos, y no de vino; tambalead, y no de sidra. Porque Jehová derramó sobre vosotros espíritu de sueño, y cerró los ojos de vuestros profetas, y puso velo sobre las cabezas de vuestros videntes»*, Is. 29:9-10.

por repetición constante; latido de Dios; convocar; despedir o expulsar en desgracia; esfuerzo persistente; inventar; amigo necesitado de ayuda o auxilio; guerra espiritual; amabilidad de carácter; aversión a las peleas y disensiones; prosperidad, Éx. 15:20.

Tamiz: ver un utensilio metálico para tamizar, colar o hacer puré indica que vas a pasar por un duro escrutinio de los de tu propia casa. *«Simón, Simón, he aquí Satanás os ha pedido para zarandearos como a trigo; pero yo he rogado por ti, que tu fe no falte; y tú, una vez vuelto, confirma a tus hermanos»*, Lc. 22:31-32; Am. 9:9; Is. 30:28.

Tándem: verse trabajando uno detrás de otro en tándem mirando en la misma dirección que los demás indica que se está aprovechando el poder de la unidad y el enfoque único que proporcionará más impulso y permitirá que otras personas se unan a tu empresa para tener éxito.

Tanga: ver o llevar un tanga, que es una pequeña tira de cuero o cualquier otro material que cubre la zona púbica, indica que se desea una relación íntima o que uno se siente expuesto y vulnerable.

Tangerina: el Sol de Justicia (el Hijo) está brillando sobre ti con gran favor; dulces tiempos de fructífero compañerismo y buena salud están en tu futuro.

Tanque: ver o conducir un tanque en un sueño indica intercesión desde grandes distancias, grandes armas, asignación de un ministerio de una o dos personas, elimina múltiples enemigos a través del poder del acuerdo; da de baja grandes objetivos terrestres con poco esfuerzo una vez que estos son avistados e identificados. Prosperidad; gran despliegue de habilidades o armada poderosa; indica que tiendes a expresarte de una manera emocional volátil o insensible; cerrarse a la banda o disparar por la boca; nada puede enfrentarse a tu capacidad de determinación o empuje; llamado a prepararse para la guerra o contra el ataque de un gran enemigo; «claudicar deliberadamente», rendirse o hundirse bajo presión.

Tapioca: ver tapioca en un sueño puede indicar que has estado actuando muy almidonado. Este agente espesante puede sugerir que has desarrollado una piel dura que no le permite a los demás entrar en tu esfera de influencia. Deja que la dulzura del Señor ablande tu corazón. Como este alimento es muy básico en todo el mundo, predice un llamado a tocar las naciones con la bondad de Dios.

Tapiz: significa adornar tu entorno con la presencia de la riqueza o lo más significativo de tu patrimonio. *«Ella se hace tapices; De lino fino y púrpura es su vestido. (como aquellos de la que estaban hechos los vestidos de los sacerdotes y los paños sagrados del templo)»*, Pr. 31:22. Los tapices cuentan la historia de tu vida, con nudos y todo.

Tapón: eres polifacético y capaz de llenar o tapar el hueco donde se te necesite o se te pida ayuda.

Tapones para los oídos: espíritu sordo y mudo, falta de comunicación, negarse a oír, no escuchar, escuchar de forma concentrada, desconectarse de las cosas, utilizado para asegurar el sueño, algo bloquea la capacidad de oír, elimina los ruidos que distraen.

Taquigrafía: verse taquigrafiando indica que podrás tomar algunos atajos necesarios para recuperar el tiempo perdido y terminar un proyecto a tiempo.

Tarántula halcón: este gran insecto alado caza tarántulas como alimento para sus crías depositando las larvas en el interior de la araña; de cinco centímetros de largo y cuerpo azul-negro, se encuentran entre las mayores avispas. Sus brillantes alas de color óxido advierten a los posibles depredadores de que son una persistente y poderosa fuerza de peligro. Sus largas patas terminan en garras con ganchos para capturar y agarrar a sus presas. El aguijón paralizante de una hembra de tarántula halcón está considerado como uno de los más dolorosos del mundo de los insectos.

Tarántula: un enemigo grande y dominante está tendiendo trampas en un intento por dominarte y dañarte a través de la pérdida y la devastación. Se alimenta principalmente de insectos y otros artrópodos, utilizando la emboscada como su principal método de captura de presas. La tarántula caza o depreda grandes lagartos, ratones, pájaros y pequeñas serpientes principalmente en los árboles o cerca del suelo. Todas las tarántulas pueden producir seda, lo que permite a la araña aferrarse a superficies lisas, evitando las caídas dañinas. Algunas especies residen en una «tienda tubular» de seda, mientras que otras forran sus madrigueras con seda para estabilizar la pared de la madriguera y facilitar la subida y bajada. Ver una tarántula en un sueño indica que hay un operador sigiloso que está planeando atraparte hilando algunas palabras sedosas o lanzando un ataque secreto que chupará toda tu fuerza, energía y atrapará tus fuentes de vida.

Tardanza: quedar en mora, retraso, atraso en la hipoteca o en los pagos, endeudado, lento, por debajo de la norma o posición inferior, perdedor, algo se esconde o se oculta, motivación egoísta; egocéntrico; desconsiderado con los demás; indisciplinado, no se toma el tiempo adecuado para prepararse; procrastinación, fuera de tiempo.

Tarde: Es hora de reevaluar tu vida, emprender algo nuevo y emocionante, dejar de dormitar, redirigir las energías hacia algo más productivo, reflexionar y aprender de los errores del pasado, obtener las ideas necesarias para prosperar.

Tarea: sentirse injustamente agobiado o esclavizado por quienes tienen poder o autoridad sobre uno. «Y los encargados de las tareas los apuraron, diciendo: cumplid vuestros trabajos, vuestras tareas diarias, como cuando había paja».

Tarifa: ver una tarifa o suma fija que se cobra por un privilegio que se ofrece o que se paga por uno mismo o por otra persona, indica que se te está dando una propina, una visión espiritual o un pago de gratitud por un favor que hizo a otros.

Tarjeta amarilla: tarjeta levantada durante un partido de fútbol por el árbitro que indica la violación de las reglas del juego por parte de un jugador. Tenga cuidado de no engañarse a sí mismo ni a los demás; Cuídate de no salirte de los límites convencionales en el juego de la vida.

Tarjeta bancaria: dar crédito cuando se debe dar crédito; aumento importante del valor o del acceso a los fondos. Una tarjeta bancaria suele ser una tarjeta de plástico emitida por un banco a sus clientes que realiza uno o varios de los servicios relacionados con el acceso del cliente a los fondos, ya sea desde la propia cuenta bancaria del cliente o a través de una cuenta de crédito. Determina el valor personal o el estado financiero o la solidez del préstamo, vivir por encima de las posibilidades.

Tarjeta de crédito robada: si alguien te roba la tarjeta de crédito, es señal de que debes tener cuidado de que alguien no se atribuya el mérito de tu trabajo; alguien puede estar calumniándote, poniendo en tela de juicio tu reputación o te esté robando tus finanzas.

Tarjeta de crédito, deuda: si debes dinero en tu tarjeta de crédito, indica que te exiges demasiado a nivel personal o en relación a los demás, o que tus asuntos comerciales están desbarajustados.

Tarjeta de crédito, perdida: perder una tarjeta de crédito indica irresponsabilidad, descuido, retraso en los pagos o exceder el presupuesto.

Tarjeta de crédito: representa que se le da crédito a quien lo merece, un aumento importante de los ingresos disponibles, un favor, un valor o una credibilidad acumulados, un valor personal o un estatus financiero mejorados, un préstamo crediticio, vivir por encima de tus posibilidades al estar endeudado. Considera tu filosofía personal sobre el dinero, la ética laboral, la inversión y el ahorro.

Tarjeta de negocios: significa un ascenso, conexiones estratégicas en tu campo de especialización, un nuevo socio o empresa.

Tarjetas de sueños: Si has tenido un sueño importante y necesitas las tarjetas de sueños laminadas, diseñadas artísticamente y clasificadas simbólicamente, para descubrir correctamente las definiciones de los símbolos mostrados durante la interrupción de tu sueño, consulta *www.decodeMydream.com*

Tarro de miel: ver a un oso de miel metiendo la mano en el tarro en un sueño representa el toque dulce o el abrazo de un ser querido. Si el oso de miel está hablando, entonces se refiere a unas palabras azucaradas, un consejo o una recomendación que deberías escuchar o considerar con especial atención.

Tarro, lleno: representa la plenitud de las bendiciones de Dios que producen ganancias financieras y prosperidad.

Tarta de limón: hacer algo dulce y hermoso para compartir de las dificultades y problemas de la vida.

Tarta de manzana: Hacer, ver o comer pastel de manzana en su sueño sugiere que está en la relación familiar perfecta. Usted tiene excelentes habilidades para hacer los quehaceres domésticos y afirma los valores cristianos americanos tradicionales de honestidad y simplicidad. Usted es un amante de Estados Unidos, «tan americano como el béisbol y la tarta de manzana». Considera también que, si un hombre sueña con una tarta de manzana, es un término del argot popular para referirse a la vagina de una mujer.

Tarta de queso: prueba y ve cuán bueno es el Señor. Él llenará tu boca de cosas dulces en la tierra de los vivos, una deliciosa tentación.

Tartamudez: pausas o repeticiones involuntarias en el habla, un hábito frustrante o un estorbo que se repite constantemente, no hay entendimiento, Is. 33:19, lengua extranjera, Is. 28:11.

Tartas: hornear, comer o ver una tarta en un sueño indica que tu vida está llena de los frutos del Espíritu. Este plato de pastelería consiste en fruta y crema pastelera que representa la dulzura de la presencia del Señor en tu vida.

Tarzán: soñar con Tarzán, el hombre mono, (el arquetipo de niño salvaje e indómito), que fue criado por simios mangani de las junglas africanas, que más tarde experimenta la civilización, sólo para rechazarla en gran medida, y volver a la naturaleza como un aventurero heroico que se balancea por los árboles con la mayor facilidad, indica que has escuchado la llamada de la naturaleza. Disfrutas enormemente de tu libertad y de grandes aventuras. Te llevas bien, tanto con los de la alta alcurnia como con los de abajo. Amas la naturalidad y divertirte con las personas de tu alrededor. Enciendes una llama de pasión en los corazones de la gente cuando hablas de tus exploraciones misioneras. Tu deseo es convertir a los paganos no salvos en hombres y mujeres temerosos de Dios.

Tasador: Ser juzgado o evaluado para determinar su valía o valor, bien hecho o deficiente.

Táser: arma de electrochoque que se usa para interrumpir el control voluntario de los músculos y para inmovilizar a personas agresivas; controlar a otros a través de un factor de choque o infligiendo dolor.

Tatuaje: las acciones y elecciones van a dejar una marca permanente en tu vida, Polinesia, un diseño permanente; algo se está grabando en tu vida y dejará una cicatriz. Los tatuajes que la gente elige mostrar en su cuerpo hablan de sus gustos o comunican algo a los demás sobre sus preferencias vitales y su personalidad.

Tatuajes: sentido de singularidad e individualidad que destaca por ser diferente de la multitud; la imagen es bastante significativa para tu personalidad y vocación vital porque dejará una impresión duradera en ti que otros recordarán; una situación o relación pasada ha dejado una impresión o marca perdurable en tu vida; si alguien significativo para ti se hace un tatuaje, indica que se está expresando en la relación queriendo ganar tu atención ya que le has estado ignorando; tiene el deseo de comunicar un mensaje que te dejará una impresión duradera; tatuador: deseo de dejar una marca permanente en la vida y dejar una impresión duradera en los demás.

Taxi, ir en un taxi: verse en un taxi indica que le están tomando el pelo, que alguien se está aprovechando de usted.

Taxi, llamar uno: si te ves llamando a un taxi es el momento de pedir ayuda para avanzar en la vida.

Taxi, montar solo: verse montando en un taxi solo o sola indica que el trabajo duro mantendrá una vida contenta.

Taxi: contratado para transportar temporalmente a personas. Viaje de vacaciones o de negocios de corta duración, se dispone de los fondos o provisiones necesarios, transición, promoción limitada, trabajo servil, se necesita un segundo trabajo para llegar a fin de mes, ayuda contratada o servicio temporal. Jue. 18:6.

Tazón de lavado: quieres limpiar o lavar tus manos de cualquier relación o situación actual que te haya causado problemas o dolor.

Tazón: recipiente para contener líquidos, por lo general es una jarra de cerveza. Tu sueño puede estar diciéndote que cambies lo que permites en tu cuerpo, que es el templo del Espíritu Santo. *«¿O no sabéis que vuestro cuerpo es templo del Espíritu Santo, que está en vosotros, el cual tenéis de Dios, y no sois vuestros?»*, 1 Cor. 6:19. Una foto en un sueño es que Dios te llama a arrepentirte y a aprender a verte como Él te ve.

Tazones: un cuenco en su sueño indica su capacidad de ser creativo a la hora de preparar comida espiritual para los amigos. Ya está harto de que los demás le echen encima sus problemas. No permita que te sobrecarguen con tanta información negativa o que te sobrecarguen o que sobrepase los límites de seguridad.

Té de manzanilla: indica que necesitas bajar el ritmo, relajarte y desconectarte al final de un día ajetreado. Busca un sillón acogedor, siéntese y elimine el ajetreo de la vida. Deja que la paz y la tranquilidad lleguen para mejorar tu capacidad de tener dulces sueños.

Té, sorbiendo: algo caliente se está gestando; momento de felación; buenas o malas noticias; refrescante.

Té: algo se está preparando; caliente: momento de compañerismo y relajación; buenas o malas noticias; frío: placeres sociales refrescantes; hora del té: reunión social ritualizada muy formal para honrar a celebridades o invitados visitantes, «Ya es hora de que comamos algo»; «tea party o fiesta del té» o «tarde tea» es una reunión informal entre amigos tendiente a desarrollar diálogos significativos; derramar el té significa pena, pérdida y vergüenza social o decepciones.

Teatro: las nuevas amistades traerán placer y alegría; ¿la actuación o el personaje son paralelos a la propia vida? Descubrir un nuevo papel; no reaccionar de forma exagerada ante las situaciones provocando una «escena» siendo teatral; melodrama, reina del drama; comedia o tragedia; risas y aplausos: buscar la complacencia y el placer instantáneos en lugar de trabajar para conseguir objetivos futuros; en llamas: los nuevos lugares serán arriesgados, Mt. 5:16; observar cómo se desarrolla la vida de uno en pensamientos, esperanzas, sentimientos, miedos y expectativas; querer la atención del público; la situación exige que se desempeñe un determinado papel; «preparar el escenario para»; «hacerse el tonto»; «atrapar a alguien en el acto»; «entrar en escena»; «actuar conforme a la edad»; «miedo escénico»; «director de escena»; «Cumple tu rol»; «actuar de Dios»; «actuación».

Techo: cubierta o protección superior de algo; superficie exterior; el punto más alto; cima; amueblar; alborotar; quejarse con vehemencia; filosofía; creencias o estrategias de confrontación, Sal. 5:11. Limitación que indica la altura a la que se puede llegar, tapa o techo de algo, una cubierta; restricciones; límites de ideas o de conciencia; cobertura; considera la expresión «el cielo es el límite»; lugar utilizado como trampolín o desde el cuál construir.

Teclado, computador: indica que hay un mensaje, un blog o un libro que necesitas publicar o una idea que necesitas compartir. El teclado simboliza una agenda de algo a realizar. Considera también que se te ha otorgado el don de orador, por lo que la comunicación masiva será la clave de tu éxito.

Teclado, musical: representa una vida llena de equilibrio y armonía. Un mensaje musicalizado comunica mejor que un diálogo escrito.

Tecnología: estás a la vanguardia, haces grandes progresos y el éxito te llegará muy rápido.

Tejas: ver un tejado rodeado de tejas indica que tienes una cubierta sólida que te protegerá de los daños en tiempos difíciles; ver una teja colgando delante de una oficina indica que es hora de tomarse en serio los asuntos de negocios.

Tejer: un tiempo de unidad y unión producirá paz mental y confort con una cálida comunidad de amigos y familiares.

Tejido de punto: algo bello se está gestando, embara-

zo, estás hecha de manera formidable y maravillosa, se necesitará habilidad para atar algunos cabos sueltos, calidez y felicidad en las relaciones familiares, el descanso y la relajación serán de gran beneficio.

Tejido rojo: ver una tela roja indica que un nuevo nivel de poder y unción está llegando para avivar tu pasión por la vida. Podrás convertir la tela en cualquier cosa que desees crear para mostrar la bondad de Dios ante los hombres.

Tejón (relativo al mamífero): Éxito después de soportar o luchar contra las dificultades y las penurias. También advierte que no hay que maltratar constantemente a un amigo, esposo, esposa o socio por los mismos asuntos. Puedes sentir que alguien te regaña constantemente.

Tela a cuadros: volviendo al principio, representan los colores y patrones de tu familia, como en el caso de los McLeod, especialmente si eres de ascendencia escocesa. También puedes cubrirte con un patrón o hábito positivo o negativo. Su cubierta transmite la gloria o los colores asociados con Los Siete Espíritus del Señor. La necesidad de aclarar el propósito, el diseño o la vocación de uno en la vida.

Tela de araña: alguien está tejiendo una trampa para atraparte o «entramparte» utilizando el engaño y la astucia maligna. «Qué mala red tejemos cuando al principio intentamos engañar».

Tela de araña: ver una telaraña indica que alguien está ocupado tejiendo una trampa o una red de engaño intrincada para enredarte. Una vez que te atrapen te envolverán con tanta fuerza que no podrás moverte, entonces te chuparán la fuente de energía de tu vida. También considera el internet como una rcd mundial de interconexiones y observaciones del gobierno. «*La araña que atrapas con la mano, Y está en palacios de rey*», Pr. 30:28; «*Porque su esperanza será cortada, Y su confianza es tela de araña*», Jb. 8:14; Is. 59:5.

Tela o tejido: los rollos de tela en tu sueño significan una creatividad que puede dar forma a los demás y remodelar tu propio conocimiento. Considera el color y el patrón de la tela y cómo se corresponde con tus circunstancias actuales en la vida.

Tela de lana: tus productos ganaderos producirán un gran rendimiento.

Tela de lino fino: vendrán grandes beneficios.

Tela de terciopelo: atraes las cosas más finas de la vida.

Telarañas: observar telarañas en la casa o en la oficina indica que no se ha atendido a las tareas, responsabilidades, talentos o trabajos que se realizan. Alguien puede haber tendido una red de engaños cuidadosamente tejida para atraparte. Es hora de despertarse, de concentrarse en la vida, de limpiar la casa y avanzar rápidamente.

Teleconferencia: tienes mucho que decir a un gran número de personas; organiza tu tiempo sabiamente y aprovecha cada oportunidad.

Teleférico: ministerio, empresa o familia que tiene un fuerte anclaje en la verdad; carácter y integridad; se mueve en un ámbito de influencia; límites o visión claramente definidos.

Teléfono móvil: comunicación abierta, conversación bidireccional, mensaje espiritual o físico.

Teléfono que suena: si el teléfono está sonando constantemente, indica que no ha llegado a la conclusión correcta y que todavía necesitas respuestas. Es posible que estés obsesionado con algún pequeño detalle o que se le hayan cruzado los cables.

Teléfono viejo: tecnología anticuada, falta de comunicación asertiva.

Teléfono: conexión de larga distancia; línea de comunicación con Dios y con otros; mensaje que se envía; ideas reveladoras o proféticas; red de intercesión u oración; chismes, Jer. 33:3.

Telegrama: recibir un buen mensaje por telégrafo indica una relación próspera y emocionante; si presagia malas noticias, es hora de ejercer la sabiduría y hacer algunos ajustes necesarios.

Telescopio: capacidad de reunir información desde una gran distancia, de alcanzar información; conocimiento de la revelación para ver, planificar y discernir el futuro; obtener una mayor comprensión de lo que ves; si te centras en lo negativo, tus problemas parecerán más grandes que la vida misma, 1 Cor. 13:2.

Telesilla, si está nevando: sé consciente de que cada persona en tu vida es como un copo de nieve único, lleno de belleza e individualidad; prepárate cualquiera sea la temporada o estación para lanzarte a la cima de la montaña para una visita o un encuentro espiritual; permanece en una postura de humildad mientras desciendes la pendiente para tocar e impactar a los demás.

Telesilla: estar sentado en un telesilla indica que se ha entrado en una estación de refresco en la que tu visión pasará a un nivel superior.

Televisión: juego de palabras para una visión profética; poner en la «ventana de los ojos» cosas buenas o malas, Pr. 6:6-11; Sal. 101:3.

Televisión: soñar que estás viendo la televisión indica que tu mente está ocupada procesando e integrando muchos pensamientos, impresiones, expresiones, ideas e información. Tu alma (mente, voluntad y emoción) está programada para revelar lo que está ocurriendo en tu vida inconsciente. Si apareces en la televisión, entonces tienes un mensaje que transmitir al mundo, o quizás solo estás tratando de ser más abierto u objetivo. Si se trata de tu propio *reality show*, entonces las cosas que estás

viendo quieren manifestarse y hacerse realidad. Si la imagen es fantasmagórica o poco clara, no has conseguido la claridad necesaria en una situación de la vida, es hora de sintonizar, mirar de nuevo y ver más allá de lo natural.

Telón, abrir: abrir las cortinas sugiere la voluntad de revelar un aspecto oculto de uno mismo, como en el telón de la vida que se levanta sobre un nuevo y trascendental desarrollo personal o talento.

Telón, escenario: bajar el telón del escenario significa que ha llegado el momento de aceptar una decisión definitiva y de asumir las decisiones tomadas.

Temblar: sacudirse involuntariamente por miedo, frío o enfermedad, presagia un sentimiento de ansiedad debido a un entorno inseguro; el temor reverencial al Señor.

Temblar: tener frío o miedo ante una situación, Dios no nos ha dado un espíritu de temor; excitación, dar escalofríos o sentir escalofríos en la columna vertebral.

Temblor: la presencia del Espíritu Santo descansando sobre alguien puede hacer que su cuerpo tiemble o se estremezca. Verse temblando en un sueño indica que puede haber algún temor o ansiedad sobre cierta persona o situación. Una vibración rápida o un movimiento de sacudida, un temblor involuntario del cuerpo bajo la unción o durante un momento de miedo por estar abrumado por las emociones, un estremecimiento o agitación nerviosa o tensión, sentir incertidumbre o inseguridad. Preludio previo a un terremoto.

Temerario: puede indicar que tus acciones desafían al diablo a entrar en acción. También es posible que tengas que realizar acciones atrevidas para salir de una situación de riesgo.

Temor: indica que confías en tus propias habilidades limitadas para lograr cosas en la vida, estás ansioso y no tendrás éxito; no te apoyes en tu propia incomprensión y habilidades, sino reconoce el poder superior; el temor no es de Dios; pide la guía y la sabiduría del Espíritu Santo; ora para que lo que temes no te sobrevenga; determínate a confrontar y explorar lo desconocido. La ansiedad y el miedo paralizarán el impulso y el avance. Para superarlo debes abrazar abiertamente los cambios y enfrentarte honestamente a tu verdadero yo. Sé fuerte, audaz y valiente porque el Señor está contigo, 2 Tm. 1:7. La palabra ver: *ra'ah* está relacionada con la palabra temor: *yirah*, lo que sugiere que cuando realmente veamos la vida y a Dios tal como es, nos llenaremos de un temor reverencial y de asombro.

Temperamento: soñar con que tu temperamento es modificado sugiere que necesitas ser más moderado en tu enfoque de la vida y las relaciones. Sintoniza tu espíritu con Dios; aprenda a ser paciente, amable y sufrido. Tu disposición necesita ser atemperada por el Espíritu Santo para que puedas mantener la compostura, ya que tienes tendencia a enfadarte o alterarte con facilidad.

Tempestad: movimiento violento del viento del Espíritu Santo que causa un furioso alboroto o conmoción espiritual; tormenta de la tentación que se libera.

Templanza: autocontrol, moderación, dominio de la carne, el comer y el beber, Hch. 24:25; Gál. 5:23; Tt. 2:2.

Templo celestial: el verdadero santuario de Dios, Heb. 8:1-2; Apo. 11:19.

Templo pisoteado: ver el templo pisoteado por las naciones indica que estás siendo despojado o pisoteado, Lc. 21:24; Apo. 11:2.

Templo, atrio exterior: ver el atrio exterior sin medir representa la tribulación para los santos de Dios debido a que las naciones los pisotean, Mt. 5:13; Apo. 11:2.

Templo, medido: ver el templo siendo medido representa tu vida o la de una iglesia siendo comparada con el santo estándar de la perfecta Palabra de Dios, Apo. 11:1-2; Ef. 4:10-16.

Templo: el cuerpo físico de uno como templo del Espíritu Santo; inspiración, pensamiento espiritual, meditación y crecimiento; lugar de santuario, lugar sagrado y pacífico para buscar a Dios.

Temporizador: ver un reloj o usar un temporizador en un sueño indica que el tiempo se está acabando. Es el momento de tomar una decisión en un sentido u otro. Dios es el cronometrador más ultramoderno que existe. Él conoce tu principio y tu final. Estás midiendo los intervalos de tiempo. Es hora de cambiar lo que estás haciendo para regular o controlar tus actividades.

Temprano: soñar que llegas temprano por la mañana, antes de la hora habitual o señalada o antes de tiempo indica que estás ansioso y buscas diligentemente avanzar, prosperar o tener éxito.

Tenazas: indica que estás en proceso de preparación para la visita de un serafín ardiente. *«Y voló hacia mí uno de los serafines, teniendo en su mano un carbón encendido, tomado del altar con unas tenazas; ⁷y tocando con él sobre mi boca, dijo: He aquí que esto tocó tus labios, y es quitada tu culpa, y limpio tu pecado»,* Is. 6:6-7.

Tendedero: colgar la ropa en un tendedero sugiere que estás colgando cosas personales a la vista de todos. Estás revelando aspectos ocultos y exhibiéndote a ti mismo. La sabiduría popular dice: «No airees tus trapos sucios en público». Ten en cuenta el color y el tipo de ropa que se cuelga y la ubicación del tendedero. La ropa blanca en el patio trasero indica el deseo de limpiar o purificarse de algunos asuntos del pasado, especialmente si te sientes inocente.

Tendero: se relaciona con la forma en cómo estás supliendo tus necesidades o por quienes están siendo suplidas.

Tendón de la corva: en anatomía humana, un isquiotibial es cualquiera de los tres tendones contraídos por tres músculos posteriores del muslo (semitendinoso, semimembranoso y bíceps femoral), y el término también se utiliza a menudo para referirse a los propios músculos. Los tendones de los isquiotibiales delimitan el espacio que hay detrás de la rodilla; los músculos intervienen en la flexión de la rodilla y en la extensión de la cadera. Si sueña que tiene los isquiotibiales, significa que está sufriendo circunstancias vitales incapacitantes o un enemigo que le impide moverse sin mucho dolor y malestar.

Tendón: banda resistente y elástica de tejido fibroso que une los músculos con una unión ósea para permitir el movimiento; fuerza que mantiene unidas las cosas; tendencia a la cohesión para avanzar o permitir el avance.

Tenedor de plástico: alguien que está forjando una información falsa o falsificable.

Tenis de mesa: vacilar entre dos opiniones o pensamientos; indecisión, confusión o doblez, comprometerse a resolver las cosas mediante una volea espiritual, sin importar el tiempo que se tarde en ir y venir en la discusión.

Tenis sobre césped: ver una volea en esta pista de hierba indica que estás en proceso de asegurar un empleo provechoso con un amigo de confianza. Es importante devolver el bien y no el mal cada vez que puedas para seguir prosperando.

Tenis: se necesita un tiempo de respuesta rápida para poder anotar una volea; se juega en una cancha, podría ser una advertencia de un caso judicial que se mueve rápidamente o de acciones legales que se están llevando a cabo en tu contra, juega cerca de la red para desviar los disparos que entran. Los desafíos de la vida te exigen ser proactivo, asertivo y estar a la altura de las circunstancias una y otra vez; la volea representa devolver bien por mal, bendición por maldición, el ir y venir decisivo entre dos opiniones, la doble mentalidad, Mt. 23:11; sin compromiso; la pelota está en tu campo; usted tiene la ventaja; haga un movimiento; el cortejo romántico para anotar en el tenis se denomina «amor».

Tennessee: «Suena bien para mí»; «Sígueme a Tennessee»; El estado del voluntariado; El estado de la calabaza; Iris; Tomates; Piedra caliza; Peras.

Tenor: si sueñas que eres un tenor de voz aguda que canta en el rango de «Do», indica que tienes un don de sanidad que afectará a diferentes partes del cuerpo de las personas que necesitan curación. Si tus ojos se abren a las dimensiones del Espíritu verás una hermosa luz de unción de color rojo que se libera mientras trabajas con Dios. La tonalidad musical de «Do» libera sanación para los problemas de la sangre, los genitales, los ovarios y las enfermedades venéreas, los problemas de las piernas y los pies, los músculos, los intestinos y la parte inferior de los intestinos, así como los problemas que causan sobrepeso.

Tensiómetro: discierne el nivel o el tipo de poder que se libera; alma; espíritu; natural; espiritual o carnal.

Tentación: ejercitar la autocontención y el control, el pecado parece divertido por una temporada, pero luego se cosechan las penas; los celos traen división y desunión a los amigos.

Tentar: Mt. 22:18; Lc. 4:13; tentación al pecado, una prueba que demuestra el carácter moral de uno; Mt. 6:13 el Padre Nuestro, Snt. 1:13.

Teofanía: manifestación o aparición mística y divina de Cristo en el Antiguo Testamento, basada en la naturaleza de Dios y las enseñanzas divinas.

Tercer piso: verse en el tercer piso puede representar moverse en el Espíritu. Es importante establecer el temor del Señor en tu vida para empezar a entender su sabiduría. Cuanto más alto asciendas, más altos serán los niveles de la sabiduría y de entendimiento.

Terciopelo: los nuevos desarrollos en tu vida irán muy bien si adoptas un enfoque suave con los amigos y socios que están involucrados en este proyecto. Puede esperar recibir honores y riquezas de los compromisos comerciales.

Término: llegar a un acuerdo con alguien en un sueño indica que se avecinan cambios. Tendrá que cumplir o evitar las estipulaciones o condiciones que definen la naturaleza y los límites del nuevo acuerdo.

Termita: vienen a eliminar la madera muerta o las «obras»; los devoradores ocultos prosperarán por un corto tiempo; un ataque contra tu carácter o sistemas de creencias fundacionales que pululan hasta alcanzarte, Sal. 11:3.

Termómetro: ver subir el mercurio en este tubo de cristal indica que una situación se está calentando; alguien está poniendo a prueba tu paciencia; advierte de que el temperamento de alguien está subiendo; se necesitan cambios para mantener la paz y la salud emocional.

Ternera: darse un festín con este tierno manjar indica un mar de prosperidad y bendiciones.

Ternero: Becerro o toro joven, elefante o ballena. Aumentar; prosperidad; alegría; idolatría; falsa adoración; desorden; oraciones; alabanza; acción de gracias; Jer. 31:18. Ensanchar; prosperidad; juventud torpe; terquedad; oraciones; alabanza; acción de gracias.

Terneros, dolorosos: luz roja trae sanidad. Tensionarse, esforzarse o correr en tus propias fuerzas.

Terneros: camino espiritual

Terraplén: caminar o cabalgar a lo largo de un terraplén indica una lucha de contención o apoyo; el éxito; llega a través de la diligencia, la oración y el trabajo duro.

Terrateniente: la parte de uno mismo que siempre es racional, responsable y maneja las cosas, tiene el control, Mt. 21:33-41. Tendrás un negocio exitoso.

Terraza: ver una plataforma abierta, un paseo o una azotea externa en un sueño indica que Dios te está dando aumento en este tiempo de tu vida. Encontrarás una nueva libertad en los espacios abiertos donde reinará la paz. Verse en una terraza o terraplén que se ha creado en la ladera de una colina junto a un arroyo, lago o ribera simboliza una temporada de relajación y crecimiento espiritual. Eres una plantación del Señor.

Terremoto: sacudida de Dios; cambio o desplazamiento en la vida y en los fundamentos de cada persona; juicio; desastre; prueba; temblor; presencia de Dios, sacudida personal, de la iglesia o de los negocios en situaciones de la vida o en las finanzas; alivio abrupto de relaciones tensas; un cambio de pensamientos o creencias; realineamiento o movimiento espiritual que se avecina, Ez. 38:19.

Territorio: es una zona o región de tierra y aguas que no está bajo la jurisdicción de un estado, nación, soberano o reino. Cualquier área en la que se tiene la responsabilidad de gobernar o representar. Una esfera de interés o autoridad espiritual.

Terror: Dios no te ha dado un espíritu de temor; pide una mayor medida de fe para superar los obstáculos, la desilusión y la derrota.

Terrorista: la ira y la frustración están provocando una predisposición destructiva y violenta, así como sentimientos de resentimiento, odio o prejuicio; arrepiéntete y redirige tu poder de manera positiva y constructiva. Una persona o un grupo de personas que utilizan tácticas de miedo y violencia sistemáticas para llenar de terror a sus víctimas e intimidarlas para lograr un fin deseado. Una persona que está poseída o controlada por fuerzas demoníacas.

Tesoro: la bondad y la misericordia te seguirán todos los días de tu vida; la buena fortuna se apoderará de tu diligencia y generosidad; la sabiduría coronará tus esfuerzos; tus hijos serán felices y tendrán éxito; *«tu tesoro está donde está tu corazón»*, Mt. 6:21; Pr. 15:16, 21:20; el temor del Señor es un tesoro, *«Y reinarán en tus tiempos la sabiduría y la ciencia, y abundancia de salvación; el temor de Jehová será su tesoro»*, Is 33:6; *«El hombre bueno, del buen tesoro del corazón saca buenas cosas; y el hombre* *malo, del mal tesoro saca malas cosas»*, Mt. 12:35. Acumulación de riquezas ocultas en forma de joyas, monedas u otros objetos de valor; preciosas, raras, no ordinarias; contribuciones; la gloria del Señor Jesucristo, Dios, el Espíritu Santo, los dones espirituales y el poder, el entendimiento y el conocimiento, las personas, el amor y los seres queridos, los animales, la riqueza espiritual y mundana. La acumulación de riquezas ocultas en forma de joyas, dinero u otros objetos de valor; preciosas, raras, no ordinarias; regalos. Encontrar algunos recursos valiosos, habilidades y talentos ocultos o dones atesorados; enterrar el tesoro: planificar el futuro sin divulgar todos tus talentos, habilidades o capacidades a los demás.

Testamento: ver en un sueño un documento escrito en el que se estipula la disposición de los bienes personales después de la muerte, habla de una herencia que viene en camino. También sugiere que es importante asegurarse de que tu casa y tu vida están en orden. Un testamento es un documento o una declaración de tus creencias o convicciones. La Biblia, tanto el Nuevo como el Antiguo Testamento, es la verdad completa de Dios y la revelación de Jesucristo para la salvación del hombre.

Testículos: poder de reproducirse uno mismo; esperma; semillas; multiplicación; nuevas ideas; fertilidad; impulso o proeza sexual; testosterona; masculinidad; necesidad de gran fuerza, coraje o valentía; «tienes cojones»; uno necesita hacerse cargo de una situación; necesidad de cuidado y protección; abierto al daño o a las heridas; falta de testículos: se refiere a uno que es débil o cobarde.

Testificar, atestiguar: rendir cuentas de las propias acciones o revelar las acciones erróneas de otros, Dt. 17:6; se requería el testimonio de al menos dos testigos para condenar a un prisionero; un testigo falso recibiría el castigo que pretendía invocar sobre otro, Dt. 17:17; 19:19.

Testificar: testificar en un sueño indica que necesitas hacer una declaración de la verdad, una declaración juramentada seria o un hecho en tu vida personal. Posiblemente estás siendo llamado a ser un testigo de la verdad de Jesucristo en el mundo.

Testigo, contra ti: sembrará desconfianza y aumentará la discordia en las relaciones; observa de cerca y examina los hechos con cuidadosa objetividad; involúcrate; no veas pasar la vida.

Testigo: estamos rodeados de una gran nube de testigos; dar testimonio contra otros: vendrán decepciones y dolor a tu vida; cosechas lo que siembras.

Testimonio: establecer un hecho probado, Jn. 8:17, toda la revelación de la voluntad de Dios, Sal. 119:88; leyes escritas en tablas de piedra, Éx. 25:22; el Evangelio, 1 Cor. 1:6.

Texas: «Amistad»; Es como otro país; No te metas con Texas; Estado de la estrella solitaria; Lupines; Pomelo rojo; Madera de palma petrificada del oligoceno; Topacio azul de Texas.

Tez clara: si es de semblante claro: representa lo angelical, la alegría, la salud y la plenitud.

Tez oscura: si el carácter general es de semblante oscuro representa depresión o maldad.

Tía: Suele representar a la hermana de la madre o del padre, a la esposa del tío, a la persona que actúa como una hermana; no seas demasiado abierta o familiar con los parientes, no te expongas a ellos ni les demuestres demasiada apertura, cubre tu desnudez, Lev. 18:14, franca o crítica; un modelo de conducta; ilustra el éxito o el fracaso en la vida; elige tres adjetivos para describir el carácter de tu tía: ¿Qué tipo de persona es? ¿Cómo piensas, te relacionas o te sientes con ella? Anota el tipo de relación que tienes con ella; juego de palabras: «hormiga» (por la similitud en inglés entre *aunt* y *ant*) persona molesta o trabajadora.

Tiara: que una mujer sueñe con una tiara indica que tendrá que desarrollar la gracia y perfeccionar sus habilidades sociales para lograr sus objetivos o ser coronada con las ambiciones de su vida.

Tibio: sin emoción, indiferente, inamovible, impasible ante el llamado de Dios, Apo. 3:16.

Tiburón: ver un tiburón en un sueño indica sentimientos de ira, hostilidad y una feroz lucha emocional o amenaza contra una relación. Los tiburones tienen un apetito voraz, por lo que pueden representar la lujuria o la codicia sin escrúpulos que devora egoístamente lo que quieren o a quien quiere sin pensar en nadie más que en sí mismos. Un tiburón es un depredador sexual mundano que se alimenta de todo lo que puede conseguir. Es un espíritu sentencioso, de rebelión, de opresión que ataca a las personas sin miramientos; representan un enemigo formidable que trabaja celosamente contra ti, Is. 27:1.

Tiempo, reloj: si estás mirando el reloj, sientes que se te acaba el tiempo. Toma una decisión y avanza. Es más fácil dirigir un objeto en movimiento que alguien o algo que está quieto o sedentario.

Tiempo: el tiempo correcto en los sueños es a menudo difícil por lo que te recomiendo que leas mi libro: *When Will My Dreams Come True? Dream Interpretation Nuggets, Times and Seasons»*, para obtener una mejor comprensión de cómo discernir correctamente la revelación y el tiempo de tus sueños. Si el tiempo es en el pasado: entonces ya ha sucedido porque los resultados que se ven en el sueño han resuelto el problema o la pregunta; si el tiempo es en el presente: todavía estás esperando para ver si el soñador responderá correctamente para recibir la bendición; si es el tiempo futuro: a menudo es una visión que permite al soñador alinearse para un mayor aumento porque todavía no ha sucedido.

Tienda de comestibles: una tienda de comestibles es una tienda que vende principalmente alimentos. Verse a sí mismo en una tienda de comestibles indica que necesitas abastecerte de mucho alimento espiritual antes de que se te acabe la energía o la unción que te fue suministrada cuando te conectaste por última vez a la presencia de Dios.

Tienda de mascotas: tienda de artículos para mascotas, comida, vitaminas puede representar a alguien que está pescando cumplidos o un favor extendido o una palmadita en la cabeza, buscando amor o compañía que se puede comprar o poseer.

Tienda de ropa: en la tienda: significa que estás comprando una nueva imagen o identidad para que la gente te perciba con mejores ojos; deja de intentar encajar por la fuerza; sé genuino e increíblemente único; estudia una nueva línea de trabajo para adecuarte a una nueva posición o papel dinámico en la vida.

Tienda de segunda mano: obtener información valiosa de experiencias pasadas aparentemente sin valor; sacar provecho de sueños o habilidades olvidadas en circunstancias presentes.

Tienda, vacía: fracaso, o potencial para ser llenada buscando la sabiduría de Dios.

Tienda: buscar algo especial con intencionalidad.

Tienda: lugar temporal para vivir, móvil, vacaciones, avivamiento evangelístico, se mueve con la gloria de Dios, nómadas, errar por el desierto. lugar de encuentro de la gloria de Dios; los cambios temporales traerán la transición a un nuevo entorno; dificultades; problemas; movilidad; desarraigo de lo familiar; refugio portátil; vacaciones de lo habitual; falta de seguridad, inestabilidad e inseguridad; sin deseo de establecerse o comprometerse, forastero, nómada. 2 Cor. 5:1-6. Primeras viviendas del hombre, Gén. 13:5 utilizadas hasta que Israel entró en la Tierra Prometida; Pablo era fabricante de tiendas para mantenerse en el ministerio.

Tienda: si está lleno de mercancía: prosperidad, avance, disponible para uso futuro; una tienda de comestibles o de conveniencia: uno está psicológica y emocionalmente agotado, necesitado de alimento espiritual; compra de nuevas ideas, exploración de oportunidades u opciones disponibles.

Tierra para abono: un lugar o condición que es favorable al crecimiento, las semillas que has sembrado van a producir una cosecha aumentada o multiplicada. También puede representar que algo está lloviendo en tu sendero para alquitranar, ensuciar o manchar tu reputación con excrementos, suciedad o materia de desecho. Ciertas personas están jugando a ser crueles. Considera los diferentes tipos de tierra, poca tierra, tierra rocosa o buena tierra; el corazón o la vida de alguien en la que se puede sembrar para obtener ganancias, Mt. 13:5-8.

Tierra: el Mundo, Terra o Gaia es el tercer planeta del Sistema Solar y el más denso; además es el mayor de los cuatro planetas terrestres; La Tierra es conocida como el único cuerpo celeste que contiene la vida de más de ocho millones de especies; 7.200 millones de humanos. Soñar con el núcleo caliente y fundido de la Tierra indica que tienes cólera suprimida, emociones negativas e ira que está a punto de estallar como un volcán. Ver el planeta Tierra como un globo terráqueo indica que estás en una época de plenitud y pensando en las condiciones que están sucediendo a escala global. Ora por la paz de Jerusalén. Es hora de volver a la tierra. ¿Te has vuelto tan celestial que no eres bueno en la tierra? Pon tus pies firmemente sobre la Roca que es Jesús, Él es real, sólido, tierra estable. La tierra está firmemente colocada en su trayectoria orbital por Dios para que gire y funcione como está diseñada. Asegúrate de que tu vida esté centrada en Dios y todo lo demás se cuidará solo. Somos vasos de barro para contener la presencia, la gloria y el poder de Dios. «Pon los pies en la tierra», «no hay nada como nada en la tierra», «ve a la tierra». Gén. 2:11; 12:1.

Tierra: la tierra tiene campos para ser cosechados. Eres llamado a las naciones como evangelista o para llevar el arrepentimiento para sanar la tierra, *«si se humillare mi pueblo, sobre el cual mi nombre es invocado, y oraren, y buscaren mi rostro, y se convirtieren de sus malos caminos; entonces yo oiré desde los cielos, y perdonaré sus pecados, y sanaré su tierra»*, 2 Cr. 7:14. La tierra seca o estéril carece de la Palabra de Dios o de la unción. Tu alma tiene sed del Señor, *«Dios, Dios mío eres tú; De madrugada te buscaré; Mi alma tiene sed de ti, mi carne te anhela, En tierra seca y árida donde no hay aguas»*, Sal. 63:1.

Tiesto: símbolo del hombre formado del polvo y el barro de la tierra; vasija de cerámica o recipiente; Sal. 22:15; Pr. 26:23; Is. 45:9.

Tifoidea: necesidad de estar vigilante; fiebre infecciosa, observa con atención tu entorno; ten cuidado con los opositores o competidores que buscan tu desaparición.

Tifón: indica cambios rápidos y bruscos que provocan emociones destructivas o poderosas en tu vida. Ser arrastrado, tus fuerzas racionales y expresivas se acumulan para consumirte; demandas no deseadas; chantaje; ser presionado a algo que no quieres hacer.

Tigre blanco: nació sin color normal, generalmente blanco con rayas negras, aunque son una criatura hermosa en la naturaleza, en un sueño un tigre blanco puede representar brujería de alto nivel o magia blanca.

Tigre: fuerte motivación para cumplir con los instintos naturales básicos; domina; peligro; manda sobre los demás. Motivación para satisfacer los instintos básicos; peligro; domina a los demás mediante el terror y las amenazas intimidatorias de devorarlos o destruirlos; poderoso ministro del bien o del mal; tormento o persecución de un enemigo. Superar grandes adversidades, «el ojo del tigre»; un campeón que lucha por lo que es correcto, Pr. 29:25.

Tijeras: indica que eres capaz de tomar las decisiones precisas para hacerte una buena vida, eliminando los malos hábitos o a las personas que solo se dedican a consumir o abusar. Alternativamente, es posible que hayas sido insolente o grosero con tus amigos y necesites pedirles perdón antes de que te saquen de su círculo de influencia. Estás llamado a estar en la vanguardia del éxito y a caminar rectamente por el camino estrecho y menos transitado. Deja de lado las actividades infantiles y concéntrate en forjar un nuevo patrón para tu vida, Is. 18:5. Ver o usar tijeras en un sueño advierte de que alguien intenta desplumar, robar o engañar. Alguien quiere despojarte, privarte o despojarte en un escenario público, para desacreditarte y difamarte, para desvirtuar tu capacidad de prosperar y avanzar cortando tu influencia.

Tijeretas: superstición de que las tijeretas se meten en los oídos de las personas que duermen y les perforan el cerebro; persona que es contundente al captar la atención de la gente mediante la intimidación o el miedo; los apetitos no selectivos dañan o pueden ser una molestia para las relaciones; les gusta esconderse en la oscuridad y aislarse; cuando se les hace frente a los comportamientos básicos, emiten un olor desagradable o hacen un escándalo.

Timador: ver o ser un charlatán, una persona que practica la charlatanería médica o trucos similares con el fin de obtener dinero, fama u otras ventajas a través del engaño en un sueño es una advertencia para que cambies tus costumbres. Busca la sabiduría de Dios y pide discernimiento para evitar las artimañas del diablo. No dejes que la gente se aproveche de tu ingenuidad.

Timbal: este gran tambor hace un gran sonido por lo que advierte que no hay que vivir por encima de las posibilidades, no hay que presumir y alardear de las posesiones o talentos.

Timbales: medio; tabor; un antiguo instrumento de percusión; tambor.

Timbre: llamada de atención, nuevas oportunidades, se abren nuevas puertas, llegan más bendiciones, se responde a la llamada de Dios en la propia vida; los visitantes quieren ser admitidos.

Timbrel: es un pandero que simboliza la alabanza y la adoración a Dios, Is. 24:8; Gén. 31:27; 1 Sam. 10:5; Jb. 17:6.

Tímido: estar fácilmente asustado o tímido en un sueño te indica que tendrás éxito si continúas presionando hasta que puedas presentar tu plan con una confianza audaz; si los demás te evitan o actúan con miedo no apoyarán tus nuevos esfuerzos.

Tímido: ser tímido o tímida indica que eres consciente de ti mismo o que operas con un espíritu de temor.

Timón, roto: abstente de viajar.

Timón: los pequeños cambios y las decisiones sabias producirán el éxito, persiste en actuar como lo estás haciendo; se necesita una nueva dirección; guarda las palabras de tu boca, Snt. 3:4.

Timoteo: significa honrar a Dios; discípulo favorito de Pablo, 2 Tm. 3:15; convertido por Pablo; 1 Tm. 4:12.

Tinaja: ver una tinaja o cuba, un gran recipiente como una bañera, una cisterna o un barril, para almacenar líquidos en un sueño simboliza el útero y la necesidad de una sensación de seguridad. ¿Qué hay dentro de la tinaja? ¿Cómo te tratan en una relación o situación concreta? Si la cuba está vacía: este sueño puede reflejar tus sentimientos de vacío interior o emocional.

Tinta: ver tinta en un sueño representa la creatividad. Es una confirmación de que estás adoptando una nueva forma de ver las cosas. Si la tinta se derrama en el sueño, entonces simboliza una mancha o un problema menor. O tal vez estés a punto de ser expulsado. Por otra parte, la tinta también puede ser una metáfora referente a hacerse un tatuaje. Ver frascos de tinta en un sueño sugiere que la solución a tus problemas pronto se hará evidente.

Tinte: sustancia utilizada para cambiar o alterar el color de un artículo. Puede hacerse para cambiar la apariencia de uno para encajar en un grupo social deseado.

Tiña: advierte de una enfermedad menor; o de cuestiones de la cara que traen irritaciones a la carne.

Tío: el hermano de la madre o del padre, el marido de la tía; una dirección respetuosa a un hombre mayor por parte de los niños, un caballero mayor; uno que aconseja o el espíritu de consejo, buscar la sabiduría; están surgiendo nuevas ideas; Tío Sam, aspecto de uno mismo relevante para la persona con la que se sueña, tradición familiar, herencia o rasgo, se avecinan problemas, modismo, «oye tío», argot para rendirse, rendirse, rendirse o admitir la derrota gritando «tío»; «Tío Tom», ser servil o deferente.

Tiovivo o carrusel: los niños jugarán un papel importante en la felicidad que rodea tu vida.

Tira y afloja (juego de la cuerda): ser arrastrado en dos direcciones opuestas; doble ánimo; vacilante; espíritu competitivo, Ef. 6:12.

Tirano: trabajar para un tirano indica una temporada de persecución e infelicidad; ser un tirano: tienes hambre de poder y deseas el poder absoluto sin ninguna aportación o sugerencia del equipo; eres duro, riguroso y extremadamente denigrante, cruel y severo; ruega por misericordia porque una persona cosecha lo que siembra; puedes esperar ser una persona muy solitaria si no te arrepientes y cambias tu forma de actuar.

Tiranosaurio Rex: ser dirigido por tus deseos carnales; significa que tus mayores temores de que los demás se burlen, critiquen, falten al respeto o te hagan pedazos están llegando a ti, revisa tu comportamiento. ¿Estás ejerciendo un poder tiránico hacia los demás? Un gran dinosaurio carnívoro (comedor de carne) con una gran cabeza (gran cabeza de orgullo) y pequeños antebrazos (no ayuda a nadie).

Tirantas: ofrece un apoyo flexible; algo queda suspendido por un tiempo.

Tirantes: alinear dos partes, conectar o sujetar cosas, líneas escritas o impresas, construir o mantener erguida una estructura, prepararse o posicionarse para un impacto peligroso, alinear los dientes o el discurso para el éxito.

Tirar hacia arriba: utilizar la propia fuerza, determinación o talento para alcanzar el éxito; con un trabajo duro y constante llegarás a la cima; tirar de ti mismo por tus propios medios; levantarte y seguir adelante.

Tirar: estar agobiado por asumir demasiadas responsabilidades o estorbos para lograr algo productivo; ir más allá de tu zona de confort; priorizar y eliminar lo innecesario; tirar de tu propio peso; tirar de los hilos para conseguir favores, ser tirado en dos direcciones diferentes; tomar una decisión.

Tiro al blanco: prestar mucha atención a las aficiones personales; te has enfocado en un objetivo concreto; apunta con cuidado; avanza despacio y con paso firme hacia la consecución de tus objetivos; estás en el punto de mira; mantente en el camino del éxito; fallar en el blanco: significa un fracaso moral; mal juicio; oportunidades perdidas; no alcanzar un objetivo; es tu última oportunidad.

Tiro al plato: mantén los ojos en la meta; unos reflejos rápidos y una mirada concentrada en el objetivo te asegurarán el éxito; tiro seguro. Hay ocho estaciones, una casa alta y una casa baja. Los blancos se llaman palomas de arcilla. Representa el camino de la transformación hacia la santificación y una mente renovada. Debes estar relajado o relajada y sin ansiedad o, de lo contrario, te pondrás rígido y perde-

rás la oportunidad de alcanzar la meta propuesta.

Tiro con arco: Dar en el blanco de tu enfoque o diana significa que tu planificación estratégica cumplirá tus deseos en la vida.

Tirolesa, atascada: si no te mueves o estás atascado en la línea considera tus relaciones. ¿Alguien te ha enganchado a la línea, pero la relación no avanza? ¿Necesitas un empujón grande o pequeño para desatascarte y moverte positivamente hacia delante?

Tirolesa: si en tu sueño te estás tirando de una tirolina, indica que estás en un viaje de ida, que te diriges hacia abajo, que te mueves a un ritmo muy rápido y que llegarás al final muy pronto. Necesitas obtener una nueva perspectiva o hacer una revisión de las situaciones de tu vida ahora mismo antes de que sea demasiado tarde. No dejes que la vida te pase de largo.

Tirón: tirar repentinamente de algo con mucha fuerza. Palabra de argot para referirse a un yanqui.

Tisú ver o usar pañuelo de tisú o pañito húmedo en un sueño indica que es hora de dejar ir el pasado y seguir adelante. Es necesario afrontar los problemas actuales para poder avanzar.

Titanic: mega ministerio o corporación que se hunde por problemas financieros, morales, espirituales o administrativos.

Titanosaurio: ver un este enorme dinosaurio fuertemente armado sugiere que hay que prepararse para un fuerte conflicto o batalla personal en un futuro próximo.

Titiritero: pregúntate quién me controla o mueve los hilos detrás de la escena. ¿A quién intentas controlar? Una cabeza hueca que está diseñada para ser manipulada por las manos de otros, asegúrate de que estás pensando por ti mismo y no te conviertes en la marioneta de cabeza hueca de alguien.

Titular: tu subconsciente está tratando de comunicarte un mensaje valioso para que seas un éxito monumental en tu diario vivir.

Título: papel o contrato firmado que autoriza a los firmantes a poseer o ser propietario de un bien determinado. Nombre identificativo que se da a un libro o a una película, etc. Apelación formal que se da a una persona o a una familia en virtud de un cargo, un rango o un privilegio hereditario, uno de nacimiento noble, sensación de tener derecho a un trato especial. Una advertencia de que alguien puede estar tratando de etiquetarte con un nombre estereotipado o una discapacidad.

Tiza: una pizarra con tiza indica que tus planes pueden borrarse muy fácilmente, por lo que debes replantear tus planes.

Tizón: Plaga o enfermedad que afecta a varias especies de plantas, indicada por hojas secas o descoloridas que, en última instancia, puede limitar el crecimiento futuro. El pecado que ha contaminado la tierra puede afectar negativamente a las futuras generaciones. La necesidad de arrepentirse y orar: *«si se humillare mi pueblo, sobre el cual mi nombre es invocado, y oraren, y buscaren mi rostro, y se convirtieren de sus malos caminos; entonces yo oiré desde los cielos, y perdonaré sus pecados, y sanaré su tierra»*, 2 Cro. 7:14.

Toalla mojada: indica que alguien ha sido lavado o limpiado por el lavado de la Palabra o acaba de ser bautizado y ha utilizado la toalla para secarse. Malas o negativas, ninguna aportación de diversión que parece impedir que los demás se diviertan. Una toalla mojada apaga el fuego, por lo que también puede representar un espíritu religioso que intenta apagar la pasión de alguien por Dios.

Toalla: es el momento de limpiar algunas situaciones pasadas y asuntos personales; perdonar y olvidar, dejar atrás lo pasado; tirar la toalla en algunos viejos problemas o relaciones muertas; rendirse; encontrar una nueva resolución; ajustar tus emociones y seguir adelante; empezar de nuevo y limpiar; ajustarse a este nuevo período de transición. Jn. 13:4.

Tobillera o esclava: las decisiones de la vida afectarán a tu caminar en la vida.

Tobilleras: paseo de la fe; la fe débil se hace fuerte; el poder curativo de Dios es necesario para sanar una pobre imagen de sí mismo. Ez. 47:3; Hch. 3:7. La luz roja trae la curación.

Tobillos: En un sueño los tobillos se relacionan con el camino de la fe. Usted está siendo llamado por Dios para aumentar su fe y entrar en las cosas más profundas y ocultas en el reino del Espíritu.

Tobogán: verse en un tobogán, un simple trineo sin corredores ni esquís, sugiere que se encuentra en un período de transición cuesta abajo y puede sentir que no tienes una dirección clara en este momento. Las transiciones son siempre difíciles, así que descansa y confía en la guía del Señor. Él conoce los planes de éxito que tiene para ti. Cuando el Espíritu Santo haya terminado contigo, te sentirás como en un juego de niños.

Toboganes: por lo general, los toboganes se encuentran en parques, escuelas, patios de recreo y patios traseros. Pueden ser de plástico o de metal. Soñar con un tobogán es una advertencia a tener cuidado con resbalar rápidamente o deslizarse con facilidad desde un lugar alto de influencia, pues eventualmente podrías estrellarte contra el suelo.

Tocado: has estudiado para mostrarte apto; gran honor y respeto serán tuyos cuando salgas airoso, por encima de los demás, usando tus rápidas facultades mentales.

Tocar: hacer contacto físico o emocional con una persona para comunicar tus sentimientos o decisiones; concerniente; Lev. 5:13; Sal. 45:1; Mt. 18:19.

Tofu: toma la influencia o el sabor de lo que está cerca; compromiso o adaptable; sustituto de la carne; fácil de digerir.

Tolerante: si te ves a ti mismo coludiendo o permitiendo deliberadamente que se practiquen o se continúen con cosas que desapruebas, es una señal de que has bajado tu guardia moral y tu estándar ético. *«porque de buena gana toleráis a los necios, siendo vosotros cuerdos. Pues toleráis si alguno os esclaviza, si alguno os devora, si alguno toma lo vuestro, si alguno se enaltece, si alguno os da de bofetadas. Para vergüenza mía lo digo, para eso fuimos demasiado débiles. Pero en lo que otro tenga osadía (hablo con locura), también yo tengo osadía»*, 2 Cor. 11:19-21; Apo. 2:2, 20.

Tomahawk (hacha de guerra): juego de palabras con el misil *tomahawk,* un misil tierra-aire; guerra espiritual a través de la intercesión que envía ángeles guerreros equipados con la Palabra de Dios.

Tomar el sol: verse tomando el sol indica un tiempo de descanso, de relajación en las vacaciones mientras se disfruta de la presencia del Sol de Justicia.

Tomarse de la mano: tomarse de la mano con una determinada persona indica que se tiene algún tipo de relación o que se está de acuerdo con ella. ¿Cómo pueden dos caminar juntos si no están de acuerdo?

Tomás: fue uno de los doce discípulos; Dídimo que significa el gemelo; doblez de Tomás.

Tomates: bondad y generosidad; si te los lanzan: desaprobación o desgracia pública; Tennessee; Arkansas; Florida; California.

Tomillo: valor y actividad.

Topacio: Simeón, pureza, buenos frutos y espíritu pacífico, misericordia, corazón apacible, el que escucha al Espíritu Santo y obedece, sabiduría, equilibrio, conocimiento y comprensión espiritual, segunda piedra de la primera fila del pectoral del sacerdote; novena piedra fundacional de la Nueva Jerusalén, cántaro y daga, puertas de la ciudad, luchadores espirituales, Cl. 1:9, Snt. 1:5, 3:17. Éx. 28:17, 39:10, Jb. 28:19, Ez. 28:13, Apo. 21:20 una piedra verdosa. El topacio puro es incoloro y transparente, pero suele estar teñido de impurezas; el topacio común es de color vino, amarillo, gris pálido, naranja rojizo o marrón azulado. También puede ser blanco, verde pálido, azul y dorado, rosa (poco frecuente), amarillo rojizo u opaco a transparente-traslúcido. El topacio naranja, también conocido como topacio precioso, es la piedra que representa el nacimiento tradicional de noviembre, símbolo de la amistad y la belleza, y piedra preciosa del estado de Utah.

Topless: estar en topless en un sueño indica una postura abierta que está dispuesta a dar amor y consuelo a los demás; aunque tu potencial es ilimitado, puedes alcanzar un gran éxito; tus puntos de mira se extienden más allá de lo normal. Por el contrario, puede indicar una falta de contención, un espíritu libre, una voluntad de exponerse o estar descubierto o desprotegido. No tener la parte superior cubierta, significa que estás dejando expuesta una parte de tu ser a los demás; ascender tan alto que parece interminable o perderse de vista.

Topos: los enemigos no descubiertos saldrán a la superficie.

Torbellino: Medio utilizado para trasladar a los profetas, 2 Re. 2:11, Elías fue arrebatado al cielo; el Señor responde; el juicio trae la promoción; un embudo de aire tumultuoso, confuso y apresurado sobre lugares secos, polvorientos y estériles; una fuerza o cosa destructiva; elimina a los malvados. Un cielo abierto que trae los carros de Dios, los ángeles y el conocimiento de la revelación, un manto nuevo está cayendo, la unción profética, permanecer en el ojo de la tormenta para entrar en el descanso y la paz, el poder de la resurrección. Pr. 1:27; 10:25; Jb. 38:1; Is. 5:28; 17:13; Zc. 7:14; Sal. 58:9.

Torbellino: un torbellino es un vórtice que forma un remolino. Un cohete con un patrón de vuelo en espiral. Espera algunos vientos de oposición. Si te mantienes con los pies en la tierra, vencerás.

Torcido: distorsionado; no recto, alguien que tiene intenciones malas o engañosas, un ladrón. Is. 40:3-4; Lc. 3:4-5.

Tormenta de arena: confusión, distracción, juicio, un torbellino busca meterse en el ojo pacífico de la tormenta.

Tormenta de arena: temporada de pruebas en el desierto para aprender a escuchar la voz de Dios por uno mismo, Sal. 83:13-15.

Tormenta de granizo: efusión enérgica de emociones heladas; precitación, una fuerte lluvia o tormenta espiritual; gran dificultad; juicio una plaga bíblica, Jb. 38:22-23.

Tormenta eléctrica: también conocida como descarga eléctrica, relámpago o trueno, es una tormenta caracterizada por nubes cumulonimbos, fuertes vientos, lluvia intensa, nieve, aguanieve y granizo. Los relámpagos y truenos tienen efectos acústicos en la atmósfera terrestre. Estas tormentas eléctricas pueden formar una línea llamada borrasca que supone un gran peligro para las poblaciones y los bienes inmuebles. Las grandes ráfagas de viento sueltan granizo y provocan inundaciones repentinas con fuertes precipitaciones. Las tormentas eléctricas son capaces de producir tornados y trombas de agua. Si sueña con una tormenta eléctrica es importante que se prepare para afrontar las fuerzas destructivas de la vida.

Tormentas: el color representa la fuente; el blanco es Dios trayendo cambios; el oscuro o negro es la devastación y destrucción ominosas de las fuerzas del mal, Jb. 21:28; 27:21; Sal. 55:8; 83:15; 107:29; 148:8; Is. 28:2; Mc .4:37; Lc. 8:23.

Tornado, blanco: Dios está trayendo un fuerte y poderoso viento de cambio a tu situación, una columna violenta y giratoria del Espíritu que libera un gran cambio; una fuerza espiritual y un poder angélico que viene del cielo a la tierra, Sal 55:8.

Tornado, oscuro: guerra espiritual; juicio; brujería; destrucción grande o violenta.

Torneo: verse a sí mismo y a otros en una competición que implica un número relativamente grande de competidores, todos participando en el mismo deporte o juego, indica que tiene una naturaleza altamente competitiva y voluntad de ganar. Tienes un excelente conjunto de habilidades que te permiten llegar a la cima por encima de casi todos los demás. Recuerda que debes ser humilde y ayudar a los más pequeños, o tu éxito será en vano.

Tornillo: actuar en lugar de otro; juego de palabras. La firmeza de Dios en ti. *«Te he inscrito en las palmas de mis manos»*, Is. 49:16.

Tornillos: sensación de estar presionado en una mala situación; ser utilizado; que te «pongan los tornillos»; que se aprovechen de ti; pensamiento retorcido; error; argot: «estar jodido».

Torniquete: restricción o banda que se aplica con seguridad para cortar temporalmente el flujo de sangre; alguien o algo intenta cortarle a uno su fuente de vida, provisión o ingresos; se utiliza para impedir que el veneno o la infección se disemine por el cuerpo.

Torno del alfarero: Dios te está moldeando y convirtiendo en una hermosa vasija de honor para Su uso, Rom. 9:21; Jer. 18:6.

Toro: persecución; castigo; conflicto; acusación; difamación; un ataque peligroso; aumento económico-financiero; reproducción; fuerza de protección; mercado de toros; guerra espiritual, oposición, espíritu de anticristo que resiste y combate la unción; falsa profecía; 1 Re. 22:11, calumnia, acusaciones, amenaza. Sal. 22:12, orar para vencer un espíritu de intimidación, Sal. 12:5.

Toronja: uno necesita ejercitar el autocontrol; fruta usada a menudo cuando uno está en una dieta restringida; también puede representar la amargura.

Torpedo: la Palabra de Dios que limpia o lava la mente de alguien al dar en el blanco.

Torpeza: la falta de seguridad indica que una situación o relación no avanza con fluidez; tómate las cosas con calma.

Torre de control: soñar con este puesto de mando que regula el tráfico aéreo sugiere que eres es capaz de controlar y derribar las imaginaciones vanas que intentan levantarse contra el verdadero conocimiento de Dios. Tiene una visión general de tus situaciones cotidianas.

Torre Eiffel: simboliza una sólida relación romántica con un fuerte sistema de apoyo, una buena amistad que dará fuerza y longevidad a tu vínculo. Está situada en París, Francia.

Torre: seguridad, provisión, refugio de las tormentas de la vida; fortaleza; grandes esperanzas o aspiraciones; lugar de observación; elevarse por encima de las situaciones. Un refugio que ofrecía una amplia visión a los vigilantes; Is. 5:2; 30:25; Jue. 9:51; Mt. 21:33; Pr. 18:10; Cnt. 4:4; Jer. 6:27; Mi. 4:8; Sof. 3:6.

Torrente: un diluvio o inundación furiosa del Espíritu; una corriente rápida y turbulenta de limpieza o el mover de Dios.

Torso: el cuerpo principal; la figura de un tronco humano con la cabeza y las extremidades retiradas indica una incapacidad para pensar en las cosas, o para pedir ayuda, o asistencia en el momento en que se necesita; incapacidad o dificultad para alcanzar los objetivos; famoso estado de Venus, diosa del amor.

Torta: sabroso tipo de pastel de pan hecho con muchos huevos y poca harina y que suele contener nueces picadas. Las palabras y acciones dulces dan buenos resultados en la vida. Sembrar la bondad.

Tortellini: tipo de pasta italiana pequeña y rellena como una bolita de masa. Espera grandes amigos, compañerismo y un posible encuentro romántico.

Tortilla: tipo de pan redondo, fino y sin levadura que suele estar hecho de harina de maíz o de harina de trigo para servirlo caliente con diversos aderezos de carne picada o queso.

Tórtola: Sal. 74:19; Lev. 12:8; Lc. 2:24; los pobres la usaban como sacrificio. Alguien que derrama su corazón ante Dios.

Tortuga de caja: persona que se cierra cuando se le presentan nuevas ideas; teme aventurarse más allá de sus límites seguros.

Tortuga de mar: eres cuidadoso y cauteloso cuando debes compartir tus emociones o ventilar alguna información protegida con una audiencia en particular.

Tortuga: la lentitud y la constancia ganan la carrera. El movimiento de una tortuga es muy engorroso en tierra, ya que tiene que cargar con un gran y pesado caparazón óseo en la espalda, en el que puede retraer la cabeza, las patas y la cola. Esto puede representar a alguien que se esconde o se cierra cuando se le enfrenta o se le corrige. Pero en el agua las tortugas son rápidas y acrobáticas, y fluyen con la ola del Espíritu.

Tienen la gran capacidad de ascender y descender a grandes profundidades, también pueden respirar la frescura del Espíritu mientras siguen sumergidas en la Palabra, Snt. 1:19. Se retira fácilmente cuando encuentra corrección, conflicto, confrontación o resistencia; es egoísta; se mueve lentamente, Lev. 11:29; «gran lagarto», lagarto árabe; reptil de dos pies de largo que se mueve lentamente y es impuro.

Tortura: aprovecharse de alguien; ser llevado al límite; situación o relación abusiva; sentirse señalado o avergonzado.

Tos: el momento de expulsar algo que has estado reteniendo, dejarlo ir y limpiar tu corazón.

Toser: algo no ha sido resuelto favorablemente, intentas rechazar o expulsar el temor, la decepción o el disgusto del futuro, permite que se formen límites seguros, aléjate de las cosas que molestan, no tomes decisiones hasta que tengas paz.

Tostado: ser «calcinado» por la unción de Dios; palabra probada en el fuego.

Tótem: es el momento de romper con las tradiciones establecidas y forjar un nuevo camino o dirección en tu vida; utiliza tus habilidades creativas para diseñar o rediseñar las circunstancias actuales de la vida.

Touch-and-go: te sientes inseguro sobre tu futuro incierto, tu enfoque ha sido demasiado casual, presta toda tu atención a la oración y a la búsqueda de la guía de Dios hasta que seas capaz de obtener la paz para proceder.

Touchback: una jugada en el fútbol americano en la que un jugador vuelve a cubrir y a tocar el balón en el suelo detrás de su propia línea de gol después de que éste haya sido movido hacia o más allá de la zona de anotación por un jugador del equipo contrario. Es posible que hayas sufrido algún contratiempo en el momento de marcar tus goles, pero con paciencia y trabajo duro recuperarás todo el terreno perdido.

Touchdown: una jugada en el fútbol americano que vale seis puntos y que se consigue al estar en posesión del balón cuando se declara muerto sobre o detrás de la línea de gol del equipo contrario. El momento en que una aeronave toca o hace contacto con la tierra u otra superficie terrestre después del vuelo. Tu trabajo duro y tu diligencia han dado sus frutos al alcanzar tus objetivos. ¡Has marcado!

Town, ocupado: una naturaleza social cálida disfruta del compañerismo.

Trabajador de carnaval: escapar de la realidad o entrar en el campo del entretenimiento.

Trabajador social: tienes el deseo de ayudar a la humanidad por medio del servicio, don de ayuda u hospitalidad; tienes dones administrativos y te gusta organizar eventos y trabajar para mejorar las condiciones sociales de una comunidad, iglesia u organización social.

Trabajo antiguo: volver a un antiguo trabajo en un sueño puede indicar que añoras el pasado, cuando las cosas eran más cómodas o seguras. Deja de mirar hacia atrás, disfruta del presente y planifica el futuro.

Trabajo de parto, prematuro: soñar que alguien entra en labore de parto antes de tiempo implica que tú necesitas una mejor preparación para los desafíos inesperados que pudieran sobrevenirte.

Trabajo, actual: preocupaciones o inquietudes sobre tu empleo actual, temor a ser despedido, necesidad de mejorar tu ética laborar y tu eficiencia, no procrastinar ni tomar atajos, dar más de lo que se espera para llegar a la cima en la gestión; deja tu trabajo en el trabajo y no lo lleves a casa. Evita ser un adicto al trabajo ni te preocupes en exceso por el mismo, balancéalo con un poco de ocio y relajación.

Trabajo, actual: si sueñas con tu lugar de trabajo actual indica un nivel de ansiedad sobre la posibilidad de éxito, o sobre un proyecto o tarea existente que necesitas «volver a repetir»; acelerar el ritmo y dejar de holgazanear, no más procrastinación.

Trabajo, buscando: se necesita un cambio para avanzar, sensación de frustración y deseos insatisfechos en la actualidad.

Trabajo, despedido: ser despedido del trabajo indica que tienes miedo de perder tu seguridad laboral, o que podrías ser reemplazado fácilmente.

Trabajo, entrevista: soñar que tus calificaciones son evaluadas formalmente como posible estudiante o empleado en una entrevista de trabajo, indica que pronto se te presentará una nueva oportunidad o promoción. Es el momento de aprovechar algunos de tus dones o talentos ocultos, a fin expandir tu influencia, aumentar tu sueldo o aprender un nuevo oficio.

Trabajo, pasado: soñar con un trabajo pasado sugiere que estás repitiendo un error anterior en lugar de aprender de un período anterior de fracaso.

Trabajo, perder: indica que tienes falta de inspiración, temor al rechazo, inestabilidad, falta de autoestima e inseguridad; apliquese de modo que sea alguien invaluable

Trabajo: soñar que tienes que trabajar sugiere que tus objetivos te costarán mucho trabajo. Jer. 6:24; si una mujer sueña que está de parto indica su deseo de estar embarazada y de formar una familia. Si estás embarazada, el sueño sirve de ensayo para el parto real. El sueño es una manera de prepararte mentalmente para el parto y la respiración adecuada.

Trabajos en la carretera: construcción o reparación de caminos que duran mucho tiempo o correr

en el camino por una larga distancia para ganar una mejor condición física. Usted está llamado como evangelista a viajar por las carreteras y caminos de la vida para impeler a la gente a entrar por la puerta estrecha o a viajar por la carretera de la santidad, Is. 35. Toma el camino menos transitado porque lleva a la eternidad. *«Porque estrecha es la puerta, y angosto el camino que lleva a la vida, y pocos son los que la hallan»,* Mt. 7:14.

Tractor: ministerio de evangelización y cosecha; agricultor espiritual; sembrador de semillas; poder en el Espíritu; lento pero poderoso, 1 Re. 12:18; 2 Re. 2:11-12, 10:16; Sal. 104:3; Hch. 1:8; 4:33, 8:28-38; 1 Tes. 2:18; ingenioso; fijación de metas u objetivos elevados.

Tractor-remolque: lleva grandes cantidades de bendiciones, recursos o cargas; gran trabajo. 2 Sam. 6:3; Hch. 5:14.

Tráfico: el paso de una persona, vehículos o mensajes a través de las vías de transporte; el ajetreo de la vida; la cantidad de vehículos en la vía rápida que van con el flujo rutinario; el trato entre grupos o individuos que se sienten atascados, bloqueados o no pueden llegar a su destino en la vida; llevar tráfico: viajar por caminos difíciles con muchas dificultades; frustración, las cosas no van tan bien como se desea; comerciar o hacer trueque, un intercambio comercial de bienes; dirigir el tráfico: la autoridad y el poder de realizar los cambios necesarios para que vuelva a existir un flujo productivo; capaz de eliminar el atasco para posicionar a otros para el éxito.

Traidor: acusado de ser: culpable de cometer un pecado, vergüenza por una acción incorrecta; ver a un traidor: sentirse traicionado, defraudado o decepcionado por los amigos o la familia.

Tráiler: un tráiler suele ser un lugar de transición para vivir hasta que se cambie a una casa o vivienda más importante. Dado que un remolque es tirado por otro vehículo, es posible que te sientas agotado o abrumado en tu actual parcela de vida. Necesitas desarrollar tu capacidad de liderazgo y dejar de ser un seguidor. Te sientes agobiado, trabajas duro y actualmente estás sufriendo, penuria, siempre llevando la retaguardia y nunca la cabeza. Un periodo de transición, las preocupaciones aumentan, te siente sobrecargado, llevas demasiado peso o preocupaciones, falta de fondos, recursos limitados, te queda atrás; eres un seguidor y no un líder; estás a la espera de que cambien muchas circunstancias; es transportado, mensaje visual o anuncio, transitorio; temporal; circunstancias definidas; película en blanco al final de la bobina; transportar o ser transportado por un remolque.

Traje de baño: te sientes descubierto, expuesto o emocionalmente vulnerable. Considera cómo te ves y te sientes en el traje de baño. Si te sientes cómodo, el traje de baño denota una vida de tranquilidad, diversión vacacional bajo el sol, relajación y ocio. Si se siente incómodo, el traje de baño representa una falta de confianza en sí mismo. Llevar un traje de baño en una ocasión inapropiada es similar a no estar preparado, ser demasiado informal o estar desnudo en un sueño. Verse con un traje de baño o una prenda de una sola pieza o un traje de sol que cubra la mayor parte del torso, pero no las extremidades, indica que se está listo para saltar a las profundidades y estar inmerso en la presencia del Espíritu Santo.

Traje de boda: Mt. 22:11, el anfitrión de la boda proporcionaba vestidos a sus invitados, que debían llevarlos para asistir al banquete de bodas.

Traje de nieve: es un overol de invierno con cremallera; simboliza el tratar de protegerse de un entorno frío o peligroso; defiende o protege tus emociones, ya que los obstáculos naturales o las limitaciones físicas van a tratar de limitar tu progreso.

Traje: estar unido integralmente tanto en la forma como en la función; procedimiento de cortejo; cortejar a una mujer; inaceptable; hacer apropiado; «adaptarse»; seguir el ejemplo de uno.

Trajes: soñar que lleva un traje de negocios indica que usted es un profesional hábil que desea ser reconocido, acreditado y renombrado por sus poderosos dones y habilidades.

Trampa de miel: sea consciente de que alguien está tratando de manipularte o atraparte mediante dulces palabras persuasivas o seductoras. Un poco de miel hace mucho, demasiada provoca un malestar estomacal. La miel atrapa las moscas que representan la mentira. *«Del que come salió algo para comer, y del fuerte salió algo dulce».* Jue. 14:14; Dt. 32:13 la miel representa la unción; *«Los juicios del Señor son más dulces que la miel»*, Sal. 19:10; *«Sabe que la sabiduría es (como la miel) para tu alma; si la encuentras, entonces habrá un futuro, y tu esperanza no será cortada»*, Pr. 24:14.

Trampa para ratas: poner o atrapar una rata en una trampa indica que te librarás de una persona molesta y devoradora que siempre está consumiendo tus recursos. Te encuentras en un lugar o situación que parece no tener apertura o vía de escape. Cuando la tentación venga, Dios proveerá una vía de escape, 1 Cor. 10:13.

Trampa: los planes de un enemigo para atraparte en el pecado mediante un hábil engaño. Pecado, lujuria juvenil, persecución de los propios deseos, legalismo o espíritu religioso, ira, celos, envidia, control, Sal. 91:3; 106:36; 18:5; 2 Sam. 22:6. Una trampa se ceba para atraparte, Am. 3:5; Sal. 69:2; peligro, Jer. 5:26; Rom. 11:9; Sal. 142:3; Jb. 18:9-10; truco. Pr.

29:25; Lc. 21:34 la disipación y la embriaguez son una trampa.

Trampilla: ver una trampilla con bisagras en el suelo es una advertencia para caminar con precaución para evitar una trampa o un engaño de un enemigo. *«Mirad también por vosotros mismos, que vuestros corazones no se carguen de glotonería y embriaguez y de los afanes de esta vida, y venga de repente sobre vosotros aquel día»*, Lc. 21:34.

Trampolín: estás siendo elevado a un nuevo nivel en un foco público donde harás una declaración formal y tomarás una posición antes de sumergirte en aguas profundas de controversia. Los altibajos de la vida te han permitido desarrollar una perspectiva equilibrada; la capacidad de recuperarte cuando te derriban; la flexibilidad; permitir a los demás su espacio en las relaciones; el «efecto goma» de dar y recibir. Sugiere que se está haciendo un espacio para avanzar y tomar posesión de una meta o de alguna propiedad. Es el momento de que se produzca un ascenso largamente esperado. Has puesto una buena base y ahora viene el aumento.

Trance: caer; ser sobrepasado por la presencia y la inspiración divinas; un estado de sueño, letargo y visión en el que la conciencia del reino natural retrocede y el reino sobrenatural despierta tu conciencia a su innegable, discernible y tangible existencia, Hch. 10:10; Pedro-limpio e impuro; el sueño profundo de Abram; Balaam, Saúl, Ez. 3:15-22, se sentó asombrado siete días; Pablo recibió su comisión.

Transexual: transición en la forma de verse a sí mismo; la imagen de uno mismo puede haber sido dañada; predisposición a querer convertirse en un miembro del sexo opuesto; cambio de sexo quirúrgico externo con inyecciones de hormonas; miedo al fracaso en cuanto a la propia masculinidad o feminidad a través de un comportamiento pasivo o agresivo; búsqueda de la aprobación y validación de los padres.

Transfiguración: tu fe en Dios te transformará y elevará por encima de las opiniones y limitaciones del hombre; estar entre hombres prominentes y respetados, creciendo en honestidad, integridad y carácter; metamorfosis; transformación radical; emanación del resplandor de la persona de Jesús.

Transfusión de sangre: regeneración; salvación; nueva vida; rescate; liberación. Lev. 17:11a.; Gén. 4:10; Apo. 6:10; Sal. 106:38; Mt. 27:25; relación.

Transfusión: recibir una transfusión de sangre en un sueño indica que necesitas una línea de vida o una inyección espiritual de Dios para sostenerte durante una temporada difícil o para sanar tu cuerpo enfermo.

Transgénero: es una persona a la que se le asignó

un sexo al nacer basado en sus genitales, cuya identidad no se ajusta decididamente al concepto convencional de los roles de género masculino o femenino, sino que combina o se mueve entre ellos. El estado de la propia identidad de género o expresión de género no coincide con el sexo biológico asignado. Este símbolo puede representar tu capacidad para llevarte bien, relacionarte o ser un puente de comunicación entre ambos géneros. Sabe cómo comunicarse con ambos sexos.

Tránsito: estar en un estado de transición para servir abiertamente al Señor en un nuevo lugar; ser llamado a la arena comercial. Maduramos en Dios de poder en poder y de gloria en gloria. La vida es una serie de transiciones constantes a medida que progresamos por encima, por medio, o a través de estar posicionados para avanzar en un camino más alto. La transmisión de la bondad y la sabiduría de Dios se encuentra entre la salida de una fase de transición para entrar en la siguiente. El paso de los cuerpos celestes de lo visible a lo invisible.

Translúcido: Soñar que algo es translúcido indica un don espiritual para discernir el nivel de apertura de alguien. Usted es capaz de ver a través de las agendas de las personas, los defectos de carácter y sus motivos ocultos. Así, el sueño puede simbolizar tus acciones y tus verdaderas intenciones o las de ellos. Por el contrario, si algo es translúcido, representa la inocencia, la claridad y la comprensión. *«Porque nada hay encubierto, que no haya de descubrirse; ni oculto, que no haya de saberse. Por tanto, todo lo que habéis dicho en tinieblas, a la luz se oirá; y lo que habéis hablado al oído en los aposentos, se proclamará en las azoteas»*, Lc. 12:2-3.

Transmisión: el cambio viene por fases, dirección, velocidad o progreso; nuevo nivel de aceleración, Rom. 12:2; reparar una transmisión: regularse, afinarse o marcar el ritmo; escuchar el consejo de Dios; se necesita una comunicación abierta.

Transparente: soñar que algo es transparente indica sentimientos de exposición, apertura sin planes ocultos, pero verdadera vulnerabilidad. Usted es capaz de ver a través de las agendas de las personas, los defectos de carácter y sus motivos ocultos, son muy evidentes para usted. Por lo tanto, el sueño puede simbolizar tus acciones y tus verdaderas intenciones o las de ellos. Por el contrario, si algo es transparente, representa la inocencia, la claridad y la comprensión. *«Así que no les tengan miedo; porque no hay nada encubierto que no llegue a revelarse, ni nada escondido que no llegue a conocerse. Lo que les digo en la oscuridad, díganlo ustedes a plena luz; lo que se les susurra al oído, proclámenlo desde las azoteas. No teman a los que matan el cuerpo, pero no*

pueden matar el alma.[a] *Teman más bien al que puede destruir alma y cuerpo en el infierno»*, Mt. 10:26-28; *«Tal vez disimule con engaños su odio, pero en la asamblea se descubrirá su maldad»*, Pr. 26:26; *«Cuando Jesús vio a Natanael que se le acercaba, dijo de él: He aquí un verdadero israelita, en quien no hay engaño. Le dijo Natanael: ¿De dónde me conoces? Respondió Jesús y le dijo: Antes que Felipe te llamara, cuando estabas debajo de la higuera, te vi»*, Jn. 1:47-48.

Transpiración: el esfuerzo físico, el trabajo duro es necesario para recuperarse de las habladurías y de una situación difícil, la inspiración y la transpiración te llevarán al éxito y a la recompensa; hacer cosas con tu fuerza natural o tus habilidades, la preocupación, el miedo, la ansiedad.

Transportar: ser llevado por el Espíritu Santo o el Espíritu del Señor de un lugar geográfico a otro en un momento de tiempo. Ser «arrebatado» o «atrapado» en las dimensiones del Espíritu, Hch. 8:39; Jn. 6:20-21; 1 Re. 18:7-16; Ez. 3:14-15; 37:1-2.

Transporte ferroviario: camino habitual, hábito o dirección; forma de vida rígida; patrón de pensamiento inflexible.

Transporte: movimiento sobrenatural de un lugar geográfico a otro por el Espíritu del Señor; Fil, Hch. 8:39-40; Jn. 6:21.

Tranvía: viaje continuado en una ruta común o regular, habitual, sin desviaciones, atascado en un bache, pequeño grupo de relaciones, círculo cerrado de amigos; una iglesia local o ministerio que llega y ministra en las calles.

Trapecio: volar alto en la vida; una actitud despreocupada; se necesita una gran habilidad y pericia con una sincronización exacta para asegurarse de que las cosas salgan o se conecten justo a tiempo; metas altas, ideales excepcionales o aspiraciones elevadas; alguien que disfruta de un desafío; balancearse de un lado a otro entre dos opiniones; quedar colgando boca abajo sin una dirección clara.

Trapos: es el momento de pulir tus acciones y limpiar tu vida; moverse en la humildad; eliminar la pobreza y la carencia, Is. 64:6; Pr. 23:21; Jer. 38:11-12.

Tráquea: soñar que un objeto extraño queda atrapado en la tráquea advierte de una invasión o intrusión repentina que te pillará desprevenido. Cuídate para que no te encuentres sin aliento o con carencia de fondos. Tubo cartilaginoso de paredes finas que desciende de la laringe y lleva el aire a los pulmones; si se obstaculiza o se tiene una sensación de estrangulamiento, alguien o algo está tratando de ahogar el aliento vital de uno o de impedir que el Espíritu Santo lo llene.

Trasatlántico: iglesia muy grande, con vocación misionera, que impacta a grandes grupos de personas.

Trasero: a nadie le gusta ser el blanco de las bromas o que le pateen el trasero. Ver un trasero expuesto en un sueño indica problemas de vergüenza, abuso o exposición a elementos erróneos en la vida. 2 Sam. 2:23.

Traslación: se produce cuando el amor se perfecciona; ser traslado repetidamente de la mortalidad a la inmortalidad sin pasar por la muerte; Enoc y Elías fueron tipos de traslación celestial.

Traspasar: ver en un sueño a alguien invadiendo tu territorio para amenazar, asaltar, agredir, herida, causar caos o mutilación, indica que un enemigo ha violado tus límites. Si perdonamos a los que nos ofenden, Dios perdonará también nuestros pecados y ofensas. Nm. 31:16; 1 Cr. 10:13; *«Hermanos, si alguno fuere sorprendido en alguna falta, vosotros que sois espirituales, restauradle con espíritu de mansedumbre, considerándote a ti mismo, no sea que tú también seas tentado»*, Gál. 6:1.

Traspié: el traspié indica una enfermedad o algún obstáculo en tu camino que debe ser superado.

Trastornado: lunático epiléptico, Mt. 17:15.

Tratamientos contra el cáncer: recibir un tratamiento contra el cáncer indica un cambio de vida positivo. Los patrones de pensamiento negativos o críticos te harán perder tiempo y energía y te consumirán. Deshazte de tu pensamiento apestoso y enfermo.

Travesaño: estructura de soporte vertical;

Travestismo: adoptar las características y expresiones del sexo opuesto; puede haber una expectativa confusa de uno mismo; espíritu de complacencia con el hombre; temor al hombre; temor a reconocer los rasgos femeninos o masculinos; tratar de ganar la aprobación de alguien mediante un compromiso burdo.

Travesura: traer o hacer un daño grave, Ez. 7:26; Hch. 13:10. Advertencia de no compartir o traicionar una confidencia.

Trébol: fertilidad; virtud doméstica; obtención de riquezas, prosperidad e ingresos deseados; bendiciones; asociado a la miel; buena suerte que se encuentra en un trébol de cuatro hojas; de cinco hojas: mala suerte; «revolcarse en el trébol», Vermont. Gusto por Dios; dignidad y moderación. Ver un trébol de tres hojas en un sueño predice una visita curativa de la Trinidad. Símbolo de Irlanda y de San Patricio, el trébol es una metáfora del cristianismo que significa trébol pequeño o joven creado a imagen de Dios. En la época victoriana se utilizaba por sus propiedades medicinales.

Trece: amor, 1 Cor. 13:13; doble porción; rebelión, Gén. 14:4; 17:25; depravación; reincidencia; revolución o guerra, Esd. 9:16; corrupción; desprecio, rup-

tura de la unidad; intento de arruinar la perfección; apostasía; 13 hombres; maldición; Zc. 5:2-3. El trece se compone de 1, unidad y 3, trinidad, estamos siendo hechos a la imagen de Dios. Hashem la Gematría es 13 y eschad, ambos representan el amor. Jesús era el centro en torno al cual giraban los doce discípulos; no ocupaba la primera posición, sino la última, que era la trece, lo que convierte a Jesús en el primer líder servicial, Ez. 1:1; 2 Re. 15:13-14; 15:17.

Treinta y cinco: esperanza; es hora de cambiar, de intentar hacer las cosas de una manera nueva; de eliminar las viejas estructuras para encontrar el éxito.

Treinta y cuatro: nombramiento del Hijo; la gloria.

Treinta y dos: alianza; expresión pura de Dios.

Treinta y nueve: enfermedad.

Treinta y ocho: esclavitud.

Treinta y seis: el enemigo te está avergonzando; sentimientos de autoconciencia, vergüenza, bochorno, torpeza.

Treinta y siete: primogénito; mi Hijo Amado; profetas; 37 X 3 = 111; Palabra.

Treinta y tres: promesa; alta prospectiva y conciencia espiritual, honestidad, conocimiento e incomprensión; morir al yo.

Treinta y uno: perfección divina; descendencia; el Nombre de Dios; poder; fuego; deidad.

Treinta: lamed, Sangre de Cristo; consagración; madurez para comenzar el ministerio Lc. 3:23; enseñanza; Israel lloró a Moisés 30 días; Jesús tenía 30 años cuando comenzó su ministerio; José y David comenzaron a gobernar; dolor; luto. Gén. 41:46; 2 Sam 5:4; Mtm 26:15.

Tren subterráneo: pasadizo; las cosas ocultas pronto saldrán a la luz y se aclararán; trae confusión, la oración es necesaria antes de establecer cualquier objetivo o tomar decisiones; angustia y problemas emocionales, iglesia clandestina en China.

Tren de carga: trabajo manual; transporte de cargas y problemas.

Tren, maquinista: en control total.

Tren, modelo: uno necesita modelar o ejercer más poder sobre su vida.

Tren, montado: el viaje de uno en la vida está en el camino hacia la dirección correcta.

Tren naufragado: conmoción, agitación; inseguridad; obstáculos insuperables.

Tren de pasajero: se necesitan vacaciones; angustia o preocupación mental.

Tren perdido: oportunidad descuidada o perdida.

Tren: iglesias o denominaciones unidas en el mover de Dios; la conexión te permitirá avanzar con gran velocidad y poder; ir en el mismo camino; trabajo incesante; centro de entrenamiento consistente, poderoso y equipamiento, 1 Re. 12:18; 2 Re. 2:11-12,

10:16; Sal. 104:3; Hch. 8:28-38; 1 Tes. 2:18; conformidad; seguir la línea o ir con la multitud; cumplir con las tareas en un orden secuencial y cronológico; juego de palabras: «en formación» para alguna ocasión, ocupación, profesión o aspiración.

Trenes de mercancías: grandes suministros de recursos o bienes están en camino, ascensos, prosperidad, aumento del favor en el trabajo, el hogar o las relaciones.

Trenes, entrenamiento: el tren de su gloria; poderoso movimiento de Dios; estás en el camino correcto; movimiento denominacional; iglesia; corporación.

Tres ranas: ver tres ranas representa un espíritu impuro de lujuria y maldad, Apo. 16: 13-14.

Tres: Gimel, Santísima Trinidad; testimonio perfecto, testigos; aprobación de la unión plena; bondad y plenitud de la perfección divina; vida, resurrección, Lc. 24,6-7, 11,5, 13: 21; espíritu; la llamada de Dios; los actos poderosos de la Divinidad; los hijos de Noé; los sabios; el tiempo de ministerio de Jesús en la tierra; Jonás en el vientre de la ballena; la cruz, la resurrección; la negación de Pedro; los arcángeles; las dimensiones del tiempo terrenal pasado, presente y futuro; una trilogía, padre, madre e hijo o cuerpo, mente y alma, etc. vida, vitalidad, fuerza interior, culminación, imaginación, creatividad, energía, autoexploración y experiencia; «a la tercera es la vencida», 1 Tes. 5:23; Gén. 1:1; Mt. 28:19-20; 1 Jn. 5:7-8; Apo. 16:13, 11:9.

Trescientos noventa: número de Israel, 390 años desde la división de las tribus hasta el cautiverio; duración de la separación del Reino de Israel; doble fruto de Efraín doble; Judá y Jerusalén.

Trescientos: shin, remanente fiel; protección de Dios; Jerusalén ciudad de paz; carácter de Dios; elegido por Dios. Jue. 8:4; 15:4.

Treta: alguien que ha desarrollado una habilidad especial, una hazaña o una tarea de difícil desempeño, un acto ingenioso designado para divertir o impresionar; cuidado con los trucos y los engaños; cliente de una prostituta; engañar.

Triángulo: el orden divino de los tres en un solo Dios-cabeza, la Trinidad de Dios Padre, Jesús el Hijo y el Espíritu Santo, una relación de amor entre las tres Personas de la Trinidad; el equilibrio del cuerpo, el alma y el espíritu de la naturaleza humana; una relación amorosa que involucra a tres personas; una forma geométrica.

Triatlón: competición de varias etapas que implica la realización de tres disciplinas de resistencia continuas y secuenciales. Aunque existen muchas variantes de este deporte, el triatlón, en su forma más popular, incluye la natación, el ciclismo y la carrera a pie en una sucesión inmediata a lo largo de varias distancias. Los triatletas compiten por el tiempo más rápido en el recorrido, incluyendo los «relevos» cronometrados entre los componentes individuales de natación, ciclismo y carrera. Tienes varios dones de excelencia que te llevarán a ser celebrado en el círculo de los campeones.

Tribu: una confrontación temerosa por personas, situaciones o ideas desconocidas que se sienten rodeadas o superadas; se necesita sabiduría para resolver el problema; unirse a una tribu: dudar de las propias decisiones.

Tribunal Supremo: soñar que estás en un juicio en el tribunal más alto dentro de la jerarquía de muchas jurisdicciones legales inferiores indica que estás ejerciendo tu último recurso y apelando a Dios para que te ayude, te haga justicia y te restituya. Las decisiones que se tomen a favor de tu vida no podrán ser revisadas.

Triciclo: Persona espiritualmente inmadura que se está formando para el ministerio.

Tridente: si ve o utiliza una lanza de tres puntas o un tridente en un sueño puede indicar que está tratando de adoptar algunas técnicas o armas mundanas. En la mitología clásica, Poseidón o Neptuno, el dios del mar, utilizaba un tridente como símbolo de su poder, al igual que Shiva en la mitología hindú. Por el contrario, puedes estar desarrollando una gran arma de guerra para ganar almas para Jesús con un enfoque triple de evangelización a través de la Trinidad.

Trigo y cebada: ver el trigo y la cebada juntos representa la cosecha, la fiesta de la Pascua y/o Pentecostés, Os. 2:22; Apo. 6:6.

Trigo: satisfacción; montón de: Cnt. 7:2, cintura de mujer; Apo. 6:6, salario de un día; almacén; provisiones; amor gozoso; éxito; victoria; prosperidad; aumento; multiplicación; verdad en oposición a la cizaña que es falsa. cosecha Mt. 13:24-30; el más importante de todos los granos; se siembra tarde en el otoño y se cosecha en mayo; Gén. 41:22; Lev. 2:1. Recoger el trigo en los graneros, Mt. 3:12; ser cribado por un enemigo, Lc. 22:31; carga comprada por los mercaderes, Apo. 18:13.

Trigonometría: estudio de las propiedades y aplicaciones de las funciones trigonométricas. Es necesario calcular los costos y hacer una gran planificación y cálculo antes de seguir adelante con cualquier plan actual. Es posible que alguien esté maquinando o calculando contra ti en algún tipo de empresa o relación. Conócete a ti mismo y aprende cómo funcionan otras personalidades.

Trilla: ver el grano en el suelo predice una próspera temporada de cosecha. *«Las eras se llenarán de trigo, y los lagares rebosarán de vino y aceite»*, Jl. 2:24. Este símbolo representa el pisoteo, el castigo, el juicio o la separación, Is. 41:15; Mi. 4:13; Hb. 3:12; Am. 1:3; Is. 21:10; 41:15; Jer. 51:33; 2 Re. 13:7.

Trillizos: uno de los tres hijos nacidos en un parto, un grupo o conjunto de tres componentes del verso o la música, el tres es el número de Dios, multiplicación del éxito y la riqueza; considerar los aspectos físicos, emocionales y espirituales de una situación o decisión; determinar por qué el tres sigue apareciendo en la vida de vigilia, Jer. 33:3.

Trinchera: alguien que está atascado en una rutina, o envuelto en un mal hábito, atrincherado en un fuerte asimiento de la mente. Traición; cuidado con quien te asocias; necesitas discernimiento para salir avante; ocultación para la guerra; fortificación; cortar o acuchillar; fortificar; pasar por un momento difícil; «¡realmente estamos en la brecha luchando con esto!»

Trineo: despreocupado, amante de la diversión, que refresca el tiempo con los amigos y la familia; indica una inmadurez infantil. Uno se desliza hacia el éxito con facilidad; mentalidad abierta, punto de vista infantil muy básico; personalidad amante de la diversión; falta de control, Jb. 38:22-23. Ver los pequeños corredores de un trineo que son tirados por caballos, perros u otros animales de trabajo y que son utilizados para el transporte de cargas a través del hielo o la nieve, indica que tu viaje será suave y afectivo; tendrás suficientes provisiones para tu viaje; una vida feliz de amor, placer y emoción; elige tus amigos sabiamente.

Trinidad: el orden divino de los tres en una sola divinidad, la Trinidad de Dios Padre, Jesús Hijo y el Espíritu Santo, un círculo de alianza de amor en una relación entre las tres Personas de la Trinidad.

Triple: cuando veas números triples en un sueño busca esos números de las escrituras en la Biblia usando mi «Tarjeta de Sueño de Palabras Despiertas de Sabiduría Antigua Capítulo y Verso». También vea la tarjeta de números en *www.decodeMydream.com*, Ec. 4:12. Lazos fuertes, un cordón de tres dobleces no se rompe fácilmente. Necesidad de aprender a unirse.

Tripulación: grupo o banda de personas que trabajan juntas temporalmente, el personal que maneja un barco, excepto los oficiales, un miembro del equipo, unido con un propósito.

Triquiñuela: Persona espiritualmente inmadura que se entrena para el ministerio.

Tristeza: cuenta tus bendiciones y concéntrate en las cosas buenas que tienes, libérate de las decepciones y toma la decisión de «ser feliz».

Trofeo: has sido premiado por tu diligente entrenamiento y duro trabajo; celebrando la grandeza del Señor en ti; una mujer hermosa. Ganar el premio del campeón, alcanzar la victoria, *«¿No sabéis que los que corren en el estadio, todos a la verdad corren,* pero uno solo se lleva el premio? Corred de tal manera que lo obtengáis»*, 1 Cor. 9:24. «prosigo a la meta, al premio del supremo llamamiento de Dios en Cristo Jesús»*, Fil. 3:14. Ganar un trofeo significa que tienes un espíritu de excelencia; un campeón; el ganador y vencedor, Rom. 2:6; 2 Tm. 4:8.

Trolebús: vehículo público o de la comunidad que lleva a cabo negocios por encima de la mesa; sigue corrientes de energía de forma encubierta o subterránea, utilizado para excavar, o extraer materiales o suministros de diferentes fuentes. No circula por vías.

Trombón: aquel que se inclina sobre sí mismo; sonido progresivo que se desliza.

Trompeta del juicio: *«Los siete ángeles que tenían las siete trompetas se dispusieron a tocarlas»*, Apo. 8:6. *«El primero tocó, y vino granizo y fuego, mezclado con sangre. El segundo ángel tocó la trompeta, y algo parecido a una gran montaña ardiendo en fuego fue arrojado al mar. El tercer ángel tocó la trompeta, y cayó del cielo una gran estrella que ardía como una antorcha. El cuarto ángel tocó la trompeta, y la tercera parte del sol, la tercera parte de la luna y la tercera parte de las estrellas fueron golpeadas. Entonces sonó el quinto ángel, y vi una estrella del cielo que había caído a la tierra; y se le dio la llave del abismo. La Sexta Trompeta un Ejército del Este. Entonces el séptimo ángel tocó la trompeta, y se oyeron grandes voces en el cielo, que decían: "El reino del mundo se ha convertido en el reino de nuestro Señor y de su Cristo, y él reinará por los siglos de los siglos"»*, Apo. 11:15.

Trompeta: llamado a la asamblea solemne; viaje; victoria; colocación de los cimientos; unción sacerdotal; mensaje o expresión reveladora profética Is. 58:1; Nm. 10:1-10; Apo. 1:10; 4: 1; unísono; memorial; sacrificios; días de descanso sagrado y convocatoria; holocaustos; santificar una fiesta; Fiesta de las Trompetas; prepararse para el Día de la Expiación; Luna Nueva; Nuevas promesas; grandes medidas de gracia; una llamada resonante; sonar o proclamar en voz alta; interés y ganancias inusuales que vienen hacia ti. Sal. 98:6; Am. 3:6.

Tronco: los troncos provienen de árboles que simbolizan a los líderes y a las capacidades de liderazgo de largo alcance. Aprovecha tu herencia espiritual; aprende de ella y construye sobre ella. Es posible que se pierdan oportunidades si se ve un tronco flotando junto a ti.

Tronco: se corta la autoridad o el liderazgo; retractaciones; reproches; vergüenza; limitaciones; adversidad; orgullo; pobreza; simiente santa Is. 6:13; Isaí, Is. 11:1; restauración; rey Nabucodonosor, Dn. 4:23.

Trono vacío: significa que tienes miedo de tomar decisiones o asumir la responsabilidad de tus actos.

Trono: si estás sentado en un trono eres el que tiene el control de tu vida, de tus metas y logros, quieres determinar las direcciones que tomarás, simboliza poder, liderazgo y autoridad. Si Dios está en el trono indica que has rendido tu voluntad y tu vida a Jesús para que el Espíritu Santo pueda conducirte, guiarte y dirigirte a través de la sabiduría divina para diseñar y ayudarte a cumplir tu destino, Is. 66:1; Apo.7:10. Un trono representa la soberanía de Dios. Sal. 45:6; Apo. 3:21; 4:2-5.

Tronos: la tercera de las nueve órdenes angelicales; rango o poder soberano; lugar exaltado ocupado por una autoridad gobernante, poder supremo, regio; Jehová, alto y elevado, Sal. 122:5.

Tropa: una red de personas que se mueven en unidad para actuar en torno a un objetivo común; intercesores; guerreros en un ejército, Mi. 5:1.

Tropezar: dejar caer la pelota; cometer un error; quedarse corto, Mt. 22:29.

Tropezón: advertencia para eliminar obstáculos o distracciones imprevistas, un obstáculo intentará impedir el progreso.

Tropical: ver un hermoso y cálido escenario tropical sugiere que necesitas irte a un clima cálido y relajarte y refrescarte en unas vacaciones muy necesarias.

Trópico: ambiente tórrido, cálido y húmedo.

Trotar: avanzar a un ritmo constante y concentrado; forma de trotar o correr a un ritmo lento o pausado; la intención principal es aumentar la condición física con menos esfuerzo para el cuerpo que el de una carrera más rápida; mantener una velocidad constante realizada durante períodos de tiempo más largos y distancias largas, es una forma de entrenamiento de resistencia aeróbica.

Truco: ¿Prefieres un truco o un trato? Trata a los demás como te gustaría que te trataran a ti y tendrás muchos amigos. Hacer un truco en un sueño indica que estás intentando desviar la atención de alguien de una verdad que no quieres que conozcan sobre ti. Considera también la metáfora «hacer trucos». Si te han engañado, entonces las personas con las que estás tratando no son honestas y deberías hacer negocios con otra persona. Tus acciones hablan más que las palabras.

Trueno: viene del dosel de Dios; expansiones rápidas, descarga poderosa en el Espíritu y el poder; la voz de mando de Dios; choque de dos fuerzas poderosas, Jb. 26:14; 40:9; 36:33; 1 Sa 2:10; Jn. 12:29; Sal. 18:13; 77:18; 104:7.

Tsunami: una enorme y poderosa ola limpiadora del Espíritu que se libera a partir de sacudidas, temblores de tierra o erupciones volcánicas en las profundidades del mar; gran destrucción, devastación o juicio.

Tubería de agua: ver tuberías de agua en un sueño indica que eres un conducto o recipiente que está siendo usado para transportar la unción de Dios y la Palabra refrescante a aquellos que están secos y sedientos. Eres un canal que ayuda a la gente a entrar en el fluir de las cosas.

Tubing de agua (tipo de recreación): necesitas un tiempo de inspección interior en oración para desarrollar la madurez espiritual; debes arrepentirte por dejarte llevar por doquiera de todo viento de doctrina, por estratagema de hombres que para engañar emplean con astucia las artimañas del error (Ef. 4:14), y así poder recibir la llenura de fe del Espíritu Santo para construir tu hombre espiritual y llegar a ser de nuevo emocionalmente completo. Evita que la duda te lleve como los vientos y las olas del mar; tus emociones suben y bajan en una constante montaña rusa, Snt. 1:6.

Tubo: ver un tubo en un sueño indica que usted se siente presionado para actuar o se siente en aprietos en una situación difícil en la que no está cómodo. Simplemente ponga la tapa y aléjese. Nadie debe permitir que lo abran y lo derramen sin su permiso.

Tucán: el lanzamiento de fruta se utiliza en su ritual de apareamiento; Fruit Loops; su largo pico les permite alcanzar la fruta al final de las ramas; los pájaros suelen mantener un ritmo de vocalización, lo que sugiere que no intentan permanecer ocultos.

Tuercas y tornillos: estructura fundacional que mantiene las cosas unidas, se desea que al final encaje todos los detalles para formar una unidad armoniosa, Lc. 10:41; 1 Cr. 28:19.

Tuercas: conocer y comprender el funcionamiento interno; alcanzar el éxito, el favor, el amor y la prosperidad; estar loco o fuera de sí «faltarle una tuerca»; difícil de discernir o descifrar.

Tulipán rojo: cree mi declaración de amor apasionado.

Tulipán abigarrado: tienes unos ojos preciosos.

Tulipán amarillo: enamorado sin remedio, hay sol en tu sonrisa, alegrías familiares.

Tulipán blanco: perdón, arriesgarse, reabsorción.

Tulipán púrpura: autoridad, realeza.

Tulipán rosa: cariño, inocencia.

Tulipán violeta: modestia, mayor claridad mental.

Tulipán violeta-azul: vigilancia, fidelidad, siempre seré fiel; estabilidad emocional.

Tulipán: símbolo de El amante perfecto; «dos labios», gracia; elegancia; fama; Holanda.

Tullido: herida y dolor emocional, retorcido por sentimientos de ira o celos; incapacidad física o falta de conocimiento.

Tumba, atrapado: sentirse atrapado en el pasado o enterrado por viejos miedos.

Tumba propia: descubrir aspectos ocultos y enterrados de uno mismo; autodescubrimiento.

Tumba: lugar de enterramiento de los muertos, de las cosas infructuosas de la vida; percepción de la muerte; enterramiento de las heridas y los fracasos del pasado; aspectos de uno mismo que han muerto; retirada de las situaciones difíciles y dolorosas de la vida; monumento que conmemora a los muertos. *Alternativamente:* un viejo asunto que uno creía superado o en reposo está siendo revisado, Jb. 17:1; juego de palabras: «sentirse tumbado», preocupación por una situación espantosa; cavar la propia tumba: los errores o las malas decisiones te enterrarán, grandes obstáculos a superar; temeroso de algunos nuevos emprendimientos; presagio de la propia muerte, Os. 13:14.

Tumor: toxinas espirituales o físicas dañinas que se han acumulado en el cuerpo. El perdón y la limpieza son necesarios para permitir la entrada de la unción curativa de la sangre de Jesús. Si el tumor está localizado dentro de cierto órgano, identifique las causas espirituales específicas de raíz y luego ore contra ellas, Ef. 4:16 (Consulte la tarjeta de sanación en *www.BarbieBreathitt.com*).

Túnel: temporada de transición y cambios con perspectiva, opciones o acceso limitados para escapar; atravesar un túnel: dar a luz una nueva comprensión, descubrimiento o conciencia de uno mismo; esperanza y éxito para ver la luz al final del túnel; el final del viaje o de los objetivos de la vida. Un largo período o temporada de transición en el que te sientes como si estuvieras en la oscuridad; no hay muchas opciones disponibles; una temporada de partos; el canal de parto, la vagina; un determinado camino o pasillo que te lleva de una fase de la vida a la siguiente; un paso a través o por debajo de una barrera u oposición; se elimina la visión periférica; estar cerrado o tener la mente estrecha; visión de túnel; hacer un túnel hacia la libertad.

Túnica: ocasión formal que indica rango o vocación de oficio; una túnica de justicia; una cobertura espiritual; juez; consejero; o habilidad académica; cobertura de salón después de la limpieza; relajación después de una limpieza espiritual, riqueza, a José se le dio autoridad, Is. 22:21.

Tupé: un postizo o peluca parcial que se usa para cubrir la calvicie parcial, con fines cosméticos o teatrales debido a un prejuicio cultural contra la calvicie. En un sueño también puede indicar que se busca una sabiduría adicional, un apoyo o una cobertura, pero sólo se encuentra lo falso en lugar de lo verdadero.

Turba: ver una turba en un sueño indica que estás involucrado con una gran multitud informal y desordenada de gente común o una banda organizada de molestos, o criminales violentos. Una turba representa la movilidad de las masas o un populacho excitable. Este sueño puede representar una llamada para salvar a un grupo de personas difíciles.

Turbante: hombre santo; rectitud; persona musulmana o de Oriente Medio, Jb. 29:14.

Turbulento: el final de los tiempos, tumultuoso, violentamente agitado, que tiene un carácter o tendencia caótico o inquieto; revoltoso. «Porque se levantará nación contra nación, y reino contra reino; y habrá pestes, y hambres, y terremotos en diferentes lugares. Y todo esto será principio de dolores. Entonces os entregarán a tribulación, y os matarán, y seréis aborrecidos de todas las gentes por causa de mi nombre», Mt. 24:7-9.

Turista: el que viaja, visita o se desplaza por placer para adquirir experiencias vitales, simboliza a las personas que pasan por tu vida durante un corto periodo de tiempo; eres capaz de ayudar a los demás; inseguro de un entorno o te sientes fuera de lugar o perdido.

Turpial: un pájaro con plumas de color amarillo, naranja y negro que se alimenta principalmente de insectos, pero también disfruta del néctar y de la fruta; este hermoso pájaro cantor trae mensajes felices de amor, alegría, paz y prosperidad.

Turquesa: piedra preciosa pulida de color azul-verde que se ve en los sueños y que simboliza el poder curativo divino de Dios que viene a la tierra para manifestarse en un creyente o a través de una fuerza energética natural que une el cielo y la tierra. «¡Venga tu reino, hágase tu voluntad en la tierra como en el cielo!». El Espíritu de Dios liberando la revelación curativa del cielo para alejar el mal o las emociones negativas. El color azul verdoso; el valor viene después del proceso de pulido, significa «victoria» y es un símbolo del cielo en la tierra. La turquesa simboliza el destino, la victoria, la riqueza y la opulencia. Se asocia con el fuego del sol, por lo que puede representar la unción del fuego del Sol de Justicia, Jesús el Hijo de Dios que arde en tu vida. El fuego es una fuerza purificadora que nos permite ascender al siguiente nivel en el Creador.

Tuve: oír la palabra «tuve» en un sueño indica que estás reflexionando sobre los errores o la inacción del pasado, rememorando los momentos en los que debiste decir «debí», «tuve que», «pude»; se refiere a algunos remordimientos por no haber sido decisivo o determinante en algo.

Twix: comer este caramelo de chocolate indica que buscas una recompensa por tus esfuerzos. También puede ser un juego de palabras que indica que te sientes atrapado entre dos asuntos o decisiones.

U

Ubicación: tiene que ver con una posición personal o un espacio geográfico concreto. «Localización, ubicación, locación», tiene que ver con el valor, la característica o la calidad de un bien inmueble que se compra o se vende.

UCI: verse en una unidad de cuidados intensivos indica que se ha pasado por un gran trauma y se necesita sanar en mente, cuerpo, alma y espíritu.

U-Haul: U-Haul es una expresión jocosa de la jerga lésbica para referirse a una mujer que se enamora y desenamora con facilidad y que también entra y sale de los apartamentos de sus amantes. Ver un U-Haul en un sueño puede indicar que se acerca una mudanza. Usted será el principal responsable de los preparativos, la carga, la conducción y la descarga en el nuevo lugar. También puede representar que llevas mucho equipaje o responsabilidades pesadas y que necesitas aligerar tu carga.

Ujier: se avecina un lugar de honor, una promoción o un favor; los dones de las ayudas y la servidumbre.

Ukulele: guitarra hawaiana; necesitas un tiempo de relajación y vacaciones sin problemas. Se originó en el siglo XIX como una interpretación hawaiana del machete portugués, un pequeño instrumento parecido a la guitarra. Existen cuatro tamaños: soprano, concierto, tenor y barítono. Ver un ukelele en un sueño sugiere que necesitas alzar tu voz en alabanza y adoración a Dios. También puede ser el momento de planear unas vacaciones a la isla de Hawái.

Úlcera: ora por una solución pacífica a los problemas de la vida; los problemas emocionales o el dolor están causando un malestar en tu ser interior; la preocupación sólo agota tus fuerzas. Nunca cambia nada; deja de preocuparte por cosas que no puedes cambiar ni controlar.

Última voluntad: soñar que redactas o ejecutas un testamento en un sueño indica que va a recibir una herencia. También le advierte que debe poner en orden tu casa y tu vida. Asegúrate de que tu alma haya nacido de nuevo y haya sido salvada por Jesús para que tu vida eterna esté asegurada. Estás a punto de comenzar un nuevo capítulo en la vida. El pasado ha terminado y algo fresco está a punto de comenzar. También puede representar a una persona llamada Will.

Último piso: primera clase, alta promoción, vista del ático, usted ha llegado; vivir en las dimensiones superiores del espíritu.

Ultramar: trabajo misionero, llamado a evangelizar a otro grupo de personas, algo es extraño para ti, necesidad de estar abierto a nuevas experiencias y culturas.

Ultrasonido: que te hagan una ecografía en un sueño predice que se está formando una nueva vida en tu vientre, puedes estar embarazada. También puede representar una nueva relación que está en el comienzo o en etapas incipiente de desarrollo.

Ulular: clamar por la sabiduría como ulula un búho;

hacer un estruendo, desprecio o burla, obligar a alguien a marcharse burlándose o mofándose, ser completamente indiferente, objetar una molestia.

Umbilical: una dependencia antinatural de otros para satisfacer las necesidades propias; un fuerte vínculo emocional con la madre, Cl. 2:19.

Umbral: entrar en algo nuevo; relación de alianza; intimidad; entrar o salir de una situación.

Unción: aceite de unción ceremonial para curar; suavizar las ofensas; bálsamo; ungüento; la unción, 1 Jn. 2:20.

Ungir: observarse a sí mismo o a otros siendo ungidos en un sueño indica que la persona está siendo santificada, apartada o separada para una obra extraordinaria, una llamada o un nombramiento divino 2 Cr. 22:7; 1 Jn. 2:20; 1 Sam. 15:1; Éx. 28:41. Hay que ungir a los enfermos con aceite curativo antes de orar por su curación Snt. 5:14. Los reyes, los sacerdotes y los profetas eran ungidos; los cadáveres se envolvían en especias y ungüentos para conservarlos. Las cosas se establecen primero en el reino del Espíritu, entonces la unción manifestará las señales, maravillas y milagros en los reinos terrenales.

Ungüento: aplicar un ungüento en un sueño, ya sea a usted mismo o a otros, indica que se curará de cualquier condición que le afecte. Si sus sentimientos han sido heridos busque que la gente se arrepienta o le pida disculpas. La unción para calmar o curar; Jer. 8:22; Mt. 26:7-9.

Unicornio: gran fuerza; poder; unción; indomable; guerreros; toro salvaje extinto, Sal. 92:10; 22:21; Nm. 23:22; 24:8; Dt. 33:17; Jb. 39:9-10.

Uniforme: uniformidad unida; igualdad, aburrido sin expresión, autoridad; formal; amigos influyentes con poder para ayudarte; sin creatividad, sin capacidad de elegir o tomar decisiones por ti mismo; siguiendo órdenes, 2 Sam. 20:8.

Uniformes militares: protección, organización y entrenamiento para la guerra; habilidades administrativas; se necesitan fuerzas tácticas y auxiliares, Ef. 6:11; 2 Tm. 2:3-4.

Unir: ver a la familia y a los amigos y a los socios de los negocios unidos indica una vida segura, próspera, feliz y llena de éxitos donde nada será imposible; victoria sobre los enemigos.

Universidad: estudiar para mostrarte aprobado, un trabajador digno de ser contratado; un lugar de aprendizaje superior, de experimentación y de despertar de la conciencia; donde tu intelecto se incrementa y se desafía; un lugar de cambios sociales y culturales, una necesidad de recordar los recuerdos y las experiencias de los pasados «días de universidad», la graduación significa que tus deseos, tus metas ambiciosas y tu destino se alcanzarán a través de la perseverancia y la diligencia. Hch 19:9. Soñar que estás asistiendo a una universidad o centro de educación superior indica que está ganando sabiduría y conocimiento divino a través de la escuela del Espíritu para que pueda calificar para un nuevo grado o medida de unción y poder. Los cambios de conciencia en los ámbitos natural, cultural, social y espiritual se acercan rápidamente. Estás en una nueva frontera descubriendo o experimentando con la tecnología, las relaciones o la educación. Es necesario un tiempo de aprendizaje concentrado para asegurar tu éxito en el futuro. Considera que podría ser un reflejo de los días o recuerdos universitarios del pasado. Tus metas, tu destino y tu éxito llegan a través de años de dedicación, perseverancia, trabajo duro y estudios aplicados.

Universo: Dios creó los cielos y la tierra, las estrellas declaran la gloria del Señor; la frontera final; descubrir lo desconocido; los tronos del cielo; la eternidad, Heb. 11:3; Ef. 4:10. Tu sueño significa las infinitas posibilidades que se encuentran en Dios. Mira el panorama general, ora y busca la sabiduría de Dios para obtener el conocimiento de la estrategia de Dios para prosperar.

Uno: un solo Dios eterno y Omnipotente, unidad, compromiso, el número uno, principio, fuente, vínculo entre el cielo y la tierra, soltería absoluta, independencia. Primero en orden, rango o importancia, amor indivisible.

Uña, morder: hay un espíritu de temor o timidez cuando se está cerca de personas de calidad; deshacerse de la inseguridad para avanzar en círculos sociales más altos.

Uñas afiladas: indica la necesidad o el deseo de luchar, defenderse o protegerse.

Uñas cortadas: si alguien te corta las uñas es un insulto personal, una deshonra, una desgracia o una humillación contundente.

Uñas de acrílico: Son artificiales; puede que estés dedicando demasiado tiempo a mimarte y no lo suficiente a ser real con tus seres queridos. Llevar uñas de acrílico en un sueño refleja tu deseo de ser apto para los demás mediante necesidades artificiales que no reflejan como te ve Dios. Eres un ser único y tienes mucho que ofrecer a los demás; tu belleza natural atraerá a aquellos que te amarán por lo que eres y no por cómo te adornas.

Uñas postizas: las uñas artificiales están hechas de una gran variedad de materiales; se conocen como uñas falsas o postizas, de moda o extensiones o mejoras de uñas. Se utilizan para imitar las uñas naturales reales como accesorios de moda o para llamar la atención deliberadamente sobre un aspecto nuevo o muy diferente. Las manos representan la conexión, la ayuda o las relaciones, mientras que las uñas pueden utilizarse como armas. Tener uñas postizas puede indicar que te comportas de manera falsa o fingida en las relaciones.

Uñas cortas: pulcritud y orden, diligencia y una buena ética de trabajo.

Uñas largas en un hombre: estás tratando de ampliar tu alcance o red para prosperar.

Uñas, manicura: representa el ocio y el placer; man-i-cura (juego de palabras); necesidad de curarse de una relación anterior con un hombre.

Uñas de mujer: elegancia, gracia y hermosura; deseo que alguien se ocupe de ella en una vida de ocio provechosa.

Uñas: las uñas de las manos pueden representar la elegancia y la belleza cuando están limpias, aseadas o bien pulidas. Uñas largas: cosas de belleza y elegancia, dificultades, posibles interferencias con las relaciones, armas; una manicura: curación en la forma de relacionarse con los hombres; uñas cortas: cortar el comportamiento impulsivo o el gasto, notar el color si está pulido; uñas limadas: logro o éxito a través de los propios esfuerzos.

Urano: Urano el séptimo planeta desde el Sol; tercero en radio planetario, cuarto en masa; posee la atmósfera más fría; planeta gigante compuesto de hielo y rocas, un sistema de anillos y numerosas lunas, su eje de rotación es lateral; nombre derivado de la mitología griega dios del cielo Ouranos. Ver a Urano en sueños indica que necesitas abrir tu mente a una nueva libertad o a un pensamiento no convencional; aléjate de tu plan original, ejerce tu creatividad e independencia; el cielo es el límite. Espere que algunos cambios repentinos traigan consigo los cambios necesarios para aumentar tu prosperidad espiritual y física.

Urgencias: soñar que se visita una sala de urgencias indica que tu modo de vida actual está poniendo en peligro tu salud, seguridad y bienestar. Reexamina tus acciones y toma mejores decisiones antes de que tus malas decisiones terminen mal. Pide una cita para que te hagan un examen físico y descartar cualquier condición de salud desconocida.

Urim y Tumim: las luces representan la voluntad y la mente de Dios; Nm. 27:21; Lev. 8:8; Dt. 33:8; Éx. 28:30; 1 Sam. 28:6; Esd. 2:63; Neh. 7:65.

Urna: ver este jarrón que contiene las cenizas de un ser querido fallecido predice una herencia que llega a través de un patrimonio; ver una planta ocupando este recipiente indica una temporada de prosperidad y aumento bendecido.

Urraca: indica que uno necesita reevaluar sus prioridades. Es posible que busques el glamour y las cosas que brillan. Ladrón, asaltante, descontento, espíritu pendenciero, parlanchín; charlatán; insatisfacción; escuche atentamente la comunicación; buenas noticias; cuide sus palabras están creando una atmósfera negativa.

Usurero: no se aprovecha de los menos afortunados, Éx. 22:25; negociante de corazón frío; decadencia; la traición causará pérdidas.

Usurpador: el que se apodera del control, poder o posición de los derechos de otro, por la fuerza violando la debida autoría, apoderándose u ocupando un territorio sin permiso.

Utah: «Industria»; «La mayor nieve de la Tierra»; Estado colmena; Estado mormón; Lirio de sagú; Cereza; Cobre; Carbón; Topacio.

Utensilios: ver varios tipos de utensilios en tu sueño indica que eres muy ingenioso, imaginativo y tienes la capacidad de acceder o crear las herramientas que necesitas en cada situación para construir o servir a los demás; serás muy próspero.

Útero: el útero puede representar el corazón del amor, un desarrollo para nutrir a los hijos, multiplicarse para ser fructífero y aumentar; un lugar seguro, un refugio o un vientre.

Uva pasa: persona malhumorada; metáfora del envejecimiento «tan arrugado como una uva pasa».

Uvas blancas: ver uvas blancas en un sueño indica que tendrás una gran victoria sobre tus enemigos.

Uvas verdes: representan la prosperidad y una nueva relación que está creciendo. A la inversa, las uvas verdes también pueden representar la obediencia o la desobediencia de las personas, vinculadas a la bendición o al castigo por el juicio; la falta de madurez significa el desastre; la muerte prematura de los malvados: Jb. 15:33; la rebeldía: Is. 5:2-4; «uvas agrias», pecado, Jer. 31:29-30.

Uvas, cosecha: permanencia en la vid; abundancia, Am. 9:13; prosperidad; un año exitoso en los negocios; fertilidad; placer; celebración de una nueva fortuna.

Uvas, rojas: soñar con uvas rojas representa la sabiduría, la unción o el poder; la sangre expiatoria o la pasión.

Uvas: fidelidad; Espíritu de la promesa; una invitación del amante, Cnt. 7:12; los racimos de uvas representan el pecho de una mujer, Cnt. 7:8; una cosecha angélica, Apo. 14:18-19, la ira de Dios derramada sobre sus enemigos; las uvas de la tierra arrojadas en el lagar de la ira de Dios. Las uvas representan la diversidad: pueden comerse crudas o secarse como pasas o utilizarse en la elaboración de vino; fruto carnoso. Fruto de la vid, Is. 5:2.

Uveítis equina: inflamación que ciega a los caballos; desvanecimiento o paso del tiempo sin rumbo.

V

Vaca, esqueleto: observar el esqueleto de una vaca indica que tu madre es emocionalmente vacía o insensible a tus necesidades, egoísta al dar financieramente, «huesos secos». Necesitas orar y profetizar vida y aumento sobre ella y esa situación.

Vaca ordeñada: ordeñar una vaca indica que se está dando todo lo que se tiene, poniendo lo mejor de sí para prosperar, la provisión de la temporada.

Vaca, rebaño: ver un rebaño de vacas indica el deseo de pertenecer o tener más amigas.

Vaca: creyentes santificados; sacrificio; alimento; juguetón; Os. 4:16; de cuello duro; actitud rebelde; egoísta al dar económicamente; provisión estacional, carne o leche de la Palabra. Am. 4:1.

Vacaciones: es necesario un tiempo de descanso y relajación con la familia y los amigos. Es el momento de cesar el trabajo o los negocios o actividades en general para celebrar un acontecimiento particular en la vida y tomarse un tiempo de ocio para recargar las pilas.Soñar con tus lugares de vacaciones favoritos indica que necesitas bajar el ritmo, relajarte y tomarte un descanso para recargar tus energías y revitalizarte. Escápate y rompe con la rutina diaria haciendo algo nuevo o diferente. Las vacaciones llegan cuando se ha terminado el trabajo, se ha conseguido la ganancia o se ha logrado el ascenso. Si no disfrutas de tus vacaciones, indica que todavía llevas contigo el trabajo, las responsabilidades y los pensamientos negativos, Heb. 4:10.

Vacas: una vaca puede representar a los creyentes santificados que se ofrecen como sacrificio; también pueden representar el alimento físico, o la carne o leche espiritual de la Palabra. Considere la expresión, «vaca sagrada», quizás haya algunas situaciones muy grandes con la que te estás enfrentando o que te están haciendo masticar o reflexionar continuamente hasta el punto de hacer que te encojas de miedo o te «acobardes». Las vacas representan el cambio lento y laborioso, «esperar hasta que las vacas vuelvan al corral». provisión estacional; obstinado; Os. 4:15. Las vacas son hembras de bovino, alce, elefante o ballena, por lo que representan los instintos maternales, el deseo de ser atendidas y de cuidar. Son más dóciles y «domables» que los toros por lo que tienden a ser pasivas y a obedecer las reglas, manteniéndose dentro de las limitaciones del pasto o de los lotes cercados.

Vacilante: todavía estás esperando que lleguen todos los hechos y cifras para poder tomar la mejor decisión posible antes de seguir adelante.

Vacilar: ir de un lado a otro entre dos opiniones; comportamiento indeciso, inestable, de doble ánimo; pasar un tiempo en oración para obtener una perspectiva clara y una dirección segura.

Vacío: soñar con el vacío por la soledad indica que te falta una relación importante en tu vida. Estar vacío sugiere que las cosas que estás haciendo no han traído satisfacción o verdadera alegría. Anímate, tus esfuerzos no han sido en vano. Dios recompensa a aquellos que lo buscan diligentemente. Él no puede llenarte hasta que te hayas vaciado. Ver un recipiente vacío es un presagio positivo de que serás llenado a rebosar.

Vacuidad: la carencia personal te hace sentir emocionalmente vacía o sola. Deja que el Creador llene tu vacío.

Vacuna: soñar que te estás vacunando sugiere que necesitas apropiarte de tus vulnerabilidades y ser inoculado para que tus debilidades sean cambiadas por fortalezas. El breve dolor servirá para mejorar tu vida y beneficiarte. Ningún arma formada contra ti prosperará. Cuida de ti mismo. No escuches ni asimiles todo lo que la gente dice o cree. Alguien está tratando de interponer sus sistemas de creencias en ti.

Vacunación: te fortalece y te inmuniza contra las palabras insultantes o a los sentimientos hirientes; supera las cosas extrañas en tu vida; necesitas relajarte y descansar mucho; eleva un estándar; ten cuidado de alguien que intenta influenciarte con sus creencias.

Vadear: la profundidad del agua indica la cantidad de dificultad que uno tendrá para navegar en una situación o la cantidad de control que tendrá para salir de un problema; agua hasta los tobillos, las rodillas, los lomos, la cintura, o sobre la cabeza; aguas para nadar en el río de Ezequiel. Dale el control de tu vida a Dios. Juego de palabras para «esperar». ¿Qué esperas?

Vagabundear: los malvados caminan en la confusión, Is. 35:8.

Vagabundo: los sentimientos de marginación, rechazo y fracaso le hacen perder el control de la vida; sus acciones perezosas le llevarán a la pobreza; inicie una nueva empresa, tome la iniciativa. Partes indeseables o inapropiadas, menos refinadas, de uno mismo o de los demás, que suelen estar ocultas pero que se manifiestan como una persona desaliñada, harapienta, andrajosa, poco sociable; si el personaje del sueño intenta presentarse como aceptable el aspecto del vagabundo cambiará en los sueños siguientes y desarrollará características constructivas y funcionales; evita las propias responsabilidades; falta de iniciativa; intentar escapar de las cargas o cuidados de la vida para disfrutar de la libertad sin preocupaciones; una baja autoestima o una pobre imagen de sí mismo; no realiza todo su potencial;

juego de palabras: una mujer inmoral, «una vagabunda»; ayudar o asistir a un vagabundo: tomar medidas para asumir las propias responsabilidades. *Alternativamente:* ver a un vagabundo en un sueño significa que estás experimentando un deseo de viajar. Considere si está eludiendo tus deberes o responsabilidades en la vida. Es necesario que busques un camino o una dirección de vida clara y que dejes de dar tumbos. Busca un empleo remunerado o la pobreza le alcanzará en un momento. Un vagabundo no se compromete a nada, va de una relación a otra o se adapta a una opinión y a otra sin pensar ni disciplinarse. Errabundo, fugitivo, Hch. 19:13, que anda errante.

Vagante: que huye de una situación miserable, de los ámbitos sociales o de las expectativas; de la carencia económica o emocional, de la pobreza; que habla o da: rodeado de amigos valiosos y generosos, Gén. 4:12.

Vagina: sentimientos o deseos sexuales de la mujer, su ser o personalidad, la procreación, la crianza, el nacimiento de bebés o nuevas ideas, la creatividad, el deseo de tener una pareja, hijos o una carrera, la conexión con otras mujeres, la confianza, la reproducción, la fertilidad, la sexualidad, la seducción, los impulsos o necesidades sexuales, la feminidad, el canal del parto.

Vagón, cubierto: protección limitada de los elementos o traición, progreso lento y laborioso en una nueva empresa; muy cargado: atado a la familia o al trabajo.

Vagón, roto: dificultades, angustia y fracaso, necesidad de reparación o renovación.

Vagón: jerga en inglés: *off the wagon* «dejar de abstenerse del alcohol», «on the wagon», abstenerse del licor; forma anticuada de viajar, transportar o llevar provisiones, juego de niños, Sal. 65:11; Nm. 7:3, 8; transportar mercancías.

Vainilla: palabras puras y dulces de leche y miel; revelación hecha con claridad.

Valentía: persona valiente o una muestra positiva de fuerza, carácter y coraje, este símbolo indica que protegerá y velará por los desvalidos, las viudas y los niños o los menos afortunados.

Valet parking: soñar con un valet que aparca su coche significa que un mentor aventajado te llevará a donde necesitas estar rápidamente; disciplinar a otros te costará un poco, pero valdrá la pena; falta de dirección. La gente está escogiendo por ti tu lugar en la vida; tiendes a ayudar a los demás a alcanzar sus metas.

Validar: tienes el deseo de ser reconocido por los demás; la necesidad de ser aceptado en un grupo específico; que te hagan pertenecer de forma real,

legal u oficial; corroborar o verificar tu valor personal como persona, o un experto en un determinado campo.

Valiente: eres una persona fuerte y valiente que tiene una personalidad bien definida y exhibe valor.

Valija: encontrar un monedero lleno de monedas predice un gran favor e influencia; encontrar una bolsa vacía indica una temporada de carencia o de derramamiento de uno mismo para servir a los demás; ver la bolsa de un animal llena de un bebé indica gran aumento y prosperidad.

Valla publicitaria: notificación o anuncio visual, una señal que hace que uno se pregunte, información.

Valla: seguridad; protección; encierro; limitaciones; tradiciones; separación; límites; creencias personales; restricciones. Necesidad o violación de los límites; barreras sociales; sentimientos territoriales; deseo de privacidad, Is. 5:2; Mc. 12:1; Ec. 10:8.

Valle: estar con los pies en la tierra; fértil; depresión; caminar por el valle de sombra de la muerte; entre dos experiencias en la cima de la montaña.

Valor de choque: provocar una reacción negativa de miedo, indignación, cólera, rabia, agresividad o repugnancia social debido a una acción, imagen o comunicación profunda o hazaña como una ejecución pública o un motín lleno de violencia y destrucción. Presta atención a las pequeñas cosas de tu vida para que el mensaje no tenga que llegar a un nivel de griterío antes de que notes que las cosas tienen que cambiar.

Valor: voluntad de enfrentarse a los aspectos desconocidos u ocultos de la propia personalidad; explorar nuevas relaciones u oportunidades de trabajo; vencer el miedo, la duda o la incredulidad.

Vals: gracia y elegancia sofisticada; comportamiento social elevado que es primitivo y correcto; ser admirado por la belleza, el encanto y el aplomo de uno. Bailar a tres tiempos con un fuerte acento en el primer compás; moverse con ligereza y facilidad; realizar una tarea, faena o encargo con poco esfuerzo o problemas; guiar u obligar a moverse a propósito; fluir con brío; llevar al culpable a la oficina en forma de vals. Es posible que intentes evitar una situación difícil o una confrontación dando vueltas al asunto.

Válvula: ver la apertura de una válvula indica que hay que aprender a soltar el vapor o la presión emocional con facilidad y dejar de explotar bajo presión. Una válvula es un dispositivo que regula, dirige o controla el flujo de sustancias abriendo, cerrando u obstruyendo diversos pasajes para permitir un flujo desde niveles superiores a un nivel inferior.

Vampiro: ver un cadáver reanimado que se levanta de la tumba por la noche para depredar o chupar la sangre vital de personas y animales indica que re-

cibirás una herencia. Un extorsionista, una persona que se casa por dinero; un hombre o una mujer que utiliza los favores sexuales para explotar a los demás; el miedo, la rabia y la duda asociados a la ansiedad emocional aguda, el conflicto o las relaciones sexuales debido a la inmoralidad; sentir que alguien es demasiado exigente, no ser capaz de actuar por voluntad propia, estar controlado psicológicamente por los padres, el cónyuge o la pareja; la libertad o la independencia personal son absorbidas; no hay redención; ideas temerosas que agotan el poder creativo, la ambición, los sueños, la esperanza y las declaraciones positivas; una relación negativa y agotadora; sentimientos complejos sobre la propia sexualidad o la relación; sentirse confinado o atrapado, Lev. 17:11a.

Vanidad: significa vacío sin satisfacción, Jb. 7:3; Ec. 1:2.

Vapor: un sueño es como un vapor, y la vida también lo es, está hoy aquí y mañana ya no está; una cortina de humo que impide ver con claridad, Jer. 10:13; 51:16; Jb. 36:27, 33; Snt. 4:14.

Vaporizar: verse a sí mismo intentando limpiar o planchar una prenda con vapor indica que tendrás que aplicar algo de presión y calor a una situación en tu vida personal. Estás emocionalmente acalorado, enojado o involucrado en una circunstancia intensa, por lo que estás «dejando salir algo de vapor». También puede representar sentimientos de amor recién encontrados en un romance.

Vaquero: ser valiente, «tomar el toro por los cuernos», dar un paso adelante y pasar a la acción, ser un líder, podría referirse al oeste de los Estados Unidos, o las regiones similares de cada país; hace referencia a un jornalero que cuida el ganado y doma o entrena a los caballos en un rancho, masculinidad, rudeza y dureza; rudo, corrales y cuerdas, marcas, tus deseos carnales tal vez fuera de control.

Vaquilla: símbolo de un sacrificio consagrado y puro, Nm. 19.

Vara de hierro: ver una vara de hierro en un sueño representa el poder que gobierna sobre las naciones, Apo. 2:27; 19:15; Sal. 2:9.

Vara de medir: ver o utilizar esta vara de medir graduada es aplicar una prueba, una comparación o utilizar su juicio contra un estándar conocido. Puede sentir que los demás te juzgan para ver si tu reputación, inteligencia o tu posición social están a la altura de sus expectativas. No te compares con los demás. Eres un ser único.

Vara de oro: tesoro y buena fortuna; intervención, corrección o disciplina divinas; una hierba curativa; alergias; amarillo: puede representar enfermedad, timidez o debilidad y deshonestidad; Kentucky; Nebraska.

Vara, mitología: en la mitología griega y romana: los dioses Hermes y Mercurio tenían una varita llamada caduceo.

Vara: arma ofensiva, bastón, autoridad, poder, disciplina. Cristo, Is. 11:1; las tribus de Israel, Sal. 74:2; Jer. 10:16; un bastón, Sal. 23:4 poder y autoridad; pasar bajo la vara del pastor para ser evaluado, Ez. 20:37; «santo para el Señor», Lev. 27:32. Medir o juzgar, Ez. 42:15-20; Apo. 11:1.

Varita de Faraón: los faraones en Egipto utilizaban varitas como armas contra posibles enemigos, amuletos contra las serpientes, también se dejaban varitas en las tumbas, junto con textos mágicos y una varita mágica para que el ba (alma) la utilizara.

Varita de Francmasonería: lleva una varita o bastón de seis a ocho pies de largo durante sus rituales cultuales del oficio.

Varita mágica: un palo o vara delgado, recto, que se sostiene con la mano, hecho de madera, piedra, marfil o metales como el oro o la seda, con formas de pentagramas o cetros, a menudo con diseños o un orbe de una piedra preciosa forjado en la parte superior.

Varita, Orden Hermética: la Orden Hermética de la Aurora Dorada; utiliza la Varita de Fuego y la Varita de Loto ceremonialmente para diferentes propósitos.

Varita, Wicca: la varita se considera más suave que el athame, que se utiliza para ordenar a los demonios. Una varita que representa los elementos del aire o del fuego se utiliza para invitar o alentar la ayuda demoníaca para lanzar maldiciones o hechizos. Durante los rituales mágicos ceremoniales, los practicantes utilizan varias herramientas mágicas, incluyendo varitas para canalizar la energía demoníaca. La varita es utilizada por neopaganos, wiccanos, chamanes y otros practicantes del ocultismo en sus rituales ocultos de maldición y lanzamiento de hechizos malignos sobre otros.

Varita, zoroastrismo: las varitas son un implemento ritual llamado barsom que significa crecer alto.

Varita: las varitas se asocian con formas ocultistas de magia demoníaca blanca, negra y oscura y con la brujería. Si ves este símbolo en tu sueño, alguien está intentando maldecirte o lanzarte un hechizo. En las ceremonias eclesiásticas y gubernamentales formales, los funcionarios especiales llevan una varita o bastón de mando que representa su poder.

Varón, en sus brazos: encontrarse en los brazos de un hombre indica que tiene el deseo de ser protegido, abrigado o acariciado por una persona importante.

Vasectomía: extirpación quirúrgica de los conductos deferentes para asegurar la esterilización; falta de función reproductiva; castrar; cortar; cierre a nuevas oportunidades; duda de sí mismo o problemas de imagen negativa de sí mismo; sentimientos de no ser fuerte y masculino; emasculación.

Vasija: recipiente utilizado para el agua u otros líquidos. Liberación de una deuda; superación de la pobreza; prosperidad y libertad. Abundancia, bendición profética y desbordamiento, 1 Re. 17:14; 2 Re. 4:6-7. Somos un templo o vaso, (cuerpo) o instrumento para ser usado para el Espíritu Santo y la gloria de Dios. Discernir la función o el uso del vaso, una persona abierta a ser usada como un conducto para servir a otros, 1 Ts. 4:4; 2 Tm. 2:21; 1 Pe. 3:7; Mt. 25:4; Apo. 2:27; Rom. 9:22-23; 1 Cor. 4:7.

Vasos sanguíneos: sistema circulatorio que transporta la sangre por todo el cuerpo. Hay tres tipos principales de vasos sanguíneos: las arterias, que transportan la sangre desde el corazón; los capilares, que permiten el intercambio real de agua y sustancias químicas entre la sangre y los tejidos; y las venas. Ver vasos sanguíneos en un sueño puede indicar que eres una persona que trabaja en red conectando a diferentes personas y organizaciones entre sí. Te gusta hacer circular las buenas noticias para traer salud y bienestar a la gente. También puede advertir de un problema de salud, de una obstrucción, de un endurecimiento de las arterias, de una enfermedad cardíaca o de problemas de circulación relacionados con la presión arterial alta o baja; podría ser necesaria una visita al médico o una oración de sanidad.

Vasti: significa una mujer hermosa que no sigue ni honra a las personas con autoridad; la reina del rey persa Asuero, a la que sucedió Ester.

Vaticano: favor inesperado que le llega; residente oficial del papa.

Vecindad: sentido o necesidad de ser más activo en la comunidad; deseo de nuevos amigos; tener en cuenta los sentimientos hacia los vecinos desconocidos y conocidos; una nueva vecindad: aventura, descubrir relaciones amorosas.

Vecinos que discuten: se avecinan problemas de disensión, mantén la calma; resuelve el conflicto y perdona, se avecina una mudanza física; *«Trata tu causa con tu compañero, Y no descubras el secreto a otro, No sea que te deshonre el que lo oyere, Y tu infamia no pueda repararse»*, Pr. 25: 9-10; Mt. 19:19.

Vehículo blindado: sensación de gran seguridad, de estar vigilado por los demás. Hay una gran protección sobre tu favor e influencia o lo que sea que el vehículo blindado esté transportando.

Vehículo con tracción en las cuatro ruedas: indica que tienes un ministerio poderoso y pionero que cree en la integralidad de la Biblia; predicar los cuatro poderosos evangelios. Tienes un llamado misionero para ir donde otros temen viajar.

Vehículo de cartón: ver las llantas o el chasis de tu coche hechos de cartón indica que tu ego, ministerio o negocio sólo tiene valor sobre el papel. No tienes ningún interés, unción o poder para hacer inversiones duraderas. No tienes el poder o la autoridad para avanzar. Todo se derrumbará como un castillo de naipes.

Vehículo de mudanzas: ver o conducir un camión de mudanzas en un sueño indica que experimentará una mudanza espiritual o natural, cambiando a una nueva ubicación geográfica, trabajo o iglesia. Un tiempo de transición, de traslados o un período de grandes cambios.

Vehículo de recreo: un medio de transporte para llevar al soñador a un lugar de relajación, vacaciones o viaje espiritual para renovar la mente y el cuerpo. Es el momento de desvincularse del trabajo habitual y disfrutar de la vida durante una temporada.

Vehículo descapotable: conducir o ver un descapotable indica que te gusta mostrar tu poder e influencia mientras luce una actitud glamurosa. Estás posicionado para recibir el conocimiento de la revelación bajo un cielo abierto. El Espíritu te impulsa a descubrir las cosas más profundas de Dios. Si el techo está abierto: eres vulnerable y estás libre de cargas, lo que representa la apertura para recibir la revelación espiritual sin ningún obstáculo. Por otro lado, la parte superior abierta o en topless puede indicar que te falta una cobertura espiritual o natural que te expone a los elementos del mundo.

Vehículo policial: iglesia, pastor o líder con autoridad; la atención o las acciones de uno necesitan ser detenidas.

Vehículo recreacional: actividades recreativas, entretenimiento, diversión, familia, amigos, vacaciones, relajación, entorno temporal, diversión, volver a centrarse, renovar la esperanza, la fuerza, la vitalidad para el futuro; transición, viaje, nuevo viaje. Un vehículo recreativo, su tiempo para relajarse y desconectar, disfrutar del viaje y del tiempo en familia.

Vehículo todoterreno: ver o conducir este vehículo indica un individuo, negocio o ministerio que está en el campo del servicio.

Vehículo, accidente: ver un vehículo accidentado en un sueño indica que hay obstáculos o barreras imprevistas que dificultan sus objetivos actuales. Un conflicto o no mantener el derecho de paso por un error o un pecado te frenará o impedirá que progreses. Esto es una advertencia de un próximo choque o confrontación en los ministerios, las relaciones o los negocios. También puede representar a personas en disputa; una calamidad real, un choque de vehículos o un accidente; Nah. 2:4; una descalificación; sestar desconcertado; un desacuerdo; una ofensa; ser descarrilado; un cambio de dirección; el fin de una fase o relación para dar paso a una nueva.

Vehículo tipo ambulancia: estás siendo llevado o trasladado a un lugar que puede ayudar y asistir en tu curación. Estás en el camino de la recuperación. Usted está en el proceso de desarrollar sosegadamente la paciencia.

Vehículo antiguo: antigua iglesia o ministerio; tradición religiosa; apunta a una era o movimiento pasado de Dios.

Vehículo tipo camión de bomberos: apaga el fuego o ahoga la pasión, apaga el Espíritu.

Vehículo tipo camión de la basura: has sido el vertedero de la gente donde han descargado todos sus trastos, chismorreando un montón de basura y calumnias sobre los demás. Necesitas liberarte de asociarte con ellos porque no estás sacando nada útil de esa amistad.

Vehículo tipo camioneta: «recoge» lo que Dios u otros tienen deparado para ti; un ministerio personal, un negocio o un trabajo natural. El trabajo duro y diligente te devolverá una buena ética de trabajo básica.

Vehículo de depósito de chatarra: tu hombre interior está lleno de miedo, frustración y rabia reprimidos que necesitan ser desechados. Has perdido un tiempo precioso en viejas actitudes, malos hábitos y falsos sistemas de creencias que se están almacenando y reproduciendo en lugar de ser eliminados y enterrados. Te has convertido en un alma perdida que está desviada, fracturada y destrozada; tu vida está desordenada y desorganizada. Te sientes como si te hubieran tirado y abandonado. Tus emociones han sido destruidas por lo que necesitan ser reparadas y sanadas para que puedas encontrar tu lugar y comenzar la vida de nuevo.

Vehículo descapotado: estás abierto a recibir la revelación espiritual sin ningún impedimento; libre de cargas; te falta una cobertura espiritual o natural que te deja vulnerable.

Vehículo en tierra seca: ministerio carnal; varado; necesita ministerio de ayuda, oración y nueva dirección.

Vehículo expulsado: ser arrojado de un vehículo por la rejilla simboliza noticias negativas desagradables y censurables.

Vehículo tipo furgoneta: ver o conducir una furgoneta en un sueño significa que usted es una persona conservadora que se ha establecido y casado para formar una familia. Es posible que sientas las cargas y las responsabilidades asociadas con el cuidado y la provisión de una comunidad, un grupo de personas, amigos o el ministerio de un grupo en casa. Usted está entregando los bienes a sus seres queridos.

Vehículo grande: ministerio o iglesia grande; tosco y agobiante; cuesta mucho poder; orgulloso.

Vehículo, limusina: hay una alta llamada de Dios sobre tu vida que expandirá tu propia existencia. Tienes un sano pero exagerado sentido de la autoestima y la autoimportancia porque eres excelente en lo que haces, disfrutando de una vida de lujo y elegancia. Tu vanidad y orgullo te hacen tener una necesidad de impresionar y mostrarte a los demás mediante el exhibicionismo. Si la limusina es de color negro: representa una gran riqueza, viajar con comodidad y elegancia, una poderosa influencia y prestigio. Por otro lado, advierte de tu obstinada determinación; es decir, que no estás dispuesto o dispuesta a hacer cambios ni a cooperar con los demás.

Vehículo, partes: ver varias partes del vehículo en un sueño indica que algunas cosas se están desgastando o están a punto de requerir ser cambiadas. Busca recibir un motor mejor y más potente que lo lleve más lejos y más rápido.

Vehículo pequeño: ministerio personal o iglesia; yugo ligero y fácil; estrecho y con necesidad de expandir el ministerio.

Vehículo de policía: ver un coche de policía indica que un líder con mucha autoridad gubernamental está llegando a la escena, un pastor de la iglesia, un presidente de una corporación o un líder con autoridad. La ayuda está en camino para librarte de los peligros del mundo. La ley mata, pero la fuerza motriz de la vida es la ley del amor.

Vehículo rápido: aceleración potente y veloz en el Espíritu.

Vehículo tipo remolque de tractor: una gran empresa o corporación de tamaño considerable que es poderosa y capaz de transportar o llevar grandes cantidades de recursos para ayudar a los ministerios u organización, así como equipar o atender temporalmente a las personas de forma transitorias. Por otra parte, ver un remolque en un sueño puede indicar que se siente abrumado o muy agobiado por personas que no asumen la responsabilidad de sus actos. La gente puede aprovecharse de su generosidad y no hacer su propio esfuerzo.

Vehículo tipo remolque: ayuda al ministerio, a los socios, a los donantes y a los financiadores que llevan las cargas, a los hombres y mujeres de negocios que tienen trabajos seculares.

Vehículo robado: pérdida de una promesa, una propiedad o un potencial; un ladrón ha entrado para robar y destruir.

Vehículo, RV: ver o conducir un RV indica una necesidad de ser flexible mientras se está «en movimiento» y seguir con el impulso de su vida. Deje de pensar en fracasos o situaciones pasadas; un deseo de ser autosuficiente e independiente de los demás; va a tomarse unas vacaciones o está entrando en un tiempo de re-

tiro para poder ir a cualquier lugar donde Dios lo llame.

Vehículo que se hunde: el ministerio no es dirigido por el Espíritu; falta de comunicación.

Vehículo, si se conduce: se tiene el control de la propia dirección, tomando decisiones para dirigir la propia vida.

Vehículo, si se llama a un taxi: necesitas pedir ayuda a la gente para pasar de una fase de la vida a la de escapar de una mala situación.

Vehículo siendo conducido: otros están ejerciendo poder sobre usted; o usted ha contratado a un conductor profesional y está prosperando más allá de lo imaginable.

Vehículo tipo SUV: ver o conducir un vehículo SUV de servicio completo o «deportivo» en un sueño indica que usted es muy hábil y podría tener éxito como individuo dirigiendo un negocio o ministerio que está orientado al servicio. Usted ha estado llevando las cargas o responsabilidades de otra persona. Es hora de deshacerse de su pesada carga y, por ende, debe reevaluar su situación, cambiar de dirección y establecer un nuevo camino hacia el éxito.

Vehículo tipo taxi: un taxista; alguien sin intereses que es contratado para transportar temporalmente a las personas; un asalariado. Si estás llamando a un taxi: necesitas pedir ayuda a la gente para pasar de una fase de la vida a otra peor. Si vas en un taxi: alguien que no se preocupa por ti te está llevando de paseo; se están aprovechando de ti en una situación específica

Vehículo, taxista: alguien sin intereses creados que es contratado para transportar temporalmente a personas; un asalariado.

Vehículo, viajando en un taxi: alguien que no se preocupa por ti te está tomando el pelo; se están aprovechando de ti en una situación en particular.

Vehículo tipo volqueta: intercesor del ministerio que lleva mucho peso y recursos. Presta mucha atención a los suministros que trae o lleva la volqueta.

Vehículo: nuevo: nuevo ministerio; nueva iglesia.

Vehículos: el llamado o el nivel de influencia que tendrás en la gente; el nivel de unción actual y el poder espiritual en el que estás operando; los vehículos operados por el viento representan el Espíritu Santo; la gasolina representa el poder; el poder del hombre es las obras de la carne. (ejemplos: coches, camiones, aviones, barcos, veleros, etc.).

Veinte: kaf, redención; coronación; orden divino, finalización para la perfección espiritual; santidad; espera con expectación; número de sueños registrados; Jacob esperó 20 años para la posesión; Israel esperó 20 años para la liberación; edad de los guerreros, Nm. 1:3.

Veinticinco: perdón del pecado; comienzo de la formación ministerial; esencia de la gracia, transporte visionario, Ez. 40:1-2.

Veinticuatro ancianos: ver a los veinticuatro ancianos que están en el cielo representa el ministerio sacerdotal, 1 Re. 19:19; Apo. 4:4; 1 Cr. 24:3-5.

Veinticuatro: cursos sacerdotales; perfección gubernamental; autoridad plena; y gobierno completo; madurez; ancianos alrededor del trono del cielo adorando, Apo. 11:16.

Veintidós mil: Levitas, Nm 3:39; temerosos de la batalla, Jue. 7:3; abatidos en el suelo, Jue. 20:21; sirios muertos por David, 2 Sam. 8:5; bueyes para la ofrenda de paz, 2 Re. 8:63.

Veintidós: luz; conocimiento de la revelación para desvelar los misterios; desorganización; desintegración; corrupción; el rey Jeroboam y el rey Ajab reinaron 22 años.

Veintinueve: partida; expectativa de juicio.

Veintiocho: afecto amoroso y vida eterna.

Veintiséis: el evangelio de Cristo que salva al mundo; destino, globo; negocio próspero.

Veintisiete: predicar el evangelio; claridad mental.

Veintitrés: prosperidad; abundancia; plenitud; riqueza, provisión del Señor, Sal. 23; falta de hambre espiritual, sordera, Jer. 25:2-3; muerte y venganza.

Veintiuno: excesivamente pecaminoso; Jeroboam, hijo de Nabat «hizo pecar a Israel»; resistencia espiritual del príncipe malvado, Dn. 10:13; sus planes tendrán éxito.

Vejez: soñar que se es viejo indica que has adquirido la suficiente sabiduría para empezar a vivir la vida con madurez. Estás recibiendo una visión del futuro para poder prepararte con antelación.

Vejiga: preocupaciones, nerviosismo, ansiedad, miedo a la vergüenza, incontinencia, dificultades en los negocios que empiezan a hincharse, cuidado con el sobreesfuerzo, necesidad de deshacerse de las toxinas físicas, emocionales o espirituales.

Vela encendida: representa que se muestra una nueva luz respecto un tema o relación, un nacimiento o nuevo comienzo, el ofrecimiento de una oración en nombre de uno, encontrar valor para comprender el propio dilema superando el temor y la depresión. Que brille la luz de la sabiduría de Dios.

Vela que se consume: el tiempo se agota, puede representar que se acerca el final de la vida. Considera los modismos «quemar la vela por los dos extremos» y «no sirve para sostener una vela».

Vela: el espíritu de un hombre es la vela del Señor; escudriñar el corazón; encender una vela y barrer su casa, Lc. 15:8; una lámpara; buscar la verdad; buscar diligentemente la luz otorgada por Dios de la revelación. Un alma creyente, la luz no debe estar escondida, sino que debe arder en la oscuridad, el Espíritu Santo iluminando tu camino o en tu corazón, la Palabra de Dios, la Iglesia, el romance y el amor. Mt. 5:15; Pr. 31,18; Lc. 15:8; luz.

Velas: ver una pequeña y delgada vela en un sueño indica que necesitas más luz de revelación en tu vida. *«El espíritu humano es la lámpara del Señor, pues escudriña lo más recóndito del ser»*, Pr. 20:27; *«Porque para el malo no habrá buen fin, Y la lámpara de los impíos será apagada»*, Pr. 24:20.

Velero: ministerio totalmente dependiente del viento del Espíritu, 1 Re. 9:26-28; Ez. 30:9; Hch. 27:1-2; Sal. 48:7; Mt. 8:23-27, 24:38; Lc. 5:4; Sal. 74:13-14; Pr. 31:14; Sal. 18:10; navegar cogiendo el viento para avanzar o moverse hacia delante; necesidad de desarrollar habilidades para navegar con éxito a través de las situaciones o cambios de la vida para no ser arrastrado cada vez que cambia el viento.

Veleta: representa las direcciones circulares irregulares o la versatilidad del viento que sopla. Este símbolo también puede ser un juego de palabras sobre la vana esperanza de que el viento pueda lograr algo. *«El viento[a] sopla de donde quiere, y oyes su sonido; mas ni sabes de dónde viene, ni a dónde va; así es todo aquel que es nacido del Espíritu»*, Jn. 3:8; *«Mas él respondiendo, les dijo: Cuando anochece, decís: Buen tiempo; porque el cielo tiene arreboles»*, Mt. 16:2; A algunas personas les gustarás tanto si eres vanidoso como si no.

Vello facial: ver vello facial en un sueño indica que has entrado en una temporada de madurez o que has llegado a la edad para obtener una nueva responsabilidad o poder de decisión. Si eres una mujer con vello facial significa que tienes la misma unción, vocación, fuerza y poder que un hombre.

Vellón de lana: pedir una señal o confirmación, estafar, defraudar en dinero o bienes, cubrir con lana, esquilar a una oveja: aprovecharse de los sencillos, desadaptados, viejos o inofensivos.

Velo: ocultación; misterio; encubierto; no sincero; engaño o designio siniestro; velo nupcial: gran cambio en tu futuro inmediato; velo de luto: gran tristeza o remordimiento, Sal. 139:15.

Velocímetro: ¿a qué velocidad vas? Estar en el «carril rápido» determina el significado de los números del contador. ¿Estás dentro de los límites legales o los estás sobrepasando? No te pases de la raya, no te excedas.

Vena yugular: entrar a matar, el espíritu de muerte, drenar la sangre de la vida de uno, temperamento corto, espíritu de ira, Lev. 17:11.

Vena: noticia angustiante; persona vana sin éxito, sin valor, ineficaz, engreída; estado de ánimo, humor pasajero o temporal; vaso que transporta la sangre hacia el corazón, depósito de mineral, franja de color en la madera o el mármol, una fisura, grieta o hendidura; una veta, Lev. 17:11a.

Venada: belleza, agilidad rápida, gamo; Is. 35:6; Heb. 3:19; Sal. 18:33; 2 Sam. 22:34.

Venado: comer la carne de un venado o ciervo indica que has estado jugando con alguien muy querido; para evitar la vergüenza discúlpate y cambia tu comportamiento o arriésgate a perder su favor y atención. La carne de una bestia tomada por los cazadores, Gén. 25:28.

Venda: la venda indica que se tienen heridas emocionales o malos sentimientos que han quedado de una relación o conflicto en el pasado. Hay que buscar la sanidad dependiendo de la gravedad de la herida o del grado en que esta limite su movilidad o desempeño. Is. 1:6.

Vendaje: volver a Dios y pedirle sabiduría para sanar una situación de una vez por todas en lugar de intentar taparla hasta que llegue a un punto infeccioso, Os. 6:1.

Vendar los ojos: alguien trata de engañarte; engaño, se ocultan cosas; se le mantiene en la oscuridad; confianza ingenua; temor a ver la verdad; ser de mente cerrada, deshonestidad. Soñar que lleva una venda en los ojos indica que necesitas que le abran los ojos ante algún peligro o engaño. No seas ingenuo; la confianza debe ganarse. ¿De qué quieres esconderse? Tienes que entrar en una situación o relación con los ojos bien abiertos.

Vendaval: liberación poderosa y contundente del viento del Espíritu; movimiento a gran velocidad; una aceleración. Viento muy potente entre 32 y 63 millas por hora; brisa fuerte o un estallido de risa contundente; significa que tu situación actual puede intentar apabullarte e intimidarle; también es un indicador de que rugirás como un león y vencerás en todos los frentes.

Vendedor ambulante: alguien está tratando de dejarte en prenda algo que es robado o sin valor para usted.

Vendedor: alguien busca influir o sacar provecho de ti; una oportunidad; para las mujeres: un nuevo romance, persuasión; abierto a diferentes perspectivas, a los cambios adecuados o a algo nuevo que se necesita en tu vida.

Vender: verse intercambiando a sí mismo o a un objeto por dinero o su equivalente indica que has sido engañado o embaucado para que entregues algo de gran valor a alguien que no se preocupará por ti ni te valorará de la manera en que merece ser tratado o tratada.

Vendido: ver la señal de vendido en un sueño indica una oportunidad perdida, si es que estás en el mercado deseando comprar una nueva propiedad; si te estás vendiendo a ti mismo, una información o una propiedad, experimentarás el éxito y obtendrás el precio deseado. No te subestimes ni te devalúes, mantén tu alto nivel: cíñete a tu rango de precios o te sentirás engañado y lamentarás tu decisión.

Venenos: algo o alguien está carcomiendo lentamente tus entrañas; palabras mentirosas y perversas; enseñanzas malignas o peligrosas; volver las opiniones contra uno para quitarle popularidad, favor o confianza, Sal. 140:3. Puedes estar en una relación venenosa que urge ser terminada, Dt. 32:33; Jb. 20:16; Sal. 58:4; Rom. 3:13; Snt. 3:8.

Vengador, negativo: Enemistades familiares; influencias de venganza; actos de terrorismo; individuos o grupos que se ven impulsados a matar a personas o gobernantes por creencias, derechos o rencores personales o religiosos.

Vengador: Cristo, el vengador de la sangre; Nm. 35:16-34; Apo, 6:10; 11:18; corregir una forma de vida percibida como errónea, luchar por los pobres, los sin techo o los oprimidos, proteger o ayudar a los menos afortunados.

Venganza: tomar represalias o infligir un castigo a cambio de un perjuicio indica que no confías en que Dios se encargue de todas tus necesidades, sino que has tomado el asunto en tus manos; recuerda que cosecharás lo que siembres; siembra misericordia y perdona. Nm. 35:19, 27; Lev. 19:17-18; el espíritu de venganza, Mt. 5:39; Rom. 12:17-21; 1 Pe. 3:9.

Venta al por menor: venta de productos en pequeñas cantidades directamente a los consumidores.

Venta de garaje: vender cosas que se han almacenado y que ya no se necesitan. Puede referirse a cosas viejas y que ya no se necesitan para el ministerio, la vida o el negocio de uno.

Venta por mudanza: deshacerse de los objetos que ya no necesita o que ya no tienen valor para usted. Dejar espacio para nuevas cosas que llegarán en el futuro próximo.

Venta: advertencia para que no te malvendas por cualquier migaja, tienes un gran valor; otros pudieran estar comerciando con tus talentos o habilidades.

Venta: soñar que algo está en venta representa oportunidades que están a su alcance. Por otro lado, indica que se estás siendo subestimando en algún área.

Ventaja: ¿Quién está ganando la ventaja, tú o alguien más? Esto indica que la prosperidad y las bendiciones están por llegar, busque oportunidades para aumentar su nivel de siembra y cosecha.

Ventana rota: indica que tus sueños o tu visión se han estrellado contra una fuerza exterior o con una persona no invitada que ha entrado a la fuerza.

Ventana, entrar: la deshonestidad será expuesta.

Ventana, lavar: la capacidad de uno para aclarar una situación; arrojar una visión, o arrojar alguna luz positiva o una perspectiva diferente sobre un tema.

Ventana, salir: escape estrecho de la calamidad. Ventana, cerrar: aún no es el momento.

Ventana, sentarse: ver pasar la vida, hay que arriesgarse.

Ventana: visión, ver el potencial o las esperanzas futuras de uno; un cielo abierto; conocimiento revelado o puesto al descubierto; ver la verdad. 2 Cor. 11:33; Gén. 8:6; Cnt. 2:9; Dn. 6:10; Mal. 3:10.

Ventosas: ver cómo se aplican ventosas de forma terapéutica, en varias partes del cuerpo, para hacer que la sangre se dirija a la superficie de ese lugar, indica que tu dolor, sufrimiento o enfermedad terminará pronto.

Ventrílocuo: advertencia de no bromear, hablar mal, difundir rumores, chismes o mentiras, elige tus palabras con cuidado, lanzar tu voz en público te hará parecer un tonto.

Venus: Venus el segundo planeta desde el Sol con un radio de 3.760 millas; es el más caliente del Sistema Solar; no posee un satélite natural; es el objeto más brillante en el cielo nocturno después de la luna; un planeta terrestre llamado la hermana de la Tierra más cercana en la proximidad similar en tamaño, la gravedad y la composición de la masa; nombre de la diosa romana del amor y la belleza. Ver a Venus en un sueño simboliza el deseo de ser amado o encontrar el amor verdadero, la receptividad a la maternidad, la necesidad de descubrir su lado femenino o la belleza; asegúrate de apreciar a las personas que valoras en la vida.

Ver: ver a alguien o algo en un sueño presagia que necesitas centrarte o tomar conciencia de su propósito, significado o llegar a conocer lo que está ocurriendo en tus relaciones. Considera también que puedes necesitar desarrollar tus dones videntes o proféticos.

Veranda: los problemas temporales conducirán a un gran éxito una vez que se haya vencido el miedo y se haya dejado fuera; encanto romántico.

Verano: soñar con el verano representa una época de cosecha, crecimiento o fructificación, tiempo de preparación, conocimiento, alta productividad, tolerancia y madurez. Usted está ampliando su ámbito de comprensión. Es importante mantener las esperanzas. Suele hablar del periodo de tiempo en el que alguien se encuentra en la mitad de su vida; indica que podrías estar experimentando una crisis de mediana edad, pero por otro lado representa el éxito y la fecundidad, una temporada de calor y comodidad en la que los placeres de la amistad y las vacaciones están al alcance de la mano, Pr. 6:8.

Verdad: ver o escuchar la verdad en un sueño indica que el Espíritu de la Verdad, Jesucristo y el Espíritu Santo te están visitando. *«Nunca se aparten de ti la misericordia y la verdad; Átalas a tu cuello, Escríbe-las en la tabla de tu corazón»*, Pr. 3:3; *«El que habla verdad declara justicia; Mas el testigo mentiroso, engaño»*, Pr. 12:17; *«Misericordia y verdad guardan al rey, Y con clemencia se sustenta su trono»*, Pr. 20:28; *«Compra la verdad, y no la vendas; La sabiduría, la enseñanza y la inteligencia»*, Pr. 23:23; *«Pero cuando venga el Espíritu de la verdad, os guiará a toda la verdad»*, Jn. 16:13.

Verde - tonalidad musical de Fa: la luz verde de la unción de Dios unida a la música tocada en la tonalidad de Fa trae la curación del corazón; de la parte baja de los pulmones; de los hombros; de las anginas; del mareo; del resfriado común; de las dolencias del corazón; de la hepatitis; de la ictericia; de las dolencias del hígado; de las náuseas; de la flebitis; y de las aftas.

Verde cerceta: este color significa devoción, curación y confianza, guía del Espíritu Santo y enseñanzas espirituales.

Verde oscuro: ver un color verde oscuro habla del árbol de hoja perenne que es capaz de vivir a través de los inviernos fríos y los veranos secos sin dejar de ser saludable y vibrante. Tu conciencia limpia y clara te permitirá permanecer firme y estable mientras creces durante las pruebas difíciles.

Verde: espíritu de consejo, Is. 11:2; crecimiento; prosperidad; riqueza; salud; dinero, 1 Tm. 6:10; provisión; vigor; conciencia; generosidad; ir; nueva vida o comienzo, Jb. 8:16; tierno; descanso; naturaleza; siempre verde; vida eterna; inmortal; primavera; fertilidad; juventud; ambiente; agresión; inexperiencia; inmadurez; orgullo; envidia; celos; carne; carnal; mortal; desgracia. Lc. 23:31; Mc. 6:39; Jer. 17:2; Éx. 10:25.

Verdugos: Mt. 18:34; guardianes de la prisión que torturaban a los prisioneros.

Verduras: producto o fruto de tus labores; verduras marchitas o en descomposición: la pena, el dolor o la tristeza están en el horizonte; comer o preparar verduras: salud, plenitud y prosperidad.

Veredicto: escuchar un veredicto favorable de los miembros del jurado indica que ganarás el caso judicial; si eres el jurado, se te hará justicia en una situación injusta.

Vergüenza: sentir vergüenza en un sueño significa un fuerte sentimiento de culpa, afrenta, indignidad, inseguridad, baja autoestima o desgracia que se ha trasladado a tu vida onírica. Tal vez hayas sufrido una gran decepción, o te hayas fallado a a ti mismo o a los demás.

Vermont: «Libertad y Unidad»; «Amo Vermont»; «Estado de las verdes montañas»; «Trébol Rojo»; «Manzanas»; «Talco»; «Granito»; «Mármol"; «Pizarra»; «Granate Grossularita».

Vermut: si sueñas que bebes este vino blanco dulce, tinto o seco, que es utilizado en los cócteles, indica que tus apetencias están fuera de control. Tus acciones o tu comportamiento impulsivo te causarán muchas vergüenzas y humillaciones públicas. Cuando bebes, pareces tonto ante los demás. Tus debilidades y flaquezas humanas se hacen evidentes para que otros se aprovechen de ti.

Verrugas: centrarse en las circunstancias o situaciones externas le hace sentirse inseguro sobre tu apariencia. Deja de castigarte a ti mismo mirando tus defectos e imperfecciones; la verdadera belleza viene de un corazón puro. Recuerda que la belleza exterior se desvanece con la edad, pero la belleza interior permanece para siempre. Si está en la punta de la nariz: puede indicar un defecto o una mancha, que tú no puedes, pero que los demás pueden ver en ti. «Los amo, con verrugas y todo».

Verso de la Biblia: indica que tus planes tendrán éxito al recibir una gran sabiduría. La felicidad y el éxito entrarán en tu vida para traer prosperidad, paz y revelación. El Espíritu Santo está trayendo Su Palabra a tu memoria.

Verso de poesía: leer un verso poético, una sección o subdivisión de una composición poética, una estrofa o un verso de la Biblia indica que estás buscando el verdadero significado de la vida. Buscas conocimiento y habilidad para guiarte y vivir una vida exitosa.

Vértebra: tener una columna vertebral, valor, fuerza o espina dorsal; muchas pequeñas conexiones le permitirán a uno llevar a cabo sus planes; gran capacidad para girar en muchas direcciones diferentes según sea necesario; una estructura de apoyo de enorme flexibilidad.

Vertedero: tirar o soltar un gran lío, vaciar un recipiente o descargar o soltar toda tu rabia y frustración contenida sobre alguien; derribar o golpear a alguien. Mantenga buenos límites, usted no es el vertedero de alguien. Ver gente tirando su basura o desperdicios en terrenos bajos para construir el terreno con la eliminación de residuos, indica que alguien te está utilizando como vertedero. Es hora de construir límites seguros. No permitas que los demás arrojen sus cargas emocionales sobre ti.

Vertical: aumento y promoción, alcanzar un alto nivel de éxito, conectar con Dios a través de la oración, la intervención sobrenatural está en camino.

Vértigo: falta de equilibrio, ansiedad y temor, 2 Cor. 8:13.

Vesícula biliar: sentimientos de amargura; rencor; pasar por una situación amarga causada por la fricción o la abrasión, persecución, traición, insolencia; presentarse cuando no se es invitado; vejación, exasperar, irritarse o enfadarse con alguien; hiel para comer, Sal. 69: 21; cáliz amargo, Mt. 27:34; hiel de la amargura, acto de iniquidad, Hch. 8: 23; el ataque despiadado de un enemigo, Jb. 16: 12-13; el triunfo de los malvados, Jb. 20: 25.

Vestíbulo: estás en un tiempo de espera para poder posicionarte para entrar en el impulso principal de tu vida. Este es un momento temporal, así que aprovecha para prepararte y avanzar cuando se abran las puertas de la oportunidad. Lugar de acogida para invitados y amigos, vestíbulo de un hotel, teatro. Momento de transición; periodo de tiempo o viaje que no ofrece muchas opciones.

Vestido azul: una unción curativa; espíritu o revelación; cubierto en un espíritu de depresión o teniendo un día azulado; representa el mar de la humanidad, el evangelismo de las naciones para hacer discípulos de Jesús, una revelación muy grande o unción curativa; olas de avivamiento.

Vestido blanco: representa la pureza virginal, la santidad, la limpieza, una novia sin mancha ni arruga.

Vestido de noche o de gala: estar vestido con un hermoso vestido de baile indica que aquello a lo que se está llamado o preparado requiere elegancia con gracia y habilidades sociales.

Vestido de noche: Llamado y preparado para maniobrar dentro de la sociedad o el gobierno de alto nivel utilizando un discurso diplomático; elegancia en la presentación.

Vestido de novia: «Esposa de Cristo»; alianza; pura; sin mancha; radiante de gloria; entrando en relación; vestida y totalmente revestida de belleza.

Vestido: ver un vestido nuevo indica que se avecinan diversos encuentros sociales, el color, el estilo y el coste del vestido darán indicaciones sobre el tipo de ocasiones a las que asistirás y tu nivel de prosperidad o carencia.

Vestidor: lugar para guardar o almacenar la ropa interior; ropa; muestra los artículos personales; capacidad para equipar a otros con las cosas necesarias; herencia.

Vestidura: es un símbolo de cobertura, manto o unción; responsabilidad, Apo. 3:5,18; 4:4; 19:7-8.

Vestimenta blanca: ver vestimenta blanca en un sueño representa el atuendo sacerdotal o la ropa ungida para el ministerio.

Vestimenta: Cubierta del hombre; Is. 63:1-3; Apo. 19:7-8; los emprendimientos o empresas que se inicien tendrán éxito o fracasarán según el color o el aspecto de la vestimenta.

Vestimenta: llevar la ropa de otra persona representa que asumes su manto, sus características o sus dones; puede estar ofreciéndote protección, consejo o una cobertura de algún tipo, la emulación representa tu admiración por sus logros. El color, el estilo y el estado de la ropa son importantes. La vestimenta representa el prestigio, la importancia, el honor, el respeto, la confianza, el orgullo de sí mismo y los logros. Si tiene dificultades para vestirse, significa que pueden surgir obstáculos y enredos que ensucien tu reputación; la ropa blanca indica pureza de corazón o inocencia.

Vestirse: la Novia debe prepararse para el Novio, prepararse para salir a escena, representar un papel, ponerse la unción para ministrar.

Vestuario cultural: llamado a visitar, orar, apoyar a esas naciones o grupos de personas de alguna manera; podría hablar de tu naturaleza o temperamento.

Vestuario: una temporada de aislamiento selectivo y de entrenamiento te preparará para rendir como un campeón, Ef. 6:15.

Viajar: desplazarse de un lugar a otro, pasar por encima o a través de una región, un nuevo territorio o ser pionero, un rápido viaje o actividad espiritual, un tiempo de transición de cambio, aumento o promoción, vacaciones, beneficios y placer; progreso hacia adelante en el viaje de la vida, aventura o un nuevo descubrimiento, dejar atrás las cosas negativas, alcanzar tu meta o destino.

Viaje a caballo: si vas a caballo eres capaz de superar grandes oposiciones y obstáculos.

Viaje en el tiempo: el deseo del hombre de retroceder en el tiempo o proyectarse en el futuro.

Viaje accidentado: si el camino es pedregoso o está lleno de baches, tu camino será accidentado, pero si sigues y no te rindes lograrás tu objetivo.

Viaje en automóvil: si vas en coche, llegarás con comodidad y estilo junto a tus amigos o familiares.

Viaje, hacer: dejar un legado; una herencia viene o se deja para otros;

Viaje infructuoso: ineficacia, falta de habilidades necesarias y relaciones fallidas; emociones de naufragio.

Viaje no deseado: tienes temor de experimentar el rechazo o la decepción.

Viaje, tomando un: predice viajes, aventuras y un tiempo de crecimiento espiritual. Estás pasando de una etapa de desarrollo a otra.

Viaje: desplazamiento de un lugar a otro, viaje transitorio o peregrinación, Lc. 9:3. Soñar que se viaja representa el camino o el viaje que se realiza hacia la vida eterna, la presa o las metas. Ser transmitido como luz en una experiencia de translación al cielo o transportado de una zona geográfica a otra. ¿Cómo avanza usted en el viaje de la vida y la exploración? ¿Buscas escapar de las responsabilidades y de la rutina diaria? ¿Necesita un cambio constante de escenario para no aburrirse o estancarse? Si llega a casa después de su viaje, entonces ha logrado su objetivo y ha llegado a su destino.

Vías del tren, bloqueadas: representa los obstáculos que intentan obstaculizar tu progreso o que has perdido el rumbo de tu visión.

Vías del tren: los trenes fueron una de las primeras formas de transporte, así que recuerde que debes ser aventurero; colocar nuevas vías para ser pionero en territorios extranjeros, no te vuelvas rígido, permanece siempre humilde. Se dirige en una dirección a la vez; no se descarrila fácilmente; se mantiene en la vía; se involucra en el centro de formación, aprendizaje e instrucción; se mantiene centrado y avanza en línea recta.

Víbora: hombres malvados, violentos, que maquinan cosas malas en su corazón, que continuamente provocan guerras, que afilan su lengua como una serpiente; el veneno de una víbora está bajo sus labios, Sal. 140:1-3. «Para los que se detienen mucho en el vino, Para los que van buscando la mistura. No mires al vino cuando rojea, Cuando resplandece su color en la copa. Se entra suavemente; Mas al fin como serpiente morderá, Y como áspid dará dolor», Pr. 23: 30-32. *«No te alegres tú, Filistea toda, por haberse quebrado la vara del que te hería; porque de la raíz de la culebra saldrá áspid, y su fruto, serpiente voladora»,* Is. 14:29. Una serpiente venenosa que sisea representa las palabras venenosas, Hch. 28:3. *Alternativamente:* simboliza las palabras mentirosas de engaño de los falsos amigos y rebelarse contra los caminos de Dios causarán carencias y embarazo. *«Será Dan serpiente junto al camino, Víbora junto a la senda, Que muerde los talones del caballo, Y hace caer hacia atrás al jinete.»* Gén. 49:17; *«Su veneno es como el de las serpientes, como el de una cobra que se hace la sorda para no escuchar la música del mago, del diestro en encantamientos.»* Sal. 58:4-5; *«Aplastarás al león y a la víbora; ¡hollarás fieras y serpientes!»,* Sal. 91:13; *«El vino muerde como una serpiente, y pica como una víbora».* Pr. 23:32; Serpiente venenosa del Viejo Mundo; mentiras que intentan mantener a una persona atrapada en las tradiciones y cuentos del pasado; reptil místico incubado por una serpiente de un huevo de gallo; cucaracha; Is. 14:29; Is. 11:8. Falsos maestros que provocan la apostasía, Sal. 140:3; Satanás, serpiente, víbora, Sal. 140:3.

Vibrato: oír a alguien cantando con un tono vocal con diminutas variaciones de tono en un sueño, o escuchar a alguien tocando un instrumento con un efecto trémulo o pulsante indica que necesitas afinar tus oídos para escuchar la pequeña y tranquila voz de Dios. Él habla en susurros.

Vicario: soñar que una mujer se casa significa que no es capaz de despertar pasiones; una solterona que se casa por conveniencia; hace tonterías mientras está enfadada o celosa; limitación; recibe un estipendio o salario, pero no recibe los diezmos de una parroquia; sirve como sustituto o agente de otro.

Vicio: verse a sí mismo o a otros participando en una maldad, defecto o debilidad degradante, un hábito o práctica de conducta inmoral que lleva a la corrupción y a la inmoralidad sexual, como la prostitución, indica que serás abiertamente humillado en un entorno social específico. Las cosas que se hacen en la oscuridad o a puerta cerrada serán anunciadas por un pajarito que cantará tu historia a diestra y siniestra, Sal. 107:10; Ec. 2:14.

Víctima: se creyó una mentira; se aprovechó de la falsa doctrina; los celos o la tradición del hombre; se persiguió por tener razón. Ser la víctima o sentirse víctima, un chip en el hombro, todavía lamiendo las heridas del dolor infligido por otros, evitar nuestra parte de la desgracia, ser pasivo-agresivo, buscar a otros para que nos defiendan o se pongan de nuestro lado; deseo oculto de evitar el éxito, dañarse a sí mismo a través de la represión o la condena, los enemigos te dominarán o prevalecerán contra ti; permitir que la gente oprima o domine los deseos de uno; sentirse impotente o superado en la vida; asumir la responsabilidad de tus acciones o elecciones; victimizar a otros: Ganar riqueza mediante transacciones deshonestas.

Victoria: usted será el ganador en una competencia o lucha personal. No serás vencido por el mal o por el obstáculo que estás enfrentando actualmente si pones tu confianza sólo en Dios. Finalmente vencerás a tu enemigo y triunfarás con gran éxito. Imagina o visualiza tu mayor éxito para poder alcanzarlo.

Vid: Jesús; desciende del sarmiento; fecundidad; éxito y felicidad, Gén. 49:22, José; Dt. 32:32, Sodoma; 1 Re. 4:25, seguridad; Sal. 128:3, esposa; Jer. 2:21, cepa escogida, sana y fiable que se convierte en una vid corrompida y salvaje, Jn. 4:6, Dios da y quita; vid envenenada: ardid o trampa, Jn. 15:5. Dios, el Padre, es el Esposo; Jesucristo es la Vid Verdadera y los Creyentes son los pámpanos que dan fruto si permanecemos en Dios, Ez. 15:2; Rom. 15:12; Apo. 14:18; Mc. 12:1; Jl. 1:7; 2 Re. 25:12.

Vida: subir, levantar, ascender, elevar o cambiar de estado de ánimo; llevar de una posición espiritual o intelectual más baja a una más alta; rango o estima; revocar, retirar, rescindir o cesar las restricciones.

Vidente: un vidente o profeta que ve en la dimensión del Espíritu y recibe mensajes divinos o sobrenaturales, revelaciones, percepciones y experiencias de visitas de ángeles y seres celestiales. Un vidente recibe revelaciones de antemano a través de la esfera mística de las visiones, los sueños, las imágenes, las luces, los mensajeros angélicos y los trances, en lugar de recibirlas de forma audible; se trata de alguien que se mueve con mucha fuerza en el discernimiento de los espíritus y la liberación; el cerebro derecho domina y ve las cosas en formas abstractas y simbólicas; es muy parabólico; habla en metáforas y analogías, y ve en formas de dibujos animados; tiende a vivir y hablar en forma fragmentaria. Véase «GATEWAY TO THE REALM SEER Look Again to See Beyond the Natural" and «DREAM SEER: Searching for the Face of the Invisible» para una enseñanza más exhaustiva sobre lo que es un vidente. 1 Sam. 9:9; persona que prevé los acontecimientos futuros mediante visitas angélicas y visiones en el ámbito espiritual.

Vídeo: ver un vídeo es obtener una visión de lo que vendrá en el futuro o ver una repetición de algún acontecimiento del pasado que no ha sido perdonado o que no hemos conseguido; ver las acciones positivas o negativas tuyas o de los demás que requieren ser moderadas, cambiadas, aumentadas, disminuidas o aniquiladas por completo; aprender por el ejemplo.

Videocámara: soñar que se utiliza una cámara de vídeo indica que no confías en las personas con las que te relacionas, por lo que está grabando todos sus movimientos y palabras para documentarlos. Por otro lado, es posible que disfrutes y aprecies su presencia en tu vida, por lo que quieres crear preciosos recuerdos para poder recordar el tiempo que han pasado juntos. Los vídeos te permiten criticar los comportamientos, las presentaciones y los estilos de hablar para que tanto tú como lo demás puedas mejorar.

Videojuego: estás buscando respuestas y tratando de desarrollar tus habilidades inconscientes para obtener una ventaja que te permita superar algunos desafíos en tu vida diaria.

Vidrio: visión; beber del propósito de la vida; Copas, botellas, jarrones; «los espejos del alma», Éx. 38:8; Jb. 37:18; hechos de metal pulido; Snt. 1:23; 1 Cor. 13:12, espejo.

Vieiras: verlas o comerlas presagia un viaje de vacaciones a regiones costeras; espera que tu vida dé un giro hacia una comunicación más abierta.

Viejos amantes: podría representar la necesidad de volver a tu primer amor por Jesús si te has enfriado en tu relación espiritual; volver a los caminos mundanos; malos hábitos o viejas influencias que intentan volver a seducirte. Deseo de tiempos más felices; pensamientos de engaño o de tener una feria.

Viento que sopla: el poder del Espíritu Santo o la presencia angélica; un viento violento que se precipita, Hch. 2:2; vientos de doctrinas Ef. 4:14; falsos profetas, Jer. 4:12, 5:13; cuatro vientos, Apo. 7:1; viento del Norte el cielo; trae lluvia bendición y prosperidad, Pr. 25:23; viento de tormenta, Ez. 1: 4; viento del sur es dirigido por el poder de Dios para aumentar el amor y las cosas buenas, Sal. 78:26, Cnt. 4:16; día cálido o caluroso, Lc. 12:55; moderación o alcanzar el supuesto propósito, Hch. 27:13; viento del este hambre, peste, plaga y carencia llevar a alguien o algo lejos, Jb. 27: 21 desterrado expulsado o expulsado, Is. 27:8; dispersa Jb. 38:24, Jer. 18:17; rompe los barcos, Sa.l 48:7; sopla en los cielos Sal 78:26; Éx. 10:13; marchita, Ez. 17:10; seca los frutos rompe las ramas fuertes, Ez. 19:12; rompe, Ez. 27: 26; Efraín miente y purga el viento del este; el desierto saquea los tesoros y seca los pozos, Os. 13:15; abrasa, Js. 4:8; el viento del oeste libera de la peste y la destrucción, Éx. 10:19 sobre el trabajo es como la locura y la vanidad de esforzarse tras el viento, Ec. 1:14.

Viento: Espíritu Santo; vientos de cambio; patrones de circulación; duda; sacudida; vanidad; un asimiento del viento; tormentas; viento del este: hambre, sequedad, plagas, plaga, dispersión; viento del oeste: fuerza, perdón, bendiciones, prosperidad, una brisa suave; viento del norte: trae lluvia, condiciones de frío duro; viento del sur: calma la tierra, viento suave y cálido, torbellino, comodidad, crecimiento y aumento, Sal. 104:4; Ef. 4:14; Is. 11:15; Nm. 11:31; Jn. 3:5-8; Jd. 12; Ez. 37:9-10.

Vientre: forma de pensar, sentimientos o necesidades, petición o deseos, felicidad espiritual o física, seguridad, emoción; de tu vientre brotarán ríos de agua viva, Jn. 7:38, la alegría brotará, exceso de indulgencia, apetitos, Rom. 16: 18, falta de disciplina, ser expulsado, vino sin vaciar o un odre nuevo a punto de reventar, Jb. 32:19; lleno de tesoros, Sal. 17:14; montón de trigo, Sof. 7:2; Jonás en el vientre del monstruo marino, Mt. 12:40; deseos excesivos o mundanos, Fil. 3:18-19. Estando a gusto, se necesita mucho trabajo para cumplir su sueño.

Vientre: lugar seguro de preparación para dar a luz algo nuevo, aumento de la fecundidad; multiplicación; el color violeta o la luz de la unción de Dios trae sanación y restauración a la zona del vientre. La esterilidad; los problemas de falta de perdón; la amargura; el espíritu religioso infructuoso.

Viernes: soñar que es viernes representa el fin de una compleja semana de trabajo. Considera el dicho: «Hoy es viernes y mi cuerpo lo sabe», significa un tiempo de relajo y diversión con amigos y familiares. Si sueñas que una persona en particular está contigo indica que hay un significado o beneficio personal al pasar un tiempo de ocio con ella.

Viga de equilibrio: Estar en guardia para no volverse competitivo y basado en el rendimiento; caminar por una «línea delgada»; ejercitar el equilibrio; una hazaña de equilibrio; necesidad de llegar al centro de una discusión o postura.

Viga: viga horizontal de acero o madera que se utiliza como soporte principal de una estructura o edificio. Indica que estarás rodeado de fuertes amistades

que te echarán una mano con gusto o te darán apoyo emocional cuando lo necesites. *«De veras te aseguro que cuando eras más joven te vestías tú mismo e ibas adonde querías; pero, cuando seas viejo, extenderás las manos y otro te vestirá y te llevará adonde no quieras ir»*, Jn. 21:18.

Vigas: ver las vigas, una serie de listones estructurales inclinadas que se extienden desde la cresta o la cadera hasta la placa de la pared, el perímetro de la pendiente o el alero, y que están diseñadas para soportar la cubierta del tejado y sus cargas asociadas, sugiere que tienes un grupo de apoyo fuerte y seguro o una cobertura que vela por tu bienestar y seguridad.

Vigías: Jesucristo como guardia y vigía de las almas de los creyentes. Ver un centinela en la pared indica la intervención divina en tu favor; favor, un corazón bondadoso, unción vidente, los ángeles están en guardia; la oración y la intercesión han allanado el camino para el éxito; verás al enemigo desde una gran distancia y estropearás sus planes antes de que llegue. El profeta que advierte al pueblo en nombre de Dios para salvarlo del peligro, Ez. 3:17. Proteger a la ciudad y a sus habitantes de la violencia; llamaban mientras patrullaban las calles por la noche; se situaban en las puertas y torres de las murallas de la ciudad; 2 Sam. 18:24-27; Cnt. 5:7; Is. 21:11-12.

Vigilancias de la noche: divididas en tres vigilias desde la puesta del sol hasta la salida del sol; anteriormente eran divididas en cuatro vigilias de tres horas cada una, «la tarde», «la medianoche», «el canto del gallo» y «la mañana», Jue. 7:19; 1 Sam. 11:11; Mt. 14:25; Lc. 12:38.

Vigilar: estar atento al momento en que se produce un acontecimiento; completar un asunto; estaciones en Dios; estar alerta, en guardia y vigilante, 2 Pe. 3:9; Jer. 31:28; 51:12; Is. 29:20; Mt. 24:42; 25:13; 27:65-66; Apo. 3:2; Cl. 4:2; 2 Tm. 4:5; 1 Pe. 1:13. Tener una visión o percepción para ver; una advertencia de «¡cuidado!»; vigilante en el muro; llamado a vigilar y orar. Espectador pasivo o un servidor, necesitas ser más proactivo y tomar alguna iniciativa, la vida te está pasando por encima, arriésgate, deja de estar maniatado por el miedo, toma tu posición en el muro como «vigilante», sé vigilante y alerta, «guardianes». Ver la televisión o una película, prestar atención a lo que estás viendo porque hay un mensaje o visión que Dios quiere transmitir; escapismo y desapego; revelación del pecado o de la verdad.

Vigilia: vigilar durante las horas habituales de sueño, observar o mantener a alguien bajo vigilancia; especialmente en las noches sagradas de una fiesta religiosa indica que tienes una llamada como intercesor o guerrero de la oración. Tu don profético te permite actuar como «vigilante», para recibir agudas percepciones espirituales sobre los deseos del corazón y los planes de Dios. «*Ciertamente[a] el Señor Dios[b] no hace nada sin revelar su secreto a sus siervos los profetas»*, Am. 3:7 LBLA.

Vigoroso: verte actuar de forma vigorosa en un sueño indica que tienes una personalidad resistente, robusta, viva y enérgica. Tu nuevo ímpetu te llevará lejos en esta época de descubrimientos.

Vil: significa mendigo, sin valor o indigno, Jer. 15:19; Snt. 2:2.

Villa: ver o vivir en una villa en tu sueño sugiere que has encontrado un modo de vida sencillo y romántico en el que disfrutarás de una nueva comunidad de amigos.

Villancicos: escuchar cantar villancicos de casa en casa dando alabanzas durante la época de Navidad para expresar la alegría al mundo por el nacimiento de Jesús indica que se está en el espíritu navideño y se tiene el deseo de bendecir a los demás.

Villano: ver a una persona cruelmente maliciosa que está involucrada o dedicada a la maldad o al crimen. Ver a un canalla en su sueño indica que tal vez tengas que hacer un escrutinio serio de tus acciones o de cómo estás actuando actualmente. ¿Cómo te tratan los que te rodean? Hay alguien que está tramando el mal, por lo que debe ser consciente.

Vinagre: problemas incómodos o cuestiones pesimistas; objeto de envidias y resentimientos; final o remate de una tarea penosa; conservar o causar flexión; crueldad; estorbo; molestia y burla. Vino agrio usado como bebida, Nm. 6:3; Mt. 27:48; Pr. 10:26; 25:20, vinagre agudo.

Vino blanco: soñar que bebe vino simboliza el Espíritu Santo, la alegría, el buen humor, la comunión, la celebración, la amistad, el placer, la prosperidad, la abundancia, la resurrección y la victoria en tu vida. Tal vez te «quejes» demasiado de las situaciones actuales de la vida. El vino es un burlador que hace olvidar las cosas dolorosas de la vida. Seduce y engaña. El vino puede representar la fornicación y la prostitución de la religión falsa (aspecto impuro o negativo del color blanco).

Vino de fornicación: beber el vino de fornicación representa participar de un engaño maligno y religioso de las doctrinas satánicas y demoníacas, Is. 28:7-8; Apo. 17:1.

Vino tinto: si estás bebiendo vino tinto significa exceso de indulgencia y sensualidad. Deja de quejarte cuando las cosas no salen como quieres. Si estás bebiendo vino de comunión en un sueño, entonces representa alguna celebración o ceremonia espiritual. El vino tinto puede representar la sangre sagrada de Cristo en la comunión. Si estás rompiendo botellas de vino al son de la música, significa gula en tus deseos y obsesión. Guarda tu corazón para que la decepción no te alcance.

Vino: Espíritu Santo; alegría; Sal. 4:7; celebración; Jn. 4; festividad; Ec. 9:7; Reino de Dios Lc. 22:18; amistades; algo viejo o algo nuevo; enseñanza dulce; cena fina; conocedor; amor, Cnt. 1:1-2; pasión; necesidad más que un sustento o un lujo de vida; bendiciones abundantes del pacto, Gén. 27:28; Jl. 1:10; Os. 2:21-22, 2:8, 9:2; provisión Am. 9:13; Is. 25:6; o castigo juicio Jer. 25:15; Is. 63:6; para la obediencia Dt. 28-29; algo viejo o nuevo; dulces enseñanzas; bebida para celebrar la alegría o el pacto; evitar el exceso; la pérdida de autocontrol Pr. 20:1; Os. 4:11-12; la embriaguez, Ef. 5:18; eliminación de residuos durante la destilación. Pr. 23:32-33; el vino es como la mordedura de una serpiente o el veneno de una víbora. Hospitalidad, fiesta, Gén. 14:18; Pr. 20:1; 23:29-32; Is. 28:1-7.

Viña: los frutos de las experiencias de la vida y el trabajo de uno; uvas de la ira; gran cosecha; John Wimber y el movimiento de la *Iglesia de La Viña* con señales y maravillas. La nación judía; el Reino de Dios; crecimiento en la gracia; paz; fecundidad; injertado; «vid», chismes; rumor; esposa; iglesia; juego de palabras: «¡lo escuché a través de la vid!». Fecundidad; vino nuevo; Israel; Reino de Dios; crecimiento en gracia, paz, injertado; molino de rumores; Gén. 9:20-21 borrachera descubierta de Noé; Éx. 22:5 restitución; Is. 3:14-15, 5:1; juicio contra ancianos y líderes, Mt. 21:28; primera posesión cultivada de Noé, Gén. 9:20; cercada con un seto o muro para proteger el fruto de los animales, Sal. 80:8-13; se construyeron torres para vigilar, Mt. 21:33.

Viola: instrumento de cuerda con un arco ligeramente más largo que el del violín; indica que te sientes «violado» en algún ámbito de tu vida. La viola es la voz media de la familia de los violines, entre el violín y el violonchelo. La música que se escribe para la viola es diferente a la de la mayoría de los instrumentos porque las notas se utilizan poco y se escribe en un registro más alto.

Violación: acto criminal de forzar, agarrar o llevar a una persona para que se someta a tener relaciones sexuales en contra de su voluntad; sentimientos de secuestro; abuso; pilotaje; humillación; ser impotente; despojado; trato inadecuado; expresión sexual sádica; deseo inconsciente de ser conquistado, violado, dominado y conducido a actos prohibidos; sentimientos de venganza contra el género opuesto; ser puesto en peligro por alguien o algo; baja autoestima, un estado insano de bienestar emocional; algo indeseable está siendo forzado sobre ti; inseguridad; disfunción sexual; trabajar a través de la severidad, el dolor y el trauma de una violación real en la vida personal; robar las ideas de otros.

Violar: indica un sentimiento despiadado, agraviado y herido hacia el sexo opuesto. Usted ha sido deshonrada y profanada y se ha aprovechado de ello. Algo o alguien está imponiendo sus deseos o su voluntad sobre ti, poniendo en peligro tu autoestima y tu bienestar emocional. Si has sido violada en la vida real, los sueños de violación son una forma común de procesar el trauma de semejante agravio, Jn. 10:10; Gén. 34:27. Ver que se comete una violación en un sueño denota disfunción sexual, miedo o indecisión.

Violencia: *«Hay bendiciones sobre la cabeza del justo; Pero violencia cubrirá la boca de los impíos»*, Pr. 10:6; *«El hombre violento incita a su prójimo, y lo guía por camino que no es bueno»*, Pr. 16:29 LBLA.

Violeta: aumenta, la claridad espiritual y mental, se ocupa de las emociones, Espíritu del Temor del Señor, Is. 11:2, color púrpura, una flor que crece a ras del suelo, uno de los colores primarios.

Violetas: modestia y sencillez; fidelidad; alegría y aumento del favor y la autoridad con las personas influyentes; mejora de la claridad mental y emocional; febrero; Rhode Island; Wisconsin; Illinois; Nueva Jersey.

Violín: celebrar la armonía en el hogar; ocasiones alegres. Produce gran flexibilidad en el rango; tono y dinámica; honor; regalos abundantes; armonía y paz; jugueteo con algo.

Violonchelo: instrumento de cuatro cuerdas de la familia del violín, con un tono más bajo que el de la viola, pero más alto que el del contrabajo; oír tocar un violonchelo en un sueño indica que se avecinan buenas noticias; si las cuerdas se rompen, habrá que restringir o reparar una relación muy querida.

Virgen, deseos sexuales: anhelo de experimentar la receptividad, la apertura de mente, liberarse o resolver los sentimientos de estar atrapado o atrapada.

Virgen soñada por un hombre: el deseo de amor puro; una nueva relación o matrimonio; un nuevo comienzo.

Virgen: la Virgen María, la madre de Jesús, gran favor y felicidad; la que no ha tenido relaciones sexuales, la mujer casta y soltera, la castidad en estado natural o puro, no manchada o no tocada por el hombre, la virginidad, el deseo de matrimonio y maternidad; el alma o psique humana, la inocencia, la pureza, una nueva mente abierta o un corazón lleno de receptividad sin preconceptos, totalmente entregada al movimiento inspirador del Espíritu Santo, para concebir un hijo santo; nuevas ideas, dones, ministerio, empresa o conciencia superior; saltar espiritualmente o moverse físicamente más allá de las limitaciones de las concepciones ya formadas hacia lo novedoso, fresco e ilimitado ampliando la propia vida.

Vírgenes: una persona que no ha tenido relaciones sexuales; una persona casta y soltera; castidad; virilidad; belleza, Gén. 24:16; Lc. 1:34, «La Virgen María» virtuosa; santa; pura en estado; sin tocar; sin manchar; sin usar; sin cultivar; sin explorar; «territorio virgen»; «Islas Vírgenes»; forma nativa o rupestre; «La primera vez»; integridad; honestidad; pureza; potencial sin explotar; arrepentimiento o remordimiento de pecados o errores pasados.

Virginia Occidental: «Los montañeses siempre son libres»; Salvaje y maravilloso; Estado de las montañas; Estado de Panhandle; Rododendros; Oro viejo y azul; Deliciosas manzanas doradas; Carbón fósil solidificado del Mississippi; Lithostrotionella.

Virginia: «Así siempre a los tiranos»; Virginia es para los amantes; Antiguo Dominio; Madre de los presidentes; Cornejo americano.

Virtud: es una persona de excelencia moral y rectitud; castidad en una niña o mujer; mostrar bondad y misericordia a los demás; valor varonil o pundonor.

Viruela: si te vacunas contra la viruela tendrás una larga y próspera vida; personas enfermas de viruela: protégete de aquellos con los que entablas relaciones estrechas o de aquellos que quieren codearse contigo para obtener algún beneficio personal.

Virus del papiloma humano (VPH) genital: es un virus común que la mayoría de las personas sexualmente activas en la mayoría de las personas sexualmente activas de EE.UU. lo tendrán en algún momento de su vida. Se transmite a través del contacto genital y también se encuentra en áreas que los preservativos no cubren. La mayoría de los hombres con VPH de cualquier tipo nunca desarrollan ningún síntoma o problema de salud. Algunos tipos de VPH pueden causar verrugas genitales, cáncer de pene o cáncer anal. Los HSH (hombres que tienen relaciones sexuales con hombres) y los hombres con sistemas inmunitarios comprometidos tienen más probabilidades que otros hombres de desarrollar cáncer anal. Los hombres con VIH son más propensos a padecer casos graves de verrugas genitales difíciles de tratar.

Virus: un virus informático: caída causada por algo que está fuera de tu control y que viola tus límites; infección: superación por una entidad extraña e intrusa que está causando dolor emocional, colapso físico, enfermedad o dolencia.

Viscaria vulgaris (planta): ¿quieres bailar conmigo? Flor púrpura que crece en acantilados y lugares rocosos; ceremonia o misterio.

Visiones: se desarrollará una atmósfera diferente en tus negocios, tu vida y tus relaciones; las cosas pueden revertirse por un tiempo y luego acelerarse; los cambios pueden parecer malos al principio, pero se resolverán para el bien postrero; capacidad inusual en la percepción, el discernimiento y la previsión; imagen mental creada por nuestra imaginación; experiencia mística de ver con ojos sobrenaturales, Dn. 2:19; 7:2; una de las muchas formas en que Dios comunica su voluntad al hombre.

Visita: verse ir o venir, ver a una persona, lugar o cosa determinada en su sueño indica que necesita algo que esa persona, institución, negocio u objeto que se ofrece.

Visitación: acto de visitar o ser visitado con el propósito de inspeccionar, examinar, castigar o bendecir por un ser sobrenatural o divino de las dimensiones de los espíritus; seres de luz o de oscuridad del reino espiritual eterno manifestados en este ámbito temporal de lo natural.

Visitante, uno mismo: soñar que se es un visitante sugiere que debes mirar el panorama general; es un llamado a buscar una perspectiva más elevada de la vida.

Visitante: visita de un ser celestial o terrenal; advertencia: cuidarse de la explotación por parte de los que halagan para obtener el favor; se acercan noticias o informaciones; experimentar o entrar en una nueva fase de la vida amorosa; si es inoportuno: negativa a cambiar.

Vislumbrar: percibir con los ojos, comprender algo visualmente y visualizar mentalmente una determinada imagen; desentrañar el verdadero carácter o naturaleza de una persona o cosa; creer que algo es posible; imaginar; prever; conocer por experiencia propia. La unción del «vidente» o «profeta» para ver más allá de lo natural hacia lo divino y sobrenatural.

Visón: llevar visón: indica gran riqueza y prestigio; ver que otros llevan visón: tienes un enemigo astuto a quien vencer.

Vista del océano: ver una vista del océano en un sueño sugiere que usted tiene un llamado misionero a las naciones del mundo como evangelista o persona de negocios.

Vista, borrosa: tendrás que superar la confusión para conseguir el éxito.

Vista: representa la perspicacia y la percepción espiritual, el discernimiento y la comprensión; se refiere al ojo, Ayin; una vista para los ojos doloridos; visión o vista natural; 2 Cr. 22:4, 24:2; Jb. 18:3, 19:15; Sal. 9:19, 90:4; Pr. 3:4; Heb. 4:19, 8:21; Rom. 3:20. Ver un hermoso escenario indica que tus sueños se harán realidad, una esperanza se hará realidad; una vista clara: un éxito fácil.

Vitaminas: suplementos nutricionales para asegurar la salud y el bienestar. Es hora de renovar tus fuerzas físicas corrigiendo tu dieta con los suplementos nutricionales necesarios, 3 Jn. 2.

Viuda: cuidada y protegida por Dios su juez; el justo defensor de la iglesia y de Israel; mujer casada indigente que sueña con ser viuda: miedo a perder a su marido, o deseo de su libertad, advertencia de problemas, otros buscan aprovecharse de ti llevando a la pobreza; duelo; soledad, abandono o tristeza; sentirse aislada y abandonada; la capacidad de ser libre o independiente. La ley mosaica velaba por los derechos de las viudas y los huérfanos; Israel profano, divorciados, Lam. 1:1; Jer. 3:6-14.

Viudo: soñar con un hombre que ha perdido a su esposa por muerte puede sugerir que estás disponible o deseoso de encontrar una nueva esposa, compañera o alguien con quien desarrollar una relación para no sentirse solo. La esposa también representa la iglesia y podría indicar que te has alejado de tu fe y necesitas cambiar tu corazón.

Víveres: ver o comer alimentos aptos para el consumo humano que proveen nutrición indica que Dios está proveyendo todas tus necesidades de acuerdo a sus riquezas en gloria, Fil. 4:19.

Vivo, ahogado: Sientes que estás sumergido en demasiadas actividades y responsabilidades que te están sofocando.

Vivo, enterrado: Indica que no te sientes reconocido, advertido o tenido en cuenta, que has asumido demasiado, que el peso de tus responsabilidades te ha hundido.

Vivo, quemado: Se encontrará en una discusión acalorada que le llevará a un fracaso financiero en un acuerdo comercial.

Vivo: Estar lleno de vida, animado y consciente indica que eres sensible a tu entorno y que tendrás mucho éxito en todo lo que hagas.

Vocal: armonía; unidad; voz para emitir un sonido claro; rapidez para criticar o hablar; franqueza; dones vocales de profecía.

Vocales, cuerdas: capacidad de comunicar, voz audible, portavoz, profeta, el vidente o profeta.

Voces de muchas aguas: oír las voces de muchas aguas representa la armonía del hombre que se reúne para alabar y adorar a Dios en una sola voz, Ez. 43:2; Apo. 1:15.

Voces: oír la voz tranquila del Espíritu Santo; escuchar la voz interior o la conciencia; escuchar la voz del hombre o de un espíritu demoníaco, Jn. 10:27.

Volante: ser decisivo, tomar el control de la propia vida, Sal. 32:8.

Volar ala delta: libertad en la vida; confianza en el Espíritu Santo que no se ve; creer en el destino; estrellarse: una pérdida de fe.

Volar la cometa: deja que el Espíritu Santo sea el viento bajo tus alas; vuela a los lugares celestiales para obtener una perspectiva divina; aunque tengas grandes ambiciones con un gran deseo de alcanzar las metas y el destino de tu vida, eres capaz de mantener una cabeza lúcida y permanecer con los pies en la tierra, Sal. 123:1. El trabajo duro, la disciplina y la perseverancia traerán mucho éxito; el nivel de dificultad determinará la sabiduría que se necesita para lograr una resolución; ten cuidado, ya que a veces los regalos tienen cuerdas atadas, es mejor evitar los apegos malsanos si quieren controlar tus regalos; todo lo que vale la pena tiene un precio; no te conviertas en la marioneta de otra persona, sobre todo, si ésta intenta tirar de todos los hilos y hundirte; ten en cuenta el color y el diseño de la cometa; fíjate en si tiene una cola que se arrastra o en cómo vuela; puede indicar que se está contando un cuento chino; un viento de cola aumenta la velocidad del objeto y reduce el tiempo necesario para llegar a su destino, mientras que un viento en contra tiene el efecto contrario; un viento adverso puede hacer que tu vida se salga de madre. Ora por la sabiduría y el correcto discernimiento.

Volar una cometa: ofendido por alguien que «va a volar una cometa» sin querer tratar un asunto, aprendiendo a moverse en el reino del Espíritu, tratando de atrapar el viento del Espíritu.

Volar: indica un gran don revelador o «profético»; capacidad de navegar libremente en los ámbitos espirituales; promoción o avance; habilidades divinas sobrenaturales; eres una persona sensible e intuitiva, capacidad de elevarte por encima de las situaciones adversas, superas las cosas viendo los acontecimientos desde una perspectiva celestial superior; no estás limitado, sino que puedes elevarte por encima de los obstáculos y las limitaciones físicas; quieres escapar, Jer. 48:9.

Volcán: una erupción de gran presión que hace fluir los fuegos de avivamiento de Dios; un gran fuego transitorio.

Volcar o zozobrar: la atención de uno es necesaria para evitar que una situación tome un mal rumbo; no evites las circunstancias incómodas o se volverán contra ti. Cuando tu barco zozobra, indica que has evitado una confrontación o situación necesaria durante demasiado tiempo; ahora tus emociones se hunden hasta el punto de sentirse ahogado o agobiado.

Voleibol: deporte de equipo y de cooperación; la agilidad es necesaria, así como mantener el equilibrio, estirarse, apoyarse y servir a los demás mediante el trabajo mancomunado; una volea divertida y afrontar el reto; encuentro competitivo. El voleibol puede indicar incapacidad para comprometerse, doble mentalidad o indecisión.

Volkswagen: significa «el coche del pueblo», el eslogan es «El coche». Su anterior eslogan en alemán era «Por amor al coche» o «Por amor al automóvil»; personas motivadas por el amor en el ministerio.

Voltear: voltear a alguien o algo es un signo de gran emoción, alguien o algo nuevo está llegando a tu vida

para animar las cosas, prepárate para un cambio muy necesario que te traerá gran alegría.

Voltereta: Salir de tu zona de confort para ayudar a los demás, hacer todo lo posible, echar una mano, desviarte de tu camino para ayudar a los demás.

Voltereta: si caes de pie después de dar una voltereta, indica una gran flexibilidad y capacidad para recuperarse de obstáculos imprevistos.

Voluntario: don de ayuda; corazón de siervo; uno encuentra su valor en la ayuda a los más necesitados; caridad; ofrece de buen grado ayuda en situaciones difíciles; toma más iniciativa y dirige la propia vida.

Volver: regresar, ir o volver, como a una condición o lugar anterior indica que necesitas ser restaurado a una condición anterior provechosa. *«Desde los días de vuestros padres os habéis apartado de mis leyes, y no las guardasteis. Volveos a mí, y yo me volveré a vosotros, ha dicho Jehová de los ejércitos. Mas dijisteis: ¿En qué hemos de volvernos?»*, Mal. 3:7; *«El perro vuelve a su vómito»*, y *«la cerda, después de lavarse, vuelve a revolcarse en el fango»*, 2 Pe. 2:22.

Vomitar: escupir las propias palabras sin pensar; desembuchar; ofrecer información no solicitada. Hablar antes de pensar; soltar palabras o expresiones viles; descargar sobre alguien; vomitar. Librarse del pecado, de las toxinas espirituales desagradables; rechazar las ideas venenosas, y desechar las actitudes negativas; confrontar cualquier emoción hiriente, y disipar las percepciones erróneas o los hábitos personales repugnantes y dañinos; guardar el corazón, no dejar que otros se aprovechen de ti. La necesidad de eliminar las cosas dañinas que son repugnantes o desagradables en la vida de uno; una confrontación que lleva a descubrir los planes internos de alguien para engañar o desviarte por el camino equivocado.

Vómito: pecados desagradables; toxinas espirituales; ideas venenosas, ser negativo, actitudes autodestructivas; enfermedad, 2 Pe. 2:22.

Votar: expresión formal de preferencia por una candidatura para un cargo o una propuesta de resolución para un problema; ponerse de pie y ser contado por su opinión sobre un asunto; emitir su voto o respaldo.

Voto: Gén. 28:20-22; promesa o compromiso solemne hecho con Dios.

Voz audible: Escuchar la voz de Dios, del Espíritu Santo o de los ángeles con tus oídos naturales; un alto nivel de revelación significa que el mensaje será difícil de obtener o alcanzar.

Voz grave: sonido más bajo; tono profundo; fundamento; neg: denota alguna discrepancia en la vida o en los negocios.

Vudú: Haití, África Occidental o una religión de Luisiana que implica la práctica de poner conjuros, enfermedades, maldiciones y muerte a las personas. Soñar que se practica el vudú sugiere que se intenta alejar a los demonios o a una fuerza energética negativa. Ver un muñeco de vudú en tus sueños significa que alguien te ha atacado con su odio con la intención de hacerte daño. *«Como el gorrión sin rumbo o la golondrina sin nido, la maldición sin motivo jamás llega a su destino»*, Pr. 26:2; Arrepiéntete de todo pecado conocido, ora por la liberación, aplica la sangre de Jesús y rompe verbalmente todas las maldiciones escritas o habladas, Pr. 26:2.

Vuelta en U, hacer: hacer un giro en U en un sueño indica que estás alterando el rumbo o tomando un camino o dirección diferente en tu vida. Has decidido dar un giro o cambiar tus directrices; caminar por una ruta totalmente opuesta. ¿Has orado pidiendo sabiduría para saber cuál es el camino de la santidad? Es un llamado a alcanzar el camino alto y a nunca conformarse con el camino bajo o fácil que es el más transitado.

Vuelta en U: puede indicar que se está dispuesto a girar o volver para hacer lo correcto y arrepentirse.

Vueltas: dar una vuelta o aventajar a un oponente en una carrera por uno o más circuitos completos en una tosca carrera, indica que tienes mayor habilidad, técnica o favor que otros. Eres un ganador. Si estás aburrido de correr en círculos es hora de salir de la misma rutina.

Vulgar: actuar de forma vulgar o impropia en un sueño presagia el rechazo y el ridículo del público; ten cuidado con las personas nuevas que te presenten o intenten hacerte conocer; cuida tu corazón, las palabras de tu boca deben ser siempre agradables y dulces. Palabras o lenguaje hablado por gente inculta, común o montaraz.

W

Walkie talkie: eres o necesitas ser receptivo para recibir y comunicarte con paciencia con tus compañeros o con la gente del trabajo. Estás en contacto con un grupo selecto de personas para completar una tarea específica. Eres capaz de caminar aquello de lo que hablas.

Wal-Mart: tienda abierta las 24 horas del día conocida por sus precios económicos y la comodidad de las compras; se puede conseguir lo que se necesita a cualquier hora del día o de la noche.

Washington: Jerga Chinook «Por y para»; Estado de hojas perennes; rododendro de la costa; verde y dorado; manzana; madera petrificada.

Whisky: botella descorchada: vigilancia, cautela y defensa de la naturaleza; beber whisky a solas: intereses egocéntricos; embriaguez a costa de perder amigos; muchas decepciones; pena y dolor.

William Shatner: el capitán Kirk de la nave estelar Enterprise. Se le otorga la autoridad para explorar los límites exteriores del universo o los niveles espirituales.

Wisconsin: «Adelante»; «Quédate un poco más»; «Estado del tejón»; «Tierra lechera de Estados Unidos»; «Viola adorata»; «Arándano»; «Galena»; «Granito rojo».

World Wide Web: o internet; www o W3, «la web», es un sistema interconectado de documentos de hipertexto a los que se accede a través de internet para ver multimedia, imágenes y páginas web, etc. Estás llamado a los medios sociales para ayudar a conectar el mundo en un espíritu de unidad y armonía unidos por el hilo común del amor. Eres un creador de redes de personas y organizaciones para la promoción del evangelio de Cristo.

Wyoming: «Igualdad de Derechos»; Estado de la Igualdad; Estado de los Vaqueros; Pincel Indio; Azul y Rojo; Jade; Rito Neph.

X

Xanadú: visitar un lugar de Kubla Khan, de Samuel T. Coleridge, indica que está buscando un hermoso lugar de retiro donde pueda refrescarse y energizarte.

Xantato: soñar con esta sal ácida que se utiliza como colector de flotación para atraer el cobre, la plata y el oro a un lugar, indica que se le ha concedido el don de obtener riqueza. Pr. 1:13; Sal. 112:3.

Xántico: ver esta planta de flores amarillas en un sueño le permite saber que se beneficiará de la superación de los obstáculos presentes ganando fuerza y virtud.

Xenia: en griego, Xenia significa hospitalidad con un invitado o un extranjero. Polinización cruzada: obtener una planta híbrida, producida por la transferencia de polen de una cepa de planta, a la semilla de una cepa diferente.

Xenofobia: si tienes odio a todo lo que es ajeno a ti y a tu zona de confort, como los extraños o extranjeros, te has vuelto demasiado rígido e inflexible; el odio es como el pecado de asesinato, Sal. 10:12, el odio suscita conflictos, pero el amor cubre todas las transgresiones.

Xenogamia: ver la transferencia de polen de una planta a otra en un sueño indica que serás muy fructífero y que todo lo que toquen tus manos prosperará.

Xererthemum (tipo de flor): ver esta planta en flor en tus sueños predice que necesitas asegurar tu eternidad e inmortalidad.

Xerodermia: soñar que su piel está extra seca o áspera indica que has tenido muchos encuentros cercanos y negativos que te han perjudicado.

Xilófono: graduado en longitud y sonido; ocasión alegre y feliz.

Xmas o navidad: la letra griega X es la abreviatura de Cristo, Xmas es la palabra informal o la forma corta de Navidad. Ver Xmas en un sueño indica que estás centrado en celebrar y recordar el nacimiento de Jesucristo el Salvador del mundo.

X-Men: ver a cualquiera de los X-men en un sueño indica un deseo de moverse con un poder sobrenatural o una fuerza humana extraordinaria para realizar grandes hazañas. El Espíritu del Señor vino sobre Sansón poderosamente, Jue. 14:6, 19. 15:14.

Xuthus: en la mitología griega, Xuthus era un hijo de Hellen y Orseis y el fundador (a través de sus hijos) de las naciones aqueas y jónicas. Tuvo dos hijos con Creusa: Ion y Aqueo y una hija llamada Diomedes. Xuthus y Creusa visitaron el Oráculo de Delfos para preguntar al dios si podían esperar un hijo. Ver a Xuthus en un sueño podría indicar que estás buscando al dios equivocado (la ciencia médica) para que te ayude a quedarte embarazada. Jesús es la fuente de toda vida, ora y pídele un hijo o un nacimiento milagroso, Gén. 18:11-15.

Xyster: ver un xyster o utilizar este instrumento quirúrgico para raspar los huesos podría ser una advertencia para que un médico determine el estado de salud de tu estructura ósea.

Y

Yahoo: miembro de una raza salvaje en los Viajes de Gulliver; alguien que es tosco, bruto o estúpido; también un motor de búsqueda de Internet para localizar información en la red.

Yak: ver en un sueño un yak bovino de pelo largo del Tíbet o del centro de Asia representa tu individualidad y lealtad. El yak en inglés también puede ser un juego de palabras sobre «cacarear» demasiado. Tienes una boca y dos oídos, así que deja de hablar tanto y escucha más.

Yakima: miembro de un pueblo nativo americano que habita en el centro-sur del estado de Washington y que utiliza el dialecto sahaptin.

Yakitori: asar trozos de pollo marinado del tamaño de un bocado en pequeñas brochetas de bambú.

Yakut: pueblo que vive en la región de Yakut, en el noreste de Rusia, y que habla la lengua turca de los yakutos.

Yam: los niveles hormonales de tu cuerpo son bajos o necesitan un ajuste; vacaciones memorables con la familia y los amigos.

Yamen: oficina o residencia de un funcionario imperial chino. Puede que sientas miedo de una fuente de poder o autoridad extranjera que influye en tu vida.

Yang: el principio cósmico masculino activo en la filosofía dualista china.

Yankee Doodle: escuchar a alguien cantando Yankee Doodle en un sueño indica que estás pasando por cambios revolucionarios en tu vida.

Yanqui: ver a un residente nativo de Nueva Inglaterra o de los estados del norte en su sueño, especialmente si está vestido con un traje de soldado de la Unión, representa algo relacionado con la Guerra Civil estadounidense. Es posible que tengas que lidiar con problemas de prejuicios o falta de perdón por asuntos del pasado.

Yap: oír a un perro ladrar indica que has estado hablando de forma demasiado brusca, abusiva o regañando a los que te rodean sin motivo. Estás actuando de forma grosera. Deja de hablar de forma ruidosa y estúpida. Cierra el pico.

Yapok: mamífero marsupial acuático de América tropical con un denso pelaje, patas traseras palmeadas para nadar y una larga cola. Alguien puede estar tejiendo una amplia red de engaños o contando largas historias sobre ti.

Yaqui: miembro de un pueblo indio americano que vive en el noroeste de México y el sur de Arizona y que habla la lengua uto-azteca.

Yarda: una vara con una unidad de medida estándar de longitud en los Estados Unidos y en el Sistema Imperial Británico igual a 0,9144 metros. Una prueba o estándar utilizado en el criterio de medición, comparación o juicio. No estás a la altura de las expectativas de los demás. Un patio también puede referirse a la propiedad que rodea a un edificio. Es posible que necesite ampliar tus límites y fronteras. Propiedad que encierra un sistema de vías férreas donde se reparan los trenes y se cambian los vagones, se almacenan o se les da servicio. Considere si estás en el camino para obtener tu destino en la vida. El pasto de invierno para ciervos y alces en un bosque. Una extensión de terreno cerrada en la que se mantienen los animales. Deberá discernir cómo se utiliza la yarda en el contexto de tu sueño.

Yate: carrera para atrapar el viento del Espíritu con placer, elegancia y estilo; embarcación señorial utilizada para transportar príncipes, embajadores. Lujo, opulencia, intriga, riqueza, gran provisión, relax o vacaciones, ingenio, se persigue un gran favor, éxito.

Yellowstone: situado principalmente en el estado norteamericano de Wyoming, aunque también se extiende por Montana e Idaho, es el primer parque nacional del mundo conocido por su fauna y sus numerosos elementos geotérmicos, especialmente el géiser Old Faithful, que forma parte de la ecorregión de los bosques de las Rocosas Centrales del Sur. La mitad de las características geotérmicas del mundo se encuentran en Yellowstone, alimentadas por este volcanismo continuo. En el parque viven en libertad osos pardos, lobos y manadas de bisontes y alces. Propenso a desahogarse, lleno de vida salvaje.

Yelmo: esperanza; protección para la cabeza; salvación, yelmo de la Salvación, Ef. 6:17; 1 Tim. 5:8; transforma la mente con la verdad de Dios; protege la vida de los pensamientos, guarda las ideas de cerca; arma defensiva; sombrero de metal que usan los soldados para proteger la cabeza de los golpes físicos en las batallas militares, 1 Sam. 17:5; Jer. 46:4

Yema de huevo: uniones iguales o desiguales, nuevo comienzo, promesa de vida, nueva idea.

Yema: parte amarilla y nutritiva del huevo que consiste en proteínas y grasa rodeada de albúmina, también puede ser una sustancia grasosa que se encuentra en la lana de oveja sin procesar. La yema de huevo en un sueño representa la parte creativa de la vida. Puedes esperar que se originen muchas nuevas y maravillosas ideas creativas.

Yenta: mujer cotilla y chismosa. *«El que anda en chismes descubre el secreto; No te entremetas, pues, con el suelto de lengua»,* Pr. 20:19.

Yeso: enlucir una pared indica que estás en proceso de mejorar, de actualizarse o de volverse más moderno en tu enfoque de las situaciones. Si ves un molde de yeso, te estás liberando de una forma anterior de tradición para volver a moldear tu vida en algo nuevo y emocionante.

Yin: una luna sombreada para representar el feminismo pasivo o lo femenino en la filosofía dualista china, Sal. 119:3.

Yo, mi persona o yo: la forma en que uno aparece o no aparece en un sueño, observando o participando, representará su relación con, sus opiniones y sus esperanzas para el futuro, o la necesidad de sanar el pasado.

Yodel: escuchar esta melodiosa llamada en tus sueños indica favor y aumento de la popularidad.

Yoga: disciplina hindú destinada a entrenar la conciencia para alcanzar un estado de perfecta percepción espiritual y tranquilidad. Es un sistema de ejercicio físico que promueve el control del cuerpo y la mente como una unidad. *«Ejercítate para la piedad; porque el ejercicio corporal para poco es provechoso, pero la piedad para todo aprovecha, pues tiene promesa de esta vida presente, y de la venidera. Palabra fiel es esta, y digna de ser recibida por todos»,* 1 Tm. 4:7-9; Ez. 11:12.

Yogur: indica que tu balance de pH puede estar desequilibrado. El consumo de yogur de cultivo vivo ayuda a mantener un sistema digestivo saludable con una buena flora intestinal, especialmente si ha tomado antibióticos recientemente. Este tentempié natural y saludable de leche cuajada endulzada con fruta indica que tal vez necesites ajustar tus hábitos alimenticios y cuidar mejor tu cuerpo. Necesitas comer la carne de la Palabra, así como la leche de la Palabra para desarrollar el fruto espiritual.

Yorkshire terrier (perro): los Yorkies fueron criados originalmente en Yorkshire, Inglaterra. Tienen un largo pelaje gris azulado. Son buenos para matar ratas y otros roedores que intentan invadir la casa de alguien. Su sueño le dice que no debe subestimar el valor de alguien porque es pequeño en tamaño o estatura.

Yo-yo: los altibajos de la vida; la indecisión; la doblez; actuar como un niño, Sal. 20:8.

Yuca: ver estas flores blancas en flor o comer este tubérculo tropical indica que una nueva perspectiva positiva de la vida vendrá mientras trabajas en tu situación actual.

Yugo: significa que no estás dispuesto a conformarse con las costumbres, los consejos y los deseos de los demás. Soñar que estás uniendo bueyes indica la aceptación de una gran responsabilidad; usted sabe cómo aprovechar un fuerte equipo de trabajadores para llevar a cabo las tareas que tiene entre manos. Se le da bien poner en contacto a la gente con el fin de lograr la prosperidad y el progreso. Es posible que hayas asumido demasiado trabajo y que éste te esté agobiando. Necesitas pedir a tus amigos y familiares que te ayuden a llevar tu carga durante esta época de la vida, Gén. 27: 40; Lev. 26:13; Dt. 28:48; Jer. 27:8-12; Sal. 119:71; Hch. 15:10; 1 Tm. 6:1; Gál. 5:1; Mt. 11:29; 2 Cor. 6:14.

Yunque: llevas un gran peso o tienes gran influencia sobre los demás, el poder de la vida y la muerte está en tu lengua, las llaves del éxito están en tu mano, lleva el peso de tu carga hasta que acumules suficiente fuerza para superar todos los obstáculos de la vida; el éxito puede ser una carga pesada de llevar porque añade una mayor responsabilidad en la vida. Aquellos que están al rojo vivo y son apasionados por el Señor serán moldeados como herramientas de cosecha y de nobles propósitos.

Z

Zafiro: Dan, regentar, juicio divino verdadero, ejecutar la justicia, gobernar, luchar o pelear, contender, don de discernimiento de espíritus, serpiente, balanza, segunda piedra fundacional, obra de perfección, eterno templo de Dios, prueba, elegido, costoso, cambio de carácter y naturaleza, estrella brillante, tono azul de la sala del trono en el cielo, templo vivo, Gén. 49:17. Éx. 24:10, 39:11, Jb. 28:16, Ez. 10:1, Apo. 21:19. Belleza, dureza y brillo, color azul, Éx. 24:10; Ez. 1:26; piedra en el pectoral del sumo sacerdote, Éx. 28:18.

Zamboni: ver un Zamboni o pulidora de hielo, que se utiliza para allanar, lavar, limpiar y alisar la superficie de una placa de hielo o pista de patinaje en un sueño indica que se le está dando una segunda oportunidad para tener un comienzo suave en lo referente a una relación o empresa. La pizarra se está limpiando para que no haya baches ni obstáculos que impidan tu progreso; se trata de una navegación tranquila, y aunque el entorno pueda ser gélido, mantén la cabeza alta, permanece impertérrito y resolverás las cosas permitiéndote patinar por la vida a la vanguardia.

Zambullida, gente: ver a la gente zambullirse en el agua representa que la ayuda está en camino, que el rescate y la provisión están llegando para traer apoyo y estabilidad; otros se te están adelantando; es hora de actuar, de ser proactivo.

Zambullirse: dar un salto de fe; adentrarse en un territorio desconocido; llegar al final de uno mismo.

Zanahorias, comer: indica la necesidad de una visión clara o una claridad adicional para ver algunos posibles detalles ocultos sobre un asunto en cuestión.

Zanahorias: La perseverancia producirá abundancia, prosperidad, bendiciones; en general, las zanahorias en un sueño son un símbolo favorable. Promete a la persona que lo observó en visión nocturna un éxito vertiginoso en muchos planes y momentos felices. Si una niña vio un sueño con este vegetal, puede esperar un novio digno y prepararse para una boda inminente con la posterior reposición familiar.

Zanates: son mirlos iridiscentes originarios de América del Norte y del Sur. Son omnívoros, comen bichos e insectos, pececillos, ranas, huevos, bayas, semillas y grano e incluso pequeños pájaros y ratones. Son ladrones que se abalanzan hacia delante e intentan agarrar y a menudo arrebatar la comida del pico de otro pájaro. Los zanates prefieren comer semillas dispersas del suelo en los comederos de aves. El canto de este pájaro es especialmente áspero. En ocasiones también suena como el zumbido de una línea eléctrica. El zanate también imita los sonidos de otros pájaros o incluso de los humanos. Los zanates tienden a congregarse en grandes grupos, lo que les permite detectar a las aves que invaden su territorio. Se les llama plaga o molestia, y los agricultores los consideran una plaga por su afición al grano. Esta especie de pájaros son una grave amenaza para los cultivos y son notoriamente difíciles de exterminar, por lo que suelen requerir el uso de halcones o grandes aves de presa similares. Los zanates intentan cegar a su oponente en sueños, por lo que son un símbolo negativo que representa la oscuridad maligna y el robo.

Zancos: expresa el deseo de elevarse por sus propios medios físicos. Sentirse inferior o carente cuando se está con los compañeros.

Zanja, caer en: abandonar o renunciar; tirar la toa-lla; despreciar, desechar; evitar; escapar de tormentas o tornados; derribar.

Zanja, saltar por encima: éxito, pastos más verdes, vencedor. Una advertencia para evitar una situación o persona potencialmente negativa.

Zanja: atrincherarse a largo plazo.

Zapatero: obtener una nueva unción y forma de caminar; una situación o relación que permanecía muerta o dormida revive o se activa; pedir ayuda a otros; reevaluar el enfoque de la vida; caminar una milla en sus zapatos y luego buscar la reconciliación y el perdón.

Zapatillas de ballet: tus pasos por la vida están lleno de gracia y equilibrio; aborda o entra tranquilamente en una situación estresante con gracia y facilidad; entra de puntillas en una relación; tantea el terreno.

Zapatillas de tenis: listo para correr, deportista, propenso al atletismo, en buena forma física, necesidad de correr para ponerse al día, rapidez en los pies; jugar.

Zapatos de bolos: zapatos especiales del evangelio de la paz que te ayudaran a deslizarte en posiciones de éxito con poco o ningún esfuerzo, capacidad para pararte y deslizarte apropiadamente y apuntar al blanco en el aceite (unción) que se encuentra en el carril (camino estrecho) de la vida.

Zapatos de madera: soledad e infidelidad; rendimiento rígido, desgarbado y antinatural, torpe.

Zapatos planos: indica un compromiso o viaje casual.

Zapatos de ballet: caminar con suavidad; acercarse a una situación delicada con gracia, facilidad y precaución; pisar con ligereza; avanzar con cuidado; ser equilibrado y sensato; pasar de puntillas por una situación difícil.

Zapatos, cambio: cambio de roles; carreras, adquisición de nuevas habilidades para abordar la vida de una manera nueva.

Zapatos dorados: comprar o llevar zapatos dorados indica una alta vocación en tu vida. El camino estrecho o el destino elegido te llevará a un proceso de purificación.

Zapatos grandes: el ascenso se produce después de una temporada de preparación; intentar caminar en la vocación o el puesto de otra persona; asumir demasiadas responsabilidades.

Zapatos inadaptados: el dolor y las pruebas te han hecho dudar de ti mismo, una necesidad de ampliar tu camino en una nueva senda.

Zapatos inadecuados: carece de las habilidades o talentos apropiados; el progreso se verá obstaculizado, será largo, difícil y arduo; reevalúa los objetivos de tu vida, estás yendo en la dirección equivocada.

Zapatos, ninguno: pobreza, no estás equipado para caminar hacia tu destino; falta de confianza y movilidad; baja autoestima; estás lidiando con problemas relacionados con tu identidad; confusiones o mala interpretación de algunos asuntos; una disposición relajada con un buen entendimiento de las cosas, actitud despreocupada y juguetona.

Zapatos, olvidados: indica que eres un inconformista; que te alejas de la vergüenza, la autoconciencia, las viejas actitudes y las ideas extrañas.

Zapatos, perdidos: estás tratando de descubrir tu identidad.

Zapatos, rosa: tienes un andar infantil de inocencia.

Zapatos, viejo: te sientes cómodo en tus propios zapatos; sabes quién eres; te estás reconciliando contigo mismo; el éxito llega a través del trabajo duro y diligente.

Zapatos: la preparación y el entrenamiento han sido dados para que puedas caminar en paz y cumplas con la tarea que tienes entre manos; eres equilibrado, con la cabeza bien puesta, con los pies en la tierra; caminas firmemente para defender tus pasiones, convicciones y creencias, Ef. 6:11, Éx. 3:5; Mc. 1:7, cartilla.

Zarigüeya: marsupial nocturno que a menudo se hace pasar por muerto para escapar de los problemas o del peligro «haciéndose el muerto».

Zarza ardiente: planta o arbusto de gas que tiene un follaje que se vuelve rojo brillante como el arbusto ardiente de ceniza amarga de Wahoo oriental y el ciprés de verano. Ver una zarza ardiente significa que va a haber un encuentro sobrenatural con Dios en tu vida, tal como lo tuvo Moisés cuando se apartó para ver la zarza ardiente que no se consumía y fue comisionado a regresar a Egipto para liberar a su pueblo. Prepara tu corazón para caminar en la santidad. Éx. 3.

Zarza morisca: flor que representa la belleza del Señor que te sonríe.

Zarzamoras: verse rodeado de plantas o arbustos de tallo espinoso significa que se ha metido en una situación muy peliaguda que requerirá mucha sabiduría y gracia para salir de ella sin quedarse atascado.

Zarzaparrilla: ver o beber cerveza de raíz en un sueño significa ser feliz y despreocupado. Considera el nombre de la cerveza de raíz para obtener un mayor significado del sueño.

Zarzas: símbolo de maldición, infructuosidad; enredos; maldad; iniquidad; enfermedad; trampas; persecución; molestias; lucha; cargas; desagradables. Jue. 9:14-15; Is. 34:13; Lc. 6:44.

Zeppelin: es capaz de flotar por encima de grandes obstáculos; significa que el éxito de uno está llegando a un final abrupto, se esfuma; la información recopilada por los espías lanzará una bomba causando desastres políticos y económicos para ti; dirigible rígido desarrollado por el conde alemán Ferdinand von Zeppelin en el siglo XX; es anterior a la Primera Guerra Mundial: se le conoce como la primera aerolínea comercial; después de la guerra: Militares alemanes los utilizaron como exploradores y bombarderos; se asocia al desastre del Hindenburg en 1937.

Zigzag: estás tomando varias líneas o cursos de acción que te hacen avanzar por giros cortos y bruscos en direcciones alternas; moverse en un patrón de zigzag indica que tu voluntad cambia de dirección múltiples veces antes de llegar a la conclusión o decisiones apropiadas para asegurar tu futuro; actuar de una manera de doble mente; la confusión está reinando en tu vida.

Zinc: se utiliza para galvanizar, agitar, despertar o espolear, así que espere que le llegue un gran éxito a ti y a tus venturas.

Zinnia (planta): pensamientos de amigos que te recuerdan.

Zinnia amarilla: recuerdo diario; bienvenida a casa; celebración del honor.

Zinnia blanca: bondad; sin mezcla; luz pura.

Zinnia colores mixtos: pensamiento o recuerdo de un amigo ausente.

Zinnia escarlata: constancia.

Zinnia rosa/magenta: afecto duradero; emociones del alma.

Ziploc, bolsa: las bolsas ziploc se utilizan para mantener frescas las sobras y poder comerlas en otro momento, por lo que pueden representar una reserva o un almacenamiento para el futuro. ¿Qué hay en la bolsa? ¿Alimentos, tuercas y tornillos u otros materiales? También puede representar el estar sellado o cerrado a los demás como en la auto preservación. Dios te está preservando para un tiempo de almacenamiento en frío.

Zodiaco: ver las estrellas que Dios creó formando las doce constelaciones que llevan el nombre de las doce tribus judías bíblicas que cuentan la historia evangélica de la vida de Jesús empezando por su madre María (Virgo), su nacimiento, vida y muerte sacrificial, resurrección triunfante y segunda venida como el León de la Tribu de Judá (Leo) indica que Dios está mostrando su glorioso plan de salvación para que todo el mundo lo vea. «*Y los cielos declararán su justicia, Porque Dios es el juez. Selah*», Sal. 50:6; «*Los cielos anunciaron su justicia, Y todos los pueblos vieron su gloria*», Sal. 97:6. Dios usó las estrellas para mostrar cuán grandes son Sus promesas a los hombres. «*Y lo llevó fuera, y le dijo (a Abraham): Mira ahora los cielos, y cuenta las estrellas, si las puedes contar. Y le dijo: Así será tu descendencia. Y creyó a Jehová, y le fue contado por justicia*», Gén. 15:5-6; Dt. 4:19 énfasis añadido.

Zombi, amigo: tus sentimientos por esa persona han muerto. Ya no hay apegos emocionales, Ef. 2:1-5.

Zombi, ataque: te sientes estresado, agobiado, perseguido por cosas o personas que intentan controlar tu vida. Deseas tener el control y odias estar indefenso, dominado o controlado por cualquier cosa o persona.

Zombi, yo: soñar que eres un zombi indica que estás fuera de la realidad. Te has desprendido emocional o físicamente de situaciones o relaciones. No te sientes vivo, por lo que te limitas a moverte por inercia, sin aspiraciones o propósitos. Estás muerto por dentro.

Zombi: es un dios serpiente de los cultos vudú en África Occidental, Haití y el sur de Estados Unidos. Un poder sobrenatural que se cree que entra en un cadáver para reanimarlo en un estado de trance para que pueda llevar a cabo los deseos del espíritu demoníaco.

Zona, invadir: si se invade el espacio o la zona de confort de otra persona habrá cierta incomodidad, fricción o conflicto.

Zona militar: espera una pelea que haga estallar una relación o una discusión explosiva que hiera tu espíritu.

Zona de paz: si estás en una zona espiritual de paz recibirás mucho conocimiento de revelación, sabiduría y consuelo.

Zona: un área, las cinco grandes divisiones o regiones terrestres que se distinguen de otras por un rasgo o carácter distintivo; estar «en la zona» indica una claridad de pensamiento que produce éxito. Entrar en una zona militar: indica que surgirá un gran conflicto con los enemigos.

Zoológico, cuidador: los zoológicos son un lugar donde se mantienen animales para su exhibición. También considera que cuando alguien dice que era como un «zoológico» se refiere a que hay mucha confusión desenfrenada y conducta desordenada. Ver a un cuidador de zoológico en un sueño significa que estás a punto de tener un comportamiento embarazoso; toma las riendas de ti mismo antes de exhibir alguna tendencia animalista, arrebato emocional o acciones amenazantes.

Zoológico: sensación de estar enjaulado y en exhibición; frustración; aislamiento; confusión; agrupación social y controlada; «qué zoológico». Parque o recinto en el que se alojan animales salvajes para ser vistos por el público. Un zoo puede representar una sensación de estar enjaulado, de pérdida de libertad o de estar encerrado. Los talentos, las capacidades, las características naturales o las habilidades de una persona están siendo restringidas. Te encuentras en medio de una situación confusa y azarosa en la que la gente se comporta como animales, «¡este lugar es un zoológico!». Considera la posibilidad de perder algunos amigos o de ponerles una correa corta. Ejerce la autocontención.

Zoom, lente: necesitas estar continuamente ajustando tu vista para poder adaptarte a todos los rápidos cambios que se producen a tu alrededor para no perder el foco en las cosas importantes de la vida. Te elevarás o descenderás rápidamente en función del objeto de tu enfoque.

Zoomorfismo: soñar que te transformas en la forma de un animal indica que te estás volviendo antisocial, menos culto o sofisticado, menos reservado o controlado y que te estás volviendo más liberado, abierto a nuevas ideas, o que te dejas llevar por el puro instinto. Puede que estés ampliando los límites y desafiando las normas sociales. Debemos dejarnos guiar por nuestro hombre espiritual y no por nuestros deseos carnales naturales o tendencias anímicas. ¿Cuáles son las características predominantes de los animales por los que te has volcado? Puede que estés asumiendo atributos o características de un animal o de una Deidad.

Zorobabel: gobernador, capas de la fundación del Templo, Zc. 4:8-10; 1 Cor. 5:9-16.

Zorrilla: condición espiritual de un homosexual; alguien que ve las cosas en blanco y negro y que levanta un escándalo por su opinión, una decepción social.

Zorro: pecados secretos, ocultos; enemigos de la cruz; hábil para el mal; fuerte advertencia de peligro por sutileza; engaño; aventura arriesgada; astucia; falso profeta; líderes malvados; persona astuta o malvada, Lc. 13:32, Ez. 13:4; Cnt. 2:15.

Zorzal: escuchar los cantos de este pajarito indica salud, felicidad y satisfacción en el ámbito doméstico.

Zulú: ver en un sueño a un nativo de Zululandia, Sudáfrica, que cría ovejas, indica que la felicidad mejorará tu estado de salud emocional.

Zumba: es un programa de fitness que incluye elementos de baile y aeróbicos. La coreografía de Zumba incorpora el hip-hop, la soca, la samba, la salsa, el merengue, el mambo y las artes marciales, las sentadillas y las estocadas realizadas al ritmo de la música. Bailar en una clase de Zumba indica que estás siguiendo el ritmo o la rutina de otra persona. Tienes que salirte del molde para que puedas formar tu propio ritmo de vida.

Zumbido: aburrimiento, actitud de «zumbido», falta de ambición, avance, felicidad, alegría interior.

Zumo de naranja: las naranjas son la fruta del sol con alto contenido en vitamina C, energía y minerales vitales. Es posible que necesites centrarte en desarrollar tus dotes de profeta. También entra en juego el «beso del sol», donde el cielo desea hacer brillar su gloria sobre tu rostro para que tu semblante resplandezca.

Números

1-Uno Aleph: Uno Eterno, Soberanía Divina, Dios Omnipotente; fuente de todo; Unidad, *Jn 8:41, 50; 10:16; 17:22-23; 18:13; Fil. 2:1-2; Sal. 71:22; 133:1; Dt. 6:4; Is. 60:9;* comienzo; vínculo entre el cielo y la tierra; soledad absoluta; independencia; ambición o pasión propia.

2-Dos Beit: Testimonio establecido, ingenio y apoyo confirmados *Lc. 9:1-2;* doble porción, *Is. 61:7;* bendición de la unidad; acuerdo, *Mt. 18:19;* juicio; ruina; muerte; multiplicación; Antiguo y Nuevo Testamento; Diez Mandamientos escritos en dos piedras; revelación; armonía; encarnación; la Palabra viva; separación, división; *Éx. 8:23; 31:18; Gén. 1:7-8; Mt. 24:40-41;* fin de un romance; contraste; división; guerra. *Gén. 18, 19; Mt. 7, 18:6; Jn. 18:17; Dt. 17:6, 19:15; Apo. 11: 2-4.*

3-Tres Gimel: Santísima Trinidad: Padre, Hijo y Espíritu Santo; testimonio perfecto y testimonio; aprobación de la unión plenitud; plenitud bondad perfección divina; vida, resurrección, Lc 24: 6-7; espíritu; el llamado de Dios; los actos poderosos de la Divinidad; los hijos de Noé; los sabios; el tiempo de ministerio de Jesús en la tierra; Jonás en el vientre de la ballena; la cruz, la resurrección; la negación de Pedro; los Arcángeles; las dimensiones del tiempo terrestre pasado, presente y futuro; una trilogía, padre, madre e hijo o cuerpo, mente y alma, etc., la vida, la vitalidad, la fuerza interior, la realización, la imaginación, la creatividad, la energía, la autoexploración y la experiencia; «a la tercera es la vencida», *1 T. 5:23; Ge 1:1; Mt 28:19-20, 12:40, 27:63; Mc. 8:31; Lc. 11:5, 13:21; 1 Jn. 5:7-8; Apo. 16:13, 11:9.*

4-Cuatro Dalet: el evangelio; los cuatro puntos cardinales de la tierra; implicaciones globales; el mundo entero; *Dn. 7:6, 17;* la creación; las obras creativas de Dios; el sol, la luna y las estrellas Mk el número de estaciones, *Gén. 1:19-20; Gén. 2:10;* mareas, vientos y direcciones norte, sur, este y oeste; el espacio; la terminación; los jinetes de la tribulación; la debilidad, *Is. 11:12; Jer. 49:36; Mt. 15:38; 16:10; Mc. 2:3; 13:27; Jn. 11:17, 39; Apo. 7:1; 20:8.*

5-Cinco Hay: vida de gracia, *Lc. 7:41-42;* unción que une el cielo y la tierra, favor, libertad, acción, redención, naturaleza audaz, espontánea, atrevida y confiada, humanidad, expiación, la mano, cinco ministerios, Ef 4: 11; cinco sentidos naturales y espirituales necesidad de desarrollar más sensibilidad espiritual; tomar un camino más elevado para alterar tu destino; nombres completos y divinos de Dios; nuevo canto; heridas de Jesús en la cruz; milagro de la multiplicación panes de cebada alimentados 5000 *Jn. 6:9-10;* pan de vida; locura; Tabernáculo de Moisés, felicidad matrimonial. La gracia de Dios hacia el hombre, *1 Sam. 17:40; Mt. 14:17-21, 25:2, 15-20; Lc. 19:18-19.*

6-Seis Vav: debilidad del hombre; esfuerzo o trabajo, *Éx. 20:9;* lucha con las naturalezas carnal y espiritual; interés; serpiente; humanidad del mundo físico; hora de las tinieblas, *Mt. 27:45;* vasijas de agua convertidas en vino; apoyo, ayuda, equilibrio, serenidad, excelencia, calor, unión, matrimonio, familia y amor felicidad doméstica; los estados físico, emocional y espiritual están en armonía, una buena ética del trabajo. *Gén. 1:26-31, 4:17-18; 2 Pe. 3:8; 1 Sam. 17:4-7; 2 Sam. 21:20; Nm. 35:15.*

7-Siete Zayin: plenitud; bien; vida activa eficiente; totalidad; plenitud; descanso sabático, *Éx. 20:10;* perfección y desarrollo espi**ritual;** purificación; consagración; arma; autodefensa;

días de la creación; perdonar 70 x 7; fiestas de la Pascua y del Tabernáculo; Beatitudes; semanas entre la Pascua y Pentecostés; sacerdote y trompetas en Jericó durante siete días, *Js. 6:4*; descanso del trabajo o la labor; Elifaz sacrificó toros y carneros; cartas a las iglesias; sellos y trompetas. *Heb. 11:30; Apo. 2:1, 3:1, 4:5, 5:1-6, 8:2, 10:3-4, 12:3; Éx. 23:11-12, 31:15-17; Jd. 14; Pr. 6:15-17; Mt. 12:45, 15:34-37; Hch. 6:3;* El siete es el número de la vulnerabilidad; los siete hijos de Esceva, *Hch. 19:14-16;* el número de la reversión del mal, *Lc. 11:26.*

8-Ocho Chet: maestro, capacidad del hombre de trascender los límites de la existencia física; resurrección; nuevo nacimiento o comienzo, *1 Pe. 3:20;* abunda en fuerza; pacto de la circuncisión, *Gén. 21:4;* consagración a Dios, *Éx. 22:30;* engordar *Sal. 119;* para el poder, la autoridad, el éxito, el destino, la provincia, el aumento de la sustancia, el renacimiento y la riqueza, confía en tus instintos y en tu intuición; necesidad de digerir nueva información o nuevas visiones. *Jn. 20:26; Lc. 9:28-35; Hch. 9:33; Gén. 7:12; 2 Pe. 2:5.*

9-Nueve Tet: evangelista; movimiento perfecto del Espíritu Santo; fin; conclusión; plenitud de bendiciones; renovación; juicio; serpiente; tribulación; fruto del Espíritu y vientre, *Gál. 5:22-23;* dones del Espíritu, *1 Cor. 12:8-10;* plenitud; finalidad.

10-Ten Yad: pastor; ley y orden, *Éx. 20;* gobierno; restauración; naturaleza; prueba; pruebas y responsabilidad, *Mt. 25:1-13, 28;* 10 plagas; 10 mandamientos; desierto; viaje; testimonio; perfección ordinal; orden divino; plenitud; diezmo, *Mal. 3:8-10;* plenitud de los tiempos.

11-Once: profeta; revelación; transición; José vivía en casa de Potifar; juicio; desorden; incompleto, (uno más diez, uno menos doce) *Hch. 1:26, 2:14;* confusión; anarquía o litigio. *Mt 20:6,9, 28:16; Mc. 16:14; Gén. 27:9, 32:22; Éx. 26:7; Dt. 1:1-8.*

12-Doce: apóstol; el número de apóstoles; propósitos elegidos de Dios; tribus; jueces; liderazgo; discipulado; plenitud y gobierno apostólico; gobierno, orden o regla divina, *Lc. 2:42, 6:12-13;* creatividad; iluminación, *Jn. 11:9;* mundo de los espíritus; abundancia; cestas de pan; hijos de Jacob; las primeras palabras registradas de Jesús; posesión de lo mejor *Mt. 10: 1-5, 14:12, 19:28; Éx. 15:27, 28:21; Js. 4:20-24, 18:24; Snt. 1:1; Apo. 7:5-8, 21:12-21, 22:2; Lev. 24:5-6.*

13-Trece: amor, *1 Cor. 13:13;* (12 + 1 = 13) doble porción; rebelión, Nimrod fue el decimotercero desde Adán; *Gén. 14:4, 10:10, 17:25;* depravación; reincidencia; revolución o guerra, *Esd. 9:1;* corrupción; desprecio, disrupción de la unidad; intento de arruinar la perfección; apostasía; 13 hambres; maldición; *Zc. 5:2-3.* Trece se compone de 1, unidad y 3, trinidad, estamos siendo hechos a la imagen de Dios. Hashem la Gematria es 13 y eschad ambos representan el amor. Jesús era el centro en torno al cual giraban los doce discípulos; no tomó la primera posición, sino la última, que era trece, lo que convierte a Jesús en el primer líder siervo, *Jer. 1:2, 25:3; 1 Re. 7:1; 2 Re. 15: 13-14, 15:17; Ez. 1:1; Gén. 48,* Efraín, 13ª tribu; Judas o Pablo, 13º apóstol.

14-Catorce: Pascua (2 x 7 = 14); liberación; salvación; doble unción o medida de perfección espiritual; «el temor del Señor» en Proverbios; tiempo de prueba (10 + 4 = 14); fiesta y regocijo *Esd. 9:17; Éx. 12:6; Nm. 9:5; Gén. 31:41; Hch. 27:27-33; Mt. 1:17.*

15-Quince: energía de la gracia de la divinidad; deidad; descanso; misericordia; resurrección en la gloria; libertad o liberación de la muerte; novia de Cristo; indulto; perdón; restauración, añadir, liberar, defender, *Is 38:5; 2 Re. 20:6; Is. 38:5; Gál. 1:18; Lc. 3:1-6.* (3 X 5 = 15)

16-Dieciséis: características del amor en *1 Cor. 13;* comienzos establecidos; construir una base firme de rectitud, *Éx. 36:30.* Inocencia, ingenuidad, vulnerabilidad y ternura. «Los primorosos dieciséis», nunca besados; puede representar una mayoría de edad; cierta limpieza espiritual y eliminación de lo viejo para el nacimiento de lo nuevo.

17-Diecisiete: victoria; perfección del orden espiritual (10 + 7 = 17); elección; apariciones angélicas en los Evangelios y los Hechos; elegidos de Dios; «Caminar con Dios» el séptimo y décimo hombre desde Adán; fuentes de gran profundidad y compuertas del cielo abiertas, Gn 7:11; finalización de un ciclo para comenzar un nuevo ciclo, *Gén. 8:4;* séptimo y décimo hombre desde Adán; José vendido, avergonzado y deshonrado; promoción, maduración, cierre, incompleto; sin desarrollar. *Gén. 5:24, 6:9;* Enoc y Noé; *Gén. 37: 2; 1 Cr. 25:5; Jer. 32:9.*

18-Dieciocho: superación de la esclavitud, Lc 13:11, 16; opresión, fatiga, aflicción aplastante, Jue

10:8; impartición; bendiciones establecidas y juicio establecido (9 +9 =18); (6 + 6 + 6 = 18).

19-Diecinueve: fe; perfección del orden divino con juicio; gematría de Eva y Job; arrepentimiento; la falta de sí mismo llevará a la infelicidad; avergonzado; estéril; carencia; destrucción ardiente, *2 Re. 25:8;* desaparecido o muerto, *2 Sam. 2:30.*

20-Veinte Kaf: redención; logro supremo; orden divino y culminación de la perfección espiritual; santidad; esperar con expectativa; número de sueños registrados; Jacob esperó 20 años para la liberación; Israel esperó 20 años para la liberación; edad de los guerreros, *Nm. 1:3.*

21-Veintiuno: excesivamente pecador; Jeroboam, hijo de Nabat «hizo pecar a Israel»; resistencia espiritual del príncipe malvado, *Dn. 10:13;* tus planes tendrán éxito.

22-Veintidós: luz; conocimiento de la revelación para desentrañar los misterios; desorganización; desintegración; corrupción; el rey Jeroboam y el rey Acab reinaron 22 años.

23-Veintitrés: prosperidad; abundancia; plenitud; riqueza, provisión del Señor, *Sal. 23;* falta de hambre espiritual, sordera, *Jer. 25:2-3;* muerte y venganza.

24-Veinticuatro: número de cursos sacerdotales y perfección gubernamental (2 x 12 = 24); autoridad plena; orden y gobierno completo; madurez; 24 ancianos alrededor del trono del cielo adorando, *Apo. 4: 4-10, 11:16; Js. 4:2-9, 20; 1 Re. 19:19; 1 Cr. 24:3-5.*

25-Veinticinco: perdón de los pecados; comienzo de la formación ministerial; esencia de la gracia, transportación visionaria, *Ez. 40:1-2.*

26-Veintiséis: el evangelio de Cristo que salva al mundo; destino, globo terráqueo; negocio próspero.

27-Veintisiete: predicación del evangelio; claridad mental.

28-Veintiocho: afecto amoroso y vida eterna.

29-Veintinueve: partida; expectativa de juicio.

30-Treinta Lamed: la sangre de Cristo; consagración; madurez para comenzar el ministerio, *Lc. 3:23;* enseñanza; Israel lloró a Moisés 30 días; Jesús tenía 30 años cuando comenzó su ministerio; José y David comenzaron a gobernar; dolor; luto. *Nm 4:3; Gén. 41:46; 2 Sam. 5:4; Mt. 26:15.*

31-Treinta y uno: perfección divina; descendencia; el Nombre de Dios; poder; fuego; deidad.

32-Treinta y dos: alianza; expresión pura de Dios.

33-Treinta y tres: promesa; alta prospectiva y conciencia espiritual, honestidad, conocimiento e incomprensión; morir al yo.

34-Treinta y cuatro: nombramiento del Hijo; la gloria.

35-Treinta y cinco: esperanza; es el momento de un cambio, intentar hacer las cosas de una manera nueva; eliminar las viejas estructuras para encontrar la armonía.

36-Treinta y seis: el enemigo te está avergonzando; sentimientos de autoconciencia, vergüenza, bochorno, torpeza.

37-Treinta y siete: primogénito; mi Hijo Amado; profetas; 37 X 3 = 111; Palabra.

38-Treinta y ocho: esclavitud.

39-Treinta y nueve: enfermedad.

40-Cuarenta Mem: periodo de prueba, pruebas y castigo de los hijos del pacto; prueba que termina en victoria, *Mt. 4:2; 1 Re. 19:8;* renacimiento y renovación; derrota o juicio (10 X 4 = 40); gobierno generacional y completo; historia asociada a la salvación; duración del diluvio, *Gén. 7: 4, 12, 17;* Elías y Jesús ayunaron, fueron tentados; permanecieron después de su resurrección 40 días; Moisés en Madián 40 años; errancia por el desierto, *Nm 14:33;* espiaron la tierra, *Nm. 13:25;* Judá. *Éx. 16:35; Sal. 95:10; Lc. 4:2; Hch. 7:23, 36; 2 Cor. 11:24; Heb. 3:9, 17.*

42-Cuarenta y dos: es un número relacionado con el anticristo; el advenimiento de Dios en la tierra; la carne religiosa; la oposición del hombre a Dios y a su voluntad; la prueba; la opresión y el deambular de Israel. Cuarenta y dos muchachos se burlaron de la ascensión de Elías a Eliseo *2 Re. 2:23-24.* Un factor en la Gematria del nombre de Nimrod 294 o 42 x 7.

43-Cuarenta y tres: juicio; prueba; crecimiento espiritual.

44-Cuarenta y cuatro: juicio del mundo.

45-Cuarenta y cinco: preservación.

46-Cuarenta y seis: productividad.

47-Cuarenta y siete: larga vida; la duración de la vida de Jacob fue de ciento cuarenta y siete años, *Gén. 47:28.*

50-Cincuenta: celebración; jubileo *Lev. 23, 25:10-11;* Espíritu Santo; liberación, refugio, *1 Re. 18:4;* libertad; servicio humilde; retiro, Nu 8:25; alma; esperanza; Pentecostés ocurrió 50 días después de la resurrección, *Hch. 2:1-4.* (10 X 5 = 50) *Hg. 2:14-16; Hch. 2:1-4;* El quincuagésimo día; el quincuagésimo año.

51-Cincuenta y uno: revelación divina.

55-Cincuenta y cinco: doble gracia y favor, redención activa, celebración, jubileo, liberación, libertad, servicio humilde, esperanza dada para la restauración, orden, finalización.

60-Sesenta Samech: orgullo; plenitud; crecer, aumentar, rendir y producir, *Mc. 4:8,* una plenitud asociada al tiempo, sesenta segundos en un minuto; sesenta minutos en una hora; el tiempo se acaba, la longevidad, la plenitud del tiempo.

65-Sesenta y cinco: fruto doble; número asociado a la apostasía de Efraín.

66-Sesenta y seis: adoración de ídolos.

70-Setenta Ayin: orden espiritual perfecto llevado a cabo con un poder espiritual significativo; enviados a las naciones, Lc 10:1; comités humanos; juicio del pueblo de Dios; Dios administrando el mundo; ojo; perspicacia; aumento del legado, *Gén. 46:27;* ministerio perfeccionado; comités humanos y juicio; los 70 ancianos nombrados por Moisés vieron a Dios, *Éx. 24:9-11;* Sanedrín; multitud antes del aumento; Jerusalén; restauración de Israel; discípulos del Señor, *Éx. 1:5, 15:27, 24:19; Nm 11:25; Dn. 9:2; 1 Cr. 21:14; Is.23:15-17; Mt. 18:22.*

75-Setenta y cinco: separación; limpieza; purificación; Abraham se separó de Babel. *Gén. 12:4; 8:5-6; Dn 12:5-13.*

80-Ochenta Peh: boca; discurso, someter para traer la paz, *Jue. 3:30.*

90-noventa Tzaddi: justicia de Dios y del hombre de vout; Sara tenía 90 años cuando ocurrió el nacimiento milagroso de Isaac, *Gén. 17:17.*

99-noventa y nueve: Jesús dejó a las noventa y nueve para ir a buscar a la única oveja perdida y devolverla al redil; hay algún error en una relación.

100-Ciento Kaph: elección; hijos de la promesa; Abraham tenía 100 al nacer Isaac, *Gén. 21:5;* madurez; recuento completo; recompensa de 100 pliegues *2 Sam. 24:3; Mc. 4:8;* santidad y ciclos de crecimiento.

111-Ciento once: mi Hijo Amado.

119-Ciento diecinueve: perfección y victoria espiritual, día de la resurrección; Día del Señor.

120-Ciento veinte: período de espera divino de la prueba para acabar completamente con la carne y comenzar la vida en el Espíritu; miembros de «la Gran Sinagoga».

144-Ciento cuarenta y cuatro: lo último de Dios en la redención y la creación; (12 x 12 = 144) vida guiada por el Espíritu. *Apo. 7:1-3; 14:1-4.*

150-Ciento cincuenta: promesa del Espíritu Santo.

153-Ciento cincuenta y tres: la cosecha final de almas (9 x 17 =153); recolección; multiplicación del Reino; Jn 21:6-11 (recolección de peces); evangelismo; tipos de peces salvados; rendimiento total; número de los elegidos de Dios; avivamiento; Hijos de Dios; (3 x 3 x 17) multiplicación del Reino. *Jn. 21.*

200-Doscientos Rashah: promesa; malvados; insuficiencia de dinero, belleza, religión y cosas externas en el culto a Dios.

232-Doscientos treinta y dos: que se haga la luz.

300-Trescientos Shin: remanente fiel; protección de Dios; Jerusalén ciudad de paz; carácter de Dios; elegido por Dios. *Gén. 5:22, 6:15; Jue. 8:4, 15:4.*

390-Trescientos noventa: número de Israel, 390 años desde la división de las tribus hasta el cautiverio; duración del Reino de Israel separado; Efraín fruto doble; Judá y Jerusalén.

400-Cuatrocientos Tahu: la verdad; el Rey eterno: pasado, presente y futuro; la creación material que prueba el destino final del hombre; el cumplimiento de la promesa hecha a Abraham hasta el nacimiento de Isaac en el Éxodo.

430-Cuatrocientos treinta: la llamada y la Promesa hecha a Abraham hasta el Éxodo; permanencia; periodo de la promesa a la ley.

444-Cuatrocientos cuarenta y cuatro: Damasco, el número del mundo; destrucción.

490-Cuatrocientos noventa: 7 x 70 = 490: producto de la perfección espiritual; restauración plena y final del «pueblo» y la «ciudad» de Daniel.

500-Cincocientos: medición y división entre lo santo y lo profano, Ez 42:20; edad de Noé cuando fue padre, *Gén. 5:32;* deuda contraída, Lc 7:41; Jesús se apareció a 500 hermanos, *1 Cor. 15:6.*

555-Cincocientos cincuenta y cinco: gracia triple.

600-Seiscientos: guerra.

666-Seiscientos sesenta y seis: Anticristo; Satanás; plena anarquía; orgullo humano; condenado; adoración del diablo; número o símbolo de la marca de la bestia, Apo 13:18; uniendo todo en un todo; Goliat 6 codos de alto, 6 piezas de armadura, la punta de la lanza pesaba 600 siclos de hierro; la imagen de Nabucodonosor 60 codos de alto 6 de ancho; música en 6 instrumentos. *Dn. 3, 7; Apon 12:18, 14:9-11; 1 Sam. 17.*

777-Setecientos setenta y siete: Cristo.

888-Ochocientos ochenta y ocho: Jesús; primera resurrección de los santos; Espíritu Santo; suma del Árbol de la Vida.

999-Novecientos noventa y nueve: Sodoma; el número del juicio.

1.000-Mil: plenitud divina y gloria de Dios; cantidad indefinida; fecundidad perfecta; madurez y estatura plenas; una nación, *Is. 60:22;* juicio maduro; Satanás es atado en el abismo, *Apo. 20:1-3, 7-9;* Jesús reina la tierra, *Apo. 21:1-3.*

1.260-Mil doscientos sesenta: Anticristo.

1.500-Mil quinientos: luz; poder; autoridad.

4.500-Cuatro mil quinientos: salvación por Jesús, la sangre del Cordero.

5.000-Cinco mil: Goliat estaba vestido con una armadura de escamas que pesaba cinco mil siclos de bronce, *1 Sam. 17:5-6;* hombres que comieron los panes y los peces, además de las mujeres y los niños, *Mt. 14:21; Mc 8:19;* multiplicación debida a la acción de gracias, *Jn. 6:10-11;* los que escucharon el mensaje del evangelio y creyeron, *Hch. 4:4.*

6.000-Seis mil: engaño del anticristo; Segundo Advenimiento.

7.000-Siete mil: juicio final; Sadoc.

20.000-Veinte mil: soldados de infantería, *2 Sa 8:4, 10:6;* hombres sacrificados, *2 Sam. 18:7;* gran cosecha, *2 Cr. 2:10;* gran riqueza dracmas de oro *Neh. 7:71-72.*

22.000-Veintidós mil: Levitas, *Nm. 3:39;* temerosos de la batalla, *Jue. 7:3;* derribados por tierra, *Jue. 20:21;* sirios matados por David, *2 Sa 8:5;* bueyes para la oferta de paz, *2 Re. 8:63.*

144.000-Ciento cuarenta y cuatro mil: los numerados de Israel.

1.000.000: un millón: ver un millón de dólares en un sueño representa riqueza y éxito abundantes. Un millón es 1000 x 1000 representa un gran número no especificado de personas, cosas o dinero. Esta noche hay un millón de estrellas. El primer dígito es el más importante para discernir el significado.

Alfabeto y números hebreos

Alef 1 (Aleph) א: Poder de Dios; soberanía; creación; sustentador; redentor; Dios único y eterno; el Dios omnipotente; con forma simbólica de cabeza de buey; prosperidad, poder, fuerza, un líder, primero.

Ayin 70 ע: Simbolizado por el ojo para ver, percibir y revelar la perspicacia a través de la vista espiritual, la supervisión; manantial de agua; la Gloria de la Shejiná que sólo puede ser vista por la perspicacia; la capacidad de discernir entre el bien del mal; puntos críticos en la inflexión de la historia; orden espiritual perfecto.

Beit 2 ב: Bendición y creación; dualidad (el bien frente al mal); lo correcto frente a lo incorrecto; también representa simbólicamente la casa o el hogar, una tienda o el Templo Sagrado; el plan de Dios para tu vida.

Chet 8 ח: Metafísico; Divino; Cielo; plano por encima de la naturaleza; toca físicamente la tierra. En el Apocalipsis, después de las 7 trompetas, llega el 8º ángel; simbolizado por una valla, dividida para revelar la protección.

Dalet 4 ד: Representa simbólicamente una puerta de tienda; camino o la entrada a la Tierra Prometida; creación material; número del Reino; entra en tu liberación física.

Gimel 3 ג: Bondad y culminación; Divinidad; plenitud; totalidad; bondad de Dios, conocimiento y piedad; simbólicamente tiene forma de camello que lleva o levanta.

Hay 5 ה: Contemplar a Dios para revelar la naturaleza divina de Dios y su creación; Nombre de Dios; arrepentimiento y misericordia; poder creativo; gracia; aliento de Dios; victoria; nueva perspectiva; simbólicamente representa brazos extendidos; Dios es nuestro amparo y siempre está presente en tiempos de necesidad.

Kaf 20 כ: Dos formas: Humildad; de rodillas; sufrimiento; y de pie en la gloria en el final de los tiempos; coronación del cumplimiento; simbolizado por la palma de la mano abierta; cobertura protectora segura de Dios.

Koph 100 ק: Santidad; simbolizado por la parte posterior de la cabeza, último o algo que es lo menos; memoria. La palabra kadosh significa santo; ser apartado; crecimiento cy- cles; tiempos mesiánicos.

Lamed 30 ל: La letra más alta del alfabeto con forma de cayado de pastor por lo que habla de tomar el control de una situación negativa para traer la liberación hablando la palabra de Dios con autoridad. Trono de gloria de Dios; enseñanza y propósito; cualidad de la más alta dotación del hombre; ascensión y retorno de Cristo al cielo; aguijón del buey; disciplina y escarmiento del Señor.

Mem 40 מ: Dos formas: Revelada y Oculta; simboliza tanto a Moisés como al Mesías; prueba y ensayo -40 años en el caos del desierto-; está simbolizado por el agua; el poderoso fluir del Espíritu Santo y la sangre de Jesús que fluye para limpiarnos y sanarnos de toda enfermedad y dolencia.

Nun 50 נ: Dos formas: Peh; Pueblo de Dios; Dios es infinito y está más allá del tiempo; simbólicamente se parece a una semilla que brota lo que habla de vida, crecimiento y actividad continua.

Peh o Pay 80 פ: Dos formas: está simbolizada por una boca para pronunciar una palabra o dar un discurso y un silencio para contemplar; a veces está abierta; a veces cerrada; la palabra de Dios.

Resh 200 ר: Maldad del hombre simbolizada por la cabeza del hombre, la parte más alta del pensamiento del ser humano carnal (múltiplo de 2: división); se asemeja a una puerta en sólo que redondeada; denota tratar de tomar atajos o tomar el camino fácil. En el alfabeto, el resh se aparta del koph (santidad); coordinación de pensamientos; estabilidad en el orden divino.

Samech 60 ס: Abundancia y plenitud; apoyo divino que nos apuntala; señal para girar o torcer lentamente. La forma denota la mano defensora de Dios sobre un bastón como protector y el interior representa a Israel; palanca; elevación o resurrección.

Shin 300 ש: Representa dos nombres de Dios, Shaddai (todo lo suficiente) y Shalom, (paz), Nueva Jerusalén; está simbolizado por los dientes por lo que representa algo que está siendo consumido o destruido; ora por misericordia.

Tav 400 ת: Verdad; atributos divinos de los poderes creativos de Dios; perfección; firma; integridad. Al observar la letra tav, parece que tiene un pie que se adentra en lo desconocido, algo a lo lejos que no podemos reconocer. La antigua forma pictórica de la tav está dibujada para parecerse a los palos cruzados de una cruz, el signo de un pacto que está firmado o sellado.

Tet 9 ט: Simbólicamente parece una serpiente; el bien que parece el mal; la adversidad prepara el terreno para la determinación y la perseverancia enrollando (como un pergamino) todas las cosas que obran para el bien de los que aman al Señor y son llamados según su propósito y deseo, Ro 8:28; nueve Frutos y rodeado de las manifestaciones del Espíritu; vientre; odre nuevo.

Tsadeh 90 צ: Dos formas: regocijo; justicia; juicio final; hoz; cortar obstáculos representado simbólicamente por un anzuelo que puede enganchar o atrapar algo que se desea o se necesita.

Vav 6 ו: Terminación física (tierra creada en seis días); redención; Cielo y tierra; gancho: seguridad y estabilidad ‡ (usado para enganchar palabras & frases en oraciones como la palabra inglesa and); también la serpiente fue creada en seis días, así que también es el número para el pecado y el Anticristo. Simboliza un clavo o una clavija que ayuda a asegurar.

Yod 10 י: Creación y lo metafísico; conclusión; creación de la tierra y los cielos; representa simbólicamente el brazo y la mano de Dios; me hace experimentar la seguridad de la mano del Señor.

Zayin 7 ז: Espíritu; sustento y lucha; centro de paz (seis direcciones de este, oeste, norte, sur, arriba, abajo) más el punto focal individual; arma de autodefensa en tiempos difíciles; es simbólico de un arma para cortar al enemigo Jael el cual clavó una estaca en el templo de Sísara Jue 5:24-27; liberación mental; mente sana.

Abreviaciones de los Libros de la Biblia

Génesis	Gén	Habacuc	Hab
Éxodo	Éx	Sofonías	Sof
Levíticos	Lev	Hageo	Hg
Número	Nm	Zacarías	Zc
Deuteronomio	Dt	Malaquías	Mal
Josué	Js	Ester	Est
Jueces	Jue	Mateo	Mt
Ruth	Rt	Marcos	Mc
1 Samuel	1 Sam	Lucas	Lc
2 Samuel	2 Sam	Juan	Jn
1 Reyes	1 Re	Hechos de los Apóstoles	Hch
2 Reyes	2 Re	Romanos	Ro
1 Crónicas	1 Cr	1 Corintios	1 Cor
2 Crónicas	2 Cro	2 Corintios	2 Cor
Esdras	Esd	Gálatas	Gál
Nehemías	Neh	Efesios	Ef
Ester	Est	Filipenses	Fil
Job	Jb	Colosenses	Col
Salmos	Sal	1 Tesalonicenses	1 Tes
Proverbios	Pr	2 Tesalonicenses	2 Tes
Eclesiastés	Ec	1 Timoteo	1 Tim
Cantar de los Cantares	Cnt	2 Timoteo	2 Tim
Isaías	Is	Tito	Tt
Jeremías	Jer	Hebreos	Heb
Lamentaciones	Lam	Filemón	Flm
Ezequiel	Ez	Santiago	Snt
Daniel	Dn	1 Pedro	1 Pe
Oseas	Os	2 Pedro	2 Pe
Joel	Jl	1 Juan	1 Jn
Amós	Am	2 Juan	2 Jn
Abdías	Ab	3 Juan	3Jn
Jonás	Jon	Judas	Jd
Miqueas	Mi	Apocalipsis	Apo
Nahúm	Nah		

ACERCA DE BARBIE

La Dra. Barbie L. Breathitt es una experta en revelaciones y una maestra bastante solicitada en lo referente a las manifestaciones sobrenaturales de Dios. Ella, además, es una ministra ordenada, autora de más de veinte libros y múltiples recursos, coaching de vida profética, analista de sueños, intérprete espiritual y una ministra de sanidades y milagros. El nuevo podcast de Barbie, IMAGINE *Revealing the Mysteries of God* (Revelando los misterios de Dios), está disponible en *Charismas Podcast Network*.

Su asombrosa habilidad para escuchar, entender e intuir la voz de Dios para los demás y el público en general, le ha permitido impartir el amor, la presencia y el aliento del Señor en los Estados Unidos, Europa, Asia, los países en vías de desarrollo, así como en el gobierno, la industria de las inversiones bancarias, Hollywood, las prisiones, los hospitales, las calles y a través de la televisión, la radio y el Internet. Su deseo más profundo es ver a las personas cumplir su único y singular destino en las siete montes de influencia.

ASKBARBIE.com es una sesión de coaching de vida profética personalizada que se puede programar a través del teléfono 972-253-6653 o solicitando una cita en DreamsDecoder.com. El entrenamiento de vida en los temas de los sueños proféticos de Barbie es un poderoso recurso y un tiempo de ministración personal que ayuda a los principales líderes de Hollywood, del gobierno, las empresas estadounidenses, diversos campos de influencia y ciudadanos del común, a comprender, interpretar y aplicar las directrices que reciben de Dios por medio de profecías, sueños y visiones.

Barbie se ha rendido completamente al Espíritu Santo con el fin de poder obtener un sabio consejo y desarrollar piadosas estrategias que deriven

en milagros, señales y prodigios. Muchos individuos han sido milagrosamente sanados en sus reuniones, y otros tantos han experimentado la presencia del Espíritu con señales, maravillas y milagros extraordinarios como nunca antes. Su humor contagioso propugna por la unidad de los múltiples equipos que ha ministrado, tanto dentro como fuera de la iglesia. Con ese propósito, la Dra. Barbie ha establecido y dirigido tres diferentes centros de capacitación profética en los Estados Unidos. Los ministerios Breath of the Spirit, con la Dra Breathitt a la cabeza, ofrece cruzadas evangelísticas y una variedad de encuentros y cursos sobre sanación, interpretación de sueños, dones de revelación, trabajo con ángeles, y sobre cómo usar la imaginación para tener éxito en las distintas esferas del reino de Dios, los negocios y las relaciones. Actualmente, Barbie es miembro activo de la Red Global de la Esfera del Dr. Chuck Pierce, del Consejo Profético Internacional de los Generales de Jacob, de los Ministerios Internacionales Harvest con el Dr. Che' Ahn, de la Coalición Internacional de Líderes Apostólicos del Apóstol John Kelly y del ministerio Xtreme Prophetic comandado por Patricia King.

COMPROMISOS PARA CHARLAS Y CONFERENCIAS

Barbie viaja continuamente por todo el mundo para compartir su sabiduría y conocimientos sobre la interpretación bíblica de los sueños. Por favor, póngase en contacto con Rachel Freeman en Breath of the Spirit Ministres, Inc. a través del correo electrónico (info@barbiebreathitt.com), el sitio web (*www.DreamsDecoder.com*) o por teléfono al (972) 253-6653 para obtener más información.

MI DIARIO DE SUEÑOS

En Barbie Breathitt Enterprises estamos emocionados de que muchísimas personas en el reino de Dios estén profundizando en la comprensión de los sueños. Los 38 años de estudio y experiencia de Barbie en la interpretación onírica con base en la Biblia y la guía por el espíritu están disponibles en una experiencia inigualable de aprendizaje en línea.

Para ello, hemos abierto un sitio web interactivo *(DecodeMyDream.com)*, que está impactando e inspirando a soñadores de todo el mundo. Creemos que es de vital importancia registrar los sueños dados por Dios y buscar los mensajes que estos contienen. Nuestro sitio web proporciona un detallado diario de los sueños en línea, evaluaciones, mapeo, interpretaciones proféticas y una capacitación certificada en la comprensión de los sueños.

Te invitamos para que ahora mismo te registres en nuestro sitio web y obtengas vía online tu diario gratuito de sueños en DecodeMyDream.com. Desde el diario de los sueños, puedes enviar fácilmente tus sueños para que sean interpretados por Barbie y nuestro superlativo equipo de intérpretes oníricos.

La serie IMAGINE

*Volumen I: Revealing the Mysteries of God (*Revelando los Misterios de Dios) te ayudará a comprender plenamente que el Espíritu de Cristo mora poderosamente dentro de tu imaginación santificada. En este volumen usted podrá descubrir cómo reemplazar la mentalidad carnal que ha limitado a Dios y relegado Su grandeza en tu vida. Al descancansar en Dios y experimentar su gloriosa presencia, usted será facultado para aprovechar Su verdad, sabiduría celestial, revelación y la fe sobrenatural para abrazar y lograr con confianza tu singular propósito y destino en esta nueva etapa de tu vida.

¡Dios te ha dado una nueva y fascinante identidad en esta nueva era! *Volumen II: Transforming Into Your New Identity (*Transformándote en tu nueva identidad) te inspira y enseña cómo desbloquear y madurar aún más tu imaginación para que puedas cumplir cabalmente los propósitos que Dios tiene para ti. En este volumen aprenderás cómo despojarte de tu yo mundano y carnal a fin de que puedas transitar a un estado superior de tu SER en Cristo. Nuestro propósito es que avances más allá de las limitaciones de la tercera dimensión y obtengas el conocimiento sobrenatural e inagotable de la cuarta dimensión del Espíritu.

El maravilloso diseño y el funcionamiento sublime de la imaginación inspirada se desvela aún más en este tercer volumen, haciendo que obtengas una comprensión espiritual aplicable de cómo acceder, descifrar e interpretar los significados de las visiones y los sueños que Dios produce hábilmente en tu imaginación. Descubrirás cómo acceder a la autoridad que Dios te ha dado, haciendo que te unas a su fuego vital para creer, ver y profetizar en la dimensión del AHORA por medio de la fe en Él. A través de una comprensión amplificada de la Palabra de Dios y una clara visión espiritual del profundo poder de la oración imaginativa, podrás acceder a las respuestas a tus oraciones que el Señor han estado esperando que descubras desde el Génesis de la Creación. *Volumen III: Emerging Beyond the Limitations (*Emergiendo más allá de las limitaciones) te equipará y ayudará a hacer una transición completa hacia tu nueva y gloriosa identidad en Cristo. ¡Tu fe en Dios explotará en el poder sobrenatural de Dios!

En este instructivo e iluminador volumen, obtendrás conocimientos divinos sobre el poder curativo del subconsciente, el poder imaginativo de Dios y los milagros creativos.

El *Volumen IV*: **Releasing God's Creative Power** *(*Liberando el Poder Creativo de Dios) desafiará lo que usted cree, ve y razona como verdadero y le ayudará a identificar los obstáculos que impiden que sus oraciones sean contestadas. Ciertamente Dios está restaurando a su pueblo como un hombre nuevo. Al usar tu imaginación santificada, descubrirás cómo ponerte de acuerdo con el Señor para que liberes eficazmente tu voz profética en esta nueva era y obtengas una valiosa instrucción sobre cómo aumentar, avanzar y prosperar los propósitos de Dios para Su reino.

Este quinto volumen de la serie **IMAGINE** completa los conceptos aprendidos en los volúmenes anteriores. Después de que hayas creído, contemplado y obtenido tu nueva identidad, descubrirás las claves para mantenerlas con éxito. Encontrarás el poder creativo de Dios, el deseo de la vid, las disciplinas piadosas de la imaginación y el crecimiento duradero. ¡AHORA es el momento de avanzar! El *Volumen V: Believe, See and Achieve Your Destiny (*Crea, vea y logra tu destino) ofrece sólidas enseñanzas bíblicas sobre cómo usar tu imaginación creativa para profetizar y encaminarte hacia el destino que Dios ha ordenado para ti y las naciones. Adquirirás el conocimiento y la sabiduría necesarios para operar eficazmente, perseverar y prosperar como una nueva creatura y un verdadero hijo de Dios.

LIBROS DE BOLSILLO Y EN FORMATO KINDLE

Dream Encounters–Seeing Your Destiny from God's Perspective (Encuentros en sueños: Observando tu destino desde la perspectiva de Dios) es la «Piedra Rosetta» para interpretar los oníricos vapores de los sueños

Sin lugar a dudas, este libro posee una rara y singular inspiración, ya que fue escrito para convencer a los grandes escépticos y educar al creyente más fervoroso. «Dream Encounters» tiene la finalidad de que los lectores comprendan las cartas de amor simbólicas y visuales en el misterioso mundo de los sueños desde la perspectiva de Dios. Por lo tanto, atrévete a a viajar a través de las parábolas nocturnas del subconsciente del alma, para que aprendas cómo las verdades de los sueños impactan tu mundo y reorientan tu propósito y destino.

Este libre te enseña las claves más valiosas para interpretar exitosamente los misterios de tus sueños. Este material se encuentra disponible como libro de bolsillo, libro digital o audiolibro en inglés, y próximamente también estará disponible en español.

Gateway to the Seer Realm: Look Again to See Beyond the Natural (Portales de acceso a la dimensión profética: Observa de nuevo y mira más allá de lo natral) fue escrito por la dotada vidente y profeta, la Dra

Barbie Breathitt, cuya experiencia personal en la interpretación de los sueños y trasegar en el ámbito profético acumula ya varias décadas de probada experiencia. La lectura de este extraordinario libro te ofrece valiosos conocimientos que te ayudan a entender cómo operan los caminos de Dios a través de las dimensiones sobrenaturales de la visión, los sueños, los ángeles, la sanidad, el destino. Este libro, además, te lleva a un mayor nivel de comprensión de la revelación para que puedas acceder a la dimensión profética por medio de la comunicación íntima y continua con Dios.

Dream Seer: Searching for the Face of the Invisible (Profeta de los sueños: Buscando el rostro de lo invisible) fue escrito por la Dra. Barbie L. Breathitt

para ayudar a los lectores a entender las esferas angelicales, las visiones divinas, la voz y la presencia del Señor y las dimensiones donde los vapores etéreos de nuestros sueños pueden convertirse en presencias sustanciales cuando nos atrevemos a creer que todo es posible con el Señor. Dios es el dador de los sueños y Jesús nuestro sublime redentor y, como el caballero de brillante armadura que es, viene a restaurar los sueños que, quizás, hemos dejado caer en el camino. El Espíritu Santo nos inspira a recordar las imágenes que Él ya nos ha enviado hace tiempo. Dios ya trazó nuestro futuro y, por lo tanto, hace que los acontecimientos del mundo influyan en nuestras circunstancias individuales como Él quiere. Cuando los acontecimientos de nuestras vidas coinciden con el tiempo correcto de Sus planes, se produce la siguiente fase de nuestro destino. El Espíritu Santo conoce el momento perfecto para llevar los sueños y planes que Él ha formulado permitiendo que nuestros propósitos se cumplan.

Sólo hay una interpretación correcta, y es la de Dios. Todo lo demás son sólo tenues matices.

Dream Interpreter (El interpretador de sueños) te dará la habilidad de descifrar correctamente el simbolismo de tus sueños y te ayudará a comprender las simbologías, las tipologías, las sombras de las imágenes desde una perspectiva celestial y te revelará los misterios ocultos que estos contienen. Este excepcional libro claramente ayudará al lector a traducir las percepciones espirituales o cualquier suceso onírico, y le ayudará a discernir con precisión los acontecimientos ocurridos en la espesa bruma de la noche. Los intérpretes de sueños dotados pueden decodificar un secreto oculto y desarrollar un modelo para la prosperidad. También saben cómo desentrañar la evolución de las visiones y sueños vividos, al tiempo que poseen la habilidad de interpretar el lenguaje simbólico de las pesadillas y los terrores nocturnos para luego ofrecer un cuadro verdadero sobre la vida de uno. Como sabios consejeros o coaching de vida que son, los intérpretes de sueños tienen la facultad de modelar el destino que brota de las profundidades del potencial del alma humana y guiar con éxito al soñador.

Adquirir un conocimiento práctico del simbolismo de los sueños, sin lugar a dudas, mejorará tu capacidad de descifrar los significados profundos de cada símbolo y desvelar la interpretación de cada uno de tus sueños. El conocimiento es poder, así que aprende a interpretar expeditamente los misterios que se esconden detrás de cada uno de tus sueños. Sus sublimes secretos sacarán a la luz tu potencial oculto para que puedas diseñar el destino que siempre has anhelado. Al acceder a los conocimientos revelados, a miles de palabras clave y múltiples significados

simbólicos almacendos en las páginas del ***Diccionario de la simbología de los sueños, de la A a la Z***, podrás comprender a profundidad por qué un determinado animal, objeto, persona, lugar, vehículo, prenda de vestir, herramienta, hogar, comida, flor, patrón climático, acción, emoción, color o número aparecido en tu sueño subconsciente.

Angels in God's Kingdom (Ángeles en el reino de Dios) impulsa a los lectores más allá de la comprensión natural del mundo que les rodea para que perciban y naveguen por las atmósferas sobrenaturales del mundo invisible de los ángeles. Este recurso bíblico integral y único en su género está lleno de una revelación progresiva y de verdades espirituales inspiradas. Por medio de él la Dr. Barbie L. Breathitt cubre temas fascinantes que detallan el origen, la existencia y la morada de los seres

angélicos, así como sus nombres, sus funciones ministeriales, sus deberes y hechos poco conocidos sobre las clasificadones de los ángeles. En él la autora también explora la naturaleza de los ángeles, el audaz poder de la fe activa y cómo las unciones de los ángeles, serafines, querubines, criaturas celestiales y huestes nos conectan y guían través del mundo espiritual. Barbie comparte sus encuentros angélicos de la vida real y el conocimiento que ha recibido a través de sus diversas visitas, además de su experiencia traumática con el espíritu de la muerte. Ciertamente el adentrarnos en la misteriosa y poderosa presencia de los ángeles puede enseñarnos a redimir el tiempo, sobre todo cuando invitamos a estos seres a salir de la eternidad para que nos asistan con milagros, sanidades y liberaciones. Aprende a ser prosperado mientras los ángeles del reino de Dios chocan contra las maléficas y destructivas fuerzas del reino de las tinieblas. Por otra parte, obtén una comprensión espiritual de cómo los santos e inteligentes ángeles del Señor chocan frontalmente contra las huestes de Satanás y los diabólicos seres caídos en el mundo moderno de hoy, y descubre cómo los gigantes de los días de Noé están afectando a la sociedad actual. Como hijos de Dios, estamos llamados a vencerlos por medio de la sangre de Jesús.

When Will My Dreams Come True? (¿Cuándo seharán realidad mis sueños?). Este práctico libro proporciona valiosas descripciones detalladas sobre los sueños, visiones y contadores espirituales.

La información comparti- da en estas páginas educará al soñador respecto a las técnicas bíblicas de interpretación de los sueños. A través del estudio y la aplicación del alfabeto y los números hebreos, usted podrá desarrollar la unción de Isacar para discernir los días, los tiempos y las estaciones en que sus sueños se harán realidad. El vocabulario y la terminología de investigación profética reuni-

El vocabulario y la terminología de investigación profética reunida en esta magnífica colección de datos (perlas preciosas de interpretación de sueños y escalones progresivos de revelación), son un recurso invaluable para que los soñadores aprendan cómo registrar e interpretar con precisión el significado de sus sueños, a fin de que puedan orar, decretar y declarar su realización.

TARJETAS DE SÍMBOLOS DE SUEÑOS

Estas tarjetas de símbolos oníricos, artísticamente diseñadas, permiten al soñador acceder a los significados ocultos de los símbolos que aparecen en muchos de sus sueños y visiones. Estas tarjetas también

son útiles para ayudar al creyente a descifrar el lenguaje simbólico que Dios utiliza para comunicarse a través del ímpetu inspirador del Espíritu. «Dios está hablando poderosamente a través de los sueños en este momento. Aunque muchos creyentes están teniendo sueños significativos, no entienden el significado de los símbolos que contienen. Barbie Breathitt ha hecho un trabajo maravilloso al preparar las tarjetas de sueños como una tremenda herramienta para ayudar en este proceso. Son de muy alta calidad y están totalmente plastificadas para garantizar su durabilidad. Quedé impresionada cuando las vi», Patricia King XP Ministries *www.xpministries.com*

Adquiere todas las tarjetas de símbolos de encuentro con el sueño de Barbie, artísticamente diseñadas y laminadas. Estas están disponibles como tarjetas de sueño individuales en una hoja de cálculo Excel o en colecciones encuadernadas en espiral.

El volumen I contiene un conjunto original de 23 tarjetas de sueños que comienza con 1433 definiciones únicas de símbolos, lo que constituye un excelente regalo para aquellos que desean aprender el significado de sus sueños. La colección incluye animales, ropa y vestimenta, partes del cuerpo, color, curación del color y la música, criaturas grandes, criaturas pequeñas, lenguaje de los sueños de Dios, ir a lugares, ir a más lugares, mobiliario del hogar, joyas, instrumentos musicales, números, personas, tarjeta del ministerio de la palabra de conocimiento de los videntes, espiritual, más espiritual, herramientas, Estados de EE.UU., vehículos, tiempo y elementos naturales.

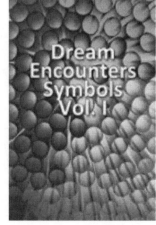

El volumen II contiene 18 tarjetas de sueños diferentes con 619 definiciones de símbolos diferentes. La colección incluye pájaros (4 tarjetas de los de sueños que contienen una miríada de criaturas aladas positivas y negativas), bichos e insectos (3 tarjetas), dinero y finanzas, nutrición (5 tarjetas que describen el significado de diferentes alimentos, dulces, carnes y verduras), plantas y flores (4 tarjetas detallan lo que representan los diferentes arreglos florales y ramos de flores).

Dios regala flores a su novia por medio de los sueños. ¿Qué te está diciendo?), y una variada lista que contiene los símbolos de sueños más frecuentes.

El volumen III contiene 29 tarjetas de sueños adicionales encuadernadas en espiral que combinan 913 símbolos reunidos en útiles categorías para facilitar su estudio y uso.

La colección incluye: partes del cuerpo (una extensa compilación de 5 tarjetas de símbolos de sueños), edificios, habitaciones y estructuras (4 tarjetas), personas (12 tarjetas individuales que enumeran carreras, profesiones y llamados), armas de guerra espirituales y militares (4 tarjetas de símbolos de sueños

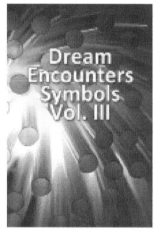

que describen las armas espirituales de oración disponibles para los creyentes), y vehículos (4 tarjetas de símbolos de sueños: barcos, camiones, coches, furgonetas, aviones, cohetes y más).

El volumen IV, ACCIONES, contiene 13 tarjetas de símbolos oníricos artísticamente diseñadas y encuadernadas en espiral con 386 movimientos diferentes, como volar, correr, transportar y traducir acciones.

Dream Sexology (La sexología de los sueños) contiene 4 tarjetas de símbolos de sueños únicas y bastante informativas con 95 definiciones de símbolos particulares que explican los significados de del lenguaje onírico de su intimidad y desnudez.

Sports and Recreation (Deportes y recreación) contiene 13 tarjetas de símbolos de sueños con más de 321 diferentes pasatiempos, deportes, juegos y mucho más con el fin de ayudarle a tomar parte activa en el juego de la vida en lugar de sentarse en las líneas laterales a observar la emoción de los demás.

SERIE DE ENSEÑANZAS EN MP3

The Dream Encounter y su respectivo manual está diseñado para enseñar, entrenar, activar e impartir las habilidades tendiente a interpretar y entender cómo Dios se comunica con nosotros a través de los sueños y las visiones nocturnas. Jesús sigue enseñando a través de parábolas nocturnas y sueños inspirados. La Biblia nos da tres claves que serán usadas en el avivamiento de los últimos tiempos y el derramamiento del Espíritu Santo. Los temas del curso incluyen: sueños, visiones,transposiciones, traslados, sueños lúcidos, colores, números, símbolos de los sueños, interpretación de los sueños, y equipos de sueños y otros alcances.

The Revelatory Encounter y su respectivo manual es un curso profético diseñado para enseñar, entrenar, activar y mejorar la capacidad de escuchar la voz de Dios para ti y los demás. Este entrenamiento te ayuda a reconocer y a eliminar los obstáculos que te impiden escuchar la susurrante y silenciosa voz de Dios. Los temas del curso incluye los siguientes temas: Desarrollo del carácter divino y la integridad, Profetas del Antiguo y del Nuevo Testamento, Falsos profetas, Profetas inmaduros, Amigos de Dios, Conocer la voz de Dios, Diferencia entre el don de profecía y el oficio profético, Formas de revelación, Cuatro categorías de profecía, Espíritu de profecía, Nueve dones del Espíritu Santo, Interpretación, Aplicación, El vidente, Los vigilantes, Intercesión, Oración, Intimidad, Autoridad espiritual y Desarrollo de equipos ministeriales proféticos.

The Angelic Encounter and Manual (El encuentro angelical y su manual) es un curso que establece una base bíblica para la prueba y el ministerio de los ángeles. Los temas incluyen: ¿Qué son los ángeles? Ministerio de los ángeles; Tipos, funciones y características de los ángeles; Satanás y los ángeles caídos; y Los ángeles y la muerte de los santos. En este curso Barbie comparte sus experiencias personales respecto a las visitas angelicales.

The Kingdom Encounter (El encuentro del Reino) incluye algunos de los temas de enseñanza más populares de Barbie, como son El ciclo de la vida, Entrando en el reino de Dios I y II, El poder de la paz, Entrando en el descanso, Es hora de un cambio repentino en tu vida, Está lloviendo, Corazón puro, luz pura, El río y las ruedas de Ezequiel, Vestidos para el éxito, Vestidos con la luz de Dios, El poder del cambio en el reino, Los colores y la luz de Dios.

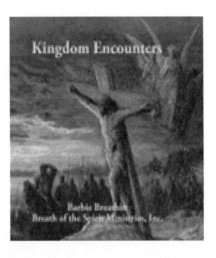

The Healing Encounter and Manual (El Encuentro de Sanación y el Manual) están diseñados para enseñar, entrenar, activar e impartir la creencias, habilidades y destrezas para moverse en el ministerio de la sanidad. El temario incluye: Introducción a la sanidad; Jesús, el sanador; Cuestiones del corazón; Cuatro aspectos de la sanidad; El reino de la fe; Toma tu autoridad; Obtén lo que esperas; Milagros hoy; Obstáculos en los milagros; El sufrimiento en relación con la sanidad; La voz sanadora de Dios; ¡Debes verlo para que ocurra!; Conserva tu sanidad; Escrituras de sanidad; Bautismo con el Espíritu Santo; y Caminando en el ministerio de la sanación.

OTROS RECURSOS

Healing Card (La Tarjeta de Sanación) es una ficha de referencia que relaciona las enfermedades con

las posibles causas espirituales. Esta tarjeta de sanación nace de las experiencias ministeriales de Barbie y de los encuentros de intercesores y de aquellos en ministerios de sanación. Es ideal para intercesores e individuos que necesitan una dirección clara en lo tocante a sus oraciones de sanación.

*The Hand Prayer Points Chart (*La Tabla de Puntos de Oración para las manos) es una tarjeta de refe-

rencia que relaciona las enfermedades y dolencias con los puntos de oración en la mano. Es ideal para los intercesores que necesitan una dirección clara para sus oraciones.

The Foot Prayer Points Chart (La Tabla de Puntos de Oración para los Pies) es una tarjeta de referen-

cia que relaciona los órganos del cuerpo, las enfermedades y las dolencias con los puntos de oración en los pies. Es ideal para los intercesores que necesitan una dirección clara para sus oraciones

*Waking Words of Ancient Wisdom (*Despertando a las palabras de la sabiduría antigua) Acostúmbrate a ver la hora en el reloj digital cuando te despiertes de un sueño espiritualmente significativo. Los números que aparecen en el reloj digital son a menudo claves para ayudar a entender el mensaje que Dios le está dando en sus sueños. Anota la hora en tu reloj, luego busca el capítulo y el versículo correspondiente en la

Biblia. Permite que el Espíritu Santo acelere el «despertar a las palabras de la sabiduría antigua» dispuesta en tu corazón y aplícalas en tu vida. Esta es una maravillosa manera de explorar la Biblia diariamente mientras buscas los significados más profundos de los tesoros que Dios te está revelando a través de tus sueños. Visita *www.BarbieBreathitt.com* para obtener instrucciones de uso más detalladas.

Dream Encounter Anointing Oil (Encuentro en los sueños y aceite de la unción). Úngete cada noche con

este aceite perfumado para que tengas mejores sueños y ora para que el Espíritu Santo te visite mientras duermes. Sin duda, experimentarás un nivel elevado de sueños, visiones y visitaciones del Espíritu de Dios.

NUEVO PODCAST

Descubre el nuevo podcast de Barbie, *Imagine Revealing the Mysteries of God with Dr. Barbie Breathitt, the Dreams Decoder,* en cpnshows. com, iTunes, Google Play, Spotify, YouTube, Amazon y Libsyn RSS.

FORMACIÓN Y ORDENACIÓN

Para estos productos y otros recursos adicionales de la Dra. Barbie L. Breathitt, visita:

- www.DreamsDecoder.com
- www.DecodeMyDream.com
- www.BarbieBreathitt.com
- www.BreathoftheSpiritMinistries.com
- www.BarbieBreathittEnterprises.com

Breath of the Spirit Ministries, Inc. PO Box 1356
Lake Dallas, TX 75065-1356 (972) 253-6653